유형 해결의 법칙

내신에 최적화된

문제 기본서

개념과 문제를 유형화하여 공부하는 것은
수학 실력 향상의 밑거름입니다.
가장 효율적으로 유형을 나누어 연습하는

최고의 유형 문제집!

이책의 구성과 특징

Structure

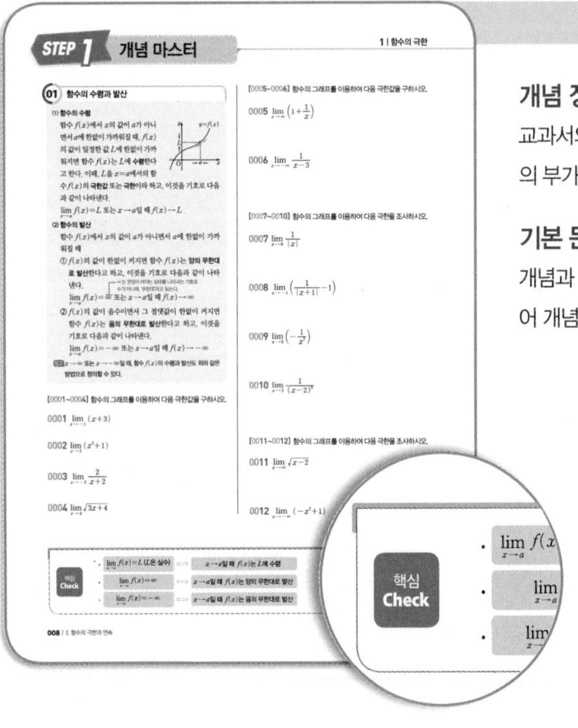

STEP 1 | 개념 마스터

개념 정리
교과서의 핵심 개념 및 기본 공식, 정의 등을 정리하고 예, 참고 등의 부가설명을 통해 보다 쉽게 개념을 이해할 수 있도록 하였습니다.

기본 문제
개념과 공식을 바로 적용하여 해결할 수 있는 기본적인 문제를 다루어 개념을 확실하게 익힐 수 있도록 하였습니다.

핵심 Check
핵심 개념을 도식화하여 요점 정리하였습니다.

STEP 2 | 유형 마스터

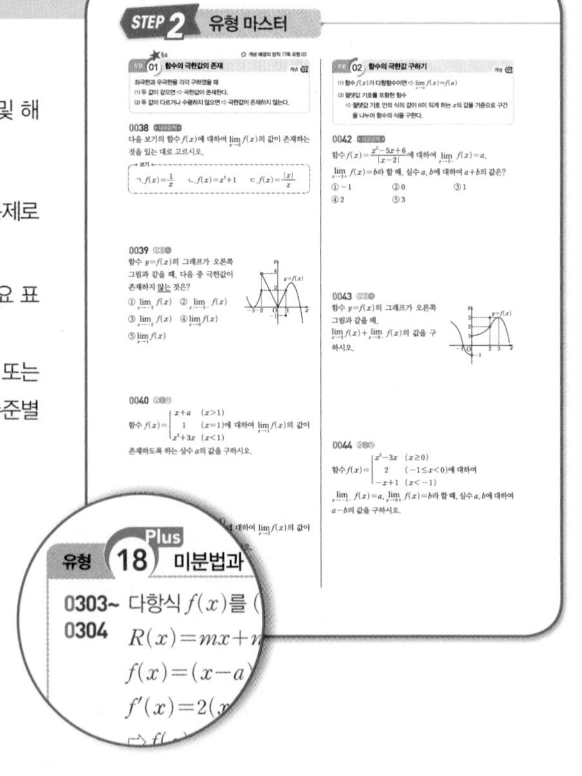

유형 & 해결 전략
중단원의 핵심 유형을 선정하고, 그 유형 학습에 필요한 개념 및 해결 전략을 제시하여 문제 해결력을 키울 수 있도록 하였습니다.

- 대표문제 : 각 유형에서 시험에 자주 출제되는 문제를 대표문제로 지정하였습니다.
- ★중요 : 내신 출제율이 높고 꼭 알아두어야 할 유형에 중요 표시 하였습니다.
- 발전 유형 : 정규 교과 과정의 내용은 아니나 알아둬야 할 유형 또는 발전 유형을 기본 유형과 다른 색으로 표시하여 수준별 학습이 가능하도록 하였습니다.

유형 Plus
각 유형에서 약간 응용되어 변별력이 있는 문제들을 'Plus'로 구분하고 추가 풀이 전략을 제시하여 보다 쉽게 접근하도록 하였습니다.

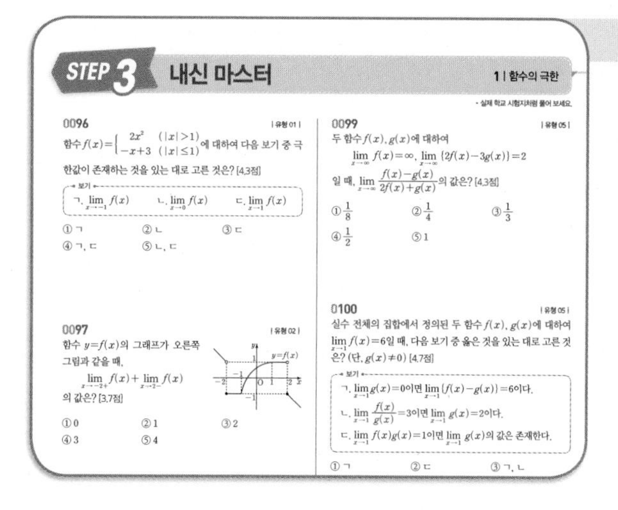

STEP 3 | 내신 마스터

문항별로 점수를 제시하고, 서술형 문제들을 따로 모아 제공하여 실제 학교 시험지처럼 구성하였습니다.

문항별로 관련 유형을 링크하여 어떤 유형과 연계된 문제인지 알 수 있도록 하였습니다.

성/취/도 Check 중단원 학습을 마무리하고, 자신의 실력을 체크하여 성취도에 맞춰 피드백할 수 있도록 하였습니다. 유형 학습이 부족한 경우는 관련 유형을 다시 한 번 익히도록 합니다.

창의·융합 교과서 속 심화문제

교과서 속 심화 문제 및 도전해 볼만한 수능·모의고사 기출 문제를 제공하여 고득점에 대비할 수 있도록 하였습니다.

창의력, **융합형**, **창의·융합** 문제를 통해 다각화된 수학적 문제 해결 능력을 강화할 수 있도록 하였습니다.

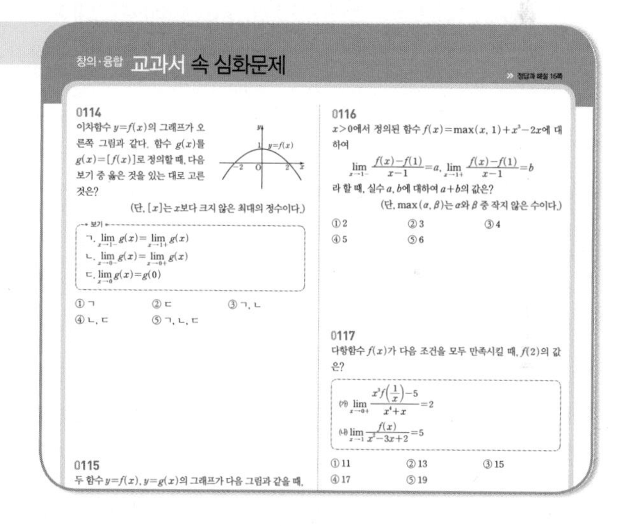

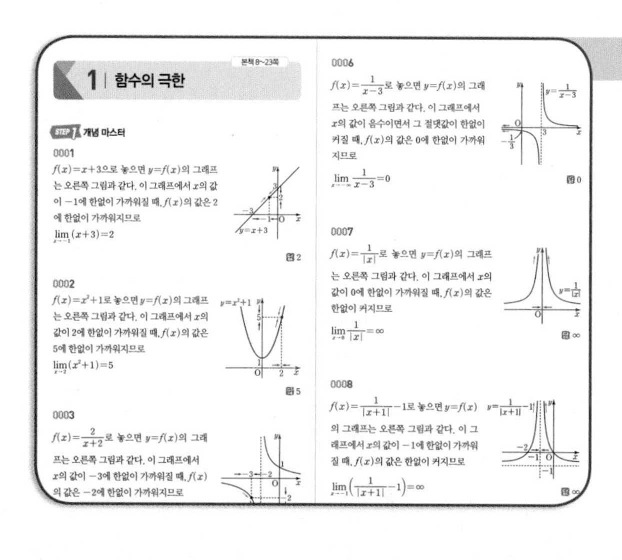

정답과 해설

자세하고 친절한 해설을 수록하였습니다.

|전략| 문제에 접근할 수 있는 실마리를 제공하였습니다.

다른 풀이 일반적인 풀이 방법 외에 다른 원리나 개념을 이용한 풀이를 제시하였습니다.

Lecture 풀이를 이해하는데 도움이 되는 내용, 풀이 과정에서 범할 수 있는 실수, 주의할 내용들을 짚어줍니다.

유형 해결의 법칙의

특장과 활용법

Merits & Use

특장

❶ 수학의 모든 유형의 문제를 다룬다.

전국 고등학교의 내신 기출 문제를 수집, 분석하여 유형별로 수록함으로써 개념을 익힐 수 있는 충분한 문제 연습이 가능하도록 하였습니다.

❷ 내신에 최적화된 문제 기본서

기본 문제로 개념 확인하기, 유형별로 문제 익히기, 실전 시험에 대비하기, 교과서 속 심화 문제를 통해 응용력 강화하기 등 단계별로 학습이 가능한 내신에 최적화된 시스템으로 구성하였습니다.

❸ 전략을 통한 문제 해결 방법 제시

유형별 해결 전략을 제시하여 핵심 유형을 마스터하고 해결 능력을 스스로 향상시킬 수 있도록 하였습니다.

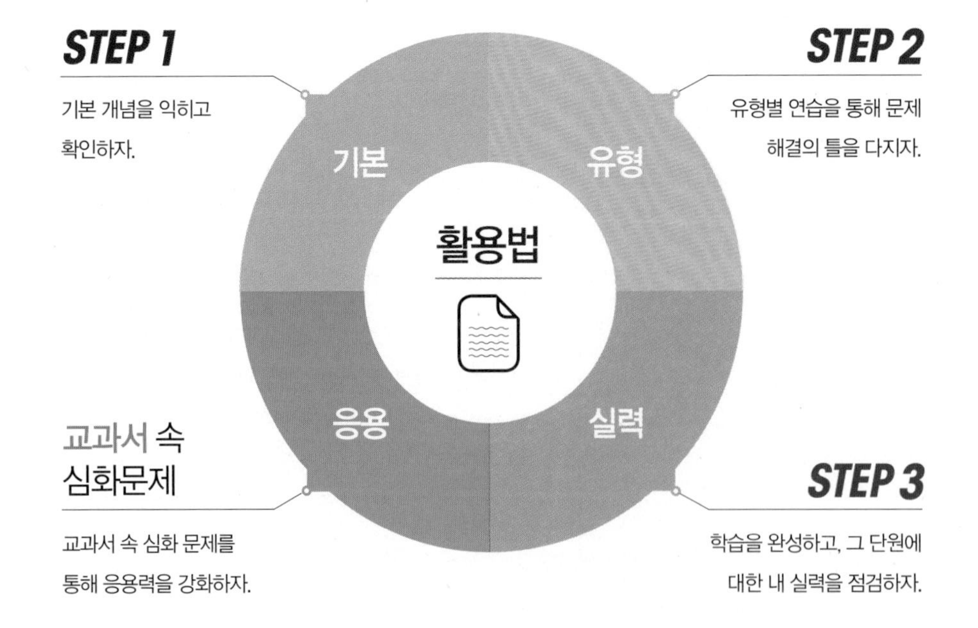

이책의 차례

Contents

수학 Ⅱ

Ⅰ 함수의 극한과 연속

1 함수의 극한 006

2 함수의 연속 024

Ⅱ 미분

3 미분계수와 도함수 040

4 도함수의 활용 (1) 058

5 도함수의 활용 (2) 074

6 도함수의 활용 (3) 094

Ⅲ 적분

7 부정적분 110

8 정적분 124

9 정적분의 활용 142

1

함수의 극한

오늘 할 수 있는 일에 전력을 다하라.
그러면 내일은 한 걸음 더 진보한다.

-뉴턴

기출 문제 분석

빅 데이터

＊ 전국 300여 개 고등학교 기출 문제를 분석하였습니다.

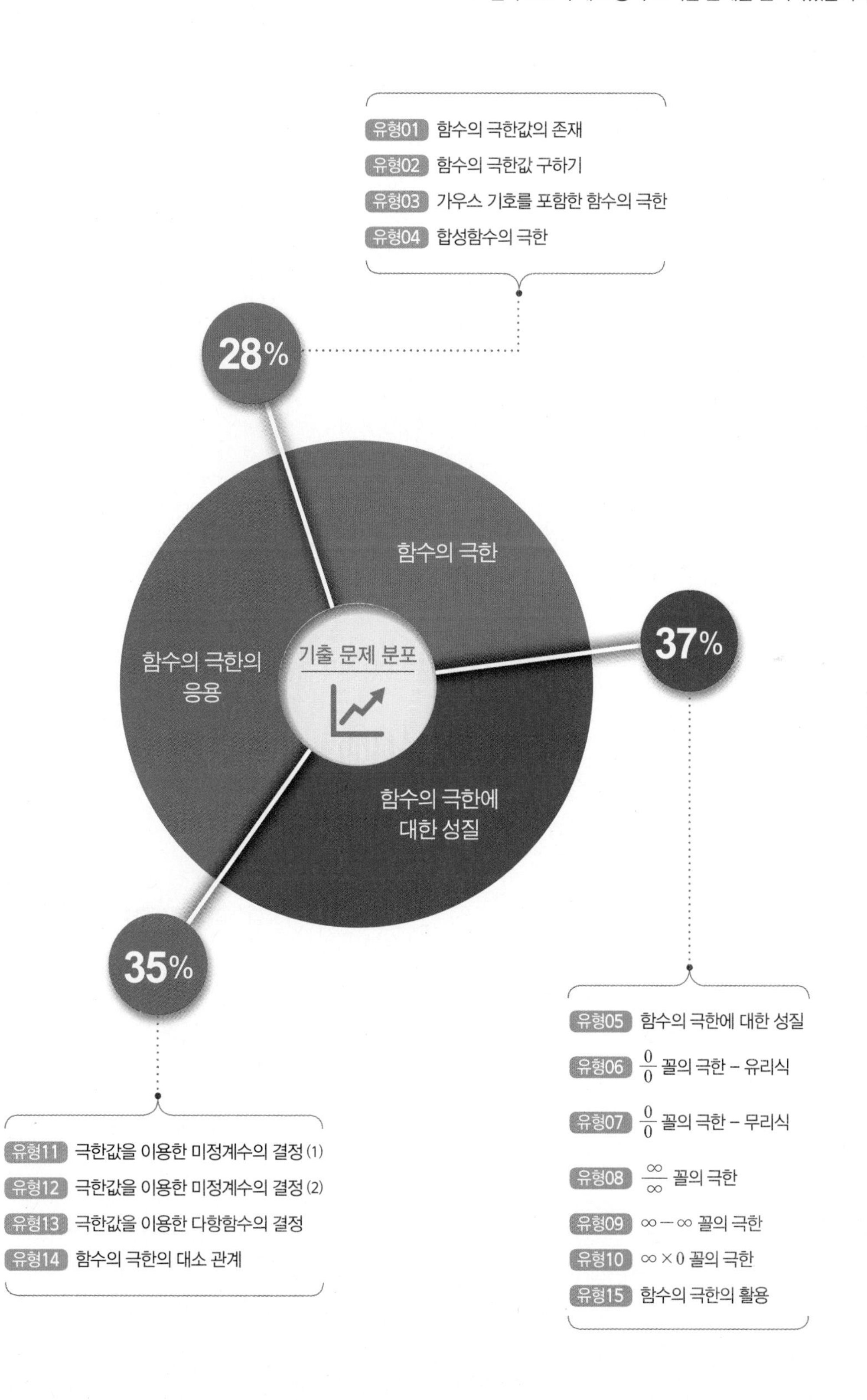

STEP 1 개념 마스터

01 함수의 수렴과 발산

(1) 함수의 수렴

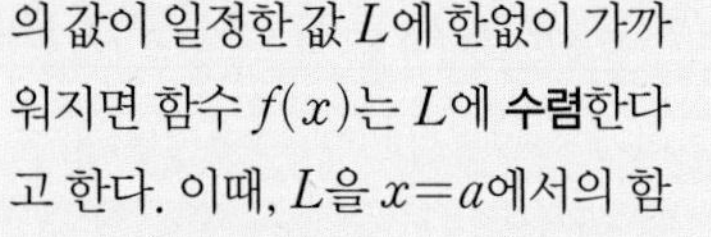

함수 $f(x)$에서 x의 값이 a가 아니면서 a에 한없이 가까워질 때, $f(x)$의 값이 일정한 값 L에 한없이 가까워지면 함수 $f(x)$는 L에 **수렴**한다고 한다. 이때, L을 $x=a$에서의 함수 $f(x)$의 **극한값** 또는 **극한**이라 하고, 이것을 기호로 다음과 같이 나타낸다.

$\lim_{x \to a} f(x)=L$ 또는 $x \to a$일 때 $f(x) \to L$

(2) 함수의 발산

함수 $f(x)$에서 x의 값이 a가 아니면서 a에 한없이 가까워질 때

① $f(x)$의 값이 한없이 커지면 함수 $f(x)$는 **양의 무한대로 발산**한다고 하고, 이것을 기호로 다음과 같이 나타낸다.

$\lim_{x \to a} f(x)=\infty$ 또는 $x \to a$일 때 $f(x) \to \infty$

(∞는 한없이 커지는 상태를 나타내는 기호로 수가 아니며, '무한대'라고 읽는다.)

② $f(x)$의 값이 음수이면서 그 절댓값이 한없이 커지면 함수 $f(x)$는 **음의 무한대로 발산**한다고 하고, 이것을 기호로 다음과 같이 나타낸다.

$\lim_{x \to a} f(x)=-\infty$ 또는 $x \to a$일 때 $f(x) \to -\infty$

참고 $x \to \infty$ 또는 $x \to -\infty$일 때, 함수 $f(x)$의 수렴과 발산도 위와 같은 방법으로 정의할 수 있다.

[0001~0004] 함수의 그래프를 이용하여 다음 극한값을 구하시오.

0001 $\lim_{x \to -1} (x+3)$

0002 $\lim_{x \to 2} (x^2+1)$

0003 $\lim_{x \to -3} \frac{2}{x+2}$

0004 $\lim_{x \to 4} \sqrt{3x+4}$

[0005~0006] 함수의 그래프를 이용하여 다음 극한값을 구하시오.

0005 $\lim_{x \to \infty} \left(1+\frac{1}{x}\right)$

0006 $\lim_{x \to -\infty} \frac{1}{x-3}$

[0007~0010] 함수의 그래프를 이용하여 다음 극한을 조사하시오.

0007 $\lim_{x \to 0} \frac{1}{|x|}$

0008 $\lim_{x \to -1} \left(\frac{1}{|x+1|}-1\right)$

0009 $\lim_{x \to 0} \left(-\frac{1}{x^2}\right)$

0010 $\lim_{x \to 2} \frac{1}{(x-2)^2}$

[0011~0012] 함수의 그래프를 이용하여 다음 극한을 조사하시오.

0011 $\lim_{x \to \infty} \sqrt{x-2}$

0012 $\lim_{x \to -\infty} (-x^2+1)$

핵심 Check

- $\lim_{x \to a} f(x)=L$ (L은 실수) $\iff$ $x \to a$일 때 $f(x)$는 L에 수렴
- $\lim_{x \to a} f(x)=\infty$ $\iff$ $x \to a$일 때 $f(x)$는 양의 무한대로 발산
- $\lim_{x \to a} f(x)=-\infty$ $\iff$ $x \to a$일 때 $f(x)$는 음의 무한대로 발산

02 좌극한과 우극한

유형 01~04

(1) 좌극한과 우극한

① 함수 $f(x)$에서 x의 값이 a보다 작으면서 a에 한없이 가까워질 때, $f(x)$의 값이 일정한 값 L에 한없이 가까워지면 L을 $x=a$에서의 함수 $f(x)$의 **좌극한**이라 하고, 이것을 기호로 다음과 같이 나타낸다.

$\lim_{x \to a-} f(x)=L$ 또는 $x \to a-$일 때 $f(x) \to L$

② 함수 $f(x)$에서 x의 값이 a보다 크면서 a에 한없이 가까워질 때, $f(x)$의 값이 일정한 값 M에 한없이 가까워지면 M을 $x=a$에서의 함수 $f(x)$의 **우극한**이라 하고, 이것을 기호로 다음과 같이 나타낸다.

$\lim_{x \to a+} f(x)=M$ 또는 $x \to a+$일 때 $f(x) \to M$

(2) 극한값의 존재

함수 $f(x)$에 대하여 $x=a$에서의 좌극한과 우극한이 모두 존재하고 그 값이 L로 같으면 $\lim_{x \to a} f(x)$의 값이 존재하고 그 극한값은 L이다. 또, 그 역도 성립한다.

$\lim_{x \to a-} f(x)=\lim_{x \to a+} f(x)=L \Longleftrightarrow \lim_{x \to a} f(x)=L$

0013 함수 $y=f(x)$의 그래프가 오른쪽 그림과 같을 때, 다음 극한을 조사하시오.

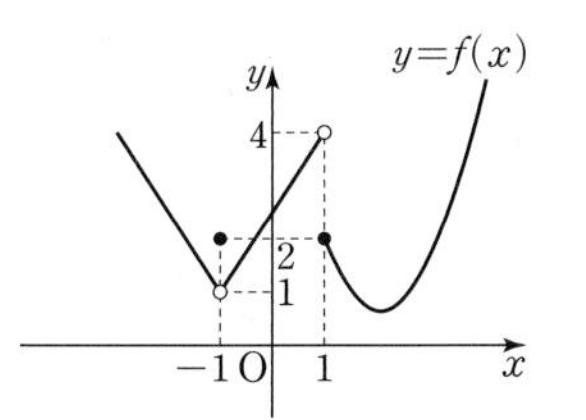

(1) $\lim_{x \to -1-} f(x)$

(2) $\lim_{x \to -1+} f(x)$

(3) $\lim_{x \to -1} f(x)$

(4) $\lim_{x \to 1-} f(x)$

(5) $\lim_{x \to 1+} f(x)$

(6) $\lim_{x \to 1} f(x)$

0014 함수 $f(x)=\begin{cases} x+1 & (x \geq 3) \\ 2 & (x<3) \end{cases}$에 대하여 다음 극한을 조사하시오.

(1) $\lim_{x \to 3-} f(x)$

(2) $\lim_{x \to 3+} f(x)$

(3) $\lim_{x \to 3} f(x)$

03 함수의 극한에 대한 성질

유형 05

두 함수 $f(x)$, $g(x)$에 대하여 $\lim_{x \to a} f(x)=L$, $\lim_{x \to a} g(x)=M$ (L, M은 실수)일 때

(1) $\lim_{x \to a} cf(x)=c\lim_{x \to a} f(x)=cL$ (단, c는 상수)

(2) $\lim_{x \to a} \{f(x)+g(x)\}=\lim_{x \to a} f(x)+\lim_{x \to a} g(x)=L+M$

(3) $\lim_{x \to a} \{f(x)-g(x)\}=\lim_{x \to a} f(x)-\lim_{x \to a} g(x)=L-M$

(4) $\lim_{x \to a} f(x)g(x)=\lim_{x \to a} f(x)\times\lim_{x \to a} g(x)=LM$

(5) $\lim_{x \to a} \dfrac{f(x)}{g(x)}=\dfrac{\lim_{x \to a} f(x)}{\lim_{x \to a} g(x)}=\dfrac{L}{M}$ (단, $M \neq 0$)

참고 함수의 극한에 대한 성질은 $x \to a-$, $x \to a+$, $x \to \infty$, $x \to -\infty$일 때도 성립한다.

[0015~0018] 다음 극한값을 구하시오.

0015 $\lim_{x \to 1} (-2x+1)$

0016 $\lim_{x \to -1} x^2(x-4)$

0017 $\lim_{x \to 2} \dfrac{x+3}{x^2+1}$

0018 $\lim_{x \to -3} \dfrac{x^2+x}{x-1}$

핵심 Check

- $\lim_{x \to a-} f(x)=\lim_{x \to a+} f(x)=L$ (L은 실수) $\Longleftrightarrow$ $\lim_{x \to a} f(x)=L$
- 수렴하는 두 함수의 합, 차, 곱, 몫의 극한 ⟶ 함수의 극한에 대한 성질 이용

04 함수의 극한값의 계산

유형 06~10, 15

(1) $\frac{0}{0}$ 꼴의 극한

① 분모, 분자가 모두 다항식인 경우: 분모, 분자를 각각 인수분해하여 약분한다.

② 분모, 분자 중 무리식이 있는 경우: 근호가 있는 쪽을 유리화한다.

(2) $\frac{\infty}{\infty}$ 꼴의 극한

분모의 최고차항으로 분모, 분자를 각각 나눈다.

(3) $\infty-\infty$ 꼴의 극한

① 다항식인 경우: 최고차항으로 묶는다.

② 무리식이 있는 경우: 분모를 1로 보고 분자를 유리화한다.

(4) $\infty\times 0$ 꼴의 극한

통분하거나 유리화하여 $\frac{0}{0}$, $\frac{\infty}{\infty}$, $\infty\times c$, $\frac{c}{\infty}$ (c는 상수) 꼴로 변형한다.

[0019~0023] 다음 극한값을 구하시오.

0019 $\lim_{x\to 1}\frac{x-1}{2x^2-x-1}$

0020 $\lim_{x\to 3}\frac{x^2-4x+3}{x-3}$

0021 $\lim_{x\to 1}\frac{x^2+3x-4}{x^2-3x+2}$

0022 $\lim_{x\to 4}\frac{\sqrt{x+5}-3}{x-4}$

0023 $\lim_{x\to 2}\frac{x-2}{\sqrt{x+2}-2}$

[0024~0027] 다음 극한을 조사하시오.

0024 $\lim_{x\to\infty}\frac{2x+1}{3x^2-x+1}$

0025 $\lim_{x\to\infty}\frac{x^3-3x^2+x}{2x^2-1}$

0026 $\lim_{x\to\infty}\frac{4x^2-2x-1}{x^2+2}$

0027 $\lim_{x\to\infty}\frac{(2x+1)(x-1)}{x^2-x+1}$

[0028~0029] 다음 극한값을 구하시오.

0028 $\lim_{x\to\infty}(\sqrt{x+1}-\sqrt{x-1})$

0029 $\lim_{x\to\infty}(\sqrt{x^2+2x}-x)$

[0030~0031] 다음 극한값을 구하시오.

0030 $\lim_{x\to 0}\frac{1}{x}\left(-\frac{1}{x+1}+1\right)$

0031 $\lim_{x\to\infty}3x\left(1-\frac{x-1}{x+2}\right)$

- $\frac{0}{0}$ 꼴의 극한
  - 분모, 분자가 모두 다항식인 경우 → 분모, 분자를 인수분해하여 약분
  - 분모, 분자 중 무리식이 있는 경우 → 근호가 있는 쪽을 유리화
- $\frac{\infty}{\infty}$ 꼴의 극한 → 분모의 최고차항으로 분모, 분자를 각각 나눈다.

05 극한값을 이용한 미정계수의 결정 유형 11~13

두 함수 $f(x)$, $g(x)$에 대하여

(1) $\lim_{x \to a} \frac{f(x)}{g(x)} = L$ (L은 실수)일 때, $\lim_{x \to a} g(x) = 0$이면 $\lim_{x \to a} f(x) = 0$

(2) $\lim_{x \to a} \frac{f(x)}{g(x)} = L$ ($L \neq 0$인 실수)일 때, $\lim_{x \to a} f(x) = 0$이면 $\lim_{x \to a} g(x) = 0$

[0032~0033] 다음 등식이 성립하도록 하는 상수 a, b의 값을 각각 구하시오.

0032 $\lim_{x \to -2} \frac{ax+b}{x+2} = 2$

0033 $\lim_{x \to 2} \frac{x^2+ax+b}{x-2} = 5$

[0034~0035] 다음 등식이 성립하도록 하는 상수 a, b의 값을 각각 구하시오.

0034 $\lim_{x \to 1} \frac{x-1}{x^2+ax+b} = -1$

0035 $\lim_{x \to 2} \frac{x^2-x-2}{2x^2+ax+b} = \frac{1}{3}$

06 함수의 극한의 대소 관계 유형 14

두 함수 $f(x)$, $g(x)$에 대하여 $\lim_{x \to a} f(x) = L$, $\lim_{x \to a} g(x) = M$ (L, M은 실수)일 때, a에 가까운 모든 실수 x에 대하여

(1) $f(x) \leq g(x)$이면 $L \leq M$

(2) 함수 $h(x)$에 대하여 $f(x) \leq h(x) \leq g(x)$이고 $L = M$이면 $\lim_{x \to a} h(x) = L$

참고 함수의 극한의 대소 관계는 $x \to a-$, $x \to a+$, $x \to \infty$, $x \to -\infty$일 때도 성립한다.

0036 함수 $f(x)$가 모든 실수 x에 대하여

$$\frac{2x^2-1}{x^2+1} \leq f(x) \leq \frac{3x^2-1}{x^2+1}$$

을 만족시킬 때, 다음 극한값을 구하시오.

(1) $\lim_{x \to 0} \frac{2x^2-1}{x^2+1}$

(2) $\lim_{x \to 0} \frac{3x^2-1}{x^2+1}$

(3) $\lim_{x \to 0} f(x)$

0037 함수 $f(x)$가 $x>0$인 모든 실수 x에 대하여

$$1-\frac{1}{x} < f(x) < 1+\frac{1}{x}$$

을 만족시킬 때, $\lim_{x \to \infty} f(x)$의 값을 구하시오.

핵심 Check

- $\lim_{x \to a} \frac{(\text{분자})}{(\text{분모})} = L$일 때
  - (분모) → 0 ⟶ (분자) → 0
  - $L \neq 0$, (분자) → 0 ⟶ (분모) → 0
- $f(x) \leq h(x) \leq g(x)$이고 $\lim_{x \to a} f(x) = \lim_{x \to a} g(x) = L$ ⟶ $\lim_{x \to a} h(x) = L$

STEP 2 유형 마스터

중요

개념 해결의 법칙 17쪽 유형 03

유형 01 함수의 극한값의 존재

개념 02

좌극한과 우극한을 각각 구하였을 때
(1) 두 값이 같으면 ⇨ 극한값이 존재한다.
(2) 두 값이 다르거나 수렴하지 않으면 ⇨ 극한값이 존재하지 않는다.

0038 대표문제

다음 보기의 함수 $f(x)$에 대하여 $\lim\limits_{x \to 0} f(x)$의 값이 존재하는 것을 있는 대로 고르시오.

보기
ㄱ. $f(x)=\dfrac{1}{x}$　ㄴ. $f(x)=x^2+1$　ㄷ. $f(x)=\dfrac{|x|}{x}$

0039 상중하

함수 $y=f(x)$의 그래프가 오른쪽 그림과 같을 때, 다음 중 극한값이 존재하지 않는 것은?

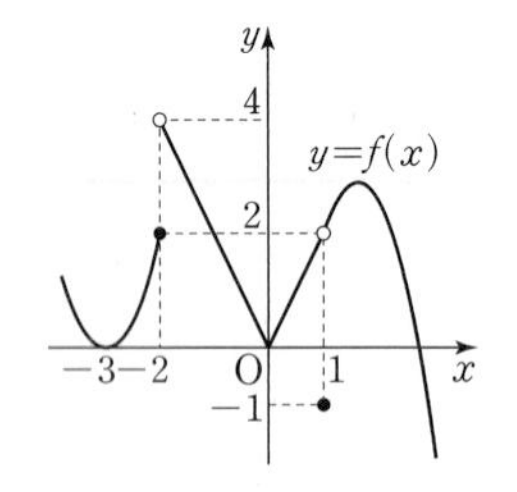

① $\lim\limits_{x \to -3} f(x)$　② $\lim\limits_{x \to -2-} f(x)$
③ $\lim\limits_{x \to -2} f(x)$　④ $\lim\limits_{x \to 0} f(x)$
⑤ $\lim\limits_{x \to 1} f(x)$

0040 상중하

함수 $f(x)=\begin{cases} x+a & (x>1) \\ 1 & (x=1) \\ x^2+3x & (x<1) \end{cases}$에 대하여 $\lim\limits_{x \to 1} f(x)$의 값이 존재하도록 하는 상수 a의 값을 구하시오.

0041 상중하

함수 $f(x)=\begin{cases} -x^2+k^2 & (x \geq 2) \\ x+k & (x<2) \end{cases}$에 대하여 $\lim\limits_{x \to 2} f(x)$의 값이 존재하도록 하는 양수 k의 값을 구하시오.

유형 02 함수의 극한값 구하기

개념 02

(1) 함수 $f(x)$가 다항함수이면 ⇨ $\lim\limits_{x \to a} f(x)=f(a)$
(2) 절댓값 기호를 포함한 함수
⇨ 절댓값 기호 안의 식의 값이 0이 되게 하는 x의 값을 기준으로 구간을 나누어 함수의 식을 구한다.

0042 대표문제

함수 $f(x)=\dfrac{x^2-5x+6}{|x-2|}$에 대하여 $\lim\limits_{x \to 2-} f(x)=a$, $\lim\limits_{x \to 2+} f(x)=b$라 할 때, 실수 a, b에 대하여 $a+b$의 값은?

① -1　② 0　③ 1
④ 2　⑤ 3

0043 상중하

함수 $y=f(x)$의 그래프가 오른쪽 그림과 같을 때, $\lim\limits_{x \to 2} f(x)+\lim\limits_{x \to 0-} f(x)$의 값을 구하시오.

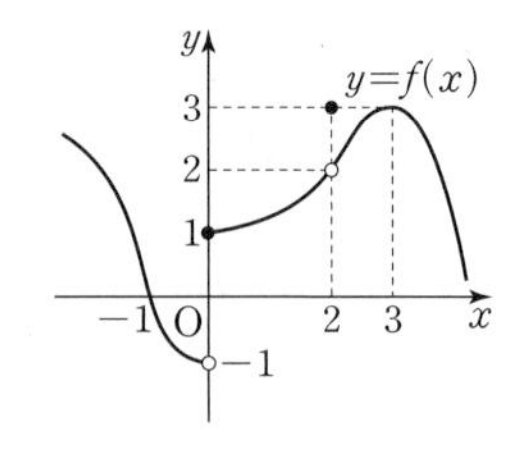

0044 상중하

함수 $f(x)=\begin{cases} x^2-3x & (x \geq 0) \\ 2 & (-1 \leq x<0) \\ -x+1 & (x<-1) \end{cases}$에 대하여 $\lim\limits_{x \to -1-} f(x)=a$, $\lim\limits_{x \to 0+} f(x)=b$라 할 때, 실수 a, b에 대하여 $a-b$의 값을 구하시오.

발전 유형 03 가우스 기호를 포함한 함수의 극한

개념 02

$[x]$가 x보다 크지 않은 최대의 정수일 때, 정수 n에 대하여

(1) $n-1\le x<n$이면 $[x]=n-1$이므로 ⇨ $\lim_{x\to n-}[x]=n-1$

(2) $n\le x<n+1$이면 $[x]=n$이므로 ⇨ $\lim_{x\to n+}[x]=n$

0045 • 대표문제 •

다음 극한값 중에서 가장 큰 것은?

(단, $[x]$는 x보다 크지 않은 최대의 정수이다.)

① $\lim_{x\to 0-}\frac{x}{[x]}$ ② $\lim_{x\to 1.5}\frac{x}{[x]}$ ③ $\lim_{x\to 0+}\frac{[x+1]}{x-1}$

④ $\lim_{x\to 0-}\frac{[x-1]}{x-1}$ ⑤ $\lim_{x\to 1+}\frac{[x-1]}{x+1}$

0046 상중하

$\lim_{x\to 2-}[x-2]+\lim_{x\to 2+}[x+1]$의 값은?

(단, $[x]$는 x보다 크지 않은 최대의 정수이다.)

① -2 ② -1 ③ 0

④ 1 ⑤ 2

0047 상중하

함수 $f(x)=[x]^2-a[x]$에 대하여 $\lim_{x\to 3}f(x)$의 값이 존재하도록 하는 상수 a의 값은?

(단, $[x]$는 x보다 크지 않은 최대의 정수이다.)

① 1 ② 3 ③ 5

④ 7 ⑤ 9

유형 04 합성함수의 극한

개념 02

$\lim_{x\to a-}g(f(x))$의 값을 구할 때는

(1) $x\to a-$일 때 $f(x)\to b-$이면 ⇨ $\lim_{x\to a-}g(f(x))=\lim_{f(x)\to b-}g(f(x))$

(2) $x\to a-$일 때 $f(x)\to b+$이면 ⇨ $\lim_{x\to a-}g(f(x))=\lim_{f(x)\to b+}g(f(x))$

(3) $x\to a-$일 때 $f(x)=b$이면 ⇨ $\lim_{x\to a-}g(f(x))=g(b)$

0048 • 대표문제 •

두 함수 $y=f(x)$, $y=g(x)$의 그래프가 다음 그림과 같을 때, $\lim_{x\to 0+}g(f(x))+\lim_{x\to 2+}g(f(x))$의 값은?

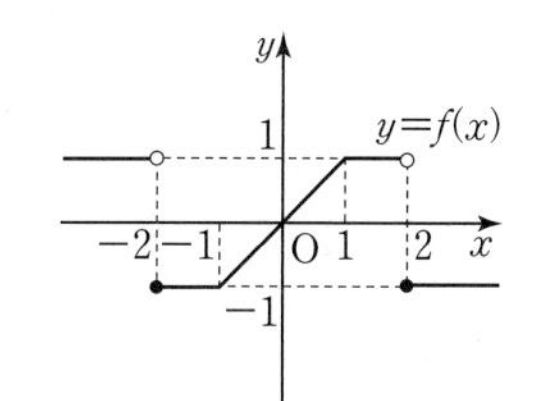

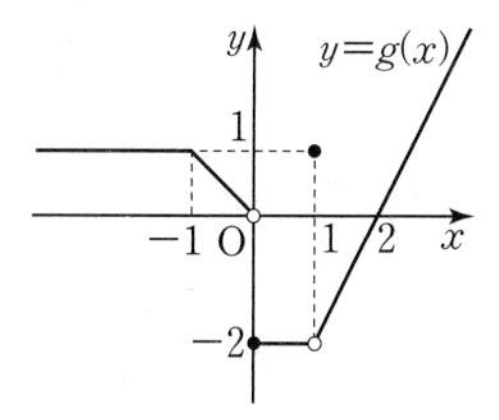

① -2 ② -1 ③ 0

④ 1 ⑤ 2

0049 상중하

함수 $y=f(x)$의 그래프가 오른쪽 그림과 같을 때, 다음 보기 중 옳은 것을 있는 대로 고른 것은?

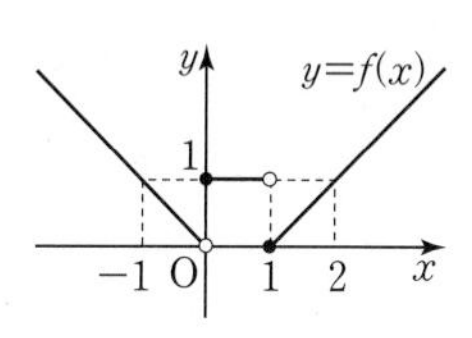

보기

ㄱ. $\lim_{x\to 1}f(x)=0$ ㄴ. $\lim_{x\to 1-}f(f(x))=0$

ㄷ. $\lim_{x\to 1+}f(f(x))=1$

① ㄱ ② ㄴ ③ ㄷ

④ ㄱ, ㄷ ⑤ ㄴ, ㄷ

0050 상중하

두 함수 $y=f(x)$, $y=g(x)$의 그래프가 다음 그림과 같을 때, $\lim_{x\to 0-}f(g(x))+\lim_{x\to 1-}g(f(x))+\lim_{x\to 1+}f(f(x))$의 값을 구하시오.

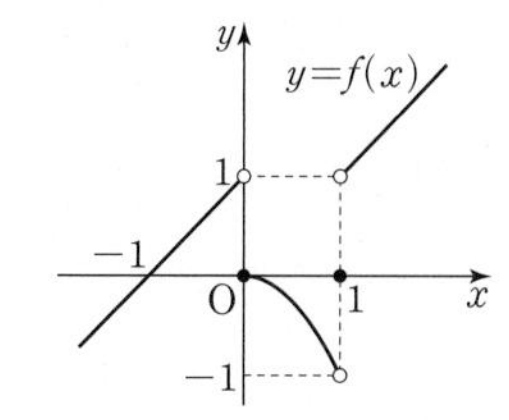

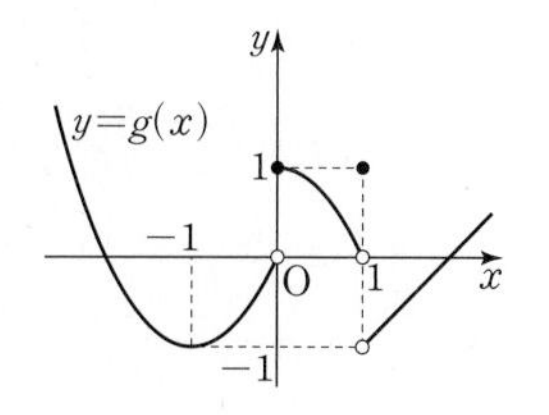

중요

개념 해결의 법칙 22쪽 유형 01

유형 05 함수의 극한에 대한 성질

개념 03

두 함수 $f(x)$, $g(x)$에 대하여

(1) $\lim_{x \to \infty} \{f(x)-g(x)\}=L$ (L은 실수)일 때
⇨ $f(x)-g(x)=h(x)$로 놓고
$g(x)=f(x)-h(x)$, $\lim_{x \to \infty} h(x)=L$임을 이용한다.

(2) $\lim_{x \to a} \frac{f(x-a)}{x-a}=M$ (M은 실수)일 때
⇨ $x-a=t$로 놓고 $\lim_{t \to 0} \frac{f(t)}{t}=M$임을 이용한다.

0051 • 대표문제 •

두 함수 $f(x)$, $g(x)$에 대하여 $\lim_{x \to \infty} f(x)=\infty$, $\lim_{x \to \infty} \{3f(x)-g(x)\}=1$일 때, $\lim_{x \to \infty} \frac{2f(x)-3g(x)}{4f(x)+g(x)}$의 값을 구하시오.

0052 상중하

두 함수 $f(x)$, $g(x)$에 대하여 $\lim_{x \to \infty} \frac{f(x)}{g(x)}=4$일 때, $\lim_{x \to \infty} \frac{3f(x)+2g(x)}{f(x)-3g(x)}$의 값을 구하시오.

0053 상중하

두 함수 $f(x)$, $g(x)$에 대하여 $\lim_{x \to 1} f(x)=3$, $\lim_{x \to 1} \{2f(x)-3g(x)\}=12$일 때, $\lim_{x \to 1} g(x)$의 값은?

① -3 ② -2 ③ -1
④ 1 ⑤ 2

0054 상중하

두 함수 $f(x)$, $g(x)$에 대하여 $\lim_{x \to \infty} f(x)=4$, $\lim_{x \to \infty} g(x)=a$일 때, $\lim_{x \to \infty} \frac{f(x)-g(x)}{2f(x)-5g(x)}=1$을 만족시키는 실수 a의 값을 구하시오.

0055 상중하

다항함수 $f(x)$에 대하여 $\lim_{x \to 5} \frac{f(x)-5}{x-5}=-10$일 때, $\lim_{x \to 0} \frac{2x+5-f(2x+5)}{x}$의 값은?

① 14 ② 16 ③ 18
④ 20 ⑤ 22

0056 상중하 서술형

함수 $f(x)$에 대하여 $\lim_{x \to 3} \frac{f(x-3)}{x-3}=4$일 때, $\lim_{x \to 0} \frac{2f(x)+3x^2}{3f(x)-2x^2}$의 값을 구하시오.

0057 상중하

두 함수 $f(x)$, $g(x)$의 극한에 대한 다음 보기의 설명 중 옳은 것을 있는 대로 고르시오.

보기

ㄱ. $\lim_{x \to a} \{f(x)+g(x)\}$, $\lim_{x \to a} \{f(x)-g(x)\}$의 값이 각각 존재하면 $\lim_{x \to a} f(x)$의 값이 존재한다.

ㄴ. $\lim_{x \to a} f(x)$, $\lim_{x \to a} f(x)g(x)$의 값이 각각 존재하면 $\lim_{x \to a} g(x)$의 값이 존재한다.

ㄷ. $\lim_{x \to a} f(x)=0$, $\lim_{x \to a} g(x)=\infty$이면 $\lim_{x \to a} f(x)g(x)=0$이다.

개념 해결의 법칙 23쪽 유형 02

중요 유형 06 $\frac{0}{0}$ 꼴의 극한 – 유리식

개념 04

분모, 분자가 모두 다항식인 경우에는
⇨ 분모, 분자를 각각 인수분해하여 약분한다.

0058 • 대표문제 •

$\lim_{x\to2}\frac{x^3-x-6}{x^2-3x+2}$의 값을 구하시오.

0059 상중하

$\lim_{x\to2}\frac{x^2+2x-8}{x^2-5x+6}$의 값은?

① -6 ② -4 ③ -2
④ 0 ⑤ 2

0060 상중하

다항함수 $f(x)$에 대하여 $\lim_{x\to1}\frac{3(x^4-1)}{(x^2-1)f(x)}=2$가 성립할 때, $f(1)$의 값을 구하시오.

0061 상중하

다항함수 $f(x)$가 $\lim_{x\to2}\frac{f(x)+1}{x-2}=-4$를 만족시킬 때, $\lim_{x\to2}\frac{\{f(x)\}^2+f(x)}{x^2f(x)-4f(x)}$의 값을 구하시오.

개념 해결의 법칙 23쪽 유형 02

유형 07 $\frac{0}{0}$ 꼴의 극한 – 무리식

개념 04

분모, 분자 중 무리식이 있는 경우에는
⇨ 근호가 있는 쪽을 유리화한다.

0062 • 대표문제 •

$\lim_{x\to2}\frac{x-2}{\sqrt{x^2+5}-3}$의 값은?

① $\frac{2}{3}$ ② $\frac{3}{4}$ ③ 1
④ $\frac{4}{3}$ ⑤ $\frac{3}{2}$

0063 상중하

$\lim_{x\to1}\frac{\sqrt{x+3}-2}{x^2-1}$의 값을 구하시오.

0064 상중하

$\lim_{x\to0}\frac{\sqrt{1+x^2}-\sqrt{1-x^2}}{\sqrt{1+x}-\sqrt{1-x}}$의 값은?

① -1 ② 0 ③ 1
④ 4 ⑤ 9

0065 상중하

$\lim_{x\to2}\frac{\sqrt{x+2}-2}{x-\sqrt{3x-2}}$의 값은?

① $\frac{1}{2}$ ② 1 ③ $\frac{3}{2}$
④ 2 ⑤ $\frac{5}{2}$

★중요

개념 해결의 법칙 24쪽 유형 03

유형 08 $\dfrac{\infty}{\infty}$ 꼴의 극한

개념 04

(i) 분모의 최고차항으로 분모, 분자를 각각 나눈다.

(ii) $\lim\limits_{x\to\infty}\dfrac{c}{x^n}=0$ (n은 자연수, c는 상수)임을 이용한다.

0066 • 대표문제 •

$\lim\limits_{x\to-\infty}\dfrac{x+1}{\sqrt{x^2+x}-x}$의 값을 구하시오.

0067 상중하

다음 보기 중 옳은 것을 있는 대로 고른 것은?

보기

ㄱ. $\lim\limits_{x\to\infty}\dfrac{7x}{5x^2-1}=\dfrac{7}{5}$

ㄴ. $\lim\limits_{x\to\infty}\dfrac{6x^2-x}{2x^2+1}=3$

ㄷ. $\lim\limits_{x\to\infty}\dfrac{3x}{\sqrt{x^2+2}+x}=3$

① ㄱ ② ㄴ ③ ㄷ

④ ㄱ, ㄷ ⑤ ㄴ, ㄷ

0068 상중하

다항함수 $f(x)$에 대하여 $\lim\limits_{x\to\infty}\dfrac{f(x)}{x}$가 0이 아닌 값일 때,

$\lim\limits_{x\to\infty}\dfrac{2x^2+f(x)}{x^2+2f(x)}$의 값은?

① -1 ② 0 ③ 1

④ 2 ⑤ 4

0069 상중하

다항함수 $f(x)$에 대하여 $\lim\limits_{x\to-\infty}\dfrac{f(x)}{x}=a$,

$\lim\limits_{x\to-\infty}\dfrac{2f(x)-1}{\sqrt{x^2-f(x)}+f(x)}=3$일 때, 실수 a의 값을 구하시오.

개념 해결의 법칙 25쪽 유형 04

유형 09 $\infty-\infty$ 꼴의 극한

개념 04

(1) 다항식 ⇨ 최고차항으로 묶는다.

(2) 무리식 ⇨ 분모를 1로 보고 분자를 유리화하여 $\dfrac{\infty}{\infty}$ 꼴로 변형한다.

0070 • 대표문제 •

$\lim\limits_{x\to-\infty}(\sqrt{x^2-5x+2}+x)$의 값은?

① $-\dfrac{5}{2}$ ② $-\dfrac{3}{2}$ ③ $\dfrac{1}{2}$

④ $\dfrac{3}{2}$ ⑤ $\dfrac{5}{2}$

0071 상중하

$\lim\limits_{x\to\infty}(\sqrt{x^2-x}-x)$의 값을 구하시오.

0072 상중하

$\lim\limits_{x\to\infty}(\sqrt{x^2+3x-1}-\sqrt{x^2-x+1})$의 값은?

① -4 ② -2 ③ 0

④ 2 ⑤ $\dfrac{5}{2}$

0073 상중하

$\lim\limits_{x\to\infty}\dfrac{\sqrt{x+1}-\sqrt{x+3}}{\sqrt{x+2}-\sqrt{x}}$의 값은?

① $-\dfrac{3}{2}$ ② -1 ③ $\dfrac{1}{2}$

④ 1 ⑤ $\dfrac{3}{2}$

개념 해결의 법칙 26쪽 유형 05

유형 10 $\infty \times 0$ 꼴의 극한

개념 04

통분하거나 유리화하여 $\frac{0}{0}$, $\frac{\infty}{\infty}$, $\infty \times c$, $\frac{c}{\infty}$ (c는 상수) 꼴로 변형한다.

0074 • 대표문제 •

$\lim_{x \to 1} \frac{1}{x-1}\left(\frac{x^2}{x+1}-\frac{1}{2}\right)$의 값은?

① -1 ② $-\frac{3}{4}$ ③ $-\frac{1}{2}$
④ $\frac{3}{4}$ ⑤ 1

0075 상중하

$\lim_{x \to 3} \frac{1}{x-3}\left(\frac{1}{\sqrt{x+1}}-\frac{1}{2}\right)$의 값은?

① -1 ② $-\frac{1}{2}$ ③ $-\frac{1}{4}$
④ $-\frac{1}{8}$ ⑤ $-\frac{1}{16}$

0076 상중하

$\lim_{x \to \infty} x^2\left(1-\frac{x}{\sqrt{x^2+1}}\right)$의 값을 구하시오.

개념 해결의 법칙 30쪽 유형 01

유형 11 극한값을 이용한 미정계수의 결정 (1)

중요 · 개념 05

미정계수가 포함된 분수 꼴의 함수에서 $x \to a$일 때
(1) (분모) → 0이고 극한값이 존재하면 ⇨ (분자) → 0
(2) (분자) → 0이고 0이 아닌 극한값이 존재하면 ⇨ (분모) → 0

0077 • 대표문제 •

$\lim_{x \to 1} \frac{x^2+ax+b}{x^2-1}=3$일 때, 상수 a, b에 대하여 $a-b$의 값은?

① -9 ② -1 ③ 1
④ 5 ⑤ 9

0078 상중하

$\lim_{x \to -1} \frac{x^2-1}{2x^2+x-a}=b$를 만족시키는 상수 a, b에 대하여 $a+b$의 값을 구하시오. (단, $b \neq 0$)

0079 상중하 서술형

$\lim_{x \to 1} \frac{a\sqrt{x+3}+b}{x-1}=\frac{1}{4}$일 때, 상수 a, b에 대하여 ab의 값을 구하시오.

0080 상중하

$\lim_{x \to 2} \frac{x-2}{1-\sqrt{a-x^2}}=b$에서 b가 0이 아닌 실수일 때,
$\lim_{x \to 1} \frac{x^2-6x+a}{2x^2-3x+2b}$의 값은? (단, a는 상수)

① -4 ② -3 ③ 1
④ 2 ⑤ 3

개념 해결의 법칙 30쪽 유형 01

유형 12 극한값을 이용한 미정계수의 결정 (2)

개념 05

$\frac{0}{0}$, $\frac{\infty}{\infty}$, $\infty-\infty$ 꼴의 극한의 계산 방법에 따라 식을 변형한 다음 극한값이 존재함을 이용한다.

0081 대표문제

$\lim_{x\to\infty}(\sqrt{x^2+2x+3}-ax-b)=-3$을 만족시키는 상수 a, b에 대하여 $a+b$의 값은?

① 1 ② 2 ③ 3
④ 4 ⑤ 5

0082 상중하

$\lim_{x\to a}\frac{x^3-a^3}{x^2-a^2}=3$일 때, $\lim_{x\to a}\frac{x^3-ax^2+a^2x-a^3}{x-a}$의 값은?

(단, a는 상수)

① -1 ② 1 ③ 2
④ 8 ⑤ 10

0083 상중하

$\lim_{x\to\infty}\left(ax+b-\frac{x^3+1}{x^2+1}\right)=0$을 만족시키는 상수 a, b에 대하여 $a+b$의 값은?

① 1 ② 2 ③ 3
④ 4 ⑤ 5

0084 상중하

$\lim_{x\to-\infty}(\sqrt{ax^2+bx}+x)=-1$을 만족시키는 상수 a, b에 대하여 ab의 값을 구하시오.

개념 해결의 법칙 31쪽 유형 02

중요 유형 13 극한값을 이용한 다항함수의 결정

개념 05

두 다항함수 $f(x)$, $g(x)$에 대하여

(1) $\lim_{x\to\infty}\frac{f(x)}{g(x)}=L$ ($L\neq0$인 실수)이면
⇨ $f(x)$와 $g(x)$의 차수가 같고, 최고차항의 계수의 비는 L이다.

(2) $\lim_{x\to a}\frac{f(x)}{g(x)}=M$ (M은 실수)일 때, $\lim_{x\to a}g(x)=0$이면
⇨ $\lim_{x\to a}f(x)=0$

0085 대표문제

다항함수 $f(x)$가 다음 조건을 모두 만족시킬 때, $f(2)$의 값을 구하시오.

(가) $\lim_{x\to\infty}\frac{f(x)}{2x^2-x+9}=2$ (나) $\lim_{x\to1}\frac{f(x)}{x^2+2x-3}=1$

0086 상중하

삼차함수 $f(x)$에 대하여

$$\lim_{x\to0}\frac{f(x)}{x}=2,\ \lim_{x\to1}\frac{f(x)}{x-1}=-1$$

일 때, $\lim_{x\to2}\frac{f(x)}{x-2}$의 값을 구하시오.

0087 상중하

다항함수 $f(x)$에 대하여 $f(1)=3$, $f(-1)=7$이고, $\lim_{x\to\infty}\frac{f(x)}{x^2-1}=3$일 때, $f(2)$의 값을 구하시오.

0088 상중하

다항함수 $f(x)$가 $\lim_{x\to\infty}\frac{f(x)-6x^2}{2x-3}=a$, $\lim_{x\to1}\frac{f(x)}{x-1}=-2$를 만족시킬 때, 실수 a의 값은?

① -11 ② -9 ③ -7
④ -5 ⑤ -3

0089 상중하

$\lim_{x \to -1} \frac{f(x)}{x+1} = 2$, $\lim_{x \to -2} \frac{f(x)}{x+2} = -3$을 만족시키는 다항함수 $f(x)$ 중 차수가 가장 낮은 다항함수 $g(x)$를 구하시오.

개념 해결의 법칙 32쪽 유형 03

유형 14 함수의 극한의 대소 관계

개념 06

세 함수 $f(x)$, $g(x)$, $h(x)$에 대하여
$f(x) \le h(x) \le g(x)$이고 $\lim_{x \to a} f(x) = \lim_{x \to a} g(x) = L$ (L은 실수)이면
⇨ $\lim_{x \to a} h(x) = L$

0090 • 대표문제 •

이차함수 $f(x)$가 모든 양의 실수 x에 대하여

$$2x^2 - x - 1 < f(x) < 2x^2 + 4x + 1$$

을 만족시킬 때, $\lim_{x \to \infty} \frac{f(x)}{x^2}$의 값을 구하시오.

0091 상중하 서술형

함수 $f(x)$가 임의의 양의 실수 x에 대하여

$$3ax^3 + x^2 + 2 < 2x^3 f(x) < 3ax^3 + x^2 + 3$$

을 만족시키고 $\lim_{x \to \infty} f(x) = 3$일 때, 상수 a의 값을 구하시오.

0092 상중하

실수 전체의 집합에서 정의된 함수 $f(x)$가

$$2x^3 - 6x^2 + 4x \le f(x) \le x^4 - 2x^3 + 1$$

을 만족시킬 때, $\lim_{x \to 1} \frac{f(x)}{x-1}$의 값은?

① -2 ② -1 ③ 0
④ 1 ⑤ 2

발전 유형 15 함수의 극한의 활용

개념 04

(i) 구하는 선분의 길이, 점의 좌표 등을 식으로 나타낸다.
(ii) 함수의 극한의 성질을 이용하여 극한값을 구한다.

0093 • 대표문제 •

오른쪽 그림과 같이 곡선 $y=\sqrt{x}$ 위의 점 $P(t, \sqrt{t})$를 지나고 $\overline{OP}$와 수직인 직선 l의 기울기를 m이라 할 때, $\lim_{t \to \infty} (\overline{OP} - m^2)$의 값을 구하시오. (단, O는 원점이다.)

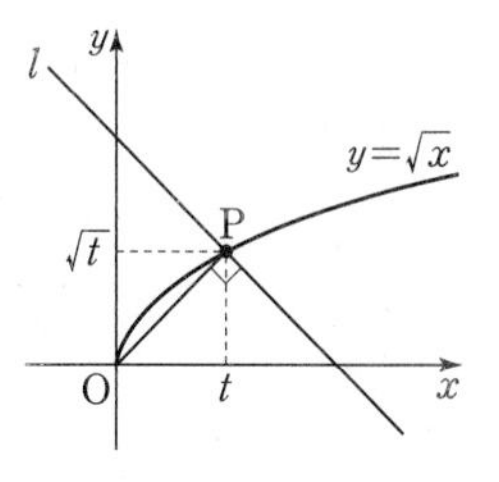

0094 상중하

오른쪽 그림과 같이 곡선 $y=x^2$ 위의 점 $P(t, t^2)$을 지나고 원점 O를 중심으로 하는 원이 y축의 양의 부분과 만나는 점을 Q라 하자. 점 P에서 y축에 내린 수선의 발을 H라 할 때, $\lim_{t \to 0+} \frac{\overline{PH}}{\overline{QH}}$의 값은? (단, $t>0$)

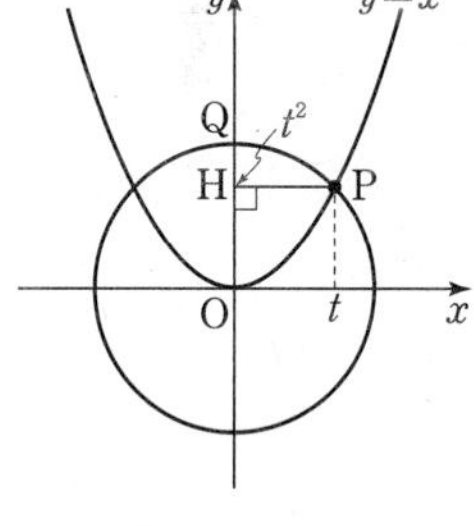

① $\frac{1}{2}$ ② 1 ③ $\frac{3}{2}$
④ 2 ⑤ 3

0095 상중하

오른쪽 그림과 같이 곡선 $y=x^2$ 위의 점 P와 원점 O에 대하여 선분 OP의 수직이등분선과 y축의 교점을 Q라 하자. 점 P가 곡선 $y=x^2$을 따라 원점 O에 한없이 가까워질 때, 점 Q가 한없이 가까워지는 점의 y좌표는? (단, 점 P는 제1사분면 위의 점이다.)

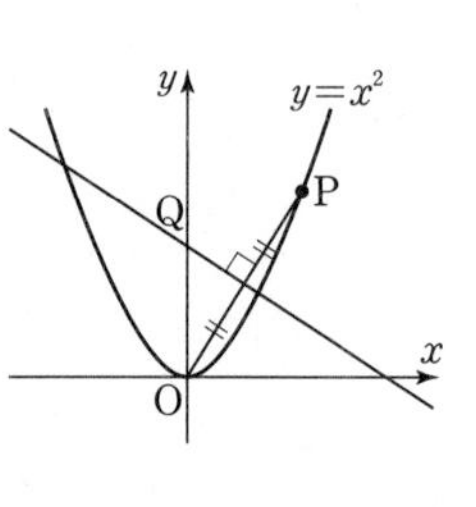

① $\frac{1}{8}$ ② $\frac{1}{4}$ ③ $\frac{3}{8}$
④ $\frac{1}{2}$ ⑤ $\frac{5}{8}$

• 실제 학교 시험지처럼 풀어 보세요.

0096 | 유형 01 |

함수 $f(x)=\begin{cases} 2x^2 & (|x|>1) \\ -x+3 & (|x|\le 1) \end{cases}$에 대하여 다음 보기 중 극한값이 존재하는 것을 있는 대로 고른 것은? [4.3점]

보기

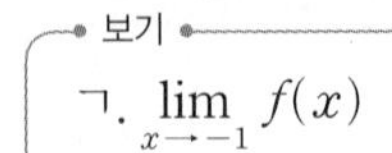

ㄱ. $\lim_{x\to -1} f(x)$ ㄴ. $\lim_{x\to 0} f(x)$ ㄷ. $\lim_{x\to 1} f(x)$

① ㄱ ② ㄴ ③ ㄷ
④ ㄱ, ㄷ ⑤ ㄴ, ㄷ

0097 | 유형 02 |

함수 $y=f(x)$의 그래프가 오른쪽 그림과 같을 때,

$$\lim_{x\to -2+} f(x)+\lim_{x\to 2-} f(x)$$

의 값은? [3.7점]

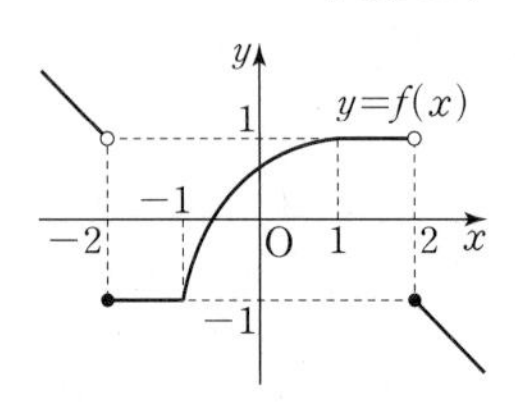

① 0 ② 1 ③ 2
④ 3 ⑤ 4

0098 | 유형 04 |

두 함수 $y=f(x)$, $y=g(x)$의 그래프가 다음 그림과 같을 때, 보기 중 옳은 것을 있는 대로 고른 것은? [4.6점]

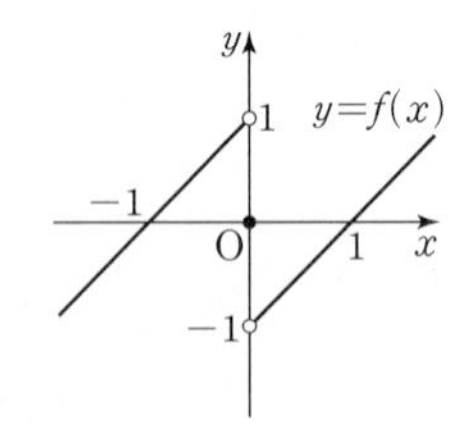

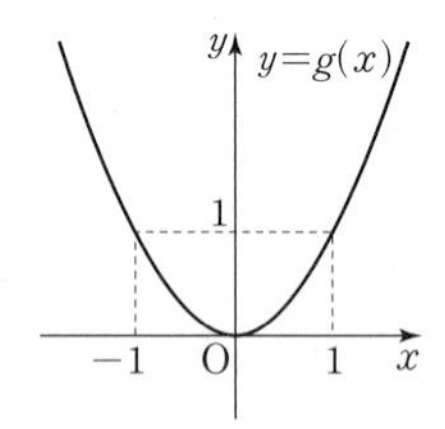

보기

ㄱ. $\lim_{x\to 0} f(f(x))=0$

ㄴ. $\lim_{x\to 0} g(f(x))=1$

ㄷ. $\lim_{x\to 0} f(g(x))=0$

① ㄱ, ② ㄴ ③ ㄱ, ㄴ
④ ㄱ, ㄷ ⑤ ㄱ, ㄴ, ㄷ

0099 | 유형 05 |

두 함수 $f(x)$, $g(x)$에 대하여

$$\lim_{x\to\infty} f(x)=\infty,\ \lim_{x\to\infty}\{2f(x)-3g(x)\}=2$$

일 때, $\lim_{x\to\infty}\frac{f(x)-g(x)}{2f(x)+g(x)}$의 값은? [4.3점]

① $\frac{1}{8}$ ② $\frac{1}{4}$ ③ $\frac{1}{3}$
④ $\frac{1}{2}$ ⑤ 1

0100 | 유형 05 |

실수 전체의 집합에서 정의된 두 함수 $f(x)$, $g(x)$에 대하여 $\lim_{x\to 1} f(x)=6$일 때, 다음 보기 중 옳은 것을 있는 대로 고른 것은? (단, $g(x)\neq 0$) [4.7점]

보기

ㄱ. $\lim_{x\to 1} g(x)=0$이면 $\lim_{x\to 1}\{f(x)-g(x)\}=6$이다.

ㄴ. $\lim_{x\to 1}\frac{f(x)}{g(x)}=3$이면 $\lim_{x\to 1} g(x)=2$이다.

ㄷ. $\lim_{x\to 1} f(x)g(x)=1$이면 $\lim_{x\to 1} g(x)$의 값은 존재한다.

① ㄱ ② ㄷ ③ ㄱ, ㄴ
④ ㄴ, ㄷ ⑤ ㄱ, ㄴ, ㄷ

0101 | 유형 05 |

두 함수 $y=f(x)$, $y=g(x)$의 그래프가 다음 그림과 같을 때, 보기 중 옳은 것을 있는 대로 고른 것은? [4.6점]

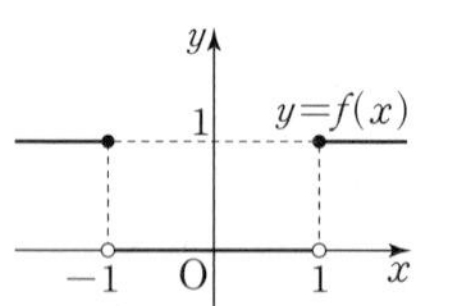

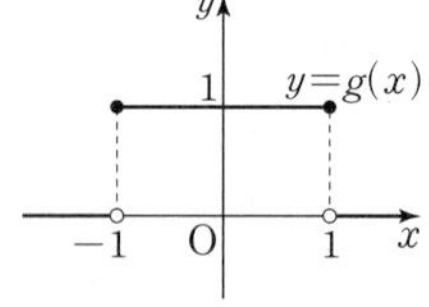

보기

ㄱ. $\lim_{x\to -1+} g(x)=g(-1)$

ㄴ. $\lim_{x\to -1-} f(x)g(x)=\lim_{x\to -1+} f(x)g(x)$

ㄷ. $\lim_{x\to -1} f(x)g(x)=f(-1)g(-1)$

① ㄱ ② ㄴ ③ ㄱ, ㄴ
④ ㄱ, ㄷ ⑤ ㄱ, ㄴ, ㄷ

0102 | 유형 06 + 유형 07 |

$\lim_{x\to1}\frac{x^3-1}{x-1}+\lim_{x\to0}\frac{x}{\sqrt{x+1}-1}$의 값은? [4.1점]

① -5 ② -3 ③ 0
④ 3 ⑤ 5

0103 | 유형 08 |

$\lim_{x\to\infty}\frac{2}{x}(\sqrt{x^2+3x}-\sqrt{x})$의 값은? [4.1점]

① -2 ② -1 ③ 0
④ 1 ⑤ 2

0104 | 유형 10 |

$\lim_{x\to0}x\left[\frac{1}{x}\right]$의 값은?

(단, $[x]$는 x보다 크지 않은 최대의 정수이다.) [4.6점]

① -2 ② -1 ③ 0
④ 1 ⑤ 2

0105 | 유형 11 |

$\lim_{x\to0}\frac{x^2+ax+b}{x}=4$가 성립하도록 하는 상수 a, b에 대하여 $a+b$의 값은? [4.3점]

① -4 ② -2 ③ 2
④ 4 ⑤ 6

0106 | 유형 13 |

두 다항함수 $f(x)=2x^2+5x-3$, $g(x)$가 다음 조건을 모두 만족시킬 때, $g(3)$의 값은? [5.1점]

(가) $\lim_{x\to\infty}\frac{(f\circ g)(x)}{f(x)}=1$
(나) $\lim_{x\to0}\frac{g(x)}{f(x)}=-2$
(다) $g(9)<0$

① -3 ② -1 ③ 1
④ 3 ⑤ 5

0107 | 유형 14 |

함수 $f(x)$가 모든 양의 실수 x에 대하여

$x^2+x+1<f(x)<x^2+2x+3$

을 만족시킬 때, $\lim_{x\to\infty}\frac{f(x)}{x^2+1}$의 값은? [4.5점]

① 1 ② 2 ③ 3
④ 4 ⑤ 5

0108 | 유형 15 |

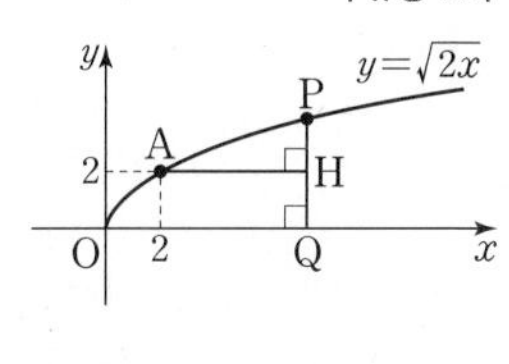

오른쪽 그림과 같이 곡선 $y=\sqrt{2x}$ 위의 점 A$(2, 2)$와 이 곡선 위를 움직이는 점 P$(x, y)(x>2)$가 있다. 점 P에서 x축에 내린 수선의 발을 Q, 점 A에서 선분 PQ에 내린 수선의 발을 H라 하자. 점 P가 주어진 곡선을 따라 점 A에 한없이 가까워질 때, $\frac{\overline{AH}}{\overline{PH}}$의 값은 어떤 값에 한없이 가까워지는가? [5.1점]

① 1 ② $\frac{3}{2}$ ③ 2
④ $\frac{5}{2}$ ⑤ 3

서술형 문제

• 풀이 과정에 점수가 부여되니 풀이 과정 및 정답을 상세하게 서술하세요.

단답형

0109

| 유형 06 + 유형 08 |

$\lim_{x\to1}\left(\frac{3}{1-x^3}-\frac{1}{1-x}\right)=a$, $\lim_{x\to-\infty}\frac{x-\sqrt{x^2-1}}{x+1}=b$라 할 때, 실수 a, b에 대하여 $a+b$의 값을 구하시오. [6점]

0110

| 유형 11 |

$\lim_{x\to-3}\frac{x+3}{\sqrt{x^2-a}+b}=-\frac{2}{3}$일 때, 상수 a, b에 대하여 ab의 값을 구하시오. [7점]

0111

| 유형 13 |

다항함수 $f(x)$가 $\lim_{x\to\infty}\frac{f(x)}{3x^2+5x+1}=1$,

$\lim_{x\to1}\frac{f(x)}{x^2-3x+2}=6$을 만족시킬 때, $f(-1)$의 값을 구하시오. [7점]

단계형

0112

| 유형 01 + 유형 03 |

정수 n에 대하여 $\lim_{x\to n}\frac{[x]^2+x}{2[x]}$의 값이 존재할 때, 다음 물음에 답하시오.

(단, $[x]$는 x보다 크지 않은 최대의 정수이다.) [10점]

(1) $\lim_{x\to n-}\frac{[x]^2+x}{2[x]}$를 n에 대한 식으로 나타내시오. [4점]

(2) $\lim_{x\to n+}\frac{[x]^2+x}{2[x]}$를 n에 대한 식으로 나타내시오. [4점]

(3) 정수 n의 값을 구하시오. [2점]

0113

| 유형 04 |

함수 $y=f(x)$의 그래프가 오른쪽 그림과 같을 때, 다음 물음에 답하시오. [12점]

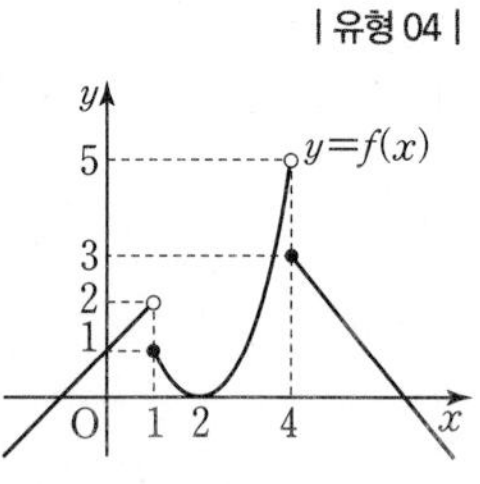

(1) $\lim_{t\to\infty}f\left(\frac{t-1}{t+1}\right)$의 값을 구하시오. [5점]

(2) $\lim_{t\to-\infty}f\left(\frac{4t-1}{t+1}\right)$의 값을 구하시오. [5점]

(3) $\lim_{t\to\infty}f\left(\frac{t-1}{t+1}\right)+\lim_{t\to-\infty}f\left(\frac{4t-1}{t+1}\right)$의 값을 구하시오. [2점]

성/취/도 Check

점수 / 100점

STEP 1 개념+기본 문제 학습

STEP 2 유형 대표 문제 학습

STEP 3의 틀린 문제에 해당하는 STEP 2 유형 학습

STEP 3의 틀린 문제 복습

교과서 속 심화문제 시작

0114

이차함수 $y=f(x)$의 그래프가 오른쪽 그림과 같다. 함수 $g(x)$를 $g(x)=[f(x)]$로 정의할 때, 다음 보기 중 옳은 것을 있는 대로 고른 것은?

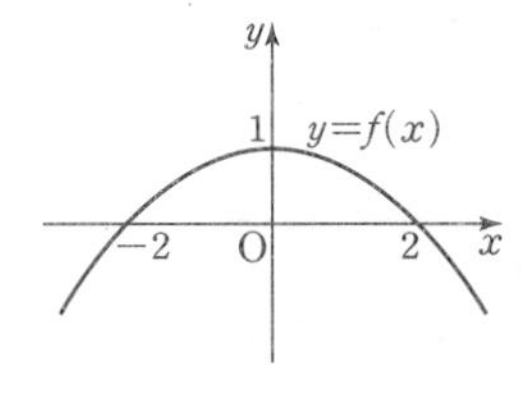

(단, $[x]$는 x보다 크지 않은 최대의 정수이다.)

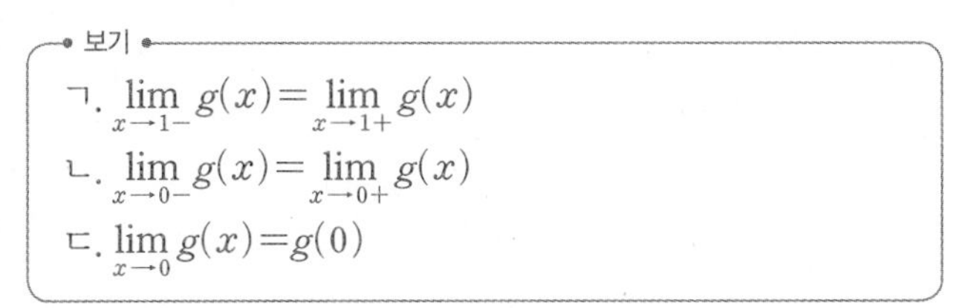

보기

ㄱ. $\lim_{x\to1-}g(x)=\lim_{x\to1+}g(x)$

ㄴ. $\lim_{x\to0-}g(x)=\lim_{x\to0+}g(x)$

ㄷ. $\lim_{x\to0}g(x)=g(0)$

① ㄱ ② ㄷ ③ ㄱ, ㄴ

④ ㄴ, ㄷ ⑤ ㄱ, ㄴ, ㄷ

0115

두 함수 $y=f(x)$, $y=g(x)$의 그래프가 다음 그림과 같을 때, 보기 중 극한값이 존재하는 것을 있는 대로 고르시오.

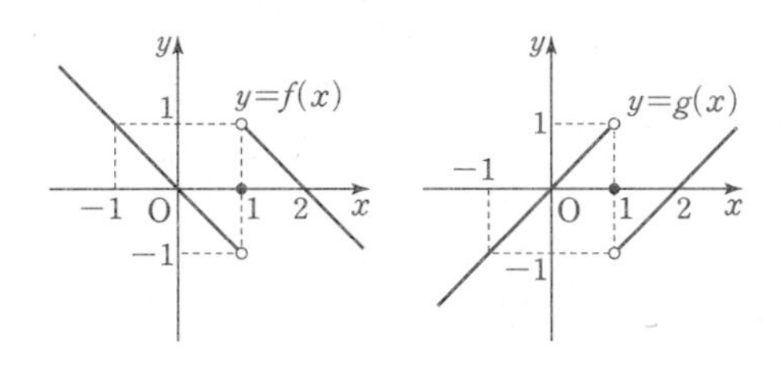

보기

ㄱ. $\lim_{x\to1}\{f(x)+g(x)\}$ ㄴ. $\lim_{x\to1}f(x)g(x)$

ㄷ. $\lim_{x\to1}g(f(x))$

0116

$x>0$에서 정의된 함수 $f(x)=\max(x,\ 1)+x^3-2x$에 대하여

$$\lim_{x\to1-}\frac{f(x)-f(1)}{x-1}=a,\ \lim_{x\to1+}\frac{f(x)-f(1)}{x-1}=b$$

라 할 때, 실수 a, b에 대하여 $a+b$의 값은?

(단, $\max(\alpha,\beta)$는 α와 β 중 작지 않은 수이다.)

① 2 ② 3 ③ 4

④ 5 ⑤ 6

0117

다항함수 $f(x)$가 다음 조건을 모두 만족시킬 때, $f(2)$의 값은?

(가) $\lim_{x\to0+}\dfrac{x^3f\left(\frac{1}{x}\right)-5}{x^4+x}=2$

(나) $\lim_{x\to1}\dfrac{f(x)}{x^2-3x+2}=5$

① 11 ② 13 ③ 15

④ 17 ⑤ 19

0118 융합형

오른쪽 그림과 같이 $\overline{AB}=2$인 직사각형 모양의 종이 ABCD를 $\overline{PQ}$를 접는 선으로 하여 접었을 때, $\overline{PB'}$이 $\overline{AD}$와 만나는 점 R는 $\overline{PB'}$의 중점이다. $\overline{AP}=x$, $\overline{BQ}=f(x)$, $\overline{AR}=g(x)$라 할 때, $\lim_{x\to\frac{2}{3}-}f(x)g(x)$의 값은?

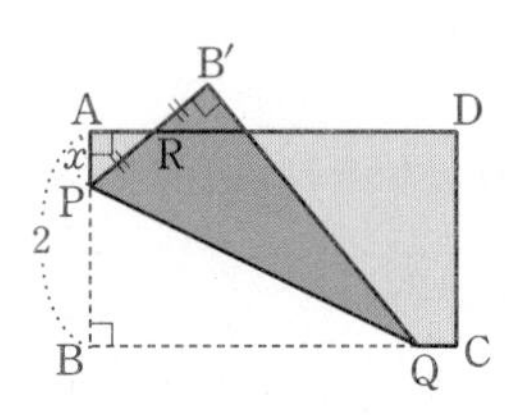

① $\frac{5}{9}$ ② 1 ③ $\frac{16}{9}$

④ 2 ⑤ $\frac{8}{3}$

2

함수의 연속

성공이란 마술도 눈속임도 아니다.
그것은 집중하는 법을 배우는 것이다.

-잿 캔필드

기출 문제 분석

빅 데이터

* 전국 300여 개 고등학교 기출 문제를 분석하였습니다.

유형01 함수의 연속과 불연속

유형02 함수의 그래프와 연속

유형03 함수가 연속일 조건 (1)

유형04 함수가 연속일 조건 (2)

유형05 가우스 기호를 포함한 함수의 연속

유형06 $(x-a)f(x)$ 꼴의 함수의 연속

유형07 $f(x)=f(x+p)$ 꼴의 함수의 연속

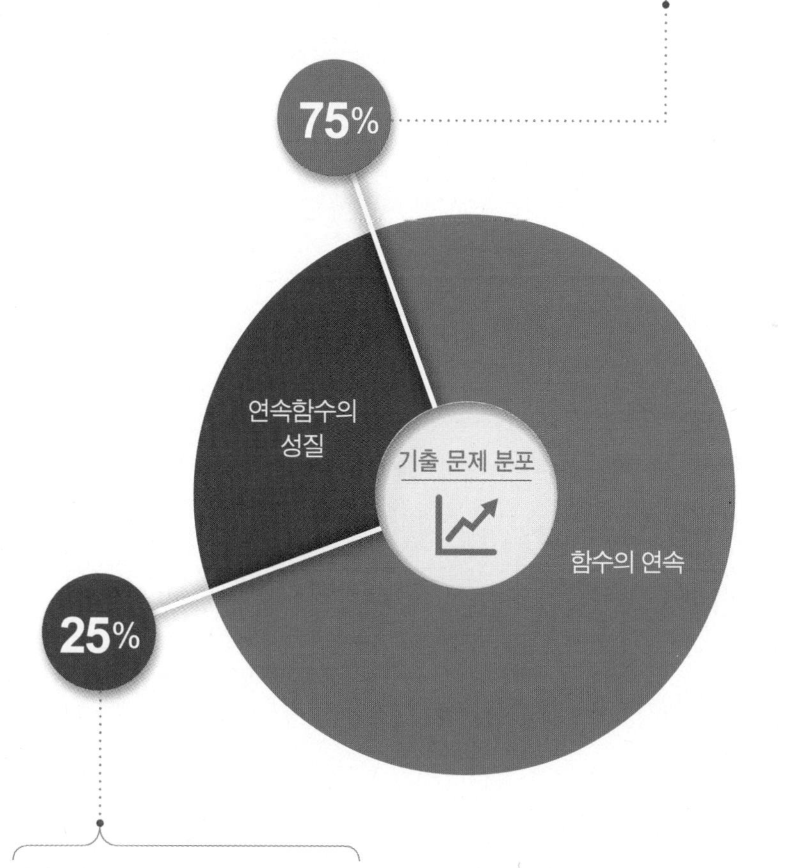

유형08 연속함수의 성질

유형09 최대·최소 정리

유형10 사잇값의 정리

유형11 여러 가지 사잇값의 정리의 활용

유형12 사잇값의 정리의 실생활에의 활용

STEP 1 개념 마스터

01 함수의 연속

유형 01~07

(1) **함수의 연속**: 함수 $f(x)$가 실수 a에 대하여 다음 세 조건을 모두 만족시킬 때, 함수 $f(x)$는 $x=a$에서 **연속**이라 한다.

(i) 함수 $f(x)$가 $x=a$에서 정의되어 있다.

(ii) 극한값 $\lim_{x \to a} f(x)$가 존재한다.

(iii) $\lim_{x \to a} f(x)=f(a)$

함수 $y=f(x)$의 그래프가 $x=a$에서 끊어지지 않고 이어져 있다.

(2) **함수의 불연속**: 함수 $f(x)$가 $x=a$에서 연속이 아닐 때, 즉 위 세 조건 중 어느 하나라도 만족시키지 않으면 함수 $f(x)$는 $x=a$에서 **불연속**이라 한다.

함수 $y=f(x)$의 그래프가 $x=a$에서 끊어져 있다.

[0119~0121] 함수 $y=f(x)$의 그래프가 다음 그림과 같을 때, 함수 $f(x)$가 $x=2$에서 불연속인 이유를 설명하시오.

0119

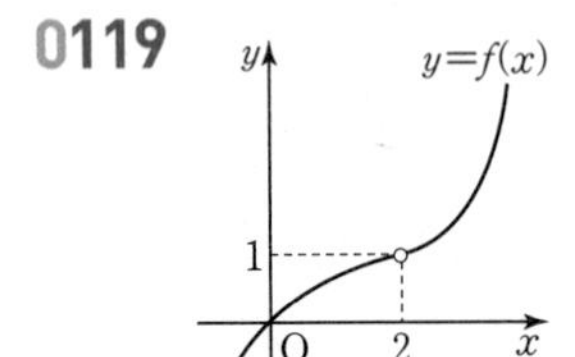

0120

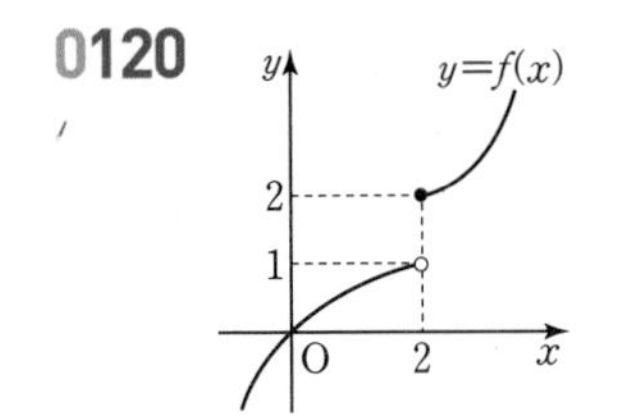

0121

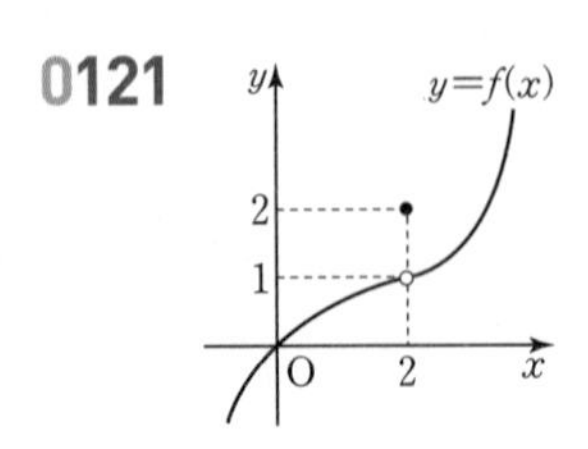

[0122~0123] 다음 함수가 $x=1$에서 연속인지 불연속인지 조사하시오.

0122 $f(x)=3x$

0123 $f(x)=\dfrac{x+1}{x-1}$

02 구간

유형 01~07

두 실수 $a, b\ (a<b)$에 대하여 아래 집합을 **구간**이라 하며, 각각 기호와 수직선으로 나타내면 다음과 같다.

구간	기호	수직선
$\{x \mid a \le x \le b\}$	$[a, b]$	a b
$\{x \mid a < x < b\}$	(a, b)	a b
$\{x \mid a \le x < b\}$	$[a, b)$	a b
$\{x \mid a < x \le b\}$	$(a, b]$	a b

이때, $[a, b]$를 **닫힌구간**, (a, b)를 **열린구간**, $[a, b)$, $(a, b]$를 **반닫힌 구간** 또는 **반열린 구간**이라 한다.

[0124~0129] 다음과 같은 실수의 집합을 구간의 기호로 나타내시오.

0124 $\{x \mid -2 \le x \le 1\}$

0125 $\{x \mid 3 < x < 5\}$

0126 $\{x \mid -4 \le x < -2\}$

0127 $\{x \mid -1 < x \le 7\}$

0128 $\{x \mid x \le 3\}$

0129 $\{x \mid x > 2\}$

핵심 Check

(i) 함숫값 $f(a)$가 존재
(ii) 극한값 $\lim_{x \to a} f(x)$가 존재
(iii) $\lim_{x \to a} f(x)=f(a)$

→ 함수 $f(x)$가 $x=a$에서 연속

[0130~0132] 다음 함수의 정의역을 구간의 기호로 나타내시오.

0130 $f(x)=x^2-2x+2$

0131 $f(x)=\frac{x}{x-3}$

0132 $f(x)=\sqrt{x-2}$

03 연속함수 유형 01~07

(1) 함수 $f(x)$가 어떤 구간에 속하는 모든 실수에 대하여 연속일 때, $f(x)$는 그 구간에서 연속이라 한다.
또, 어떤 구간에서 연속인 함수를 **연속함수**라 한다.
(2) 함수 $f(x)$가 다음 조건을 모두 만족시킬 때, 함수 $f(x)$는 닫힌구간 $[a, b]$에서 연속이라 한다.
(i) 열린구간 (a, b)에서 연속이다.
(ii) $\lim_{x \to a+} f(x)=f(a)$, $\lim_{x \to b-} f(x)=f(b)$

[0133~0135] 다음 함수가 연속인 구간을 구하시오.

0133 $f(x)=x^2+3x$

0134 $f(x)=\frac{2}{x-2}$

0135 $f(x)=-\sqrt{x+4}$

04 연속함수의 성질 유형 08

두 함수 $f(x)$, $g(x)$가 $x=a$에서 연속이면 다음 함수도 $x=a$에서 연속이다.
(1) $cf(x)$ (단, c는 상수)
(2) $f(x)+g(x)$
(3) $f(x)-g(x)$
(4) $f(x)g(x)$
(5) $\frac{f(x)}{g(x)}$ (단, $g(a) \neq 0$)

참고 (1) 상수함수와 함수 $y=x$가 모든 실수에서 연속이므로 다항함수는 모든 실수에서 연속이다.
(2) 두 다항함수 $f(x)$, $g(x)$에 대하여 유리함수 $\frac{f(x)}{g(x)}$는 $g(x) \neq 0$인 모든 실수에서 연속이다.

[0136~0139] 다음 함수가 연속인 구간을 구하시오.

0136 $f(x)=x^3-4x^2+2x-1$

0137 $f(x)=(x-2)(2x^2+x-3)$

0138 $f(x)=\frac{2x-3}{x^2+1}$

0139 $f(x)=\frac{x+1}{x^2+4x-5}$

0140 두 함수 $f(x)=2x^2-1$, $g(x)=x+1$에 대하여 다음 함수가 연속인 구간을 구하시오.
(1) $f(x)+g(x)$
(2) $f(x)g(x)$
(3) $\frac{f(x)}{g(x)}$

- 다항함수 $y=f(x)$ ⟶ 열린구간 $(-\infty, \infty)$에서 연속
- 유리함수 $y=\frac{f(x)}{g(x)}$ ⟶ $g(x) \neq 0$인 모든 실수 x에서 연속

STEP 1 ≫ 정답과 해설 18쪽

05 최대 · 최소 정리

유형 09

함수 $f(x)$가 닫힌구간 $[a, b]$에서 연속이면 함수 $f(x)$는 이 구간에서 반드시 최댓값과 최솟값을 갖는다.

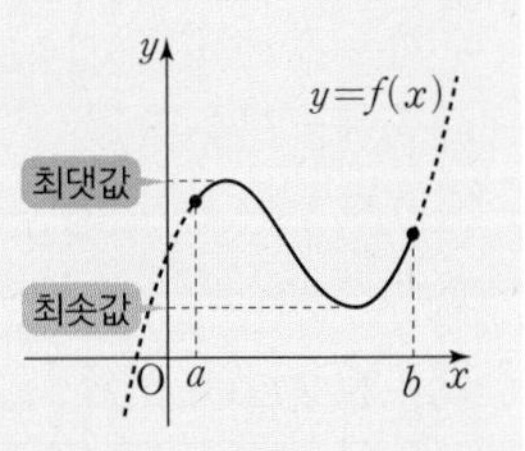

참고 (1) 닫힌구간이 아닌 구간에서 정의된 연속함수는 최댓값 또는 최솟값을 갖지 않을 수도 있다.
(2) 함수 $f(x)$가 연속이 아니면 닫힌구간에서도 최댓값 또는 최솟값을 갖지 않을 수 있다.

[0141~0142] 주어진 닫힌구간에서 다음 함수의 최댓값과 최솟값을 각각 구하시오.

0141 $f(x)=x^2-4x-1 \quad [-1, 2]$

0142 $f(x)=\dfrac{x-1}{x+1} \quad [0, 1]$

06 사잇값의 정리

유형 10~12

(1) 사잇값의 정리
함수 $f(x)$가 닫힌구간 $[a, b]$에서 연속이고 $f(a)\neq f(b)$이면 $f(a)$와 $f(b)$ 사이의 임의의 값 k에 대하여 $f(c)=k$인 c가 열린구간 (a, b)에 적어도 하나 존재한다.

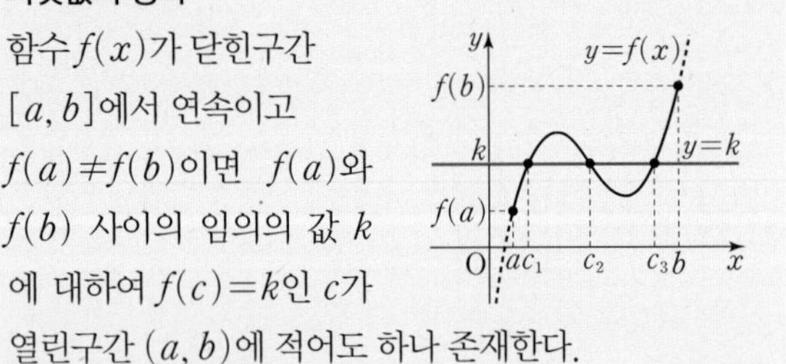

(2) 사잇값의 정리의 활용
함수 $f(x)$가 닫힌구간 $[a, b]$에서 연속이고 $f(a)$와 $f(b)$의 부호가 서로 다르면 $f(c)=0$인 c가 열린구간 (a, b)에 적어도 하나 존재한다.
즉, 방정식 $f(x)=0$은 열린구간 (a, b)에서 적어도 하나의 실근을 갖는다.

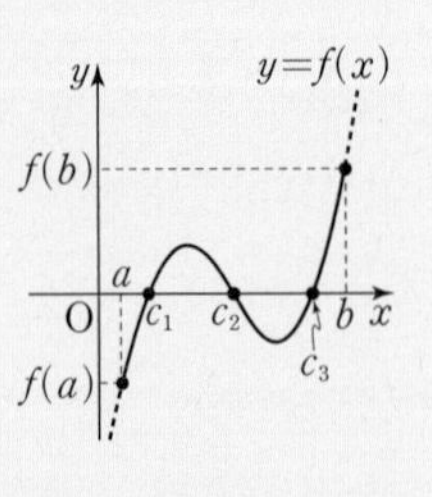

0143 다음은 함수 $f(x)=x^2-2$에 대하여 $f(c)=\sqrt{3}$인 c가 열린구간 $(1, 2)$에 적어도 하나 존재함을 증명한 것이다. (가), (나), (다)에 알맞은 것을 써넣으시오.

증명
함수 $f(x)=x^2-2$는 열린구간 $(-\infty, \infty)$에서 연속이므로 닫힌구간 $[1, 2]$에서 (가) 이다.
또, $f(1)$ (나) $f(2)$이고 $f(1)<\sqrt{3}<f(2)$이므로 (다) 에 의하여 $f(c)=\sqrt{3}$인 c가 열린구간 $(1, 2)$에 적어도 하나 존재한다.

0144 다음은 방정식 $x^3-4x-2=0$은 열린구간 $(0, 5)$에서 적어도 하나의 실근을 가짐을 증명한 것이다. (가), (나), (다)에 알맞은 것을 써넣으시오.

증명
$f(x)=x^3-4x-2$라 하면 함수 $f(x)$는 닫힌구간 $[0, 5]$에서 (가) 이고
$f(0)=-2<0$, $f(5)=$ (나) >0
이므로 사잇값의 정리에 의하여 $f(c)=0$인 c가 열린구간 (다) 에 적어도 하나 존재한다.
즉, 방정식 $x^3-4x-2=0$은 열린구간 $(0, 5)$에서 적어도 하나의 실근을 갖는다.

[0145~0146] 다음 방정식은 주어진 열린구간에서 적어도 하나의 실근을 가짐을 보이시오.

0145 $x^3+2x^2-1=0 \quad (0, 1)$

0146 $x^4+x^3-6x+2=0 \quad (-1, 1)$

핵심 Check
① 함수 $f(x)$가 닫힌구간 $[a, b]$에서 연속
② $f(a)f(b)<0$
→ 방정식 $f(x)=0$은 열린구간 (a, b)에서 적어도 하나의 실근을 갖는다.

STEP 2 유형 마스터

개념 해결의 법칙 43쪽 유형 01

유형 01 함수의 연속과 불연속

개념 01~03

(1) 함수 $f(x)$가 다음 조건을 모두 만족시키면 $x=a$에서 연속이다.
  (i) $f(a)$가 정의되어 있다.
  (ii) $\lim_{x \to a} f(x)$의 값이 존재한다. ⇨ $\lim_{x \to a-} f(x) = \lim_{x \to a+} f(x)$
  (iii) $\lim_{x \to a} f(x) = f(a)$

(2) 위 세 조건 중 어느 하나라도 만족시키지 않으면 함수 $f(x)$는 $x=a$에서 불연속이다.

0147 • 대표문제 •

다음 보기의 함수 중 $x=1$에서 불연속인 것을 있는 대로 고르시오.

보기

ㄱ. $f(x)=\dfrac{x^2-1}{x-1}$ ㄴ. $f(x)=|x+3|$

ㄷ. $f(x)=\dfrac{x^2}{x^2-1}$ ㄹ. $f(x)=\begin{cases} \dfrac{|x-1|}{x-1} & (x \neq 1) \\ 0 & (x=1) \end{cases}$

0148 상중하

함수 $f(x)=\dfrac{x^2+2x}{x}$에 대한 설명으로 옳지 않은 것은?

① $\lim_{x \to 0+} f(x)=2$
② $x=0$에서 불연속이다.
③ 정의역은 $(-\infty, 0) \cup (0, \infty)$이다.
④ $x \to 0$일 때, 함수 $f(x)$의 극한값은 존재하지 않는다.
⑤ $f(0)=2$로 정의하면 실수 전체의 집합에서 연속함수이다.

0149 상중하

함수 $f(x)=\dfrac{1}{x-\dfrac{1}{x-\dfrac{1}{x}}}$이 불연속이 되는 x의 개수는?

① 0 ② 1 ③ 3
④ 5 ⑤ 무수히 많다.

0150 상중하

두 함수

$$f(x)=x-4,\ g(x)=\begin{cases} x^2-2 & (x \ge a) \\ 4x+10 & (x<a) \end{cases}$$

에 대하여 함수 $f(x)g(x)$가 $x=a$에서 연속이 되도록 하는 모든 실수 a의 값의 합을 구하시오.

0151 상중하 서술형

함수 $f(x)=\begin{cases} -x^2+2x+1 & (x>1) \\ 1 & (x=1) \\ x^2-2x-1 & (x<1) \end{cases}$에 대하여 합성함수 $f(f(x))$가 불연속이 되는 모든 x의 값의 곱을 구하시오.

0152 상중하 서술형

함수 $f(x)=\begin{cases} -x & (x\text{는 유리수}) \\ x^2-6 & (x\text{는 무리수}) \end{cases}$이 연속이 되도록 하는 모든 x의 값의 합을 구하시오.

개념 해결의 법칙 44쪽 유형 02

중요 유형 02 함수의 그래프와 연속

개념 01~03

(1) 함수 $y=f(x)$의 그래프가 $x=a$에서 끊어져 있으면
⇨ $f(x)$는 $x=a$에서 불연속이다.

(2) 두 함수 $f(x)$, $g(x)$에 대하여 합성함수 $f(g(x))$가 $x=a$에서 연속이려면
⇨ $\lim_{x \to a-} f(g(x)) = \lim_{x \to a+} f(g(x)) = f(g(a))$

0153 •대표문제•

다음은 두 함수 $y=f(x)$, $y=g(x)$의 그래프이다. 보기 중 옳은 것을 있는 대로 고른 것은?

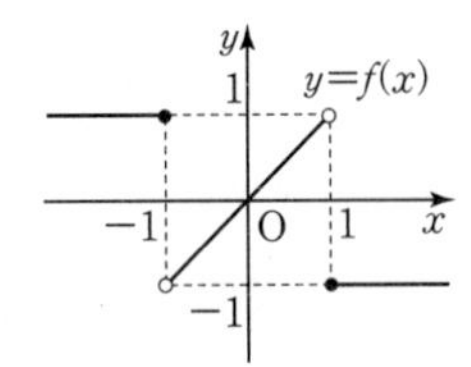

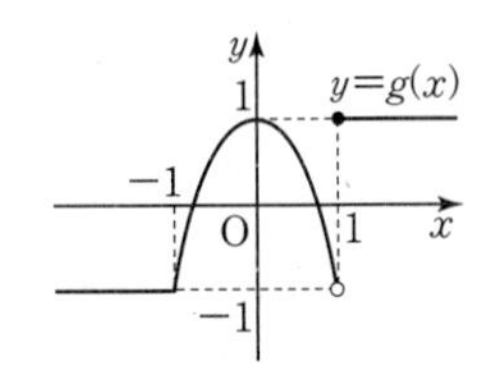

보기

ㄱ. $\lim_{x \to 1} f(x)g(x) = -1$

ㄴ. 함수 $f(x)g(x)$는 $x=-1$에서 연속이다.

ㄷ. 함수 $f(x)+g(x)$는 $x=1$에서 연속이다.

① ㄱ ② ㄴ ③ ㄱ, ㄷ
④ ㄴ, ㄷ ⑤ ㄱ, ㄴ, ㄷ

0154 상중하

오른쪽 그림은 함수 $y=f(x)$의 그래프이다. 열린구간 $(-3, 1)$에서 함수 $f(x)$가 불연속이 되는 x의 값의 개수를 a, 함수 $f(x)$의 극한값이 존재하지 않는 x의 값의 개수를 b라 할 때, ab의 값은?

① 1 ② 2 ③ 3
④ 4 ⑤ 5

0155 상중하

함수 $y=f(x)$의 그래프가 오른쪽 그림과 같다. 함수 $g(x)$는 $x \neq 2$인 모든 실수 x에서 연속이고 $\lim_{x \to 2-} g(x) = a$, $\lim_{x \to 2+} g(x) = b$, $g(2)=2$이다. 함수 $f(x)+g(x)$가 $x=2$에서 연속일 때, 상수 a, b에 대하여 $a+b$의 값을 구하시오.

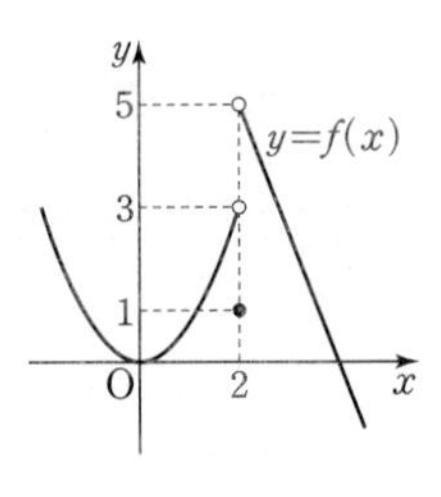

0156 상중하

함수 $y=f(x)(-2 \le x \le 2)$의 그래프는 오른쪽 그림과 같고 함수 $y=g(x)(-2 \le x \le 2)$의 그래프가 다음 보기와 같이 주어질 때, 합성함수 $(g \circ f)(x)$가 닫힌구간 $[-2, 2]$에서 연속인 것을 있는 대로 고른 것은?

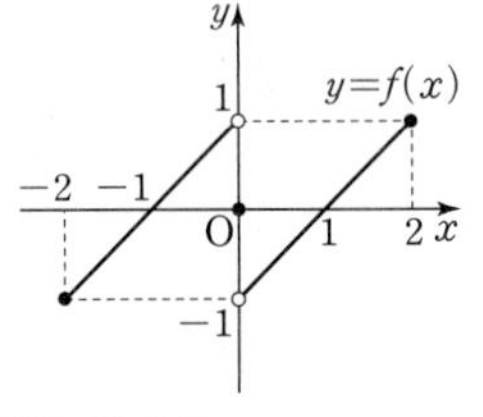

보기

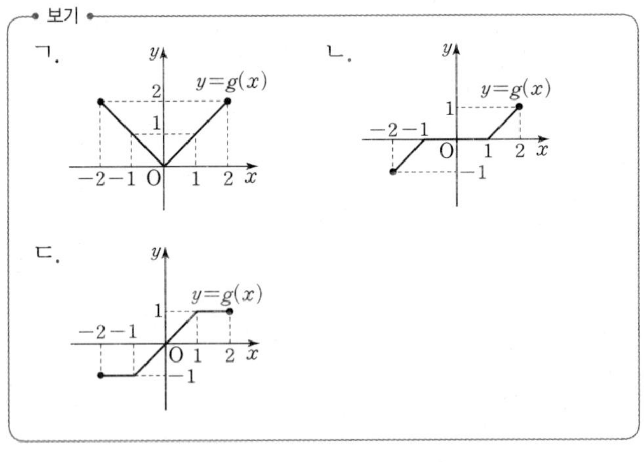

① ㄱ ② ㄴ ③ ㄱ, ㄴ
④ ㄴ, ㄷ ⑤ ㄱ, ㄴ, ㄷ

중요 유형 03 함수가 연속일 조건(1)

개념 01~03

두 함수 $g(x)$, $h(x)$가 연속함수일 때,

함수 $f(x)=\begin{cases} g(x) & (x \ge a) \\ h(x) & (x < a) \end{cases}$가 모든 실수 x에서 연속이려면

⇨ $\lim_{x \to a-} h(x) = \lim_{x \to a+} g(x) = f(a)$

0157 • 대표문제 •

함수 $f(x)=\begin{cases} ax-1 & (x \ge 1) \\ x^2+bx & (x < 1) \end{cases}$가 모든 실수 x에서 연속이 되도록 하는 상수 a, b에 대하여 $a-b$의 값을 구하시오.

0158 상중하

함수 $f(x)=\begin{cases} ax+1 & (x \ge 2) \\ x^2-b & (-1 < x < 2) \\ x+c & (x \le -1) \end{cases}$가 실수 전체의 집합에서 연속이고 $f(0)=1$일 때, $a+b+c$의 값은?

(단, a, b, c는 상수)

① 1 ② 2 ③ 3
④ 4 ⑤ 5

0159 상중하

함수 $f(x)=\begin{cases} ax+b & (|x| \ge 1) \\ x^2+x+2 & (|x| < 1) \end{cases}$가 모든 실수 x에서 연속이 되도록 하는 상수 a, b에 대하여 ab의 값은?

① 1 ② 2 ③ 3
④ 4 ⑤ 5

중요 유형 04 함수가 연속일 조건(2)

개념 해결의 법칙 45쪽 유형 03

개념 01~03

(1) 함수 $g(x)$가 $x \ne a$인 모든 실수 x에서 연속일 때,

함수 $f(x)=\begin{cases} g(x) & (x \ne a) \\ k & (x = a) \end{cases}$가 모든 실수 x에서 연속이려면

⇨ $\lim_{x \to a} g(x) = k$

(2) 분수 꼴의 함수에서 $x \to a$일 때

① (분모) → 0이고 극한값이 존재하면 (분자) → 0이다.

② (분자) → 0이고 0이 아닌 극한값이 존재하면 (분모) → 0이다.

0160 • 대표문제 •

함수 $f(x)=\begin{cases} \dfrac{x^2-ax-2}{x-1} & (x \ne 1) \\ b & (x = 1) \end{cases}$가 모든 실수 x에서 연속일 때, $a+b$의 값을 구하시오. (단, a, b는 상수)

0161 상중하

함수 $f(x)=\begin{cases} \dfrac{x^2-1}{x-1} & (x \ne 1) \\ a & (x = 1) \end{cases}$가 모든 실수 x에서 연속일 때, 상수 a의 값을 구하시오.

0162 상중하

함수 $f(x)=\begin{cases} \dfrac{x^3+a}{x+1} & (x \ne -1) \\ b & (x = -1) \end{cases}$가 $x=-1$에서 연속이 되도록 하는 상수 a, b에 대하여 $a+b$의 값은?

① -2 ② 0 ③ 2
④ 4 ⑤ 6

0163 상중하 서술형

함수 $f(x)=\begin{cases} \dfrac{\sqrt{x^2+4}+a}{x^2} & (x\neq 0) \\ b & (x=0) \end{cases}$가 모든 실수 x에서 연속이 되도록 하는 상수 a, b에 대하여 ab의 값을 구하시오.

0164 상중하

함수 $f(x)=\begin{cases} \dfrac{x^2-ax+b}{x-2} & (x\neq 2) \\ a+b & (x=2) \end{cases}$가 $x=2$에서 연속이 되도록 하는 상수 a, b에 대하여 $a+b$의 값은?

① -2　② -1　③ 0　④ 1　⑤ 2

0165 상중하

함수 $f(x)=\begin{cases} \dfrac{\sqrt{x+a}-b}{x-1} & (x\neq 1) \\ \dfrac{1}{4} & (x=1) \end{cases}$이 $x=1$에서 연속일 때, ab의 값은? (단, a, b는 상수)

① 2　② 4　③ 6　④ 8　⑤ 10

유형 05 가우스 기호를 포함한 함수의 연속

개념 01~03

정수 n에 대하여 $x \to a$일 때

(1) $f(x) \to n-$이면 ⇨ $\lim_{x\to a}[f(x)]=n-1$

(2) $f(x) \to n+$이면 ⇨ $\lim_{x\to a}[f(x)]=n$

(단, $[x]$는 x보다 크지 않은 최대의 정수이다.)

0166 • 대표문제 •

함수 $f(x)=\dfrac{[x]^2+x}{[x]}$가 $x=n$에서 연속일 때, 정수 n의 값은? (단, $[x]$는 x보다 크지 않은 최대의 정수이다.)

① -1　② 0　③ 1　④ 2　⑤ 3

0167 상중하

함수 $f(x)=[6x]$ $(0<x<1)$가 불연속이 되는 모든 x의 값의 합은? (단, $[x]$는 x보다 크지 않은 최대의 정수이다.)

① 2　② $\dfrac{5}{2}$　③ 3　④ $\dfrac{7}{2}$　⑤ 4

0168 상중하

함수 $f(x)=[x+1]^2+(ax+b)[x]$가 모든 실수 x에서 연속이 되도록 하는 상수 a, b에 대하여 $a+b$의 값을 구하시오.

(단, $[x]$는 x보다 크지 않은 최대의 정수이다.)

유형 06 $(x-a)f(x)$ 꼴의 함수의 연속

개념 01~03

연속함수 $g(x)$에 대하여 함수 $f(x)$가 $(x-a)f(x)=g(x)$를 만족시킬 때, $f(x)$가 모든 실수 x에서 연속이면

⇨ $f(a)=\lim_{x \to a} \frac{g(x)}{x-a}$

0169 • 대표문제 •

모든 실수 x에서 연속인 함수 $f(x)$가

$$(x-1)f(x)=x^2-3x+a$$

를 만족시킬 때, $f(1)$의 값을 구하시오. (단, a는 상수)

0170 상중하

모든 실수 x에서 연속인 함수 $f(x)$가

$$(x^2-1)f(x)=x^3+3x^2-x-3$$

을 만족시킬 때, $f(-1)f(1)$의 값은?

① -8　② -4　③ 4　④ 8　⑤ 12

0171 상중하

$x \geq 0$에서 연속인 함수 $f(x)$가

$$(x^2-5x+4)f(x)=x+2-3\sqrt{x}$$

를 만족시킬 때, $f(4)$의 값을 구하시오.

0172 상중하 서술형

모든 양수 x에서 연속인 함수 $f(x)$가 다음 조건을 모두 만족시킬 때, a^2+b^2의 값을 구하시오. (단, a, b는 상수)

(가) $(x-2)f(x)=a\sqrt{x}+b$　(나) $f(2)=1$

발전 유형 07 $f(x)=f(x+p)$ 꼴의 함수의 연속

개념 01~03

두 연속함수 $g(x)$, $h(x)$에 대하여 실수 전체의 집합에서 연속인 함수 $f(x)$가 닫힌구간 $[a, c]$에서

$$f(x)=\begin{cases} g(x) & (a \leq x < b) \\ h(x) & (b \leq x \leq c) \end{cases}$$

로 정의되고, $f(x)=f(x+p)$를 만족시킬 때

(1) $\lim_{x \to b-} g(x) = \lim_{x \to b+} h(x)$

(2) $f(x)=f(x+p)$이므로 $f(0)=f(p)=f(2p)=\cdots$

0173 • 대표문제 •

모든 실수 x에서 연속인 함수 $f(x)$가 닫힌구간 $[0, 4]$에서

$$f(x)=\begin{cases} 3x & (0 \leq x < 1) \\ x^2+ax+b & (1 \leq x \leq 4) \end{cases}$$

이고 모든 실수 x에 대하여 $f(x)=f(x+4)$를 만족시킬 때, $f(10)$의 값은? (단, a, b는 상수)

① -1　② 0　③ 1　④ 2　⑤ 3

0174 상중하

모든 실수 x에서 연속인 함수 $f(x)$가 닫힌구간 $[0, 4]$에서

$$f(x)=\begin{cases} x^2+ax-2b & (0 \leq x < 2) \\ 2x-4 & (2 \leq x \leq 4) \end{cases}$$

이고 모든 실수 x에 대하여 $f(x-2)=f(x+2)$를 만족시킬 때, $a+b$의 값은? (단, a, b는 상수)

① -6　② -4　③ -2　④ 0　⑤ 2

0175 상중하

모든 실수 x에서 연속인 함수 $f(x)$가 닫힌구간 $[-2, 3]$에서

$$f(x)=\begin{cases} 2x & (-2 \leq x < 1) \\ ax+b & (1 \leq x \leq 3) \end{cases}$$

이고 모든 실수 x에 대하여 $f(x)=f(x+5)$를 만족시킬 때, $f(7)$의 값을 구하시오. (단, a, b는 상수)

2 함수의 연속

개념 해결의 법칙 50쪽 유형 01

중요 유형 08 연속함수의 성질 개념 04

두 함수 $f(x)$, $g(x)$가 $x=a$에서 연속이면

⇨ $cf(x)$ (c는 상수), $f(x)\pm g(x)$, $f(x)g(x)$, $\frac{f(x)}{g(x)}$ $(g(a)\neq 0)$

도 $x=a$에서 연속이다.

0176 • 대표문제 •

두 함수 $f(x)$, $g(x)$가 $x=a$에서 연속일 때, 다음 보기의 함수 중 $x=a$에서 항상 연속인 것을 있는 대로 고른 것은?

(단, $f(x)$의 치역은 $g(x)$의 정의역에 포함된다.)

보기

ㄱ. $f(x)+3g(x)$

ㄴ. $g(f(x))$

ㄷ. $\{g(x)\}^2$

ㄹ. $f(x)-\frac{1}{2g(x)}$

① ㄱ, ㄴ ② ㄱ, ㄷ ③ ㄱ, ㄹ
④ ㄴ, ㄷ ⑤ ㄴ, ㄹ

0177 상중하

두 함수 $f(x)=x$, $g(x)=x^2+1$에 대하여 다음 중 모든 실수 x에서 연속함수라 할 수 없는 것은?

① $3f(x)$ ② $f(x)+g(x)$ ③ $f(x)g(x)$
④ $\frac{f(x)}{g(x)}$ ⑤ $\frac{g(x)}{f(x)}$

0178 상중하

두 함수

$$f(x)=x^2-x+1,\ g(x)=x^2-2ax+3a$$

에 대하여 함수 $h(x)=\frac{f(x)}{g(x)}$가 모든 실수 x에서 연속이 되도록 하는 모든 정수 a의 값의 합은?

① -3 ② -1 ③ 1
④ 3 ⑤ 5

0179 상중하

다음 보기 중 옳은 것을 있는 대로 고른 것은?

보기

ㄱ. 두 함수 $f(x)$, $f(x)+g(x)$가 $x=a$에서 연속이면 함수 $g(x)$도 $x=a$에서 연속이다.

ㄴ. 두 함수 $f(x)$, $f(x)g(x)$가 $x=a$에서 연속이면 함수 $g(x)$도 $x=a$에서 연속이다.

ㄷ. 함수 $|f(x)|$가 $x=a$에서 연속이면 함수 $f(x)$도 $x=a$에서 연속이다.

① ㄱ ② ㄴ ③ ㄷ
④ ㄱ, ㄷ ⑤ ㄴ, ㄷ

개념 해결의 법칙 51쪽 유형 02

유형 09 최대 · 최소 정리 개념 05

(1) 함수 $f(x)$가 닫힌구간 $[a, b]$에서 연속이면

⇨ 함수 $f(x)$는 이 구간에서 반드시 최댓값과 최솟값을 갖는다.

(2) 함수 $f(x)$가 닫힌구간 $[a, b]$에서 불연속이면

⇨ 함수 $y=f(x)$의 그래프를 그려 최댓값, 최솟값을 확인한다.

0180 • 대표문제 •

오른쪽 그림과 같이 닫힌구간 $[-1, 4]$에서 정의된 함수 $y=f(x)$의 그래프에 대하여 다음 보기 중 옳은 것을 있는 대로 고른 것은?

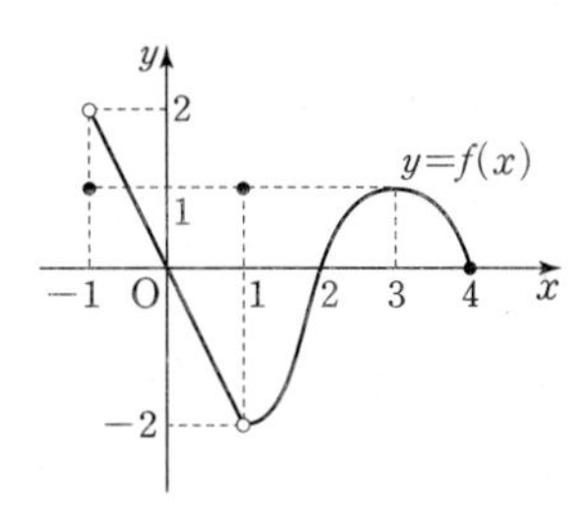

보기

ㄱ. $x=1$에서 극한값이 존재하지 않는다.

ㄴ. 함수 $f(x)$는 닫힌구간 $[0, 2]$에서 최솟값을 갖는다.

ㄷ. 불연속이 되는 x의 값은 2개이다.

ㄹ. 함수 $f(x)$는 열린구간 $(1, 3)$에서 최댓값을 갖는다.

① ㄱ ② ㄷ ③ ㄱ, ㄷ
④ ㄴ, ㄹ ⑤ ㄷ, ㄹ

0181 상중하

오른쪽 그림과 같은 함수 $y=f(x)$의 그래프에 대한 보기의 설명 중 옳은 것을 있는 대로 고르시오.

(단, $-2\le x\le 2$)

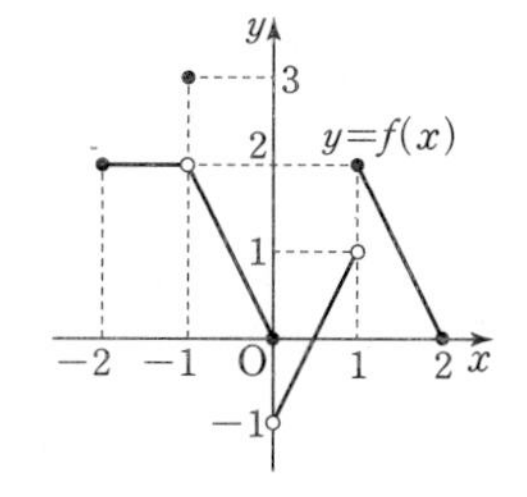

보기

ㄱ. 불연속인 점은 3개이다.

ㄴ. 극한값이 존재하지 않는 점은 3개이다.

ㄷ. 함수 $f(x)$는 닫힌구간 $[-2, 2]$에서 최댓값과 최솟값을 모두 갖는다.

개념 해결의 법칙 52쪽 유형 03

유형 10 사잇값의 정리

개념 06

함수 $f(x)$가 닫힌구간 $[a, b]$에서 연속이고 $f(a)$와 $f(b)$의 부호가 서로 다르면, 즉 $f(a)f(b)<0$이면

⇨ $f(c)=0$인 c가 열린구간 (a, b)에 적어도 하나 존재한다.

⇨ 방정식 $f(x)=0$은 열린구간 (a, b)에서 적어도 하나의 실근을 갖는다.

0182 대표문제

방정식 $2x^3+x-5=0$이 오직 하나의 실근을 가질 때, 다음 중 이 방정식의 실근이 존재하는 구간은?

① $(0, 1)$ ② $(1, 2)$ ③ $(2, 3)$

④ $(3, 4)$ ⑤ $(4, 5)$

0183 상중하

다음 보기의 방정식 중 열린구간 $(0, 1)$에서 적어도 하나의 실근을 갖는 것의 개수를 구하시오.

보기

ㄱ. $x^3+x-1=0$ ㄴ. $x^3+2x^2-2=0$

ㄷ. $x^3-5x^2-x+3=0$

0184 상중하

방정식 $x^3-3x^2-a=0$이 열린구간 $(-2, -1)$에서 적어도 하나의 실근을 갖도록 하는 정수 a의 개수를 구하시오.

0185 상중하

함수 $f(x)$는 모든 실수 x에서 연속이고

$f(0)=-1, f\left(\frac{1}{3}\right)=\frac{1}{2}, f\left(\frac{1}{2}\right)=\frac{1}{4}, f\left(\frac{2}{3}\right)=\frac{3}{4}, f(1)=-1$

일 때, 방정식 $f(x)=0$은 열린구간 $(0, 1)$에서 적어도 몇 개의 실근을 갖는지 구하시오.

0186 상중하

연속함수 $f(x)$가 $f(3)=2, f(4)=a^2-2a-3, f(5)=4$를 만족시킨다. 방정식 $f(x)=0$이 열린구간 $(3, 4)$, $(4, 5)$에서 각각 중근이 아닌 적어도 하나의 실근을 갖도록 하는 정수 a의 개수는?

① 2 ② 3 ③ 4

④ 5 ⑤ 6

0187 상중하

두 함수 $f(x)=x^5+x^3-3x^2+k, g(x)=x^3-5x^2+3$에 대하여 방정식 $f(x)=g(x)$가 열린구간 $(1, 2)$에서 적어도 하나의 실근을 갖도록 하는 정수 k의 개수를 구하시오.

발전 유형 11 여러 가지 사잇값의 정리의 활용

개념 06

(1) $(x-a)(x-b)+(x-c)(x-d)=0$ 꼴의 방정식이 주어지면
⇨ $f(x)=(x-a)(x-b)+(x-c)(x-d)$로 놓고
$\lim_{x\to-\infty} f(x)$, $f(a)$, $f(b)$, $f(c)$, $f(d)$, $\lim_{x\to\infty} f(x)$
의 값을 살펴본다.

(2) 함수의 극한이 주어지면
⇨ 수렴하는 유리함수의 극한의 성질을 이용하여 함수를 찾는다.

0188 • 대표문제 •

임의의 실수 a, b, c가 $a<b<c$를 만족시킬 때, 방정식

$$(x-a)(x-b)(x-c)+(x-a)(x-b)+(x-b)(x-c)+(x-c)(x-a)=0$$

의 근에 대한 다음 설명 중 옳은 것은?

① 실근을 갖지 않는다.
② 1개의 실근을 갖는다.
③ 2개의 실근을 갖는다.
④ 3개의 실근을 갖는다.
⑤ 무수히 많은 실근을 갖는다.

0189 상중하

다항함수 $f(x)$에 대하여

$$\lim_{x\to-1}\frac{f(x)}{x+1}=a,\ \lim_{x\to-2}\frac{f(x)}{x+2}=b$$

일 때, 방정식 $f(x)=0$이 닫힌구간 $[-2, -1]$에서 가질 수 있는 실근의 최소 개수는? (단, $ab>0$)

① 1 ② 2 ③ 3
④ 4 ⑤ 5

유형 12 사잇값의 정리의 실생활에의 활용

개념 06

적당한 함수를 세워 연속인 구간을 찾은 다음 사잇값의 정리를 이용한다.

0190 • 대표문제 •

지난 주말에 인영이네 가족은 승용차를 타고 할머니 댁에 갔다. 인영이가 집에서 출발한 지 한 시간 뒤에 승용차의 속도 계기판을 보니 시속 100 km이었다. 이후 휴게소에서 한 번 쉬었다가 다시 출발하였는데 출발 후 10분 뒤에 속도 계기판을 보니 시속 95 km이었다. 인영이가 탄 승용차가 집에서 출발하여 할머니 댁에 도착할 때까지 승용차의 속도가 시속 90 km가 되는 경우는 적어도 몇 번인지 구하시오.

0191 상중하

마라톤 대회에 참가한 주헌이가 출발 후 10 km를 달릴 때마다 속력을 확인하였더니 차례로 속력이 시속 12 km, 15 km, 11 km, 14 km이었고, 42.195 km를 완주한 순간의 속력은 시속 16 km이었다. 주헌이가 정지 상태에서 출발한 후 42.195 km를 완주할 때까지 달린 속력이 시속 13 km인 곳은 적어도 몇 군데인가?

① 1군데 ② 2군데 ③ 3군데
④ 4군데 ⑤ 5군데

• 실제 학교 시험지처럼 풀어 보세요.

0192 | 유형 01 |

함수 $f(x)=\begin{cases} x^2 & (x\ge a) \\ 2x+3 & (x<a) \end{cases}$이 모든 실수 x에서 연속이 되도록 하는 양수 a의 값은? [4.1점]

① 1 ② 2 ③ 3
④ 4 ⑤ 5

0193 | 유형 02 |

두 함수 $y=f(x)$, $y=g(x)$의 그래프가 다음 그림과 같을 때, 보기 중 옳은 것을 있는 대로 고른 것은? [4.6점]

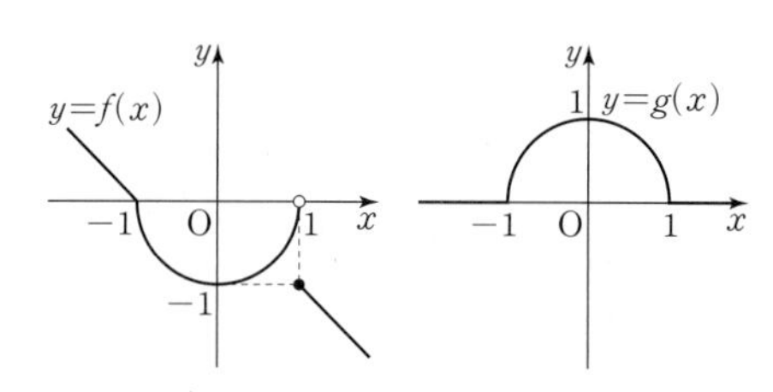

보기
ㄱ. 함수 $f(x)g(x)$는 $x=1$에서 연속이다.
ㄴ. 함수 $(f\circ f)(x)$는 $x=-1$에서 연속이다.
ㄷ. 함수 $(g\circ f)(x)$는 $x=1$에서 연속이다.

① ㄱ ② ㄷ ③ ㄱ, ㄴ
④ ㄴ, ㄷ ⑤ ㄱ, ㄴ, ㄷ

0194 | 유형 03 |

함수 $f(x)=\begin{cases} 2x+a & (x\ge 2) \\ x^2-x+b & (x<2) \end{cases}$가 $x=2$에서 연속이 되도록 하는 상수 a, b에 대하여 $a-b$의 값은? [4.1점]

① -2 ② -1 ③ 0
④ 1 ⑤ 2

0195 | 유형 03 |

함수 $f(x)=\begin{cases} 2x+k & (x>1) \\ x^2+3x+5 & (x\le 1) \end{cases}$가 $x=1$에서 불연속이고 함수 $f(x)f(3-x)$는 $x=2$에서 연속일 때, 상수 k의 값은? [4.3점]

① -4 ② -3 ③ -2
④ -1 ⑤ 0

0196 | 유형 04 |

함수 $f(x)=\dfrac{x^3+a^3}{x+a}$이 모든 실수 x에서 연속일 때, $f(-a)$의 값을 a로 나타내면? (단, a는 상수) [4.3점]

① $-3a^2$ ② $-3a$ ③ a^2
④ $3a$ ⑤ $3a^2$

0197 | 유형 04 |

함수 $f(x)=\begin{cases} \dfrac{\sqrt{x^2+1}+a}{x+2} & (x\ne -2) \\ b & (x=-2) \end{cases}$가 $x=-2$에서 연속일 때, 상수 a, b에 대하여 ab의 값은? [4.4점]

① -1 ② 0 ③ 1
④ 2 ⑤ 3

0198 | 유형 08 |

두 함수 $f(x)$, $g(x)$에 대하여 다음 보기 중 옳은 것을 있는 대로 고른 것은? [4.6점]

보기
ㄱ. $f(x)=\begin{cases} -1 & (x\ge 0) \\ 1 & (x<0) \end{cases}$, $g(x)=|x|$일 때, $(g\circ f)(x)$는 $x=0$에서 연속이다.
ㄴ. $(g\circ f)(x)$가 $x=0$에서 연속이면 $f(x)$는 $x=0$에서 연속이다.
ㄷ. $(f\circ f)(x)$가 $x=0$에서 연속이면 $f(x)$는 $x=0$에서 연속이다.

① ㄱ ② ㄴ ③ ㄱ, ㄴ
④ ㄱ, ㄷ ⑤ ㄴ, ㄷ

STEP 3 » 정답과 해설 27쪽

0199 | 유형 10 |

닫힌구간 $[-2, 3]$에서 연속인 함수 $f(x)$가

$$f(-2)f(1)<0, f(-2)f(3)>0$$

을 만족시킬 때, $-2<x<3$에서 방정식 $f(x)=0$은 적어도 n개의 실근을 갖는다. 이때, n의 값은? [4.4점]

① 1 ② 2 ③ 3
④ 4 ⑤ 5

0200 | 유형 10 |

두 연속함수 $f(x)$, $g(x)$에 대하여 $h(x)=f(x)-g(x)$라 할 때, 방정식 $h(x)=0$이 열린구간 $(0, 3)$에서 적어도 하나의 실근을 갖는다. 다음 보기 중 옳은 것을 있는 대로 고른 것은? [4.6점]

보기

ㄱ. 모든 실수 x에 대하여 $f(x)<g(x)$이다.
ㄴ. $f(0)<g(0)$이면 $f(3)>g(3)$이다.
ㄷ. $h(0)<0$, $h(1)>0$, $h(2)<0$이면 방정식 $h(x)=0$은 열린구간 $(0, 2)$에서 적어도 2개의 실근을 갖는다.

① ㄱ ② ㄴ ③ ㄷ
④ ㄱ, ㄴ ⑤ ㄴ, ㄷ

0201 | 유형 11 |

다항함수 $f(x)$에 대하여 $\lim_{x\to 0}\frac{f(x)}{x}=2$, $\lim_{x\to 1}\frac{f(x)}{x^2-1}=2$이면 방정식 $f(x)=0$은 닫힌구간 $[0, 1]$에서 적어도 n개의 실근을 갖는다. 이때, n의 값은? [4.6점]

① 3 ② 4 ③ 5
④ 6 ⑤ 7

서술형 문제

• 풀이 과정에 점수가 부여되니 풀이 과정 및 정답을 상세하게 서술하세요.

단답형

0202 | 유형 03 + 유형 04 |

$-b\le x\le a$에서 정의된 함수 $f(x)$가 연속이고

$$f(x)=\begin{cases}\dfrac{\sqrt{x+b}-c}{x} & (-b\le x<0)\\[2mm] \dfrac{1}{2} & (x=0)\\[2mm] x+2a & (0<x\le a)\end{cases}$$

일 때, abc의 값을 구하시오.

(단, a, b, c는 상수이고 $a>0$, $b>0$) [7점]

0203 | 유형 05 |

함수 $f(x)=([x]+a)^2$이 $x=3$에서 연속이 되도록 하는 상수 a의 값을 구하시오.

(단, $[x]$는 x보다 크지 않은 최대의 정수이다.) [7점]

단계형

0204 | 유형 06 |

모든 실수 x에서 연속인 함수 $f(x)$가

$$(x-2)(x^2+1)f(x)=x^2+ax-6$$

을 만족시킬 때, 다음 물음에 답하시오. (단, a는 상수) [12점]

(1) $x\ne 2$일 때, $f(x)$를 구하시오. [2점]

(2) a의 값을 구하시오. [5점]

(3) $f(2)$의 값을 구하시오. [5점]

성/취/도 Check

• 이 단원은 70점 만점입니다.

점수 / 70점

30점 STEP 1 개념+기본 문제 학습

40점 STEP 2 유형 대표 문제 학습

50점 STEP 3의 틀린 문제에 해당하는 STEP 2 유형 학습

60점 STEP 3의 틀린 문제 복습

65점 교과서 속 심화문제 시작

0205 창의·융합

두 함수

$$f(x)=\begin{cases}-1 & (|x|\geq 1)\\ 1 & (|x|<1)\end{cases},\ g(x)=\begin{cases}1 & (|x|\geq 1)\\ -x & (|x|<1)\end{cases}$$

에 대하여 다음 보기 중 옳은 것을 있는 대로 고른 것은?

보기

ㄱ. $\lim_{x\to 1}\dfrac{g(x)}{f(x)}=-1$

ㄴ. 함수 $g(x-1)$은 $x=0$에서 연속이다.

ㄷ. 함수 $f(x-1)g(x+1)$은 $x=0$에서 연속이다.

① ㄱ ② ㄴ ③ ㄱ, ㄴ ④ ㄱ, ㄷ ⑤ ㄱ, ㄴ, ㄷ

0206

두 함수 $y=f(x)$, $y=g(x)$의 그래프가 다음 그림과 같을 때, 함수 $\dfrac{f(x)}{g(x)}$가 열린구간 $(-2,\ 3)$에서 불연속이 되는 x의 값의 개수를 구하시오.

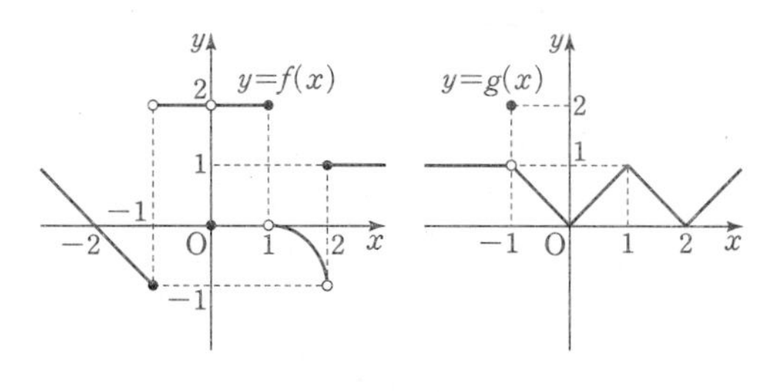

0207

다항함수 $g(x)$에 대하여

$$f(x)=\begin{cases}\dfrac{g(x)}{x-1} & (x\neq 1)\\ a & (x=1)\end{cases}$$

로 정의된 함수 $f(x)$가 실수 전체의 집합에서 연속일 때, 다음 보기 중 옳은 것을 있는 대로 고른 것은? (단, a는 상수)

보기

ㄱ. $\lim_{x\to 1}f(x)=a$

ㄴ. $\lim_{x\to 1}g(x)=1$

ㄷ. $\lim_{x\to 1}\dfrac{f(x)g(x)}{x^2-1}=\dfrac{1}{2}a^2$

① ㄱ ② ㄷ ③ ㄱ, ㄴ ④ ㄱ, ㄷ ⑤ ㄴ, ㄷ

0208

$-2\leq x\leq 2$에서 정의된 두 함수 $y=f(x)$, $y=g(x)$의 그래프가 다음 그림과 같을 때, 보기 중 옳은 것을 있는 대로 고른 것은?

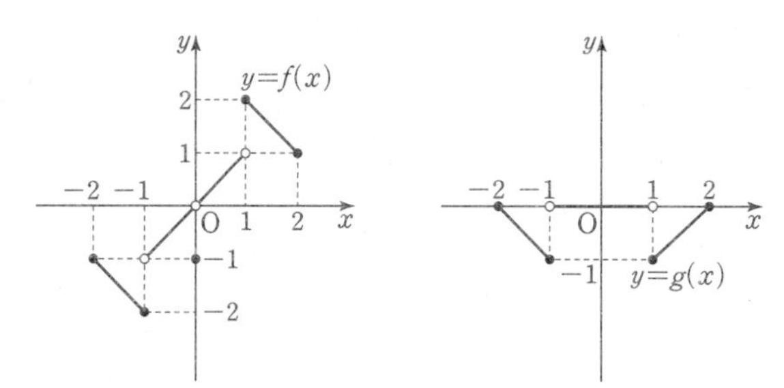

보기

ㄱ. $\lim_{x\to -1}f(g(x))=1$

ㄴ. 함수 $f(g(x))$는 $x=1$에서 불연속이다.

ㄷ. 방정식 $g(f(x))=-\dfrac{1}{2}$의 실근이 -2와 -1 사이에 적어도 하나 존재한다.

① ㄱ ② ㄷ ③ ㄱ, ㄴ ④ ㄴ, ㄷ ⑤ ㄱ, ㄴ, ㄷ

3

미분계수와 도함수

인생은 우리가 만드는 것이다.
항상 그래왔고, 앞으로도 그럴 것이다.

-그랜마 모제스

기출 문제 분석

빅 데이터

* 전국 300여 개 고등학교 기출 문제를 분석하였습니다.

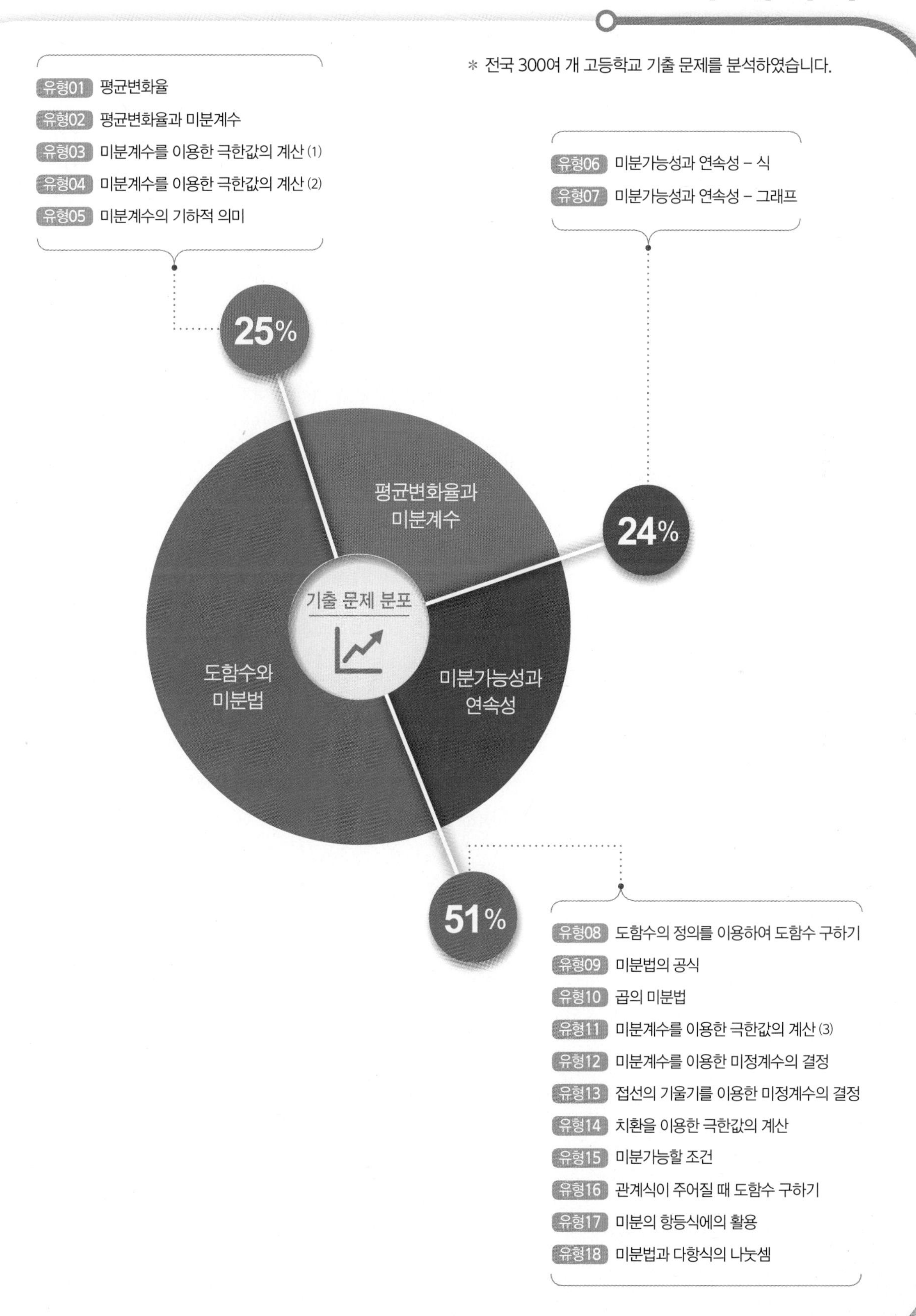

STEP 1 개념 마스터

01 평균변화율

유형 01, 02

(1) 함수 $y=f(x)$에서 x의 값이 a에서 b까지 변할 때, **평균변화율**은

$$\frac{\Delta y}{\Delta x}=\frac{f(b)-f(a)}{b-a}=\frac{f(a+\Delta x)-f(a)}{\Delta x}$$

참고 Δx: x의 증분 (x의 값의 변화량)
Δy: y의 증분 (y의 값의 변화량)

(2) 평균변화율은 두 점 $\mathrm{P}(a,\ f(a))$, $\mathrm{Q}(b,\ f(b))$를 지나는 **직선 PQ의 기울기**와 같다.

[0209~0211] 다음 함수에서 x의 값이 -2에서 3까지 변할 때의 평균변화율을 구하시오.

0209 $f(x)=x+2$

0210 $f(x)=-x^2+3$

0211 $f(x)=2x^3-1$

0212 함수 $f(x)=2x+1$에서 x의 값이 다음과 같이 변할 때의 평균변화율을 구하시오.

(1) 0에서 4까지 변할 때

(2) 1에서 $1+\Delta x$까지 변할 때

0213 함수 $f(x)=x^2+2x$에서 x의 값이 a에서 $a+\Delta x$까지 변할 때의 평균변화율을 구하시오.

02 미분계수

유형 02~05, 11~14

(1) 함수 $y=f(x)$의 $x=a$에서의 **순간변화율** 또는 **미분계수**는

$$f'(a)=\lim_{\Delta x\to 0}\frac{\Delta y}{\Delta x}=\lim_{\Delta x\to 0}\frac{f(a+\Delta x)-f(a)}{\Delta x}=\lim_{x\to a}\frac{f(x)-f(a)}{x-a}$$

└ Δx 대신 h를 사용하여 $f'(a)=\lim_{h\to 0}\frac{f(a+h)-f(a)}{h}$로 나타내기도 한다.

(2) 함수 $y=f(x)$의 $x=a$에서의 미분계수 $f'(a)$가 존재할 때, $f(x)$는 $x=a$에서 **미분가능**하다고 한다.

(3) **미분계수의 기하적 의미**

함수 $y=f(x)$가 $x=a$에서 미분가능할 때, $x=a$에서의 미분계수 $f'(a)$는 곡선 $y=f(x)$ 위의 점 $\mathrm{P}(a,\ f(a))$에서의 **접선의 기울기**와 같다.

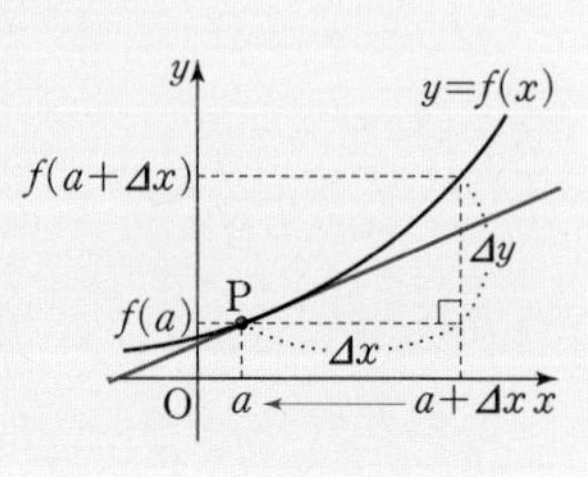

[0214~0216] 다음 함수의 $x=1$에서의 미분계수를 구하시오.

0214 $f(x)=-4x$

0215 $f(x)=3x-1$

0216 $f(x)=x^2-3x$

[0217~0219] 다음 함수 $f(x)$에 대하여 곡선 $y=f(x)$ 위의 주어진 점에서의 접선의 기울기를 구하시오.

0217 $f(x)=3x+1$ $(1,\ 4)$

0218 $f(x)=x^2-2x+2$ $(0,\ 2)$

0219 $f(x)=-x^2+4$ $(-1,\ 3)$

• $\frac{\Delta y}{\Delta x}=\frac{f(b)-f(a)}{b-a}=\frac{f(a+\Delta x)-f(a)}{\Delta x}$

• $f'(a)=\lim_{\Delta x\to 0}\frac{\Delta y}{\Delta x}=\lim_{\Delta x\to 0}\frac{f(a+\Delta x)-f(a)}{\Delta x}=\lim_{x\to a}\frac{f(x)-f(a)}{x-a}$

03 미분가능성과 연속성

유형 06, 07, 15

함수 $f(x)$가 $x=a$에서 미분가능하면 $f(x)$는 $x=a$에서 연속이다.
└ 함수 $f(x)$가 $x=a$에서 불연속이면 $x=a$에서 미분가능하지 않다.

그러나 그 역은 성립하지 않는다.
└ 함수 $f(x)$가 $x=a$에서 연속이라고 해서 반드시 $x=a$에서 미분가능한 것은 아니다.

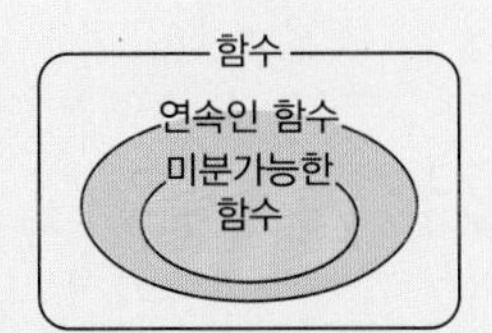

0220 함수 $f(x)=|x|$의 $x=0$에서의 연속성과 미분가능성을 조사하시오.

0221 함수 $f(x)=|x-1|$은 $x=a$에서 연속이지만 미분가능하지 않다. 이때, 상수 a의 값을 구하시오.

0222 함수 $f(x)=\begin{cases} x^2 & (x\ge1) \\ -2x^2+3 & (x<1) \end{cases}$ 에 대하여 다음 물음에 답하시오.

(1) 함수 $f(x)$의 $x=1$에서의 연속성을 조사하시오.

(2) 함수 $f(x)$의 $x=1$에서의 미분가능성을 조사하시오.

04 도함수

유형 08, 16

미분가능한 함수 $y=f(x)$의 정의역의 각 원소 x에 미분계수 $f'(x)$를 대응시켜 만든 새로운 함수를 함수 $y=f(x)$의 **도함수**라 하며, 이것을 기호로

$$f'(x),\ y',\ \frac{dy}{dx},\ \frac{d}{dx}f(x)$$

와 같이 나타낸다. 즉,

$$f'(x)=\lim_{\Delta x\to 0}\frac{f(x+\Delta x)-f(x)}{\Delta x}=\lim_{h\to 0}\frac{f(x+h)-f(x)}{h}$$

참고 함수 $f(x)$의 $x=a$에서의 미분계수 $f'(a)$는 도함수 $f'(x)$의 $x=a$에서의 함숫값이다.

[0223~0225] 도함수의 정의를 이용하여 다음 함수의 도함수를 구하시오.

0223 $f(x)=4$

0224 $f(x)=3x-4$

0225 $f(x)=x^2-x$

[0226~0227] 도함수의 정의를 이용하여 다음 함수의 도함수를 구하고, $x=2$에서의 미분계수를 구하시오.

0226 $f(x)=2x^2+1$

0227 $f(x)=-\frac{1}{2}x^2+x-3$

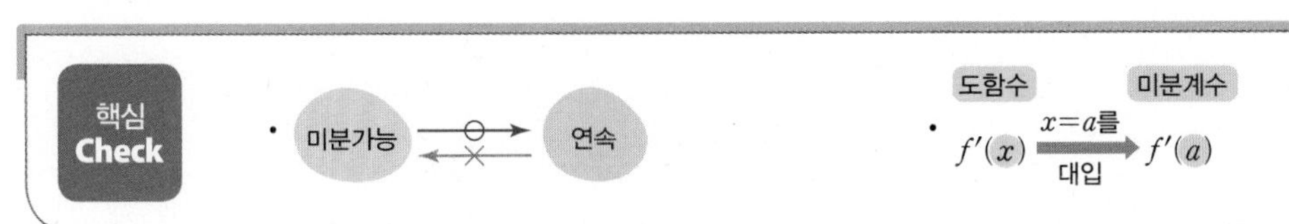

05 여러 가지 미분법

유형 09~14, 17, 18

(1) 함수 $f(x)=x^n$ (n은 양의 정수)과 상수함수의 도함수

① $f(x)=x^n$ ($n\geq 2$인 정수)이면 ⇨ $f'(x)=nx^{n-1}$

② $f(x)=x$이면 ⇨ $f'(x)=1$

③ $f(x)=c$ (c는 상수)이면 ⇨ $f'(x)=0$

(2) 함수의 실수배, 합, 차, 곱의 미분법

세 함수 $f(x)$, $g(x)$, $h(x)$가 미분가능할 때

① $\{cf(x)\}'=cf'(x)$ (단, c는 상수)

② $\{f(x)+g(x)\}'=f'(x)+g'(x)$

③ $\{f(x)-g(x)\}'=f'(x)-g'(x)$

④ $\{f(x)g(x)\}'=f'(x)g(x)+f(x)g'(x)$

⑤ $\{f(x)g(x)h(x)\}'=f'(x)g(x)h(x)+f(x)g'(x)h(x)+f(x)g(x)h'(x)$

⑥ $[\{f(x)\}^n]'=n\{f(x)\}^{n-1}f'(x)$ (단, $n\geq 2$인 정수)

[0228~0231] 다음 함수의 도함수를 구하시오.

0228 $y=x^7$

0229 $y=3x^6$

0230 $y=-x^{15}$

0231 $y=24$

[0232~0236] 다음 함수를 미분하시오.

0232 $y=5x+1$

0233 $y=-2x^2+3x+1$

0234 $y=\frac{1}{3}x^3-x^2+x-1$

0235 $y=-x^4-6x^2+3x+2$

0236 $y=2x^6-x^3+x$

0237 함수 $f(x)=x^2+ax+3$에 대하여 $f'(1)=0$일 때, 상수 a의 값을 구하시오.

[0238~0239] 다음 함수를 미분하시오.

0238 $y=(x-2)(2x+1)$

0239 $y=(3x+4)(2x^2+3x-1)$

[0240~0241] 다음 함수를 미분하시오.

0240 $y=x(x+1)(x+4)$

0241 $y=(2x+1)(x-1)(-x^2+5x)$

[0242~0243] 다음 함수를 미분하시오.

0242 $y=(2x-1)^3$

0243 $y=(-x^2+3x+5)^4$

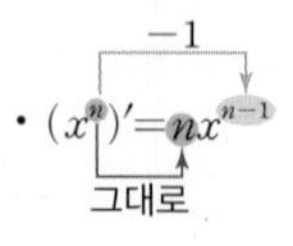

• $(x^n)'=nx^{n-1}$

• $\{f(x)g(x)\}'=f'(x)g(x)+f(x)g'(x)$
미분 그대로 그대로 미분

STEP 2 유형 마스터

개념 해결의 법칙 64쪽 유형 01

유형 01 평균변화율

개념 01

함수 $y=f(x)$에서 x의 값이 a에서 b까지 변할 때의 평균변화율은

$$\frac{\Delta y}{\Delta x}=\frac{f(b)-f(a)}{b-a}=\frac{f(a+\Delta x)-f(a)}{\Delta x}$$

0244 • 대표문제 •

함수 $f(x)=x^2-2x$에서 x의 값이 a에서 $a+1$까지 변할 때의 평균변화율이 3일 때, 상수 a의 값은?

① -1　② 0　③ 1　④ 2　⑤ 3

0245 상중하

함수 $f(x)=x^2+2$에서 x의 값이 -1에서 3까지 변할 때의 평균변화율과 x의 값이 -3에서 a까지 변할 때의 평균변화율이 같을 때, 상수 a의 값을 구하시오. (단, $a>-3$)

개념 해결의 법칙 64쪽 유형 01

유형 02 평균변화율과 미분계수

개념 01, 02

함수 $y=f(x)$의 $x=a$에서의 순간변화율 또는 미분계수는

$$f'(a)=\lim_{\Delta x\to 0}\frac{\Delta y}{\Delta x}=\lim_{\Delta x\to 0}\frac{f(a+\Delta x)-f(a)}{\Delta x}=\lim_{x\to a}\frac{f(x)-f(a)}{x-a}$$

0246 • 대표문제 •

함수 $f(x)=x^2+3x+1$에서 x의 값이 1에서 2까지 변할 때의 평균변화율과 $x=c$에서의 미분계수가 같을 때, 상수 c의 값은? (단, $1<c<2$)

① $\frac{7}{6}$　② $\frac{6}{5}$　③ $\frac{5}{4}$　④ $\frac{4}{3}$　⑤ $\frac{3}{2}$

0247 상중하 서술형

함수 $f(x)=x^2-x+2$에서 x의 값이 1에서 k까지 변할 때의 평균변화율과 $x=2$에서의 미분계수가 같을 때, 상수 k의 값을 구하시오.

0248 상중하

다항함수 $f(x)$에 대하여 $f(1)=1$이고, x의 값이 1에서 a까지 변할 때의 평균변화율이 a일 때, $x=1$에서의 미분계수를 구하시오.

중요

개념 해결의 법칙 65쪽 유형 02

유형 03 미분계수를 이용한 극한값의 계산 (1)

개념 02

주어진 식을 $\lim_{■\to 0}\frac{f(a+■)-f(a)}{■}$의 꼴로 변형하고 $f'(a)$의 값을 이용하여 극한값을 구한다.

이때, $\lim_{■\to 0}\frac{f(a+■)-f(a)}{■}$에서 ■부분이 같아지도록 변형한다.

0249 • 대표문제 •

다항함수 $f(x)$에 대하여 $f'(1)=2$일 때,

$\lim_{h\to 0}\frac{f(1+h)-f(1-h)}{h}$의 값을 구하시오.

0250 상중하

미분가능한 두 함수 $f(x)$, $g(x)$에 대하여

$$f'(1)=2,\ g(0)=0,\ \lim_{h\to 0}\frac{f(1+3h)-f(1)-g(h)}{h}=0$$

이 성립할 때, $g'(0)$의 값을 구하시오.

3 미분계수와 도함수

중요 개념 해결의 법칙 66쪽 유형 03

유형 04 미분계수를 이용한 극한값의 계산 (2) 개념 02

주어진 식을 $\lim_{▲\to a}\frac{f(▲)-f(a)}{▲-a}$의 꼴로 변형하고 $f'(a)$의 값을 이용하여 극한값을 구한다.
이때, $\lim_{▲\to a}\frac{f(▲)-f(a)}{▲-a}$에서 ▲부분이 같아지도록 변형한다.

0251 • 대표문제 •

다항함수 $f(x)$에 대하여 $f(3)=4$, $f'(3)=2$일 때, $\lim_{x\to3}\frac{3f(x)-xf(3)}{x-3}$의 값은?

① 1 ② 2 ③ 3
④ 4 ⑤ 5

0252 상중하

다항함수 $f(x)$에 대하여 $f'(1)=2$일 때, $\lim_{x\to1}\frac{f(x^2)-f(1)}{x-1}$의 값을 구하시오.

0253 상중하

다항함수 $f(x)$에 대하여 $f(1)=3$, $f'(1)=-2$일 때, $\lim_{x\to1}\frac{x^2f(1)-f(x^2)}{x-1}$의 값은?

① 10 ② 20 ③ 30
④ 40 ⑤ 50

개념 해결의 법칙 67쪽 유형 04

유형 05 미분계수의 기하적 의미 개념 02

함수 $y=f(x)$의 그래프 위의 점 $\mathrm{P}(a, f(a))$에서의 접선의 기울기는 $x=a$에서의 미분계수 $f'(a)$와 같다.

0254 • 대표문제 •

오른쪽 그림은 미분가능한 함수 $y=f(x)$의 그래프이다. 다음 보기 중 옳은 것을 있는 대로 고른 것은? (단, $0<a<b$)

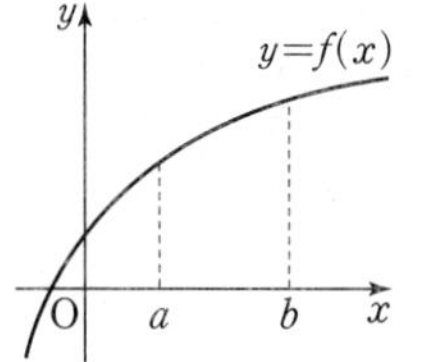

보기
ㄱ. $f'(a)<f'(b)$
ㄴ. $\frac{f(b)-f(a)}{b-a}<f'(a)$
ㄷ. $f'(\sqrt{ab})>f'\left(\frac{a+b}{2}\right)$

① ㄱ ② ㄷ ③ ㄱ, ㄴ
④ ㄴ, ㄷ ⑤ ㄱ, ㄴ, ㄷ

0255 상중하

닫힌구간 $[1, 5]$에서 함수 $f(x)=(x-2)^2$의 그래프가 오른쪽 그림과 같을 때, 함수

$$g(x)=\frac{f(x)-f(1)}{x-1}\ (1<x\le5)$$

에 대하여 다음 보기 중 옳은 것을 있는 대로 고른 것은?

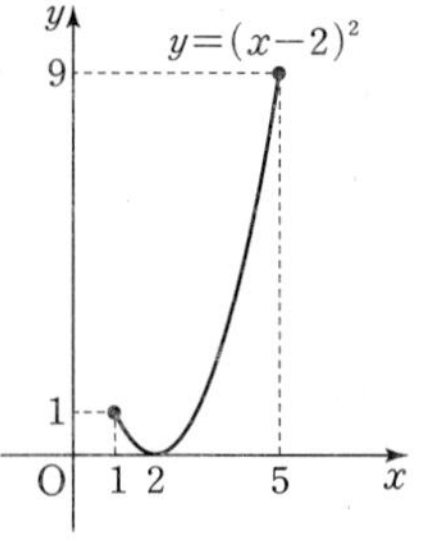

보기
ㄱ. $g(4)<g(5)$
ㄴ. $g(x)=0$인 x의 값은 2개이다.
ㄷ. $g(3)<f'(3)$

① ㄱ ② ㄴ ③ ㄱ, ㄷ
④ ㄴ, ㄷ ⑤ ㄱ, ㄴ, ㄷ

개념 해결의 법칙 68쪽 유형 05

유형 06 미분가능성과 연속성 – 식

개념 03

함수 $f(x)$가 실수 a에 대하여

(1) $\lim_{x \to a} f(x) = f(a)$이면 $x=a$에서 연속이다.

(2) $\lim_{h \to 0} \frac{f(a+h)-f(a)}{h}$가 존재하면 $x=a$에서 미분가능하다.

0256 • 대표문제 •

다음 중 $x=0$에서 연속이지만 미분가능하지 않은 함수는?

① $f(x)=\frac{|x|}{x}$ ② $f(x)=x|x|$ ③ $f(x)=\sqrt{x^2}$

④ $f(x)=|x|^2$ ⑤ $f(x)=x^2|x|$

0257 상중하 서술형

함수 $f(x)=|x^2-1|$에 대하여 $x=1$에서의 연속성과 미분가능성을 조사하시오.

0258 상중하

다음 보기 중 $x=0$에서 연속이지만 미분가능하지 않은 함수를 있는 대로 고른 것은?

보기

ㄱ. $f(x)=\begin{cases} x & (x \geq 0) \\ -x & (x<0) \end{cases}$

ㄴ. $g(x)=\begin{cases} \frac{|x|}{x}-1 & (x \neq 0) \\ 0 & (x=0) \end{cases}$

ㄷ. $l(x)=\begin{cases} (x+1)^2 & (x \geq 0) \\ 2x+1 & (x<0) \end{cases}$

① ㄱ ② ㄴ ③ ㄷ

④ ㄱ, ㄷ ⑤ ㄱ, ㄴ, ㄷ

개념 해결의 법칙 69쪽 유형 06

유형 07 미분가능성과 연속성 – 그래프

개념 03

함수 $y=f(x)$의 그래프에서

(1) 불연속인 점 ⇨ 연결되어 있지 않고 끊어져 있는 점

(2) 미분가능하지 않은 점 ⇨ 불연속인 점, 꺾인 점

0259 • 대표문제 •

오른쪽 그림은 $a<x<b$에서 정의된 함수 $y=f(x)$의 그래프이다. 다음 설명 중 옳지 않은 것은?

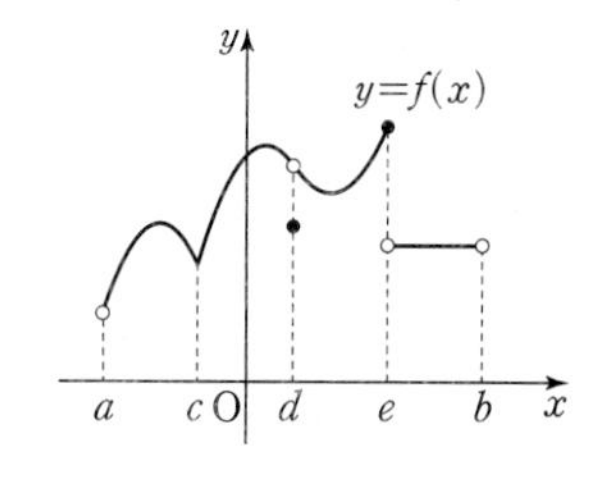

① 함수 $f(x)$가 불연속인 점은 2개이다.

② $\lim_{x \to d} f(x)$의 값이 존재한다.

③ $f'(x)=0$인 점이 존재한다.

④ 함수 $f(x)$가 미분가능하지 않은 점은 2개이다.

⑤ 함수 $f(x)$에서 연속이지만 미분가능하지 않은 점은 1개이다.

0260 상중하

다음 함수 $y=f(x)$의 그래프 중 $x=a$에서 미분가능한 것은?

①
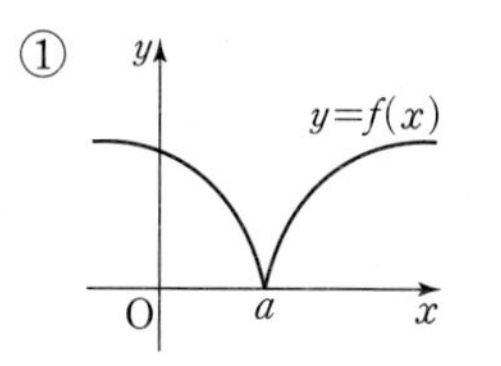

②
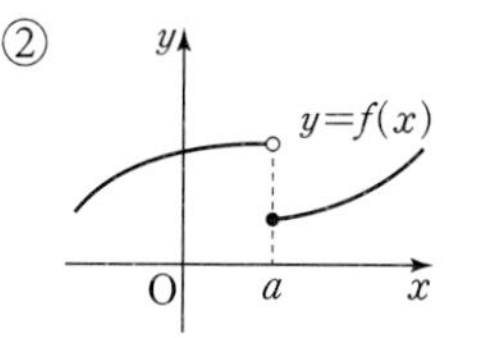

③
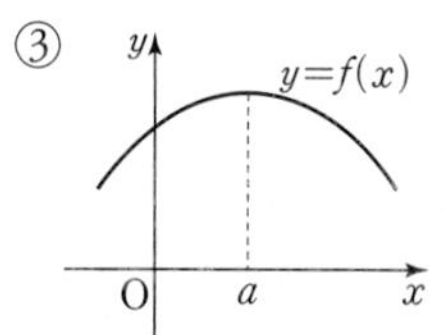

④
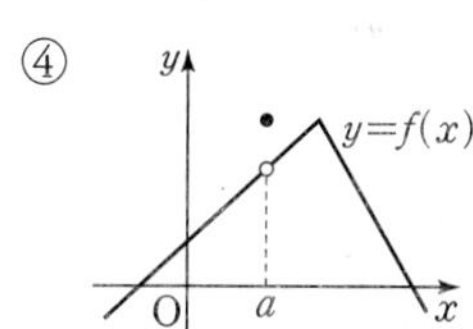

⑤
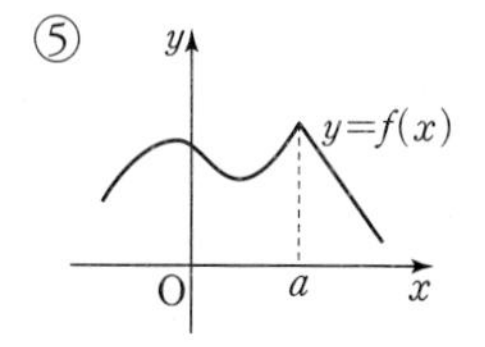

0261 상중하

함수 $y=f(x)$의 그래프가 오른쪽 그림과 같을 때, 열린구간 $(-2, 3)$에서 함수 $f(x)$가 불연속인 점은 a개, 미분가능하지 않은 점은 b개이다. 이때, $a+b$의 값을 구하시오.

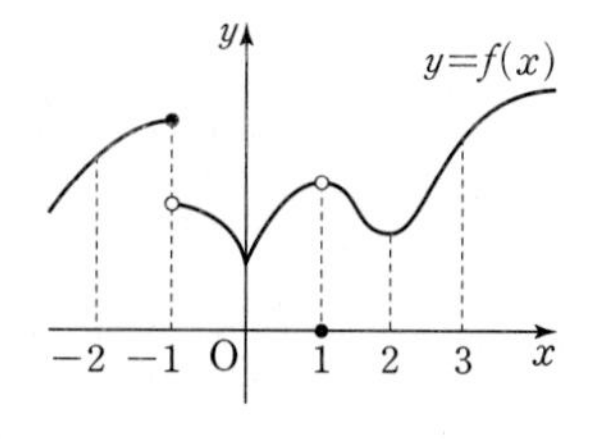

유형 08 도함수의 정의를 이용하여 도함수 구하기

개념 04

$f'(x)=\lim_{h\to 0}\frac{f(x+h)-f(x)}{h}$ 임을 이용한다.

0262 • 대표문제 •

다음은 미분가능한 함수 $f(x)$에 대하여 도함수의 정의를 이용하여 $y=\{f(x)\}^2$의 도함수를 구하는 과정이다.

> $F(x)=\{f(x)\}^2$으로 놓으면 $y=F(x)$에서
>
> $y'=\lim_{h\to 0}\frac{F(x+h)-F(x)}{h}$
>
> $=\lim_{h\to 0}\frac{\{f(x+h)\}^2-\{f(x)\}^2}{h}$
>
> $=\lim_{h\to 0}\frac{f(x+h)-f(x)}{h}\times\lim_{h\to 0}\{$ (가) $\}$
>
> $=$ (나)

위의 과정에서 (가), (나)에 알맞은 것을 차례대로 나열한 것은?

① $f(x+h)-f(x)$, $2f(x)f'(x)$
② $f(x+h)+f(x)$, $2f(x)f'(x)$
③ $f(x+h)-f(x)$, $2f(x)$
④ $f(x+h)+f(x)$, $2f(x)$
⑤ $f(x+h)-f(x)$, $f(x)f'(x)$

0263 상중하

다음은 미분가능한 함수 $f(x)$가 모든 실수 x에 대하여 $f(x)=f(-x)$를 만족시킬 때, $f'(-x)=-f'(x)$가 성립함을 증명한 것이다.

> 증명
>
> $f'(-x)=\lim_{h\to 0}\frac{f(-x+h)-f(-x)}{h}$
>
> $=\lim_{h\to 0}\frac{\text{(가)}-f(x)}{h}$
>
> $=\lim_{h\to 0}\left\{\frac{\text{(가)}-f(x)}{\text{(나)}}\times(-1)\right\}$
>
> $=-f'(x)$

위의 증명 과정에서 (가), (나)에 알맞은 것을 차례대로 써넣으시오.

개념 해결의 법칙 77쪽 유형 01

유형 09 미분법의 공식

개념 05

(1) $y=x^n$ (n은 양의 정수) ⇨ $y'=nx^{n-1}$ └ $n=1$이면 $y'=x^0=1$
(2) $y=c$ (c는 상수) ⇨ $y'=0$
(3) $y=cf(x)$ (c는 상수) ⇨ $y'=cf'(x)$
(4) $y=f(x)+g(x)$ ⇨ $y'=f'(x)+g'(x)$
(5) $y=f(x)-g(x)$ ⇨ $y'=f'(x)-g'(x)$

0264 • 대표문제 •

함수 $f(x)=x+\frac{1}{3}x^3+\frac{1}{5}x^5+\cdots+\frac{1}{99}x^{99}$일 때, $f'(1)$의 값은?

① 49　② 50　③ 98
④ 99　⑤ 100

0265 상중하 서술형

함수 $f(x)=x-x^2+x^3-x^4+x^5-x^6+x^7$에 대하여 $f(1)+f'(1)$의 값을 구하시오.

0266 상중하

함수 $f(x)=x^3+ax^2-x-1$에 대하여 $f'(1)=4$일 때, 상수 a의 값을 구하시오.

0267 상중하

함수 $f(x)=ax^2+bx+c$에 대하여

$f(-1)=0,\ f'(1)=2,\ f'(2)=4$

일 때, 상수 a, b, c에 대하여 $a+b-c$의 값은?

① -2　② -1　③ 0
④ 1　⑤ 2

중요

개념 해결의 법칙 77쪽 유형 01

유형 10 곱의 미분법

개념 05

(1) $y=f(x)g(x) \Rightarrow y'=\underset{\text{미분}}{f'(x)}\underset{\text{그대로}}{g(x)}+\underset{\text{그대로}}{f(x)}\underset{\text{미분}}{g'(x)}$

(2) $y=f(x)g(x)h(x)$

$\Rightarrow y'=f'(x)g(x)h(x)+f(x)g'(x)h(x)+f(x)g(x)h'(x)$

(3) $y=\{f(x)\}^n$ (n은 양의 정수) $\Rightarrow y'=n\{f(x)\}^{n-1}f'(x)$

0268 • 대표문제 •

함수 $f(x)=(x-1)(x^3-3)+(x^2-2x-1)^3$에 대하여 $f'(1)$의 값은?

① -2　② -1　③ 0　④ 1　⑤ 2

0269 상중하

함수 $f(x)=(x^4-3x^2+ax-1)^2$일 때, $f'(0)=4$이다. 이때, $f(1)$의 값은? (단, a는 상수)

① 4　② 9　③ 16　④ 25　⑤ 36

0270 상중하

모든 실수 x에 대하여 미분가능한 함수 $f(x)$가

$$(x^2+x+1)f(x)=(x+1)(x^6-1)$$

을 만족시킬 때, $f'(1)$의 값을 구하시오.

0271 상중하

미분가능한 함수 $f(x)$가 $f(1)=2$, $f'(1)=3$을 만족시킬 때, 함수 $g(x)=(x^2+2x)f(x)$에 대하여 $g'(1)$의 값은?

① 16　② 17　③ 18　④ 19　⑤ 20

0272 상중하 서술형

두 함수 $f(x)=x^6+6x^2+1$, $g(x)=(3x^2-4x+1)^2$에 대하여 함수 $h(x)=f(x)-g(x)$의 $x=1$에서의 미분계수를 구하시오.

0273 상중하

사차함수 $f(x)=(x-a)^4$과 함수 $g(x)=x$에 대하여 곡선 $y=f(x)+g(x)$ 위의 $x=3$인 점에서의 접선의 기울기가 5이다. 이때, 실수 a의 값을 구하시오.

0274 상중하

다항함수 $f(x)$가 $\lim_{x\to3}\frac{f(x)-5}{x-3}=2$를 만족시킬 때, 함수 $g(x)=xf(x)$에 대하여 $g'(3)$의 값을 구하시오.

0275 상중하

두 다항함수 $f(x)$, $g(x)$가 $\lim_{x\to1}\frac{f(x)-2}{x-1}=3$, $\lim_{x\to1}\frac{g(x)-1}{x-1}=-1$을 만족시킬 때, 함수 $H(x)=f(x)g(x)$에 대하여 $H'(1)$의 값을 구하시오.

개념 해결의 법칙 78쪽 유형 02

유형 11 미분계수를 이용한 극한값의 계산 (3)

중요 · 개념 02.05

주어진 식을 $f'(a)$가 포함된 식으로 변형
⇨ $f(x)$의 도함수 $f'(x)$를 구한 후, $f'(x)$에 $x=a$를 대입하여 $f'(a)$의 값 구하기
⇨ 주어진 식의 값 구하기

0276 • 대표문제 •

함수 $f(x)=x^4+x^2+1$에 대하여 $\lim_{h\to0}\frac{f(1+h)-f(1-2h)}{h}$의 값은?

① 6 ② 12 ③ 18
④ 24 ⑤ 30

0277 상중하

함수 $f(x)=2x^3-x^2-3x+1$에 대하여 $\lim_{x\to1}\frac{\{f(x)\}^2-\{f(1)\}^2}{x-1}$의 값을 구하시오.

0278 상중하

함수 $f(x)=x^6+6x^2+1$에 대하여 $\lim_{h\to0}\frac{f(-1+3h)-f(1)}{2h}$의 값은?

① -27 ② -24 ③ -21
④ -18 ⑤ -15

0279 상중하

함수 $f(x)=x^3-x^2+2$에 대하여 $\lim_{n\to\infty}n\left\{f\left(1+\frac{1}{n}\right)-f\left(1-\frac{1}{n}\right)\right\}$의 값을 구하시오.

개념 해결의 법칙 79쪽 유형 03

유형 12 미분계수를 이용한 미정계수의 결정

개념 02.05

다항함수 $f(x)$가 $\lim_{x\to a}\frac{f(x)-A}{x-a}=B$를 만족시키면 $A=f(a)$, $B=f'(a)$임을 이용하여 함수 $f(x)$의 미정계수를 구한다.

0280 • 대표문제 •

함수 $f(x)=x^3+ax^2+2bx-3b$에 대하여 $\lim_{x\to1}\frac{f(x)}{x-1}=1$일 때, 상수 a, b에 대하여 ab의 값을 구하시오.

0281 상중하

함수 $f(x)=x^2+ax+b$에 대하여 $f(1)=8$, $\lim_{x\to1}\frac{f(x)-f(1)}{\sqrt{x}-1}=8$일 때, 상수 a, b에 대하여 $b-a$의 값은?

① 1 ② 2 ③ 3
④ 4 ⑤ 5

0282 상중하

함수 $f(x)=x^3+ax^2+bx+c$에 대하여 $\lim_{x\to2}\frac{f(x)}{x-2}=12$, $\lim_{h\to0}\frac{f(1+h)-f(1-h)}{h}=2$일 때, $f(1)$의 값을 구하시오. (단, a, b, c는 상수)

0283 상중하

다항함수 $f(x)=ax^3+bx^2+cx+d$가 $\lim_{x\to\infty}\frac{f(x)}{x^2+x-2}=2$, $\lim_{x\to1}\frac{f(x)-10}{x-1}=5$를 만족시킬 때, 상수 a, b, c, d에 대하여 $ab+cd$의 값을 구하시오.

유형 13 접선의 기울기를 이용한 미정계수의 결정

개념 02, 05

$f(x)$의 도함수 $f'(x)$를 구한다.

⇨ 함수 $y=f(x)$의 그래프 위의 점 $(a, f(a))$에서의 접선의 기울기는 $f'(a)$임을 이용하여 함수 $f(x)$의 미정계수를 구한다.

0284 • 대표문제 •

함수 $f(x)=x^2+ax+b$의 그래프 위의 점 $(1, 2)$에서의 접선의 기울기가 -2일 때, 상수 a, b에 대하여 ab의 값을 구하시오.

0285 상중하

곡선 $y=ax^2+bx+c$가 점 $(1, 1)$을 지나고, 곡선 위의 점 $(-1, 2)$에서의 접선의 기울기가 $-\frac{3}{2}$일 때, 상수 a, b, c에 대하여 $2a-2b+c$의 값은?

① 0 ② 1 ③ 2 ④ 3 ⑤ 4

0286 상중하

곡선 $y=(3x-4)^2(2x-a)$ 위의 $x=1$인 점에서의 접선의 기울기가 -4일 때, 상수 a의 값을 구하시오.

0287 상중하

사차함수 $f(x)=x^4-4x^3+6x^2+4$의 그래프 위의 점 (a, b)에서의 접선의 기울기가 4일 때, a^2+b^2의 값을 구하시오.

발전 유형 14 치환을 이용한 극한값의 계산

개념 02, 05

분자에 인수분해하기 힘든 복잡한 식이 있으면 분자의 적당한 식을 $f(x)$로 치환

⇨ 미분계수의 정의 $f'(a)=\lim_{x \to a}\frac{f(x)-f(a)}{x-a}$를 이용할 수 있도록 식을 변형

0288 • 대표문제 •

$\lim_{x \to 1}\frac{x^n+x^2+x-3}{x-1}=10$을 만족시키는 양의 정수 n의 값은?

① 3 ② 5 ③ 7 ④ 9 ⑤ 11

0289 상중하

$\lim_{x \to 1}\frac{x^{10}-x^9+x^8-x^7+x^6-1}{x-1}$의 값은?

① 8 ② 9 ③ 10 ④ 11 ⑤ 12

0290 상중하

$\lim_{x \to 2}\frac{x^n-x^4-8x}{x-2}=a$일 때, 양의 정수 n과 상수 a에 대하여 $\frac{a}{n}$의 값은?

① 6 ② $\frac{13}{2}$ ③ 7 ④ $\frac{15}{2}$ ⑤ 8

개념 해결의 법칙 80쪽 유형 04

중요 유형 15 미분가능할 조건

개념 03

다항함수 $f(x)$, $g(x)$에 대하여 함수 $h(x)=\begin{cases} f(x) & (x\ge a) \\ g(x) & (x<a) \end{cases}$가 $x=a$에서 미분가능하면

(1) 함수 $h(x)$는 $x=a$에서 연속이므로 $\lim_{x\to a-} g(x)=f(a)$

(2) 함수 $h(x)$의 $x=a$에서의 미분계수가 존재하므로

$$\lim_{x\to a+}\frac{f(x)-f(a)}{x-a}=\lim_{x\to a-}\frac{g(x)-g(a)}{x-a}$$

0291 • 대표문제 •

함수 $f(x)=\begin{cases} x^2+2 & (x\ge 1) \\ ax+b & (x<1) \end{cases}$가 $x=1$에서 미분가능할 때, 상수 a, b에 대하여 ab의 값을 구하시오.

0292 상중하

함수 $f(x)=\begin{cases} ax^2 & (x\ge 2) \\ (x-1)^2+b & (x<2) \end{cases}$가 $x=2$에서 미분가능할 때, 상수 a, b에 대하여 $\frac{b}{a}$의 값은?

① $-\frac{1}{2}$ ② $\frac{1}{2}$ ③ 1
④ $\frac{3}{2}$ ⑤ 2

0293 상중하 서술형

함수 $f(x)=\begin{cases} ax^2-bx+1 & (x\ge 1) \\ x^3+1 & (x<1) \end{cases}$이 모든 실수 x에 대하여 미분가능할 때, 상수 a, b에 대하여 $a+b$의 값을 구하시오.

개념 해결의 법칙 81쪽 유형 05

중요 유형 16 관계식이 주어질 때 도함수 구하기

개념 04

(i) 주어진 관계식의 x, y에 적당한 수를 대입하여 $f(0)$의 값 구하기

(ii) $f'(x)=\lim_{h\to 0}\frac{f(x+h)-f(x)}{h}$에서 $f(x+h)$에 주어진 관계식을 대입하여 $f'(x)$ 구하기

0294 • 대표문제 •

미분가능한 함수 $f(x)$가 모든 실수 x, y에 대하여

$$f(x+y)=f(x)+f(y)-2xy$$

를 만족시키고 $f'(0)=3$일 때, $f'(x)$를 구하시오.

0295 상중하

미분가능한 함수 $f(x)$가 모든 실수 x, y에 대하여

$$f(x+y)=f(x)+f(y)+xy$$

를 만족시키고 $f'(0)=0$일 때, $f'(1)$의 값을 구하시오.

0296 상중하

항상 양의 값을 갖는 미분가능한 함수 $f(x)$가 임의의 두 실수 x, y에 대하여

$$f(x+y)=f(x)f(y)$$

를 만족시킨다. $f'(0)=2$일 때, $\frac{f'(x)}{f(x)}$의 값을 구하시오.

0297 상중하

미분가능한 함수 $f(x)$가 임의의 두 실수 x, y에 대하여

$$f(x+y)=f(x)+f(y)+2xy,\ f'(0)=3$$

을 만족시킬 때, 다음 보기 중 옳은 것을 있는 대로 고른 것은?

보기

ㄱ. $f(0)=0$
ㄴ. $f'(x)=2x+3$
ㄷ. 모든 실수 a에 대하여 $f(a)=\lim_{x\to a} f(x)$

① ㄱ ② ㄴ ③ ㄱ, ㄴ
④ ㄴ, ㄷ ⑤ ㄱ, ㄴ, ㄷ

발전 유형 17 미분의 항등식에의 활용

개념 05

조건에 맞게 $f(x)$의 식을 세우고, $f(x)$, $f'(x)$를 주어진 식에 대입한 후 항등식의 성질을 이용한다.

⇨ (1) $ax^2+bx+c=0$이 x에 대한 항등식 $\Longleftrightarrow a=0, b=0, c=0$

(2) $ax^2+bx+c=a'x^2+b'x+c'$이 x에 대한 항등식

$\Longleftrightarrow a=a', b=b', c=c'$

0298 • 대표문제 •

이차함수 $f(x)$가 모든 실수 x에 대하여

$$(x+1)f'(x)-f(x)=2x^2+4x$$

를 만족시키고 $f'(-1)=0$일 때, $f(2)$의 값은?

① 10 ② 20 ③ 30
④ 40 ⑤ 50

0299 상중하

이차함수 $f(x)$가 모든 실수 x에 대하여 다음 두 조건을 만족시킬 때, $f'(2)$의 값을 구하시오.

> (가) $1-xf'(x)+f(x)=x^2+2$
> (나) $f'(1)=1$

0300 상중하

최고차항의 계수가 1인 다항함수 $f(x)$가 모든 실수 x에 대하여

$$f(x)f'(x)=2x^3-9x^2+5x+6$$

을 만족시킬 때, $f(-3)$의 값을 구하시오.

★중요

개념 해결의 법칙 82쪽 유형 06

유형 18 미분법과 다항식의 나눗셈

개념 05

다항식 $f(x)$가 $(x-a)^2$으로 나누어떨어질 때

⇨ $f(a)=0, f'(a)=0$

0301 • 대표문제 •

다항식 x^5+ax^3+b가 $(x+1)^2$으로 나누어떨어질 때, 상수 a, b에 대하여 ab의 값을 구하시오.

0302 상중하

다항식 $x^{10}-10x+a$가 $(x-b)^2$으로 나누어떨어질 때, 상수 a, b에 대하여 $a+b$의 값은?

① 6 ② 7 ③ 8
④ 9 ⑤ 10

유형 18 Plus 미분법과 다항식의 나눗셈 – 나누어떨어지지 않을 때

0303~0304 다항식 $f(x)$를 $(x-a)^2$으로 나누었을 때의 몫을 $Q(x)$, 나머지를 $R(x)=mx+n$ (m, n은 상수)이라 하면

$f(x)=(x-a)^2Q(x)+mx+n$에서

$f'(x)=2(x-a)Q(x)+(x-a)^2Q'(x)+m$

⇨ $f(a)=ma+n$, $f'(a)=m$, 즉 $f(a)=R(a)$, $f'(a)=R'(a)$

0303 상중하

다항식 x^4-ax^2+b를 $(x+1)^2$으로 나누었을 때의 나머지가 $2x-1$일 때, 상수 a, b에 대하여 $a+b$의 값은?

① -3 ② -2 ③ 0
④ 2 ⑤ 3

0304 상중하 서술형

다항식 x^7-x+3을 $(x-1)^2$으로 나누었을 때의 나머지를 $R(x)$라 할 때, $R(2)$의 값을 구하시오.

• 실제 학교 시험지처럼 풀어 보세요.

0305 | 유형 01 |

오른쪽 그림은 함수 $y=f(x)$의 그래프와 직선 $y=x$를 나타낸 것이다. 함수 $f(x)$의 역함수를 $g(x)$라 할 때, x의 값이 b에서 c까지 변할 때의 함수 $g(x)$의 평균변화율은? (단, 점선은 x축 또는 y축에 평행하다.) [4점]

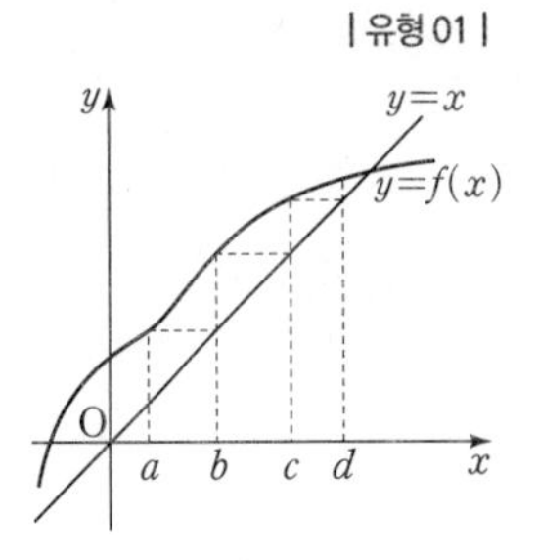

① $\dfrac{c-a}{c-b}$ ② $\dfrac{b-a}{c-b}$ ③ $\dfrac{b-a}{d-b}$
④ $\dfrac{c-b}{d-c}$ ⑤ $\dfrac{b-a}{d-c}$

0306 | 유형 03 |

두 함수 $f(x)$, $g(x)$가 $x=1$에서 미분가능하고

$$f(1)=g(1)=2,\ f'(1)=3,\ g'(1)=4$$

일 때, $\lim_{h\to 0}\dfrac{\{f(1+h)\}^2-\{g(1+h)\}^2}{h}$의 값은? [4.1점]

① -4 ② -2 ③ 1
④ 3 ⑤ 5

0307 | 유형 04 |

다항함수 $f(x)$에 대하여 $f(1)=2$, $f'(1)=3$일 때, $\lim_{x\to 1}\dfrac{f(x^2)-2x^2}{x-1}$의 값은? [4.2점]

① -2 ② -1 ③ 0
④ 1 ⑤ 2

0308 | 유형 05 |

미분가능한 함수 $f(x)$에 대하여

$$f(x_1+\Delta x)-f(x_1)>f'(x_1)\times\Delta x\ (\Delta x>0,\ x_1>0)$$

를 만족시키는 함수를 보기 중 있는 대로 고른 것은? [5.1점]

보기
ㄱ. $f(x)=2x$
ㄴ. $f(x)=\dfrac{1}{x}\ (x>0)$
ㄷ. $f(x)=x^2$
ㄹ. $f(x)=\sqrt{x}$

① ㄱ, ㄴ ② ㄱ, ㄷ ③ ㄴ, ㄷ
④ ㄴ, ㄹ ⑤ ㄱ, ㄷ, ㄹ

0309 | 유형 06 |

다음 보기 중 $x=0$에서 미분가능한 함수를 있는 대로 고른 것은? [3.8점]

보기
ㄱ. $f(x)=|x|$
ㄴ. $f(x)=\begin{cases}1 & (x\ge 0)\\ -x^2+1 & (x<0)\end{cases}$
ㄷ. $f(x)=\begin{cases}x^2+x & (x\ge 0)\\ 2x+1 & (x<0)\end{cases}$

① ㄱ ② ㄴ ③ ㄱ, ㄷ
④ ㄴ, ㄷ ⑤ ㄱ, ㄴ, ㄷ

0310 | 유형 09 |

함수 $f(x)=x^3+ax^2+bx+c$가 $f(0)=f(1)=f(2)$를 만족시킬 때, $f'(0)+f'(1)+f'(2)$의 값은?

(단, a, b, c는 상수) [5.3점]

① 0 ② 1 ③ 2
④ 3 ⑤ 4

0311 | 유형 10 |

미분가능한 두 함수 $f(x)$, $g(x)$가 $f'(x)=g(x)$, $g'(x)=-f(x)$를 만족시키고 $f(0)=3$, $g(0)=4$일 때, $\sqrt{\{f(1)\}^2+\{g(1)\}^2}$의 값은? [5.1점]

① 1 ② 2 ③ 3
④ 4 ⑤ 5

0312 | 유형 11 |

함수 $f(x)=2x^4-3x+1$에 대하여

$\lim_{n\to\infty} n\left\{f\left(1+\frac{3}{n}\right)-f\left(1-\frac{2}{n}\right)\right\}$의 값은? [4.5점]

① 25 ② 27 ③ 29
④ 31 ⑤ 33

0313 | 유형 15 |

함수 $f(x)=\begin{cases} ax^2+b & (0<x<1) \\ \dfrac{2+a+b}{2} & (x=1) \\ 2x & (x>1) \end{cases}$ 가 열린구간 $(0, \infty)$에서 미분가능할 때, 상수 a, b에 대하여 ab의 값은? [4.3점]

① -2 ② -1 ③ 1
④ 2 ⑤ 3

0314 | 유형 16 |

미분가능한 함수 $f(x)$가 다음 두 조건을 만족시킬 때, $f'(0)$의 값은? [4.3점]

(가) 모든 실수 x, y에 대하여
$f(x+y)=f(x)+f(y)+4xy-1$
(나) $\lim_{x\to 2}\frac{f(x)}{x-2}=3$

① -10 ② -5 ③ 0
④ 5 ⑤ 10

0315 | 유형 17 |

모든 실수 x에 대하여

$-3+2x+x^8$
$=a_1(x-1)+a_2(x-1)^2+a_3(x-1)^3+\cdots+a_8(x-1)^8$

이 성립할 때, $2a_2+4a_4+6a_6+8a_8$의 값은?
(단, $a_1, a_2, a_3, \cdots, a_8$은 상수) [4.5점]

① 464 ② 476 ③ 488
④ 500 ⑤ 512

0316 | 유형 18 |

다항함수 $f(x)$에 대하여 $\lim_{x\to 2}\frac{f(x)-4}{x-2}=-4$가 성립할 때, 다항식 $f(x)$를 $(x-2)^2$으로 나누었을 때의 나머지를 $R(x)$라 하자. 이때, $R(1)$의 값은? [4.5점]

① 2 ② 4 ③ 6
④ 8 ⑤ 10

0317 | 유형 18 |

다항식 x^8+ax+b를 $(x+1)^2$으로 나누었을 때의 나머지가 $4x-3$이다. 이때, 상수 a, b에 대하여 ab의 값은? [4.3점]

① 48 ② 60 ③ 72
④ 84 ⑤ 96

STEP 3 ≫ 정답과 해설 45쪽

서술형 문제

• 풀이 과정에 점수가 부여되니 풀이 과정 및 정답을 상세하게 서술하세요.

단답형

0318 | 유형 04 |

함수 $y=f(x)$의 그래프는 y축에 대하여 대칭이고, $f'(3)=-2$, $f'(-9)=3$일 때, $\lim_{x \to -3} \frac{f(x^2)-f(9)}{f(x)-f(-3)}$의 값을 구하시오. [7점]

0319 | 유형 10 |

두 다항함수 $f(x)$, $g(x)$가 다음 두 조건을 만족시킬 때, $g'(0)$의 값을 구하시오. [6점]

> (가) $f(0)=-2$, $f'(0)=4$, $g(0)=1$
> (나) $\lim_{x \to 0} \frac{f(x)g(x)+2}{x}=0$

0320 | 유형 15 |

함수 $f(x)=\begin{cases} x^3+ax^2 & (x \ge 1) \\ bx+1 & (x<1) \end{cases}$이 모든 실수 x에서 미분가능할 때, 상수 a, b에 대하여 ab의 값을 구하시오. [7점]

단계형

0321 | 유형 14 |

$\lim_{x \to 2} \frac{x^n-x^3-x-6}{x-2}$의 값이 존재할 때, 다음 물음에 답하시오. (단, n은 양의 정수) [10점]

(1) n의 값을 구하시오. [4점]

(2) $\lim_{x \to 2} \frac{x^n-x^3-x-6}{x-2}$의 값을 구하시오. [6점]

0322 | 유형 17 |

두 다항함수 $f(x)$, $g(x)$가 모든 실수 x에 대하여 $f'(x)=g(x)$이고,

$$f(x)g(x)=f(x)+g(x)+2x^3-4x^2+2x-1$$

을 만족시킬 때, 다음 물음에 답하시오. [12점]

(1) $f(x)$의 차수를 구하시오. [4점]

(2) $f(x)$를 구하시오. [6점]

(3) $f(1)$의 값을 구하시오. [2점]

성/취/도 Check 점수 / 100점

STEP 1 개념+기본 문제 학습

STEP 2 유형 대표 문제 학습

STEP 3의 틀린 문제에 해당하는 STEP 2 유형 학습

STEP 3의 틀린 문제 복습

90점 교과서 속 심화문제 시작

≫ 정답과 해설 46쪽

0323

실수 전체의 집합에서 미분가능한 함수 $f(x)$가 $x_1<x_2$인 실수 x_1, x_2에 대하여 $f'(x_1)<f'(x_2)$를 만족시킨다. α, β, γ가 다음과 같을 때, 대소 관계로 옳은 것은?

$$\alpha=\lim_{h\to0}\frac{f(2+h^2)-f(2)}{h^2}$$
$$\beta=\lim_{x\to2}\frac{f(x^2)-f(4)}{x^2-4}$$
$$\gamma=\lim_{h\to0}\frac{f(3+h)-f(3-h)}{2h}$$

① $\alpha<\beta<\gamma$ ② $\alpha<\gamma<\beta$ ③ $\beta<\alpha<\gamma$
④ $\gamma<\alpha<\beta$ ⑤ $\gamma<\beta<\alpha$

0324

오른쪽 그림과 같이 최고차항의 계수가 1인 삼차함수 $y=f(x)$의 그래프와 x축이 만나는 점의 x좌표가 a, b, c $(a<b<c)$일 때, 다음 보기 중 옳은 것을 있는 대로 고른 것은?

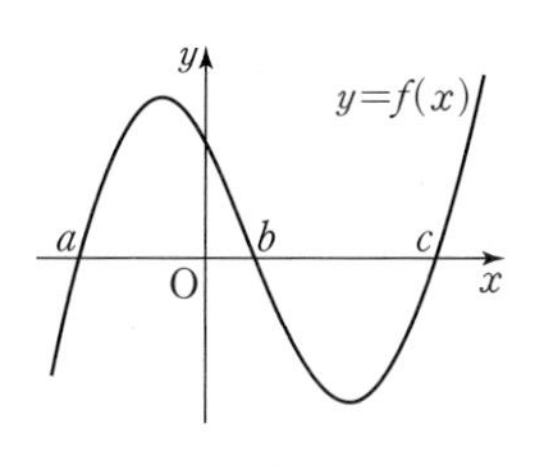

보기
ㄱ. $f'(a)=-f'(b)$
ㄴ. $f'(b)+f'(c)>0$
ㄷ. $f'(a)=f'(c)$이면 $b=\frac{a+c}{2}$이다.

① ㄱ ② ㄴ ③ ㄱ, ㄷ
④ ㄴ, ㄷ ⑤ ㄱ, ㄴ, ㄷ

0325

오른쪽 그림과 같이 삼차항의 계수가 1인 삼차함수 $y=f(x)$의 그래프와 직선 $y=k$가 서로 다른 세 점에서 만난다. 이 세 교점의 x좌표를 각각 α, β, γ $(\alpha<\beta<\gamma)$라 할 때, 다음 중 $f'(\beta)$의 값으로 옳은 것은?

① $(\alpha+\beta)(\alpha+\gamma)$ ② $(\alpha-\beta)(\alpha-\gamma)$
③ $(\alpha+\beta)(\beta+\gamma)$ ④ $(\beta-\alpha)(\beta-\gamma)$
⑤ $(\gamma-\alpha)(\gamma-\beta)$

0326

다항함수 $y=g(x)$의 그래프가 점 $(2, g(2))$에서 직선 $y=-x+3$과 접한다. $(x^2-4)f(x)=g(x)-1$을 만족시키는 함수 $f(x)$가 $x=2$에서 미분가능할 때, $f(2)$의 값은?

① $-\frac{1}{2}$ ② $-\frac{1}{3}$ ③ $-\frac{1}{4}$
④ $-\frac{1}{5}$ ⑤ $-\frac{1}{6}$

0327

다항함수 $f(x)$에 대하여 함수 $g(x)$를

$$g(x)=\begin{cases}0 & (x\le0)\\ f(x) & (0<x\le1)\\ x+1 & (x>1)\end{cases}$$

이라 하자. 함수 $g(x)$가 모든 실수 x에서 미분가능하도록 하는 함수 $f(x)$ 중 차수가 가장 낮은 함수를 $h(x)$라 할 때, $h\left(\frac{1}{2}\right)$의 값을 구하시오.

4

도함수의 활용(1)

나는 내 인생에서 실패에 실패를 거듭했다.
그리고 그것이 바로 내가 성공한 이유이다.
-마이클 조던

기출 문제 분석

빅 데이터

* 전국 300여 개 고등학교 기출 문제를 분석하였습니다.

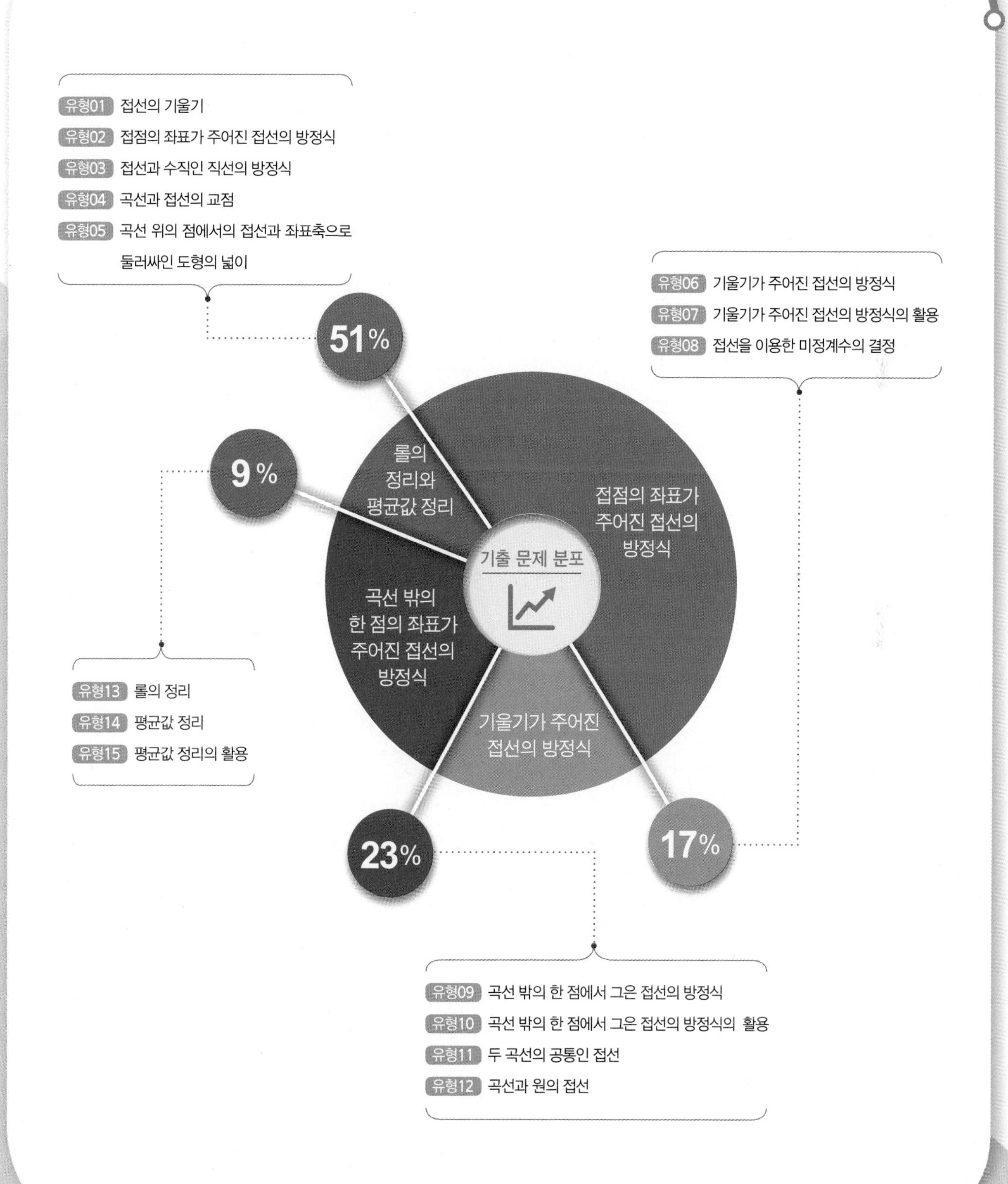

STEP 1 개념 마스터

01 접선의 방정식 유형 01

함수 $f(x)$가 $x=a$에서 미분가능할 때, 곡선 $y=f(x)$ 위의 점 $\mathrm{P}(a, f(a))$에서의 접선의 방정식은
$y-f(a)=f'(a)(x-a)$

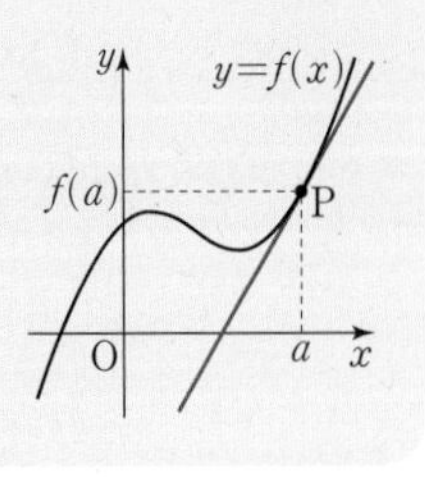

[0328~0330] 다음 곡선 위의 주어진 점에서의 접선의 기울기를 구하시오.

0328 $y=x^3-4x^2-8$ $(2, -16)$

0329 $y=3x^4-5x+2$ $(0, 2)$

0330 $y=x^{100}-1$ $(1, 0)$

02 접선의 방정식 구하기 – 접점의 좌표가 주어진 경우 유형 02~05, 08, 11, 12

곡선 $y=f(x)$ 위의 한 점 $(a, f(a))$가 주어질 때
(i) 접선의 기울기 $f'(a)$를 구한다.
(ii) $y-f(a)=f'(a)(x-a)$를 이용하여 접선의 방정식을 구한다.

[0331~0333] 다음 곡선 위의 주어진 점에서의 접선의 방정식을 구하시오.

0331 $y=-x^2+7x-10$ $(1, -4)$

0332 $y=x^4-2x+1$ $(0, 1)$

0333 $y=2x^3-5x-1$ $(-1, 2)$

0334 곡선 $y=x^3-3x$ 위의 점 $(2, 2)$를 지나고 이 점에서의 접선에 수직인 직선의 방정식을 구하시오.

03 접선의 방정식 구하기 – 기울기가 주어진 경우 유형 06~08, 11, 12

곡선 $y=f(x)$의 접선의 기울기 m이 주어질 때
(i) 접점의 좌표를 $(a, f(a))$로 놓는다.
(ii) $f'(a)=m$임을 이용하여 접점의 좌표를 구한다.
(iii) $y-f(a)=m(x-a)$를 이용하여 접선의 방정식을 구한다.

[0335~0336] 다음 곡선에 접하고 기울기가 3인 직선의 방정식을 구하시오.

0335 $y=3x^2-9x-6$

0336 $y=x^3-2$

핵심 Check

• 곡선 $y=f(x)$ 위의 점 $(a, f(a))$에서의 접선의 방정식 → $y-f(a)=\underline{f'(a)}(x-a)$ (접선의 기울기)

04 접선의 방정식 구하기 – 곡선 밖의 한 점의 좌표가 주어진 경우 유형 09~12

곡선 $y=f(x)$ 밖의 한 점 (x_1, y_1)이 주어질 때

(i) 접점의 좌표를 $(a, f(a))$로 놓는다.

(ii) 접선의 기울기 $f'(a)$를 구한다.

(iii) $y-f(a)=f'(a)(x-a)$에 점 (x_1, y_1)의 좌표를 대입하여 a의 값을 구한다.

(iv) a의 값을 $y-f(a)=f'(a)(x-a)$에 대입하여 접선의 방정식을 구한다.

[0337~0338] 주어진 점에서 다음 곡선에 그은 접선의 방정식을 구하시오.

0337 $y=x^2+x$ $(1, 1)$

0338 $y=x^3-2x$ $(0, 2)$

05 롤의 정리 유형 13

함수 $f(x)$가 닫힌구간 $[a, b]$에서 연속이고 열린구간 (a, b)에서 미분가능할 때, $f(a)=f(b)$이면

$f'(c)=0$

인 c가 열린구간 (a, b)에 적어도 하나 존재한다.

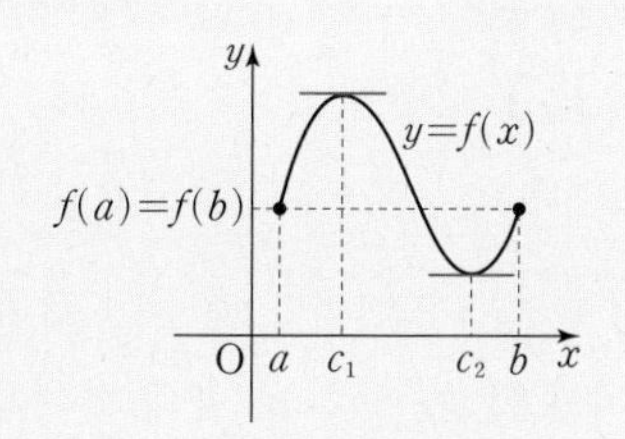

참고 롤의 정리는 곡선 $y=f(x)$에서 $f(a)=f(b)$이면 x축과 평행한 접선을 갖는 점이 열린구간 (a, b)에 적어도 하나 존재함을 의미한다.

[0339~0341] 다음 함수에 대하여 주어진 닫힌구간에서 롤의 정리를 만족시키는 상수 c의 값을 구하시오.

0339 $f(x)=(x-1)(x-3)$ $[1, 3]$

0340 $f(x)=x^2-2x$ $[0, 2]$

0341 $f(x)=x^2-6x+1$ $[1, 5]$

06 평균값 정리 유형 14, 15

함수 $f(x)$가 닫힌구간 $[a, b]$에서 연속이고 열린구간 (a, b)에서 미분가능할 때,

$$\frac{f(b)-f(a)}{b-a}=f'(c)$$

인 c가 열린구간 (a, b)에 적어도 하나 존재한다.

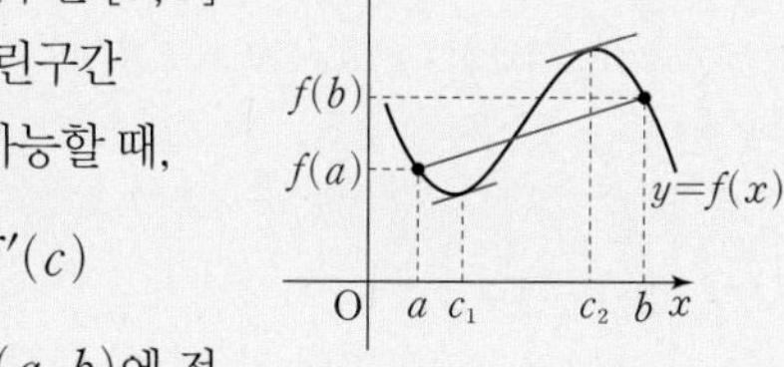

참고 평균값 정리는 두 점 $(a, f(a))$, $(b, f(b))$를 잇는 직선과 평행하고 곡선 $y=f(x)$에 접하는 직선이 열린구간 (a, b)에 적어도 하나 존재함을 의미한다.

[0342~0344] 다음 함수에 대하여 주어진 닫힌구간에서 평균값 정리를 만족시키는 상수 c의 값을 구하시오.

0342 $f(x)=3x^2+2x+1$ $[-1, 1]$

0343 $f(x)=-x^2+x$ $[0, 4]$

0344 $f(x)=x^3-2x$ $[0, 3]$

0345 함수 $f(x)$가 닫힌구간 $[a, b]$에서 연속이고 열린구간 (a, b)에서 미분가능할 때, 열린구간 (a, b)의 모든 x에 대하여 $f'(x)=0$이면 함수 $f(x)$는 닫힌구간 $[a, b]$에서 상수함수임을 보이시오.

0346 두 함수 $f(x)$, $g(x)$가 닫힌구간 $[a, b]$에서 연속이고 열린구간 (a, b)에서 미분가능할 때, 열린구간 (a, b)의 모든 x에 대하여 $f'(x)=g'(x)$이면 닫힌구간 $[a, b]$에서 $f(x)=g(x)+C$ (C는 상수)임을 보이시오.

· 함수 $f(x)$가 닫힌구간 $[a, b]$에서 연속, 열린구간 (a, b)에서 미분가능할 때
- $f(a)=f(b)$이면 $f'(c)=0$인 c가 (a, b)에 적어도 하나 존재
- $\frac{f(b)-f(a)}{b-a}=f'(c)$인 c가 (a, b)에 적어도 하나 존재

STEP 2 유형 마스터

개념 해결의 법칙 95쪽 유형 01

유형 01 접선의 기울기

개념 01

곡선 $y=f(x)$ 위의 점 $(a, f(a))$에서의 접선의 기울기
⇨ $f'(a)$

0347 • 대표문제 •

곡선 $y=2x^2+ax+b$ 위의 점 $(1, 0)$에서의 접선의 기울기가 -1일 때, 상수 a, b에 대하여 $b-a$의 값은?

① 5　② 8　③ 11
④ 14　⑤ 17

0348 상중하

곡선 $y=x^4-4x^3+6x^2+4$ 위의 점 (a, b)에서의 접선의 기울기가 4일 때, a^2+b^2의 값을 구하시오.

0349 상중하

곡선 $y=-x^3+6x^2-9x+a$의 접선의 기울기의 최댓값을 k, 이때의 접점의 좌표를 $(b, -1)$이라 할 때, 상수 a에 대하여 abk의 값을 구하시오.

개념 해결의 법칙 96쪽 유형 02

유형 02 접점의 좌표가 주어진 접선의 방정식 (중요)

개념 02

곡선 $y=f(x)$ 위의 접점의 좌표 $(a, f(a))$가 주어질 때
(i) 접선의 기울기 $f'(a)$를 구한다.
(ii) $y-f(a)=f'(a)(x-a)$를 이용하여 접선의 방정식을 구한다.

0350 • 대표문제 •

곡선 $y=x^3-2x^2+2x-3$ 위의 점 $(1, -2)$에서의 접선의 방정식이 $y=ax+b$일 때, 상수 a, b에 대하여 $a-b$의 값은?

① -4　② -2　③ 1
④ 2　⑤ 4

0351 상중하

곡선 $y=(x^2-1)(2x+1)$ 위의 점 $(1, 0)$에서의 접선의 방정식은?

① $y=2x-2$　② $y=2x+2$　③ $y=4x-4$
④ $y=6x-6$　⑤ $y=6x+6$

0352 상중하 서술형

삼차항의 계수가 1인 삼차함수 $f(x)$가
$f(-1)=f(0)=f(1)=1$을 만족시킬 때, 곡선 $y=f(x)$ 위의 점 $(1, f(1))$에서의 접선의 방정식을 구하시오.

0353 상중하

다항함수 $f(x)$에 대하여 $\lim_{x\to 1}\frac{f(x)-2}{x-1}=1$이 성립한다. 곡선 $y=f(x)$ 위의 $x=1$인 점에서의 접선의 방정식을 $y=mx+n$이라 할 때, 상수 m, n에 대하여 mn의 값은?

① 1　② 2　③ 3
④ 4　⑤ 5

0354 상중하

모든 실수에서 미분가능한 함수 $y=f(x)$의 그래프의 개형이 오른쪽 그림과 같을 때, 곡선 $y=(x^2+2x-2)f(x)$ 위의 $x=1$인 점에서의 접선의 방정식을 구하시오.

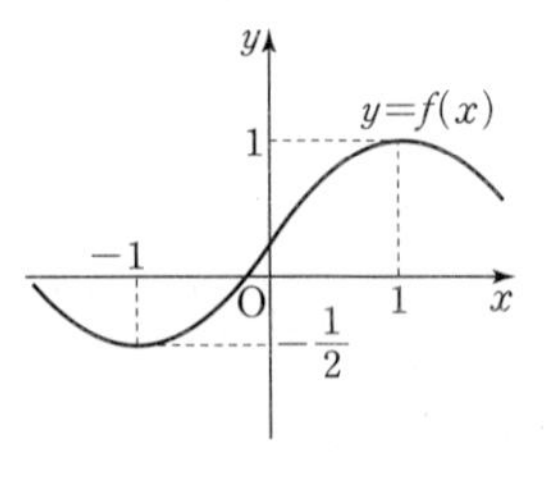

유형 03 접선과 수직인 직선의 방정식

개념 02

곡선 $y=f(x)$ 위의 점 $(a, f(a))$를 지나고 이 점에서의 접선에 수직인 직선의 방정식은

⇨ $y-f(a)=-\dfrac{1}{f'(a)}(x-a)$

0355 • 대표문제 •

곡선 $y=x^3-2x^2+3x+1$ 위의 점 $(1, 3)$을 지나고 이 점에서의 접선에 수직인 직선의 방정식은?

① $x+y-4=0$　② $x+2y-7=0$
③ $x+3y-10=0$　④ $x+4y-13=0$
⑤ $x+5y-16=0$

0356 상중하

점 $(1, 5)$를 지나는 곡선 $y=x^3+ax^2+b$가 있다. 이 곡선 위의 $x=-1$인 점에서의 접선에 수직인 직선의 기울기가 $-\dfrac{1}{4}$일 때, 상수 a, b에 대하여 $b-a$의 값을 구하시오.

0357 상중하

두 곡선 $f(x)=x^2-1$, $g(x)=ax^2$의 교점 중 x좌표가 양수인 점을 P라 하자. 점 P에서의 두 곡선의 접선이 서로 수직일 때, 상수 a의 값은?

① -1　② $-\dfrac{1}{2}$　③ $-\dfrac{1}{3}$
④ $\dfrac{1}{3}$　⑤ $\dfrac{1}{2}$

유형 04 곡선과 접선의 교점

개념 02

곡선 $y=f(x)$ 위의 점 $(a, f(a))$에서의 접선 $y=g(x)$가 이 곡선과 다시 만나는 점의 x좌표
⇨ 방정식 $f(x)=g(x)$의 실근 (단, $x\neq a$)

0358 • 대표문제 •

곡선 $y=x^3+2x^2-3x-6$ 위의 점 $(0, -6)$에서의 접선이 이 곡선과 다시 만나는 점의 좌표가 (a, b)일 때, $b-a$의 값은?

① -1　② 0　③ 1
④ 2　⑤ 3

0359 상중하

곡선 $y=x^3-5x$ 위의 점 $\mathrm{P}(1, -4)$에서의 접선이 이 곡선과 다시 만나는 점을 Q라 할 때, 선분 PQ의 길이를 구하시오.

0360 상중하

오른쪽 그림과 같이 곡선 $y=-x^3+5x-3$ 위의 점 $\mathrm{P}(1, 1)$에서의 접선이 y축과 만나는 점을 Q, 이 곡선과 다시 만나는 점을 R라 할 때, $\overline{\mathrm{PQ}}:\overline{\mathrm{QR}}$는?

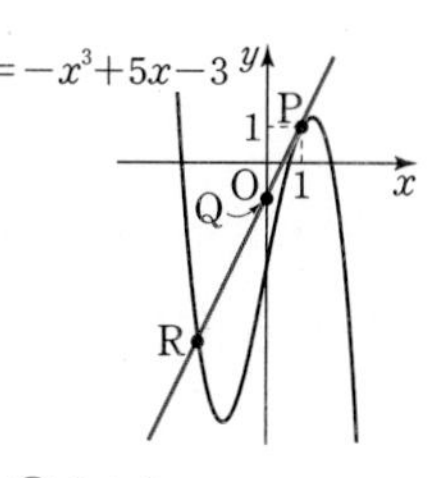

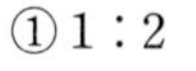

① $1:2$　② $1:3$　③ $2:3$
④ $2:5$　⑤ $3:4$

발전유형 05 곡선 위의 점에서의 접선과 좌표축으로 둘러싸인 도형의 넓이

개념 02

(i) 접선의 방정식을 구한다.
(ii) x절편과 y절편을 찾아 도형의 넓이를 구한다.
⇨ 곡선 $y=f(x)$ 위의 점 $(a, f(a))$에서의 접선의 방정식이
$y=mx+n$이면 x절편은 $-\frac{n}{m}$, y절편은 n이다.

0361 • 대표문제 •
곡선 $y=x^3-2x^2+4$ 위의 점 $(1, 3)$에서의 접선과 x축 및 y축으로 둘러싸인 도형의 넓이는?

① 2 ② 4 ③ 6
④ 8 ⑤ 10

0362 상중하 서술형
함수 $f(x)=kx^4$의 그래프 위의 점 $(1, f(1))$에서의 접선과 x축 및 y축으로 둘러싸인 도형의 넓이가 9일 때, 상수 k의 값을 구하시오. (단, $k>0$)

0363 상중하
곡선 $y=\frac{1}{3}x^3-2x+\frac{1}{3}$ 위의 점 P$(2, -1)$에서의 접선을 l, 점 P를 지나고 직선 l에 수직인 직선을 m이라 할 때, 두 직선 l, m 및 y축으로 둘러싸인 도형의 넓이는?

① $\frac{1}{2}$ ② 2 ③ $\frac{7}{2}$
④ 5 ⑤ 10

0364 상중하
오른쪽 그림과 같이 곡선 $y=x^3$ 위의 제1사분면에 있는 한 점 P에서의 접선이 x축, y축과 만나는 점을 각각 Q, R라 하고, 점 P에서 x축에 내린 수선의 발을 S라 할 때, △PQS와 △PRS의 넓이의 비는?

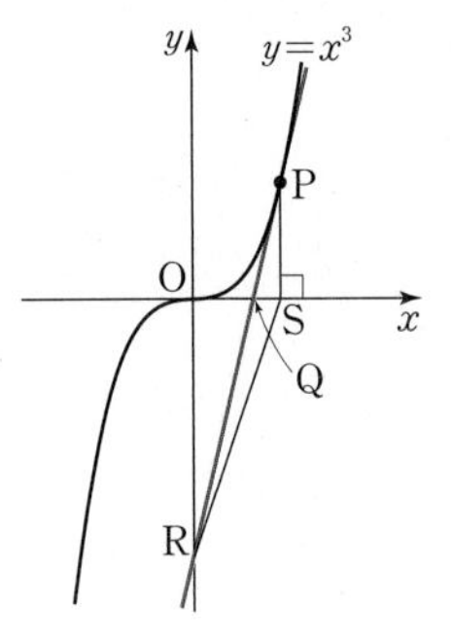

① 2 : 3 ② 1 : 2
③ 2 : 5 ④ 1 : 3
⑤ 1 : 4

개념 해결의 법칙 97쪽 유형 03

유형 06 기울기가 주어진 접선의 방정식 (중요)

개념 03

(1) 곡선 $y=f(x)$의 접선의 기울기 m이 주어질 때
(i) 접점의 좌표를 $(a, f(a))$로 놓는다.
(ii) $f'(a)=m$임을 이용하여 접점의 좌표를 구한다.
(iii) $y-f(a)=m(x-a)$를 이용하여 접선의 방정식을 구한다.
(2) 기울기가 직접적으로 주어지지 않은 경우
① 평행한 두 직선은 기울기가 서로 같고, 수직인 두 직선은 기울기의 곱이 -1이다.
② 직선이 x축의 양의 방향과 이루는 각의 크기 θ $(0°\le\theta<90°)$가 주어지면 (기울기)$=\tan\theta$임을 이용한다.

0365 • 대표문제 •
곡선 $y=x^3-3x^2-x-2$에 접하고 직선 $x-4y-4=0$에 수직인 직선의 방정식을 $y=ax+b$라 할 때, 상수 a, b에 대하여 $a-b$의 값을 구하시오.

0366 상중하
다음 중 곡선 $y=x^2-3x+5$에 접하고 직선 $y=x+2$에 평행한 직선 위의 점의 좌표는?

① $(-1, -1)$ ② $(0, 1)$ ③ $(1, 3)$
④ $(2, 5)$ ⑤ $(3, 2)$

0367 상중하

곡선 $y=-\frac{1}{3}x^3-x^2+\frac{2}{3}$에 대하여 x축의 양의 방향과 이루는 각의 크기가 $45°$인 접선의 방정식을 $y=ax+b$라 할 때, 상수 a, b에 대하여 $a+b$의 값은?

① 2 ② 3 ③ 4
④ 5 ⑤ 6

0368 상중하

곡선 $y=x^3$ 위의 점 $\mathrm{P}(1, 1)$에서의 접선을 l이라 하자. 직선 l에 평행하고, 곡선 $y=x^3$에 접하는 직선을 m이라 할 때, 직선 m의 방정식을 구하시오.

발전 유형 07 기울기가 주어진 접선의 방정식의 활용

개념 03

(1) 점 (x_1, y_1)과 직선 $ax+by+c=0$ 사이의 거리 d는

⇨ $d=\frac{|ax_1+by_1+c|}{\sqrt{a^2+b^2}}$

(2) 곡선 위의 점과 직선 사이의 거리의 최솟값

(i) 주어진 직선과 평행한 곡선의 접선의 접점의 좌표를 찾는다.

(ii) 이 접점과 직선 사이의 거리가 구하는 거리의 최솟값이다.

0369 • 대표문제 •

곡선 $y=\frac{1}{3}x^3-2x^2+x+3$에 접하고 기울기가 -2인 두 직선 사이의 거리를 구하시오.

0370 상중하

곡선 $y=x^2$ 위의 점과 직선 $y=4x-10$ 사이의 거리의 최솟값을 구하시오.

개념 해결의 법칙 98쪽 유형 04

유형 08 접선을 이용한 미정계수의 결정

개념 02, 03

(1) 곡선 $y=f(x)$ 위의 점 (a, b)에서의 접선의 방정식이 $y=mx+n$일 때

⇨ $f(a)=b$, $f'(a)=m$

(2) 곡선과 직선이 접할 때 미정계수 구하기

(i) 접점의 좌표를 $(t, f(t))$로 놓는다.

(ii) 접선 $y-f(t)=f'(t)(x-t)$가 주어진 직선과 일치함을 이용하여 미정계수를 구한다.

0371 • 대표문제 •

곡선 $y=x^3+ax-1$ 위의 점 $(1, b)$에서의 접선의 방정식이 $y=5x+c$일 때, 상수 a, b, c에 대하여 $a+b+c$의 값은?

① -2 ② -1 ③ 1
④ 2 ⑤ 3

0372 상중하

함수 $f(x)=x^3+ax^2+9x+3$의 그래프 위의 점 $(1, f(1))$에서의 접선의 방정식이 $y=2x+b$일 때, 상수 a, b에 대하여 $a+b$의 값을 구하시오.

0373 상중하

곡선 $y=ax^3+bx^2+cx+d$는 점 $(0, 1)$에서 직선 $y=x+1$에 접하고, 점 $(3, 4)$에서 직선 $y=-2x+10$에 접한다고 한다. 상수 a, b, c, d에 대하여 $3abcd$의 값은?

① -2 ② -1 ③ 0
④ 1 ⑤ 2

0374 상중하

직선 $y=x+5$가 곡선 $y=x^3-3x^2+4x+k$에 접할 때, 상수 k의 값은?

① 4 ② 6 ③ 8
④ 10 ⑤ 12

0375 상중하

곡선 $y=x^2$ 위의 점 $(-2, 4)$에서의 접선이 곡선 $y=x^3+ax-2$에 접할 때, 상수 a의 값을 구하시오.

0376 상중하

직선 $y=x+3$을 x축의 방향으로 k만큼 평행이동하면 곡선 $y=x^3+x^2-2$에 접한다고 한다. 접점의 x좌표를 t라 할 때, 정수 k, t에 대하여 $k+t$의 값을 구하시오.

0377 상중하

곡선 $y=x^3-kx^2+kx-1$이 직선 $y=x-1$에 접할 때, 모든 상수 k의 값의 합을 구하시오.

개념 해결의 법칙 99쪽 유형 05

유형 09 (중요) 곡선 밖의 한 점에서 그은 접선의 방정식

개념 04

곡선 $y=f(x)$ 밖의 한 점 (x_1, y_1)이 주어질 때

(i) 접점의 좌표를 $(a, f(a))$로 놓는다.

(ii) $y-f(a)=f'(a)(x-a)$에 점 (x_1, y_1)의 좌표를 대입하여 a의 값을 구한다.

(iii) a의 값을 $y-f(a)=f'(a)(x-a)$에 대입하여 접선의 방정식을 구한다.

0378 • 대표문제 •

점 $(1, 2)$에서 곡선 $y=x^3-3x^2+x+1$에 그은 접선의 방정식은?

① $y=x+1$ ② $y=2x$ ③ $y=3x-1$
④ $y=4x-2$ ⑤ $y=5x-3$

0379 상중하

점 $(1, -1)$에서 곡선 $y=x^2-x$에 그은 두 접선의 기울기의 합을 구하시오.

0380 상중하

점 $(0, 2)$에서 곡선 $y=x^3$에 그은 접선이 점 $(-2, k)$를 지날 때, 상수 k의 값은?

① -1 ② -2 ③ -3
④ -4 ⑤ -5

0381 상중하 서술형

원점 O에서 곡선 $y=x^3+2x+2$에 그은 접선의 접점을 P라 할 때, $\overline{OP}$의 길이를 구하시오.

0382 상중하

점 $(3, 0)$에서 곡선 $y=x^3-3x^2+2$에 서로 다른 세 개의 접선을 그을 때, 세 접점의 x좌표의 합은?

① 2 ② 3 ③ 4
④ 5 ⑤ 6

발전 유형 10 곡선 밖의 한 점에서 그은 접선의 방정식의 활용

개념 04

곡선 밖의 점 $(x_1,\ y_1)$에서 그은 접선이 곡선과 만나는 점을 $(t,\ f(t))$라 하면 접선의 방정식은 $y-f(t)=f'(t)(x-t)$이므로 이 식에 $x=x_1$, $y=y_1$을 대입하여 t의 값을 구한다.

0383 • 대표문제 •

오른쪽 그림과 같이 점 $\mathrm{P}(1,\ -4)$에서 곡선 $y=x^2-1$에 그은 두 접선의 접점을 각각 Q, R라 할 때, $\triangle\mathrm{PRQ}$의 넓이는?

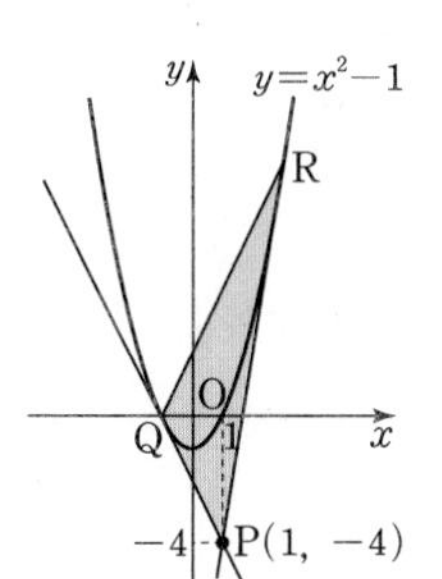

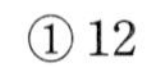

① 12 ② 14
③ 16 ④ 18
⑤ 20

0384 상중하

점 $\mathrm{A}(-1,\ -2)$에서 곡선 $y=x^2+k\ (k>0)$에 두 개의 접선을 그을 때, 두 접점을 각각 B, C라 하자. 삼각형 ABC의 무게중심의 좌표가 $(-1,\ 6)$일 때, 상수 k의 값을 구하시오.

개념 해결의 법칙 100쪽 유형 06

유형 11 두 곡선의 공통인 접선

개념 02~04

두 곡선 $y=f(x)$, $y=g(x)$가 $x=t$에서 공통인 접선을 가지면
(1) $x=t$에서 두 곡선이 만난다. ⇨ $f(t)=g(t)$
(2) $x=t$에서의 두 곡선의 접선의 기울기가 같다. ⇨ $f'(t)=g'(t)$

0385 • 대표문제 •

두 함수 $f(x)=x^3+ax$, $g(x)=bx^2+c$의 그래프가 점 $(1,\ 2)$에서 공통인 접선을 가질 때, 상수 a, b, c에 대하여 abc의 값은?

① 0 ② 1 ③ 2
④ 4 ⑤ 8

0386 상중하

두 곡선 $y=x^3+ax+2$, $y=x^2+1$이 한 점에서 접할 때, 상수 a의 값을 구하시오.

0387 상중하

두 곡선 $f(x)=-x^2+2$, $g(x)=ax^2+3x$의 교점에서 두 곡선 $y=f(x)$, $y=g(x)$에 그은 접선의 기울기를 각각 m_1, m_2라 할 때, $m_1-m_2=1$이 성립한다고 한다. 이때, 상수 a의 값을 구하시오.

유형 12 곡선과 원의 접선

개념 02~04

곡선 $y=f(x)$와 원 C가 접할 때
(1) (원 C의 반지름의 길이)=(원 C의 중심과 접점 사이의 거리)
(2) 원 C의 중심과 접점을 지나는 직선은 접선과 수직이다.

0388 • 대표문제 •

오른쪽 그림과 같이 중심의 좌표가 $(0,\ p)$이고 반지름의 길이가 2인 원 C가 곡선 $y=x^2$과 서로 다른 두 점에서 접할 때, p의 값은?

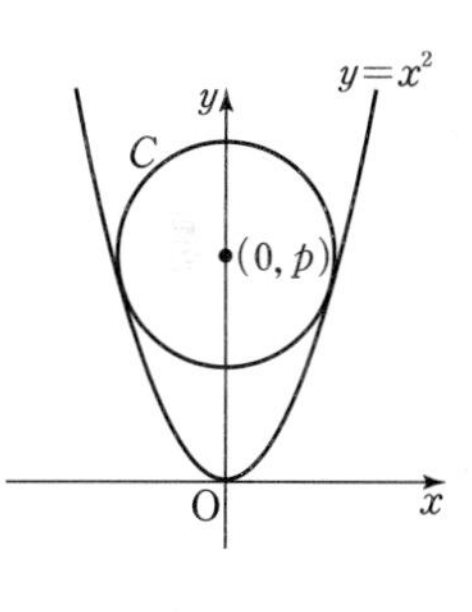

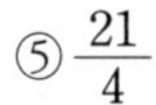

① 2 ② $\dfrac{9}{4}$
③ 4 ④ $\dfrac{17}{4}$
⑤ $\dfrac{21}{4}$

0389 상중하

곡선 $y=x^4$과 점 $(1,\ 1)$에서 접하고 중심이 y축 위에 있는 원의 반지름의 길이를 r라 할 때, $8r$의 정수 부분은?

① 7 ② 8 ③ 9
④ 10 ⑤ 11

개념 해결의 법칙 105쪽 유형 01

유형 13 롤의 정리 (중요)

개념 05

함수 $f(x)$가 닫힌구간 $[a, b]$에서 연속이고 열린구간 (a, b)에서 미분가능할 때, $f(a)=f(b)$이면

$f'(c)=0$

인 c가 열린구간 (a, b)에 적어도 하나 존재한다.

0390 • 대표문제 •

함수 $f(x)=(x+1)^2(x+2)$에 대하여 닫힌구간 $[-2, -1]$에서 롤의 정리를 만족시키는 상수 c의 값을 구하시오.

0391 상중하

다음 보기의 함수 중 주어진 닫힌구간에서 롤의 정리가 성립하는 것을 있는 대로 고른 것은?

보기

ㄱ. $f(x)=x^2-x \quad [-1, 2]$

ㄴ. $f(x)=|x| \quad [-1, 1]$

ㄷ. $f(x)=\begin{cases} -x+1 & (x<-2) \\ 3 & (-2\le x<2) \\ x+1 & (x\ge 2) \end{cases} \quad [-2, 2]$

① ㄱ ② ㄴ ③ ㄷ ④ ㄱ, ㄴ ⑤ ㄱ, ㄷ

0392 상중하

함수 $f(x)=\frac{1}{3}x^3+x^2-3x-1$에 대하여 닫힌구간 $[-a, a]$에서 롤의 정리를 만족시키는 상수 c의 값이 존재할 때, $a+c$의 값을 구하시오. (단, $a>0$)

개념 해결의 법칙 106쪽 유형 02

유형 14 평균값 정리 (중요)

개념 06

함수 $f(x)$가 닫힌구간 $[a, b]$에서 연속이고 열린구간 (a, b)에서 미분가능할 때

$\frac{f(b)-f(a)}{b-a}=f'(c)$

인 c가 열린구간 (a, b)에 적어도 하나 존재한다.

0393 • 대표문제 •

함수 $f(x)=\frac{1}{3}x^3-x^2+3x+5$의 도함수를 $g(x)$라 할 때, 함수 $g(x)$에 대하여 닫힌구간 $[0, 3]$에서 평균값 정리를 만족시키는 상수 c의 값을 구하시오.

0394 상중하

함수 $y=f(x)$의 그래프가 닫힌구간 $[a, b]$에서 오른쪽 그림과 같을 때, $\frac{f(b)-f(a)}{b-a}=f'(c)$를 만족시키는 상수 c의 개수는? (단, $a<c<b$)

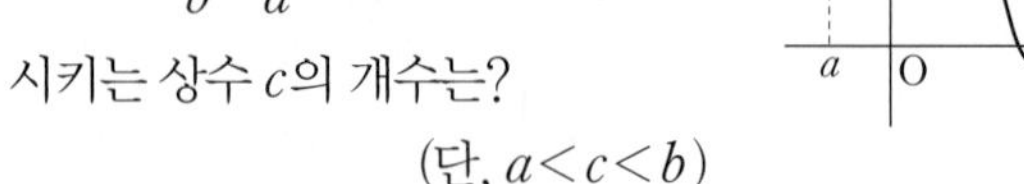

① 0 ② 1 ③ 2 ④ 3 ⑤ 4

0395 상중하 서술형

함수 $f(x)=x^2-3x-4$에 대하여 닫힌구간 $[-1, a]$에서 평균값 정리를 만족시키는 상수 c의 값이 $\frac{1}{2}$일 때, 상수 a의 값을 구하시오. (단, $a>-1$)

0396 상중하

함수 $f(x)$는 실수 전체의 집합에서 미분가능하고 $f(-1)=3$, $f(3)=5$이다. 함수 $g(x)=\frac{f(x)}{x+2}$에 대하여 닫힌구간 $[-1, 3]$에서 평균값 정리를 만족시키는 상수를 c라 할 때, $g'(c)$의 값을 구하시오.

0397 상중하

닫힌구간 $[1, 3]$에서 정의된 함수 $f(x)=\frac{1}{3}x^3-x^2+4$가 있다. 닫힌구간 $[1, 3]$에 속하는 서로 다른 임의의 두 수 a, b $(a<b)$에 대하여 $\frac{f(b)-f(a)}{b-a}=k$를 만족시키는 상수 k의 값의 범위를 구하시오.

유형 15 평균값 정리의 활용

개념 06

(1) 평균값 정리를 이용하여 극한값 구하기

평균값 정리에 의하여 $\frac{f(b)-f(a)}{b-a}=f'(c)$인 상수 c가 열린구간 (a, b)에 적어도 하나 존재하므로 주어진 $\lim_{x\to\infty} f'(x)$의 값을 이용하여 극한값을 구한다.

(2) 평균값 정리의 변형

평균값 정리에서 $h=b-a$, $\theta=\frac{c-a}{b-a}$로 놓으면

$h>0$, $0<\theta<1$이고 $b=a+h$, $c=a+\theta h$이므로

$\frac{f(a+h)-f(a)}{h}=f'(a+\theta h)$로 나타낼 수 있다.

따라서 상수 θ $(0<\theta<1)$가 $f(a+h)-f(a)=hf'(a+\theta h)$를 만족시킨다고 하면 평균값 정리를 의미한다.

⇨ 주어진 식에 $f(x)$와 $f'(x)$를 대입하여 θ에 대한 식으로 정리한 후 극한값을 구한다.

0398 • 대표문제 •

함수 $f(x)$는 모든 실수 x에 대하여 미분가능하고, $\lim_{x\to\infty} f'(x)=2$일 때, $\lim_{x\to\infty}\{f(x+1)-f(x)\}$의 값을 평균값 정리를 이용하여 구하시오.

0399 상중하

모든 실수 x에 대하여 미분가능한 함수 $f(x)$가 $\lim_{x\to\infty} f'(x)=4$를 만족시킬 때, $\lim_{x\to\infty}\{f(x+1)-f(x-1)\}$의 값을 평균값 정리를 이용하여 구하시오.

0400 상중하

함수 $f(x)=x^2$에 대하여

$$\frac{f(a+h)-f(a)}{h}=f'(a+\theta h)\ (0<\theta<1)$$

를 만족시키는 상수 θ의 값을 구하시오. (단, $h>0$)

0401 상중하

함수 $f(x)=x^3+1$에 대하여 상수 θ $(0<\theta<1)$가

$$f(x+h)-f(x)=hf'(x+\theta h)$$

를 만족시킬 때, $\lim_{h\to 0}\theta$의 값은? (단, $x>0$, $h>0$)

① $\frac{1}{5}$ ② $\frac{1}{4}$ ③ $\frac{1}{3}$ ④ $\frac{1}{2}$ ⑤ 1

4 도함수의 활용 (1)

• 실제 학교 시험지처럼 풀어 보세요.

0402 | 유형 02 |

곡선 $y=x^3+2x^2-1$ 위의 점 $(1, 2)$에서의 접선이 점 $(-1, a)$를 지날 때, a의 값은? [4.5점]

① -12 ② -10 ③ -8
④ -6 ⑤ -4

0403 | 유형 04 |

오른쪽 그림과 같이 삼차함수 $f(x)=ax^3+bx$의 그래프 위의 점 $\mathrm{P}(\alpha, f(\alpha))$에서의 접선이 점 P가 아닌 점 $\mathrm{Q}(\beta, f(\beta))$에서 삼차함수 $y=f(x)$의 그래프와 만난다. 이때, $\left|\frac{\beta}{\alpha}\right|$의 값은? (단, a, b는 상수, $a\neq0$) [5.5점]

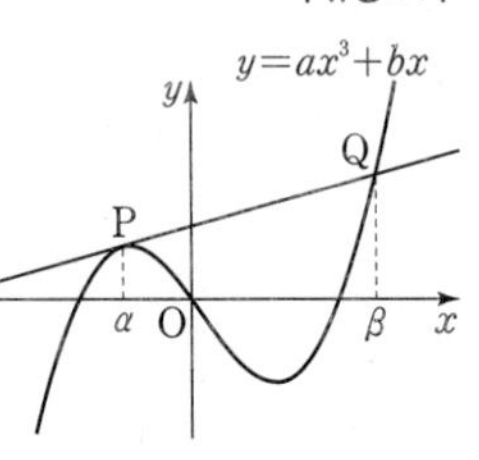

① 1 ② $\frac{3}{2}$ ③ 2
④ $\frac{5}{2}$ ⑤ 3

0404 | 유형 06 |

곡선 $y=x^3-3x^2-2$에 접하고 직선 $y=\frac{1}{3}x+1$에 수직인 직선의 방정식이 $y=mx+n$일 때, 상수 m, n에 대하여 mn의 값은? [4.3점]

① -3 ② -1 ③ $\frac{1}{3}$
④ 1 ⑤ 3

0405 | 유형 06 |

곡선 $y=-x^3+6x^2+4x-1$의 접선 중 기울기가 최대가 되는 점에서의 접선이 점 $(1, a)$를 지날 때, a의 값은? [5.3점]

① 3 ② 5 ③ 7
④ 9 ⑤ 11

0406 | 유형 08 |

삼차함수 $f(x)=x^3+ax+6$의 그래프 위의 점 $(1, f(1))$에서의 접선의 방정식이 $y=-2x+b$일 때, 상수 a, b에 대하여 ab의 값은? [4.7점]

① -40 ② -35 ③ -30
④ -25 ⑤ -20

0407 | 유형 09 |

점 $(2, -12)$에서 곡선 $y=2x^2-x$에 그은 두 접선의 기울기의 합은? [4.5점]

① 13 ② 14 ③ 15
④ 16 ⑤ 17

0408 | 유형 09 |

점 $(0, 1)$을 지나고 곡선 $y=x^3+3$에 접하는 직선의 방정식을 $y=ax+b$라 할 때, 상수 a, b에 대하여 $a+b$의 값은? [4.5점]

① 1 ② 2 ③ 3
④ 4 ⑤ 5

0409 | 유형 09 |

점 $(0, -1)$에서 곡선 $y=x^3-2x+1$에 그은 접선의 접점을 지나고 이 접선과 수직인 직선의 방정식은? [4.7점]

① $y=x-1$ ② $y=x-2$ ③ $y=2x+1$
④ $y=-x-1$ ⑤ $y=-x+1$

0410 | 유형 11 |

두 곡선 $y=x^3+ax+b$, $y=-x^2+bx$가 $x=1$에서 서로 접할 때, 상수 a, b에 대하여 $a+b$의 값은? [5.1점]

① -2 ② -1 ③ 0
④ 1 ⑤ 2

0411 | 유형 14 |

사차함수 $y=f(x)$의 그래프가 오른쪽 그림과 같을 때, 등식

$$\frac{f(b)-f(a)}{b-a}=f'(c)$$

를 만족시키는 상수 c의 개수는? [4.8점]

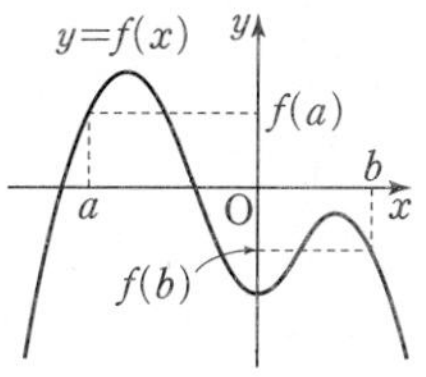

① 1 ② 2 ③ 3
④ 4 ⑤ 5

0412 | 유형 15 |

미분가능한 함수 $f(x)$에 대하여 $\lim_{x \to \infty} f'(x)=6$일 때, $\lim_{x \to \infty} \{f(x+2)-f(x-1)\}$의 값은? [5.3점]

① 18 ② 19 ③ 20
④ 21 ⑤ 22

0413 | 유형 15 |

함수 $f(x)=x^3$에 대하여 상수 θ $(0<\theta<1)$가

$$\frac{f(a+h)-f(a)}{h}=f'(a+\theta h)$$

를 만족시킬 때, $\lim_{h \to 0} \theta$의 값은? (단, $a>0$) [4.8점]

① $\frac{1}{3}$ ② $\frac{1}{2}$ ③ $\frac{2}{3}$
④ $\frac{\sqrt{2}}{2}$ ⑤ $\frac{\sqrt{3}}{2}$

서술형 문제

• 풀이 과정에 점수가 부여되니 풀이 과정 및 정답을 상세하게 서술하세요.

단답형

0414
| 유형 01 |

오른쪽 그림과 같이 곡선 $y=\frac{1}{3}x^3-ax^2$에 접하고 기울기가 2인 두 접선과 주어진 곡선의 접점의 x좌표를 각각 α, β라 할 때, $\alpha^2+\beta^2=40$을 만족시킨다. 이때, 양수 a의 값을 구하시오. [6점]

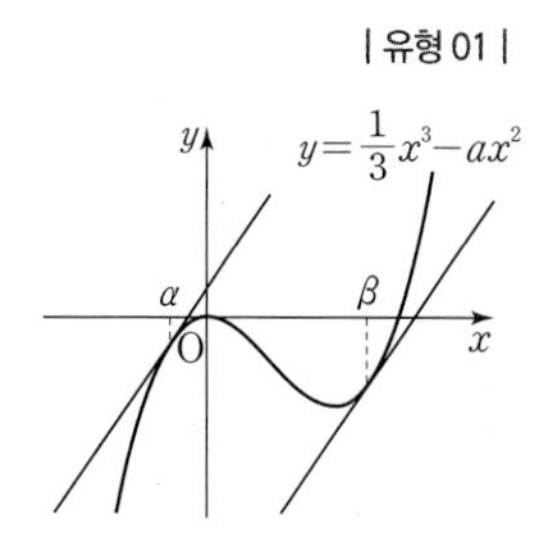

0415
| 유형 02 |

오른쪽 그림과 같이 곡선 $y=\frac{1}{3}x^3$ 위의 점 $\left(1, \frac{1}{3}\right)$에서의 접선이 x축과 만나는 점을 $(a_1, 0)$이라 하고 점 $\left(a_1, \frac{1}{3}a_1^3\right)$에서의 접선이 x축과 만나는 점을 $(a_2, 0)$이라 할 때, a_1a_2의 값을 구하시오. [7점]

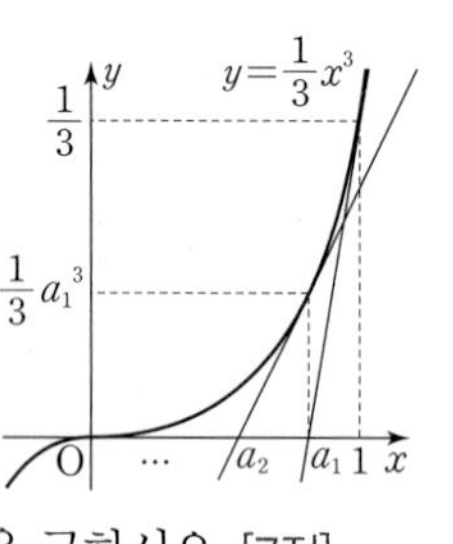

0416
| 유형 14 |

함수 $f(x)=\frac{1}{3}x^3+2x^2+5$가 닫힌구간 $[-2, 1]$에 속하는 임의의 두 실수 a, b $(a<b)$에 대하여 $\frac{f(b)-f(a)}{b-a}=k$를 만족시킨다. 실수 k의 값의 범위가 $\alpha<k<\beta$일 때, $\alpha+2\beta$의 값을 구하시오. [7점]

단계형

0417
| 유형 03 |

곡선 $y=x^2-1$ 위의 점 $\mathrm{P}(t, t^2-1)$에서의 접선이 y축과 만나는 점을 Q라 하고, 점 P를 지나고 점 P에서의 접선에 수직인 직선이 y축과 만나는 점을 R라 할 때, 다음 물음에 답하시오. [12점]

(1) 점 Q의 좌표를 구하시오. [4점]

(2) 점 R의 좌표를 구하시오. [4점]

(3) $\lim_{t \to 1} \overline{\mathrm{QR}}$의 값을 구하시오. [4점]

0418
| 유형 05 |

곡선 $y=x^3-2x$ 위의 점 $\mathrm{P}(1, -1)$에서의 접선을 l이라 하고, 점 P를 지나고 직선 l에 수직인 직선을 m이라 할 때, 다음 물음에 답하시오. [10점]

(1) 접선 l의 방정식을 구하시오. [3점]

(2) 직선 m의 방정식을 구하시오. [3점]

(3) 두 직선 l, m과 y축으로 둘러싸인 도형의 넓이를 구하시오. [4점]

성/취/도 Check 점수 / 100점

STEP 1 개념+기본 문제 학습

STEP 2 유형 대표 문제 학습

STEP 3의 틀린 문제에 해당하는 STEP 2 유형 학습

STEP 3의 틀린 문제 복습

교과서 속 심화문제 시작

≫ 정답과 해설 61쪽

0419

곡선 $y=(x-a)(x-b)(x-c)$에 대하여 세 상수 a, b, c가 $\frac{1}{a-1}+\frac{1}{b-1}+\frac{1}{c-1}=\frac{1}{2}$을 만족시킬 때, 곡선 위의 점 $(1, 2)$에서의 접선과 x축 및 y축으로 둘러싸인 도형의 넓이를 구하시오.

0420

곡선 $y=x^3-\sqrt{2}x$ 위의 점 P에서의 접선 l이 이 곡선과 다시 만나는 점을 Q라 하고, 점 Q에서의 접선을 m이라 하자. 두 직선 l, m이 서로 수직으로 만날 때, 직선 PQ의 기울기의 최댓값을 구하시오.

0421

직선 $y=-2$ 위의 점 A에서 포물선 $y=x^2$에 그은 두 접선의 접점을 각각 B, C라 하자. 선분 BC의 길이가 $2\sqrt{15}$일 때, 점 A의 x좌표는? (단, 점 A는 제4사분면 위에 있다.)

① $\frac{1}{2}$ ② 1 ③ $\frac{3}{2}$
④ 2 ⑤ $\frac{5}{2}$

0422

모든 실수에서 미분가능한 함수 $f(x)$가 다음 조건을 만족시킨다.

> (가) 열린구간 $(-1, 1)$에서 함수 $y=|f'(x)|$의 최댓값은 a이다.
> (나) $f(-1)=3$

$f(1)$의 값이 될 수 있는 가장 큰 값을 11, 가장 작은 값을 b라 할 때, $a+b$의 값은? (단, a는 4 이하의 양의 정수)

① -3 ② -2 ③ -1
④ 1 ⑤ 2

0423 융합형

오른쪽 그림은 직선 $y=x$와 다항함수 $y=f(x)$의 그래프의 일부이다. 모든 실수 x에 대하여 $f'(x)\geq 0$이고 $f(0)=\frac{1}{5}$, $f(1)=1$일 때, 다음 보기 중 옳은 것을 있는 대로 고른 것은?

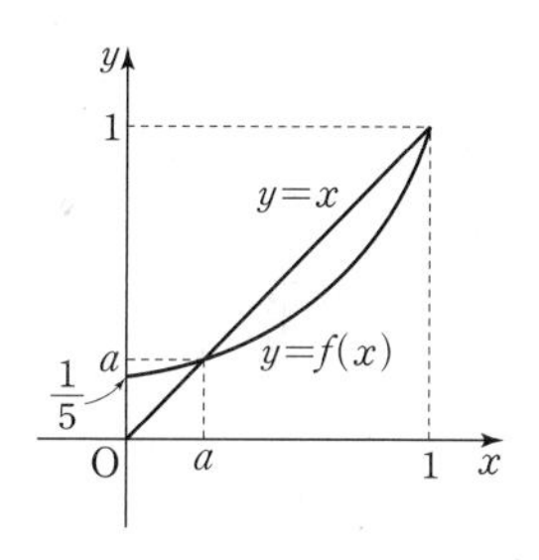

> 보기
> ㄱ. $f'(x)=\frac{4}{5}$인 x가 열린구간 $(0, 1)$에 존재한다.
> ㄴ. 열린구간 $(0, 1)$에서 $0<f'(x)\leq 1$이다.
> ㄷ. $g(x)=(f\circ f)(x)$일 때, $g'(x)=1$인 x가 열린구간 $(a, 1)$에 존재한다.

① ㄱ ② ㄷ ③ ㄱ, ㄷ
④ ㄴ, ㄷ ⑤ ㄱ, ㄴ, ㄷ

5

도함수의 활용(2)

그대의 꿈이 한 번도 실현되지 않았다고 해서
가엾게 생각해서는 안 된다.
정말 가엾은 것은 한 번도 꿈을 꿔보지 않았던 사람들
이다.

-에센바흐

기출 문제 분석

빅 데이터

* 전국 300여 개 고등학교 기출 문제를 분석하였습니다.

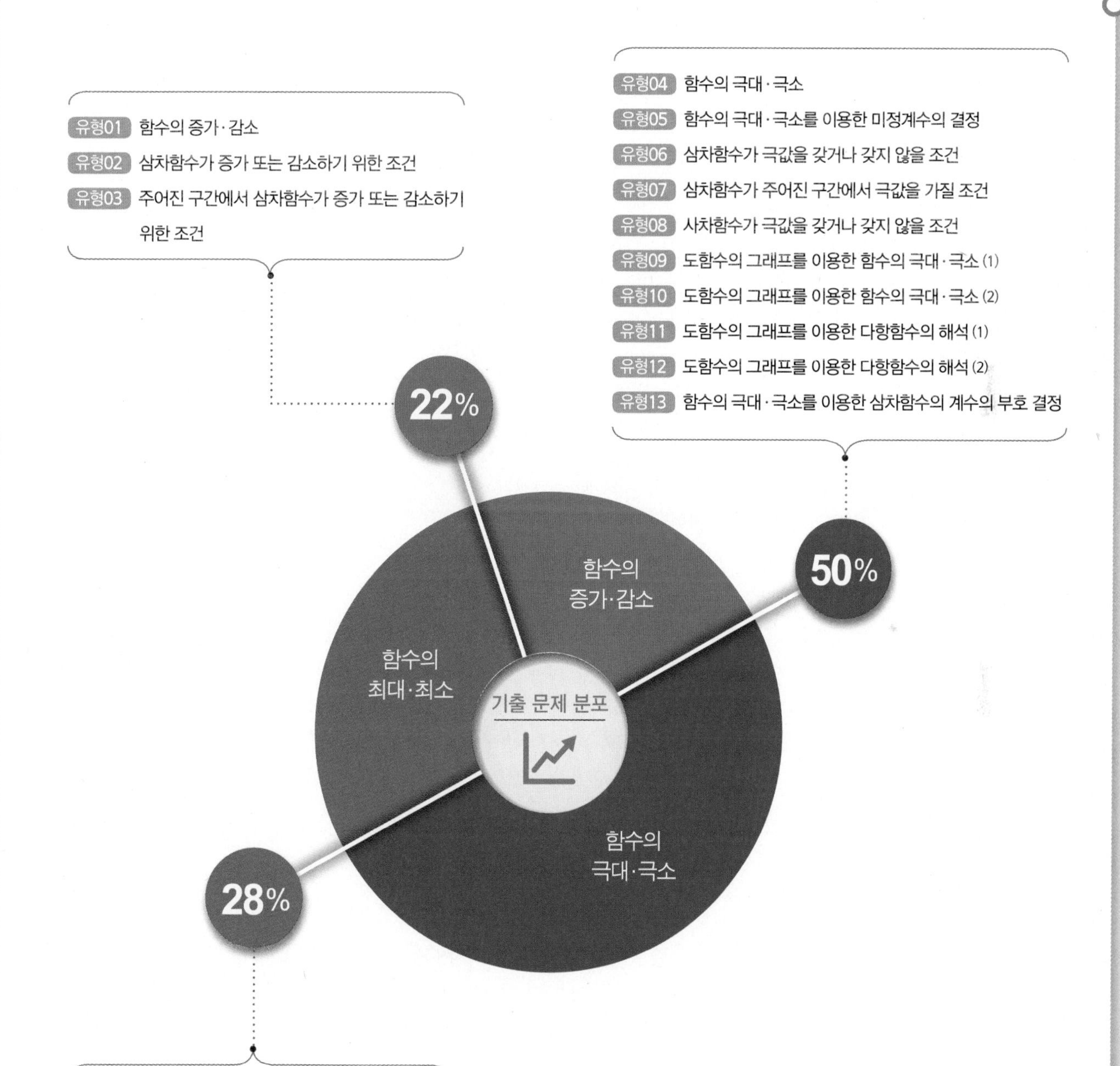

STEP 1 개념 마스터

01 함수의 증가·감소

함수 $f(x)$가 어떤 구간에 속하는 임의의 두 실수 x_1, x_2에 대하여

① $x_1<x_2$일 때 $f(x_1)<f(x_2)$이면 $f(x)$는 그 구간에서 **증가**한다고 한다.

② $x_1<x_2$일 때 $f(x_1)>f(x_2)$이면 $f(x)$는 그 구간에서 **감소**한다고 한다.

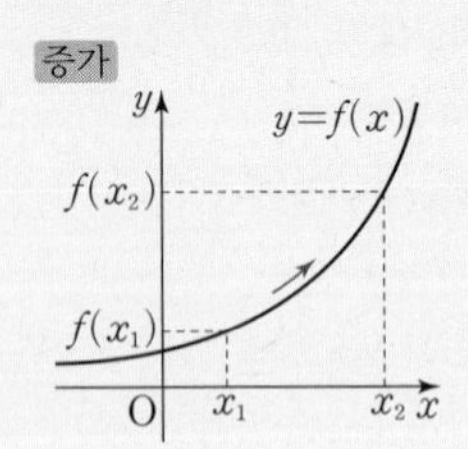

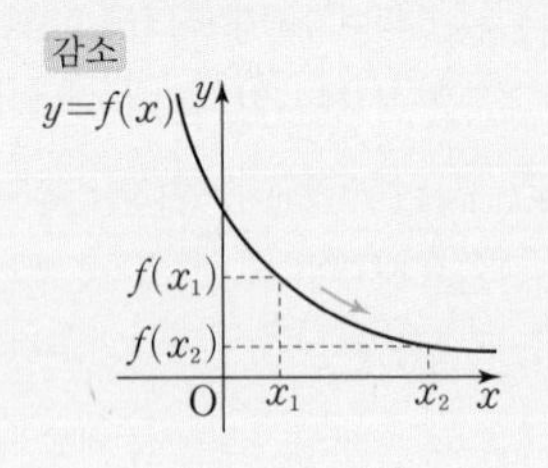

0424 다음은 열린구간 $(-\infty, \infty)$에서 함수 $f(x)=3x$의 증가, 감소를 조사하는 과정이다. (가), (나)에 알맞은 것을 써넣으시오.

> $x_1<x_2$인 임의의 두 실수 x_1, x_2에 대하여
> $f(x_1)-f(x_2)=3x_1-3x_2=3(x_1-x_2)$ (가) 0
> 이므로 $f(x_1)$ (가) $f(x_2)$이다.
> 따라서 함수 $f(x)=3x$는 열린구간 $(-\infty, \infty)$에서 (나) 한다.

[0425~0427] 주어진 열린구간에서 다음 함수의 증가, 감소를 조사하시오.

0425 $f(x)=x^2$ $\quad(0, \infty)$

0426 $f(x)=x^2$ $\quad(-\infty, 0)$

0427 $f(x)=-x^3$ $\quad(-\infty, \infty)$

02 함수의 증가·감소의 판정

유형 01~03, 11, 12

함수 $f(x)$가 어떤 구간에서 미분가능하고 그 구간에 속하는 모든 x에 대하여

① $f'(x)>0$이면 $f(x)$는 그 구간에서 증가한다.

② $f'(x)<0$이면 $f(x)$는 그 구간에서 감소한다.

주의 일반적으로 위의 역은 성립하지 않는다. 예를 들어 함수 $f(x)=x^3$은 열린구간 $(-\infty, \infty)$에서 증가하지만 $f'(x)=3x^2$에서 $f'(0)=0$이다.

참고 함수 $f(x)$가 어떤 구간에서 미분가능하고 그 구간에서
① $f(x)$가 증가하면 ⇨ $f'(x)\ge 0$
② $f(x)$가 감소하면 ⇨ $f'(x)\le 0$

[0428~0432] 다음 함수의 증가, 감소를 조사하시오.

0428 $f(x)=x^2+2x$

0429 $f(x)=-x^2+4x+3$

0430 $f(x)=x^3-12x$

0431 $f(x)=-2x^3+3x^2+12x+1$

0432 $f(x)=x^4-2x^2+1$

[0433~0434] 다음 함수의 증가, 감소를 조사하시오.

0433 $f(x)=x^3+6x^2+12x+9$

0434 $f(x)=3x^4-4x^3+5$

핵심 Check

· 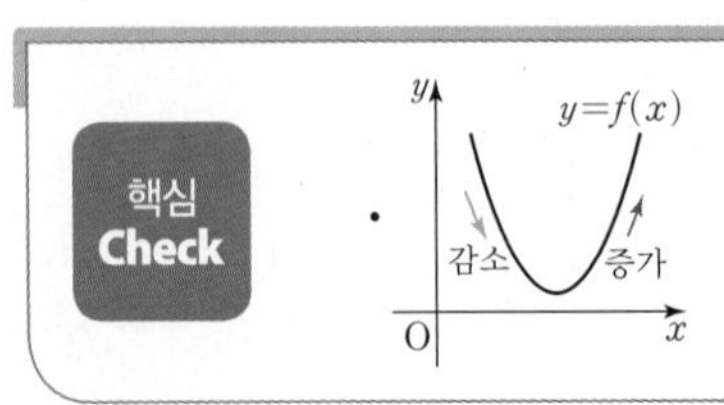

· 미분가능한 함수 $f(x)$의 증가와 감소 → $f'(x)$의 부호 조사

03 함수의 극대·극소

유형 04~13

함수 $f(x)$가 $x=a$를 포함하는 어떤 열린구간에 속하는 모든 x에 대하여

(1) $f(x) \le f(a)$이면 함수 $f(x)$는 $x=a$에서 **극대**라 하고, $f(a)$를 **극댓값**이라 한다.

(2) $f(x) \ge f(a)$이면 함수 $f(x)$는 $x=a$에서 **극소**라 하고, $f(a)$를 **극솟값**이라 한다.

이때, 극댓값과 극솟값을 통틀어 **극값**이라 한다.

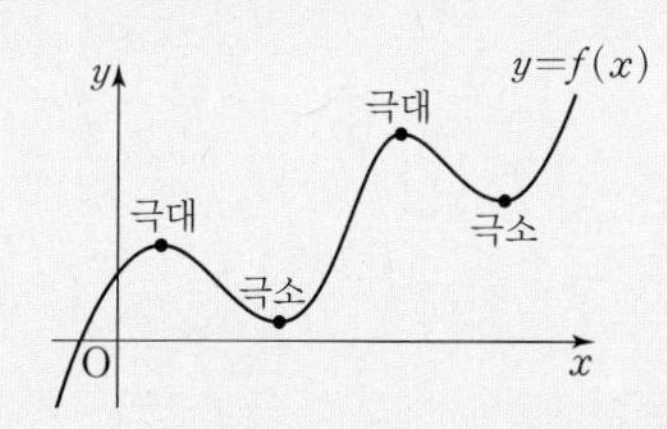

참고 · 함수 $f(x)$가 $x=a$에서 연속일 때, $x=a$의 좌우에서
① $f(x)$가 증가하다가 감소하면 $f(x)$는 $x=a$에서 극대이다.
② $f(x)$가 감소하다가 증가하면 $f(x)$는 $x=a$에서 극소이다.
· 하나의 함수에서 여러 개의 극값이 존재할 수 있으며 극댓값이 극솟값보다 반드시 큰 것은 아니다.

0435 함수 $f(x)=x^3-3x+1$에 대하여 $y=f(x)$의 그래프가 오른쪽 그림과 같을 때, 함수 $f(x)$의 극댓값과 극솟값을 구하시오.

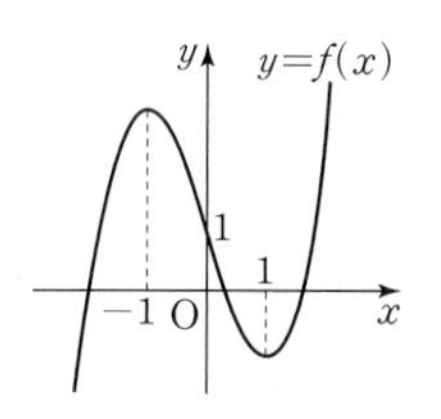

0436 닫힌구간 $[a, h]$에서 정의된 함수 $f(x)$에 대하여 $y=f(x)$의 그래프가 오른쪽 그림과 같을 때, 다음 물음에 답하시오.

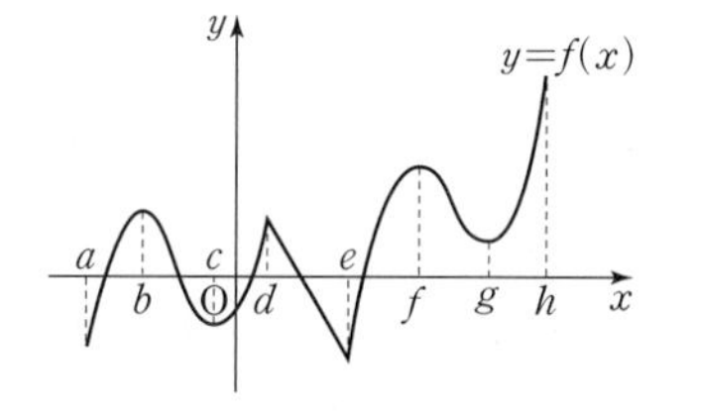

(1) 함수 $f(x)$가 극댓값을 갖는 점의 x좌표를 모두 말하시오.

(2) 함수 $f(x)$가 극솟값을 갖는 점의 x좌표를 모두 말하시오.

04 함수의 극대·극소의 판정

유형 04~13

(1) 극값과 미분계수

함수 $f(x)$가 $x=a$에서 미분가능하고 $x=a$에서 극값을 가지면 $f'(a)=0$이다.

주의 일반적으로 위의 역은 성립하지 않는다. 예를 들어 함수 $f(x)=x^3$에서 $f'(x)=3x^2$이므로 $f'(0)=0$이지만 $x=0$에서 극값을 갖지 않는다.

참고 함수 $f(x)$가 $x=a$에서 미분가능하지 않아도 $x=a$에서 연속이면 극값을 가질 수 있다.

(2) 함수의 극대와 극소의 판정

함수 $f(x)$가 미분가능하고 $f'(a)=0$일 때, $x=a$의 좌우에서 $f'(x)$의 부호가

① 양(+)에서 음(−)으로 바뀌면
$f(x)$는 $x=a$에서 극대이고, 극댓값 $f(a)$를 갖는다.

② 음(−)에서 양(+)으로 바뀌면
$f(x)$는 $x=a$에서 극소이고, 극솟값 $f(a)$를 갖는다.

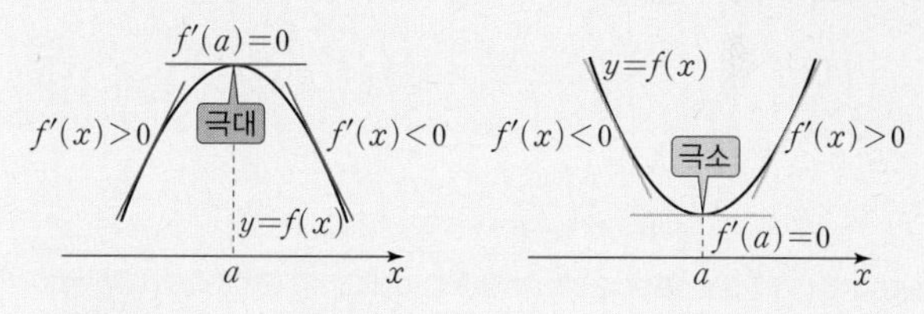

참고 $f'(a)=0$이더라도 $x=a$의 좌우에서 $f'(x)$의 부호가 바뀌지 않으면 $f(a)$는 극값이 아니다.

0437 미분가능한 함수 $f(x)$가 $x=3$에서 극값 4를 가질 때, $f(3)+f'(3)$의 값을 구하시오.

[0438~0440] 다음 삼차함수의 극값을 구하시오.

0438 $f(x)=x^3-6x^2-15x+2$

0439 $f(x)=-x^3+6x^2-1$

0440 $f(x)=-2x^3+3x^2-6$

핵심 Check

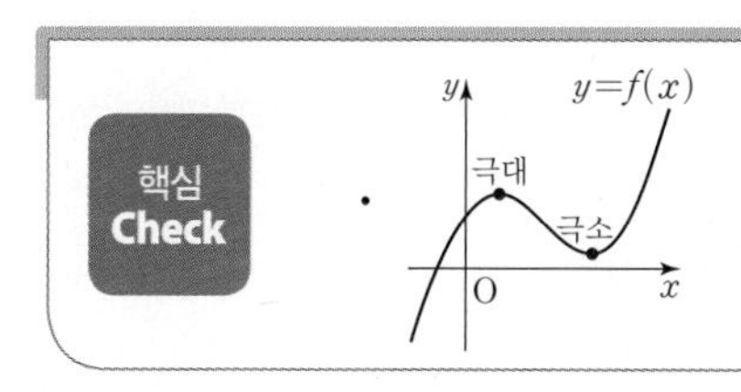

· 미분가능한 함수 $f(x)$의 극대와 극소 → $f'(x)$의 부호의 변화 조사

[0441~0443] 다음 사차함수의 극값을 구하시오.

0441 $f(x)=x^4-2x^2+5$

0442 $f(x)=3x^4-8x^3+1$

0443 $f(x)=-3x^4-4x^3+12x^2-5$

05 함수의 그래프 유형 12

미분가능한 함수 $y=f(x)$의 그래프의 개형은 다음과 같은 순서로 그린다.

(i) 도함수 $f'(x)$를 구한다.

(ii) $f'(x)=0$인 x의 값을 구한다.

(iii) 함수 $f(x)$의 증가와 감소를 표로 나타내고, 극값을 구한다.

(iv) 함수 $y=f(x)$의 그래프와 x축 또는 y축의 교점의 좌표를 구한다. — x축과의 교점은 생략 가능

(v) 함수 $y=f(x)$의 그래프의 개형을 그린다.

[0444~0447] 다음 함수의 그래프를 그리시오.

0444 $f(x)=x^3-3x^2+3x+3$

0445 $f(x)=-2x^3+3x^2+12x-1$

0446 $f(x)=3x^4-8x^3-6x^2+24x-1$

0447 $f(x)=-3x^4-4x^3+6x^2+12x-4$

06 함수의 최대・최소 유형 14~19

함수 $f(x)$가 닫힌구간 $[a, b]$에서 연속일 때, 최댓값과 최솟값은 다음과 같은 순서로 구한다.

(i) 주어진 구간에서 $f(x)$의 극댓값과 극솟값을 구한다.

(ii) 주어진 구간의 양 끝에서의 함숫값 $f(a)$, $f(b)$를 구한다.

(iii) (i), (ii)에서 구한 극댓값, 극솟값, $f(a)$, $f(b)$ 중에서 가장 큰 값이 최댓값이고, 가장 작은 값이 최솟값이다.

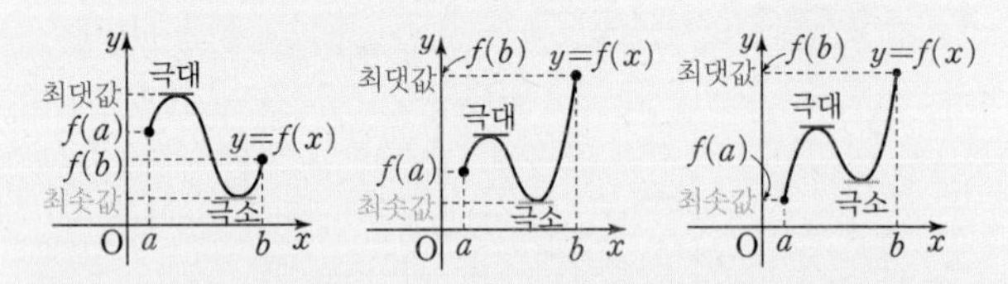

참고 • 주어진 닫힌구간에서 함수 $f(x)$가 연속이면 극댓값과 극솟값은 여러 개 존재할 수 있지만, 최댓값과 최솟값은 오직 한 개씩만 존재한다.
• 극댓값과 극솟값이 반드시 최댓값과 최솟값이 되는 것은 아니다.

참고 최대・최소 정리
함수 $f(x)$가 닫힌구간 $[a, b]$에서 연속이면 함수 $f(x)$는 이 구간에서 반드시 최댓값과 최솟값을 가진다.

[0448~0451] 주어진 닫힌구간에서 다음 함수의 최댓값과 최솟값을 구하시오.

0448 $f(x)=2x^3-12x^2+3 \quad [-1, 2]$

0449 $f(x)=-x^3+3x \quad [-3, \sqrt{3}]$

0450 $f(x)=x^4-2x^2+3 \quad [-2, 0]$

0451 $f(x)=-x^4+6x^2-8x+1 \quad [-3, 2]$

핵심 Check

• 닫힌구간 $[a, b]$에서 연속인 함수 $f(x)$의 최대・최소 → 극댓값, 극솟값, $f(a)$, $f(b)$ 중에서 → (1) 가장 큰 값 ⇨ 최댓값 (2) 가장 작은 값 ⇨ 최솟값

STEP 2 유형 마스터

개념 해결의 법칙 116쪽 유형 01

유형 01 함수의 증가·감소

개념 02

함수 $f(x)$가 어떤 구간에서 미분가능하고 그 구간에서
(1) $f'(x)>0$ ⇨ $f(x)$는 그 구간에서 증가
(2) $f'(x)<0$ ⇨ $f(x)$는 그 구간에서 감소

0452 • 대표문제 •
함수 $f(x)=-x^3+3x^2-2$가 열린구간 (a, b)에서 증가할 때, a의 최솟값과 b의 최댓값을 각각 구하시오.

0453 상중하
함수 $f(x)=x^3-3x^2-9x+1$이 감소하는 구간이 $[\alpha, \beta]$일 때, $\alpha+\beta$의 값은?

① -2 ② -1 ③ 0
④ 1 ⑤ 2

0454 상중하
함수 $f(x)=x^3+ax^2+bx-1$이 $x\le-2$ 또는 $x\ge1$에서 증가하고, $-2\le x\le1$에서 감소할 때, 상수 a, b에 대하여 ab의 값을 구하시오.

0455 상중하 서술형
함수 $f(x)=\frac{1}{3}x^3-2x^2+ax$가 감소하는 x의 값의 범위가 $1\le x\le b$일 때, 상수 a, b에 대하여 $a+b$의 값을 구하시오.

중요

개념 해결의 법칙 117쪽 유형 02

유형 02 삼차함수가 증가 또는 감소하기 위한 조건

개념 02

삼차함수 $f(x)$가 실수 전체의 집합에서
(1) 증가 ⇨ 모든 실수 x에 대하여 $f'(x)\ge0$
(2) 감소 ⇨ 모든 실수 x에 대하여 $f'(x)\le0$

0456 • 대표문제 •
함수 $f(x)=x^3+kx^2+(k+4)x+3$이 실수 전체의 집합에서 증가하도록 하는 실수 k의 값의 범위가 $a\le k\le b$일 때, $a+b$의 값은?

① 1 ② 2 ③ 3
④ 4 ⑤ 5

0457 상중하
함수 $f(x)=-x^3+kx^2-3x+1$이 열린구간 $(-\infty, \infty)$에서 감소하도록 하는 실수 k의 값의 범위는?

① $k\le-4$ ② $-4\le k\le4$
③ $-3\le k\le3$ ④ $k\ge0$
⑤ $k\ge3$

0458 상중하
열린구간 $(-\infty, \infty)$에서 함수 $f(x)=x^3+ax^2+ax$는 증가하고, 함수 $g(x)=-x^3+(a+1)x^2-(a+1)x$는 감소할 때, 다음 중 상수 a의 값이 될 수 없는 것은?

① $-\frac{1}{2}$ ② 0 ③ $\frac{1}{2}$
④ 1 ⑤ 2

유형 02 Plus 삼차함수 $f(x)$가 실수 전체의 집합에서 증가하거나 감소함을 나타내는 여러 가지 표현

0459~0461

(1) $a<b$인 임의의 두 실수 a, b에 대하여 항상 $f(a)<f(b)$ ⇨ 증가
(2) $a<b$인 임의의 두 실수 a, b에 대하여 항상 $f(a)>f(b)$ ⇨ 감소
(3) 함수 $f(x)$가 일대일대응(또는 일대일함수)이다.
(4) 함수 $f(x)$의 역함수가 존재한다.

0459 상중하

함수 $f(x)=-x^3+2ax^2-3ax+5$가 $x_1<x_2$인 임의의 두 실수 x_1, x_2에 대하여 항상 $f(x_1)>f(x_2)$가 성립하도록 하는 정수 a의 개수는?

① 1 ② 2 ③ 3
④ 4 ⑤ 5

0460 상중하

실수 전체의 집합에서 정의된 함수 $f(x)=x^3+x^2+kx+1$이 일대일대응일 때, 정수 k의 최솟값은?

① 1 ② 2 ③ 3
④ 4 ⑤ 5

0461 상중하

실수 전체의 집합에서 정의된 함수
$f(x)=-x^3+kx^2+2kx-5$의 역함수가 존재하도록 하는 모든 정수 k의 값의 합은?

① -7 ② -14 ③ -21
④ -28 ⑤ -35

개념 해결의 법칙 118쪽 유형 03

유형 03 주어진 구간에서 삼차함수가 증가 또는 감소하기 위한 조건

개념 02

삼차함수 $f(x)$가 열린구간 (a, b)에서
(1) 증가 ⇨ 구간 안의 모든 x에 대하여 $f'(x)\geq 0$
⇨ $f'(a)\geq 0$, $f'(b)\geq 0$
(2) 감소 ⇨ 구간 안의 모든 x에 대하여 $f'(x)\leq 0$
⇨ $f'(a)\leq 0$, $f'(b)\leq 0$

0462 • 대표문제 •

함수 $f(x)=-x^3+x^2+ax-4$가 열린구간 $(1, 2)$에서 증가하도록 하는 실수 a의 값의 범위를 구하시오.

0463 상중하

함수 $f(x)=x^3+kx^2-7x+2$가 $-2<x<1$에서 $x_1<x_2$인 임의의 두 실수 x_1, x_2에 대하여 항상 $f(x_1)>f(x_2)$가 성립하도록 하는 정수 k의 개수는?

① 0 ② 1 ③ 2
④ 3 ⑤ 4

0464 상중하

함수 $f(x)=-x^3+ax^2+2$가 열린구간 $(-\infty, -1)$에서 감소하고, 열린구간 $(1, 2)$에서 증가하도록 하는 정수 a의 최솟값은?

① 1 ② 2 ③ 3
④ 4 ⑤ 5

중요

개념 해결의 법칙 122쪽 유형 01

유형 04 함수의 극대·극소

개념 03, 04

미분가능한 함수 $f(x)$의 극값은 다음과 같은 순서로 구한다.

(i) $f'(x)$를 구한다.

(ii) $f'(x)=0$인 x의 값을 구한다.

(iii) (ii)에서 구한 x의 값의 좌우에서 $f'(x)$의 부호를 조사하여 증감표를 만든다. 이때, $f'(x)$의 부호가 양$(+)$에서 음$(-)$으로 바뀌면 극대, 음$(-)$에서 양$(+)$으로 바뀌면 극소이다.

0465 • 대표문제 •

함수 $f(x)=-2x^3+9x^2-12x-2$의 극댓값을 M, 극솟값을 m이라 할 때, $M-m$의 값은?

① 1　② 2　③ 3　④ 4　⑤ 5

0466 상중하

함수 $f(x)=x^4-\frac{8}{3}x^3-6x^2$이 극값을 갖는 모든 x의 값의 합은?

① -5　② -2　③ 0　④ 2　⑤ 5

0467 상중하

함수 $f(x)=x^3-3x-2$에 대하여 $y=f(x)$의 그래프에서 극대가 되는 점을 P, 극소가 되는 점을 Q라 할 때, 두 점 P, Q와 원점 O를 꼭짓점으로 하는 삼각형 OPQ의 넓이는?

① 1　② 2　③ 4　④ 8　⑤ 16

0468 상중하

함수 $f(x)=x^3-3x^2+2x$에 대하여 곡선 $y=f(x)$ 위의 한 점 $P(t, f(t))$에서의 접선의 y절편을 $g(t)$라 할 때, $g(t)$의 극댓값과 극솟값의 합은?

① 1　② 2　③ 3　④ 4　⑤ 5

개념 해결의 법칙 123쪽 유형 02

유형 05 함수의 극대·극소를 이용한 미정계수의 결정

개념 03, 04

(1) 미분가능한 함수 $f(x)$가 $x=\alpha$에서 극값 β를 가지면
⇨ $f(\alpha)=\beta$, $f'(\alpha)=0$

(2) 삼차함수 $f(x)$가 $x=\alpha$, $x=\beta$에서 극값을 가지면
⇨ α, β는 이차방정식 $f'(x)=0$의 두 근이다.

0469 • 대표문제 •

함수 $f(x)=x^3+ax^2+bx+c$가 $x=-3$에서 극댓값 28을 갖고, $x=1$에서 극솟값을 가질 때, $f(x)$의 극솟값을 구하시오. (단, a, b, c는 상수)

0470 상중하

함수 $f(x)=x^3-3x^2+a$의 극댓값과 극솟값의 합이 20일 때, 상수 a의 값을 구하시오.

0471 상중하 서술형

함수 $f(x)=x^3+ax^2+bx+c$가 $x=-1$, $x=3$에서 극값을 갖고, 극댓값과 극솟값의 절댓값이 같고 부호가 서로 다르다. 이때, 상수 a, b, c에 대하여 $a+b+c$의 값을 구하시오.

0472 상중하

함수 $f(x)=x^3+(a+1)x^2-2x$의 그래프에서 극대인 점과 극소인 점이 원점에 대하여 대칭일 때, 상수 a의 값을 구하시오.

0473 상중하

함수 $f(x)=-2x^3+3ax^2-2a$의 그래프가 x축에 접하도록 하는 모든 실수 a의 값의 합을 구하시오. (단, $a\neq0$)

0474 상중하

최고차항의 계수가 1인 삼차함수 $f(x)$가 다음 조건을 모두 만족시킬 때, $f(x)$를 구하시오.

> (가) $\lim_{x\to-1}\frac{f(x)+3}{x+1}=0$
> (나) 함수 $f(x)$는 $x=1$에서 극솟값을 가진다.

개념 해결의 법칙 124쪽 유형 03

유형 06 삼차함수가 극값을 갖거나 갖지 않을 조건

개념 03, 04

삼차함수 $f(x)$에 대하여
(1) $f(x)$가 극값을 가진다.
⇨ 이차방정식 $f'(x)=0$이 서로 다른 두 실근을 가진다.
(2) $f(x)$가 극값을 갖지 않는다.
⇨ 이차방정식 $f'(x)=0$이 중근 또는 허근을 가진다.

0475 • 대표문제 •

함수 $f(x)=x^3+kx^2-2kx+2$가 극값을 갖지 않도록 하는 실수 k의 값의 범위를 구하시오.

0476 상중하

함수 $f(x)=x^3-2ax^2+(2a^2-4)x-1$이 극댓값과 극솟값을 모두 갖도록 하는 실수 a의 값의 범위가 $\alpha<a<\beta$일 때, $\alpha+\beta$의 값을 구하시오.

0477 상중하

함수 $f(x)=x^3+kx^2+x-4$가 극값을 갖도록 하는 양의 정수 k의 최솟값은?

① 1 ② 2 ③ 4
④ 6 ⑤ 8

0478 상중하

함수 $f(x)=\frac{1}{3}x^3+ax^2+x+k$의 그래프가 k의 값에 관계없이 x축과 한 번만 만난다고 할 때, 실수 a의 값의 범위를 구하시오.

개념 해결의 법칙 125쪽 유형 04

유형 07 삼차함수가 주어진 구간에서 극값을 가질 조건

개념 03, 04

삼차함수 $f(x)$가 열린구간 (a, b)에서 극댓값과 극솟값을 모두 가진다.
⇨ 이차방정식 $f'(x)=0$이 열린구간 (a, b)에서 서로 다른 두 실근을 가지므로 다음 세 가지 조건을 생각한다.
(i) 이차방정식 $f'(x)=0$의 판별식 D의 부호 ⇨ $D>0$
(ii) $f'(a)$, $f'(b)$의 부호
(iii) $y=f'(x)$의 그래프에서 축 $x=k$의 위치 ⇨ $a<k<b$

0479 • 대표문제 •

함수 $f(x)=\frac{1}{3}x^3-2kx^2+3kx-2$가 $-1<x<1$에서 극댓값과 극솟값을 모두 갖도록 하는 정수 k의 개수는?

① 0 ② 1 ③ 2
④ 3 ⑤ 4

0480 상중하

함수 $f(x)=x^3-3ax^2+3ax-1$이 $x>-1$에서 극댓값과 극솟값을 모두 갖도록 하는 실수 a의 값의 범위를 구하시오.

0481 상중하

함수 $f(x)=x^3-kx^2-k^2x+3$이 $-2<x<2$에서 극댓값을 갖고, $x>2$에서 극솟값을 갖도록 하는 모든 정수 k의 값의 곱은?

① 2 ② 6 ③ 24
④ 30 ⑤ 60

유형 08 사차함수가 극값을 갖거나 갖지 않을 조건

개념 03, 04

사차함수 $f(x)$에 대하여
(1) $f(x)$가 극댓값과 극솟값을 모두 가진다.
⇨ 삼차방정식 $f'(x)=0$이 서로 다른 세 실근을 가진다.
(2) $f(x)$가 극댓값 또는 극솟값을 갖지 않는다.
⇨ 삼차방정식 $f'(x)=0$이 한 실근과 두 허근 또는 한 실근과 중근 (또는 삼중근)을 가진다.

0482 • 대표문제 •

다음 중 함수 $f(x)=x^4+2x^3-ax^2+1$이 극댓값을 갖도록 하는 실수 a의 값이 될 수 있는 것은?

① -4 ② -3 ③ -2
④ -1 ⑤ 0

0483 상중하

함수 $f(x)=-x^4+4x^3+2ax^2$이 극댓값과 극솟값을 모두 갖도록 하는 실수 a의 값의 범위를 구하시오.

0484 상중하

함수 $f(x)=x^4+2(a-1)x^2+4ax$가 극댓값을 갖지 않도록 하는 실수 a의 최솟값은?

① -2 ② -1 ③ 0
④ $\frac{1}{4}$ ⑤ $\frac{1}{2}$

5 도함수의 활용 (2)

0485 상중하

함수 $f(x)=x^4+ax^3+2x^2+5$가 극값을 하나만 갖도록 하는 실수 a의 최댓값을 M, 최솟값을 m이라 할 때, $\frac{M}{m}$의 값을 구하시오.

개념 해결의 법칙 126쪽 유형 05

유형 09 도함수의 그래프를 이용한 함수의 극대·극소 (1)

개념 03, 04

함수 $f(x)$의 도함수 $y=f'(x)$의 그래프가 x축과 만나는 점의 좌우에서 $f'(x)$의 부호가

(1) 양(+)에서 음(−)으로 바뀌면
⇨ $f(x)$는 $x=a$에서 극대

(2) 음(−)에서 양(+)으로 바뀌면
⇨ $f(x)$는 $x=b$에서 극소

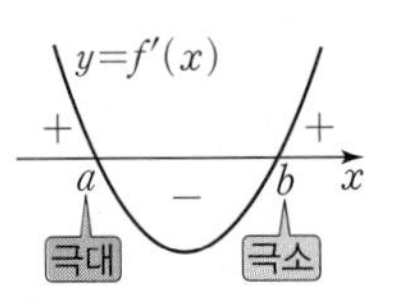

0486 •대표문제•

함수 $f(x)$의 도함수 $y=f'(x)$의 그래프가 오른쪽 그림과 같을 때, 닫힌구간 $[a, b]$에서 함수 $f(x)$가 극대 또는 극소가 되는 점의 개수를 구하시오.

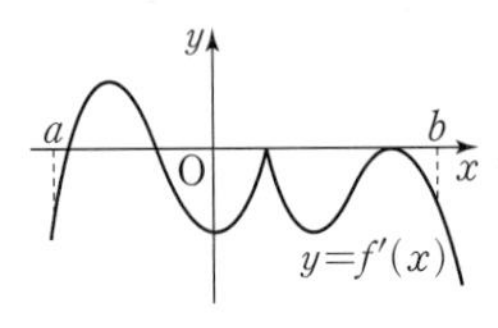

0487 상중하

오른쪽 그림은 $0<x<7$에서 연속인 함수 $f(x)$의 도함수 $y=f'(x)$의 그래프이다. 함수 $y=f(x)$의 그래프가 극댓값을 갖는 점의 개수를 m, 극솟값을 갖는 점의 개수를 n이라 할 때, $m-n$의 값을 구하시오.

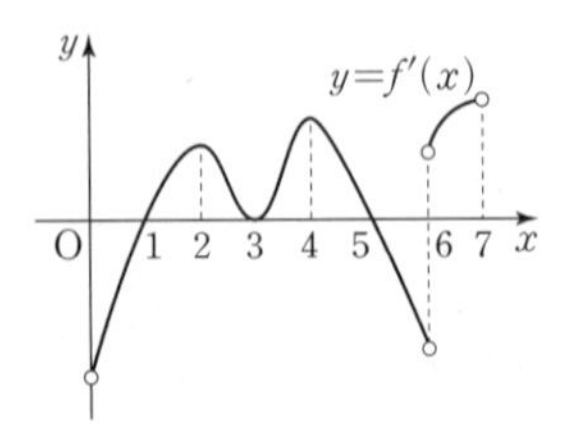

유형 10 도함수의 그래프를 이용한 함수의 극대·극소 (2)

개념 03, 04

(1) 도함수 $y=f'(x)$의 그래프를 보고 함수 $f(x)$에 대한 증감표를 만든다.

(2) 함수 $f(x)$가 $x=a$에서 극값 b를 가지면 $f(a)=b$, $f'(a)=0$임을 이용한다.

0488 •대표문제•

함수 $f(x)=x^3+ax^2+bx+c$에 대하여 도함수 $y=f'(x)$의 그래프가 오른쪽 그림과 같다. 함수 $f(x)$의 극댓값이 5일 때, $f(x)$의 극솟값을 구하시오.

(단, a, b, c는 상수)

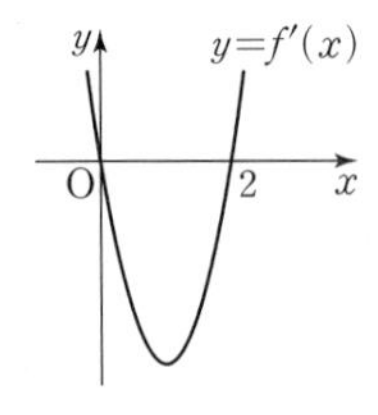

0489 상중하 서술형

최고차항의 계수가 1인 삼차함수 $f(x)$의 도함수 $y=f'(x)$의 그래프가 오른쪽 그림과 같다. 함수 $f(x)$의 극솟값이 -6일 때, $f(x)$의 극댓값을 구하시오.

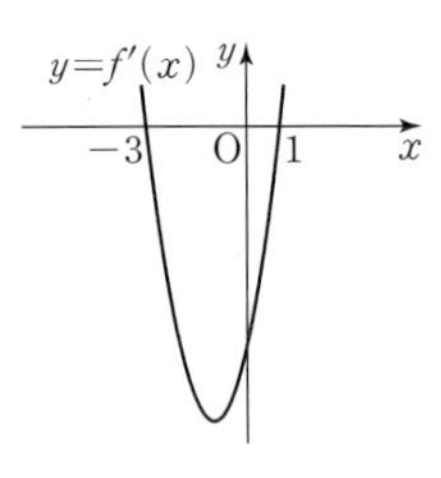

0490 상중하

삼차함수 $f(x)$의 도함수 $y=f'(x)$의 그래프가 오른쪽 그림과 같다. $f(x)$의 극솟값이 0이고 극댓값이 1일 때, $f(1)$의 값을 구하시오.

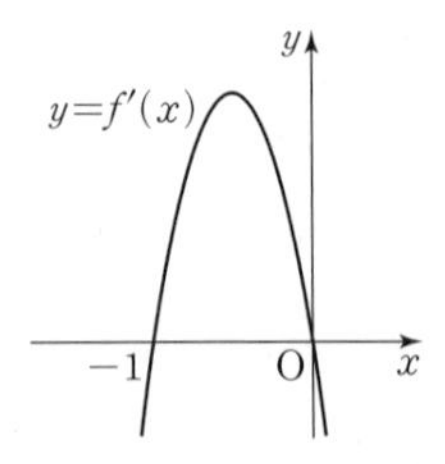

유형 11 도함수의 그래프를 이용한 다항함수의 해석 (1)

개념 02~04

(1) 증가, 감소 ⇨ $f'(x)$의 부호를 살펴본다.
(2) 극대, 극소 ⇨ $f'(x)=0$이 되는 점의 좌우에서 $f'(x)$의 부호의 변화를 살펴본다.

0491 • 대표문제 •

함수 $f(x)$의 도함수 $y=f'(x)$의 그래프가 아래 그림과 같을 때, 다음 중 옳은 것은?

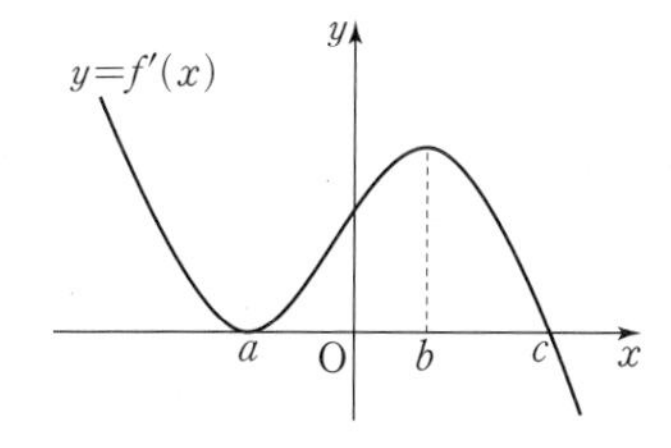

① 함수 $f(x)$는 $x=a$에서 극소이다.
② 함수 $f(x)$는 $x=b$에서 극대이다.
③ 함수 $f(x)$는 $x=c$에서 극소이다.
④ 열린구간 $(-\infty, a)$에서 함수 $f(x)$는 감소한다.
⑤ 열린구간 (b, c)에서 함수 $f(x)$는 증가한다.

0492 상중하

함수 $f(x)$의 도함수 $y=f'(x)$의 그래프가 오른쪽 그림과 같을 때, 다음 보기 중 옳은 것을 있는 대로 고른 것은? (단, $f(0)=0$)

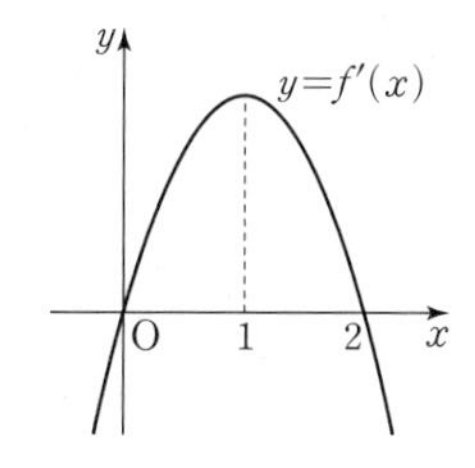

보기
ㄱ. $f(x)$의 극솟값은 2이다.
ㄴ. $f(x)$는 $x=1$에서 극댓값을 가진다.
ㄷ. $y=f(x)$의 그래프는 $x=0$에서 x축에 접한다.
ㄹ. $f(x)$는 열린구간 $(1, \infty)$에서 감소한다.

① ㄴ ② ㄷ ③ ㄱ, ㄴ
④ ㄷ, ㄹ ⑤ ㄱ, ㄷ, ㄹ

0493 상중하

연속함수 $f(x)$의 도함수 $y=f'(x)$의 그래프가 오른쪽 그림과 같을 때, 다음 보기 중 옳은 것을 있는 대로 고르시오. (단, $f(x_3)\neq f(x_6)$)

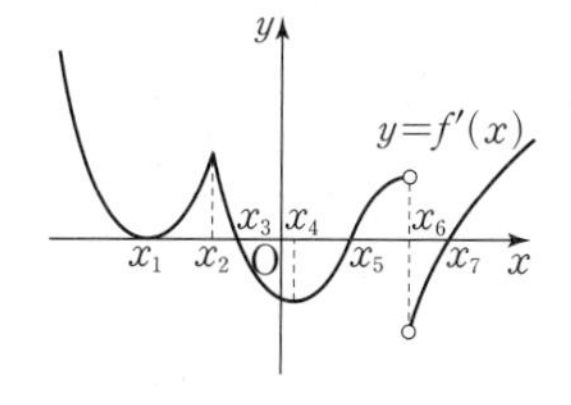

보기
ㄱ. $f(x)$는 $x=x_2$에서 미분가능하지 않다.
ㄴ. 열린구간 (x_2, ∞)에서 $f(x)$의 극댓값은 2개이다.
ㄷ. $f(x)$는 $x=x_3$에서 극댓값 0을 가진다.

유형 12 도함수의 그래프를 이용한 다항함수의 해석 (2)

개념 02~05

(1) 도함수 $y=f'(x)$의 그래프를 보고 함수 $f(x)$에 대한 증감표를 만든다.
(2) 함수 $f(x)$가 증가 또는 감소하는 구간, 극값을 갖는 x의 값 등을 찾아 $y=f(x)$의 그래프의 개형을 유추한다.

0494 • 대표문제 •

함수 $f(x)$의 도함수 $y=f'(x)$의 그래프가 오른쪽 그림과 같을 때, 다음 중 함수 $y=f(x)$의 그래프의 개형이 될 수 있는 것은?

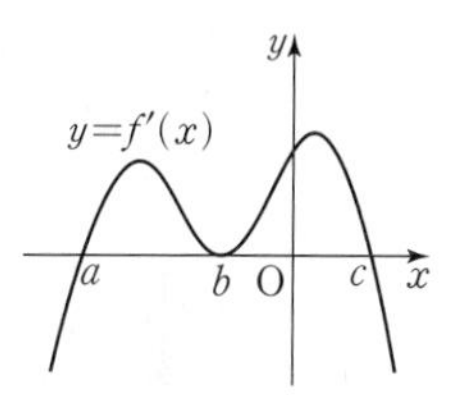

①

②

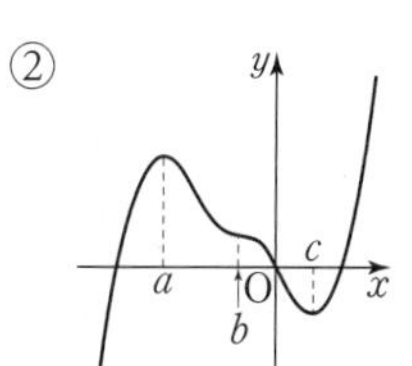

③

④

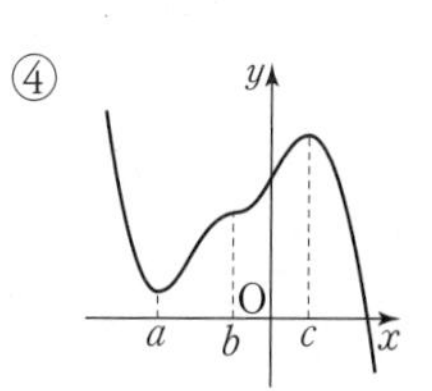

⑤

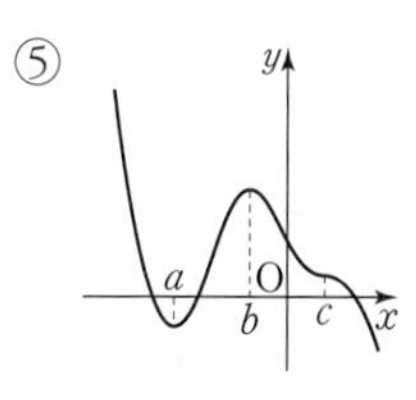

0495 상중하

함수 $f(x)$의 도함수 $y=f'(x)$의 그래프가 오른쪽 그림과 같을 때, 다음 중 함수 $y=f(x)$의 그래프의 개형이 될 수 있는 것은?

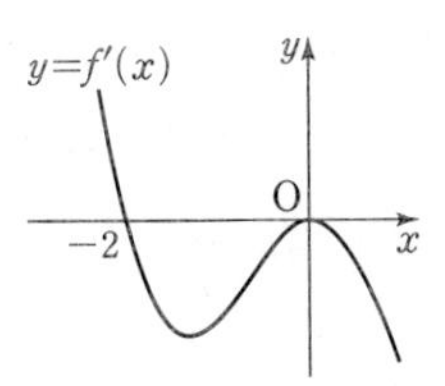

①
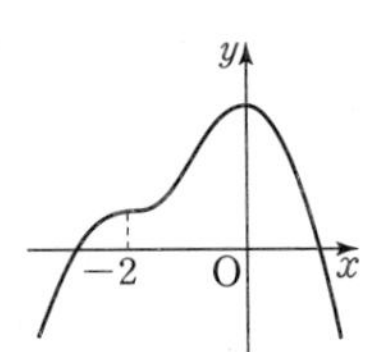

②
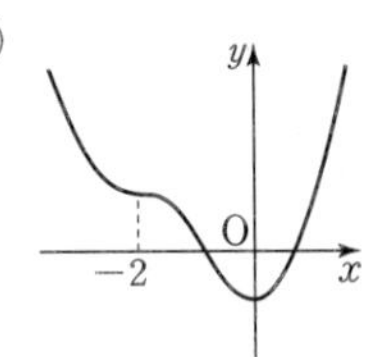

③
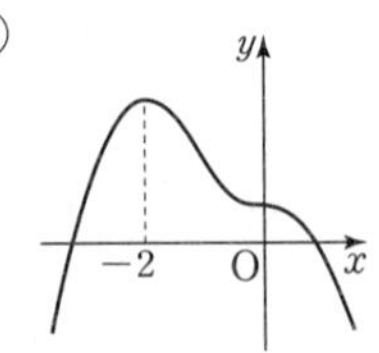

④
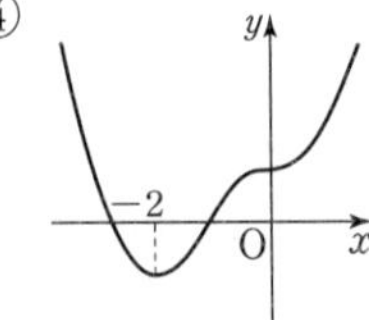

⑤
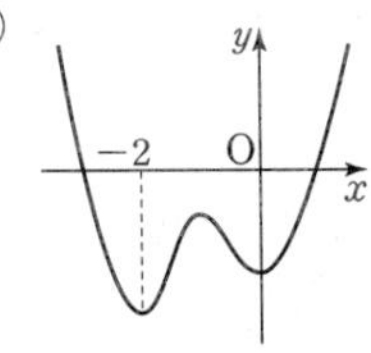

발전유형 13 함수의 극대·극소를 이용한 삼차함수의 계수의 부호 결정 (개념 03, 04)

삼차함수 $f(x)=ax^3+bx^2+cx+d$ ($a\neq0$, b, c, d는 상수)에서

(1) $x\to\infty$일 때 $f(x)\to\infty$이면 ⇨ $a>0$

$x\to\infty$일 때 $f(x)\to-\infty$이면 ⇨ $a<0$

(2) $f(0)>0$이면 ⇨ $d>0$

$f(0)<0$이면 ⇨ $d<0$

(3) $f(x)$가 $x=\alpha$, $x=\beta$에서 극값을 가지면

⇨ $f'(x)=0$의 두 실근은 α, β

0496 • 대표문제 •

함수 $f(x)=ax^3+bx^2+cx+d$의 그래프가 오른쪽 그림과 같을 때, 다음 중 옳은 것은? (단, a, b, c, d는 상수)

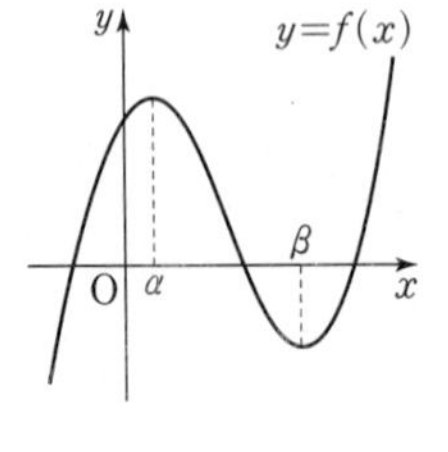

① $ab>0$ ② $ac>0$
③ $ad<0$ ④ $bc>0$
⑤ $bd>0$

0497 상중하

함수 $f(x)=ax^3+bx^2+cx+d$의 그래프가 오른쪽 그림과 같고 $a+b>0$일 때, 다음 중 그 값이 양수인 것은?

(단, $|\beta|>|\alpha|$, a, b, c, d는 상수)

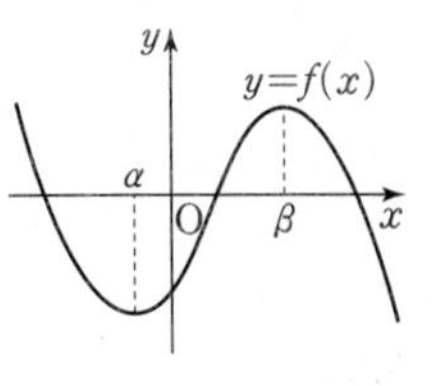

① ab ② ac ③ bc
④ bd ⑤ cd

개념 해결의 법칙 132쪽 유형 02

중요 유형 14 함수의 최대·최소 (개념 06)

함수 $f(x)$가 닫힌구간 $[a, b]$에서 연속일 때, 최댓값과 최솟값은 다음과 같이 구한다.

(i) 닫힌구간 $[a, b]$에서 $f(x)$의 극값을 구한다.

(ii) $f(a)$, $f(b)$를 구한다.

(iii) (i), (ii)에서 구한 극값, $f(a)$, $f(b)$ 중에서 가장 큰 값이 최댓값, 가장 작은 값이 최솟값이다.

0498 • 대표문제 •

닫힌구간 $[-2, 1]$에서 함수 $f(x)=x^3+x^2-x+1$의 최댓값을 M, 최솟값을 m이라 할 때, $M+m$의 값은?

① 1 ② 2 ③ 3
④ 4 ⑤ 5

0499 상중하

닫힌구간 $[-2, 0]$에서 함수 $f(x)=4x^3-3x-1$은 $x=\alpha$일 때 최댓값 β를 갖는다고 한다. 이때, $4\alpha^2+\beta^2$의 값은?

① $\frac{1}{4}$ ② $\frac{1}{2}$ ③ 1
④ 2 ⑤ 4

0500 상중하

닫힌구간 $[0, 4]$에서 함수 $f(x)=\frac{1}{3}x^4-\frac{4}{3}x^3+9$의 최댓값을 M, 최솟값을 m이라 할 때, Mm의 값은?

① -2 ② 0 ③ 1
④ 4 ⑤ 9

0501 상중하

닫힌구간 $[-1, a]$에서 함수 $f(x)=-x^3+3x+4$가 최솟값 $f(-1)$을 가질 때, 실수 a의 값의 범위는? (단, $a>-1$)

① $-1<a\le1$ ② $-1<a\le2$ ③ $-1<a<3$
④ $1\le a<2$ ⑤ $1\le a<3$

유형 15 치환을 이용한 함수의 최대 · 최소

개념 06

함수 $f(x)$의 식에 공통 부분이 있으면
(1) 공통 부분을 t로 치환하여 주어진 구간에서 t의 값의 범위를 구한다.
(2) $f(x)$를 t에 대한 함수 $g(t)$로 나타낸다.
(3) (1)에서 구한 t의 값의 범위에서 $g(t)$의 최댓값과 최솟값을 구한다.

0502 • 대표문제 •

닫힌구간 $[0, 4]$에서 함수

$$f(x)=(x^2-4x+2)^3-12(x^2-4x+2)+1$$

의 최댓값과 최솟값의 합은?

① -2 ② -1 ③ 0
④ 1 ⑤ 2

0503 상중하

두 함수 $f(x)$, $g(x)$가

$$f(x)=x^3-3x+4,\ g(x)=-x^2+2x-1$$

일 때, 합성함수 $(f\circ g)(x)$의 최댓값은?

① -2 ② 0 ③ 2
④ 4 ⑤ 6

개념 해결의 법칙 133쪽 유형 03

유형 16 함수의 최대 · 최소를 이용한 미정계수의 결정

개념 06

미정계수를 포함한 함수 $f(x)$의 최댓값 또는 최솟값이 주어지면
⇨ $f(x)$의 최댓값 또는 최솟값을 직접 구하여 주어진 값과 비교한다.

0504 • 대표문제 •

닫힌구간 $[-2, 4]$에서 함수 $f(x)=x^3-3x^2-9x+k$의 최댓값과 최솟값의 합이 -12일 때, 상수 k의 값은?

① 5 ② 6 ③ 7
④ 8 ⑤ 9

0505 상중하 서술형

닫힌구간 $[1, 5]$에서 함수 $f(x)=x^3-6x^2+k$의 최솟값이 -20일 때, $f(x)$의 최댓값을 구하시오. (단, k는 상수)

0506 상중하

닫힌구간 $[0, 2k]$에서 함수 $f(x)=x^3-3k^2x+7$의 최댓값과 최솟값의 차가 32일 때, 양수 k의 값을 구하시오.

0507 상중하

$-1\le x\le 2$에서 함수 $f(x)=\frac{1}{3}ax^3-2ax^2+b$의 최댓값이 3이고, 최솟값이 -13일 때, 양수 a, b에 대하여 ab의 값은?

① 1 ② 2 ③ 3
④ 9 ⑤ 27

0508 상중하

닫힌구간 $[-2, 0]$에서 함수 $f(x)=-6x^4+8x^3+ax^2+b$가 $x=-1$일 때 최댓값 4를 가질 때, $f(-2)$의 값은?
(단, a, b는 상수)

① -66 ② -68 ③ -70
④ -72 ⑤ -74

개념 해결의 법칙 134쪽 유형 04

중요 발전 유형 **17 최대・최소의 활용 – 길이, 넓이** 개념 06

좌표평면에서 거리, 넓이의 최댓값 또는 최솟값을 구할 때에는
(i) 곡선 위를 움직이는 점의 x좌표를 a로 놓고, a의 값의 범위를 정한다.
(ii) 거리 또는 넓이를 a에 대한 함수로 나타낸다.
(iii) 함수의 최대・최소를 이용한다.

0509 • 대표문제 •

곡선 $y=9-x^2$과 x축으로 둘러싸인 부분에 내접하고, 한 변이 x축 위에 있는 직사각형 중에서 넓이가 최대인 것의 세로의 길이는?

① 3 ② 4 ③ 5
④ 6 ⑤ 7

0510 상중하

곡선 $y=x^2$ 위를 움직이는 점 Q와 점 P(3, 0) 사이의 거리를 l이라 할 때, l이 최소가 되는 점 Q의 x좌표는?

① 1 ② 2 ③ 3
④ 4 ⑤ 5

0511 상중하 서술형

오른쪽 그림과 같이 곡선 $y=3x-x^2$과 x축의 교점을 O, A라 하고, 선분 OA와 이 곡선으로 둘러싸인 부분에 사다리꼴 OABC를 내접시킬 때, 사다리꼴의 넓이의 최댓값을 구하시오. (단, O는 원점)

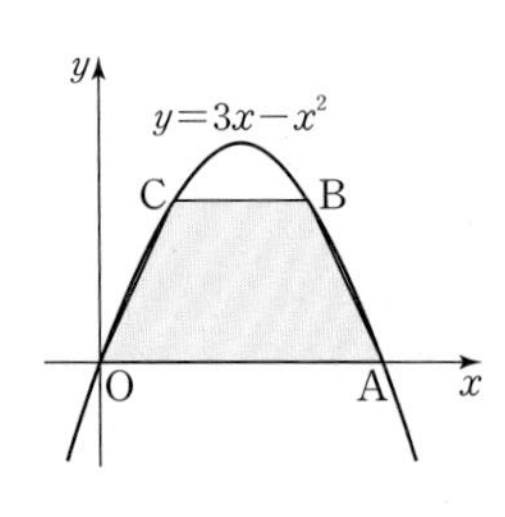

0512 상중하

오른쪽 그림과 같이 곡선 $y=x^3$ 위에 두 점 P$(-1, -1)$, Q$(2, 8)$이 있다. 점 A가 이 곡선 위를 따라 두 점 P와 Q 사이를 움직일 때, 삼각형 APQ의 넓이의 최댓값은?

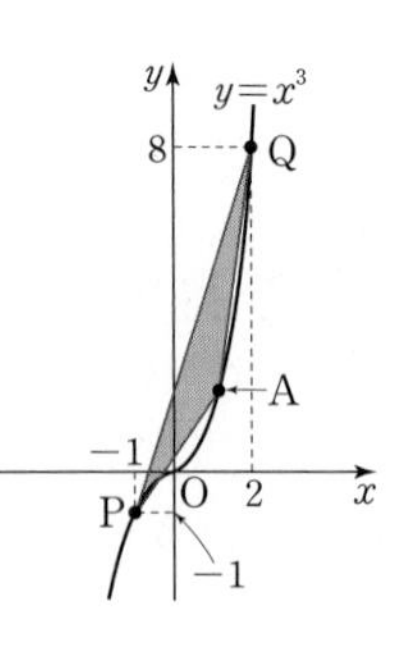

① 3 ② $2\sqrt{3}$
③ $3\sqrt{2}$ ④ 6
⑤ 9

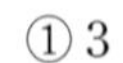

개념 해결의 법칙 134쪽 유형 04

발전 유형 18 최대 · 최소의 활용 – 부피

개념 06

입체도형의 부피의 최댓값 또는 최솟값을 구할 때에는
(i) 변의 길이에서 줄어들거나 늘어나는 부분을 x로 놓고, x의 값의 범위를 정한다.
(ii) 부피를 x에 대한 함수로 나타낸다.
(iii) 함수의 최대 · 최소를 이용한다.

0513 • 대표문제 •

오른쪽 그림과 같이 가로의 길이가 15 cm, 세로의 길이가 8 cm인 직사각형 모양의 종이가 있다. 네 귀퉁이에서 같은 크기의 정사각형 모양의 종이를 잘라 낸 후 남은 부분을 접어서 뚜껑이 없는 직육면체 모양의 상자를 만들려고 한다. 이 상자의 부피가 최대가 되도록 할 때, 잘라 내는 정사각형의 한 변의 길이를 구하시오.

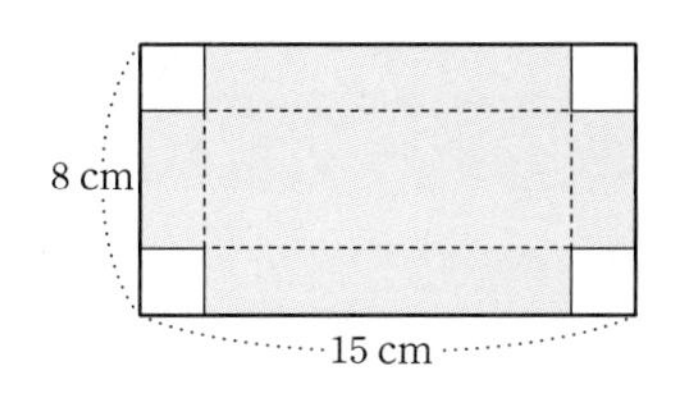

0514 상중하

밑면의 반지름의 길이 r와 높이 h의 합이 일정한 원기둥 중에서 부피가 최대인 것의 r와 h의 비는?

① 1 : 1 ② 2 : 1 ③ 3 : 1
④ 4 : 1 ⑤ 5 : 1

0515 상중하

한 변의 길이가 18인 정삼각형 모양의 종이에서 오른쪽 그림과 같이 세 꼭짓점에서 합동인 사각형을 잘라 내어 뚜껑이 없는 삼각기둥 모양의 상자를 만들려고 한다. 이때, 상자의 부피의 최댓값을 구하시오.

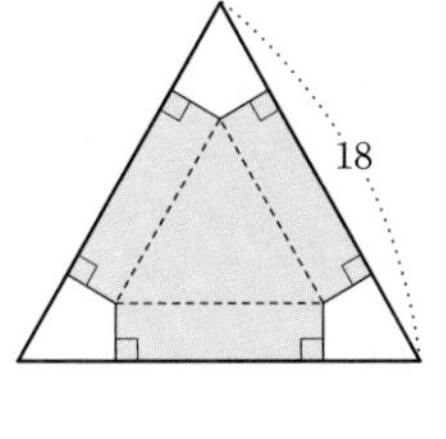

0516 상중하

오른쪽 그림과 같이 모든 모서리의 길이가 3인 정사각뿔에 내접하는 직육면체의 부피의 최댓값은?

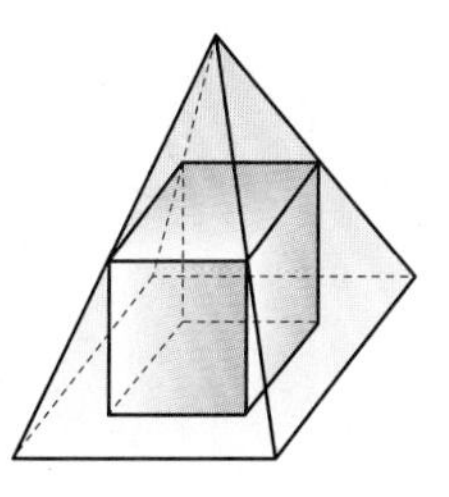

① $2\sqrt{2}$ ② $3\sqrt{2}$
③ $4\sqrt{2}$ ④ $5\sqrt{2}$
⑤ $6\sqrt{2}$

유형 19 최대 · 최소의 활용 – 실생활

개념 06

이익이 최대일 때를 묻는 문제는
(1) (수입)=(판매 가격)×(수량)
(2) (이익)=(수입)−(생산 비용)
등을 이용하여 함수식을 세운다.

0517 • 대표문제 •

어느 극장의 관람료 x백 원과 관객 수 y명 사이에는 $y=4800-10x-\frac{1}{3}x^2$인 관계식이 성립한다고 한다. 이 극장에서 관람 수입을 최대로 하려면 관람료를 얼마로 정해야 하는가?

① 4800원 ② 5600원 ③ 6000원
④ 6400원 ⑤ 7200원

0518 상중하

제품 P를 하루에 x kg 생산하는 데 드는 생산 비용 $f(x)$가 $f(x)=x^3-60x^2+1200x+4500$(원)이라 한다. 이 제품의 1 kg당 판매 가격이 1200원일 때, 이익을 최대로 하기 위해 하루에 생산해야 할 제품 P의 양을 구하시오.

• 실제 학교 시험지처럼 풀어 보세요.

0519 | 유형 01 |

함수 $f(x)=-6x^3+18x+2$가 증가하는 x의 값의 범위가 $\alpha\le x\le\beta$일 때, $\alpha\beta$의 값은? [4.2점]

① -2 ② -1 ③ 0
④ 1 ⑤ 2

0520 | 유형 02 |

실수 전체의 집합에서 정의된 함수
$f(x)=-\frac{1}{3}x^3+ax^2-x+a$가 임의의 두 실수 x_1, x_2에 대하여 $x_1\neq x_2$이면 $f(x_1)\neq f(x_2)$가 성립하도록 하는 자연수 a의 값은? [4.4점]

① 1 ② 2 ③ 3
④ 4 ⑤ 5

0521 | 유형 03 |

함수 $f(x)=-x^3+3x^2+ax+1$이 열린구간 $(-1, 2)$에서 증가하도록 하는 실수 a의 최솟값은? [4.3점]

① 1 ② 3 ③ 5
④ 7 ⑤ 9

0522 | 유형 04 |

함수 $f(x)=\frac{3}{4}x^4+5x^3+9x^2$이 $x=\alpha$, $x=\beta$에서 극솟값을 가질 때, 두 점 $\mathrm{A}(\alpha, f(\alpha))$, $\mathrm{B}(\beta, f(\beta))$를 지나는 직선의 기울기는? (단, $\alpha<\beta$) [4.6점]

① $-\frac{9}{4}$ ② -2 ③ $-\frac{1}{3}$
④ 1 ⑤ $\frac{5}{2}$

0523 | 유형 05 |

함수 $f(x)=x^3+3x^2-24x+k$의 극댓값과 극솟값의 절댓값이 같고 그 부호가 서로 다를 때, 상수 k의 값은? [4.5점]

① -26 ② -12 ③ 2
④ 16 ⑤ 30

0524 | 유형 05 |

함수 $f(x)=x^4+ax^3+bx^2+cx+4$가 다음 조건을 모두 만족시킬 때, $f(2)$의 값은? (단, $b<0$, a, c는 상수) [4.9점]

> (가) 모든 실수 x에 대하여 $f(-x)=f(x)$이다.
> (나) 함수 $f(x)$는 극솟값 0을 가진다.

① -8 ② -4 ③ 0
④ 4 ⑤ 8

0525 | 유형 07 |

함수 $f(x)=-x^3+ax^2+3ax+8$이 $0<x<2$에서 극댓값을 갖고, $x<0$에서 극솟값을 갖도록 하는 실수 a의 값의 범위는? [4.8점]

① $a>0$ ② $0<a<\frac{7}{3}$ ③ $0<a<\frac{12}{7}$
④ $\frac{12}{7}<a<\frac{7}{3}$ ⑤ $a>\frac{12}{7}$

0526

| 유형 08 |

다음 중 함수 $f(x)=x^4-4x^3+2ax^2$이 극댓값을 갖도록 하는 실수 a의 값이 될 수 있는 것은? [4.6점]

① 1　② 3　③ 6　④ 10　⑤ 15

0527

| 유형 10 |

삼차함수 $f(x)$의 도함수 $y=f'(x)$의 그래프가 오른쪽 그림과 같다. $f(0)=1$일 때, 방정식 $f(x)=0$의 모든 근의 곱은? [4.7점]

① -7　② -5　③ -3　④ 1　⑤ 2

0528

| 유형 11 |

함수 $f(x)$의 도함수 $y=f'(x)$의 그래프가 오른쪽 그림과 같을 때, 다음 중 옳지 않은 것은? [4.2점]

① $f(x)$는 열린구간 $(-2, -1)$에서 감소한다.

② $f(x)$는 열린구간 $(1, 2)$에서 증가한다.

③ $f(x)$는 $x=4$에서 극소이다.

④ $f(x)$는 $x=2$에서 극대이다.

⑤ $f(x)$는 $x=3$에서 극솟값을 가진다.

0529

| 유형 16 |

닫힌구간 $[0, 3]$에서 함수 $f(x)=2x^3-3x^2+a$의 최댓값이 10일 때, 상수 a의 값은? [4.2점]

① -20　② -17　③ -12　④ -5　⑤ -4

0530

| 유형 17 |

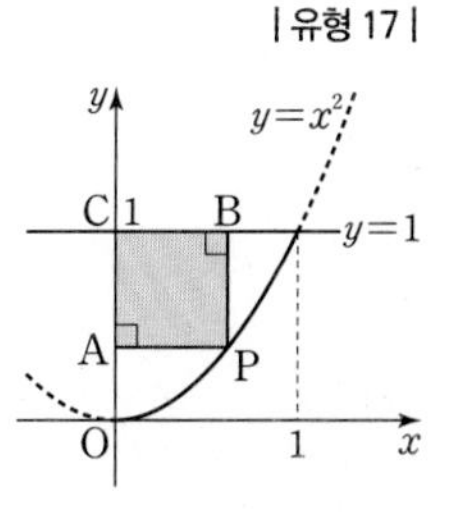

오른쪽 그림과 같이 이차함수 $y=x^2\ (0<x<1)$의 그래프 위를 움직이는 점 P에서 y축과 직선 $y=1$에 내린 수선의 발을 각각 A, B라 하자. 점 C$(0, 1)$일 때, 직사각형 APBC의 넓이의 최댓값은? [4.6점]

① $\frac{\sqrt{3}}{9}$　② $\frac{2\sqrt{3}}{9}$　③ $\frac{\sqrt{3}}{3}$　④ $\frac{5}{9}$　⑤ $\frac{2}{3}$

0531

| 유형 19 |

다음은 호두 파이의 단가 조정을 위한 보고서이다. 이익이 최대가 되도록 하는 호두 파이의 가격은?
(단, 생산 비용은 가격과 판매량에 영향을 받지 않는다.) [5점]

보고서

(가) 현재 가격: 개당 1000원
(나) 현재 판매량: 21600개
(다) 현재 생산 비용: 400000원
(라) 가격이 한 개당 $10x$원 상승 시 판매량은 x^2개 감소할 것으로 예상
(마) 가격 상승 시 홍보 비용으로 40000원의 추가 지출 예상
(바) 가격 상승 시 한 개당 100원의 포장 비용이 추가 발생

① 1100원　② 1200원　③ 1400원　④ 1600원　⑤ 1800원

서술형 문제

• 풀이 과정에 점수가 부여되니 풀이 과정 및 정답을 상세하게 서술하세요.

단답형

0532 | 유형 01 |

함수 $f(x)=-x^3+ax^2+bx-2$가 증가하는 구간이 $[-1, 2]$일 때, $f(2)$의 값을 구하시오. (단, a, b는 상수) [6점]

0533 | 유형 06 |

함수 $f(x)=x^3-ax^2+(a^2-2a)x$는 극댓값과 극솟값을 모두 갖고, 함수 $g(x)=\frac{1}{3}x^3+ax^2+(5a-4)x+2$는 극값을 갖지 않도록 하는 정수 a의 값을 모두 구하시오. [6점]

0534 | 유형 15 |

두 함수 $f(x)$, $g(x)$가

$$f(x)=-x^3+12x,\ g(x)=x^2+4x+2$$

일 때, 합성함수 $(f\circ g)(x)$의 최댓값을 구하시오. [7점]

단계형

0535 | 유형 05 |

최고차항의 계수가 1인 삼차함수 $f(x)$가 $x=3$에서 극솟값을 갖고, 모든 실수 x에 대하여 $f'(1-x)=f'(1+x)$를 만족시킬 때, 다음 물음에 답하시오. [12점]

(1) $f'(3)$의 값을 구하시오. [2점]

(2) $f'(1-x)=f'(1+x)$를 이용하여 $f'(-1)$의 값을 구하시오. [3점]

(3) $f(x)=x^3+ax^2+bx+c$ (a, b, c는 상수)로 놓고 a, b의 값을 구하시오. [4점]

(4) $f(x)$의 극댓값과 극솟값의 차를 구하시오. [3점]

0536 | 유형 18 |

오른쪽 그림과 같이 밑면의 반지름의 길이가 6이고 높이가 12인 원뿔에 내접하는 원기둥이 있다. 다음 물음에 답하시오. [10점]

(1) 원기둥의 밑면의 반지름의 길이를 x $(0<x<6)$, 높이를 h $(0<h<12)$로 놓고, h를 x에 대한 함수로 나타내시오. [3점]

(2) 원기둥의 부피를 $V(x)$라 할 때, $V(x)$를 x에 대한 함수로 나타내시오. [3점]

(3) 원기둥의 부피의 최댓값을 구하시오. [4점]

성/취/도 Check

점수 / 100점

STEP 1 개념+기본 문제 학습

STEP 2 유형 대표 문제 학습

STEP 3의 틀린 문제에 해당하는 STEP 2 유형 학습

STEP 3의 틀린 문제 복습

교과서 속 심화문제 시작

≫ 정답과 해설 81쪽

0537

함수 $f(x)=x^4-(a+2)x^2+ax$에 대하여 곡선 $y=f(x)$ 위의 점 $(t,\ f(t))$에서의 접선의 y절편을 $g(t)$라 하자. 함수 $g(t)$가 열린구간 $(0,\ 2)$에서 증가할 때, 실수 a의 최솟값은?

① 20 ② 22 ③ 24 ④ 26 ⑤ 28

0538

함수 $y=f(x)$의 그래프가 다음 그림과 같다. $g'(x)=xf(x)$를 만족시키는 함수를 $g(x)$라 할 때, 다음 보기 중 옳은 것을 있는 대로 고른 것은? (단, $g(a)\neq g(0)\neq g(b)\neq g(c)$)

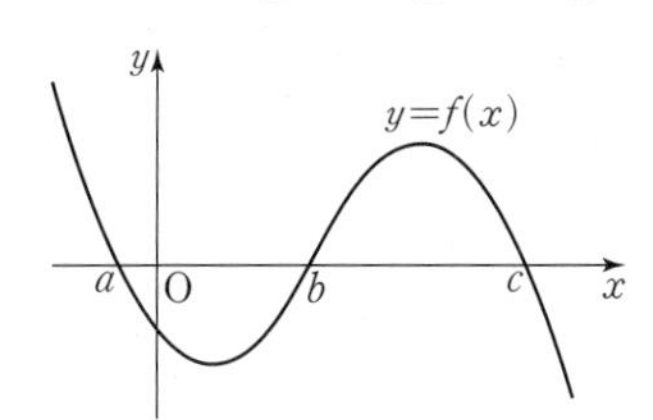

보기

ㄱ. $g(x)$는 열린구간 $(a,\ b)$에서 감소한다.

ㄴ. $g(x)$는 $x=b$에서 극솟값을 가진다.

ㄷ. $g(x)$는 3개의 극값을 가진다.

① ㄱ ② ㄴ ③ ㄱ, ㄷ ④ ㄴ, ㄷ ⑤ ㄱ, ㄴ, ㄷ

0539

함수 $f(x)=x^3+ax^2+bx+c$는 오른쪽 그림과 같이 $x=1$에서 극대, $x=3$에서 극소이다. 이 함수의 극대가 되는 점과 극소가 되는 점을 연결한 직선의 y절편이 10일 때, $a^2+b^2+c^2$의 값은?

(단, $a,\ b,\ c$는 상수)

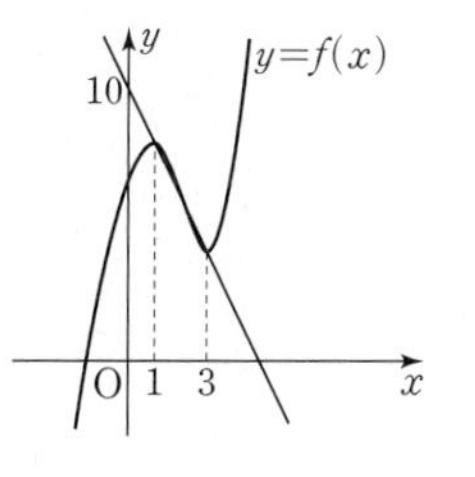

① 127 ② 129 ③ 131 ④ 133 ⑤ 135

0540 창의·융합

오른쪽 그림과 같이 반지름의 길이가 10인 원 모양의 종이를 이용하여 보라색 부분의 도형을 잘라 내고 나머지 부분으로 정사각뿔을 만들려고 한다. 정사각뿔의 부피가 최대일 때의 높이는?

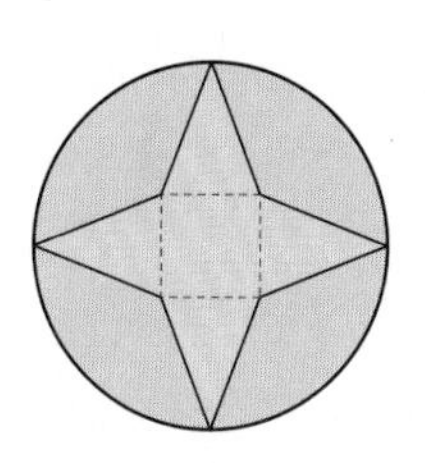

① $2\sqrt{3}$ ② 4 ③ $2\sqrt{5}$ ④ $2\sqrt{6}$ ⑤ $2\sqrt{7}$

6

도함수의 활용(3)

내일의 모든 꽃은
오늘의 씨앗에 근거한 것이다.
-중국 속담

기출 문제 분석

빅 데이터

* 전국 300여 개 고등학교 기출 문제를 분석하였습니다.

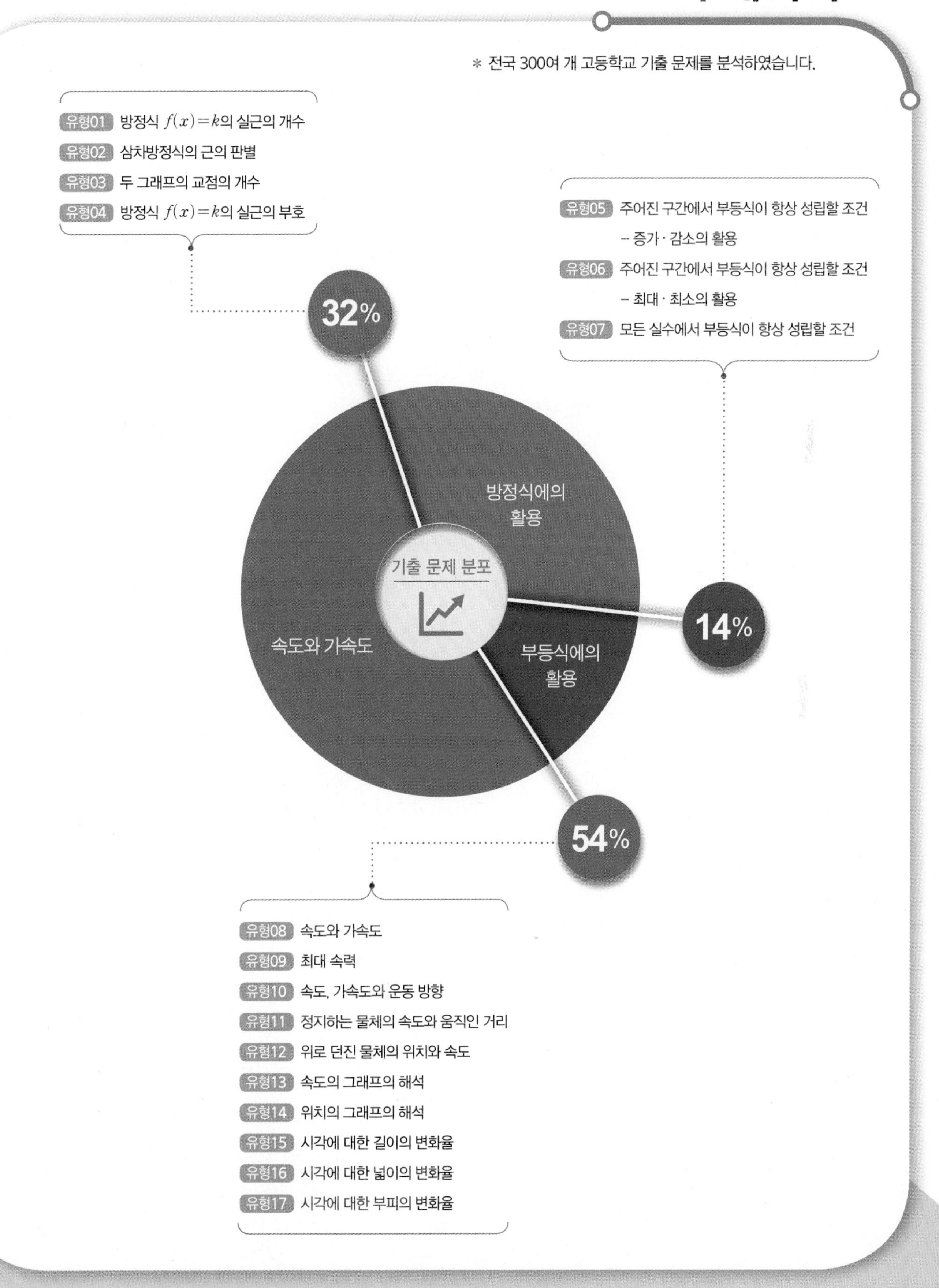

STEP 1 개념 마스터

01 방정식에의 활용

유형 01~04

(1) 방정식의 실근의 개수

① 방정식 $f(x)=0$의 서로 다른 실근의 개수는 함수 $y=f(x)$의 그래프와 x축의 교점의 개수와 같다.

② 방정식 $f(x)=g(x)$의 서로 다른 실근의 개수는 두 함수 $y=f(x)$, $y=g(x)$의 그래프의 교점의 개수와 같다. – 방정식 $f(x)=g(x)$의 서로 다른 실근의 개수는 함수 $y=f(x)-g(x)$의 그래프와 x축의 교점의 개수를 조사하여 구할 수도 있다.

참고 ① 방정식 $f(x)=0$의 실근은 함수 $y=f(x)$의 그래프와 x축의 교점의 x좌표와 같다.
② 방정식 $f(x)=g(x)$의 실근은 두 함수 $y=f(x)$, $y=g(x)$의 그래프의 교점의 x좌표와 같다.

(2) 삼차방정식의 근의 판별

삼차함수 $f(x)$가 극값을 가질 때, 삼차방정식 $f(x)=0$의 근은 극값을 이용하여 다음과 같이 판별할 수 있다.

① (극댓값)×(극솟값)<0 ⟺ 서로 다른 세 실근

② (극댓값)×(극솟값)$=0$ ⟺ 한 실근과 중근 (서로 다른 두 실근)

③ (극댓값)×(극솟값)>0 ⟺ 한 실근과 두 허근

[0541~0543] 다음 방정식의 서로 다른 실근의 개수를 구하시오.

0541 $x^3-3x^2+1=0$

0542 $x^3-3x+5=0$

0543 $x^4-2x^2-3=0$

[0544~0546] 다음 방정식의 서로 다른 실근의 개수를 구하시오.

0544 $x^3=3x-1$

0545 $2x^3+1=3x^2$

0546 $2x^4-4x^3+3=-x^4+4$

[0547~0548] 다음 삼차방정식의 근을 판별하시오.

0547 $x^3-6x^2+9x-3=0$

0548 $-2x^3-3x^2+12x-7=0$

0549 삼차방정식 $x^3+6x^2+9x-k=0$이 다음과 같은 근을 갖도록 하는 실수 k의 값 또는 k의 값의 범위를 구하시오.

(1) 한 실근과 중근　　　　(2) 한 실근과 두 허근

02 부등식에의 활용

유형 05~07

(1) 어떤 구간에서 부등식 $f(x)\ge0$이 성립함을 증명하려면
⇨ 그 구간에서 **($f(x)$의 최솟값)≥0**임을 보인다.

(2) 어떤 구간에서 부등식 $f(x)\ge g(x)$가 성립함을 증명하려면
⇨ $h(x)=f(x)-g(x)$로 놓고 그 구간에서 ($h(x)$의 최솟값)≥0임을 보인다.

참고 어떤 구간에서 $f(x)$의 최솟값이 a이면 그 구간에서 $f(x)\ge a$이다.

0550 다음은 $x\ge0$일 때, 부등식 $x^3+16\ge12x$가 성립함을 증명하는 과정이다.

> $f(x)=x^3-12x+16$으로 놓으면
> $f'(x)=3x^2-12=3(x+2)(x-2)$
> $f'(x)=0$에서 $x=$ (가) ($\because x\ge0$)
> $x\ge0$일 때, $f(x)$는 $x=2$에서 최솟값 (나) 을 가지므로
> $f(x)=x^3-12x+16\ge0$이다.
> 따라서 $x\ge0$일 때, 부등식 $x^3+16\ge12x$가 성립한다.

위의 증명 과정에서 (가), (나)에 알맞은 수를 써넣으시오.

핵심 Check

- 방정식 $f(x)=g(x)$의 서로 다른 실근의 개수 ⟶ 함수 $y=f(x)-g(x)$의 그래프와 x축의 교점의 개수
- 어떤 구간에서 $f(x)\ge g(x)$ ⟶ 그 구간에서 ($f(x)-g(x)$의 최솟값)≥0

0551 $x \geq 0$일 때, 부등식 $-x^3+3x^2-4 \leq 0$이 성립함을 보이시오.

0552 모든 실수 x에 대하여 부등식 $3x^4-4x^3+1 \geq 0$이 성립함을 보이시오.

03 속도와 가속도

유형 08~17

(1) 속도와 가속도

수직선 위를 움직이는 점 P의 시각 t에서의 위치 x가 $x=f(t)$일 때, 시각 t에서의 점 P의 속도 v와 가속도 a는

① $v=\dfrac{dx}{dt}=f'(t)$

② $a=\dfrac{dv}{dt}$

위치 → 미분 → 속도 → 미분 → 가속도

참고 속도 v의 부호에 따른 운동 방향

수직선 위를 움직이는 점 P에 대하여

① $v>0$ ⇨ 양의 방향

② $v<0$ ⇨ 음의 방향

③ $v=0$ ⇨ 운동 방향이 바뀌거나 정지

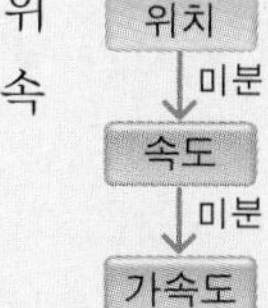

(2) 시각에 대한 길이, 넓이, 부피의 변화율

어떤 물체의 시각 t에서의 길이를 l, 넓이를 S, 부피를 V라 할 때, 시간이 Δt만큼 경과한 후 길이, 넓이, 부피가 각각 Δl, ΔS, ΔV만큼 변했다고 하면 시각 t에서의

① 길이 l의 변화율: $\lim\limits_{\Delta t \to 0} \dfrac{\Delta l}{\Delta t}=\dfrac{dl}{dt}$

② 넓이 S의 변화율: $\lim\limits_{\Delta t \to 0} \dfrac{\Delta S}{\Delta t}=\dfrac{dS}{dt}$

③ 부피 V의 변화율: $\lim\limits_{\Delta t \to 0} \dfrac{\Delta V}{\Delta t}=\dfrac{dV}{dt}$

[0553~0555] 수직선 위를 움직이는 점 P의 시각 t에서의 위치 x가 다음과 같을 때, 주어진 시각 t에서의 점 P의 속도 v와 가속도 a를 각각 구하시오.

0553 $x=3t^2-7t+5$ $[t=3]$

0554 $x=t^3-2t+3$ $[t=1]$

0555 $x=-2t^3+3t-4$ $[t=2]$

0556 시각 t에서의 길이 l이 $l=t^3+2t^2+t+1$인 고무줄이 있다. 시각 $t=2$에서의 고무줄의 길이의 변화율을 구하시오.

0557 시각 t에서의 한 변의 길이가 $(1+t)$인 정사각형이 있다. 시각 $t=3$에서의 정사각형의 넓이의 변화율을 구하시오.

0558 시각 t에서의 반지름의 길이가 $2t$인 구가 있다. 시각 $t=2$에서의 구의 부피의 변화율을 구하시오.

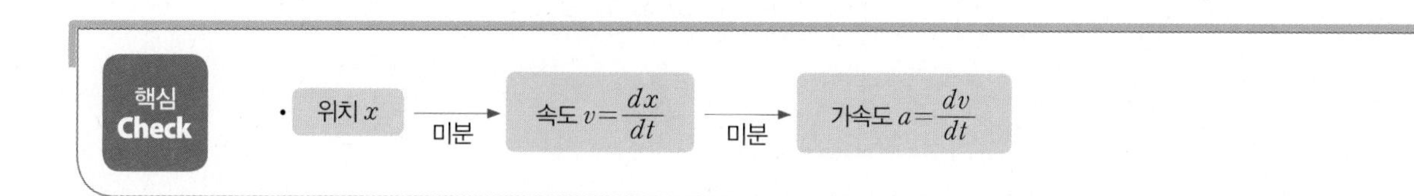

STEP 2 유형 마스터

개념 해결의 법칙 144쪽 유형 02

중요 유형 01 방정식 $f(x)=k$의 실근의 개수 개념 01

방정식 $f(x)=k$의 서로 다른 실근의 개수는
⇨ 함수 $y=f(x)$의 그래프와 직선 $y=k$의 교점의 개수와 같다.

0559 • 대표문제 •

방정식 $x^3-6x^2+9x-k=0$이 서로 다른 세 실근을 갖도록 하는 실수 k의 값의 범위는 $a<k<b$이다. 이때, 상수 a, b에 대하여 $b-a$의 값은?

① 1 ② 2 ③ 3
④ 4 ⑤ 5

0560 상중하

방정식 $x^3-3x^2=k$가 서로 다른 두 실근을 갖도록 하는 모든 실수 k의 값의 합은?

① -4 ② -3 ③ -2
④ -1 ⑤ 0

0561 상중하

방정식 $x^4-4x^3-2x^2+12x-a=0$이 서로 다른 두 실근을 갖도록 하는 실수 a의 최솟값을 구하시오.

0562 상중하

사차함수 $f(x)$의 도함수 $y=f'(x)$의 그래프가 오른쪽 그림과 같다.
$f(a)=1$, $f(b)=4$, $f(c)=3$일 때, 방정식 $2f(x)-k=0$이 서로 다른 네 실근을 갖도록 하는 실수 k의 값의 범위는?

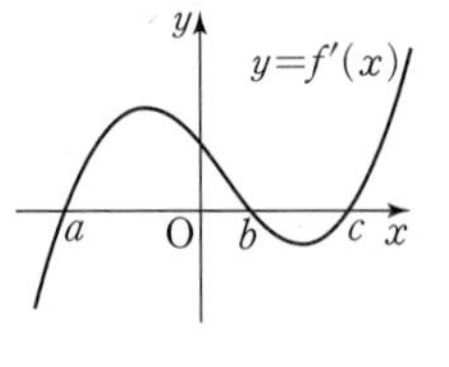

① $k<2$ ② $2\le k\le 6$ ③ $2<k<8$
④ $6<k<8$ ⑤ $k\ge 8$

개념 해결의 법칙 144쪽 유형 02

중요 유형 02 삼차방정식의 근의 판별 개념 01

삼차함수 $f(x)$가 극값을 가질 때, 삼차방정식 $f(x)=0$의 근은
(1) (극댓값)×(극솟값)<0 ⟺ 서로 다른 세 실근
(2) (극댓값)×(극솟값)$=0$ ⟺ 한 실근과 중근 (서로 다른 두 실근)
(3) (극댓값)×(극솟값)>0 ⟺ 한 실근과 두 허근

0563 • 대표문제 •

방정식 $2x^3-6x^2+k=0$이 서로 다른 세 실근을 갖도록 하는 정수 k의 개수는?

① 3 ② 5 ③ 7
④ 9 ⑤ 11

0564 상중하

방정식 $-2x^3+3x^2+12x=a$가 서로 다른 두 실근을 갖도록 하는 모든 실수 a의 값의 합은?

① 13 ② 23 ③ 33
④ 43 ⑤ 53

0565 상중하 서술형

방정식 $x^3-3mx^2+4m=0$이 한 실근과 두 허근을 갖도록 하는 양수 m의 값의 범위를 구하시오.

0566 상중하

두 함수 $f(x)=x^3-3x$, $g(x)=x-a$에 대하여 방정식 $(g\circ f)(x)=0$이 서로 다른 세 실근을 갖도록 하는 정수 a의 개수는?

① 0 ② 1 ③ 2 ④ 3 ⑤ 4

0567 상중하

함수 $y=x^3-3x^2-24x$의 그래프를 y축의 방향으로 $-k$만큼 평행이동하였더니 함수 $y=g(x)$의 그래프가 되었다. 방정식 $g(x)=0$이 오직 한 개의 실근을 갖도록 하는 자연수 k의 최솟값을 구하시오.

0568 상중하

함수 $f(x)=\frac{1}{3}mx^3-\frac{1}{2}nx^2$에 대하여 방정식 $f(x)=-1$이 두 개의 실근을 갖도록 하는 6 이하의 두 자연수 m, n에 대하여 $m+n$의 값은?

① 4 ② 6 ③ 8 ④ 10 ⑤ 12

유형 03 두 그래프의 교점의 개수

개념 01

두 함수 $y=f(x)$, $y=g(x)$의 그래프의 교점의 개수
⇨ 방정식 $f(x)=g(x)$의 서로 다른 실근의 개수와 같다.

0569 • 대표문제 •

곡선 $y=x^3+3x^2-6x-2$와 직선 $y=3x+k$가 서로 다른 세 점에서 만나도록 하는 음의 정수 k의 개수는?

① 2 ② 4 ③ 6 ④ 8 ⑤ 10

0570 상중하

두 곡선 $y=x^3-5x^2+4x$, $y=x^2-5x+4a$가 오직 한 점에서 만나도록 하는 자연수 a의 최솟값은?

① 1 ② 2 ③ 3 ④ 4 ⑤ 5

0571 상중하

곡선 $y=x^3-3x^2-12x-a$가 두 점 $\mathrm{A}(-2, -1)$, $\mathrm{B}(1, -10)$을 연결한 선분과 서로 다른 두 점에서 만나도록 하는 실수 a의 값의 범위는?

① $-4\le a\le 12$ ② $-4\le a<12$ ③ $5\le a\le 12$ ④ $5\le a<12$ ⑤ $a>-4$

개념 해결의 법칙 145쪽 유형 03

유형 04 방정식 $f(x)=k$의 실근의 부호

개념 01

방정식 $f(x)=k$의 실근의 부호

⇨ 함수 $y=f(x)$의 그래프와 직선 $y=k$의 교점의 x좌표의 부호와 같다.

0572 • 대표문제 •

방정식 $x^3-3x-a+1=0$이 한 개의 음의 실근과 서로 다른 두 개의 양의 실근을 갖도록 하는 정수 a의 개수를 구하시오.

0573 상중하

방정식 $x^3-x^2+a=2x^2+9x$가 한 개의 양의 실근과 서로 다른 두 개의 음의 실근을 갖도록 하는 실수 a의 값의 범위를 구하시오.

0574 상중하

방정식 $4x^3-3x-a=0$이 오직 한 개의 양의 실근을 갖도록 하는 정수 a의 최솟값을 구하시오.

0575 상중하

방정식 $3x^4+4x^3-12x^2+2-k=0$이 서로 다른 두 개의 양의 실근과 서로 다른 두 개의 음의 실근을 갖도록 하는 모든 정수 k의 값의 합을 구하시오.

중요

개념 해결의 법칙 146쪽 유형 04

유형 05 주어진 구간에서 부등식이 항상 성립할 조건 - 증가·감소의 활용

개념 02

(1) 열린구간 (a, b)에서 함수 $f(x)$가 증가할 때, 이 구간에서 $f(x)<k$가 성립하려면 ⇨ $f(b)\le k$

(2) 열린구간 (a, b)에서 함수 $f(x)$가 감소할 때, 이 구간에서 $f(x)>k$가 성립하려면 ⇨ $f(b)\ge k$

0576 • 대표문제 •

$1<x<5$일 때, 부등식 $x^3-9x^2>-15x+k$가 항상 성립하도록 하는 실수 k의 최댓값은?

① -50 ② -25 ③ 0
④ 7 ⑤ 17

0577 상중하

$1\le x\le 3$일 때, 부등식 $-\frac{1}{3}x^3+2x^2+a\le 0$이 항상 성립하도록 하는 실수 a의 값의 범위는?

① $a\le -9$ ② $-9<a<-\frac{5}{3}$ ③ $a>-9$
④ $a\le -\frac{5}{3}$ ⑤ $a>-\frac{5}{3}$

0578 상중하

두 함수 $f(x)=x^3+a$, $g(x)=x^2+x+b$가 있다. $x>2$일 때, 부등식 $f(x)>g(x)$가 항상 성립하도록 하는 실수 a, b에 대하여 $a-b$의 최솟값은?

① -6 ② -4 ③ -2
④ 0 ⑤ 2

개념 해결의 법칙 146쪽 유형 04

유형 06 주어진 구간에서 부등식이 항상 성립할 조건 – 최대·최소의 활용

개념 02

(1) 어떤 구간에서 부등식 $f(x) \le a$가 성립하려면
⇨ 그 구간에서 ($f(x)$의 최댓값)$\le a$

(2) 어떤 구간에서 부등식 $f(x) \ge a$가 성립하려면
⇨ 그 구간에서 ($f(x)$의 최솟값)$\ge a$

0579 • 대표문제 •

$x>0$일 때, 부등식 $2x^3+3x^2 \ge 12x+k$가 항상 성립하도록 하는 실수 k의 최댓값은?

① -7　② -2　③ 0
④ 1　⑤ 6

0580 상중하

$-1 \le x \le 1$일 때, 부등식 $4x^3+1<3x^2-k$가 항상 성립하도록 하는 실수 k의 값의 범위를 구하시오.

0581 상중하 서술형

두 함수 $f(x)=x^3+x^2-2x$, $g(x)=x^2+x+k$가 있다. 임의의 양수 x에 대하여 부등식 $f(x) \ge g(x)$가 항상 성립하도록 하는 실수 k의 최댓값을 구하시오.

0582 상중하

$x \ge 0$일 때, 두 함수 $f(x)=x^3-3kx^2+6kx$, $g(x)=-x^3+3x^2+k-3$에 대하여 $y=f(x)$의 그래프가 $y=g(x)$의 그래프보다 항상 위쪽에 있도록 하는 정수 k의 개수를 구하시오. (단, $k>1$)

중요

개념 해결의 법칙 147쪽 유형 05

유형 07 모든 실수에서 부등식이 항상 성립할 조건

개념 02

모든 실수 x에 대하여 부등식 $f(x) \ge 0$이 성립하려면
⇨ ($f(x)$의 최솟값)≥ 0

0583 • 대표문제 •

모든 실수 x에 대하여 부등식 $x^4-4k^3x+3 \ge 0$이 성립하도록 하는 정수 k의 개수를 구하시오.

0584 상중하

모든 실수 x에 대하여 부등식 $x^4-x^2-9x>5x^2-x-a$가 성립하도록 하는 정수 a의 최솟값을 구하시오.

0585 상중하

모든 실수 x에 대하여 부등식 $x^4+2ax^2-4(a+1)x+a^2>0$이 성립하도록 하는 양수 a의 값의 범위를 구하시오.

0586 상중하

두 함수 $f(x)=3x^4-4x^3+16$, $g(x)=-2x^2+12x+k$가 있다. 임의의 두 실수 x_1, x_2에 대하여 $f(x_1)>g(x_2)$가 성립하도록 하는 실수 k의 값의 범위를 구하시오.

개념 해결의 법칙 150쪽 유형 01

유형 08 속도와 가속도

개념 03

수직선 위를 움직이는 점 P의 시각 t에서의 위치 x가 $x=f(t)$일 때, 시각 t에서의 점 P의 속도 v와 가속도 a는

(1) $v=\dfrac{dx}{dt}=f'(t)$ (2) $a=\dfrac{dv}{dt}$

0587 • 대표문제 •

원점을 출발하여 수직선 위를 움직이는 점 P의 시각 t에서의 위치 x가 $x=t^3-4t^2+3t$일 때, 점 P가 마지막으로 원점을 지나는 순간의 속도를 구하시오.

0588 상중하

원점을 출발하여 수직선 위를 움직이는 점 P의 시각 t에서의 위치 x가 $x=t^3-9t^2+34t$일 때, 점 P의 속도가 처음으로 10이 되는 순간의 점 P의 가속도를 구하시오.

0589 상중하 서술형

수직선 위를 움직이는 두 점 P, Q의 시각 t에서의 위치가 각각 $P(t)=\dfrac{1}{3}t^3+4t-\dfrac{2}{3}$, $Q(t)=2t^2-10$일 때, 두 점 P, Q의 속도가 같아지는 순간의 두 점 사이의 거리를 구하시오.

0590 상중하

원점을 출발하여 수직선 위를 움직이는 두 점 P, Q의 시각 t에서의 위치가 각각 $P(t)=\dfrac{2}{3}t^3-4t^2+6t$, $Q(t)=kt$일 때, 출발한 후 두 점 P, Q의 속도가 두 번 같아지도록 하는 실수 k의 값의 범위를 구하시오.

유형 09 최대 속력

개념 03

수직선 위를 움직이는 점 P의 속도가 v일 때, (속력)$=|v|$이므로 점 P의 최대 속력은 주어진 구간에서 $|v|$의 최댓값을 구한다.

0591 • 대표문제 •

원점을 출발하여 수직선 위를 움직이는 점 P의 시각 t에서의 위치 x가 $x=t^3-6t^2+18t$일 때, $1\le t\le 4$에서 점 P의 최대 속력은?

① 12 ② 14 ③ 16 ④ 18 ⑤ 20

0592 상중하

원점을 출발하여 수직선 위를 움직이는 점 P의 시각 t에서의 위치 x가 $x=\dfrac{1}{3}t^3-4t^2+12t$이다. $3\le t\le 8$에서 점 P의 속력의 최댓값을 M, 그때의 시각을 a라 할 때, $M+a$의 값을 구하시오.

중요

개념 해결의 법칙 150쪽 유형 01

유형 10 속도, 가속도와 운동 방향

개념 03

(1) 수직선 위를 움직이는 점 P가 운동 방향을 바꾸는 순간의 속도는 0이다.
(2) 수직선 위를 움직이는 두 점 P, Q가
① 같은 방향으로 움직이면 ⇨ (두 점의 속도의 곱)>0
② 서로 반대 방향으로 움직이면 ⇨ (두 점의 속도의 곱)<0

0593 • 대표문제 •

원점을 출발하여 수직선 위를 움직이는 점 P의 시각 t에서의 위치 x가 $x=t^3-\dfrac{15}{2}t^2+12t+1$일 때, 점 P가 두 번째로 운동 방향을 바꿀 때의 가속도를 구하시오.

0594 상중하
수직선 위를 움직이는 두 점 A, B의 시각 t에서의 위치가 각각 $x_A=t^2-3t$, $x_B=t^2-10t-3$일 때, 두 점 A, B가 서로 반대 방향으로 움직이는 t의 값의 범위를 구하시오.

0595 상중하
원점을 출발하여 수직선 위를 움직이는 점 P의 시각 t에서의 위치 x가 $x=t^3-12t^2+36t$이고, 점 P는 출발 후 운동 방향을 두 번 바꾼다. 운동 방향을 바꾸는 순간의 위치를 각각 A, B라 할 때, 두 점 A, B 사이의 거리를 구하시오.

0596 상중하
원점을 출발하여 수직선 위를 움직이는 점 P의 시각 t에서의 위치 x가 $x=2t^3-9t^2+12t$일 때, 다음 보기 중 옳은 것을 있는 대로 고르시오.

보기
ㄱ. 점 P가 출발할 때의 속도는 12이다.
ㄴ. 점 P는 움직이는 동안 운동 방향을 두 번 바꾼다.
ㄷ. 출발 후 다시 원점에 도착하는 시각은 $t=1$이다.

0597 상중하
수직선 위를 움직이는 점 P의 시각 t에서의 위치 $f(t)$가 $f(t)=t^4-6t^2-at+3$일 때, 출발한 후 점 P의 운동 방향이 두 번만 바뀌도록 하는 정수 a의 개수를 구하시오.

유형 11 정지하는 물체의 속도와 움직인 거리

개념 03

움직이는 물체가 제동을 건 후 t초 동안 움직인 거리를 x m라 하면
(1) 제동을 건 지 t초 후의 속도 ⇨ $\frac{dx}{dt}$
(2) 정지할 때의 속도 ⇨ 0

0598 • 대표문제 •
직선 도로를 달리는 자동차가 제동을 건 후 t초 동안 움직인 거리가 x m일 때, $x=60t-1.5t^2$인 관계가 성립한다. 이 자동차가 제동을 건 후 정지할 때까지 움직인 거리를 구하시오.

0599 상중하
직선 궤도를 달리는 열차가 제동을 건 후 t초 동안 움직인 거리가 x m일 때, $x=at-2t^2$인 관계가 성립한다. 이 열차가 제동을 건 후 정지하는 데 4초가 걸렸다고 할 때, 상수 a의 값은?

① 4 ② 8 ③ 12
④ 16 ⑤ 20

0600 상중하
직선 궤도를 달리는 열차가 제동을 건 후 t초 동안 움직인 거리가 x m일 때, $x=30t-0.5t^2$인 관계가 성립한다. 이 열차가 목적지에 정확히 정지하려면 목적지로부터 전방 a m 지점에서 제동을 걸어야 한다고 할 때, 상수 a의 값은?

① 250 ② 300 ③ 350
④ 400 ⑤ 450

중요

개념 해결의 법칙 151쪽 유형 02

유형 12 위로 던진 물체의 위치와 속도

개념 03

지면과 수직하게 위로 던진 물체의 t초 후의 높이를 h m라 하면

(1) t초 후의 물체의 속도 ⇨ $\frac{dh}{dt}$

(2) 최고 지점에 도달했을 때의 속도 ⇨ 0

0601 • 대표문제 •

7 m/s의 속도로 지면과 수직하게 위로 던진 물체의 t초 후의 높이를 h m라 하면 $h=7t-4.9t^2$인 관계가 성립한다. 이 물체가 가장 높은 곳에 도달할 때의 높이는 몇 m인가?

① 1.5 m ② 2 m ③ 2.5 m
④ 3 m ⑤ 3.5 m

0602 상중하

야구 경기 중에 타자가 친 공이 머리 위로 높게 날아갈 때, t초 후의 공의 높이 h m는 $h=20t-5t^2$으로 측정되었다. 이때, 공이 지면에 떨어지는 순간의 속력은 몇 m/s인가?

① 10 m/s ② 20 m/s ③ 30 m/s
④ 40 m/s ⑤ 50 m/s

0603 상중하

지상 40 m의 위치에서 30 m/s의 속도로 지면과 수직하게 위로 던진 물체의 t초 후의 높이를 h m라 하면
$h=-5t^2+30t+40$인 관계가 성립한다. 다음 보기 중 옳은 것을 있는 대로 고르시오.

보기
ㄱ. 물체가 최고 높이에 도달하는 데 걸리는 시간은 3초이다.
ㄴ. 물체의 최고 높이는 80 m이다.
ㄷ. 물체가 땅에 떨어질 때까지 움직인 거리는 130 m이다.

개념 해결의 법칙 152쪽 유형 03

발전 유형 13 속도의 그래프의 해석

개념 03

수직선 위를 움직이는 점 P의 시각 t에서의 속도 $v(t)$의 그래프에서

(1) $t=a$일 때 점 P의 가속도
⇨ $t=a$일 때 접선의 기울기 $v'(a)$

(2) $v(t)$의 그래프가 t축과 $t=a$에서 만나고, $t=a$의 좌우에서 $v(t)$의 부호가 바뀌면
⇨ 점 P는 $t=a$에서 운동 방향을 바꾼다.

0604 • 대표문제 •

원점을 출발하여 수직선 위를 움직이는 점 P의 시각 t에서의 속도 $v(t)$의 그래프가 다음 그림과 같을 때, 점 P에 대한 설명 중 옳지 않은 것은?

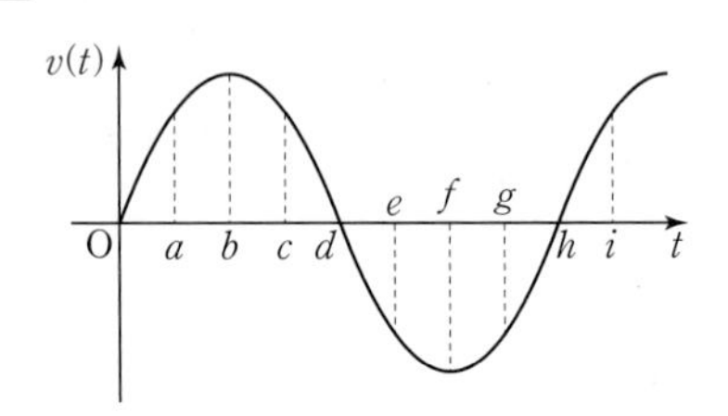

① $0<t<i$에서 운동 방향을 2번 바꾼다.
② $t=c$일 때, 가속도는 음의 값이다.
③ $h<t<i$에서 속도는 증가한다.
④ $0<t<i$에서 $t=d$일 때, 원점으로부터 가장 멀리 위치한다.
⑤ $t=b$일 때와 $t=f$일 때, 점 P의 운동 방향은 같다.

0605 상중하

원점을 출발하여 수직선 위를 움직이는 점 P의 시각 t에서의 속도 $v(t)$의 그래프가 다음 그림과 같을 때, 점 P는 운동 방향을 몇 번 바꾸는지 구하시오. (단, $0\leq t\leq 10$)

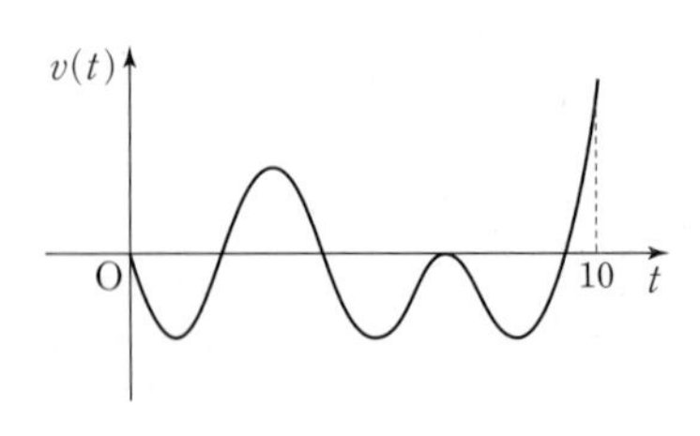

개념 해결의 법칙 152쪽 유형 03

발전 유형 14 위치의 그래프의 해석 개념 03

수직선 위를 움직이는 점 P의 시각 t에서의 위치 $x(t)$의 그래프에서
(1) $x'(t)>0$인 구간 ⇨ 점 P는 양의 방향으로 움직인다.
(2) $x'(t)=0$일 때 ⇨ 점 P는 정지하거나 운동 방향을 바꾼다.
(3) $x'(t)<0$인 구간 ⇨ 점 P는 음의 방향으로 움직인다.

0606 • 대표문제 •

수직선 위를 움직이는 점 P의 시각 t에서의 위치 $x(t)$의 그래프가 오른쪽 그림과 같을 때, 다음 보기 중 옳은 것을 있는 대로 고른 것은?

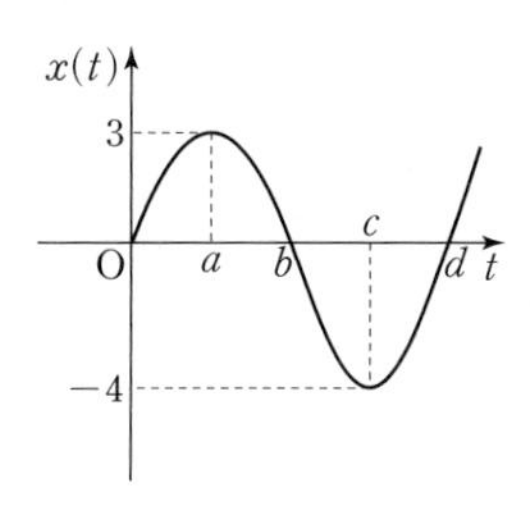

보기
ㄱ. $t=d$일 때, 점 P의 속도는 0이다.
ㄴ. $t=c$일 때, 점 P는 운동 방향을 바꾼다.
ㄷ. $0<t<b$에서 점 P의 속도는 $t=a$일 때 최대이다.
ㄹ. $0<t<d$에서 점 P는 $t=c$일 때, 원점으로부터 가장 멀리 떨어져 있다.

① ㄱ, ㄴ ② ㄱ, ㄷ ③ ㄴ, ㄷ
④ ㄴ, ㄹ ⑤ ㄷ, ㄹ

0607 상중하

수직선 위를 움직이는 점 P의 시각 t에서의 위치 $x(t)$의 그래프가 오른쪽 그림과 같은 포물선일 때, 다음 보기 중 옳은 것을 있는 대로 고른 것은? (단, $0\le t\le 10$)

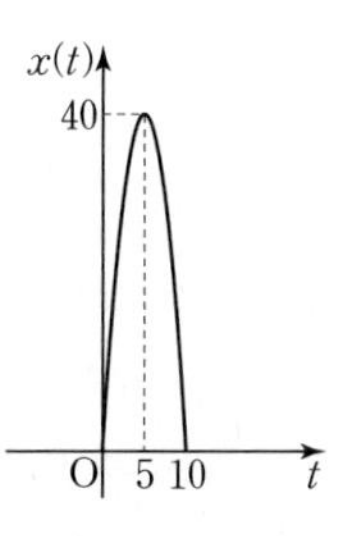

보기
ㄱ. 점 P의 속력은 점점 감소하다가 증가한다.
ㄴ. 점 P의 가속도는 일정하다.
ㄷ. $t=10$일 때, 점 P의 속도는 0이다.

① ㄱ ② ㄴ ③ ㄱ, ㄴ
④ ㄴ, ㄷ ⑤ ㄱ, ㄴ, ㄷ

개념 해결의 법칙 153쪽 유형 04

유형 15 시각에 대한 길이의 변화율 개념 03

어떤 물체의 시각 t에서의 길이가 l일 때
길이의 변화율은 ⇨ $\dfrac{dl}{dt}$

0608 • 대표문제 •

오른쪽 그림과 같이 키가 180 cm인 사람이 높이가 4.5 m인 가로등 바로 밑에서 출발하여 매초 1.2 m의 속도로 일직선으로 걸어갈 때, 그림자의 길이의 변화율을 구하시오.

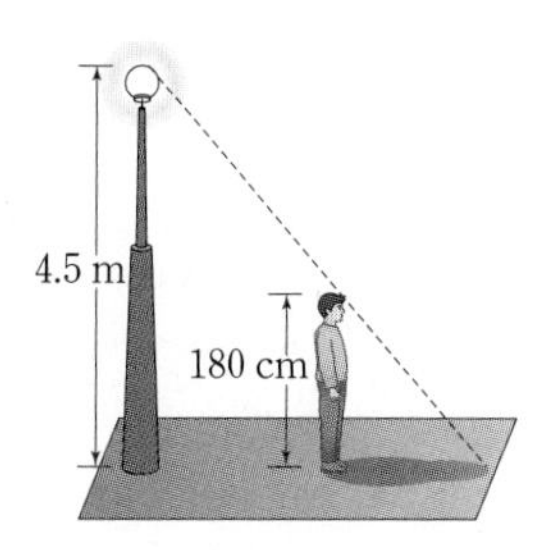

0609 상중하

오른쪽 그림과 같이 좌표평면 위의 원점 O를 출발하여 각각 x축, y축 위를 움직이는 두 점 A, B가 있다. 점 A는 x축의 양의 방향으로 매초 6의 속력으로 움직이고, 점 B는 y축의 양의 방향으로 매초 8의 속력으로 움직인다고 한다. 점 C가 선분 AB의 중점일 때, 선분 OC의 길이의 변화율을 구하시오.

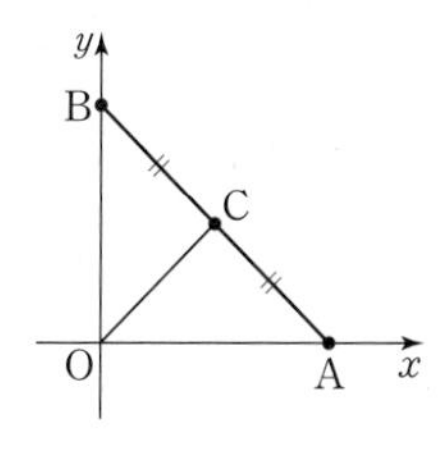

개념 해결의 법칙 154쪽 유형 05

유형 16 시각에 대한 넓이의 변화율 개념 03

어떤 물체의 시각 t에서의 넓이가 S일 때
넓이의 변화율은 ⇨ $\dfrac{dS}{dt}$

0610 • 대표문제 •

잔잔한 호수에 돌을 던지면 동심원 모양의 물결이 생긴다. 가장 바깥쪽 물결의 반지름의 길이가 매초 10 cm씩 늘어날 때, 돌을 던진 지 2초 후 가장 바깥쪽 물결의 넓이의 변화율을 구하시오.

0611 상중하

한 변의 길이가 5 m인 정사각형의 각 변의 길이가 매초 0.1 m씩 늘어난다. 이 정사각형의 넓이가 36 m^2가 되었을 때, 넓이의 변화율을 구하시오.

0612 상중하

다음 그림과 같이 길이가 10인 선분 AB 위를 움직이는 점 P에 대하여 선분 AP, BP를 지름으로 하는 두 원의 넓이의 합을 S라 하자.

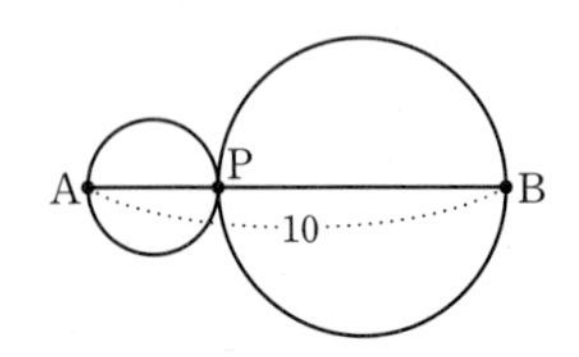

점 P가 점 A에서 출발하여 점 B를 향해 매초 1의 속력으로 움직일 때, 출발한 지 6초가 되는 순간의 넓이 S의 변화율은?

① -2π ② $-\pi$ ③ $\frac{\pi}{2}$
④ π ⑤ 2π

0613 상중하

반지름의 길이가 2 cm인 원에 내접하는 정사각형이 있다. 원의 반지름의 길이가 매초 1 cm씩 늘어날 때, 정사각형도 원에 내접하면서 각 변의 길이가 늘어난다. 원의 넓이가 36π cm^2가 되었을 때, 정사각형의 넓이의 변화율을 구하시오.

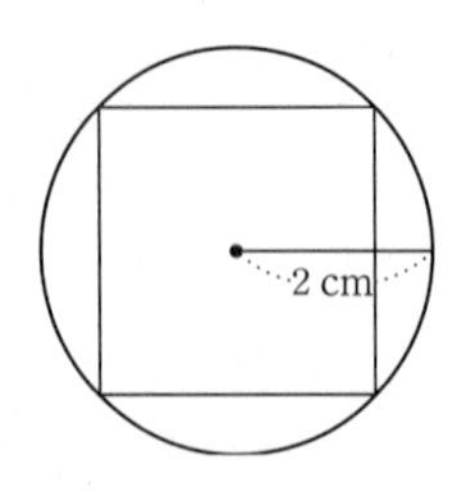

유형 17 시각에 대한 부피의 변화율

개념 해결의 법칙 154쪽 유형 05

개념 03

어떤 물체의 시각 t에서의 부피가 V일 때

부피의 변화율은 ⇨ $\frac{dV}{dt}$

0614 • 대표문제 •

반지름의 길이가 2 cm인 구 모양의 풍선에 공기를 넣으면 반지름의 길이가 매초 2 mm씩 늘어난다. 공기를 넣기 시작한 지 5초 후 풍선의 부피의 변화율을 구하시오.

0615 상중하 서술형

밑면의 반지름의 길이가 2 cm, 높이가 12 cm인 원기둥이 있다. 이 원기둥의 밑면의 반지름의 길이는 매초 2 cm씩 늘어나고, 높이는 매초 1 cm씩 줄어든다. 높이가 10 cm가 되었을 때, 원기둥의 부피의 변화율을 구하시오.

0616 상중하

오른쪽 그림과 같이 밑면의 반지름의 길이가 80 cm, 높이가 240 cm인 원뿔 모양의 물탱크에 물을 가득 채웠다. 이 물탱크의 수도꼭지를 열면 매초 10 cm씩 수면의 높이가 낮아진다고 할 때, 수면의 높이가 30 cm가 되는 순간 남아 있는 물의 부피의 변화율은?

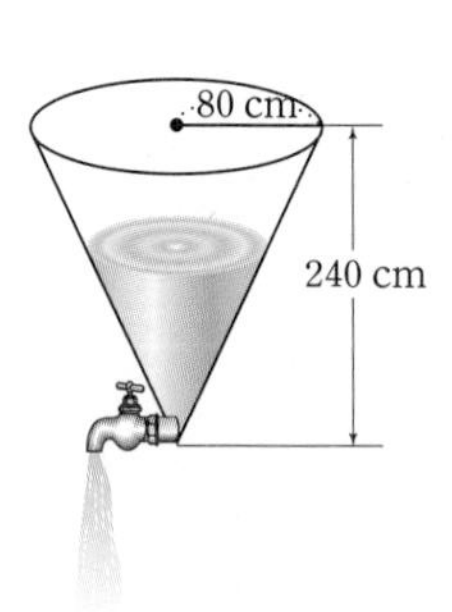

① -900π cm^3/s ② -950π cm^3/s
③ -1000π cm^3/s ④ -1050π cm^3/s
⑤ -1100π cm^3/s

• 실제 학교 시험지처럼 풀어 보세요.

0617 | 유형 01 |

방정식 $3x^4-4x^3-12x^2+15-k=0$이 서로 다른 세 실근을 갖도록 하는 정수 k의 개수는? [4.5점]

① 1 ② 2 ③ 3
④ 4 ⑤ 5

0618 | 유형 02 |

두 함수

$$f(x)=3x^3+4x^2-3x+2,\ g(x)=2x^3+x^2+6x+a$$

에 대하여 방정식 $f(x)=g(x)$가 중근과 다른 한 실근을 갖도록 하는 모든 실수 a의 값의 합은? [4.2점]

① 26 ② 28 ③ 30
④ 32 ⑤ 34

0619 | 유형 03 |

곡선 $y=4x^3-2x$와 직선 $y=x+a$가 한 점에서 만나고 다른 한 점에서는 접하도록 하는 모든 실수 a의 값의 곱은? [4.3점]

① -2 ② -1 ③ 2
④ 4 ⑤ 8

0620 | 유형 04 |

방정식 $x^3-3x^2-9x-a+6=0$이 한 개의 양의 실근과 서로 다른 두 개의 음의 실근을 갖도록 하는 정수 a의 최댓값은? [4.6점]

① 6 ② 7 ③ 8
④ 9 ⑤ 10

0621 | 유형 05 |

열린구간 $(-1, 1)$에서 부등식 $x^3-12x+k>0$이 항상 성립하도록 하는 실수 k의 최솟값은? [4.4점]

① -12 ② -11 ③ 0
④ 11 ⑤ 12

0622 | 유형 07 |

모든 실수 x에 대하여 부등식 $x^4-4x-k^2+4k\geq0$이 성립하도록 하는 모든 정수 k의 값의 합은? [4.4점]

① 4 ② 5 ③ 6
④ 7 ⑤ 8

0623 | 유형 08 |

수직선 위를 움직이는 두 점 P, Q의 시각 t에서의 위치가 각각 $P(t)=t^2-t+6$, $Q(t)=4t$이다. 두 점 P, Q가 두 번째로 만날 때, 두 점 P, Q의 속도의 차는? [4.5점]

① 0 ② 1 ③ 2
④ 3 ⑤ 4

0624 | 유형 10 |

원점을 출발하여 수직선 위를 움직이는 점 P의 시각 t에서의 위치 x가 $x=\frac{1}{3}t^3-2t^2+3t$이다. 점 P는 a회 운동 방향을 바꾸고, $1<t<b$일 때, 원점을 향하여 움직인다. 이때, $a+b$의 값은? [4.7점]

① 3 ② 4 ③ 5 ④ 6 ⑤ 7

0625 | 유형 11 |

직선 도로를 달리는 자동차가 제동을 건 후 t초 동안 움직인 거리가 x m일 때, $x=24t-1.2t^2$인 관계가 성립한다. 이 자동차가 제동을 건 후 정지할 때까지 걸린 시간은? [4.5점]

① 2초 ② 5초 ③ 10초 ④ 17초 ⑤ 26초

0626 | 유형 14 |

수직선 위를 움직이는 두 점 P, Q의 시각 $t(0\le t\le 10)$에서의 위치 $x_P(t)$, $x_Q(t)$의 그래프가 오른쪽 그림과 같을 때, 다음 보기 중 옳은 것을 있는 대로 고른 것은? [4.9점]

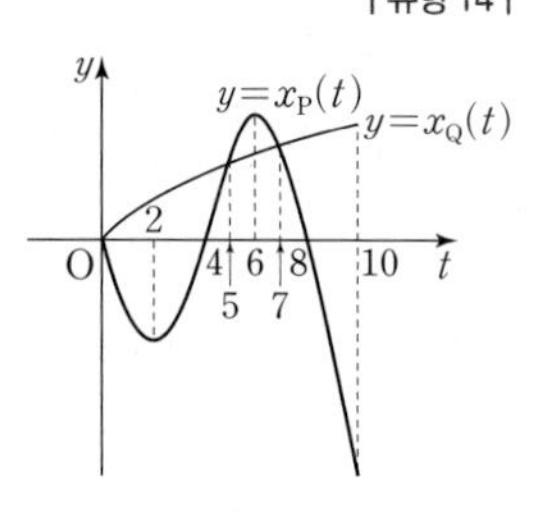

보기

ㄱ. $t=8$일 때, 점 P의 위치는 원점이다.
ㄴ. $0<t<10$에서 점 P는 운동 방향을 두 번 바꾼다.
ㄷ. $t=5$일 때, 두 점 P, Q는 서로 다른 방향으로 움직인다.
ㄹ. $t=6$일 때, 점 Q의 속도는 점 P의 속도보다 크다.

① ㄱ, ㄴ ② ㄱ, ㄹ ③ ㄴ, ㄹ ④ ㄱ, ㄴ, ㄹ ⑤ ㄴ, ㄷ, ㄹ

서술형 문제

• 풀이 과정에 점수가 부여되니 풀이 과정 및 정답을 상세하게 서술하세요.

단답형

0627 | 유형 06 |

$x>0$일 때, 부등식 $x^3+2x^2-2x>\frac{1}{2}x^2+4x+k$가 항상 성립하도록 하는 정수 k의 최댓값을 구하시오. [6점]

0628 | 유형 12 |

달 표면에서 16 m/s의 속도로 지면과 수직하게 위로 던진 물체의 t초 후의 높이를 h m라 하면 $h=16t-0.8t^2$인 관계가 성립한다. 이 물체가 가장 높은 곳에 도달할 때의 높이는 몇 m인지 구하시오. [7점]

단계형

0629 | 유형 17 |

오른쪽 그림과 같이 밑면의 반지름의 길이가 20 cm, 높이가 30 cm인 원뿔 모양의 그릇이 있다. 이 그릇에 수면의 높이가 매초 1 cm씩 올라가도록 물을 붓고 있다. 다음 물음에 답하시오. [12점]

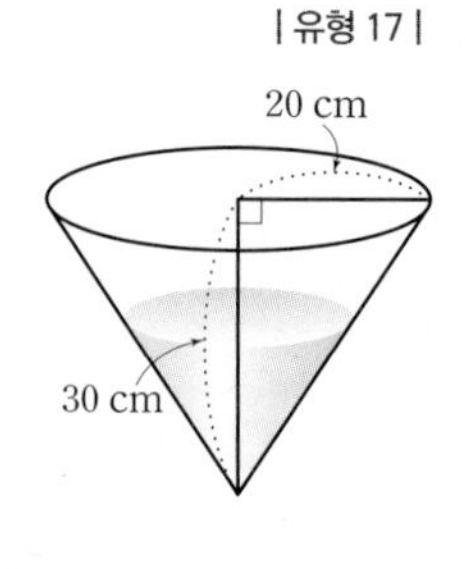

(1) t초 후 수면의 반지름의 길이를 r cm, 수면의 높이를 h cm라 할 때, r를 h에 대한 식으로 나타내시오. [4점]

(2) t초 후 그릇에 담긴 물의 부피와 그때의 물의 부피의 변화율을 차례로 구하시오. [6점]

(3) 수면의 높이가 6 cm일 때, 물의 부피의 변화율을 구하시오. [2점]

성/취/도 Check

• 이 단원은 70점 만점입니다.

점수 / 70점

30점 STEP 1 개념+기본 문제 학습

40점 STEP 2 유형 대표 문제 학습

50점 STEP 3의 틀린 문제에 해당하는 STEP 2 유형 학습

60점 STEP 3의 틀린 문제 복습

65점 교과서 속 심화문제 시작

» 정답과 해설 97쪽

0630

최고차항의 계수가 1인 사차함수 $f(x)$가 모든 실수 x에 대하여 $f(-x)=f(x)$이고 $f(0)>0$을 만족시킨다. 방정식 $|f(x)|=2$가 서로 다른 다섯 실근을 가질 때, $f(1)$의 값을 구하시오.

0631

다음 보기 중 곡선 $y=x^3-2x^2-3x+k^2$과 직선 $y=x+2k$의 위치 관계에 대한 설명으로 옳은 것을 있는 대로 고른 것은? (단, k는 실수)

보기

ㄱ. $k=1$일 때, 곡선 $y=x^3-2x^2-3x+k^2$과 직선 $y=x+2k$는 서로 다른 세 점에서 만난다.

ㄴ. 곡선 $y=x^3-2x^2-3x+k^2$과 직선 $y=x+2k$가 접하도록 하는 모든 실수 k의 값의 합은 2이다.

ㄷ. $-2<k<4$일 때, 곡선 $y=x^3-2x^2-3x+k^2$과 직선 $y=x+2k$는 오직 한 점에서 만난다.

① ㄱ ② ㄷ ③ ㄱ, ㄴ
④ ㄴ, ㄷ ⑤ ㄱ, ㄴ, ㄷ

0632

두 함수 $f(x)=x^3-5x$, $g(x)=|x-k|$가 있다. $x\leq3$인 임의의 실수 x에 대하여 부등식 $f(x)\leq g(x)$가 성립하도록 하는 실수 k의 최댓값을 구하시오. (단, $k<0$)

0633 창의력

오른쪽 그림과 같이 지면과 벽이 만나는 점 A에서 거리가 12 m로 일정한 경사면이 놓여 있다. 반지름의 길이가 1 m인 공의 중심은 경사면과 지면이 만나는 지점에서 지상 24.6 m인 위치에 있다. 이 공을 자유낙하시킬 때, t초 후 공의 중심의 높이를 $h(t)$ m라 하면 $h(t)=24.6-4.9t^2$이라 한다. 공이 경사면과 처음으로 충돌하는 순간의 공의 속도를 구하시오. (단, 지면과 벽은 수직이다.)

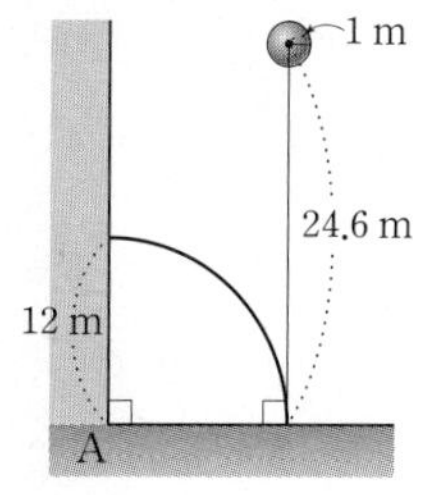

0634 창의·융합

다음 그림과 같이 $\overline{AD}=20$, $\overline{CD}=10$인 직사각형 ABCD가 있다. 점 P는 꼭짓점 A에서 출발하여 꼭짓점 B를 향해 변 AB 위를 매초 1의 속력으로 움직이고, 점 Q는 꼭짓점 C에서 출발하여 꼭짓점 B를 향해 변 BC 위를 매초 2의 속력으로 움직인다. 선분 BP, PD, DQ, QB의 중점을 각각 E, F, G, H라 할 때, 사각형 EFGH의 넓이가 직사각형 ABCD의 넓이의 $\frac{1}{8}$배가 되는 순간의 삼각형 BPQ의 넓이의 변화율을 구하시오. (단, 두 점 P, Q는 꼭짓점 B까지만 움직인다.)

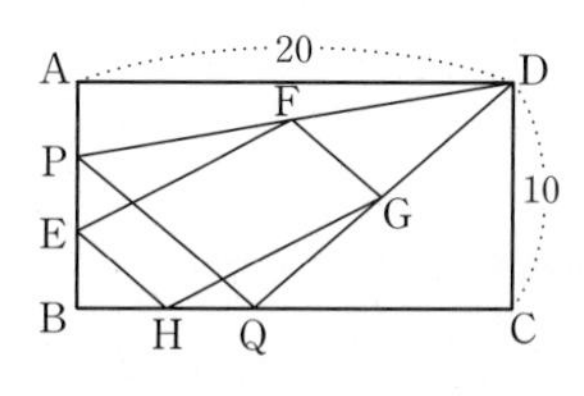

7

부정적분

'할 수 있다. 잘 될 것이다.'라고 결심하라.
그러고 나서 방법을 찾아라.

-에이브러햄 링컨

기출 문제 분석

빅 데이터

* 전국 300여 개 고등학교 기출 문제를 분석하였습니다.

유형01 부정적분의 정의

유형02 부정적분과 미분의 관계 - $\frac{d}{dx}\int f(x)dx=f(x)$

유형03 부정적분과 미분의 관계 - $\int\left\{\frac{d}{dx}f(x)\right\}dx=f(x)+C$

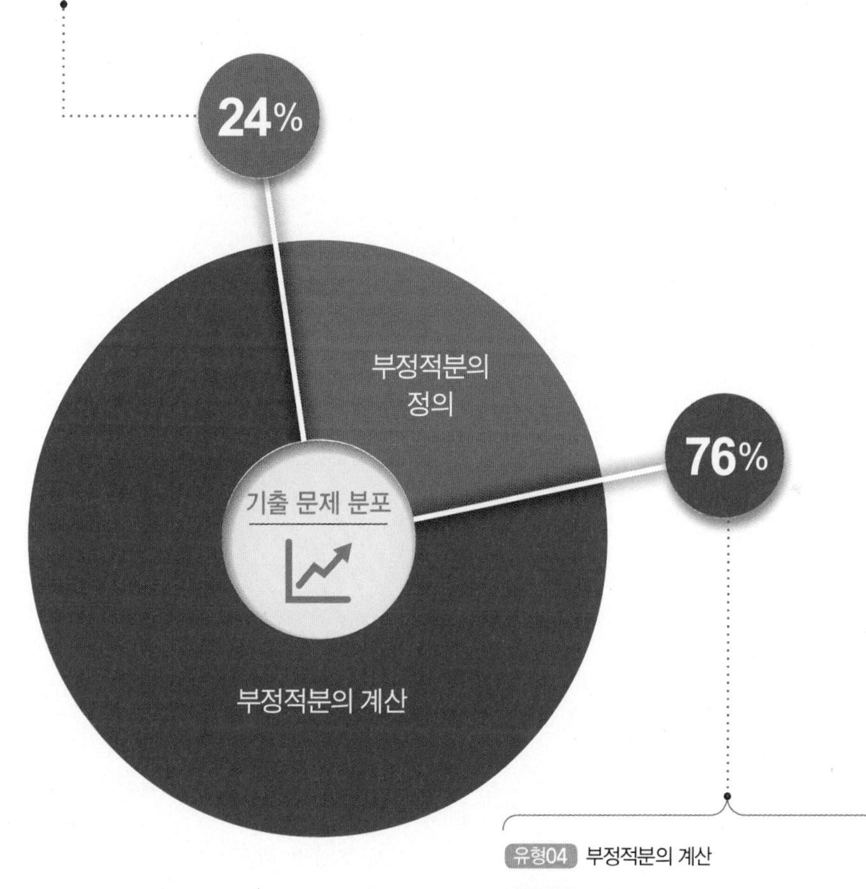

유형04 부정적분의 계산

유형05 도함수가 주어진 경우의 부정적분

유형06 부정적분을 이용한 함수의 결정

유형07 함수와 그 부정적분의 관계식

유형08 부정적분과 함수의 연속성

유형09 접선의 기울기가 주어진 경우의 부정적분

유형10 미분계수와 부정적분

유형11 도함수의 정의를 이용한 부정적분

유형12 극값이 주어진 경우의 부정적분

유형13 도함수의 그래프가 주어진 경우의 부정적분

01 부정적분의 정의

유형 01~03

(1) **부정적분**

함수 $f(x)$에 대하여 $F'(x)=f(x)$가 되는 함수 $F(x)$를 함수 $f(x)$의 **부정적분**이라 하고, 기호로 $\int f(x)dx$와 같이 나타낸다.

예 세 함수 x^2, x^2+1, x^2-2를 미분하면 모두 $2x$이므로 이들은 모두 $2x$의 부정적분이다. 이들 외에도 $2x$의 부정적분은 무수히 많이 있으며 모두 상수항만 다르다.

참고 기호 $\int f(x)dx$를 '적분 $f(x)dx$' 또는 '인티그럴(integral) $f(x)dx$'라 읽는다.

(2) 함수 $f(x)$의 한 부정적분을 $F(x)$라 하면

$\int f(x)dx=F(x)+C$ **(단, C는 적분상수)**

예 $(x^3)'=3x^2$이므로 $\int 3x^2\,dx=x^3+C$

(3) **부정적분과 미분의 관계**

① $\frac{d}{dx}\int f(x)dx=f(x)$ ($\int f(x)dx \to F(x)+C$)

② $\int\left\{\frac{d}{dx}f(x)\right\}dx=f(x)+C$ (단, C는 적분상수) ($\frac{d}{dx}f(x) \to f'(x)$)

참고 $\frac{d}{dx}\int f(x)dx \neq \int\left\{\frac{d}{dx}f(x)\right\}dx$

0635 함수 $f(x)=x^3+x^2+1$에 대하여 다음을 구하시오.

(1) $f'(x)$ (2) $\int f'(x)dx$

0636 다음 보기 중 함수 $f(x)=7x^6$의 부정적분이 아닌 것을 있는 대로 고르시오.

보기

ㄱ. $F(x)=x^7$ ㄴ. $F(x)=x^7+x$

ㄷ. $F(x)=x^7-8$ ㄹ. $F(x)=x^7+\frac{5}{2}$

ㅁ. $F(x)=7x^6$

[0637~0641] 다음 등식을 만족시키는 함수 $f(x)$를 구하시오. (단, C는 적분상수)

0637 $\int f(x)dx=3x^2-2x+C$

0638 $\int f(x)dx=-x^2+3x+C$

0639 $\int f(x)dx=\frac{2}{3}x^3+C$

0640 $\int f(x)dx=-\frac{1}{3}x^3+2x+C$

0641 $\int f(x)dx=\frac{1}{4}x^4-2x^3-x+C$

[0642~0643] 다음을 계산하시오.

0642 $\frac{d}{dx}\int(x^2-2x)dx$

0643 $\int\left\{\frac{d}{dx}(x^2-2x)\right\}dx$

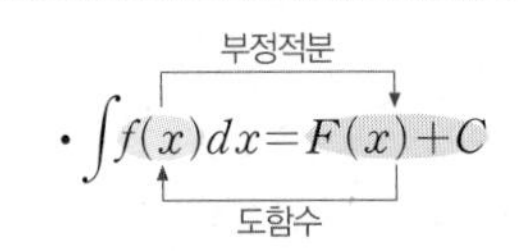

• (1) $\frac{d}{dx}\int f(x)dx=f(x)$ 그대로 (2) $\int\left\{\frac{d}{dx}f(x)\right\}dx=f(x)+C$ (그대로)+(적분상수)

02 부정적분의 계산

유형 04~13

(1) 함수 $y=x^n$의 부정적분

n이 0 또는 양의 정수일 때,

$$\int x^n dx=\frac{1}{n+1}x^{n+1}+C \text{ (단, } C\text{는 적분상수)}$$

예 $\int x^2 dx=\frac{1}{2+1}x^{2+1}+C=\frac{1}{3}x^3+C$

$\int 1\, dx=\int x^0 dx=\frac{1}{0+1}x^{0+1}+C=x+C$

→ $\int 1\, dx$는 $\int dx$로 나타낼 수 있다.

(2) 함수의 실수배, 합, 차의 부정적분

두 함수 $f(x)$, $g(x)$에 대하여

① $\int kf(x)dx=k\int f(x)dx$ (단, k는 0이 아닌 상수)

② $\int \{f(x)+g(x)\}dx=\int f(x)dx+\int g(x)dx$

③ $\int \{f(x)-g(x)\}dx=\int f(x)dx-\int g(x)dx$

참고 • 위의 성질 ②, ③은 세 개 이상의 함수에서도 성립한다.

• $\int (x+2)dx=\int x\,dx+\int 2\,dx$

$=\left(\frac{1}{2}x^2+C_1\right)+(2x+C_2)$

$=\frac{1}{2}x^2+2x+(C_1+C_2)$

$=\frac{1}{2}x^2+2x+C$

와 같이 적분상수가 여러 개일 때에는 이들을 묶어서 하나의 적분상수 C로 나타낸다.

[0644~0647] 다음 부정적분을 구하시오. (단, m, n은 자연수)

0644 $\int x^4 dx$

0645 $\int x^7 dx$

0646 $\int x^m \cdot x^n dx$

0647 $\int (x^m)^n dx$

[0648~0653] 다음 부정적분을 구하시오.

0648 $\int (4x+5)dx$

0649 $\int (3x^2+2x-1)dx$

0650 $\int (x-2)(3x+1)dx$

0651 $\int (2x+3)^2 dx$

0652 $\int \frac{x^2-9}{x+3}dx$

0653 $\int \frac{x^3-1}{x-1}dx$

[0654~0656] 다음 부정적분을 구하시오.

0654 $\int (x+1)^2 dx-\int (x-1)^2 dx$

0655 $\int \frac{x^2}{x-1}dx+\int \frac{1}{1-x}dx$

0656 $\int \frac{x^3}{x+2}dx+\int \frac{8}{x+2}dx$

• $\int x^n dx=\frac{1}{n+1}x^{n+1}+C$ (지수에 +1, 분모에 +1)

• $\int \{lf(x)+mg(x)-nk(x)\}dx$

$=l\int f(x)dx+m\int g(x)dx-n\int k(x)dx$ (단, l, m, n은 0이 아닌 상수)

STEP 2 유형 마스터

개념 해결의 법칙 163쪽 유형 01

중요

유형 01 부정적분의 정의

개념 01

함수 $f(x)$의 한 부정적분을 $F(x)$라 하면

⇨ $\int f(x)dx=F(x)+C$ (단, C는 적분상수)

⇨ $f(x)=F'(x)$

0657 • 대표문제 •

다항함수 $f(x)$에 대하여 $\int f(x)dx=x^3-2x^2+4x+C$일 때, $f(2)$의 값은? (단, C는 적분상수)

① 4 ② 8 ③ 12
④ 16 ⑤ 24

0658 상중하

함수 $f(x)$의 한 부정적분이 x^3-x^2-2x+1일 때, $f(-1)$의 값은?

① 1 ② 2 ③ 3
④ 4 ⑤ 5

0659 상중하

등식 $\int(6x^2+ax-3)dx=bx^3+5x^2-cx+1$을 만족시키는 세 상수 a, b, c에 대하여 $a+b+c$의 값을 구하시오.

0660 상중하

두 함수 $f(x)=2x^2+1$, $g(x)=-4x-1$에 대하여

$$\int F(x)dx=f(x)g(x)$$

가 성립할 때, $F(-1)$의 값을 구하시오.

0661 상중하

다항함수 $f(x)$에 대하여

$$\int(x-1)f(x)dx=2x^3-3x^2+2$$

가 성립할 때, $f(2)$의 값을 구하시오.

0662 상중하

다음 보기 중 옳은 것을 있는 대로 고르시오.

보기

ㄱ. $3x^2$의 부정적분은 x^3뿐이다.

ㄴ. 함수 $g(x)$가 함수 $f(x)$의 한 부정적분이면 $g'(x)=f(x)$가 성립한다.

ㄷ. $\int 3x^2dx$는 $3x^2$의 부정적분이다.

ㄹ. 도함수가 0인 함수는 없다.

0663 상중하 서술형

함수 $F(x)=x^3+ax^2+bx-1$이 함수 $f(x)$의 부정적분 중 하나이고 $f(1)=0$, $f'(1)=-2$일 때, 두 상수 a, b에 대하여 $a+b$의 값을 구하시오.

0664 상중하

두 함수 $F(x)$, $G(x)$는 모두 함수 $f(x)$의 부정적분이고 $F(0)=2$, $G(0)=5$일 때, $F(-1)-G(-1)$의 값을 구하시오.

개념 해결의 법칙 164쪽 유형 02

유형 02 부정적분과 미분의 관계 - $\frac{d}{dx}\int f(x)dx=f(x)$

개념 01

$F'(x)=f(x)$일 때, $\int f(x)dx=F(x)+C$이므로

$\frac{d}{dx}\int f(x)dx=\frac{d}{dx}\{F(x)+C\}=f(x)$ (단, C는 적분상수)

0665 • 대표문제 •

모든 실수 x에 대하여

$$\frac{d}{dx}\int(ax^2+4x+3)dx=8x^2+bx+c$$

가 성립할 때, 세 상수 a, b, c의 합 $a+b+c$의 값은?

① 11 ② 12 ③ 13
④ 14 ⑤ 15

0666 상중하

다항함수 $f(x)$에 대하여

$$\frac{d}{dx}\int xf(x)dx=x^4+x^3+x^2$$

이 성립할 때, $f(2)$의 값은?

① 5 ② 10 ③ 14
④ 18 ⑤ 22

0667 상중하

방정식 $\frac{d}{dx}\int x\,dx=\frac{d}{dx}\int(5x^2-4x-6)dx$의 모든 근의 합은?

① 1 ② 2 ③ 3
④ 4 ⑤ 5

개념 해결의 법칙 164쪽 유형 02

유형 03 부정적분과 미분의 관계 - $\int\left\{\frac{d}{dx}f(x)\right\}dx=f(x)+C$

개념 01

$\int\left\{\frac{d}{dx}f(x)\right\}dx=\int f'(x)dx=f(x)+C$ (단, C는 적분상수)

0668 • 대표문제 •

함수 $f(x)=\int\left\{\frac{d}{dx}(x^3-2x^2+3x)\right\}dx$에 대하여 $f(0)=1$일 때, $f(2)$의 값을 구하시오.

0669 상중하

함수 $f(x)$에 대하여

$$\int\left\{\frac{d}{dx}f(x)\right\}dx=x^3-4x+C$$

이고 $f(-2)=3$일 때, $f(1)$의 값은? (단, C는 적분상수)

① -2 ② -1 ③ 0
④ 1 ⑤ 2

0670 상중하

함수 $f(x)=\int\left\{\frac{d}{dx}(x^2-6x)\right\}dx$에 대하여 $f(x)$의 최솟값이 8일 때, $f(1)$의 값을 구하시오.

0671 상중하

함수 $f(x)=100x^{100}+99x^{99}+\cdots+2x^2+x$에 대하여

$$F(x)=\int\left[\frac{d}{dx}\int\left\{\frac{d}{dx}f(x)\right\}dx\right]dx$$

이고 $F(0)=2$일 때, $F(1)$의 값을 구하시오.

개념 해결의 법칙 168쪽 유형 01

유형 04 부정적분의 계산

개념 02

(1) n이 0 또는 양의 정수일 때

$\int x^n\,dx=\frac{1}{n+1}x^{n+1}+C$ (단, C는 적분상수)

(2) $\int kf(x)dx=k\int f(x)dx$ (단, k는 0이 아닌 상수)

(3) $\int\{f(x)\pm g(x)\}dx=\int f(x)dx\pm\int g(x)dx$ (복호동순)

0672 • 대표문제 •

함수 $f(x)=\int(1+2x+3x^2+\cdots+10x^9)dx$에 대하여 $f(0)=1$일 때, $f(-1)$의 값은?

① -1　② 0　③ 1
④ 2　⑤ 3

0673 상중하

함수 $f(x)=\int(x-2)(x+2)(x^2+4)dx$에 대하여 $f(0)=\frac{28}{5}$일 때, $f(2)$의 값을 구하시오.

0674 상중하

함수 $f(x)$가

$$f(x)=\int(x+3)(x^2-3x+9)dx-\int(x-3)(x^2+3x+9)dx$$

이고 $f(0)=-27$일 때, $f(1)$의 값을 구하시오.

0675 상중하

함수 $f(x)$가

$$f(x)=\int\frac{3x^2}{x-2}dx-\int\frac{5x}{x-2}dx-\int\frac{2}{x-2}dx$$

이고 $f(-1)=\frac{5}{2}$일 때, $f(2)$의 값을 구하시오.

중요

개념 해결의 법칙 169쪽 유형 02

유형 05 도함수가 주어진 경우의 부정적분

개념 02

함수 $f(x)$와 그 도함수 $f'(x)$에 대하여

⇨ $f(x)=\int f'(x)dx$

0676 • 대표문제 •

함수 $f(x)$에 대하여 $f'(x)=3x^2+4x-5$이고 $f(0)=2$일 때, $f(1)$의 값은?

① -1　② 0　③ 1
④ 2　⑤ 3

0677 상중하

함수 $f(x)$에 대하여 $f'(x)=3x^2+2ax-1$이고 $f(0)=1$, $f(1)=2$일 때, $f(-2)$의 값을 구하시오. (단, a는 상수)

0678 상중하

함수 $f(x)$를 적분해야 할 것을 잘못하여 미분하였더니 $12x^2-6x$이었다. $f(x)$의 부정적분 중 하나를 $F(x)$라 하면 $f(1)=4$, $F(-1)=-2$이다. 이때, $F(1)$의 값을 구하시오.

0679 상중하

두 함수 $f(x)$, $g(x)$에 대하여

$$f(x)=2x^3+x^2+x,\ g'(x)=3x^2+4x+2$$

이고 $f(x)-g(x)$를 $x-1$로 나누었을 때의 나머지가 2일 때, $f(1)g(1)$의 값은?

① 2　② 4　③ 6
④ 8　⑤ 10

유형 06 부정적분을 이용한 함수의 결정 개념 02

$\frac{d}{dx}f(x)=g(x)$ 꼴이 주어지면

⇨ 양변을 적분하여 $\int\left\{\frac{d}{dx}f(x)\right\}dx=f(x)+C$임을 이용한다.

(단, C는 적분상수)

0680 • 대표문제 •

상수함수가 아닌 두 다항함수 $f(x)$, $g(x)$가 다음 조건을 모두 만족시킬 때, $g(5)$의 값은?

(단, $f(x)$, $g(x)$의 계수는 실수)

> (가) $\frac{d}{dx}\{f(x)g(x)\}=3x^2$ (나) $f(1)=3$, $g(1)=0$

① 4 ② 5 ③ 6
④ 7 ⑤ 8

0681 상중하

두 다항함수 $f(x)$, $g(x)$에 대하여

$$\frac{d}{dx}\{f(x)-g(x)\}=2x-2,$$
$$\frac{d}{dx}\{f(x)g(x)\}=3x^2$$

이고 $f(0)=g(0)=1$일 때, $\{f(2)\}^2+\{g(2)\}^2$의 값을 구하시오. (단, C는 적분상수)

0682 상중하 서술형

두 다항함수 $f(x)$, $g(x)$에 대하여

$$\frac{d}{dx}\{f(x)+g(x)\}=3,\ \frac{d}{dx}\{f(x)g(x)\}=4x-1$$

이고 $f(0)=0$, $g(0)=-1$일 때, $f(1)-g(2)$의 값을 구하시오.

개념 해결의 법칙 170쪽 유형 03

유형 07 함수와 그 부정적분의 관계식 개념 02

함수 $f(x)$와 그 부정적분 $F(x)$ 사이의 관계식이 주어지면

⇨ 양변을 x에 대하여 미분한 후 $F'(x)=f(x)$임을 이용한다.

0683 • 대표문제 •

다항함수 $f(x)$의 한 부정적분 $F(x)$에 대하여

$$F(x)=xf(x)-2x^3-2x^2$$

인 관계가 성립한다. $f(0)=0$일 때, 함수 $f(x)$를 구하시오.

0684 상중하

다항함수 $f(x)$의 한 부정적분 $F(x)$에 대하여

$$F(x)+\int xf(x)dx=x^3-x^2-5x$$

인 관계가 성립할 때, $f(2)$의 값을 구하시오.

0685 상중하 서술형

다항함수 $f(x)$의 한 부정적분 $F(x)$에 대하여

$$(x-1)f(x)-F(x)=2x^3-3x^2$$

인 관계가 성립한다. $f(1)=2$일 때, $f(2)$의 값을 구하시오.

0686 상중하

다항함수 $f(x)$에 대하여

$$f(x)+\int xf(x)dx=\frac{1}{2}x^4+x^3-\frac{1}{2}x^2+3x$$

가 성립할 때, $f(1)$의 값을 구하시오.

개념 해결의 법칙 171쪽 유형 04

유형 08 부정적분과 함수의 연속성

개념 02

함수 $f(x)$가 $x=a$에서 연속이고 $f'(x)=\begin{cases} g(x) & (x>a) \\ h(x) & (x<a) \end{cases}$일 때,

(1) $f(x)=\begin{cases} \int g(x)dx & (x\geq a) \\ \int h(x)dx & (x<a) \end{cases}$

(2) $f(a)=\lim_{x\to a+}\int g(x)dx=\lim_{x\to a-}\int h(x)dx$

0687 • 대표문제 •

모든 실수 x에 대하여 미분가능한 함수 $f(x)$의 도함수가

$$f'(x)=\begin{cases} 2x-3 & (x>2) \\ 1 & (x<2) \end{cases}$$

이고 $f(0)=1$일 때, $f(4)$의 값을 구하시오.

0688 상중하

연속함수 $f(x)$의 도함수 $y=f'(x)$의 그래프가 오른쪽 그림과 같고 곡선 $y=f(x)$가 점 $(-2, 0)$을 지날 때, $f(1)$의 값을 구하시오.

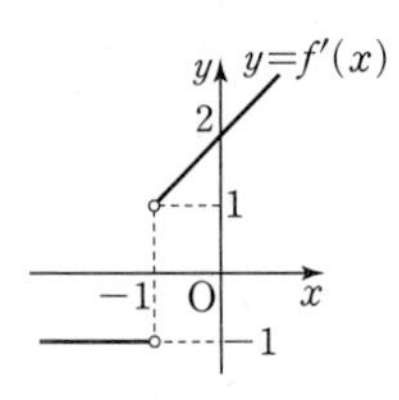

0689 상중하

연속함수 $f(x)$의 도함수가

$$f'(x)=3x|x-1|+x+2 \ (x\neq 1)$$

이고 $f(0)=4$일 때, $f(-1)+f(2)$의 값은?

① 12 ② 14 ③ 16
④ 18 ⑤ 20

유형 09 접선의 기울기가 주어진 경우의 부정적분

중요

개념 02

곡선 $y=f(x)$ 위의 임의의 점 $(x, f(x))$에서의 접선의 기울기는 $f'(x)$이므로

⇨ $f(x)=\int f'(x)dx$

0690 • 대표문제 •

곡선 $y=f(x)$ 위의 임의의 점 $(x, f(x))$에서의 접선의 기울기가 $6x^2+2x+1$이고 이 곡선이 점 $(0, 2)$를 지날 때, $f(1)$의 값은?

① 0 ② 3 ③ 6
④ 9 ⑤ 12

0691 상중하

함수 $f(x)=\int(2ax+1)dx$에 대하여 곡선 $y=f(x)$ 위의 점 $(1, 3)$에서의 접선의 기울기가 -1일 때, $f(2)$의 값은? (단, a는 상수)

① -3 ② -2 ③ -1
④ 0 ⑤ 1

0692 상중하

곡선 $y=f(x)$ 위의 임의의 점 $(x, f(x))$에서의 접선의 기울기가 $4x-12$이고 함수 $f(x)$의 최솟값이 -9일 때, 닫힌구간 $[2, 5]$에서 함수 $f(x)$의 최댓값을 구하시오.

0693 상중하 서술형

곡선 $y=f(x)$ 위의 임의의 점 $(x, f(x))$에서의 접선의 기울기가 $3x^2-2x+2$이고 곡선 $y=f(x)$가 제1사분면에서 직선 $y=3x-2$에 접한다고 할 때, $f(0)$의 값을 구하시오.

유형 10 미분계수와 부정적분

개념 02

함수 $y=f(x)$의 $x=a$에서의 미분계수는

⇨ $f'(a)=\lim_{\Delta x \to 0} \frac{\Delta y}{\Delta x}=\lim_{h \to 0} \frac{f(a+h)-f(a)}{h}=\lim_{x \to a} \frac{f(x)-f(a)}{x-a}$

0694 • 대표문제 •

함수 $f(x)=\int (x+2)(x^2-2x+4)dx$에 대하여

$\lim_{h \to 0} \frac{f(1+h)-f(1-h)}{h}$의 값을 구하시오.

0695 상중하

함수 $f(x)$에 대하여

$$\lim_{h \to 0} \frac{f(x+2h)-f(x-h)}{h}=9x^2+6x-3$$

이고 $f(1)=3$일 때, $f(2)$의 값을 구하시오.

0696 상중하

함수 $f(x)$의 도함수가 $f'(x)=6x+k$이고 $\lim_{x \to 1} \frac{f(x)}{x-1}=1$일 때, $f(2)$의 값을 구하시오. (단, k는 상수)

0697 상중하

미분가능한 함수 $y=f(x)$에 대하여 x의 증분을 Δx, y의 증분을 Δy라 할 때,

$$\Delta y=(2x+b)\Delta x-(\Delta x)^2$$

이다. $f(0)=0$, $f(2)=0$일 때, $f(1)$의 값을 구하시오.

(단, $\Delta x \neq 0$이고, b는 상수)

유형 11 도함수의 정의를 이용한 부정적분

개념 02

$f(x+y)=f(x)+f(y)$ 꼴의 식이 주어지면

(i) $x=0$, $y=0$을 대입하여 $f(0)$의 값을 구한다.

(ii) $f'(x)=\lim_{h \to 0} \frac{f(x+h)-f(x)}{h}$를 이용하여 $f'(x)$를 구한다.

(iii) $f'(x)$를 적분하여 $f(x)$를 구하고, $f(0)$의 값을 이용하여 적분상수를 구한다.

0698 • 대표문제 •

미분가능한 함수 $f(x)$가 임의의 실수 x, y에 대하여

$$f(x+y)=f(x)+f(y)+1$$

을 만족시키고 $f'(0)=1$일 때, 함수 $f(x)$를 구하시오.

0699 상중하

미분가능한 함수 $f(x)$가 임의의 실수 x, y에 대하여

$$f(x+y)=f(x)+f(y)-4xy-2$$

를 만족시키고 $f'(0)=1$일 때, $f(-1)$의 값은?

① -2 ② -1 ③ 0
④ 1 ⑤ 2

0700 상중하

미분가능한 함수 $f(x)$가 다음 조건을 모두 만족시킬 때, $f(2)$의 값은?

(가) 임의의 실수 x, y에 대하여
$f(x+y)=f(x)+f(y)-xy$
(나) $\lim_{h \to 0} \frac{f(1+h)-f(1)}{h}=3$

① 2 ② 4 ③ 6
④ 8 ⑤ 10

개념 해결의 법칙 172쪽 유형 05

발전 유형 12 극값이 주어진 경우의 부정적분 개념 02

미분가능한 함수 $f(x)$에 대하여 $f'(a)=0$이고 $x=a$의 좌우에서 $f'(x)$의 부호가

(1) 양(+)에서 음(−)으로 바뀌면 ⇨ $f(x)$는 $x=a$에서 극대이다.

(2) 음(−)에서 양(+)으로 바뀌면 ⇨ $f(x)$는 $x=a$에서 극소이다.

0701 • 대표문제 •

함수 $f(x)$의 도함수가 $f'(x)=6x^2-10x+4$이고 $f(x)$의 극솟값이 5일 때, $f(-1)$의 값을 구하시오.

0702 상중하

곡선 $y=f(x)$ 위의 임의의 점 $(x, f(x))$에서의 접선의 기울기가 x^2-1이고 함수 $f(x)$의 극댓값이 $\frac{7}{3}$일 때, $f(x)$의 극솟값을 구하시오.

0703 상중하

최고차항의 계수가 2인 삼차함수 $f(x)$가

$$f'(-1)=f'(5)=0$$

을 만족시킨다. 함수 $f(x)$의 극댓값이 24일 때, $f(x)$의 극솟값을 구하시오.

개념 해결의 법칙 172쪽 유형 05

발전 유형 13 도함수의 그래프가 주어진 경우의 부정적분 개념 02

삼차함수 $f(x)$의 도함수 $y=f'(x)$의 그래프가 주어졌을 때

⇨ 그래프가 $x=\alpha$, $x=\beta$에서 x축과 만나면

$f'(x)=a(x-\alpha)(x-\beta)$ $(a\neq0)$로 놓고 주어진 극값을 이용한다.

0704 • 대표문제 •

삼차함수 $f(x)$의 도함수 $y=f'(x)$의 그래프가 오른쪽 그림과 같다. 함수 $f(x)$의 극댓값이 5, 극솟값이 1일 때, 함수 $f(x)$는?

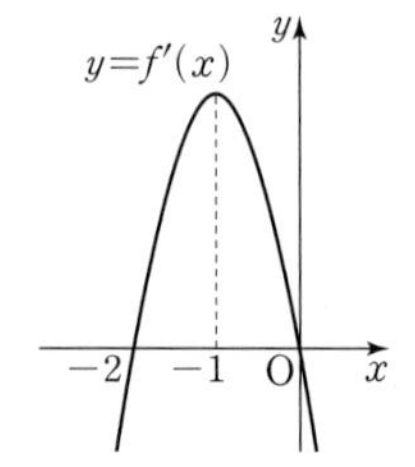

① $f(x)=-x^3+3x^2+5$

② $f(x)=-x^3-3x^2+5$

③ $f(x)=-x^3-3x^2-5$

④ $f(x)=x^3+3x^2+5$

⑤ $f(x)=x^3+3x^2-5$

0705 상중하

최고차항의 계수가 −1인 삼차함수 $f(x)$의 도함수 $y=f'(x)$의 그래프가 오른쪽 그림과 같다. 곡선 $y=f(x)$가 x축에 접할 때, $f(0)$이 될 수 있는 모든 값의 합을 구하시오.

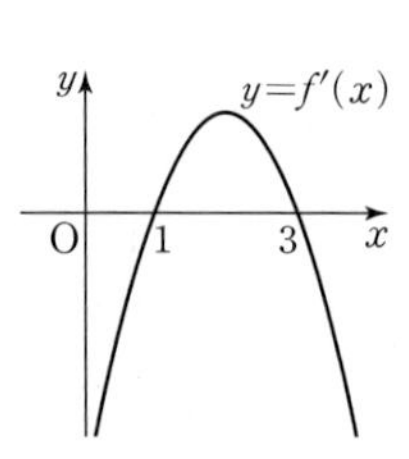

0706 상중하

함수 $f(x)$의 도함수 $y=f'(x)$는 이차함수이고 $y=f'(x)$의 그래프는 오른쪽 그림과 같다. $f(0)=1$일 때, 방정식 $f(x)=k$가 서로 다른 세 실근을 갖기 위한 실수 k의 값의 범위를 구하시오.

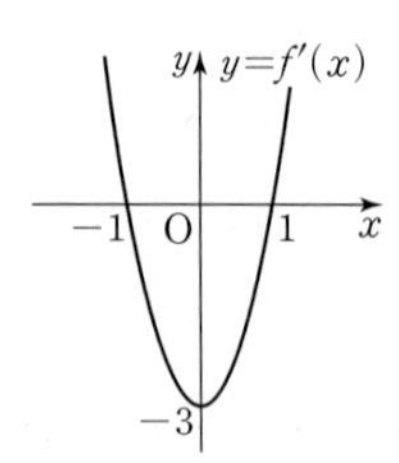

• 실제 학교 시험지처럼 풀어 보세요.

0707 | 유형 01 |

두 다항함수 $f(x)$, $g(x)$에 대하여

$$\int f(x)dx = x^2 g(x) + 3x + C$$

가 성립하고 $g(3)=3$, $g'(3)=-2$일 때, $f(3)$의 값은?

(단, C는 적분상수) [4.1점]

① 0 ② 1 ③ 2
④ 3 ⑤ 4

0708 | 유형 04 |

함수 $f(x)$가

$$f(x) = \int\left(\frac{1}{2}x^3+8x\right)dx + \int\left(-\frac{1}{2}x^3+6\right)dx$$

이고 $f(0)=-1$일 때, $f(-1)$의 값은? [4.0점]

① -3 ② -1 ③ 0
④ 1 ⑤ 3

0709 | 유형 05 |

함수 $f(x)$는 $x-1$로 나누어떨어지고 $f(x)$의 도함수는 $f'(x)=3x^2+ax+5$이다. $f(0)=-2$일 때, $f(2)$의 값은?

(단, a는 상수) [4.4점]

① -4 ② -2 ③ 0
④ 2 ⑤ 4

0710 | 유형 01 + 유형 05 |

다항함수 $f(x)$에 대하여

$$\int (2x+7)f'(x)dx = \frac{2}{3}x^3 + \frac{3}{2}x^2 - 14x + C$$

이고 곡선 $y=f(x)$의 y절편이 $\frac{5}{2}$일 때, $f(x)$의 모든 계수의 합은? (단, C는 적분상수) [4.6점]

① 1 ② 2 ③ 3
④ 4 ⑤ 5

0711 | 유형 06 |

두 다항함수 $f(x)$, $g(x)$가 다음 조건을 모두 만족시킬 때, $f(2)+g(1)$의 값은? [4.8점]

> (가) $f(0)=3$, $g(0)=-5$
> (나) $\{f(x)-g(x)\}'=2x-1$
> (다) $f'(x)g(x)+f(x)g'(x)=3x^2-10x+3$

① -3 ② -1 ③ 0
④ 1 ⑤ 3

0712 | 유형 07 |

다항함수 $f(x)$의 한 부정적분 $F(x)$에 대하여

$$xf(x)-F(x)=\frac{2}{3}x^3+4x^2$$

인 관계가 성립한다. $f(-2)=6$일 때, 방정식 $f(x)=0$의 모든 근의 곱은? [4.7점]

① 17 ② 18 ③ 19
④ 20 ⑤ 21

0713 | 유형 09 |

곡선 $y=f(x)$ 위의 임의의 점 $(x, f(x))$에서의 접선의 기울기가 $3x^2-10x+7$이고 이 곡선이 점 $(2, -1)$을 지날 때, 방정식 $f(x)=0$의 서로 다른 실근의 합은? [4.3점]

① 1 ② 2 ③ 3
④ 4 ⑤ 5

0714

| 유형 10 |

함수 $f(x)=\int\left\{\frac{d}{dx}(2x^2+ax)\right\}dx$에 대하여 $\lim_{x\to 2}\frac{f(x)-f(2)}{x-2}=11$이고 $f(-1)=4$일 때, $f(1)$의 값은? (단, a는 상수) [4.5점]

① 2　② 4　③ 6
④ 8　⑤ 10

0715

| 유형 11 |

미분가능한 함수 $f(x)$가 임의의 실수 x, y에 대하여

$$f(x+y)=f(x)+f(y)+2xy$$

를 만족시키고 $f'(2)=5$일 때, $f(5)$의 값은? [4.9점]

① 10　② 15　③ 20
④ 25　⑤ 30

0716

| 유형 13 |

삼차함수 $f(x)$의 도함수 $y=f'(x)$의 그래프가 오른쪽 그림과 같다. 함수 $f(x)$의 극댓값이 10일 때, 극솟값은? [4.7점]

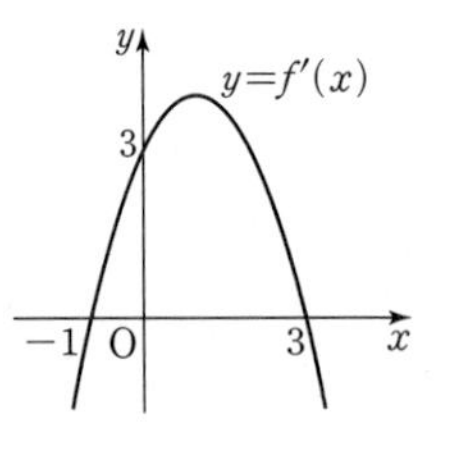

① -1　② $-\frac{2}{3}$　③ $-\frac{1}{3}$　④ 0　⑤ $\frac{1}{3}$

서술형 문제

• 풀이 과정에 점수가 부여되니 풀이 과정 및 정답을 상세하게 서술하세요.

단답형

0717

| 유형 08 |

연속함수 $f(x)$의 도함수 $y=f'(x)$의 그래프가 오른쪽 그림과 같고 곡선 $y=f(x)$가 원점을 지날 때, $f(-2)+f(2)$의 값을 구하시오. [6점]

0718

| 유형 10 |

다항함수 $f(x)$와 그 도함수 $f'(x)$에 대하여

$$\lim_{x\to\infty}\frac{f'(x)}{x-1}=2,\ \lim_{x\to 4}\frac{f(x)}{x-4}=2$$

일 때, 방정식 $f(x)=0$의 모든 근의 곱을 구하시오. [7점]

단계형

0719

| 유형 12 |

함수 $f(x)$의 도함수가 $f'(x)=3x^2-9x+6$일 때, 다음 물음에 답하시오. [12점]

(1) $f'(x)$의 부정적분을 적분상수 C를 사용하여 나타내시오. [4점]

(2) 함수 $f(x)$의 극댓값과 극솟값을 적분상수를 사용하여 나타내시오. [4점]

(3) 방정식 $f(x)=0$이 서로 다른 세 실근을 가질 때, 적분상수 C의 값의 범위를 구하시오. [4점]

성/취/도 Check

• 이 단원은 70점 만점입니다.

점수 　　/ 70점

30점 STEP 1 개념+기본 문제 학습

40점 STEP 2 유형 대표 문제 학습

50점 STEP 3의 틀린 문제에 해당하는 STEP 2 유형 학습

60점 STEP 3의 틀린 문제 복습

65점 교과서 속 심화문제 시작

≫ 정답과 해설 110쪽

0720

최고차항의 계수가 1인 다항함수 $f(x)$의 한 부정적분 $F(x)$에 대하여

$$2F(x)=x\{f(x)-3\}$$

인 관계가 성립할 때, $F(2)$의 값은?

① -4 ② -3 ③ -2
④ -1 ⑤ 0

0721

이차함수 $f(x)$에 대하여 함수 $g(x)$가

$$g(x)=\int\{x^2+f(x)\}dx,\ f(x)g(x)=-x^3+2x^2+x-2$$

를 만족시킬 때, $g(4)$의 값은?

① 1 ② 2 ③ 3
④ 4 ⑤ 5

0722

두 다항함수 $f(x)$, $g(x)$와 그 부정적분 $F(x)$, $G(x)$가 다음 조건을 모두 만족시킬 때, $f(2)+g(2)$의 값은?

(가) $F(x)+xg(x)=x^2-x$
(나) $G(x)+xf(x)=2x^2+1$

① $\frac{5}{2}$ ② 3 ③ $\frac{7}{2}$
④ 4 ⑤ $\frac{9}{2}$

0723

모든 실수 x에 대하여 미분가능한 함수 $f(x)$의 도함수는 연속함수이고

$$f'(x)=\begin{cases} ax+b & (|x|>2) \\ 3x^2 & (|x|<2) \end{cases}$$

이다. $f(0)=1$일 때, 방정식 $|f(x)|=9$의 모든 실근의 합을 구하시오. (단, a, b는 상수)

0724 융합형

두 삼차함수 $f(x)$, $g(x)$의 도함수 $y=f'(x)$, $y=g'(x)$의 그래프가 오른쪽 그림과 같다. 함수 $h(x)=f(x)-g(x)$에 대하여 함수 $h(x)$의 극솟값이 1, 극댓값이 5일 때, $h(-2)$의 값은?

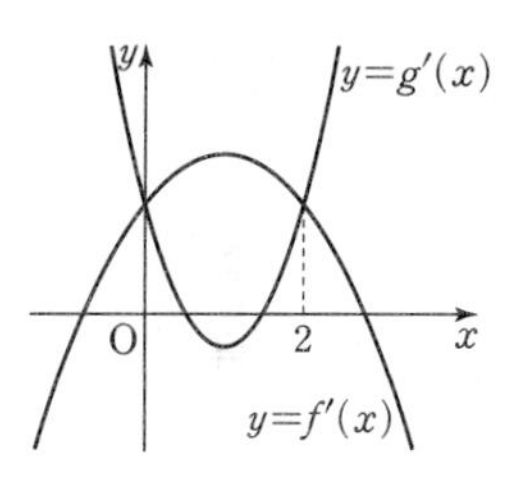

① 17 ② 18 ③ 19
④ 20 ⑤ 21

8

정적분

꿈을 날짜와 함께 적어 놓으면 그것은 목표가 되고,
목표를 잘게 나누면 그것은 계획이 되며,
그 계획을 실행에 옮기면 꿈은 실현되는 것이다.
-그레그 S. 레잇

기출 문제 분석

빅 데이터

* 전국 300여 개 고등학교 기출 문제를 분석하였습니다.

유형01 정적분의 정의

유형02 정적분의 정의의 활용

유형03 정적분의 계산 – 적분 구간이 같은 경우

유형04 정적분의 계산 – 피적분함수가 같은 경우

유형05 구간에 따라 다르게 정의된 함수의 정적분

유형06 절댓값 기호를 포함한 함수의 정적분

유형07 우함수와 기함수의 정적분 – 피적분함수가 주어진 경우

유형08 우함수와 기함수의 정적분 – 피적분함수가 주어지지 않은 경우

유형09 주기함수의 정적분

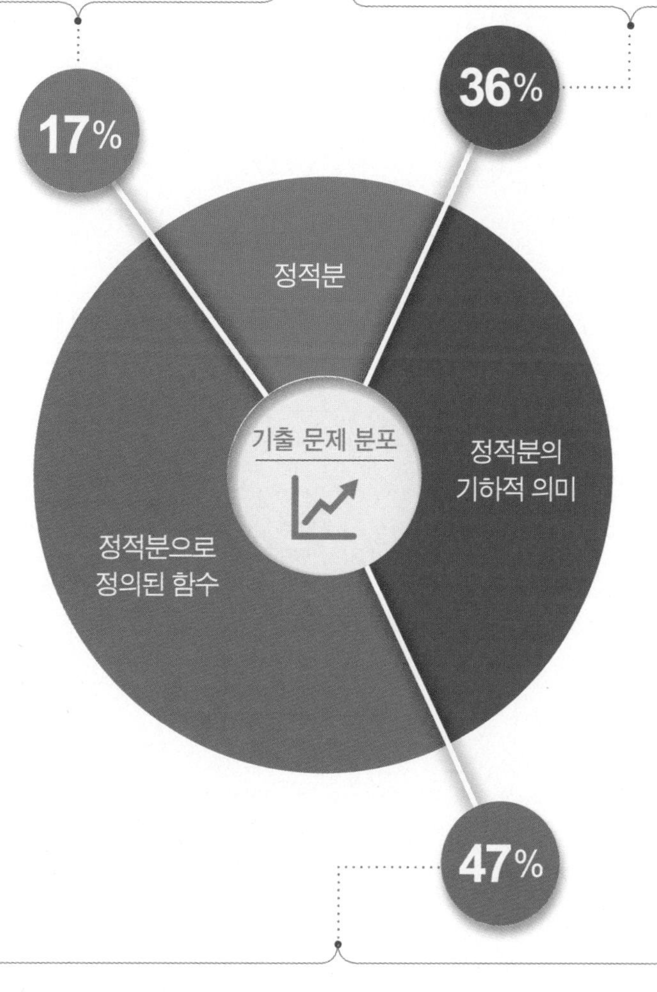

유형10 적분구간이 상수인 정적분을 포함한 등식

유형11 적분 구간에 변수가 있는 정적분을 포함한 등식 – $\int_{x}^{x+a} f(t)dt$ 꼴

유형12 적분 구간에 변수가 있는 정적분을 포함한 등식 – $\int_{a}^{x} f(t)dt$ 꼴

유형13 적분 구간과 피적분함수에 변수가 있는 정적분을 포함한 등식 – $\int_{a}^{x} (x-t)f(t)dt$ 꼴

유형14 정적분으로 정의된 함수의 극대 • 극소 및 최대 • 최소

유형15 정적분으로 정의된 함수의 그래프

유형16 정적분으로 정의된 함수의 극한

STEP 1 개념 마스터

01 정적분의 정의 (1)

유형 01, 02

닫힌구간 $[a, b]$에서 연속인 함수 $f(x)$의 한 부정적분을 $F(x)$라 하면 $F(b)-F(a)$를 함수 $f(x)$의 a에서 b까지의 **정적분**이라 하고, 기호로 $\int_a^b f(x)dx$와 같이 나타낸다.

또, $F(b)-F(a)$를 기호로 $\Big[F(x)\Big]_a^b$와 같이 나타낸다.

예 $\int_1^2 2x\,dx=\Big[x^2\Big]_1^2=4-1=3$

참고 • 정적분 $\int_a^b f(x)dx$의 값을 구하는 것을 함수 $f(x)$를 a에서 b까지 적분한다고 하고, 닫힌구간 $[a, b]$를 적분 구간이라 한다. 이때, a를 아래끝, b를 위끝, x를 적분변수, $f(x)$를 피적분함수라 한다.

• 정적분 $\int_a^b f(x)dx$에서 적분변수 x 대신 다른 문자를 사용해도 그 값은 같다. 즉, $\int_a^b f(x)dx=\int_a^b f(t)dt$이다.

[0725~0730] 다음 정적분의 값을 구하시오.

0725 $\int_0^3 4x\,dx$

0726 $\int_1^2 (8x-3)dx$

0727 $\int_{-2}^1 (3x^2+2x)dx$

0728 $\int_0^2 (x^3-2x+1)dx$

0729 $\int_1^2 (2x^3-6x+3)dx$

0730 $\int_{-1}^2 (x+2)(3x-2)dx$

02 정적분의 정의 (2)

유형 01, 02

$a\ge b$일 때, 정적분 $\int_a^b f(x)dx$는 다음과 같이 정의한다.

(1) $a=b$일 때, $\int_a^a f(x)dx=0$

(2) $a>b$일 때, $\int_a^b f(x)dx=-\int_b^a f(x)dx$

예 $\int_2^2 x^2dx=0$, $\int_2^1 (x+1)dx=-\int_1^2 (x+1)dx$

[0731~0733] 다음 정적분의 값을 구하시오.

0731 $\int_1^1 (x^2+4x+3)dx$

0732 $\int_1^0 (4x^3-3x^2+2x)dx$

0733 $\int_3^2 (4x^3+2x+1)dx$

03 정적분의 계산

유형 03, 04

(1) 함수의 실수배, 합, 차의 정적분

두 함수 $f(x)$, $g(x)$가 닫힌구간 $[a, b]$에서 연속일 때

① $\int_a^b kf(x)dx=k\int_a^b f(x)dx$ (단, k는 상수)

② $\int_a^b \{f(x)+g(x)\}dx=\int_a^b f(x)dx+\int_a^b g(x)dx$

③ $\int_a^b \{f(x)-g(x)\}dx=\int_a^b f(x)dx-\int_a^b g(x)dx$

(2) 정적분의 성질

함수 $f(x)$가 임의의 세 실수 a, b, c를 포함하는 닫힌구간에서 연속일 때

$\int_a^c f(x)dx+\int_c^b f(x)dx=\int_a^b f(x)dx$

참고 위의 성질은 a, b, c의 대소에 관계없이 성립한다.

핵심 Check

• $\int_a^b f(x)dx=\Big[F(x)\Big]_a^b=F(b)-F(a)$ (위끝: b, 아래끝: a)

• $\int_a^c f(x)dx+\int_c^b f(x)dx=\int_a^b f(x)dx$

[0734~0737] 다음 정적분의 값을 구하시오.

0734 $\int_{0}^{1}(2x-x^2)dx+\int_{0}^{1}(2x+x^2)dx$

0735 $\int_{0}^{1}(x-2)^2dx+\int_{0}^{1}4x\,dx$

0736 $\int_{0}^{2}(2+x)^3dx+\int_{0}^{2}(2-x)^3dx$

0737 $\int_{-1}^{1}(x^2+x+1)dx+\int_{1}^{-1}(x^2-x)dx$

[0738~0742] 다음 정적분의 값을 구하시오.

0738 $\int_{-1}^{1}(2x+3)dx+\int_{1}^{2}(2x+3)dx$

0739 $\int_{0}^{1}(4x^3+6x^2-3)dx+\int_{1}^{3}(4x^3+6x^2-3)dx$

0740 $\int_{2}^{3}(3x^2-2x+1)dx+\int_{3}^{2}(3x^2-2x+1)dx$

0741 $\int_{0}^{1}(x^2-2x)dx+\int_{2}^{1}(2x-x^2)dx$

0742 $\int_{-1}^{2}(1+2x-x^3)dx-\int_{3}^{2}(1+2x-x^3)dx$

04 정적분의 기하적 의미

유형 05~09

(1) 정적분의 기하적 의미

함수 $f(x)$가 닫힌구간 $[a, b]$에서 연속이고 $f(x)\geq 0$일 때, 곡선 $y=f(x)$와 x축 및 두 직선 $x=a$, $x=b$로 둘러싸인 도형의 넓이 S는

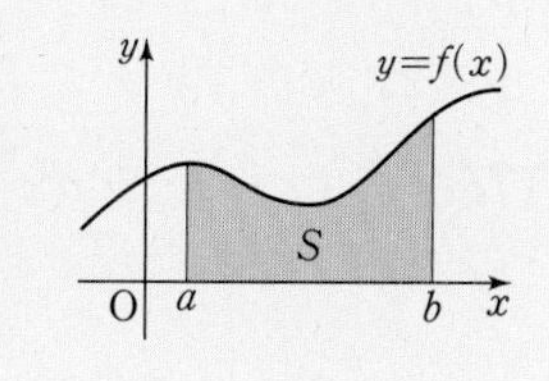

$S=\int_{a}^{b}f(x)dx$

(2) 절댓값 기호를 포함한 함수의 정적분

적분 구간에서 절댓값 기호 안의 식의 값이 양수인지, 음수인지 판단하여 구간을 나누어서 적분한다.

(3) 우함수와 기함수의 정적분

함수 $f(x)$가 닫힌구간 $[-a, a]$에서 연속일 때

① $f(-x)=f(x)$이면 함수 $f(x)$를 우함수라 하고

$\int_{-a}^{a}f(x)dx=2\int_{0}^{a}f(x)dx$

② $f(-x)=-f(x)$이면 함수 $f(x)$를 기함수라 하고

$\int_{-a}^{a}f(x)dx=0$

(4) 주기함수의 정적분

함수 $f(x)$의 정의역에 속하는 모든 실수 x에 대하여 $f(x+p)=f(x)$ (p는 0이 아닌 상수)일 때

→ 주기함수, p의 값 중에서 최소인 양수가 함수 f의 주기

① $\int_{a}^{b}f(x)dx=\int_{a+np}^{b+np}f(x)dx$ (단, n은 정수)

② $\int_{a}^{a+p}f(x)dx=\int_{b}^{b+p}f(x)dx$ → 한 주기의 정적분의 값은 항상 같다.

③ $\int_{a}^{a+np}f(x)dx=n\int_{0}^{p}f(x)dx$ (단, n은 정수)

주의 $f(x+4)=f(x)$를 만족시키는 함수의 주기가 반드시 4인 것은 아니다. 주기가 2인 경우에도 $f(x+4)=f(x)$를 만족시킨다.

[0743~0744] 다음 정적분의 값을 구하시오.

0743 $\int_{0}^{2}|x-1|dx$

0744 $\int_{-1}^{2}|x(x+1)|dx$

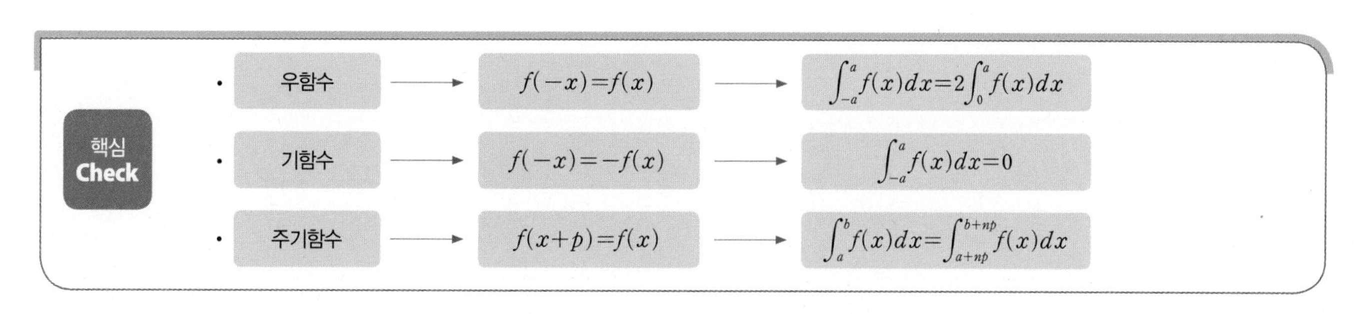

8 정적분

[0745~0749] 다음 정적분의 값을 구하시오.

0745 $\int_{-1}^{1}(3x^2+4x)dx$

0746 $\int_{-2}^{2}(x^2+x+1)dx$

0747 $\int_{-1}^{1}(x^3+5x^2-2x)dx$

0748 $\int_{-1}^{1}(x^3-2x^2+x-5)dx$

0749 $\int_{-2}^{2}(3x+1)(x-2)dx$

[0750~0753] $0\le x\le 2$에서 $f(x)=-x(x-2)$이고, 모든 실수 x에 대하여 $f(x+2)=f(x)$인 함수 $y=f(x)$의 그래프는 아래 그림과 같다. 다음 물음에 답하시오.

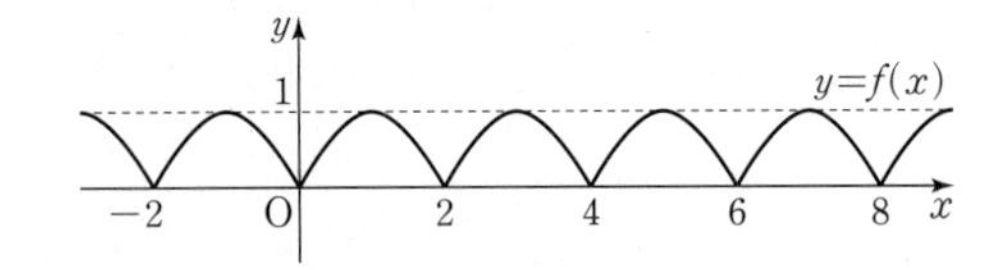

0750 함수 $y=f(x)$의 주기를 구하시오.

0751 다음 □ 안에 알맞은 수를 써넣으시오.

$$\int_{0}^{2}f(x)dx=\int_{-2}^{\square}f(x)dx=\int_{\square}^{8}f(x)dx$$

0752 정적분 $\int_{1}^{3}f(x)dx$의 값을 구하시오.

0753 정적분 $\int_{-2}^{4}f(x)dx$의 값을 구하시오.

05 정적분으로 정의된 함수

유형 10~16

(1) 정적분으로 정의된 함수의 미분

① $\dfrac{d}{dx}\int_{a}^{x}f(t)dt=f(x)$ (단, a는 상수)

② $\dfrac{d}{dx}\int_{x}^{x+a}f(t)dt=f(x+a)-f(x)$ (단, a는 상수)

(2) 정적분으로 정의된 함수의 극한

① $\lim\limits_{x\to a}\dfrac{1}{x-a}\int_{a}^{x}f(t)dt=f(a)$

② $\lim\limits_{x\to 0}\dfrac{1}{x}\int_{a}^{x+a}f(t)dt=f(a)$

[0754~0757] 미분가능한 함수 $f(x)$가 임의의 실수 x에 대하여 다음 등식이 성립할 때, $f(x)$를 구하시오.

0754 $\int_{1}^{x}f(t)dt=x^3-2x^2+1$

0755 $\int_{0}^{x}f(t)dt=x^3+5x^2-3x$

0756 $\int_{-1}^{x}f(t)dt=x^5+4x^3+5$

0757 $\int_{0}^{x}f(t)dt=x^{10}+x^5+x$

[0758~0759] 다음 극한값을 구하시오.

0758 $\lim\limits_{x\to 0}\dfrac{1}{x}\int_{0}^{x}(2t^2+t+1)dt$

0759 $\lim\limits_{x\to 2}\dfrac{1}{x-2}\int_{2}^{x}(t^2-t+3)dt$

- $\dfrac{d}{dx}\int_{a}^{x}f(t)dt=f(x)$
- $\dfrac{d}{dx}\int_{x}^{x+a}f(t)dt=f(x+a)-f(x)$
- $\lim\limits_{x\to a}\dfrac{1}{x-a}\int_{a}^{x}f(t)dt=f(a)$
- $\lim\limits_{x\to 0}\dfrac{1}{x}\int_{a}^{x+a}f(t)dt=f(a)$

STEP 2 유형 마스터

개념 해결의 법칙 183쪽 유형 01

유형 01 정적분의 정의

개념 01 02

(1) 닫힌구간 $[a, b]$에서 연속인 함수 $f(x)$의 한 부정적분을 $F(x)$라 하면

$\int_a^b f(x)dx=\left[F(x)\right]_a^b=F(b)-F(a)$

(2) 정적분 $\int_a^b f(x)dx$의 정의

① $a=b$일 때, $\int_a^a f(x)dx=0$

② $a>b$일 때, $\int_a^b f(x)dx=-\int_b^a f(x)dx$

0760 대표문제

정적분 $\int_0^1 4(x^2-1)(x^2+1)(x^4+1)dx$의 값을 구하시오.

0761 상중하

다항함수 $f(x)$가 모든 실수 x에 대하여

$\int_2^x f(t)dt=x^3+ax^2+6x-8$

을 만족시킬 때, 상수 a의 값은?

① -5 ② -4 ③ -3
④ -2 ⑤ -1

0762 상중하

함수 $f(x)=2x-5$에 대하여 정적분 $\int_0^3 x^2f(x)dx$의 값을 구하시오.

0763 상중하

다항함수 $f(x)$의 도함수 $f'(x)$에 대하여

$\int_{-1}^2 \{2f'(x)-3x^2\}dx=5,\ f(-1)=-1$

일 때, $f(2)$의 값을 구하시오.

개념 해결의 법칙 183쪽 유형 01

유형 02 정적분의 정의의 활용

개념 01 02

정적분의 식이 주어지면 정적분의 정의를 이용하여 정적분의 값을 미정계수를 포함하는 식으로 나타낸 후, 주어진 조건에 맞게 식을 세워 푼다.

0764 대표문제

함수 $f(x)=6x^2+2ax$가 $\int_0^1 f(x)dx=f(1)$을 만족시킬 때, 상수 a의 값은?

① -4 ② -2 ③ 0
④ 2 ⑤ 4

0765 상중하

$\int_0^2 (-3x^2+4kx+4)dx<16$을 만족시키는 정수 k의 최댓값을 구하시오.

0766 상중하

실수 a에 대하여 $\int_{-a}^a (3x^2+2x)dx=\frac{1}{4}$일 때, $50a$의 값은?

① -50 ② -25 ③ 25
④ 50 ⑤ 100

0767 상중하

정적분 $\int_{-1}^k (2x+7)dx$의 값이 최소가 되게 하는 상수 k의 값을 m, 그때의 정적분의 값을 n이라 할 때, $\frac{m}{n}$의 값은?

① $\frac{7}{25}$ ② $\frac{14}{25}$ ③ 1
④ $\frac{25}{14}$ ⑤ $\frac{25}{7}$

개념 해결의 법칙 184쪽 유형 02

유형 03 정적분의 계산 - 적분 구간이 같은 경우 개념 03

두 함수 $f(x), g(x)$가 닫힌구간 $[a, b]$에서 연속일 때

$\int_a^b f(x)dx \pm \int_a^b g(x)dx = \int_a^b \{f(x) \pm g(x)\}dx$ (복호동순)

⇨ 적분 구간이 같으므로 하나의 정적분 기호로 묶는다.

0768 • 대표문제 •

정적분 $\int_1^2 (3x-1)^2 dx + \int_1^2 (4x+3)dx$의 값을 구하시오.

0769 상중하 서술형

정적분 $\int_0^1 \frac{x^3}{x+1}dx - \int_1^0 \frac{1}{t+1}dt$의 값을 구하시오.

0770 상중하

함수 $f(k) = \int_1^3 (x+k)^2 dx - \int_3^1 (2x^2+1)dx$는 $k=a$일 때, 최솟값 b를 갖는다. 이때, $a+b$의 값은?

① 12 ② 14 ③ 16 ④ 18 ⑤ 20

개념 해결의 법칙 184쪽 유형 02

유형 04 정적분의 계산 - 피적분함수가 같은 경우 개념 03

함수 $f(x)$가 임의의 세 실수 a, b, c를 포함하는 닫힌구간에서 연속일 때

$\int_a^c f(x)dx + \int_c^b f(x)dx = \int_a^b f(x)dx$

0771 • 대표문제 •

정적분 $\int_{-1}^0 (3x^2-1)dx + \int_0^2 (3t^2-1)dt$의 값을 구하시오.

0772 상중하

정적분

$\int_4^6 (3x^2-2x)dx - \int_3^6 (3x^2-2x)dx + \int_2^4 (3x^2-2x)dx$의

값을 구하시오.

0773 상중하

$\int_0^3 (6x+5)dx - \int_a^3 (6x+5)dx = 22$일 때, 상수 a의 값은?

(단, $0 < a < 3$)

① $\frac{1}{2}$ ② 1 ③ $\frac{3}{2}$ ④ 2 ⑤ $\frac{5}{2}$

0774 상중하

연속함수 $f(x)$에 대하여

$$A = \int_0^1 f(x)dx, \ B = \int_0^2 f(x)dx, C = \int_1^3 f(x)dx$$

일 때, $\int_2^3 f(x)dx$를 A, B, C를 이용하여 나타내시오.

개념 해결의 법칙 193쪽 유형 01

유형 05 구간에 따라 다르게 정의된 함수의 정적분 개념 04

함수 $f(x)=\begin{cases} g(x) & (x \ge c) \\ h(x) & (x \le c) \end{cases}$가 닫힌구간 $[a, b]$에서 연속이고 $a<c<b$일 때

⇨ $\int_a^b f(x)dx=\int_a^c h(x)dx+\int_c^b g(x)dx$

0775 • 대표문제 •

함수 $f(x)=\begin{cases} -3x^2+3 & (x \ge 0) \\ 2x+3 & (x \le 0) \end{cases}$일 때, 정적분 $\int_{-1}^{1} f(x)dx$의 값을 구하시오.

0776 상중하

모든 실수 x에 대하여 연속인 함수

$$f(x)=\begin{cases} 2x+a & (x \le 0) \\ 4 & (0<x \le 1) \\ -3x^2+b & (x>1) \end{cases}$$

에 대하여 정적분 $\int_{-1}^{3} f(x)dx$의 값을 구하시오.

(단, a, b는 상수)

0777 상중하

함수 $f(x)=\begin{cases} -2x & (x \le 0) \\ -x^2 & (x \ge 0) \end{cases}$에 대하여 정적분 $\int_1^3 f(x-2)dx$의 값을 구하시오.

0778 상중하

모든 실수 x에 대하여 연속인 함수 $f(x)$가 다음 두 조건을 모두 만족시킬 때, 정적분 $\int_{-1}^{3} f(x)dx$의 값을 구하시오.

(가) $f(0)=1$

(나) $f'(x)=\begin{cases} 6x+4 & (x<0) \\ -2 & (x>0) \end{cases}$

0779 상중하

두 실수 a, b에 대하여 연산 $*$를

$$a*b=\begin{cases} a & (a \ge b) \\ b & (a<b) \end{cases}$$

로 정의할 때, 정적분 $\int_0^2 \{(2-x)*x^2\}dx$의 값을 구하시오.

0780 상중하

함수 $y=f(x)$의 그래프가 오른쪽 그림과 같을 때, 정적분 $\int_0^3 (x+2)f(x)dx$의 값은?

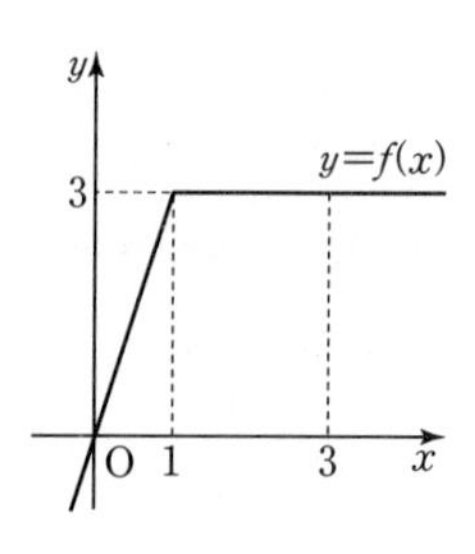

① 22 ② 25 ③ 28 ④ 31 ⑤ 34

8 정적분

개념 해결의 법칙 194쪽 유형 02

유형 06 절댓값 기호를 포함한 함수의 정적분

중요 · 개념 04

(1) 절댓값 기호 안의 식의 값을 0으로 하는 x의 값을 경계로 적분 구간을 나눈다.

(2) $\int_a^b f(x)dx=\int_a^c f(x)dx+\int_c^b f(x)dx$를 이용한다.

0781 • 대표문제 •

정적분 $\int_0^2 |3x^2-2x-1|dx$의 값을 구하시오.

0782 상중하

정적분 $\int_{-1}^3 (2|x|-2)dx$의 값은?

① 1 ② 2 ③ 3 ④ 4 ⑤ 5

0783 상중하

정적분 $\int_0^2 |x^2(x-1)|dx$의 값은?

① $\frac{3}{2}$ ② 2 ③ $\frac{5}{2}$ ④ 3 ⑤ $\frac{7}{2}$

0784 상중하

$0\le a\le 3$일 때, $f(a)=\int_0^3 |x-a|dx$의 값이 최솟값이 되도록 하는 실수 a의 값을 구하시오.

0785 상중하

$\int_0^a |2x^2-4x|dx=16$일 때, 실수 a의 값은? (단, $a>2$)

① 3 ② 4 ③ 5 ④ 6 ⑤ 7

0786 상중하

함수 $f(x)=|x-1|+|x|+|x+1|$의 최솟값 a에 대하여 정적분 $\int_1^a f(x)dx$의 값은?

① $\frac{1}{2}$ ② $\frac{3}{2}$ ③ $\frac{5}{2}$ ④ $\frac{7}{2}$ ⑤ $\frac{9}{2}$

중요

개념 해결의 법칙 195쪽 유형 03

유형 07 우함수와 기함수의 정적분 - 피적분함수가 주어진 경우

개념 04

적분 구간이 $[-a, a]$인 정적분의 계산은 함수 $f(x)$가 우함수인지, 기함수인지를 파악한 후 다음을 이용한다.

(1) $f(x)$가 우함수일 때 → 짝수 차수의 항 또는 상수항으로만 이루어진 함수

⇨ $\int_{-a}^{a} f(x)dx=2\int_{0}^{a} f(x)dx$

(2) $f(x)$가 기함수일 때 → 홀수 차수의 항으로만 이루어진 함수

⇨ $\int_{-a}^{a} f(x)dx=0$

0787 • 대표문제 •

$\int_{-a}^{3}(2x^3+x^2-2x)dx+\int_{3}^{a}(2x^3+x^2-2x)dx=\frac{16}{3}$일 때, 실수 a의 값을 구하시오.

0788 상중하

함수 $f(x)=x^3+2$에 대하여 정적분 $\int_{-1}^{1} f(x)\{f'(x)+1\}dx$의 값은?

① 2 ② 4 ③ 6
④ 8 ⑤ 10

0789 상중하

일차함수 $f(x)=ax+b$가

$$\int_{-1}^{1} xf(x)dx=6,\ \int_{-1}^{1} x^2f(x)dx=-2$$

를 만족시킬 때, $2a+b$의 값을 구하시오. (단, a, b는 상수)

0790 상중하

함수 $f(x)=1+2x+3x^2+\cdots+2019x^{2018}$에 대하여 정적분 $\int_{-1}^{1} f(x)dx$의 값을 구하시오.

개념 해결의 법칙 195쪽 유형 03

유형 08 우함수와 기함수의 정적분 - 피적분함수가 주어지지 않은 경우

개념 04

(1) $f(-x)=f(x)$일 때 → $f(x)$는 우함수

⇨ $\int_{-a}^{a} f(x)dx=2\int_{0}^{a} f(x)dx$

(2) $f(-x)=-f(x)$일 때 → $f(x)$는 기함수

⇨ $\int_{-a}^{a} f(x)dx=0$

0791 • 대표문제 •

다항함수 $f(x)$가 모든 실수 x에 대하여

$$f(-x)=f(x),\ \int_{0}^{2} f(x)dx=7$$

을 만족시킬 때, 정적분 $\int_{-2}^{2}(x^5-x^3+3)f(x)dx$의 값은?

① 14 ② 21 ③ 28
④ 42 ⑤ 56

0792 상중하 서술형

다항함수 $f(x)$가 다음 세 조건을 모두 만족시킬 때, 정적분 $\int_{-1}^{3} f(x)dx$의 값을 구하시오.

(가) 모든 실수 x에 대하여 $f(-x)=f(x)$이다.

(나) $\int_{0}^{1} f(x)dx=5$

(다) $\int_{-3}^{3} f(x)dx=20$

0793 상중하

다항함수 $f(x)$가 모든 실수 x에 대하여

$$f(-x)+f(x)=0,\ \int_{0}^{1} xf(x)dx=2$$

를 만족시킬 때, 정적분 $\int_{-1}^{1}(3x^2+5x-6)f(x)dx$의 값을 구하시오.

8 정적분

0794 상중하

다항함수 $f(x)$가 모든 실수 x에 대하여 $f(-x)=-f(x)$를 만족시키고 $\int_{-2}^{5} f(x)dx=4k-1$, $\int_{0}^{2} f(x)dx=-3$, $\int_{0}^{5} f(x)dx=k$일 때, 상수 k의 값을 구하시오.

0795 상중하

두 다항함수 $f(x)$, $g(x)$가 모든 실수 x에 대하여 $f(-x)=-f(x)$, $g(-x)=g(x)$를 만족시키고 $\int_{0}^{a} f(x)dx=4$, $\int_{0}^{a} g(x)dx=3$일 때, 정적분 $\int_{-a}^{a}\{f(x)+g(x)\}dx+\int_{-a}^{a} f(x)g(x)dx$의 값을 구하시오.

(단, a는 상수)

0796 상중하

사차함수 $f(x)$가 모든 실수 x에 대하여 $f(-x)=f(x)$를 만족시키고 $f'(-1)=0$, $f(0)=5$, $\int_{-1}^{1} f(x)dx=-4$일 때, $f(1)$의 값을 구하시오.

개념 해결의 법칙 196쪽 유형 04

발전 유형 09 주기함수의 정적분

개념 04

함수 $f(x)$의 정의역에 속하는 모든 실수 x에 대하여 $f(x+p)=f(x)$ (p는 0이 아닌 상수)일 때

(1) $\int_{a}^{b} f(x)dx=\int_{a+np}^{b+np} f(x)dx$ (단, n은 정수)

(2) $\int_{a}^{a+p} f(x)dx=\int_{b}^{b+p} f(x)dx$

(3) $\int_{a}^{a+np} f(x)dx=n\int_{0}^{p} f(x)dx$ (단, n은 정수)

0797 • 대표문제 •

연속함수 $f(x)=-x^2+1(-1\le x\le 1)$이 모든 실수 x에 대하여 $f(x)=f(x+2)$를 만족시킬 때, 정적분 $\int_{0}^{5} f(x)dx$의 값을 구하시오.

0798 상중하

연속함수 $f(x)$가 모든 실수 x에 대하여 다음 두 조건을 모두 만족시키고 $\int_{0}^{2} f(x)dx=8$일 때, 정적분 $\int_{-4}^{12} f(x)dx$의 값은?

(가) $f(-x)=f(x)$ (나) $f(x)=f(x+4)$

① 16 ② 32 ③ 48
④ 64 ⑤ 80

0799 상중하

연속함수 $f(x)$가 다음 두 조건을 모두 만족시킨다.

(가) $f(x)=|x|$ (단, $-1\le x\le 1$)
(나) 모든 실수 x에 대하여 $f(x+2)=f(x)$이다.

이때, 정적분 $\int_{-2018}^{2018} f(x)dx$의 값을 구하시오.

중요 개념 해결의 법칙 201쪽 유형 01

유형 10 적분 구간이 상수인 정적분을 포함한 등식

개념 05

두 상수 a, b에 대하여 $\int_a^b f(t)dt$를 포함한 등식은

⇨ $\int_a^b f(t)dt=k$(k는 상수)로 놓고 $f(x)$를 x, k에 대한 식으로 나타낸 다음 $\int_a^b f(t)dt=k$에 $f(t)$를 대입하여 k의 값을 구한다.

0800 • 대표문제 •

$f(x)=3x^2-2x+\int_0^2 f(t)dt$를 만족시키는 함수 $f(x)$에 대하여 $f(0)$의 값은?

① -5 ② -4 ③ -3
④ -2 ⑤ -1

0801 상중하

$f(x)=x^2+\int_0^1 (2x+1)f(t)dt$를 만족시키는 함수 $f(x)$에 대하여 정적분 $\int_0^1 f(x)dx$의 값은?

① -3 ② $-\frac{1}{3}$ ③ 0
④ $\frac{1}{3}$ ⑤ 3

0802 상중하

$f(x)=4x+\int_0^2 tf'(t)dt$를 만족시키는 함수 $f(x)$에 대하여 $f(-1)$의 값은?

① 0 ② 2 ③ 4
④ 6 ⑤ 8

0803 상중하

이차함수 $f(x)$가

$$f(x)=\frac{12}{7}x^2-2x\int_1^2 f(t)dt+\left\{\int_1^2 f(t)dt\right\}^2$$

을 만족시킬 때, 정적분 $10\int_1^2 f(x)dx$의 값을 구하시오.

0804 상중하

두 함수 $f(x), g(x)$가 $f(x)=2x+1-\int_0^1 g(t)dt$, $g(x)=4x-3+\int_0^2 f(t)dt$를 만족시킬 때, $f(1)+g(2)$의 값은?

① 6 ② 7 ③ 8
④ 9 ⑤ 10

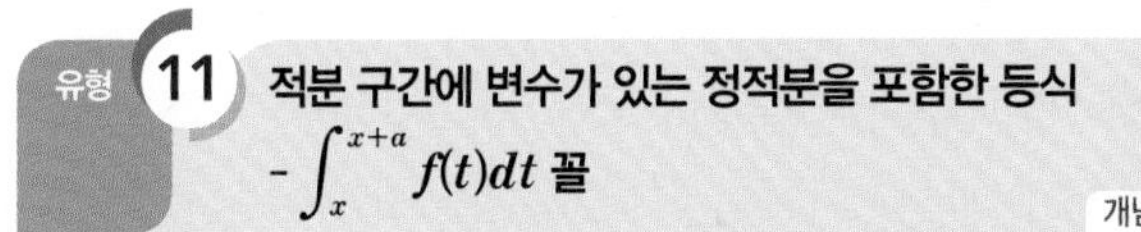

유형 11 적분 구간에 변수가 있는 정적분을 포함한 등식 - $\int_x^{x+a} f(t)dt$ 꼴

개념 05

$\int_x^{x+a} f(t)dt=g(x)$(a는 상수)의 양변을 x에 대하여 미분하면

⇨ $f(x+a)-f(x)=g'(x)$

0805 • 대표문제 •

함수 $f(x)=\int_x^{x+2}(t^2+2t)dt$에 대하여 정적분 $\int_0^3 xf'(x)dx$의 값을 구하시오.

0806 상중하

함수 $f(x)=ax^3+bx^2+cx+d$가

$$f(x)=\int_x^{x+1} t^3dt,\ f(-1)=-\frac{1}{4}$$

을 만족시킬 때, 상수 a, b, c, d에 대하여 $abcd$의 값을 구하시오.

개념 해결의 법칙 202쪽 유형 02

유형 12 적분 구간에 변수가 있는 정적분을 포함한 등식 - $\int_a^x f(t)dt$ 꼴

중요

개념 05

$\int_a^x f(t)dt=g(x)$ (a는 상수) 꼴의 등식이 주어질 때

(1) 양변에 $x=a$를 대입하면 ⇨ $\int_a^a f(t)dt=g(a)=0$

(2) 양변을 x에 대하여 미분하면 ⇨ $f(x)=g'(x)$

0807 • 대표문제 •

다항함수 $f(x)$가 모든 실수 x에 대하여

$$\int_a^x f(t)dt=x^2-x+1-a$$

를 만족시킬 때, $f(a)$의 값은? (단, a는 상수)

① 1 ② 2 ③ 3
④ 4 ⑤ 5

0808 상중하

다항함수 $f(x)$가 모든 실수 x에 대하여

$$\int_1^x f(t)dt=x^3+2ax^2-3x$$

를 만족시킬 때, $f(2)$의 값을 구하시오. (단, a는 상수)

0809 상중하

$xf(x)=x^3-3x^2+\int_2^x f(t)dt$를 만족시키는 다항함수 $f(x)$에 대하여 정적분 $\int_{-2}^2 f(x)dx$의 값을 구하시오.

0810 상중하

다항함수 $f(x)$가

$\int_0^x f(t)dt=-x^3+\frac{9}{4}x^2\int_0^2 f(t)dt-x\left\{\int_0^2 f(t)dt\right\}^2$,

$f(1)=a$를 만족시킬 때, $50a$의 값을 구하시오.

개념 해결의 법칙 202쪽 유형 02

유형 13 적분 구간과 피적분함수에 변수가 있는 정적분을 포함한 등식 - $\int_a^x (x-t)f(t)dt$ 꼴

개념 05

$\int_a^x (x-t)f(t)dt$ (a는 상수)를 포함한 등식은

⇨ $\int_a^x (x-t)f(t)dt=x\int_a^x f(t)dt-\int_a^x tf(t)dt$로 변형한 후 양변을 x에 대하여 미분한다.

0811 • 대표문제 •

$\int_1^x (x-t)f(t)dt=2x^3+x^2-8x+5$를 만족시키는 미분가능한 함수 $f(x)$에 대하여 $f(0)$의 값을 구하시오.

0812 상중하 서술형

$\int_1^x (x-t)f(t)dt=x^3+px^2+qx+1$을 만족시키는 미분가능한 함수 $f(x)$에 대하여 $p+q+f(2)$의 값을 구하시오.

(단, p, q는 상수)

0813 상중하

미분가능한 함수 $f(x)$가 $\int_0^x (x-t)f'(t)dt=\frac{1}{2}x^3$, $f(0)=\frac{3}{2}$을 만족시킬 때, $f(1)$의 값은?

① -1 ② 0 ③ 1
④ 2 ⑤ 3

개념 해결의 법칙 203쪽 유형 03

발전유형 14 정적분으로 정의된 함수의 극대·극소 및 최대·최소

개념 05

(1) $f(x)=\int_a^x g(t)dt$ (a는 상수)와 같이 정의된 함수 $f(x)$의 극값은

⇨ 양변을 x에 대하여 미분하면 $f'(x)=g(x)$임을 이용한다.

⇨ $f'(x)=0$을 만족시키는 x의 값의 좌우에서 $f'(x)$의 부호를 조사하여 증감표를 만든다.

(2) 정적분으로 정의된 함수의 최댓값, 최솟값은

⇨ $\frac{d}{dx}\int_a^x f(t)dt=f(x)$, $\frac{d}{dx}\int_x^{x+a} f(t)dt=f(x+a)-f(x)$ 임을 이용한다.

0814 대표문제

함수 $f(x)=\int_{-3}^x (t+1)(t+2)dt$의 극댓값을 M, 극솟값을 m이라 할 때, $M+m$의 값을 구하시오.

0815 상중하 서술형

함수 $f(x)=\int_0^x (t^2+pt+q)dt$가 $x=-1$에서 극댓값 $\frac{7}{6}$을 가질 때, $f(x)$의 극솟값을 구하시오. (단, p, q는 상수)

0816 상중하

함수 $f(x)=3x^2+1+6\int_0^1 xf(t)dt$일 때, $f(x)$의 최솟값은?

① -4　② -2　③ -1　④ 1　⑤ 2

0817 상중하

$0\le x\le 2$에서 함수 $f(x)=\int_{-1}^x (1-|t|)dt$의 최댓값을 구하시오.

유형 15 정적분으로 정의된 함수의 그래프

개념 05

$F(x)=\int_a^x f(t)dt$ (a는 상수)에 대하여 $y=F(x)$의 그래프가 주어질 때

(1) 그래프로부터 $F(x)$의 식을 구한다.

(2) 양변을 x에 대하여 미분하여 $F'(x)=f(x)$임을 이용한다.

0818 대표문제

일차함수 $y=f(x)$의 그래프는 점 $(1, -3)$을 지난다. $F(x)=\int_1^x f(t)dt$에 대하여 $y=F(x)$의 그래프가 오른쪽 그림과 같을 때, 함수 $F(x)$의 극솟값은?

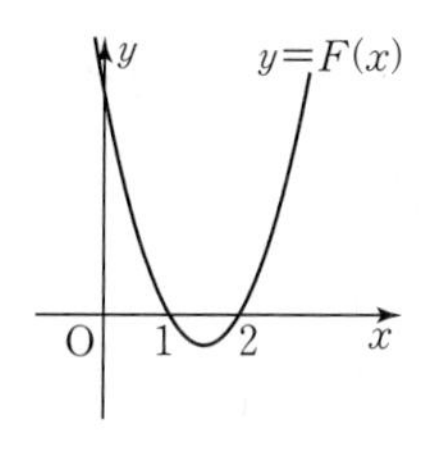

① -2　② -1　③ $-\frac{3}{4}$　④ $-\frac{1}{2}$　⑤ $-\frac{1}{4}$

0819 상중하

이차항의 계수가 1인 이차함수 $y=f(x)$의 그래프가 오른쪽 그림과 같을 때, $g(x)=\int_x^{x+2} f(t)dt$를 만족시키는 함수 $g(x)$의 최솟값을 구하시오.

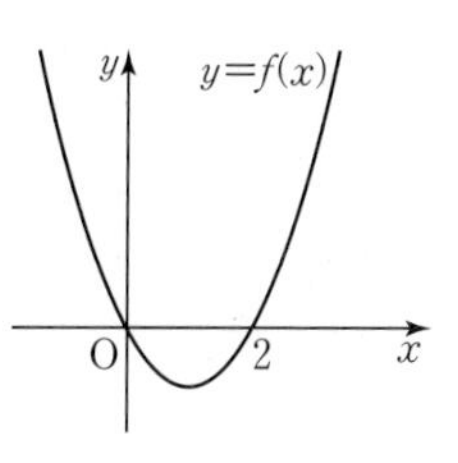

8 정적분

중요

개념 해결의 법칙 204쪽 유형 04

유형 16 정적분으로 정의된 함수의 극한

개념 05

(1) $\lim_{x \to a} \frac{1}{x-a}\int_a^x f(t)dt = f(a)$

(2) $\lim_{x \to 0} \frac{1}{x}\int_a^{x+a} f(t)dt = f(a)$

0820 • 대표문제 •

함수 $f(x)=x^3-2x^2+x+1$에 대하여 $\lim_{x \to 2} \frac{1}{x-2}\int_2^x f(t)dt$의 값은?

① 1 ② 2 ③ 3 ④ 4 ⑤ 5

0821 상중하

함수 $f(x)=x^2-3x+2$에 대하여 $\lim_{x \to 0} \frac{1}{x}\int_0^x f(t)dt$의 값은?

① 1 ② 2 ③ 3 ④ 4 ⑤ 5

0822 상중하

함수 $f(x)=(x-1)^3+2x^2-x+a$에 대하여

$$\lim_{x \to 1} \frac{1}{x-1}\int_1^x f(t)dt=5$$

일 때, 상수 a의 값은?

① 1 ② 2 ③ 3 ④ 4 ⑤ 5

0823 상중하

$\lim_{x \to 0} \frac{1}{x}\int_1^{1+4x} (3t^3-t^2+4)dt$의 값은?

① 24 ② 28 ③ 32 ④ 36 ⑤ 40

0824 상중하

$\lim_{x \to 0} \frac{1}{x}\int_{1-x}^{1+2x} (6t^2-4t+3)dt$의 값은?

① 3 ② 6 ③ 9 ④ 12 ⑤ 15

0825 상중하

함수 $f(x)=x^3+4x^2-5x+2$에 대하여 $\lim_{x \to 2} \frac{1}{x^2-4}\int_2^x f(t)dt$의 값은?

① 4 ② 8 ③ 12 ④ 16 ⑤ 20

0826 상중하

함수 $f(x)=2x^3-6x^2+3$에 대하여 $\lim_{x \to 1} \frac{1}{x-1}\int_0^{x-1} (t-2)f(t)dt$의 값은?

① -2 ② -4 ③ -6 ④ -8 ⑤ -10

• 실제 학교 시험지처럼 풀어 보세요.

0827 | 유형 01 |

삼차함수 $f(x)$가

$$f(1)=f(2)=f(3)=6, f(0)=0$$

을 만족시킬 때, 정적분 $\int_0^4 f'(x)dx$의 값은? [4점]

① 4 ② 6 ③ 8
④ 10 ⑤ 12

0828 | 유형 02 |

삼차함수 $f(x)=ax^3+bx$가

$$\int_0^2 f(x)dx=20, f(1)=6$$

을 만족시킬 때, 두 실수 a, b에 대하여 $a+2b$의 값은? [3.5점]

① 2 ② 4 ③ 6
④ 8 ⑤ 10

0829 | 유형 05 |

두 실수 x, y 중 작지 않은 수를 $\max(x, y)$라 할 때, 정적분 $\int_0^2 \{\max(x+1, x^2+1)\}dx$의 값은? [4.3점]

① $\frac{5}{6}$ ② $\frac{11}{6}$ ③ $\frac{17}{6}$
④ $\frac{23}{6}$ ⑤ $\frac{29}{6}$

0830 | 유형 06 |

$0 \le a \le 8$일 때, 함수 $f(a)=\int_0^4 |2x-a|dx$의 최솟값은? [4.1점]

① 4 ② 5 ③ 6
④ 7 ⑤ 8

0831 | 유형 07 |

함수 $f(x)=2x+3$에 대하여

$$\int_{-3}^3 \{f(x)\}^2 dx = k\left\{\int_{-1}^1 f(x)dx\right\}^3$$

일 때, 상수 k의 값은? [3.8점]

① $\frac{1}{3}$ ② $\frac{5}{12}$ ③ $\frac{1}{2}$
④ $\frac{7}{12}$ ⑤ $\frac{2}{3}$

0832 | 유형 08 |

다항함수 $f(x)$가 모든 실수 x에 대하여 $f(-x)=-f(x)$를 만족시키고 $\int_{-2}^4 f(x)dx=4$, $\int_0^2 f(x)dx=-6$일 때, 정적분 $\int_0^4 f(x)dx$의 값은? [4점]

① -4 ② -2 ③ 1
④ 2 ⑤ 4

0833 | 유형 08 + 유형 09 |

연속함수 $f(x)$가 모든 실수 x에 대하여 다음 세 조건을 모두 만족시킬 때, 정적분 $\int_{-8}^{12} f(x)dx$의 값은? [4.2점]

> (가) $f(-x)=f(x)$
> (나) $f(x+2)=f(x)$
> (다) $\int_{-1}^1 (x+4)f(x)dx=16$

① 24 ② 32 ③ 40
④ 48 ⑤ 56

0834 | 유형 10 |

$f(x)=x^2-2x+\int_0^1 tf(t)dt$를 만족시키는 함수 $f(x)$에 대하여 $f(3)$의 값은? [3.8점]

① $\frac{13}{6}$ ② $\frac{5}{2}$ ③ $\frac{17}{6}$
④ $\frac{19}{6}$ ⑤ $\frac{7}{2}$

0835 | 유형 12 |

두 다항함수 $f(x)$, $g(x)$가

$$f(x)=3x^2-x-2+\int_1^x g(t)dt$$

를 만족시킨다. 다항식 $f(x)$가 $(x-1)^2$으로 나누어떨어질 때, 다항식 $g(x)$를 $x-1$로 나누었을 때의 나머지는? [4.1점]

① -5 ② -3 ③ -1
④ 3 ⑤ 5

0836 | 유형 13 |

$\int_1^x (x-t)f(t)dt=x^3-3x+2$를 만족시키는 미분가능한 함수 $f(x)$에 대하여 $f(5)$의 값은? [4점]

① 10 ② 20 ③ 30
④ 40 ⑤ 50

0837 | 유형 14 |

삼차함수 $f(x)=2x^3-24x+a$에 대하여 함수 $F(x)=\int_0^x f(t)dt$가 극댓값을 갖도록 하는 정수 a의 최댓값은? [4.2점]

① 30 ② 31 ③ 32
④ 33 ⑤ 34

서술형 문제

• 풀이 과정에 점수가 부여되니 풀이 과정 및 정답을 상세하게 서술하세요.

단답형

0838 | 유형 12 |

다항함수 $f(x)$가 모든 실수 x에 대하여

$$f(x)+\int_0^x tf'(t)dt=3x^4+12x-2$$

를 만족시킬 때, $f(1)$의 값을 구하시오. [7점]

0839 | 유형 16 |

함수 $f(x)=3x^2+ax+b$가 다음 두 조건을 모두 만족시킨다.

(가) $\lim_{x\to 0}\frac{1}{x}\int_0^x f(t)dt=-2$

(나) $\lim_{x\to 2}\frac{1}{x^2-4}\int_2^x f(t)dt=1$

이때, 정적분 $\int_{-2}^2 \{f(x)+f(-x)\}dx$의 값을 구하시오.

(단, a, b는 상수) [7점]

단계형

0840 | 유형 04 |

이차함수 $f(x)$가

$$f(0)=-1,\ \int_{-1}^1 f(x)dx=\int_0^1 f(x)dx=\int_{-1}^0 f(x)dx$$

를 만족시킬 때, 다음 물음에 답하시오. [12점]

(1) 정적분 $\int_{-1}^1 f(x)dx$의 값을 구하시오. [5점]

(2) $f(2)$의 값을 구하시오. [7점]

성/취/도 Check

• 이 단원은 70점 만점입니다.

점수 / 70점

30점 STEP 1 개념+기본 문제 학습

40점 STEP 2 유형 대표 문제 학습

50점 STEP 3의 틀린 문제에 해당하는 STEP 2 유형 학습

60점 STEP 3의 틀린 문제 복습

65점 교과서 속 심화문제 시작

» 정답과 해설 126쪽

0841

다항함수 $f(x)$에 대하여 보기에서 옳은 것만을 있는 대로 고른 것은?

보기

ㄱ. $\int_0^2 f(x)dx=2\int_0^1 f(x)dx$

ㄴ. $\int_0^2 f(x)dx=\int_0^4 f(x)dx+\int_4^2 f(x)dx$

ㄷ. $\int_0^2 \{f(x)\}^2 dx=\left\{\int_0^2 f(x)dx\right\}^2$

① ㄴ ② ㄷ ③ ㄱ, ㄴ
④ ㄱ, ㄷ ⑤ ㄴ, ㄷ

0842

$0\le x\le 2$에서 정의된 함수 $y=f(x)$의 그래프가 오른쪽 그림과 같을 때, 정적분 $\int_0^2 (f\circ f)(x)dx$의 값은?

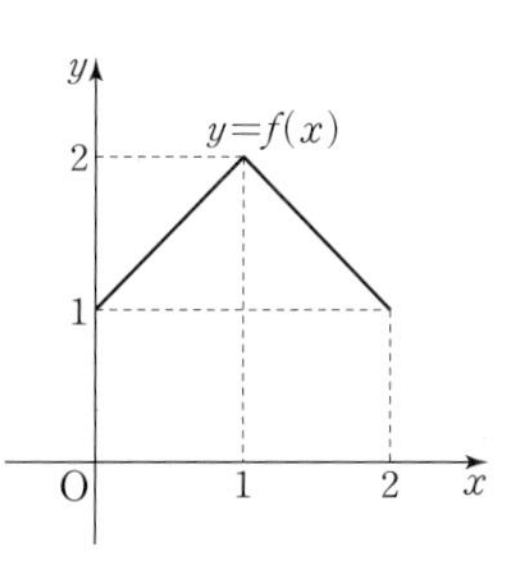

① 1 ② 2
③ 3 ④ 4
⑤ 5

0843

함수 $f(x)=\begin{cases} -2x+1 & (x\le 0) \\ 3x^2+1 & (x\ge 0) \end{cases}$ 일 때, 함수 $g(x)=\int_{-1}^x f(t)dt$에 대하여 보기에서 옳은 것만을 있는 대로 고른 것은?

보기

ㄱ. $g(0)=2$

ㄴ. 함수 $g(x)$는 증가함수이다.

ㄷ. 방정식 $g(x)=4$를 만족시키는 실수 x의 값은 1뿐이다.

① ㄱ ② ㄴ ③ ㄱ, ㄷ
④ ㄴ, ㄷ ⑤ ㄱ, ㄴ, ㄷ

0844

다항함수 $f(x)$가 모든 실수 x에 대하여

$$f(f(x))=\int_0^x f(t)dt-x^2+3x+3$$

을 만족시킬 때, $f(1)$의 값은?

① 3 ② 4 ③ 5
④ 6 ⑤ 7

0845 융합형

삼차함수 $f(x)=x^3-12x-8\,(-2\le x\le 2)$에 대하여 $-2\le x\le t$에서 $|f(x)|$의 최댓값을 $g(t)$라 할 때, 정적분 $\int_{-2}^2 g(t)dt$의 값은?

① -52 ② -26 ③ 0
④ 26 ⑤ 52

9

정적분의 활용

호랑이를 왜 만들었냐고 하느님께 투정하지 말고
호랑이에게 날개를 달아주지 않은 것에 감사하라.
-인도 속담

기출 문제 분석

빅 데이터

* 전국 300여 개 고등학교 기출 문제를 분석하였습니다.

기출 문제 분포

13% 곡선과 x축 사이의 넓이

- 유형01 곡선과 x축 사이의 넓이 (1)
- 유형02 곡선과 x축 사이의 넓이 (2)

46% 두 곡선 사이의 넓이

- 유형03 곡선과 직선 사이의 넓이
- 유형04 두 곡선 사이의 넓이
- 유형05 곡선과 접선으로 둘러싸인 도형의 넓이
- 유형06 넓이의 활용 – 두 도형의 넓이가 같을 때
- 유형07 넓이의 활용 – 넓이를 이등분할 때
- 유형08 넓이의 활용 – 넓이가 최소일 때
- 유형09 함수와 그 역함수의 정적분
- 유형10 함수와 그 역함수의 그래프로 둘러싸인 도형의 넓이

41% 속도와 거리

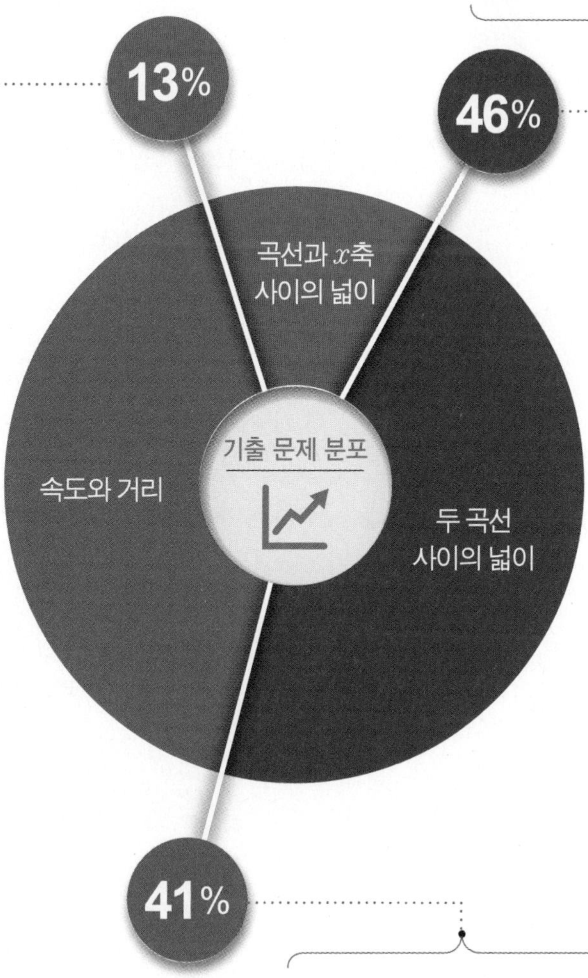

- 유형11 물체의 위치와 위치의 변화량
- 유형12 물체가 움직인 거리
- 유형13 그래프에서의 위치와 움직인 거리

STEP 1 개념 마스터

01 곡선과 x축 사이의 넓이

유형 01, 02, 06, 08

함수 $f(x)$가 닫힌구간 $[a, b]$에서 연속일 때, 곡선 $y=f(x)$와 x축 및 두 직선 $x=a$, $x=b$로 둘러싸인 도형의 넓이 S는

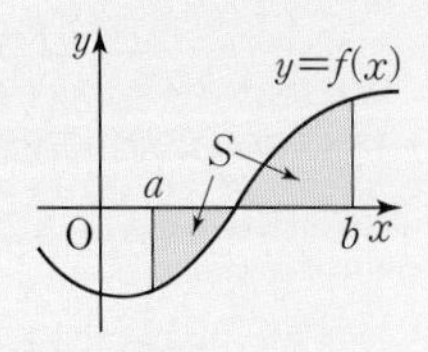

$$S=\int_a^b |f(x)|dx$$

참고 위의 그림과 같이 닫힌구간 $[a, b]$에서 $f(x)$의 값이 양수인 경우와 음수인 경우가 모두 나타나면

(i) 곡선 $y=f(x)$와 x축의 교점의 x좌표를 구한다.

(ii) (i)에서 구한 값을 기준으로 $f(x)$의 값이 양수인 구간과 음수인 구간을 나누어 적분한다.

예 곡선 $y=x^2+x$와 x축으로 둘러싸인 도형의 넓이 S는

$S=-\int_{-1}^{0}(x^2+x)dx$

$=-\left[\frac{1}{3}x^3+\frac{1}{2}x^2\right]_{-1}^{0}=\frac{1}{6}$

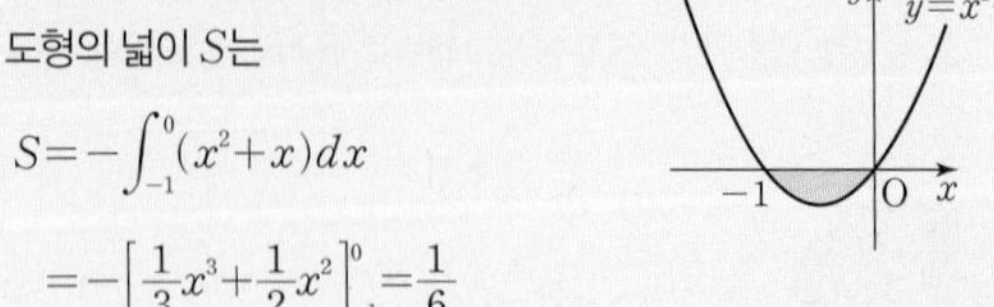

참고 포물선 $y=a(x-\alpha)(x-\beta)(a\neq0)$와 x축으로 둘러싸인 도형의 넓이 S는

$S=\frac{|a|}{6}(\beta-\alpha)^3$ (단, $\alpha<\beta$)

[0846~0848] 다음 곡선과 두 직선 및 x축으로 둘러싸인 도형의 넓이를 구하시오.

0846 $y=x^2-4x+3$, $x=2$, $x=3$

0847 $y=x^2+2x$, $x=-1$, $x=1$

0848 $y=x^3-6x$, $x=1$, $x=2$

[0849~0851] 다음 곡선과 x축으로 둘러싸인 도형의 넓이를 구하시오.

0849 $y=x^2-3x$

0850 $y=x^3-x$

0851 $y=x^3-3x+2$

02 두 곡선 사이의 넓이

유형 03~10

두 함수 $f(x)$, $g(x)$가 닫힌구간 $[a, b]$에서 연속일 때, 두 곡선 $y=f(x)$, $y=g(x)$ 및 두 직선 $x=a$, $x=b$로 둘러싸인 도형의 넓이 S는

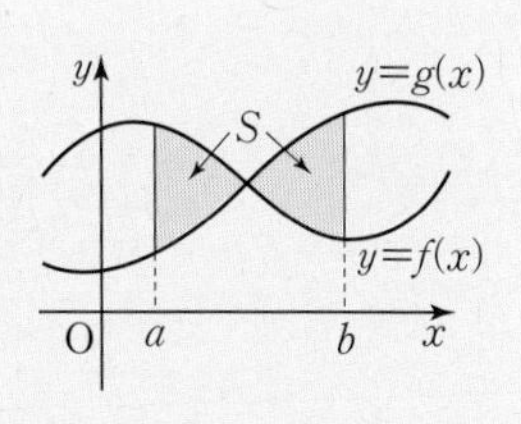

$$S=\int_a^b |f(x)-g(x)|dx$$

└ $\int$ {(위쪽 그래프의 식)−(아래쪽 그래프의 식)} dx

참고 위의 그림과 같이 닫힌구간 $[a, b]$에서 $f(x)$와 $g(x)$의 값의 대소가 바뀌면

(i) 두 곡선 $y=f(x)$, $y=g(x)$의 교점의 x좌표를 구한다.

(ii) (i)에서 구한 값을 기준으로 $f(x)-g(x)$의 값이 양수인 구간과 음수인 구간을 나누어 적분한다.

예 두 곡선 $y=x^2$과 $y=-x^2+2$로 둘러싸인 도형의 넓이 S는

$S=\int_{-1}^{1}\{(-x^2+2)-x^2\}dx$

$=\int_{-1}^{1}(-2x^2+2)dx$

$=2\int_{0}^{1}(-2x^2+2)dx$

$=2\left[-\frac{2}{3}x^3+2x\right]_{0}^{1}=2\cdot\frac{4}{3}=\frac{8}{3}$

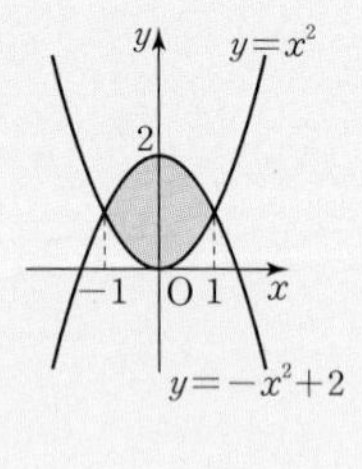

핵심 Check

• 곡선과 x축 사이의 넓이

⇨ $S=\int_a^b |f(x)|dx$

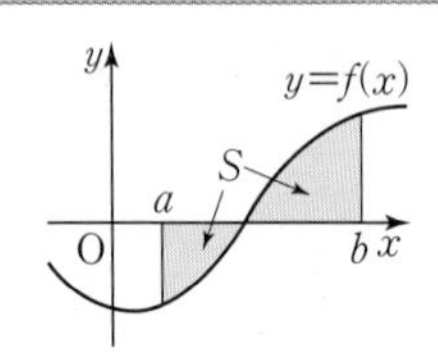

• 두 곡선 사이의 넓이

⇨ $S=\int_a^b |f(x)-g(x)|dx$

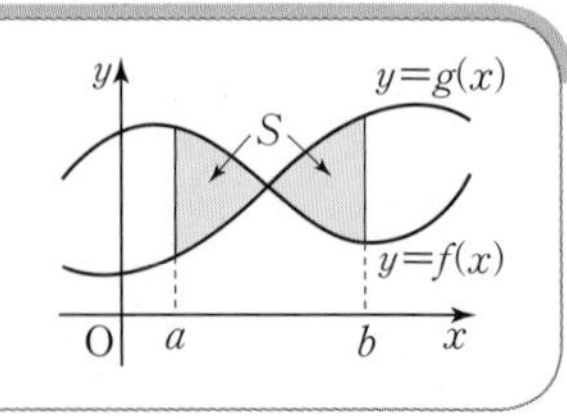

[0852~0855] 다음 곡선과 직선으로 둘러싸인 도형의 넓이를 구하시오.

0852 $y=-x^2+2,\ y=x$

0853 $y=x^2-1,\ y=x+1$

0854 $y=x^2-3x+2,\ y=x-1$

0855 $y=x^3,\ y=x$

[0856~0859] 다음 두 곡선으로 둘러싸인 도형의 넓이를 구하시오.

0856 $y=-x^2+1,\ y=x^2-1$

0857 $y=x^2+1,\ y=2x^2-x+1$

0858 $y=2x^2-4x,\ y=x^2-2x+3$

0859 $y=x^3+2x^2-2,\ y=-x^2+2$

03 속도와 거리

유형 11~13

수직선 위를 움직이는 점 P의 시각 t에서의 속도가 $v(t)$이고, 시각 $t=a$에서의 위치가 x_0일 때

(1) 시각 t에서 점 P의 위치 x는

$$x=x_0+\int_a^t v(t)dt$$

출발 위치 / 위치의 변화량

(2) 시각 $t=a$에서 $t=b$까지 점 P의 위치의 변화량은

$$\int_a^b v(t)dt$$

(3) 시각 $t=a$에서 $t=b$까지 점 P가 움직인 거리 s는

$$s=\int_a^b |v(t)|dt$$

참고
- 위치의 변화량은 0 또는 음수일 수 있지만 움직인 거리는 항상 양수이다.
- 속도 $v(t)$의 그래프가 주어질 때 움직인 거리는 속도 $v(t)$의 그래프와 t축으로 둘러싸인 도형의 넓이와 같다.

0860 원점을 출발하여 수직선 위를 움직이는 점 P의 시각 t에서의 속도가 $v(t)=4-t$일 때, 다음을 구하시오.

(1) 시각 $t=3$에서 점 P의 위치

(2) 시각 $t=0$에서 $t=5$까지 점 P의 위치의 변화량

(3) 시각 $t=0$에서 $t=5$까지 점 P가 움직인 거리

0861 좌표가 4인 점에서 출발하여 수직선 위를 움직이는 점 P의 시각 t에서의 속도가 $v(t)=-2t+4$일 때, 다음을 구하시오.

(1) 시각 $t=2$에서 점 P의 위치

(2) 시각 $t=0$에서 $t=4$까지 점 P의 위치의 변화량

(3) 시각 $t=0$에서 $t=4$까지 점 P가 움직인 거리

- 위치의 변화량 ⇨ $\int_a^b v(t)dt$
- 움직인 거리 ⇨ $\int_a^b |v(t)|dt$

STEP 2 유형 마스터

개념 해결의 법칙 215쪽 유형 01

유형 01 곡선과 x축 사이의 넓이 (1)

개념 01

함수 $f(x)$가 닫힌구간 $[a, b]$에서 연속일 때, 곡선 $y=f(x)$와 x축 및 두 직선 $x=a$, $x=b$로 둘러싸인 도형의 넓이 S는

(1) 닫힌구간 $[a, b]$에서 $f(x) \geq 0$이면 $S=\int_a^b f(x)dx$

(2) 닫힌구간 $[a, b]$에서 $f(x) \leq 0$이면 $S=-\int_a^b f(x)dx$

0862 • 대표문제 •

곡선 $y=2x^2-ax$와 x축으로 둘러싸인 도형의 넓이가 $\frac{9}{8}$일 때, 상수 a의 값을 구하시오. (단, $a>0$)

0863 상중하

곡선 $y=|x^2-4|$와 x축으로 둘러싸인 도형의 넓이는?

① $\frac{28}{3}$　② 10　③ $\frac{32}{3}$　④ $\frac{34}{3}$　⑤ 12

0864 상중하

함수 $f(x)$가 등식 $\int_2^x f(t)dt=x^3-kx^2$을 만족시킬 때, $y=f(x)$의 그래프와 x축으로 둘러싸인 도형의 넓이가 $\frac{a}{b}$이다. 서로소인 두 자연수 a, b에 대하여 $a-b$의 값을 구하시오.

(단, k는 상수)

개념 해결의 법칙 215쪽 유형 01

유형 02 곡선과 x축 사이의 넓이 (2)

개념 01

오른쪽 그림과 같이 곡선 $y=f(x)$와 x축으로 둘러싸인 도형의 넓이는

⇨ $\int_a^c f(x)dx-\int_c^b f(x)dx$

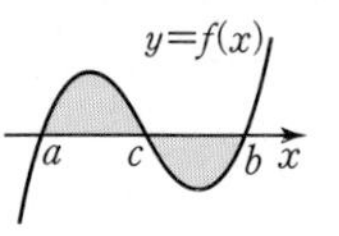

0865 • 대표문제 •

곡선 $y=x^2-5x+4$와 x축 및 두 직선 $x=0$, $x=2$로 둘러싸인 도형의 넓이는?

① 2　② $\frac{7}{3}$　③ $\frac{8}{3}$　④ 3　⑤ $\frac{10}{3}$

0866 상중하

곡선 $y=x^3+x^2-2x$와 x축으로 둘러싸인 도형의 넓이는?

① $\frac{35}{12}$　② $\frac{37}{12}$　③ $\frac{13}{4}$　④ $\frac{41}{12}$　⑤ $\frac{43}{12}$

0867 상중하

함수 $f(x)$의 도함수 $y=f'(x)$의 그래프가 오른쪽 그림과 같을 때, 이 곡선과 x축으로 둘러싸인 두 도형 A, B의 넓이가 각각 9, 5이고 $f(-3)=3$이다. 이때, $f(3)$의 값은?

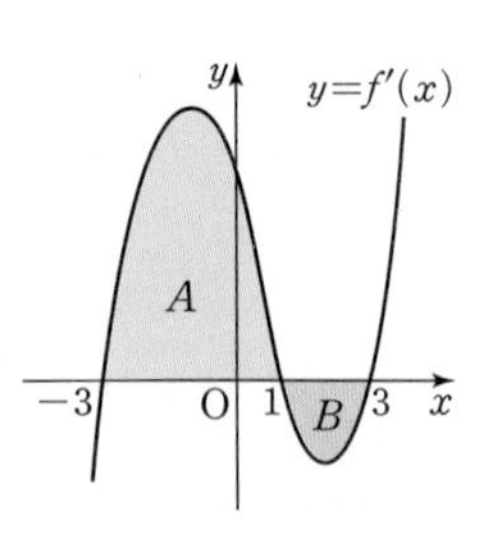

① 1　② 3　③ 5　④ 7　⑤ 9

개념 해결의 법칙 216쪽 유형 02

유형 03 곡선과 직선 사이의 넓이

개념 02

오른쪽 그림과 같이 곡선 $y=f(x)$와 직선 $y=g(x)$로 둘러싸인 도형의 넓이는

⇨ $\int_a^c \{f(x)-g(x)\}dx + \int_c^b \{g(x)-f(x)\}dx$

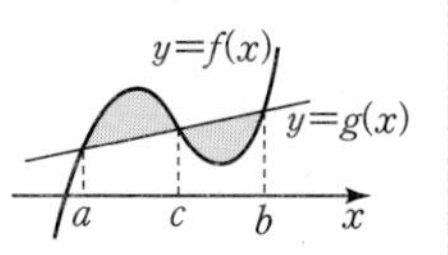

0868 대표문제

곡선 $y=x^2-x+2$와 직선 $y=2$로 둘러싸인 도형의 넓이는?

① $\frac{1}{9}$ ② $\frac{1}{6}$ ③ $\frac{2}{9}$
④ $\frac{5}{18}$ ⑤ $\frac{1}{3}$

0869 상중하

곡선 $y=x^3-4x^2+4x$와 직선 $y=x$로 둘러싸인 도형의 넓이를 구하시오.

0870 상중하

오른쪽 그림과 같이 곡선 $y=x^2-2x$와 같은 모양의 해안선과 직선 $y=kx$와 같은 모양으로 놓여 있는 부표로 둘러싸인 부분이 안전 지역이다. 안전 지역의 넓이가 $\frac{125}{6}$일 때, 양수 k의 값을 구하시오.

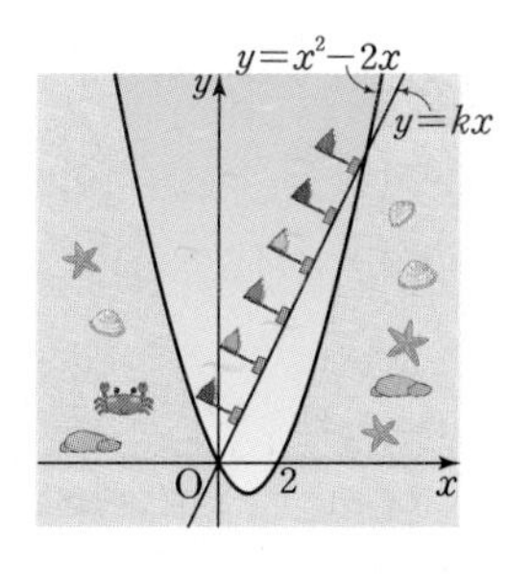

중요

개념 해결의 법칙 217쪽 유형 03

유형 04 두 곡선 사이의 넓이

개념 02

오른쪽 그림과 같이 두 곡선 $y=f(x)$, $y=g(x)$로 둘러싸인 도형의 넓이는

⇨ $\int_a^c \{f(x)-g(x)\}dx + \int_c^b \{g(x)-f(x)\}dx$

0871 대표문제

두 곡선 $y=-x^2+2x$, $y=x^2-4$로 둘러싸인 도형의 넓이를 구하시오.

0872 상중하

두 곡선 $y=x^2-2x+3$, $y=-2x^2+10x-6$으로 둘러싸인 도형의 넓이는?

① 2 ② 4 ③ 6
④ 8 ⑤ 10

0873 상중하

두 곡선 $y=x^3-2x^2$, $y=-x^2+2x$로 둘러싸인 도형의 넓이는?

① $\frac{11}{4}$ ② $\frac{17}{6}$ ③ $\frac{35}{12}$
④ $\frac{37}{12}$ ⑤ $\frac{19}{6}$

0874 상중하 서술형

곡선 $y=-x^2$을 x축에 대하여 대칭이동한 후 x축의 방향으로 2만큼, y축의 방향으로 -4만큼 평행이동한 곡선을 $y=f(x)$라 하자. 두 곡선 $y=-x^2$, $y=f(x)$로 둘러싸인 도형의 넓이를 구하시오.

0875 상중하

두 곡선 $y=x^3-x$, $y=x^2+ax+b$가 $x=1$에서 접할 때, 이 두 곡선으로 둘러싸인 도형의 넓이는? (단, a, b는 상수)

① $\frac{4}{3}$ ② $\frac{5}{3}$ ③ 2
④ $\frac{7}{3}$ ⑤ $\frac{8}{3}$

0876 상중하

실수 k에 대하여 두 곡선 $y=x^2-2$, $y=-x^2+\frac{2}{k^2}$로 둘러싸인 도형의 넓이를 S_k라 할 때, $\lim_{k\to\infty}S_k$의 값은?

① $\frac{5}{3}$ ② $\frac{7}{3}$ ③ $\frac{8}{3}$
④ $\frac{10}{3}$ ⑤ $\frac{11}{3}$

개념 해결의 법칙 218쪽 유형 04

유형 05 곡선과 접선으로 둘러싸인 도형의 넓이

개념 02

(i) 곡선 $y=f(x)$ 위의 점 $(a, f(a))$에서의 접선의 방정식을 구한다.
⇨ $y-f(a)=f'(a)(x-a)$
(ii) 곡선과 접선의 교점의 x좌표를 구하여 도형의 넓이를 구한다.

0877 • 대표문제 •

곡선 $y=x^2$ 위의 점 $(1, 1)$에서의 접선과 y축 및 이 곡선으로 둘러싸인 도형의 넓이를 구하시오.

0878 상중하

곡선 $y=x^3-3x^2+x+2$ 위의 점 $(0, 2)$에서 이 곡선에 접하는 직선을 그을 때, 이 직선과 곡선으로 둘러싸인 도형의 넓이는?

① $\frac{23}{4}$ ② $\frac{25}{4}$ ③ $\frac{27}{4}$
④ $\frac{29}{4}$ ⑤ $\frac{31}{4}$

0879 상중하

곡선 $y=x^2-3x+4$와 이 곡선 밖의 점 $(2, 1)$에서 이 곡선에 그은 두 접선으로 둘러싸인 도형의 넓이는?

① $\frac{1}{3}$ ② $\frac{2}{3}$ ③ 1
④ $\frac{4}{3}$ ⑤ $\frac{5}{3}$

개념 해결의 법칙 219쪽 유형 05

유형 06 넓이의 활용 - 두 도형의 넓이가 같을 때

개념 01, 02

오른쪽 그림과 같이 곡선 $y=f(x)$와 x축으로 둘러싸인 두 도형의 넓이가 같으면

$\Rightarrow \int_{a}^{b} f(x)dx=-\int_{b}^{c} f(x)dx$

$\Rightarrow \int_{a}^{c} f(x)dx=0$

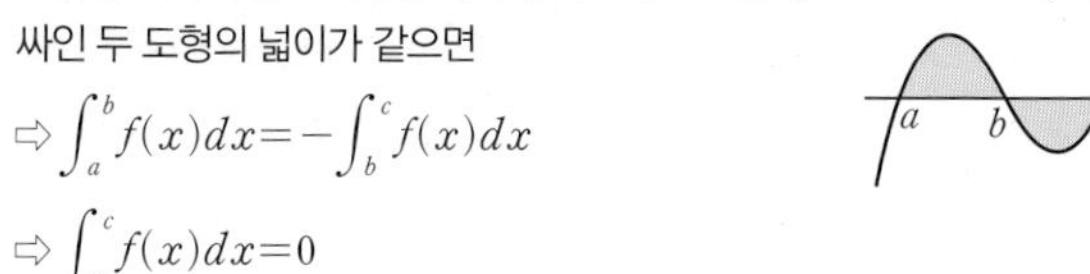

0880 • 대표문제 •

곡선 $y=x(x-3)(x-k)$와 x축으로 둘러싸인 두 도형의 넓이가 같을 때, 상수 k의 값은? (단, $k>3$)

① 4 ② 5 ③ 6 ④ 7 ⑤ 8

0881 상중하

곡선 $y=-x^2+2x$와 x축으로 둘러싸인 도형의 넓이와 곡선과 x축 및 직선 $x=k$로 둘러싸인 도형의 넓이가 같을 때, 상수 k의 값은? (단, $k>2$)

① 3 ② 4 ③ 5 ④ 6 ⑤ 7

0882 상중하

곡선 $y=x^3-(a+1)x^2+ax$와 x축으로 둘러싸인 두 도형의 넓이가 같을 때, 상수 a의 값은? (단, $0<a<1$)

① $\frac{1}{6}$ ② $\frac{1}{3}$ ③ $\frac{1}{2}$ ④ $\frac{2}{3}$ ⑤ $\frac{3}{4}$

유형 06 Plus 넓이의 비가 주어질 때

0883~0885 곡선 $y=f(x)$에 대하여 닫힌구간 $[a, b]$에서 곡선과 x축 사이의 넓이를 S_1, 닫힌구간 $[b, c]$에서 곡선과 x축 사이의 넓이를 S_2라 하면

$S_1 : S_2=\int_{a}^{b}|f(x)|dx : \int_{b}^{c}|f(x)|dx$

0883 상중하

오른쪽 그림과 같이 곡선 $y=3x^2-6x+a$와 x축 및 y축으로 둘러싸인 도형의 넓이를 A, 이 곡선과 x축으로 둘러싸인 도형의 넓이를 B라 할 때, $A : B=1 : 2$이다. 이때, 상수 a의 값을 구하시오.

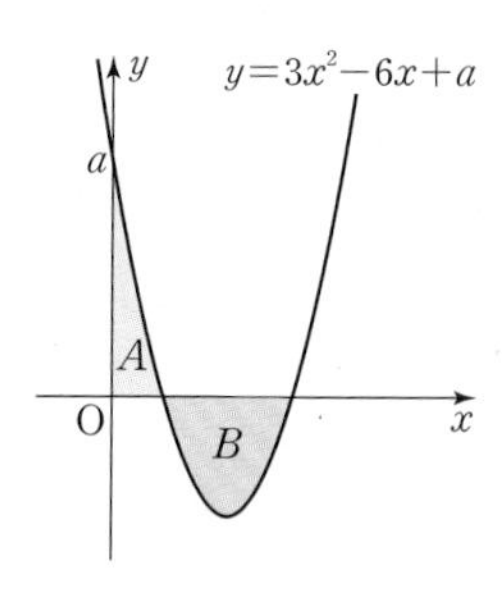

0884 상중하

오른쪽 그림과 같이 두 점 A(4, 0), B(0, 4)를 지나는 직선과 곡선 $y=ax^2$ 및 y축으로 둘러싸인 도형 중에서 제1사분면에 있는 도형의 넓이를 S_1이라 하자. 또, 직선 AB와 곡선 $y=ax^2$ 및 x축으로 둘러싸인 도형의 넓이를 S_2라 하자.

$S_1 : S_2=5 : 11$일 때, 상수 a의 값을 구하시오. (단, $a>0$)

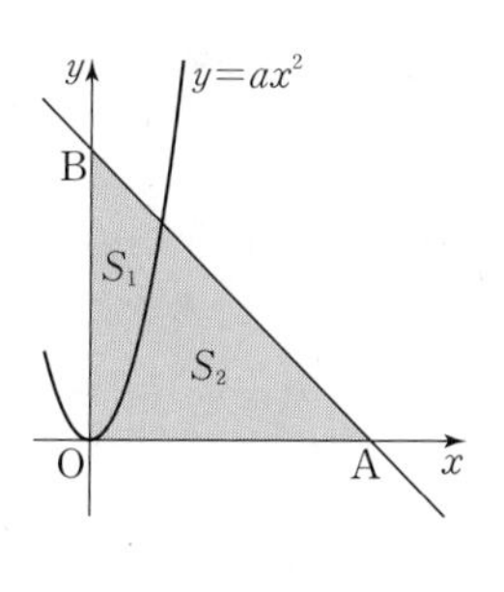

0885 상중하

두 삼차함수 $f(x)$, $g(x)$의 최고차항의 계수는 각각 1, 4이고, 다음 그림과 같이 두 곡선 $y=f(x)$, $y=g(x)$는 각각 x축, 직선 $y=h(x)$와 $x=0$, $x=\alpha$, $x=\beta\,(0<\alpha<\beta)$에서 만난다.

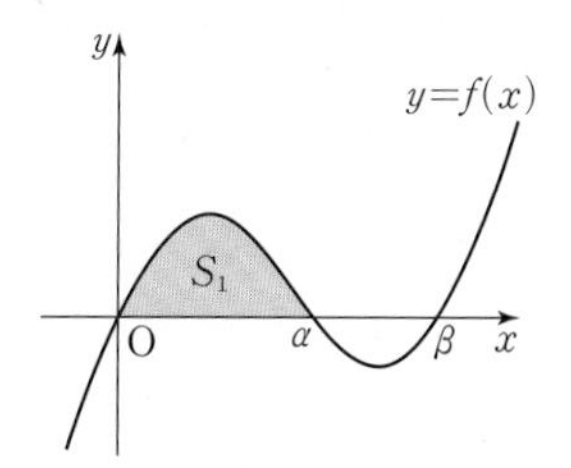

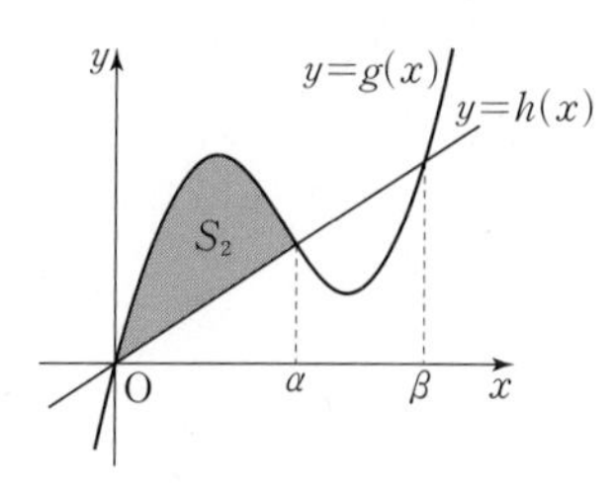

색칠한 도형의 넓이를 각각 S_1, S_2라 할 때, $S_1+S_2=120$이다. 이때, S_2-3S_1의 값을 구하시오.

개념 해결의 법칙 220쪽 유형 06

유형 07 넓이의 활용 - 넓이를 이등분할 때 개념 02

오른쪽 그림과 같이 곡선 $y=f(x)$와 x축으로 둘러싸인 도형의 넓이 S를 곡선 $y=g(x)$가 이등분하면

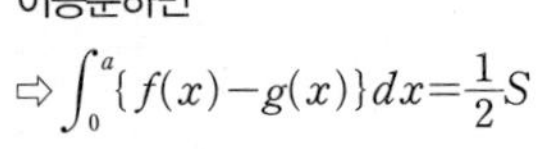

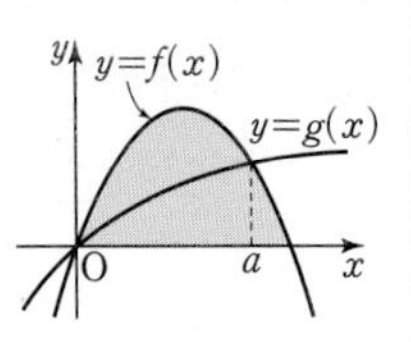

0886 • 대표문제 •

곡선 $y=-x^2+4x$와 x축으로 둘러싸인 도형의 넓이를 직선 $y=ax$가 이등분할 때, $(4-a)^3$의 값은? (단, a는 상수)

① 2 ② 4 ③ 8
④ 16 ⑤ 32

0887 상중하 서술형

곡선 $y=x^2-2x$와 직선 $y=ax$로 둘러싸인 도형의 넓이가 x축에 의하여 이등분될 때, $(a+2)^3$의 값을 구하시오. (단, $a>0$)

0888 상중하

곡선 $y=6x^2(x\geq 0)$과 x축 및 직선 $x=3$으로 둘러싸인 도형의 넓이를 곡선 $y=ax^2(x\geq 0)$이 이등분할 때, 상수 a의 값은? (단, $a>0$)

① 1 ② 2 ③ 3
④ 4 ⑤ 5

유형 08 넓이의 활용 - 넓이가 최소일 때 개념 01, 02

(i) 정적분을 이용하여 도형의 넓이를 식으로 나타낸다.
(ii) 이차방정식의 근과 계수의 관계, 증감표 등을 이용하여 넓이의 최솟값을 구한다.

0889 • 대표문제 •

곡선 $y=x^2-2x-3$과 직선 $y=mx$로 둘러싸인 도형의 넓이의 최솟값을 구하시오. (단, m은 상수)

0890 상중하

곡선 $y=x(x-2)(x-a)$와 x축으로 둘러싸인 도형의 넓이를 최소로 하는 상수 a의 값을 구하시오. (단, $0<a<2$)

0891 상중하 서술형

곡선 $y=-x^2+4$ 위의 한 점 $(t, -t^2+4)$에서의 접선과 이 곡선 및 y축, 직선 $x=2$로 둘러싸인 도형의 넓이의 최솟값을 구하시오. (단, $0<t<2$)

0892 상중하

점 $A(2, 1)$을 지나는 직선 l과 곡선 $y=x^2-2x$로 둘러싸인 도형의 넓이의 최솟값을 a, 그때의 직선의 기울기를 b라 하자. 이때, $a+b$의 값은? (단, 직선 l은 y축과 평행하지 않다.)

① $\frac{7}{3}$ ② $\frac{8}{3}$ ③ 3
④ $\frac{10}{3}$ ⑤ $\frac{11}{3}$

발전 유형 09 함수와 그 역함수의 정적분

개념 02

함수 $y=f(x)$의 그래프와 그 역함수 $y=f^{-1}(x)$의 그래프는 직선 $y=x$에 대하여 대칭이다.

⇨ 대칭이동하였을 때 넓이가 같은 도형을 찾는다.

0893 • 대표문제 •

함수 $f(x)=2x^3+x$의 역함수를 $g(x)$라 할 때, $\int_0^1 f(x)dx+\int_0^3 g(x)dx$의 값은?

① 1　② 2　③ 3　④ 4　⑤ 5

0894 상중하

함수 $f(x)=x^2+1\ (x\geq 0)$의 역함수를 $g(x)$라 할 때, $\int_0^1 f(x)dx+\int_1^2 g(x)dx$의 값을 구하시오.

0895 상중하

함수 $f(x)=x^3-3x^2+4x$의 역함수를 $g(x)$라 할 때, $\int_1^2 f(x)dx+\int_2^4 g(x)dx$의 값은?

① 4　② 6　③ 8　④ 10　⑤ 12

발전 유형 10 함수와 그 역함수의 그래프로 둘러싸인 도형의 넓이

개념 02

함수 $y=f(x)$의 그래프와 그 역함수 $y=f^{-1}(x)$의 그래프로 둘러싸인 도형의 넓이는 함수 $y=f(x)$의 그래프와 직선 $y=x$로 둘러싸인 도형의 넓이의 2배이다.

0896 • 대표문제 •

두 함수 $y=x^3-x^2+x$, $x=y^3-y^2+y$의 그래프로 둘러싸인 도형의 넓이는?

① $\frac{1}{2}$　② $\frac{1}{3}$　③ $\frac{1}{4}$　④ $\frac{1}{5}$　⑤ $\frac{1}{6}$

0897 상중하

오른쪽 그림과 같이 함수 $y=f(x)$ $(x\geq 0)$의 그래프와 그 역함수 $y=g(x)$의 그래프가 두 점 $(0, 0)$, $(4, 4)$에서 만난다.

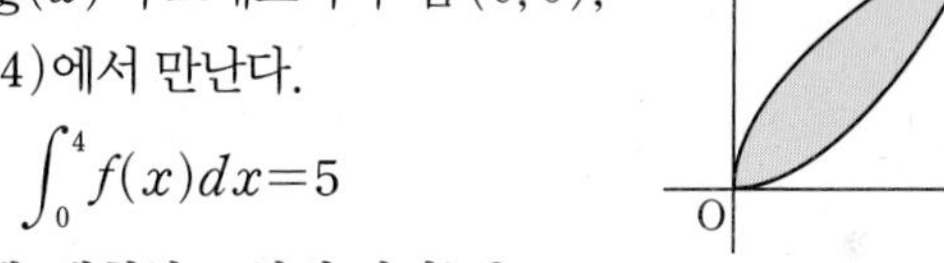

$$\int_0^4 f(x)dx=5$$

일 때, 색칠한 도형의 넓이는?

① 4　② 5　③ 6　④ 7　⑤ 8

0898 상중하

함수 $f(x)=\sqrt{ax}$의 그래프와 그 역함수 $y=f^{-1}(x)$의 그래프로 둘러싸인 도형의 넓이가 $\frac{16}{3}$일 때, 양수 a의 값을 구하시오.

9 정적분의 활용

개념 해결의 법칙 224쪽 유형 01

중요

유형 11 물체의 위치와 위치의 변화량 개념 03

수직선 위를 움직이는 점 P의 시각 t에서의 속도가 $v(t)$이고 시각 $t=a$에서의 위치가 x_0일 때

(1) 시각 t에서 점 P의 위치 x는 ⇨ $x=x_0+\int_a^t v(t)dt$

(2) 시각 $t=a$에서 $t=b$까지 점 P의 위치의 변화량은 ⇨ $\int_a^b v(t)dt$

0899 • 대표문제 •

원점을 출발하여 수직선 위를 움직이는 점 P의 t초 후의 속도가 $v(t)=t^2+2t-15$일 때, 점 P의 운동 방향이 바뀌는 시각에서의 점 P의 위치를 구하시오.

0900 상중하

원점을 출발하여 수직선 위를 움직이는 점 P의 시각 t에서의 속도가 $v(t)=3t^2-6t+5$일 때, $t=3$에서의 점 P의 위치는?

① 11 ② 12 ③ 13
④ 14 ⑤ 15

0901 상중하

지상 100 m의 높이에서 위로 띄워 올린 열기구의 출발 후 t분 후의 속도 $v(t)$ (m/min)를

$$v(t)=\begin{cases} t & (0\le t\le 20) \\ 60-2t & (20\le t\le 40) \end{cases}$$

라 하자. 열기구가 출발한 지 35분 후 지면으로부터 열기구의 높이는? (단, 열기구는 수직 방향으로만 움직인다.)

① 375 m ② 380 m ③ 385 m
④ 390 m ⑤ 395 m

0902 상중하

원점을 출발하여 수직선 위를 움직이는 점 P의 t초 후의 속도가 $v(t)=-3t^2-2t+12$일 때, 점 P가 원점으로 다시 돌아오는 것은 몇 초 후인가?

① 1초 후 ② 2초 후 ③ 3초 후
④ 4초 후 ⑤ 5초 후

0903 상중하

50 m 높이의 건물 옥상에서 공을 지면과 수직이 되도록 위로 던질 때, 공을 던진 지 t초 후의 공의 속도는

$v(t)=25-10t$ (m/s)

라 한다. 지면으로부터 공의 최고 높이는?

① 70 m ② $\frac{315}{4}$ m ③ 80 m
④ $\frac{325}{4}$ m ⑤ 90 m

0904 상중하 서술형

원점을 동시에 출발하여 수직선 위를 움직이는 두 점 A, B가 있다. 출발한 지 t초 후의 두 점 A, B의 속도 $v_A(t)$, $v_B(t)$가 각각

$v_A(t)=-2t+4$, $v_B(t)=2t-4$

일 때, 원점을 출발한 후 다시 만날 때까지의 기간 중 두 점 A, B 사이의 거리의 최댓값을 구하시오.

중요

개념 해결의 법칙 225쪽 유형 02

유형 12 물체가 움직인 거리

개념 03

수직선 위를 움직이는 점 P의 시각 t에서의 속도가 $v(t)$일 때, 시각 $t=a$에서 $t=b$까지 점 P가 움직인 거리 s는 ⇨ $s=\int_a^b |v(t)|dt$

0905 • 대표문제 •

직선으로 된 철로에서 매초 30 m의 속도로 달리는 열차가 제동을 건 지 t초 후의 속도는 $v(t)=30-5t$ (m/s)라 한다. 제동을 건 후 정지할 때까지 이 열차가 달린 거리는?

① 30 m ② 45 m ③ 70 m
④ 80 m ⑤ 90 m

0906 상중하

원점을 출발하여 수직선 위를 움직이는 점 P의 시각 t에서의 속도가 $v(t)=2t^2-6t$일 때, 점 P가 $t=0$에서 $t=6$까지 움직인 거리는?

① 42 ② 45 ③ 48
④ 51 ⑤ 54

0907 상중하

지면에서 똑바로 위로 쏘아 올린 물체의 t초 후의 속도가 $v(t)=50-10t$ (m/s)일 때, 이 물체가 최고 높이에 도달한 후 3초 동안 움직인 거리는?

① 40 m ② 45 m ③ 50 m
④ 55 m ⑤ 60 m

0908 상중하

원점을 출발하여 수직선 위를 움직이는 점 P의 시각 t에서의 속도가 $v(t)=t^3-4t^2+3t$일 때, 점 P가 음의 방향으로 움직인 거리는?

① $\frac{4}{3}$ ② 2 ③ $\frac{8}{3}$
④ $\frac{10}{3}$ ⑤ 4

0909 상중하

원점을 출발하여 수직선 위를 움직이는 점 P의 시각 t에서의 위치가 $x(t)=\frac{1}{3}t^3-3t^2+8t$일 때, 점 P가 출발 후 두 번째로 방향을 바꾸는 순간까지 움직인 거리는?

① $\frac{20}{3}$ ② $\frac{22}{3}$ ③ 8
④ $\frac{26}{3}$ ⑤ $\frac{28}{3}$

0910 상중하

지훈이와 유라는 한 변의 길이가 20 m인 정사각형 모양의 산책로의 분수대에서 서로 반대 방향으로 동시에 출발하였다. 지훈이와 유라가 출발한 지 t초 후의 속도가 각각 $\left(\frac{1}{4}t+2\right)$ m/s, $\left(\frac{1}{3}t+1\right)$ m/s가 되도록 산책로를 걸을 때, 출발 후 30초 동안 지훈이와 유라는 몇 번 만나는가? (단, 산책로의 폭과 분수대의 크기는 무시한다.)

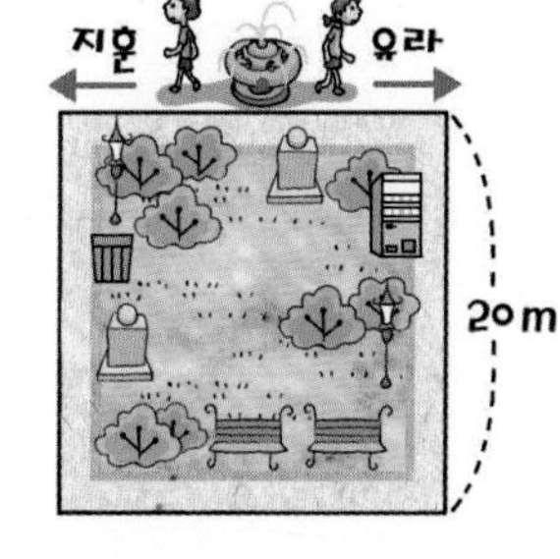

① 1번 ② 2번 ③ 3번
④ 4번 ⑤ 5번

중요 개념 해결의 법칙 226쪽 유형 03

유형 13 그래프에서의 위치와 움직인 거리

개념 03

수직선 위를 움직이는 점 P의 시각 t에서의 속도 $v(t)$의 그래프가 오른쪽 그림과 같을 때

(1) 시각 $t=0$에서 $t=a$까지 점 P의 위치의 변화량은 ⇨ S_1-S_2

(2) 시각 $t=0$에서 $t=a$까지 점 P가 움직인 거리는 ⇨ S_1+S_2

0911 대표문제

원점을 출발하여 수직선 위를 움직이는 점 P의 시각 t에서의 속도 $v(t)$의 그래프가 오른쪽 그림과 같을 때, 다음 보기 중 옳은 것을 있는 대로 고른 것은? (단, $0\le t\le 4$)

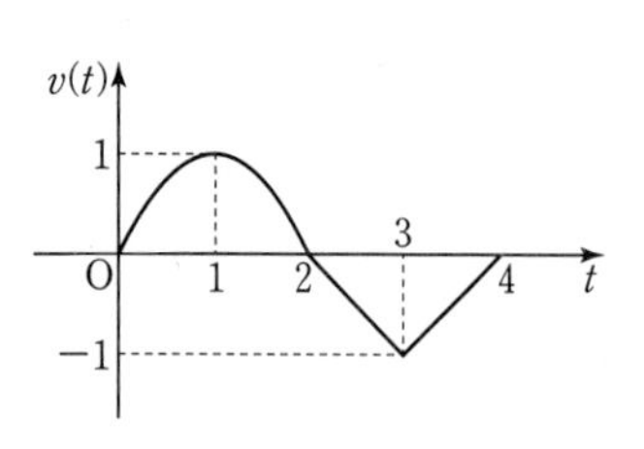

보기
ㄱ. $t=1$일 때 점 P는 운동 방향을 바꾼다.
ㄴ. $t=2$일 때 점 P는 출발점에서 가장 멀리 떨어져 있다.
ㄷ. $t=4$일 때 점 P의 위치는 $\int_0^4 v(t)dt$이다.

① ㄱ ② ㄱ, ㄴ ③ ㄱ, ㄷ
④ ㄴ, ㄷ ⑤ ㄱ, ㄴ, ㄷ

0912 상중하

다음 그림은 원점을 출발하여 수직선 위를 움직이는 물체의 t초 후의 속도 $v(t)$의 그래프이다.

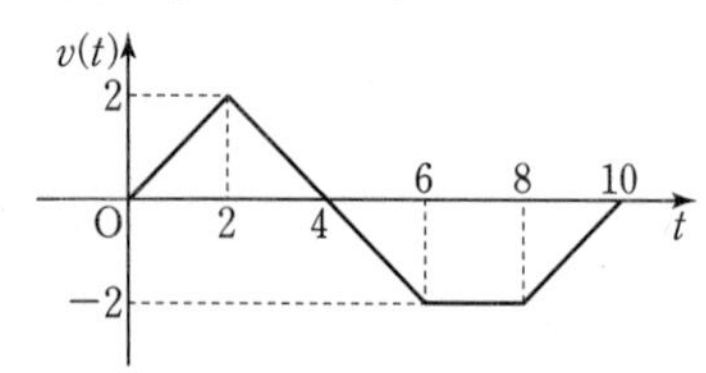

$t=10$에서의 물체의 위치를 a, $t=0$에서 $t=10$까지 물체가 움직인 거리를 b라 할 때, $a+b$의 값을 구하시오.

(단, $0\le t\le 10$)

0913 상중하

다음 그림은 원점을 출발하여 수직선 위를 10초 동안 움직이는 점 P의 t초 후의 속도 $v(t)$의 그래프이다.

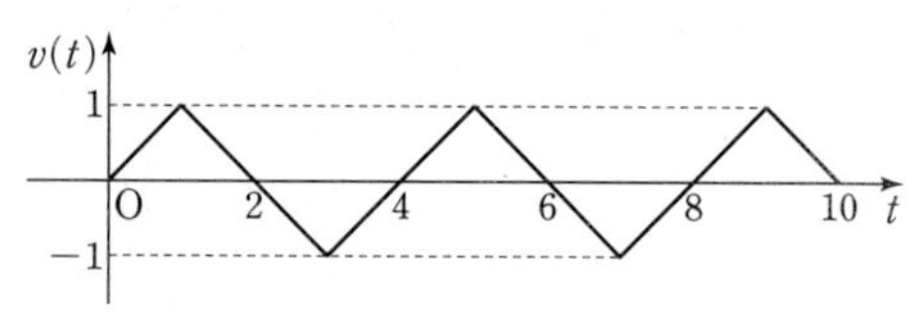

함수 $f(t)$를 $f(t)=\int_0^t v(t)dt$로 정의할 때, 다음 보기 중 옳은 것을 있는 대로 고른 것은?

보기
ㄱ. $f(4)=2$ ㄴ. $f(10)=f(2)$
ㄷ. 점 P는 출발 후 원점을 5번 지난다.
ㄹ. 점 P가 10초 동안 움직인 거리는 5이다.

① ㄱ, ㄴ ② ㄴ, ㄷ ③ ㄴ, ㄹ
④ ㄷ, ㄹ ⑤ ㄴ, ㄷ, ㄹ

0914 상중하

다음 그림은 원점을 출발하여 수직선 위를 움직이는 점 P의 시각 $t(0\le t\le d)$에서의 속도 $v(t)$를 나타내는 그래프이다.

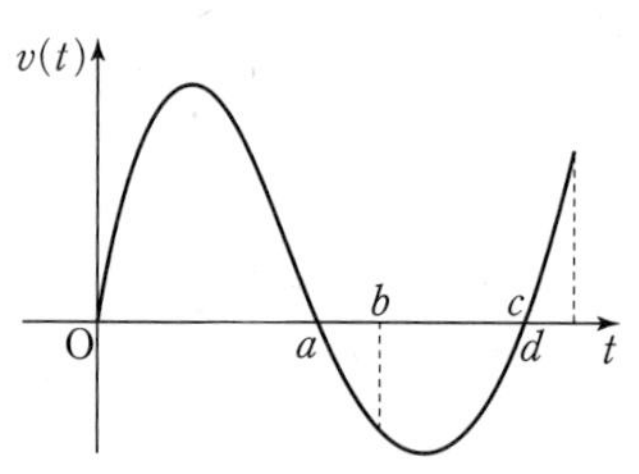

$\int_0^a |v(t)|dt=\int_a^d |v(t)|dt$일 때, 다음 보기 중 옳은 것을 있는 대로 고르시오. (단, $0<a<b<c<d$)

보기
ㄱ. 점 P는 출발하고 나서 원점을 다시 지난다.
ㄴ. $\int_0^c v(t)dt=\int_c^d v(t)dt$
ㄷ. $\int_0^b v(t)dt=\int_b^d |v(t)|dt$

• 실제 학교 시험지처럼 풀어 보세요.

0915
| 유형 01 |

곡선 $y=x^2-ax$와 x축으로 둘러싸인 도형의 넓이가 $\frac{4}{3}$일 때, 상수 a의 값은? (단, $a>0$) [3.8점]

① $\frac{1}{8}$ ② $\frac{1}{4}$ ③ $\frac{1}{2}$
④ 1 ⑤ 2

0916
| 유형 02 |

곡선 $y=4x^3-16x$와 x축 및 두 직선 $x=1$, $x=3$으로 둘러싸인 도형의 넓이는? [4점]

① 26 ② 28 ③ 30
④ 32 ⑤ 34

0917
| 유형 02 |

오른쪽 그림과 같이 곡선 $y=x^3$과 x축 및 두 직선 $x=a$, $x=b$로 둘러싸인 도형의 넓이를 각각 S_1, S_2라 하자. $S_2=16S_1$일 때, $|b|=k|a|$를 만족시키는 양수 k의 값은?

(단, $a<0$, $b>0$) [4.2점]

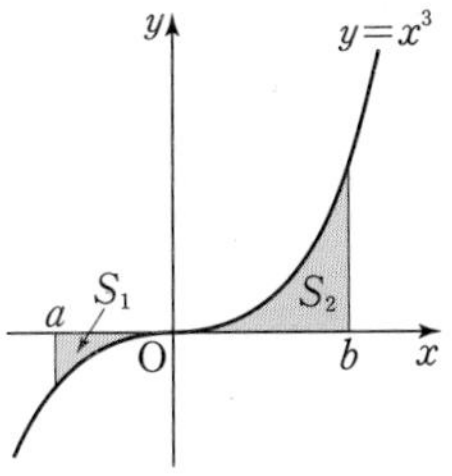

① $\sqrt{2}$ ② $\sqrt{3}$ ③ 2
④ $\sqrt{5}$ ⑤ $\sqrt{6}$

0918
| 유형 04 |

두 곡선 $y=x(x+2)$, $y=-x(x+2)(x+3)$으로 둘러싸인 도형의 넓이는? [4.2점]

① 2 ② 4 ③ 6
④ 8 ⑤ 10

0919
| 유형 05 |

곡선 $y=\frac{1}{4}x^2+1$과 원점에서 이 곡선에 그은 두 접선으로 둘러싸인 도형의 넓이는? [4.5점]

① $\frac{2}{3}$ ② $\frac{4}{3}$ ③ 2
④ $\frac{8}{3}$ ⑤ $\frac{10}{3}$

0920
| 유형 06 |

곡선 $y=x^3-(a+2)x^2+2ax$와 x축으로 둘러싸인 두 도형의 넓이가 같을 때, 상수 a의 값은? (단, $a>2$) [4.3점]

① 3 ② $\frac{7}{2}$ ③ 4
④ $\frac{9}{2}$ ⑤ 5

0921
| 유형 07 |

곡선 $y=x^2-3x$와 직선 $y=ax$로 둘러싸인 도형의 넓이가 x축에 의하여 이등분될 때, $(a+3)^3$의 값은? (단, $a>0$) [4.5점]

① 27 ② 36 ③ 45
④ 54 ⑤ 63

0922
| 유형 08 |

곡선 $y=x^2-1$ 위의 한 점 (t, t^2-1)에서의 접선과 이 곡선 및 y축, 직선 $x=1$로 둘러싸인 도형의 넓이의 최솟값은?

(단, $0<t<1$) [4.5점]

① $\frac{1}{12}$ ② $\frac{1}{6}$ ③ $\frac{1}{4}$
④ $\frac{1}{3}$ ⑤ $\frac{5}{12}$

0923

| 유형 09 |

함수 $f(x)=x^3+3x$의 역함수를 $g(x)$라 할 때,

$\int_0^2 f(x)dx+\int_0^{14} g(x)dx$의 값은? [4.4점]

① 14 ② 17 ③ 20
④ 25 ⑤ 28

0924

| 유형 10 |

바다 위에 유출된 기름띠가 오른쪽 그림과 같을 때, 한 변의 길이가 10 km인 정사각형 안에 함수 $f(x)=\frac{1}{10}x^2(x\ge0)$의 그래프와 그 역함수 $y=f^{-1}(x)$의 그래프 모양대로 오일펜스를 설치하려고 한다. 오일펜스로 둘러싸인 도형의 넓이는?

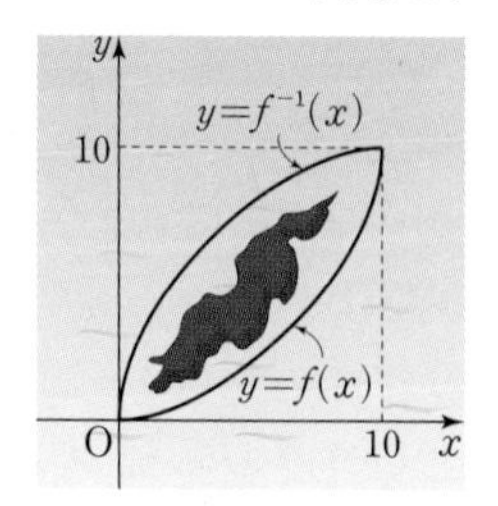

(단, 오일펜스의 두께는 무시한다.) [4.3점]

① $\frac{40}{3}$ km^2 ② $\frac{50}{3}$ km^2 ③ $\frac{70}{3}$ km^2
④ $\frac{80}{3}$ km^2 ⑤ $\frac{100}{3}$ km^2

0925

| 유형 11 |

지상 30 m의 높이에서 똑바로 위로 쏘아 올린 공의 t초 후의 속도가 $v(t)=25-10t$ (m/s)일 때, 4초 후의 이 공의 지면으로부터의 높이는? [4점]

① 35 m ② 40 m ③ 45 m
④ 50 m ⑤ 55 m

0926

| 유형 11 + 유형 12 |

원점을 출발하여 수직선 위를 움직이는 점 P의 t초 후의 속도가 $v(t)=-t^2+2t$일 때, 점 P가 원점으로 다시 돌아올 때까지 움직인 거리는? [4.6점]

① $\frac{2}{3}$ ② $\frac{4}{3}$ ③ 2
④ $\frac{8}{3}$ ⑤ $\frac{10}{3}$

0927

| 유형 13 |

다음 그림은 원점을 출발하여 수직선 위를 움직이는 점 P의 시각 t에서의 속도 $v(t)$의 그래프이다.

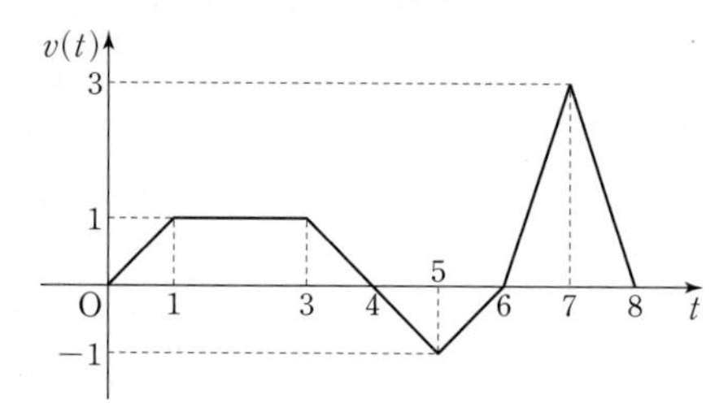

$t=7$에서의 점 P의 위치를 a, $t=0$에서 $t=7$까지 점 P가 움직인 거리를 b라 할 때, $a+b$의 값은? (단, $0\le t\le8$) [4.4점]

① 8 ② $\frac{17}{2}$ ③ 9
④ $\frac{19}{2}$ ⑤ 10

0928

| 유형 13 |

다음 그림은 원점을 출발하여 수직선 위를 7초 동안 움직이는 점 P의 t초 후의 속도 $v(t)$의 그래프이다. 다음 보기 중 옳은 것을 있는 대로 고른 것은? [4.3점]

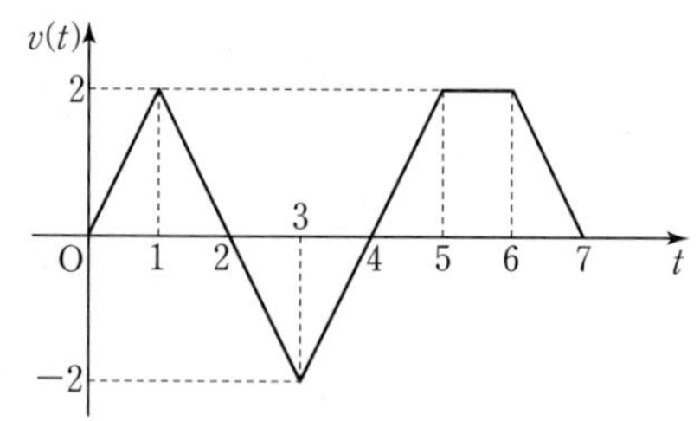

보기

ㄱ. 점 P는 출발하고 나서 1초 동안 계속 멈춘 적이 있다.
ㄴ. 점 P는 움직이는 동안 운동 방향을 4번 바꾸었다.
ㄷ. 점 P는 출발하고 나서 4초 후 출발점에 있다.

① ㄱ ② ㄷ ③ ㄱ, ㄴ
④ ㄱ, ㄷ ⑤ ㄴ, ㄷ

서술형 문제

• 풀이 과정에 점수가 부여되니 풀이 과정 및 정답을 상세하게 서술하세요.

단답형

0929 | 유형 06 |

오른쪽 그림과 같이 네 점 (0, 0), (1, 0), (1, 2), (0, 2)를 꼭짓점으로 하는 직사각형의 내부를 곡선 $y=\frac{1}{2}x^2$과 직선 $y=ax$로 나눈 세 부분의 넓이를 각각 S_1, S_2, S_3이라 하자. $2S_2=S_1+S_3$일 때, 상수 a의 값을 구하시오. $\left(\text{단, } \frac{1}{2}<a<2\right)$ [6점]

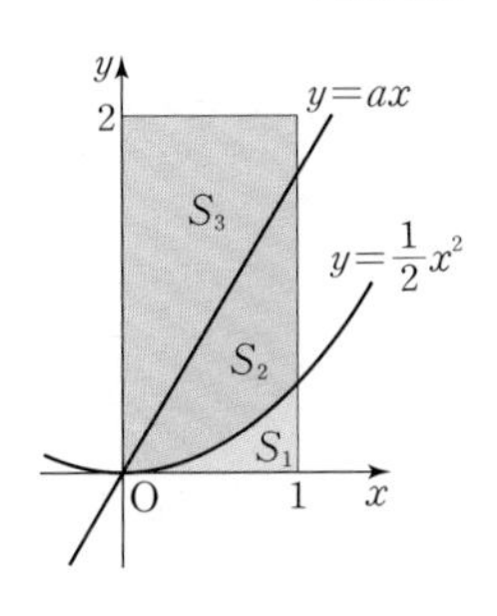

0930 | 유형 08 |

두 곡선 $y=ax^2$, $y=-\frac{1}{a}x^2$과 직선 $x=1$로 둘러싸인 도형의 넓이의 최솟값을 구하시오. (단, $a>0$) [7점]

0931 | 유형 10 |

함수 $f(x)=\sqrt{2x-1}$의 역함수 $g(x)$에 대하여 두 곡선 $y=f(x)$, $y=g(x)$와 x축 및 y축으로 둘러싸인 도형의 넓이를 S라 할 때, $30S$의 값을 구하시오. [7점]

단계형

0932 | 유형 04 |

오른쪽 그림과 같이 삼차항의 계수가 -1인 삼차함수 $y=f(x)$의 그래프와 이차함수 $y=g(x)$의 그래프가 $x=-2$, $x=2$인 점에서 만나고, $x=-2$인 점에서의 접선의 기울기가 같다. 이때, 두 곡선 $y=f(x)$, $y=g(x)$로 둘러싸인 도형의 넓이를 구하려고 한다. 다음 물음에 답하시오. [10점]

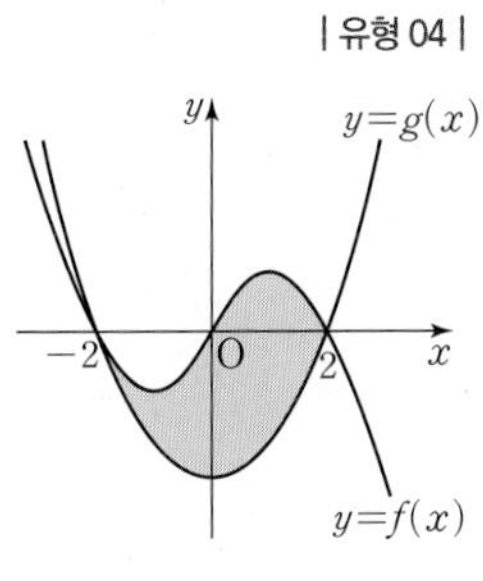

(1) 함수 $f(x)-g(x)$의 식을 구하시오. [5점]

(2) 두 곡선 $y=f(x)$, $y=g(x)$로 둘러싸인 도형의 넓이를 구하시오. [5점]

0933 | 유형 12 |

지상 15 m의 높이에서 30 m/s의 속도로 똑바로 위로 쏘아 올린 물체의 t초 후의 속도가 $v(t)=30-10t$ (m/s)일 때, 이 물체가 지면에 도달할 때까지 움직인 거리를 구하려고 한다. 다음 물음에 답하시오. [10점]

(1) 물체가 최고 높이에 도달할 때의 시각을 구하시오. [2점]

(2) 물체가 최고 높이에 도달할 때까지 움직인 거리를 구하시오. [5점]

(3) 물체가 지면에 도달할 때까지 움직인 거리를 구하시오. [3점]

성/취/도 Check

점수 / 100점

50점 STEP 1 개념+기본 문제 학습

STEP 2 유형 대표 문제 학습

STEP 3의 틀린 문제에 해당하는 STEP 2 유형 학습

STEP 3의 틀린 문제 복습

교과서 속 심화문제 시작

0934

$0<x<4$에서 이차함수 $y=x^2-2x+2$의 그래프 위에 점 P가 있고, 두 점 P, B에서 x축에 내린 수선의 발을 각각 C, D라 하자. 이때, 두 사다리꼴 OCPA와 CDBP의 넓이의 합이 오른쪽 그림의 색칠한 도형의 넓이에 가장 가까워지도록 하는 점 P의 x좌표는?

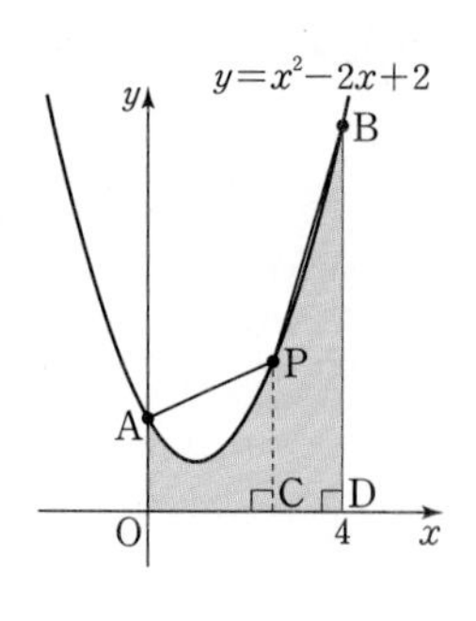

(단, O$(0, 0)$, A$(0, 2)$, B$(4, 10)$이다.)

① $\frac{2}{3}$ ② $\frac{4}{3}$ ③ 2
④ $\frac{8}{3}$ ⑤ $\frac{10}{3}$

0935

두 양수 a, $b(a<b)$에 대하여 이차함수

$$f(x)=(x-a)(x-b)$$

가 다음 두 조건을 모두 만족시킨다.

> (가) $\int_a^b f(x)dx=-\frac{4}{3}$
> (나) $\int_{-a}^{b-a} f(x+a)dx=0$

이때, 정적분 $\int_0^b |f'(x)|dx$의 값은?

① 1 ② 2 ③ 3
④ 4 ⑤ 5

0936

함수 $f(x)=x^2+x(x\geq 0)$의 역함수를 $g(x)$라 할 때,

$$\int_k^{k+1} f(x)dx+\int_{f(k)}^{f(k+1)} g(x)dx=44$$

를 만족시키는 양수 k의 값을 구하시오.

0937 창의·융합

오른쪽 그림과 같은 골목길에서 A자동차는 5 m/s의 속력으로 P지점을 향해 주행하고, B자동차는 P지점으로부터 $\frac{100}{3}$ m인 지점에 정지해 있다가 P지점을 향해 처음 2초 동안은 $v(t)=t(2-t)+4$ (m/s)의 속력으로 주행하고, 2초 후부터는 4 m/s의 속력으로 주행한다고 한다. A자동차는 B자동차가 출발할 때 P지점으로부터 몇 m 이내에 있어야 B자동차보다 P지점을 먼저 지날 수 있는지 구하시오. (단, 두 자동차는 각각 일직선 위를 움직이고, 자동차의 크기는 무시한다.)

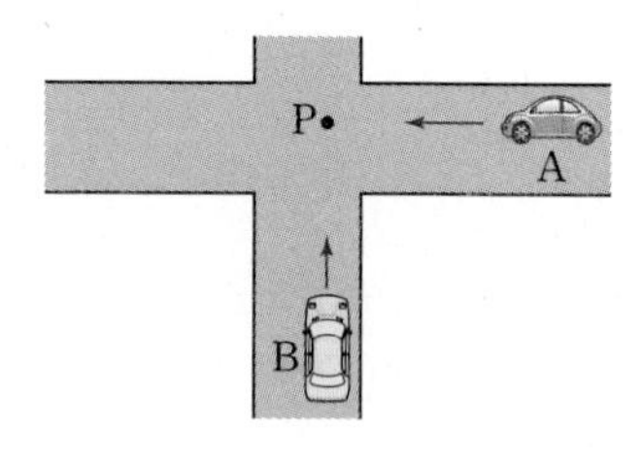

Memo

Memo

배움으로 행복한 내일을 꿈꾸는

천재교육 커뮤니티 안내

교재 안내부터 구매까지 한 번에!

천재교육 홈페이지

자사가 발행하는 참고서, 교과서에 대한 소개는 물론
도서 구매도 할 수 있습니다. 회원에게 지급되는 별을 모아
다양한 상품 응모에도 도전해 보세요!

다양한 교육 꿀팁에 깜짝 이벤트는 덤!

천재교육 인스타그램

천재교육의 새롭고 중요한 소식을 가장 먼저 접하고 싶다면?
천재교육 인스타그램 팔로우가 필수!
깜짝 이벤트도 수시로 진행되니 놓치지 마세요!

수업이 편리해지는

천재교육 ACA 사이트

오직 선생님만을 위한, 천재교육 모든 교재에 대한 정보가 담긴
아카 사이트에서는 다양한 수업자료 및 부가 자료는 물론
시험 출제에 필요한 문제도 다운로드하실 수 있습니다.

https://aca.chunjae.co.kr

천재교육을 사랑하는 샘들의 모임

천사샘

학원 강사, 공부방 선생님이시라면 누구나 가입할 수 있는 천사샘!
교재 개발 및 평가를 통해 교재 검토진으로 참여할 수 있는 기회는 물론
다양한 교사용 교재 증정 이벤트가 선생님을 기다립니다.

아이와 함께 성장하는 학부모들의 모임공간

튠맘 학습연구소

튠맘 학습연구소는 초·중등 학부모를 대상으로 다양한 이벤트와 함께
교재 리뷰 및 학습 정보를 제공하는 네이버 카페입니다.
초등학생, 중학생 자녀를 둔 학부모님이라면 튠맘 학습연구소로 오세요!

유형
해결의
법칙

고등 수학 II

천재교육

자세하고 친절한 해설

전 략

문제를 접근할 수 있는 실마리를 제공

다른 풀이

다른 여러 가지 풀이 방법으로
수학적 사고력을 강화

Lecture

문제 풀이에 대한 보충 설명, 문제 해결의
노하우 소개

서술형 답안

서술형 문제의 모범 답안과 단계별 채점
비율 제시

이책의

정답과 해설

수학 II

I 함수의 극한과 연속

1 함수의 극한 002

2 함수의 연속 017

II 미분

3 미분계수와 도함수 030

4 도함수의 활용 (1) 047

5 도함수의 활용 (2) 062

6 도함수의 활용 (3) 082

III 적분

7 부정적분 099

8 정적분 111

9 정적분의 활용 127

본책 8~23쪽

1 | 함수의 극한

STEP 1 개념 마스터

0001

$f(x)=x+3$으로 놓으면 $y=f(x)$의 그래프는 오른쪽 그림과 같다. 이 그래프에서 x의 값이 -1에 한없이 가까워질 때, $f(x)$의 값은 2에 한없이 가까워지므로

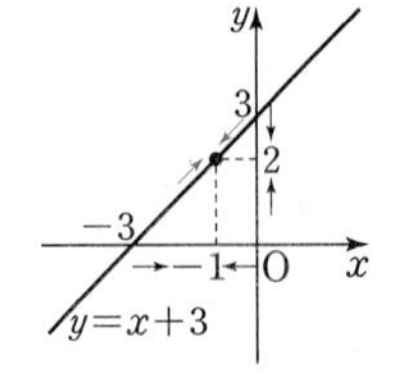

$\lim_{x \to -1}(x+3)=2$

답 2

0002

$f(x)=x^2+1$로 놓으면 $y=f(x)$의 그래프는 오른쪽 그림과 같다. 이 그래프에서 x의 값이 2에 한없이 가까워질 때, $f(x)$의 값은 5에 한없이 가까워지므로

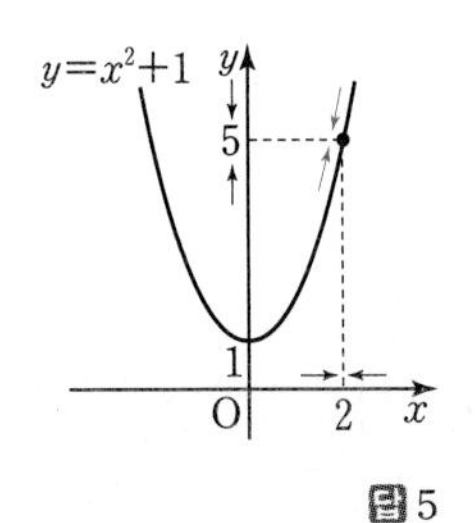

$\lim_{x \to 2}(x^2+1)=5$

답 5

0003

$f(x)=\frac{2}{x+2}$로 놓으면 $y=f(x)$의 그래프는 오른쪽 그림과 같다. 이 그래프에서 x의 값이 -3에 한없이 가까워질 때, $f(x)$의 값은 -2에 한없이 가까워지므로

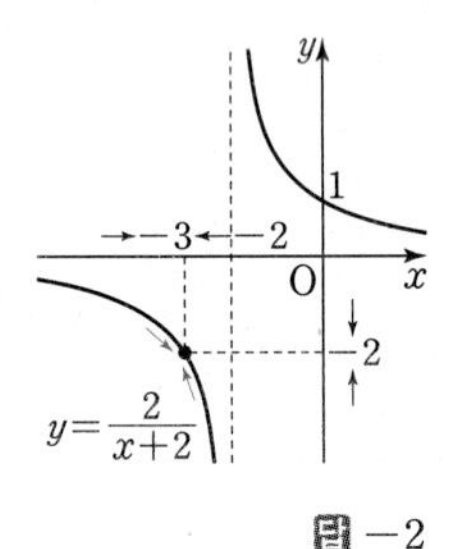

$\lim_{x \to -3}\frac{2}{x+2}=-2$

답 -2

0004

$f(x)=\sqrt{3x+4}$로 놓으면 $y=f(x)$의 그래프는 오른쪽 그림과 같다. 이 그래프에서 x의 값이 4에 한없이 가까워질 때, $f(x)$의 값은 4에 한없이 가까워지므로

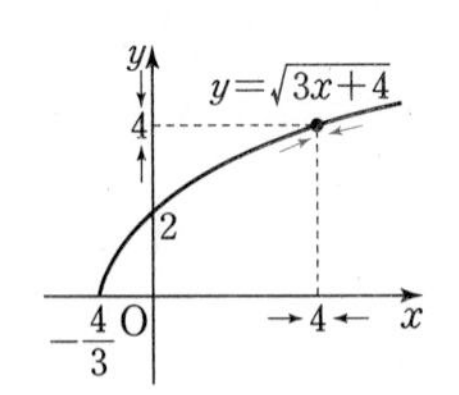

$\lim_{x \to 4}\sqrt{3x+4}=4$

답 4

0005

$f(x)=1+\frac{1}{x}$로 놓으면 $y=f(x)$의 그래프는 오른쪽 그림과 같다. 이 그래프에서 x의 값이 한없이 커질 때, $f(x)$의 값은 1에 한없이 가까워지므로

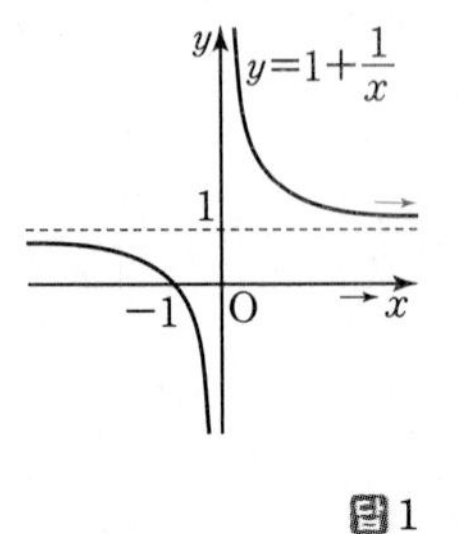

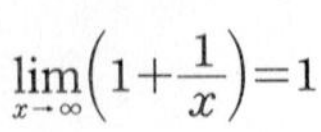

$\lim_{x \to \infty}\left(1+\frac{1}{x}\right)=1$

답 1

0006

$f(x)=\frac{1}{x-3}$로 놓으면 $y=f(x)$의 그래프는 오른쪽 그림과 같다. 이 그래프에서

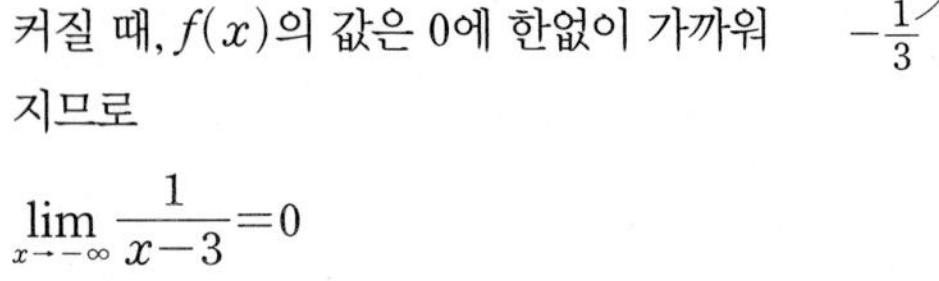

x의 값이 음수이면서 그 절댓값이 한없이 커질 때, $f(x)$의 값은 0에 한없이 가까워지므로

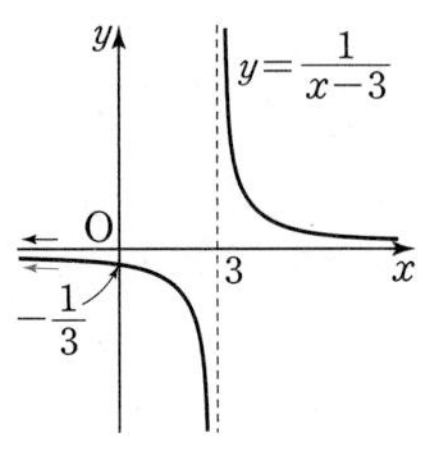

$\lim_{x \to -\infty}\frac{1}{x-3}=0$

답 0

0007

$f(x)=\frac{1}{|x|}$로 놓으면 $y=f(x)$의 그래프는 오른쪽 그림과 같다. 이 그래프에서 x의 값이 0에 한없이 가까워질 때, $f(x)$의 값은 한없이 커지므로

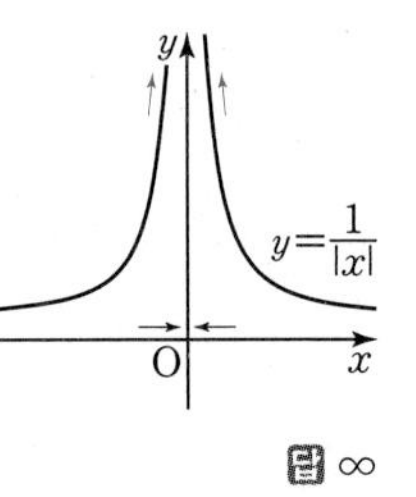

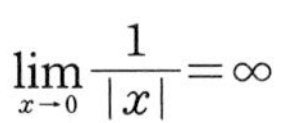

$\lim_{x \to 0}\frac{1}{|x|}=\infty$

답 ∞

0008

$f(x)=\frac{1}{|x+1|}-1$로 놓으면 $y=f(x)$의 그래프는 오른쪽 그림과 같다. 이 그래프에서 x의 값이 -1에 한없이 가까워질 때, $f(x)$의 값은 한없이 커지므로

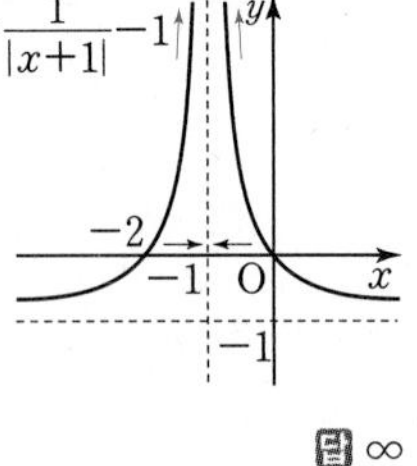

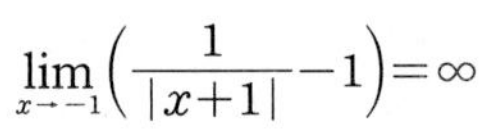

$\lim_{x \to -1}\left(\frac{1}{|x+1|}-1\right)=\infty$

답 ∞

0009

$f(x)=-\frac{1}{x^2}$로 놓으면 $y=f(x)$의 그래프는 오른쪽 그림과 같다. 이 그래프에서 x의 값이 0에 한없이 가까워질 때, $f(x)$의 값은 음수이면서 그 절댓값이 한없이 커지므로

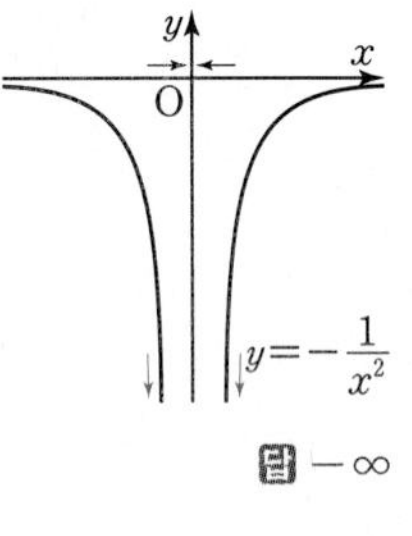

$\lim_{x \to 0}\left(-\frac{1}{x^2}\right)=-\infty$

답 $-\infty$

0010

$f(x)=\frac{1}{(x-2)^2}$로 놓으면 $y=f(x)$의 그래프는 오른쪽 그림과 같다. 이 그래프에서 x의 값이 2에 한없이 가까워질 때, $f(x)$의 값은 한없이 커지므로

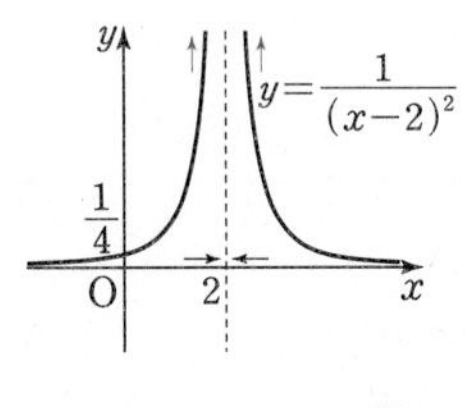

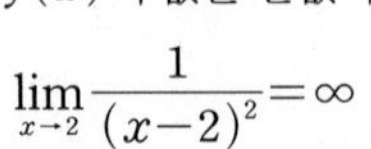

$\lim_{x \to 2}\frac{1}{(x-2)^2}=\infty$

답 ∞

0011

$f(x)=\sqrt{x-2}$로 놓으면 $y=f(x)$의 그래프는 오른쪽 그림과 같다. 이 그래프에서 x의 값이 한없이 커질 때, $f(x)$의 값도 한없이 커지므로

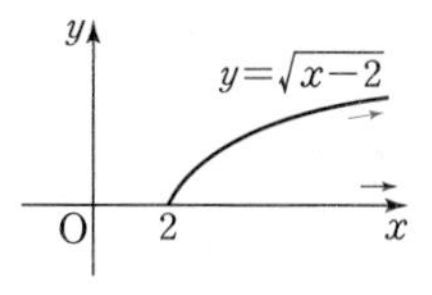

$\lim_{x\to\infty}\sqrt{x-2}=\infty$

답 ∞

0012

$f(x)=-x^2+1$로 놓으면 $y=f(x)$의 그래프는 오른쪽 그림과 같다. 이 그래프에서 x의 값이 음수이면서 그 절댓값이 한없이 커질 때, $f(x)$의 값도 음수이면서 그 절댓값이 한없이 커지므로

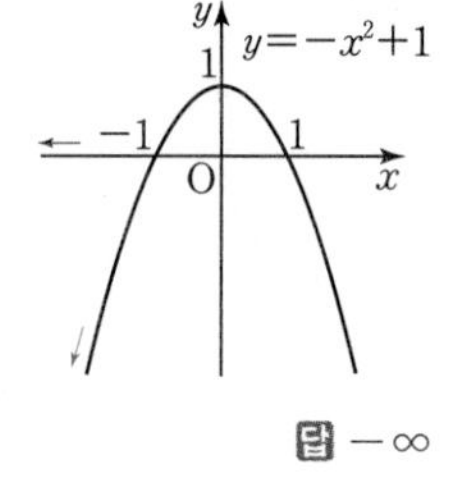

$\lim_{x\to-\infty}(-x^2+1)=-\infty$

답 $-\infty$

0013

(1) $\lim_{x\to-1-}f(x)=1$

(2) $\lim_{x\to-1+}f(x)=1$

(3) $\lim_{x\to-1}f(x)=1$

(4) $\lim_{x\to1-}f(x)=4$

(5) $\lim_{x\to1+}f(x)=2$

(6) $\lim_{x\to1-}f(x)\neq\lim_{x\to1+}f(x)$이므로 $\lim_{x\to1}f(x)$의 값은 존재하지 않는다.

답 (1) 1 (2) 1 (3) 1 (4) 4 (5) 2 (6) 존재하지 않는다.

0014

$y=f(x)$의 그래프가 오른쪽 그림과 같으므로

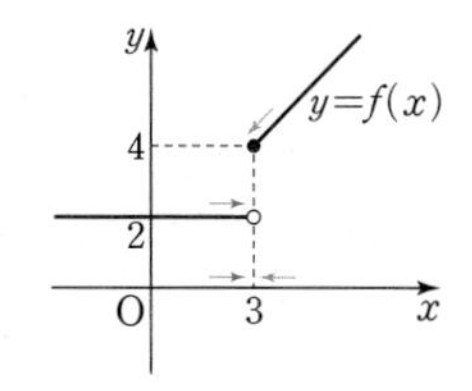

(1) $\lim_{x\to3-}f(x)=2$

(2) $\lim_{x\to3+}f(x)=4$

(3) $\lim_{x\to3-}f(x)\neq\lim_{x\to3+}f(x)$이므로

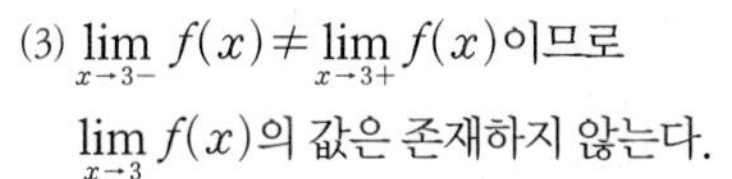

$\lim_{x\to3}f(x)$의 값은 존재하지 않는다.

답 (1) 2 (2) 4 (3) 존재하지 않는다.

0015

$\lim_{x\to1}(-2x+1)=-2\times1+1=-1$

답 -1

0016

$\lim_{x\to-1}x^2(x-4)=(-1)^2\times(-1-4)=-5$

답 -5

0017

$\lim_{x\to2}\frac{x+3}{x^2+1}=\frac{2+3}{2^2+1}=\frac{5}{5}=1$

답 1

0018

$\lim_{x\to-3}\frac{x^2+x}{x-1}=\frac{(-3)^2+(-3)}{-3-1}=\frac{6}{-4}=-\frac{3}{2}$

답 $-\frac{3}{2}$

0019

$$\begin{aligned}\lim_{x\to1}\frac{x-1}{2x^2-x-1}&=\lim_{x\to1}\frac{x-1}{(2x+1)(x-1)}\\&=\lim_{x\to1}\frac{1}{2x+1}\\&=\frac{1}{2+1}=\frac{1}{3}\end{aligned}$$

답 $\frac{1}{3}$

0020

$$\begin{aligned}\lim_{x\to3}\frac{x^2-4x+3}{x-3}&=\lim_{x\to3}\frac{(x-1)(x-3)}{x-3}\\&=\lim_{x\to3}(x-1)\\&=3-1=2\end{aligned}$$

답 2

0021

$$\begin{aligned}\lim_{x\to1}\frac{x^2+3x-4}{x^2-3x+2}&=\lim_{x\to1}\frac{(x+4)(x-1)}{(x-1)(x-2)}\\&=\lim_{x\to1}\frac{x+4}{x-2}\\&=\frac{1+4}{1-2}=-5\end{aligned}$$

답 -5

0022

$$\begin{aligned}\lim_{x\to4}\frac{\sqrt{x+5}-3}{x-4}&=\lim_{x\to4}\frac{(\sqrt{x+5}-3)(\sqrt{x+5}+3)}{(x-4)(\sqrt{x+5}+3)}\\&=\lim_{x\to4}\frac{x-4}{(x-4)(\sqrt{x+5}+3)}\\&=\lim_{x\to4}\frac{1}{\sqrt{x+5}+3}\\&=\frac{1}{\sqrt{9}+3}=\frac{1}{6}\end{aligned}$$

답 $\frac{1}{6}$

0023

$$\begin{aligned}\lim_{x\to2}\frac{x-2}{\sqrt{x+2}-2}&=\lim_{x\to2}\frac{(x-2)(\sqrt{x+2}+2)}{(\sqrt{x+2}-2)(\sqrt{x+2}+2)}\\&=\lim_{x\to2}\frac{(x-2)(\sqrt{x+2}+2)}{x-2}\\&=\lim_{x\to2}(\sqrt{x+2}+2)\\&=\sqrt{4}+2=4\end{aligned}$$

답 4

0024

$$\lim_{x\to\infty}\frac{2x+1}{3x^2-x+1}=\lim_{x\to\infty}\frac{\frac{2}{x}+\frac{1}{x^2}}{3-\frac{1}{x}+\frac{1}{x^2}}=0$$

답 0

0025

$$\lim_{x\to\infty}\frac{x^3-3x^2+x}{2x^2-1}=\lim_{x\to\infty}\frac{x-3+\frac{1}{x}}{2-\frac{1}{x^2}}=\infty$$

답 ∞

0026

$$\lim_{x\to\infty}\frac{4x^2-2x-1}{x^2+2}=\lim_{x\to\infty}\frac{4-\frac{2}{x}-\frac{1}{x^2}}{1+\frac{2}{x^2}}=4$$

답 4

0027

$$\lim_{x\to\infty}\frac{(2x+1)(x-1)}{x^2-x+1}=\lim_{x\to\infty}\frac{2x^2-x-1}{x^2-x+1}$$

$$=\lim_{x\to\infty}\frac{2-\frac{1}{x}-\frac{1}{x^2}}{1-\frac{1}{x}+\frac{1}{x^2}}=2$$

답 2

0028

$$\lim_{x\to\infty}(\sqrt{x+1}-\sqrt{x-1})$$

$$=\lim_{x\to\infty}\frac{(\sqrt{x+1}-\sqrt{x-1})(\sqrt{x+1}+\sqrt{x-1})}{\sqrt{x+1}+\sqrt{x-1}}$$

$$=\lim_{x\to\infty}\frac{2}{\sqrt{x+1}+\sqrt{x-1}}=0$$

답 0

0029

$$\lim_{x\to\infty}(\sqrt{x^2+2x}-x)=\lim_{x\to\infty}\frac{(\sqrt{x^2+2x}-x)(\sqrt{x^2+2x}+x)}{\sqrt{x^2+2x}+x}$$

$$=\lim_{x\to\infty}\frac{2x}{\sqrt{x^2+2x}+x}$$

$$=\lim_{x\to\infty}\frac{2}{\sqrt{1+\frac{2}{x}}+1}$$

$$=\frac{2}{1+1}=1$$

답 1

0030

$$\lim_{x\to 0}\frac{1}{x}\left(-\frac{1}{x+1}+1\right)=\lim_{x\to 0}\frac{1}{x}\times\frac{x}{x+1}$$

$$=\lim_{x\to 0}\frac{1}{x+1}=1$$

답 1

0031

$$\lim_{x\to\infty}3x\left(1-\frac{x-1}{x+2}\right)=\lim_{x\to\infty}3x\times\frac{3}{x+2}=\lim_{x\to\infty}\frac{9x}{x+2}$$

$$=\lim_{x\to\infty}\frac{9}{1+\frac{2}{x}}=9$$

답 9

0032

$\lim_{x\to -2}\frac{ax+b}{x+2}=2$에서 $\lim_{x\to -2}(x+2)=0$이므로

$\lim_{x\to -2}(ax+b)=-2a+b=0 \quad \therefore b=2a$ ……㉠

㉠을 주어진 등식에 대입하면

$$\lim_{x\to -2}\frac{ax+2a}{x+2}=\lim_{x\to -2}\frac{a(x+2)}{x+2}=a=2$$

$\therefore a=2, b=4$

답 $a=2, b=4$

0033

$\lim_{x\to 2}\frac{x^2+ax+b}{x-2}=5$에서 $\lim_{x\to 2}(x-2)=0$이므로

$\lim_{x\to 2}(x^2+ax+b)=4+2a+b=0 \quad \therefore b=-2a-4$ ……㉠

㉠을 주어진 등식에 대입하면

$$\lim_{x\to 2}\frac{x^2+ax-2a-4}{x-2}=\lim_{x\to 2}\frac{(x-2)(x+a+2)}{x-2}$$

$$=\lim_{x\to 2}(x+a+2)=a+4=5$$

$\therefore a=1, b=-6$

답 $a=1, b=-6$

0034

$\lim_{x\to 1}\frac{x-1}{x^2+ax+b}=-1$에서 $-1\neq 0$이고 $\lim_{x\to 1}(x-1)=0$이므로

$\lim_{x\to 1}(x^2+ax+b)=1+a+b=0 \quad \therefore b=-a-1$ ……㉠

㉠을 주어진 등식에 대입하면

$$\lim_{x\to 1}\frac{x-1}{x^2+ax-a-1}=\lim_{x\to 1}\frac{x-1}{(x-1)(x+a+1)}$$

$$=\lim_{x\to 1}\frac{1}{x+a+1}=\frac{1}{a+2}=-1$$

$\therefore a=-3, b=2$

답 $a=-3, b=2$

0035

$\lim_{x\to 2}\frac{x^2-x-2}{2x^2+ax+b}=\frac{1}{3}$에서 $\frac{1}{3}\neq 0$이고 $\lim_{x\to 2}(x^2-x-2)=0$이므로

$\lim_{x\to 2}(2x^2+ax+b)=8+2a+b=0 \quad \therefore b=-2a-8$ ……㉠

㉠을 주어진 등식에 대입하면

$$\lim_{x\to 2}\frac{x^2-x-2}{2x^2+ax-2a-8}=\lim_{x\to 2}\frac{(x+1)(x-2)}{(x-2)(2x+a+4)}$$

$$=\lim_{x\to 2}\frac{x+1}{2x+a+4}=\frac{3}{a+8}=\frac{1}{3}$$

$\therefore a=1, b=-10$

답 $a=1, b=-10$

0036

(1) $\lim_{x\to 0}\frac{2x^2-1}{x^2+1}=-1$

(2) $\lim_{x\to 0}\frac{3x^2-1}{x^2+1}=-1$

(3) 모든 실수 x에 대하여 $\frac{2x^2-1}{x^2+1} \le f(x) \le \frac{3x^2-1}{x^2+1}$이고

$\lim_{x\to0}\frac{2x^2-1}{x^2+1}=\lim_{x\to0}\frac{3x^2-1}{x^2+1}=-1$이므로

$\lim_{x\to0}f(x)=-1$

답 (1) -1 (2) -1 (3) -1

0037

$x>0$인 모든 실수 x에 대하여 $1-\frac{1}{x}<f(x)<1+\frac{1}{x}$이고

$\lim_{x\to\infty}\left(1-\frac{1}{x}\right)=\lim_{x\to\infty}\left(1+\frac{1}{x}\right)=1$이므로

$\lim_{x\to\infty}f(x)=1$

답 1

STEP 2 유형 마스터

0038

| 전략 | 좌극한과 우극한을 각각 구하여 비교한다.

ㄱ. $\lim_{x\to0+}\frac{1}{x}=\infty$, $\lim_{x\to0-}\frac{1}{x}=-\infty$이므로 $\lim_{x\to0}\frac{1}{x}$의 값은 존재하지 않는다.

ㄴ. $\lim_{x\to0-}(x^2+1)=1$, $\lim_{x\to0+}(x^2+1)=1$이므로

$\lim_{x\to0}(x^2+1)=1$

ㄷ. $\lim_{x\to0-}\frac{|x|}{x}=\lim_{x\to0-}\frac{-x}{x}=-1$, $\lim_{x\to0+}\frac{|x|}{x}=\lim_{x\to0+}\frac{x}{x}=1$이므로

$\lim_{x\to0}\frac{|x|}{x}$의 값은 존재하지 않는다.

따라서 $\lim_{x\to0}f(x)$의 값이 존재하는 것은 ㄴ이다.

답 ㄴ

0039

① $\lim_{x\to-3-}f(x)=0$, $\lim_{x\to-3+}f(x)=0$이므로 $\lim_{x\to-3}f(x)=0$

② $\lim_{x\to-2-}f(x)=2$

③ $\lim_{x\to-2-}f(x)=2$, $\lim_{x\to-2+}f(x)=4$이므로 $\lim_{x\to-2}f(x)$의 값은 존재하지 않는다.

④ $\lim_{x\to0-}f(x)=0$, $\lim_{x\to0+}f(x)=0$이므로 $\lim_{x\to0}f(x)=0$

⑤ $\lim_{x\to1-}f(x)=2$, $\lim_{x\to1+}f(x)=2$이므로 $\lim_{x\to1}f(x)=2$

따라서 극한값이 존재하지 않는 것은 ③이다.

답 ③

0040

$\lim_{x\to1-}f(x)=\lim_{x\to1-}(x^2+3x)=4$

$\lim_{x\to1+}f(x)=\lim_{x\to1+}(x+a)=1+a$

이때, $\lim_{x\to1}f(x)$의 값이 존재하려면 $\lim_{x\to1-}f(x)=\lim_{x\to1+}f(x)$이어야 하므로 $4=1+a$

$\therefore a=3$

답 3

0041

$\lim_{x\to2-}f(x)=\lim_{x\to2-}(x+k)=k+2$

$\lim_{x\to2+}f(x)=\lim_{x\to2+}(-x^2+k^2)=k^2-4$

$\lim_{x\to2}f(x)$의 값이 존재하려면 $\lim_{x\to2-}f(x)=\lim_{x\to2+}f(x)$이어야 하므로

$k+2=k^2-4$에서 $k^2-k-6=0$

$(k+2)(k-3)=0 \qquad \therefore k=3\ (\because k>0)$

답 3

0042

| 전략 | $x=2$를 기준으로 구간을 나누어 함수 $f(x)$의 식을 구한다.

$$f(x)=\frac{x^2-5x+6}{|x-2|}=\frac{(x-2)(x-3)}{|x-2|}=\begin{cases} x-3 & (x>2) \\ -x+3 & (x<2) \end{cases}$$

이므로

$\lim_{x\to2-}f(x)=\lim_{x\to2-}(-x+3)=1$

$\lim_{x\to2+}f(x)=\lim_{x\to2+}(x-3)=-1$

따라서 $a=1$, $b=-1$이므로

$a+b=1+(-1)=0$

답 ②

0043

$\lim_{x\to2-}f(x)=\lim_{x\to2+}f(x)=2$이므로 $\lim_{x\to2}f(x)=2$

또, $\lim_{x\to0-}f(x)=-1$이므로

$\lim_{x\to2}f(x)+\lim_{x\to0-}f(x)=2+(-1)=1$

답 1

0044

$\lim_{x\to-1-}f(x)=\lim_{x\to-1-}(-x+1)=2$

$\lim_{x\to0+}f(x)=\lim_{x\to0+}(x^2-3x)=0$

따라서 $a=2$, $b=0$이므로

$a-b=2-0=2$

답 2

0045

| 전략 | 정수 n에 대하여 $\lim_{x\to n-}[x]=n-1$, $\lim_{x\to n+}[x]=n$임을 이용한다.

① $-1<x<0$일 때, $[x]=-1$이므로

$\lim_{x\to0-}\frac{x}{[x]}=\frac{0}{-1}=0$

② $1<x<2$일 때, $[x]=1$이므로

$\lim_{x\to1.5}\frac{x}{[x]}=\frac{1.5}{1}=1.5$

③ $0<x<1$일 때, $1<x+1<2$이므로 $[x+1]=1$

$\therefore \lim_{x\to0+}\frac{[x+1]}{x-1}=\frac{1}{-1}=-1$

④ $-1<x<0$일 때, $-2<x-1<-1$이므로 $[x-1]=-2$

$\therefore \lim_{x\to0-}\frac{[x-1]}{x-1}=\frac{-2}{-1}=2$

⑤ $1<x<2$일 때, $0<x-1<1$이므로 $[x-1]=0$

$\therefore \lim_{x\to1+}\frac{[x-1]}{x+1}=\frac{0}{2}=0$

따라서 극한값이 가장 큰 것은 ④이다. 답 ④

0046

$1<x<2$일 때, $-1<x-2<0$이므로 $[x-2]=-1$

$\therefore \lim_{x\to2-}[x-2]=-1$

$2<x<3$일 때, $3<x+1<4$이므로 $[x+1]=3$

$\therefore \lim_{x\to2+}[x+1]=3$

$\therefore \lim_{x\to2-}[x-2]+\lim_{x\to2+}[x+1]=-1+3=2$ 답 ⑤

0047

$2<x<3$일 때, $[x]=2$이므로 $\lim_{x\to3-}[x]=2$

$3<x<4$일 때, $[x]=3$이므로 $\lim_{x\to3+}[x]=3$

$\lim_{x\to3-}f(x)=\lim_{x\to3-}([x]^2-a[x])=2^2-2a=4-2a$

$\lim_{x\to3+}f(x)=\lim_{x\to3+}([x]^2-a[x])=3^2-3a=9-3a$

이때, $\lim_{x\to3}f(x)$의 값이 존재하려면 $\lim_{x\to3-}f(x)=\lim_{x\to3+}f(x)$이어야 하므로

$4-2a=9-3a \qquad \therefore a=5$ 답 ③

0048

|전략| $x\to a+$일 때, $f(x)\to b+$이면 $\lim_{x\to a+}g(f(x))=\lim_{f(x)\to b+}g(f(x))$이다.

$x\to0+$일 때 $f(x)\to0+$이므로

$\lim_{x\to0+}g(f(x))=\lim_{f(x)\to0+}g(f(x))=-2$

$x\to2+$일 때 $f(x)=-1$이므로

$\lim_{x\to2+}g(f(x))=g(-1)=1$

$\therefore \lim_{x\to0+}g(f(x))+\lim_{x\to2+}g(f(x))=-2+1=-1$ 답 ②

0049

ㄱ. $\lim_{x\to1-}f(x)=1$, $\lim_{x\to1+}f(x)=0$이므로 $\lim_{x\to1}f(x)$의 값은 존재하지 않는다. (거짓)

ㄴ. $x\to1-$일 때 $f(x)=1$이므로
$\lim_{x\to1-}f(f(x))=f(1)=0$ (참)

ㄷ. $x\to1+$일 때 $f(x)\to0+$이므로
$\lim_{x\to1+}f(f(x))=\lim_{f(x)\to0+}f(f(x))=1$ (참)

따라서 옳은 것은 ㄴ, ㄷ이다. 답 ⑤

0050

$x\to0-$일 때 $g(x)\to0-$이므로

$\lim_{x\to0-}f(g(x))=\lim_{g(x)\to0-}f(g(x))=1$

$x\to1-$일 때 $f(x)\to-1+$이므로

$\lim_{x\to1-}g(f(x))=\lim_{f(x)\to-1+}g(f(x))=-1$

$x\to1+$일 때 $f(x)\to1+$이므로

$\lim_{x\to1+}f(f(x))=\lim_{f(x)\to1+}f(f(x))=1$

$\therefore \lim_{x\to0-}f(g(x))+\lim_{x\to1-}g(f(x))+\lim_{x\to1+}f(f(x))$
$=1+(-1)+1=1$ 답 1

0051

|전략| $3f(x)-g(x)=h(x)$로 놓고 $g(x)$를 $f(x)$, $h(x)$로 나타낸 후 주어진 식에 대입한다.

$3f(x)-g(x)=h(x)$로 놓으면 $g(x)=3f(x)-h(x)$이고

$\lim_{x\to\infty}h(x)=1$이다.

$$\therefore \lim_{x\to\infty}\frac{2f(x)-3g(x)}{4f(x)+g(x)}=\lim_{x\to\infty}\frac{2f(x)-3\{3f(x)-h(x)\}}{4f(x)+\{3f(x)-h(x)\}}$$
$$=\lim_{x\to\infty}\frac{-7f(x)+3h(x)}{7f(x)-h(x)}$$
$$=\lim_{x\to\infty}\frac{-7+3\times\frac{h(x)}{f(x)}}{7-\frac{h(x)}{f(x)}}$$
$$=\frac{-7}{7}=-1\left(\because \lim_{x\to\infty}\frac{h(x)}{f(x)}=0\right)$$

답 -1

다른 풀이 $\lim_{x\to\infty}f(x)=\infty$, $\lim_{x\to\infty}\{3f(x)-g(x)\}=1$이므로

$\lim_{x\to\infty}\frac{3f(x)-g(x)}{f(x)}=0$

즉, $\lim_{x\to\infty}\left\{3-\frac{g(x)}{f(x)}\right\}=3-\lim_{x\to\infty}\frac{g(x)}{f(x)}=0$이므로 $\lim_{x\to\infty}\frac{g(x)}{f(x)}=3$

$$\therefore \lim_{x\to\infty}\frac{2f(x)-3g(x)}{4f(x)+g(x)}=\lim_{x\to\infty}\frac{2-3\times\frac{g(x)}{f(x)}}{4+\frac{g(x)}{f(x)}}=\frac{2-3\times3}{4+3}=-1$$

0052

$$\lim_{x\to\infty}\frac{3f(x)+2g(x)}{f(x)-3g(x)}=\lim_{x\to\infty}\frac{3\times\frac{f(x)}{g(x)}+2}{\frac{f(x)}{g(x)}-3}$$
$$=\frac{3\times4+2}{4-3}=14$$

답 14

0053

$2f(x)-3g(x)=h(x)$로 놓으면 $g(x)=\frac{2f(x)-h(x)}{3}$이고

$\lim_{x\to1}h(x)=12$이다.

$\therefore \lim_{x\to1}g(x)=\lim_{x\to1}\frac{2f(x)-h(x)}{3}=\frac{2\times3-12}{3}=-2$ 답 ②

0054

$\lim_{x\to\infty}f(x)=4$, $\lim_{x\to\infty}g(x)=a$이므로

$$\lim_{x\to\infty}\frac{f(x)-g(x)}{2f(x)-5g(x)}=\frac{4-a}{2\times4-5a}=1$$

$4-a=8-5a \qquad \therefore a=1$ **답** 1

0055

$2x+5=t$로 놓으면 $x \to 0$일 때 $t \to 5$이므로

$$\lim_{x\to0}\frac{2x+5-f(2x+5)}{x}=\lim_{t\to5}\frac{t-f(t)}{\frac{t-5}{2}}$$
$$=2\lim_{t\to5}\frac{t-5+5-f(t)}{t-5}$$
$$=2\lim_{t\to5}\frac{t-5-\{f(t)-5\}}{t-5}$$
$$=2\lim_{t\to5}\left\{1-\frac{f(t)-5}{t-5}\right\}$$
$$=2\{1-(-10)\}=22$$

답 ⑤

0056

$x-3=t$로 놓으면 $x \to 3$일 때 $t \to 0$이므로 ··· ❶

$$\lim_{x\to3}\frac{f(x-3)}{x-3}=\lim_{t\to0}\frac{f(t)}{t}=4$$ ··· ❷

$$\therefore \lim_{x\to0}\frac{2f(x)+3x^2}{3f(x)-2x^2}=\lim_{x\to0}\frac{2\times\frac{f(x)}{x}+3x}{3\times\frac{f(x)}{x}-2x}$$
$$=\frac{2\times4+0}{3\times4-0}=\frac{2}{3}$$ ··· ❸

답 $\frac{2}{3}$

채점 기준	비율
❶ $x-3=t$로 놓고 $x \to 3$일 때 t의 극한을 구할 수 있다.	30 %
❷ $\lim_{t\to0}\frac{f(t)}{t}$의 값을 구할 수 있다.	20 %
❸ $\lim_{x\to0}\frac{2f(x)+3x^2}{3f(x)-2x^2}$의 값을 구할 수 있다.	50 %

0057

ㄱ. $f(x)+g(x)=h(x)$, $f(x)-g(x)=k(x)$로 놓으면

$f(x)=\frac{h(x)+k(x)}{2}$이므로 $\lim_{x\to a}\{f(x)+g(x)\}=L$,

$\lim_{x\to a}\{f(x)-g(x)\}=M$ (L, M은 실수)이라 하면

$\lim_{x\to a}f(x)=\lim_{x\to a}\frac{h(x)+k(x)}{2}=\frac{L+M}{2}$ (참)

ㄴ. [반례] $f(x)=0$, $g(x)=\begin{cases}1 & (x\ge1)\\ 0 & (x<1)\end{cases}$이면 $\lim_{x\to1}f(x)=0$,

$\lim_{x\to1}f(x)g(x)=0$이지만 $\lim_{x\to1}g(x)$의 값은 존재하지 않는다. (거짓)

ㄷ. [반례] $f(x)=|x|$, $g(x)=\frac{1}{|x|}$이면 $\lim_{x\to0}f(x)=0$,

$\lim_{x\to0}g(x)=\infty$이지만 $\lim_{x\to0}f(x)g(x)=1$이다. (거짓)

따라서 옳은 것은 ㄱ이다. **답** ㄱ

0058

| 전략 | 분모, 분자를 각각 인수분해하여 약분한다.

$$\lim_{x\to2}\frac{x^3-x-6}{x^2-3x+2}=\lim_{x\to2}\frac{(x-2)(x^2+2x+3)}{(x-1)(x-2)}$$
$$=\lim_{x\to2}\frac{x^2+2x+3}{x-1}=11$$

답 11

0059

$$\lim_{x\to2}\frac{x^2+2x-8}{x^2-5x+6}=\lim_{x\to2}\frac{(x+4)(x-2)}{(x-2)(x-3)}$$
$$=\lim_{x\to2}\frac{x+4}{x-3}=-6$$

답 ①

0060

$$\lim_{x\to1}\frac{3(x^4-1)}{(x^2-1)f(x)}=\lim_{x\to1}\frac{3(x^2+1)(x^2-1)}{(x^2-1)f(x)}$$
$$=\lim_{x\to1}\frac{3(x^2+1)}{f(x)}=\frac{6}{f(1)}$$

즉, $\frac{6}{f(1)}=2$이므로 $f(1)=3$ **답** 3

0061

$$\lim_{x\to2}\frac{\{f(x)\}^2+f(x)}{x^2f(x)-4f(x)}=\lim_{x\to2}\frac{f(x)\{f(x)+1\}}{f(x)(x^2-4)}$$
$$=\lim_{x\to2}\frac{f(x)+1}{(x+2)(x-2)}$$
$$=\lim_{x\to2}\frac{1}{x+2}\times\lim_{x\to2}\frac{f(x)+1}{x-2}$$
$$=\frac{1}{4}\times(-4)=-1$$

답 -1

0062

| 전략 | 근호가 있는 쪽을 유리화한다.

$$\lim_{x\to2}\frac{x-2}{\sqrt{x^2+5}-3}=\lim_{x\to2}\frac{(x-2)(\sqrt{x^2+5}+3)}{(\sqrt{x^2+5}-3)(\sqrt{x^2+5}+3)}$$
$$=\lim_{x\to2}\frac{(x-2)(\sqrt{x^2+5}+3)}{x^2-4}$$
$$=\lim_{x\to2}\frac{(x-2)(\sqrt{x^2+5}+3)}{(x+2)(x-2)}$$
$$=\lim_{x\to2}\frac{\sqrt{x^2+5}+3}{x+2}=\frac{3}{2}$$

답 ⑤

0063

$$\lim_{x\to1}\frac{\sqrt{x+3}-2}{x^2-1}=\lim_{x\to1}\frac{(\sqrt{x+3}-2)(\sqrt{x+3}+2)}{(x^2-1)(\sqrt{x+3}+2)}$$
$$=\lim_{x\to1}\frac{x-1}{(x+1)(x-1)(\sqrt{x+3}+2)}$$
$$=\lim_{x\to1}\frac{1}{(x+1)(\sqrt{x+3}+2)}=\frac{1}{8}$$

답 $\frac{1}{8}$

0064

$$\lim_{x\to0}\frac{\sqrt{1+x^2}-\sqrt{1-x^2}}{\sqrt{1+x}-\sqrt{1-x}}$$
$$=\lim_{x\to0}\frac{(\sqrt{1+x^2}-\sqrt{1-x^2})(\sqrt{1+x^2}+\sqrt{1-x^2})(\sqrt{1+x}+\sqrt{1-x})}{(\sqrt{1+x}-\sqrt{1-x})(\sqrt{1+x}+\sqrt{1-x})(\sqrt{1+x^2}+\sqrt{1-x^2})}$$
$$=\lim_{x\to0}\frac{2x^2(\sqrt{1+x}+\sqrt{1-x})}{2x(\sqrt{1+x^2}+\sqrt{1-x^2})}$$
$$=\lim_{x\to0}\frac{x(\sqrt{1+x}+\sqrt{1-x})}{\sqrt{1+x^2}+\sqrt{1-x^2}}$$
$$=\frac{0\times(1+1)}{1+1}=0$$

답 ②

0065

$$\lim_{x\to2}\frac{\sqrt{x+2}-2}{x-\sqrt{3x-2}}$$
$$=\lim_{x\to2}\frac{(\sqrt{x+2}-2)(\sqrt{x+2}+2)(x+\sqrt{3x-2})}{(x-\sqrt{3x-2})(x+\sqrt{3x-2})(\sqrt{x+2}+2)}$$
$$=\lim_{x\to2}\frac{(x-2)(x+\sqrt{3x-2})}{(x^2-3x+2)(\sqrt{x+2}+2)}$$
$$=\lim_{x\to2}\frac{(x-2)(x+\sqrt{3x-2})}{(x-1)(x-2)(\sqrt{x+2}+2)}$$
$$=\lim_{x\to2}\frac{x+\sqrt{3x-2}}{(x-1)(\sqrt{x+2}+2)}$$
$$=\frac{2+\sqrt{4}}{(2-1)\times(\sqrt{4}+2)}=1$$

답 ②

0066

| 전략 | $x=-t$로 놓고 주어진 식을 변형하여 분모의 최고차항으로 분모, 분자를 각각 나눈다.

$x=-t$로 놓으면 $x\to-\infty$일 때 $t\to\infty$이므로

$$\lim_{x\to-\infty}\frac{x+1}{\sqrt{x^2+x}-x}=\lim_{t\to\infty}\frac{-t+1}{\sqrt{t^2-t}+t}$$
$$=\lim_{t\to\infty}\frac{-1+\frac{1}{t}}{\sqrt{1-\frac{1}{t}}+1}=-\frac{1}{2}$$

답 $-\frac{1}{2}$

0067

ㄱ. $\lim_{x\to\infty}\frac{7x}{5x^2-1}=\lim_{x\to\infty}\frac{\frac{7}{x}}{5-\frac{1}{x^2}}=0$

ㄴ. $\lim_{x\to\infty}\frac{6x^2-x}{2x^2+1}=\lim_{x\to\infty}\frac{6-\frac{1}{x}}{2+\frac{1}{x^2}}=3$

ㄷ. $\lim_{x\to\infty}\frac{3x}{\sqrt{x^2+2}+x}=\lim_{x\to\infty}\frac{3}{\sqrt{1+\frac{2}{x^2}}+1}=\frac{3}{2}$

따라서 옳은 것은 ㄴ이다.

답 ②

0068

$\lim_{x\to\infty}\frac{f(x)}{x}=a\ (a\neq0)$라 하면

$$\lim_{x\to\infty}\frac{2x^2+f(x)}{x^2+2f(x)}=\lim_{x\to\infty}\frac{2+\frac{1}{x}\times\frac{f(x)}{x}}{1+\frac{2}{x}\times\frac{f(x)}{x}}$$
$$=\frac{2+0\times a}{1+0\times a}=2$$

답 ④

다른 풀이 $\lim_{x\to\infty}\frac{f(x)}{x}$가 0이 아닌 값을 가지므로 $f(x)$는 x에 대한 일차식이다.

따라서 $\frac{2x^2+f(x)}{x^2+2f(x)}$의 분모, 분자는 모두 이차식이고, 최고차항의 계수의 비는 2이므로

$$\lim_{x\to\infty}\frac{2x^2+f(x)}{x^2+2f(x)}=2$$

0069

$x\to-t$로 놓으면 $x\to-\infty$일 때 $t\to\infty$이므로

$$\lim_{x\to-\infty}\frac{f(x)}{x}=\lim_{t\to\infty}\frac{f(-t)}{-t}=a$$
$$\therefore \lim_{t\to\infty}\frac{f(-t)}{t}=-a$$
$$\lim_{x\to-\infty}\frac{2f(x)-1}{\sqrt{x^2-f(x)}+f(x)}=\lim_{t\to\infty}\frac{2f(-t)-1}{\sqrt{t^2-f(-t)}+f(-t)}$$
$$=\lim_{t\to\infty}\frac{2\times\frac{f(-t)}{t}-\frac{1}{t}}{\sqrt{1-\frac{1}{t}\times\frac{f(-t)}{t}}+\frac{f(-t)}{t}}$$
$$=\frac{2\times(-a)-0}{\sqrt{1-0\times(-a)}+(-a)}$$
$$=\frac{-2a}{1-a}=3$$

$-2a=3-3a\qquad\therefore a=3$

답 3

0070

| 전략 | 분모를 1로 보고 분자를 유리화하여 $\frac{\infty}{\infty}$ 꼴로 변형한다.

$x=-t$로 놓으면 $x\to-\infty$일 때 $t\to\infty$이므로

$$\lim_{x\to-\infty}(\sqrt{x^2-5x+2}+x)=\lim_{t\to\infty}(\sqrt{t^2+5t+2}-t)$$
$$=\lim_{t\to\infty}\frac{(\sqrt{t^2+5t+2}-t)(\sqrt{t^2+5t+2}+t)}{\sqrt{t^2+5t+2}+t}$$
$$=\lim_{t\to\infty}\frac{5t+2}{\sqrt{t^2+5t+2}+t}$$
$$=\lim_{t\to\infty}\frac{5+\frac{2}{t}}{\sqrt{1+\frac{5}{t}+\frac{2}{t^2}}+1}=\frac{5}{2}$$

답 ⑤

0071

$$\lim_{x\to\infty}(\sqrt{x^2-x}-x)=\lim_{x\to\infty}\frac{(\sqrt{x^2-x}-x)(\sqrt{x^2-x}+x)}{\sqrt{x^2-x}+x}$$
$$=\lim_{x\to\infty}\frac{-x}{\sqrt{x^2-x}+x}$$
$$=\lim_{x\to\infty}\frac{-1}{\sqrt{1-\frac{1}{x}}+1}=-\frac{1}{2}$$

답 $-\frac{1}{2}$

0072

$$\lim_{x\to\infty}(\sqrt{x^2+3x-1}-\sqrt{x^2-x+1})$$
$$=\lim_{x\to\infty}\frac{(\sqrt{x^2+3x-1}-\sqrt{x^2-x+1})(\sqrt{x^2+3x-1}+\sqrt{x^2-x+1})}{\sqrt{x^2+3x-1}+\sqrt{x^2-x+1}}$$
$$=\lim_{x\to\infty}\frac{4x-2}{\sqrt{x^2+3x-1}+\sqrt{x^2-x+1}}$$
$$=\lim_{x\to\infty}\frac{4-\frac{2}{x}}{\sqrt{1+\frac{3}{x}-\frac{1}{x^2}}+\sqrt{1-\frac{1}{x}+\frac{1}{x^2}}}=2$$

답 ④

0073

$$\lim_{x\to\infty}\frac{\sqrt{x+1}-\sqrt{x+3}}{\sqrt{x+2}-\sqrt{x}}$$
$$=\lim_{x\to\infty}\frac{(\sqrt{x+1}-\sqrt{x+3})(\sqrt{x+1}+\sqrt{x+3})(\sqrt{x+2}+\sqrt{x})}{(\sqrt{x+2}-\sqrt{x})(\sqrt{x+2}+\sqrt{x})(\sqrt{x+1}+\sqrt{x+3})}$$
$$=\lim_{x\to\infty}\left(-\frac{\sqrt{x+2}+\sqrt{x}}{\sqrt{x+1}+\sqrt{x+3}}\right)$$
$$=\lim_{x\to\infty}\left(-\frac{\sqrt{1+\frac{2}{x}}+1}{\sqrt{1+\frac{1}{x}}+\sqrt{1+\frac{3}{x}}}\right)=-1$$

답 ②

0074

|전략| 괄호 안의 식을 통분하여 $\frac{0}{0}$ 꼴로 변형한다.

$$\lim_{x\to1}\frac{1}{x-1}\left(\frac{x^2}{x+1}-\frac{1}{2}\right)=\lim_{x\to1}\frac{1}{x-1}\times\frac{2x^2-x-1}{2(x+1)}$$
$$=\lim_{x\to1}\frac{1}{x-1}\times\frac{(2x+1)(x-1)}{2(x+1)}$$
$$=\lim_{x\to1}\frac{2x+1}{2(x+1)}=\frac{3}{4}$$

답 ④

0075

$$\lim_{x\to3}\frac{1}{x-3}\left(\frac{1}{\sqrt{x+1}}-\frac{1}{2}\right)$$
$$=\lim_{x\to3}\frac{1}{x-3}\times\frac{2-\sqrt{x+1}}{2\sqrt{x+1}}$$
$$=\lim_{x\to3}\frac{1}{x-3}\times\frac{(2-\sqrt{x+1})(2+\sqrt{x+1})}{2\sqrt{x+1}(2+\sqrt{x+1})}$$
$$=\lim_{x\to3}\frac{1}{x-3}\times\frac{3-x}{4\sqrt{x+1}+2x+2}$$
$$=\lim_{x\to3}\frac{-1}{4\sqrt{x+1}+2x+2}=-\frac{1}{16}$$

답 ⑤

0076

$$\lim_{x\to\infty}x^2\left(1-\frac{x}{\sqrt{x^2+1}}\right)=\lim_{x\to\infty}x^2\times\frac{\sqrt{x^2+1}-x}{\sqrt{x^2+1}}$$
$$=\lim_{x\to\infty}x^2\times\frac{(\sqrt{x^2+1}-x)(\sqrt{x^2+1}+x)}{\sqrt{x^2+1}(\sqrt{x^2+1}+x)}$$
$$=\lim_{x\to\infty}\frac{x^2}{x^2+1+x\sqrt{x^2+1}}$$
$$=\lim_{x\to\infty}\frac{1}{1+\frac{1}{x^2}+\sqrt{1+\frac{1}{x^2}}}=\frac{1}{2}$$

답 $\frac{1}{2}$

0077

|전략| $\lim_{x\to a}\frac{f(x)}{g(x)}$의 값이 존재하고, $x\to a$일 때 (분모) $\to 0$이면 (분자) $\to 0$임을 이용한다.

$\lim_{x\to1}\frac{x^2+ax+b}{x^2-1}=3$에서 $\lim_{x\to1}(x^2-1)=0$이므로

$\lim_{x\to1}(x^2+ax+b)=1+a+b=0$ $\quad\therefore b=-a-1$ ……㉠

㉠을 주어진 등식에 대입하면

$$\lim_{x\to1}\frac{x^2+ax-a-1}{x^2-1}=\lim_{x\to1}\frac{(x-1)(x+a+1)}{(x+1)(x-1)}$$
$$=\lim_{x\to1}\frac{x+a+1}{x+1}=\frac{a+2}{2}=3$$

따라서 $a=4$, $b=-5$이므로

$a-b=4-(-5)=9$

답 ⑤

0078

$\lim_{x\to-1}\frac{x^2-1}{2x^2+x-a}=b$에서 $b\neq0$이고 $\lim_{x\to-1}(x^2-1)=0$이므로

$\lim_{x\to-1}(2x^2+x-a)=1-a=0$ $\quad\therefore a=1$

$a=1$을 주어진 등식에 대입하면

$$\lim_{x\to-1}\frac{x^2-1}{2x^2+x-1}=\lim_{x\to-1}\frac{(x+1)(x-1)}{(2x-1)(x+1)}$$
$$=\lim_{x\to-1}\frac{x-1}{2x-1}=\frac{2}{3}=b$$

$\therefore a+b=1+\frac{2}{3}=\frac{5}{3}$

답 $\frac{5}{3}$

0079

$\lim_{x\to1}\frac{a\sqrt{x+3}+b}{x-1}=\frac{1}{4}$에서 $\lim_{x\to1}(x-1)=0$이므로

$\lim_{x\to1}(a\sqrt{x+3}+b)=2a+b=0$

$\therefore b=-2a$ ……㉠ … ❶

㉠을 주어진 등식에 대입하면

$$\lim_{x\to1}\frac{a\sqrt{x+3}-2a}{x-1}=\lim_{x\to1}\frac{a(\sqrt{x+3}-2)(\sqrt{x+3}+2)}{(x-1)(\sqrt{x+3}+2)}$$
$$=\lim_{x\to1}\frac{a(x-1)}{(x-1)(\sqrt{x+3}+2)}$$
$$=\lim_{x\to1}\frac{a}{\sqrt{x+3}+2}=\frac{a}{4}=\frac{1}{4}$$

따라서 $a=1,\ b=-2$이므로 … ❷

$ab=1\times(-2)=-2$ … ❸

답 -2

채점 기준	비율
❶ b를 a에 대한 식으로 나타낼 수 있다.	40%
❷ $a,\ b$의 값을 구할 수 있다.	50%
❸ ab의 값을 구할 수 있다.	10%

0080

$\lim_{x\to2}\frac{x-2}{1-\sqrt{a-x^2}}=b$에서 $b\neq0$이고 $\lim_{x\to2}(x-2)=0$이므로

$\lim_{x\to2}(1-\sqrt{a-x^2})=1-\sqrt{a-4}=0 \qquad \therefore a=5$

$a=5$를 주어진 등식에 대입하면

$$\begin{aligned}\lim_{x\to2}\frac{x-2}{1-\sqrt{5-x^2}}&=\lim_{x\to2}\frac{(x-2)(1+\sqrt{5-x^2})}{(1-\sqrt{5-x^2})(1+\sqrt{5-x^2})}\\&=\lim_{x\to2}\frac{(x-2)(1+\sqrt{5-x^2})}{(x+2)(x-2)}\\&=\lim_{x\to2}\frac{1+\sqrt{5-x^2}}{x+2}\\&=\frac{1}{2}=b\end{aligned}$$

$$\begin{aligned}\therefore \lim_{x\to1}\frac{x^2-6x+a}{2x^2-3x+2b}&=\lim_{x\to1}\frac{x^2-6x+5}{2x^2-3x+1}\\&=\lim_{x\to1}\frac{(x-1)(x-5)}{(2x-1)(x-1)}\\&=\lim_{x\to1}\frac{x-5}{2x-1}=-4\end{aligned}$$

답 ①

0081

|전략| $\lim_{x\to\infty}\frac{f(x)}{g(x)}=L$ ($L\neq0$인 실수)이면 $f(x)$와 $g(x)$의 차수가 같다.

$a\le0$이면 $\lim_{x\to\infty}(\sqrt{x^2+2x+3}-ax-b)=\infty$이므로 $a>0$이어야 한다.

$$\begin{aligned}&\lim_{x\to\infty}(\sqrt{x^2+2x+3}-ax-b)\\&=\lim_{x\to\infty}\frac{(\sqrt{x^2+2x+3}-ax-b)(\sqrt{x^2+2x+3}+ax+b)}{\sqrt{x^2+2x+3}+ax+b}\\&=\lim_{x\to\infty}\frac{(1-a^2)x^2+(2-2ab)x+(3-b^2)}{\sqrt{x^2+2x+3}+ax+b} \quad \cdots\cdots ㉠\end{aligned}$$

이때, ㉠이 극한값을 가지므로

$1-a^2=0 \qquad \therefore a=1\ (\because a>0)$

$a=1$을 ㉠에 대입하면

$$\begin{aligned}\lim_{x\to\infty}\frac{(2-2b)x+(3-b^2)}{\sqrt{x^2+2x+3}+x+b}&=\lim_{x\to\infty}\frac{(2-2b)+\frac{3-b^2}{x}}{\sqrt{1+\frac{2}{x}+\frac{3}{x^2}}+1+\frac{b}{x}}\\&=1-b=-3\end{aligned}$$

$\therefore b=4$

$\therefore a+b=1+4=5$

답 ⑤

0082

$$\begin{aligned}\lim_{x\to a}\frac{x^3-a^3}{x^2-a^2}&=\lim_{x\to a}\frac{(x-a)(x^2+ax+a^2)}{(x+a)(x-a)}\\&=\lim_{x\to a}\frac{x^2+ax+a^2}{x+a}\\&=\frac{3a^2}{2a}=\frac{3a}{2}=3\end{aligned}$$

$\therefore a=2$

$a=2$를 주어진 식에 대입하면

$$\begin{aligned}\lim_{x\to2}\frac{x^3-2x^2+4x-8}{x-2}&=\lim_{x\to2}\frac{(x-2)(x^2+4)}{x-2}\\&=\lim_{x\to2}(x^2+4)=8\end{aligned}$$

답 ④

0083

$$\lim_{x\to\infty}\left(ax+b-\frac{x^3+1}{x^2+1}\right)=\lim_{x\to\infty}\frac{(a-1)x^3+bx^2+ax+b-1}{x^2+1} \quad \cdots\cdots ㉠$$

이때, ㉠이 극한값을 가지므로 $a-1=0 \qquad \therefore a=1$

$a=1$을 ㉠에 대입하면

$$\lim_{x\to\infty}\frac{bx^2+x+b-1}{x^2+1}=\lim_{x\to\infty}\frac{b+\frac{1}{x}+\frac{b-1}{x^2}}{1+\frac{1}{x^2}}=b=0$$

$\therefore a+b=1+0=1$

답 ①

0084

$x=-t$로 놓으면 $x\to-\infty$일 때 $t\to\infty$이므로

$$\begin{aligned}\lim_{x\to-\infty}(\sqrt{ax^2+bx}+x)&=\lim_{t\to\infty}(\sqrt{at^2-bt}-t)\\&=\lim_{t\to\infty}\frac{(\sqrt{at^2-bt}-t)(\sqrt{at^2-bt}+t)}{\sqrt{at^2-bt}+t}\\&=\lim_{t\to\infty}\frac{(a-1)t^2-bt}{\sqrt{at^2-bt}+t}\\&=\lim_{t\to\infty}\frac{(a-1)t-b}{\sqrt{a-\frac{b}{t}}+1} \quad \cdots\cdots ㉠\end{aligned}$$

이때, ㉠이 극한값을 가지므로 $a-1=0 \qquad \therefore a=1$

$a=1$을 ㉠에 대입하면

$$\lim_{t\to\infty}\frac{-b}{\sqrt{1-\frac{b}{t}}+1}=-\frac{b}{2}=-1 \qquad \therefore b=2$$

$\therefore ab=1\times2=2$

답 2

0085

|전략| 두 다항함수 $f(x),\ g(x)$에 대하여 $\lim_{x\to\infty}\frac{f(x)}{g(x)}=L$ ($L\neq0$인 실수)이면 $\frac{\{f(x)\text{의 최고차항의 계수}\}}{\{g(x)\text{의 최고차항의 계수}\}}=L$이다.

$\lim_{x\to\infty}\frac{f(x)}{2x^2-x+9}=2$에서 $f(x)$는 이차항의 계수가 4인 이차함수임을 알 수 있다.

또, $\lim_{x\to1}\frac{f(x)}{x^2+2x-3}=1$에서 $\lim_{x\to1}(x^2+2x-3)=0$이므로

$\lim_{x\to1}f(x)=0 \qquad \therefore f(1)=0$

즉, $f(x)=4(x-1)(x-a)$ (a는 상수)로 놓을 수 있으므로

$$\lim_{x\to1}\frac{f(x)}{x^2+2x-3}=\lim_{x\to1}\frac{4(x-1)(x-a)}{(x+3)(x-1)}$$
$$=\lim_{x\to1}\frac{4(x-a)}{x+3}=1-a=1$$

$\therefore a=0$

따라서 $f(x)=4x(x-1)=4x^2-4x$이므로

$f(2)=16-8=8$ 답 8

0086

$\lim_{x\to0}\frac{f(x)}{x}=2$에서 $\lim_{x\to0}x=0$이므로

$\lim_{x\to0}f(x)=0 \quad \therefore f(0)=0$

또, $\lim_{x\to1}\frac{f(x)}{x-1}=-1$에서 $\lim_{x\to1}(x-1)=0$이므로

$\lim_{x\to1}f(x)=0 \quad \therefore f(1)=0$

즉, $f(x)=x(x-1)(ax+b)$ (a, b는 상수, $a\neq0$)로 놓을 수 있으므로

$\lim_{x\to0}\frac{f(x)}{x}=\lim_{x\to0}(x-1)(ax+b)=-b=2 \quad \therefore b=-2$

$\lim_{x\to1}\frac{f(x)}{x-1}=\lim_{x\to1}x(ax-2)=a-2=-1 \quad \therefore a=1$

따라서 $f(x)=x(x-1)(x-2)$이므로

$\lim_{x\to2}\frac{f(x)}{x-2}=\lim_{x\to2}\frac{x(x-1)(x-2)}{x-2}=\lim_{x\to2}x(x-1)=2$ 답 2

0087

$\lim_{x\to\infty}\frac{f(x)}{x^2-1}=3$에서 $f(x)$는 이차항의 계수가 3인 이차함수임을 알 수 있다.

$f(x)=3x^2+ax+b$ (a, b는 상수)로 놓으면

$f(1)=3$이므로 $f(1)=3+a+b=3$, $a+b=0$ ……㉠

$f(-1)=7$이므로 $f(-1)=3-a+b=7$, $a-b=-4$ ……㉡

㉠, ㉡을 연립하여 풀면 $a=-2$, $b=2$

따라서 $f(x)=3x^2-2x+2$이므로

$f(2)=12-4+2=10$ 답 10

0088

$\lim_{x\to\infty}\frac{f(x)-6x^2}{2x-3}=a$에서 $f(x)$는 이차항의 계수가 6인 이차함수임을 알 수 있다.
└ $f(x)-6x^2$은 일차 이하의 식이다.

또, $\lim_{x\to1}\frac{f(x)}{x-1}=-2$에서 $\lim_{x\to1}(x-1)=0$이므로

$\lim_{x\to1}f(x)=0 \quad \therefore f(1)=0$

즉, $f(x)=6(x-1)(x+k)$ (k는 상수)로 놓을 수 있으므로

$$\lim_{x\to1}\frac{f(x)}{x-1}=\lim_{x\to1}\frac{6(x-1)(x+k)}{x-1}$$
$$=\lim_{x\to1}6(x+k)=6+6k=-2$$

$\therefore k=-\frac{4}{3}$

따라서 $f(x)=6(x-1)\left(x-\frac{4}{3}\right)=6x^2-14x+8$이므로

$$a=\lim_{x\to\infty}\frac{f(x)-6x^2}{2x-3}=\lim_{x\to\infty}\frac{(6x^2-14x+8)-6x^2}{2x-3}$$
$$=\lim_{x\to\infty}\frac{-14x+8}{2x-3}=\lim_{x\to\infty}\frac{-14+\frac{8}{x}}{2-\frac{3}{x}}=-7$$

답 ③

0089

$\lim_{x\to-1}\frac{f(x)}{x+1}=2$에서 $\lim_{x\to-1}(x+1)=0$이므로

$\lim_{x\to-1}f(x)=0 \quad \therefore f(-1)=0$

또, $\lim_{x\to-2}\frac{f(x)}{x+2}=-3$에서 $\lim_{x\to-2}(x+2)=0$이므로

$\lim_{x\to-2}f(x)=0 \quad \therefore f(-2)=0$

즉, $f(x)=(x+1)(x+2)Q(x)$ ($Q(x)$는 다항식)로 놓을 수 있으므로

$$\lim_{x\to-1}\frac{f(x)}{x+1}=\lim_{x\to-1}\frac{(x+1)(x+2)Q(x)}{x+1}$$
$$=\lim_{x\to-1}(x+2)Q(x)$$
$$=Q(-1)=2 \quad \cdots\cdots ㉠$$

$$\lim_{x\to-2}\frac{f(x)}{x+2}=\lim_{x\to-2}\frac{(x+1)(x+2)Q(x)}{x+2}$$
$$=\lim_{x\to-2}(x+1)Q(x)$$
$$=-Q(-2)=-3$$

$\therefore Q(-2)=3$ ……㉡

㉠, ㉡을 모두 만족시키는 다항함수 $Q(x)$ 중 차수가 가장 낮은 것은 일차식이므로 $Q(x)=ax+b$ (a, b는 상수, $a\neq0$)로 놓으면 ㉠, ㉡에서

$-a+b=2$, $-2a+b=3$

위의 식을 연립하여 풀면 $a=-1$, $b=1$

따라서 $Q(x)=-x+1$이므로

$g(x)=(x+1)(x+2)(-x+1)$
$=-x^3-2x^2+x+2$ 답 $g(x)=-x^3-2x^2+x+2$

0090

| **전략** | $g(x)<f(x)<h(x)$이고 $\lim_{x\to\infty}g(x)=\lim_{x\to\infty}h(x)=L$ (L은 실수)이면 $\lim_{x\to\infty}f(x)=L$임을 이용한다.

모든 양의 실수 x에 대하여 $x^2>0$이므로

$2x^2-x-1<f(x)<2x^2+4x+1$의 각 변을 x^2으로 나누면

$\frac{2x^2-x-1}{x^2}<\frac{f(x)}{x^2}<\frac{2x^2+4x+1}{x^2}$
└ $x^2>0$이므로 부등호의 방향이 바뀌지 않는다.

이때, $\lim_{x\to\infty}\frac{2x^2-x-1}{x^2}=\lim_{x\to\infty}\frac{2x^2+4x+1}{x^2}=2$이므로

$\lim_{x\to\infty}\frac{f(x)}{x^2}=2$ 답 2

0091

임의의 양의 실수 x에 대하여 $2x^3>0$이므로

$3ax^3+x^2+2<2x^3f(x)<3ax^3+x^2+3$의 각 변을 $2x^3$으로 나누면

$$\frac{3ax^3+x^2+2}{2x^3}<f(x)<\frac{3ax^3+x^2+3}{2x^3} \quad \cdots ❶$$

이때, $\lim\limits_{x\to\infty}\frac{3ax^3+x^2+2}{2x^3}=\lim\limits_{x\to\infty}\frac{3ax^3+x^2+3}{2x^3}=\frac{3}{2}a$이므로

$$\lim_{x\to\infty}f(x)=\frac{3}{2}a=3 \quad \cdots ❷$$

$$\therefore a=2 \quad \cdots ❸$$

답 2

채점 기준	비율
❶ $f(x)$의 범위를 구할 수 있다.	40%
❷ $\lim\limits_{x\to\infty}f(x)$를 a에 대한 식으로 나타낼 수 있다.	50%
❸ a의 값을 구할 수 있다.	10%

0092

(i) $x \to 1+$일 때, $x-1>0$이므로

$2x^3-6x^2+4x\le f(x)\le x^4-2x^3+1$의 각 변을 $x-1$로 나누면

$$\frac{2x^3-6x^2+4x}{x-1}\le\frac{f(x)}{x-1}\le\frac{x^4-2x^3+1}{x-1}$$

이때,

$$\lim_{x\to1+}\frac{2x^3-6x^2+4x}{x-1}=\lim_{x\to1+}\frac{2x(x-1)(x-2)}{x-1}=\lim_{x\to1+}2x(x-2)=-2$$

$$\lim_{x\to1+}\frac{x^4-2x^3+1}{x-1}=\lim_{x\to1+}\frac{(x-1)(x^3-x^2-x-1)}{x-1}=\lim_{x\to1+}(x^3-x^2-x-1)=-2$$

이므로 $\lim\limits_{x\to1+}\frac{f(x)}{x-1}=-2$

(ii) $x \to 1-$일 때, $x-1<0$이므로

$2x^3-6x^2+4x\le f(x)\le x^4-2x^3+1$의 각 변을 $x-1$로 나누면

$$\frac{x^4-2x^3+1}{x-1}\le\frac{f(x)}{x-1}\le\frac{2x^3-6x^2+4x}{x-1}$$

이때,

$$\lim_{x\to1-}\frac{x^4-2x^3+1}{x-1}=\lim_{x\to1-}(x^3-x^2-x-1)=-2$$

$$\lim_{x\to1-}\frac{2x^3-6x^2+4x}{x-1}=\lim_{x\to1-}2x(x-2)=-2$$

이므로 $\lim\limits_{x\to1-}\frac{f(x)}{x-1}=-2$

(i), (ii)에 의하여 $\lim\limits_{x\to1}\frac{f(x)}{x-1}=-2$

답 ①

0093

|전략| m과 $\overline{\mathrm{OP}}$의 길이를 t에 대한 식으로 나타낸 후 극한값을 구한다.

직선 OP의 기울기가 $\frac{\sqrt{t}}{t}=\frac{1}{\sqrt{t}}$이므로 점 P를 지나고 $\overline{\mathrm{OP}}$와 수직인 직선 l의 기울기는 $m=-\sqrt{t}$이다.

이때, $\overline{\mathrm{OP}}=\sqrt{t^2+(\sqrt{t})^2}=\sqrt{t^2+t}$이므로

$$\lim_{t\to\infty}(\overline{\mathrm{OP}}-m^2)=\lim_{t\to\infty}(\sqrt{t^2+t}-t)$$
$$=\lim_{t\to\infty}\frac{(\sqrt{t^2+t}-t)(\sqrt{t^2+t}+t)}{\sqrt{t^2+t}+t}$$
$$=\lim_{t\to\infty}\frac{t}{\sqrt{t^2+t}+t}$$
$$=\lim_{t\to\infty}\frac{1}{\sqrt{1+\frac{1}{t}}+1}=\frac{1}{2}$$

답 $\frac{1}{2}$

0094

원의 반지름의 길이가 $\overline{\mathrm{OP}}=\sqrt{t^2+t^4}$이므로 점 Q의 좌표는 $(0, \sqrt{t^2+t^4})$이다.

이때, 점 H의 좌표가 $(0, t^2)$이므로

$\overline{\mathrm{PH}}=t$, $\overline{\mathrm{QH}}=\overline{\mathrm{OQ}}-\overline{\mathrm{OH}}=\sqrt{t^2+t^4}-t^2$

$$\therefore \lim_{t\to0+}\frac{\overline{\mathrm{PH}}}{\overline{\mathrm{QH}}}=\lim_{t\to0+}\frac{t}{\sqrt{t^2+t^4}-t^2}=\lim_{t\to0+}\frac{1}{\sqrt{1+t^2}-t}=1$$

답 ②

0095

점 P는 곡선 $y=x^2$ 위의 점이므로 $\mathrm{P}(t, t^2)$ $(t>0)$으로 놓으면 직선 OP의 기울기는 $\frac{t^2}{t}=t$

또, 선분 OP의 중점을 M이라 하면 $\mathrm{M}\left(\frac{t}{2}, \frac{t^2}{2}\right)$

이때, 직선 QM은 직선 OP와 수직이므로 직선 QM의 기울기는 $-\frac{1}{t}$이고 점 M을 지나므로 직선 QM의 방정식은

$$y-\frac{t^2}{2}=-\frac{1}{t}\left(x-\frac{t}{2}\right) \quad \cdots\cdots ㉠$$

$x=0$을 ㉠에 대입하면 $y=\frac{t^2+1}{2}$ $\quad\therefore \mathrm{Q}\left(0, \frac{t^2+1}{2}\right)$

점 P가 원점 O에 한없이 가까워지면 $t \to 0+$이므로

$$\lim_{t\to0+}\frac{t^2+1}{2}=\frac{1}{2}$$

따라서 점 Q가 한없이 가까워지는 점의 y좌표는 $\frac{1}{2}$이다.

답 ④

STEP 3 내신 마스터

0096

유형 01 함수의 극한값의 존재

|전략| $x=a$에서의 좌극한과 우극한이 모두 존재하고 그 값이 같을 때, $x=a$에서의 극한값이 존재한다.

함수 $y=f(x)$의 그래프는 오른쪽 그림과 같다.

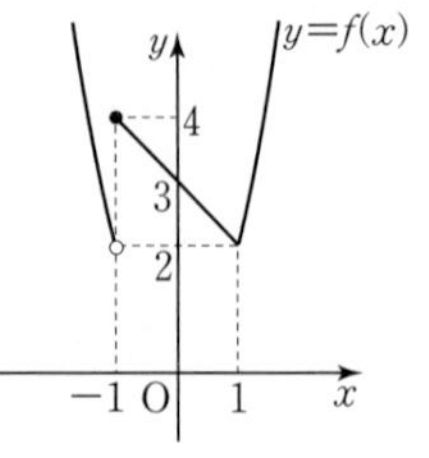

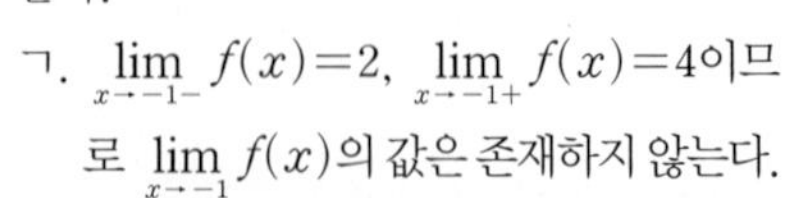

ㄱ. $\lim\limits_{x\to-1-}f(x)=2$, $\lim\limits_{x\to-1+}f(x)=4$이므로 $\lim\limits_{x\to-1}f(x)$의 값은 존재하지 않는다.

ㄴ. $\lim\limits_{x\to0}f(x)=3$

ㄷ. $\lim\limits_{x\to1}f(x)=2$

따라서 극한값이 존재하는 것은 ㄴ, ㄷ이다.

답 ⑤

0097

유형 02 함수의 극한값 구하기

|전략| $x \to -2+$는 x가 -2보다 크면서 -2에 한없이 가까워지고, $x \to 2-$는 x가 2보다 작으면서 2에 한없이 가까워지는 것을 나타낸다.

$\lim_{x\to-2+} f(x)=-1$, $\lim_{x\to2-} f(x)=1$이므로

$\lim_{x\to-2+} f(x)+\lim_{x\to2-} f(x)=-1+1=0$ 답 ①

0098

유형 04 합성함수의 극한

|전략| $x \to 0-$, $x \to 0+$일 때, 두 함수 $f(x)$, $g(x)$의 극한값을 먼저 구한다.

ㄱ. $x \to 0-$일 때 $f(x) \to 1-$이므로

$\lim_{x\to0-} f(f(x))=\lim_{f(x)\to1-} f(f(x))=0$

$x \to 0+$일 때 $f(x) \to -1+$이므로

$\lim_{x\to0+} f(f(x))=\lim_{f(x)\to-1+} f(f(x))=0$

$\therefore \lim_{x\to0} f(f(x))=0$ (참)

ㄴ. $x \to 0-$일 때 $f(x) \to 1-$이므로

$\lim_{x\to0-} g(f(x))=\lim_{f(x)\to1-} g(f(x))=1$

$x \to 0+$일 때 $f(x) \to -1+$이므로

$\lim_{x\to0+} g(f(x))=\lim_{f(x)\to-1+} g(f(x))=1$

$\therefore \lim_{x\to0} g(f(x))=1$ (참)

ㄷ. $x \to 0$일 때 $g(x) \to 0+$이므로

$\lim_{x\to0} f(g(x))=\lim_{g(x)\to0+} f(g(x))=-1$ (거짓)

따라서 옳은 것은 ㄱ, ㄴ이다. 답 ③

Lecture

합성함수의 극한

두 함수 $f(x)$, $g(x)$에 대하여 $x \to a-$일 때

① $f(x) \to b-$이면 ⇨ $\lim_{x\to a-} g(f(x))=\lim_{f(x)\to b-} g(f(x))$

② $f(x) \to b+$이면 ⇨ $\lim_{x\to a-} g(f(x))=\lim_{f(x)\to b+} g(f(x))$

③ $f(x)=b$이면 ⇨ $\lim_{x\to a-} g(f(x))=g(b)$

0099

유형 05 함수의 극한에 대한 성질

|전략| $2f(x)-3g(x)=h(x)$로 놓고 $g(x)$를 $f(x)$, $h(x)$로 나타낸 후 주어진 식에 대입한다.

$2f(x)-3g(x)=h(x)$로 놓으면 $g(x)=\frac{2}{3}f(x)-\frac{1}{3}h(x)$이고

$\lim_{x\to\infty} h(x)=2$이다.

$$\therefore \lim_{x\to\infty}\frac{f(x)-g(x)}{2f(x)+g(x)}=\lim_{x\to\infty}\frac{f(x)-\left\{\frac{2}{3}f(x)-\frac{1}{3}h(x)\right\}}{2f(x)+\left\{\frac{2}{3}f(x)-\frac{1}{3}h(x)\right\}}$$

$$=\lim_{x\to\infty}\frac{f(x)+h(x)}{8f(x)-h(x)}=\lim_{x\to\infty}\frac{1+\frac{h(x)}{f(x)}}{8-\frac{h(x)}{f(x)}}$$

$$=\frac{1}{8}\left(\because \lim_{x\to\infty}\frac{h(x)}{f(x)}=0\right)$$ 답 ①

0100

유형 05 함수의 극한에 대한 성질

|전략| 함수의 극한에 대한 성질을 이용한다.

ㄱ. $\lim_{x\to1} f(x)=6$이고 $\lim_{x\to1} g(x)=0$이므로

$\lim_{x\to1}\{f(x)-g(x)\}=\lim_{x\to1} f(x)-\lim_{x\to1} g(x)$

$=6-0=6$ (참)

ㄴ. $\frac{f(x)}{g(x)}=h(x)$로 놓으면 $g(x)=\frac{f(x)}{h(x)}$이고 $\lim_{x\to1} h(x)=3$이다.

$\therefore \lim_{x\to1} g(x)=\lim_{x\to1}\frac{f(x)}{h(x)}=\frac{6}{3}=2$ (참)

ㄷ. $f(x)g(x)=h(x)$로 놓으면 $g(x)=\frac{h(x)}{f(x)}$이고 $\lim_{x\to1} h(x)=1$이다.

이때, $\lim_{x\to1} g(x)=\lim_{x\to1}\frac{h(x)}{f(x)}=\frac{1}{6}$이므로 $\lim_{x\to1} g(x)$의 값은 존재한다. (참)

따라서 옳은 것은 ㄱ, ㄴ, ㄷ이다. 답 ⑤

0101

유형 05 함수의 극한에 대한 성질

|전략| ㄴ. 좌극한과 우극한을 각각 구하여 비교한다.

ㄱ. $\lim_{x\to-1+} g(x)=1$, $g(-1)=1$

$\therefore \lim_{x\to-1+} g(x)=g(-1)$ (참)

ㄴ. $\lim_{x\to-1-} f(x)g(x)=\lim_{x\to-1-} f(x)\times\lim_{x\to-1-} g(x)$

$=1\times0=0$

$\lim_{x\to-1+} f(x)g(x)=\lim_{x\to-1+} f(x)\times\lim_{x\to-1+} g(x)$

$=0\times1=0$

$\therefore \lim_{x\to-1-} f(x)g(x)=\lim_{x\to-1+} f(x)g(x)$ (참)

ㄷ. ㄴ에서 $\lim_{x\to-1} f(x)g(x)=0$

$f(-1)g(-1)=1\times1=1$

$\therefore \lim_{x\to-1} f(x)g(x)\neq f(-1)g(-1)$ (거짓)

따라서 옳은 것은 ㄱ, ㄴ이다. 답 ③

0102

유형 06 $\frac{0}{0}$ 꼴의 극한 – 유리식 + 07 $\frac{0}{0}$ 꼴의 극한 – 무리식

|전략| 분모, 분자가 모두 다항식이면 분모, 분자를 각각 인수분해하여 약분하고, 분모, 분자 중 무리식이 있으면 근호를 포함한 쪽을 유리화한다.

$\lim_{x\to1}\frac{x^3-1}{x-1}+\lim_{x\to0}\frac{x}{\sqrt{x+1}-1}$

$=\lim_{x\to1}\frac{(x-1)(x^2+x+1)}{x-1}+\lim_{x\to0}\frac{x(\sqrt{x+1}+1)}{(\sqrt{x+1}-1)(\sqrt{x+1}+1)}$

$=\lim_{x\to1}(x^2+x+1)+\lim_{x\to0}(\sqrt{x+1}+1)$

$=3+2=5$ 답 ⑤

0103

유형 08 $\frac{\infty}{\infty}$ 꼴의 극한

|전략| 분모의 최고차항으로 분모, 분자를 각각 나눈다.

$$\lim_{x\to\infty}\frac{2}{x}(\sqrt{x^2+3x}-\sqrt{x})=\lim_{x\to\infty}\frac{2(\sqrt{x^2+3x}-\sqrt{x})}{x}$$
$$=\lim_{x\to\infty}\frac{2\left(\sqrt{1+\frac{3}{x}}-\sqrt{\frac{1}{x}}\right)}{1}=2$$

답 ⑤

0104

유형 10 $\infty\times 0$ 꼴의 극한

|전략| 임의의 실수 x에 대하여 $x-1<[x]\le x$이므로 $[x]=x-h\ (0\le h<1)$이다.

$0\le h<1$인 실수 h에 대하여 $\left[\frac{1}{x}\right]=\frac{1}{x}-h$로 나타낼 수 있다.

$$\therefore \lim_{x\to0}x\left[\frac{1}{x}\right]=\lim_{x\to0}x\left(\frac{1}{x}-h\right)=\lim_{x\to0}(1-xh)=1$$

답 ④

다른 풀이 (i) $x>0$일 때, $\frac{1}{x}-1<\left[\frac{1}{x}\right]\le\frac{1}{x}$이므로

$$x\left(\frac{1}{x}-1\right)<x\left[\frac{1}{x}\right]\le x\times\frac{1}{x}$$

이때, $\lim_{x\to0+}x\left(\frac{1}{x}-1\right)=\lim_{x\to0+}x\times\frac{1-x}{x}=1$, $\lim_{x\to0+}x\times\frac{1}{x}=1$이므로

$$\lim_{x\to0+}x\left[\frac{1}{x}\right]=1$$

(ii) $x<0$일 때, 같은 방법으로

$$x\times\frac{1}{x}\le x\left[\frac{1}{x}\right]<x\left(\frac{1}{x}-1\right)$$

이때, $\lim_{x\to0-}x\times\frac{1}{x}=1$, $\lim_{x\to0-}x\left(\frac{1}{x}-1\right)=\lim_{x\to0-}x\times\frac{1-x}{x}=1$이므로

$$\lim_{x\to0-}x\left[\frac{1}{x}\right]=1$$

(i), (ii)에서 $\lim_{x\to0}x\left[\frac{1}{x}\right]=1$

0105

유형 11 극한값을 이용한 미정계수의 결정 (1)

|전략| 극한값이 존재하고 (분모) → 0이면 (분자) → 0이다.

$\lim_{x\to0}\frac{x^2+ax+b}{x}=4$에서 $\lim_{x\to0}x=0$이므로

$\lim_{x\to0}(x^2+ax+b)=b=0$

$b=0$을 주어진 등식에 대입하면

$$\lim_{x\to0}\frac{x^2+ax}{x}=\lim_{x\to0}\frac{x(x+a)}{x}=\lim_{x\to0}(x+a)=a=4$$

$\therefore a+b=4+0=4$

답 ④

0106

유형 13 극한값을 이용한 다항함수의 결정

|전략| $\lim_{x\to\infty}\frac{(f\circ g)(x)}{f(x)}=1$에서 $f(x)$가 이차함수이고 0이 아닌 극한값이 존재하므로 $(f\circ g)(x)$는 이차함수임을 이용한다.

조건 (가)에서 분모의 $f(x)$가 이차함수이고 0이 아닌 극한값이 존재하므로 $(f\circ g)(x)$, 즉 $f(g(x))$는 이차함수임을 알 수 있다.

즉, $g(x)$는 일차함수이므로 $g(x)=ax+b$ (a, b는 상수, $a\neq0$)로 놓으면

$$\lim_{x\to\infty}\frac{(f\circ g)(x)}{f(x)}=\lim_{x\to\infty}\frac{f(ax+b)}{f(x)}$$
$$=\lim_{x\to\infty}\frac{2(ax+b)^2+5(ax+b)-3}{2x^2+5x-3}$$
$$=\lim_{x\to\infty}\frac{2a^2x^2+a(4b+5)x+(2b^2+5b-3)}{2x^2+5x-3}$$
$$=a^2=1$$

$\therefore a=\pm1$

조건 (나)에서 $\lim_{x\to0}\frac{g(x)}{f(x)}=\lim_{x\to0}\frac{ax+b}{2x^2+5x-3}=-\frac{b}{3}=-2$이므로

$b=6$

$\therefore g(x)=x+6$ 또는 $g(x)=-x+6$

조건 (다)에서 $g(9)<0$이므로 $g(x)=-x+6$

$\therefore g(3)=-3+6=3$

답 ④

0107

유형 14 함수의 극한의 대소 관계

|전략| 주어진 부등식의 각 변을 x^2+1로 나누어 $\frac{f(x)}{x^2+1}$의 범위를 구한다.

모든 양의 실수 x에 대하여 $x^2+1>0$이므로

$x^2+x+1<f(x)<x^2+2x+3$의 각 변을 x^2+1로 나누면

$$\frac{x^2+x+1}{x^2+1}<\frac{f(x)}{x^2+1}<\frac{x^2+2x+3}{x^2+1}$$

이때, $\lim_{x\to\infty}\frac{x^2+x+1}{x^2+1}=\lim_{x\to\infty}\frac{x^2+2x+3}{x^2+1}=1$이므로

$$\lim_{x\to\infty}\frac{f(x)}{x^2+1}=1$$

답 ①

0108

유형 15 함수의 극한의 활용

|전략| $\mathrm{P}(x, \sqrt{2x})$라 하고 점 H의 좌표를 구하여 $\overline{\mathrm{AH}}$, $\overline{\mathrm{PH}}$의 길이를 x에 대한 식으로 나타낸다.

$\mathrm{P}(x, \sqrt{2x})$라 하면 $\mathrm{H}(x, 2)$이고 $x>2$이므로

$\overline{\mathrm{AH}}=x-2$, $\overline{\mathrm{PH}}=\sqrt{2x}-2$

점 P가 점 A에 한없이 가까워지면 $x\to2+$이므로

$$\lim_{x\to2+}\frac{\overline{\mathrm{AH}}}{\overline{\mathrm{PH}}}=\lim_{x\to2+}\frac{x-2}{\sqrt{2x}-2}$$
$$=\lim_{x\to2+}\frac{(x-2)(\sqrt{2x}+2)}{(\sqrt{2x}-2)(\sqrt{2x}+2)}$$
$$=\lim_{x\to2+}\frac{(x-2)(\sqrt{2x}+2)}{2(x-2)}$$
$$=\lim_{x\to2+}\frac{\sqrt{2x}+2}{2}=2$$

답 ③

0109

유형 06 $\frac{0}{0}$ 꼴의 극한 - 유리식 + 08 $\frac{\infty}{\infty}$ 꼴의 극한

| **전략** | a의 값은 주어진 식을 통분하여 구하고, b의 값은 $x=-t$로 놓고 주어진 식을 변형하여 구한다.

$$\lim_{x\to1}\left(\frac{3}{1-x^3}-\frac{1}{1-x}\right)=\lim_{x\to1}\frac{3-x^2-x-1}{(1-x)(1+x+x^2)}$$
$$=\lim_{x\to1}\frac{x^2+x-2}{(x-1)(x^2+x+1)}$$
$$=\lim_{x\to1}\frac{(x+2)(x-1)}{(x-1)(x^2+x+1)}$$
$$=\lim_{x\to1}\frac{x+2}{x^2+x+1}=1$$

$\therefore a=1$ ··· ❶

$x=-t$로 놓으면 $x\to-\infty$일 때 $t\to\infty$이므로

$$\lim_{x\to-\infty}\frac{x-\sqrt{x^2-1}}{x+1}=\lim_{t\to\infty}\frac{-t-\sqrt{t^2-1}}{-t+1}$$
$$=\lim_{t\to\infty}\frac{t+\sqrt{t^2-1}}{t-1}$$
$$=\lim_{t\to\infty}\frac{1+\sqrt{1-\frac{1}{t^2}}}{1-\frac{1}{t}}=2$$

$\therefore b=2$ ··· ❷

$\therefore a+b=1+2=3$ ··· ❸

답 3

채점 기준	배점
❶ a의 값을 구할 수 있다.	2점
❷ b의 값을 구할 수 있다.	3점
❸ $a+b$의 값을 구할 수 있다.	1점

0110

유형 11 극한값을 이용한 미정계수의 결정 (1)

| **전략** | $x\to a$일 때 0이 아닌 극한값이 존재하고 (분자) $\to$ 0이면 (분모) $\to$ 0임을 이용하여 미정계수를 구한다.

$\lim_{x\to-3}\frac{x+3}{\sqrt{x^2-a}+b}=-\frac{2}{3}$에서 $-\frac{2}{3}\neq0$이고 $\lim_{x\to-3}(x+3)=0$이므로

$\lim_{x\to-3}(\sqrt{x^2-a}+b)=\sqrt{9-a}+b=0$

$\therefore b=-\sqrt{9-a}$ ······㉠ ··· ❶

㉠을 주어진 등식에 대입하면

$$\lim_{x\to-3}\frac{x+3}{\sqrt{x^2-a}-\sqrt{9-a}}$$
$$=\lim_{x\to-3}\frac{(x+3)(\sqrt{x^2-a}+\sqrt{9-a})}{(\sqrt{x^2-a}-\sqrt{9-a})(\sqrt{x^2-a}+\sqrt{9-a})}$$
$$=\lim_{x\to-3}\frac{(x+3)(\sqrt{x^2-a}+\sqrt{9-a})}{x^2-9}$$
$$=\lim_{x\to-3}\frac{(x+3)(\sqrt{x^2-a}+\sqrt{9-a})}{(x+3)(x-3)}$$
$$=\lim_{x\to-3}\frac{\sqrt{x^2-a}+\sqrt{9-a}}{x-3}$$
$$=-\frac{\sqrt{9-a}}{3}=-\frac{2}{3}$$

$\therefore a=5$

$a=5$를 ㉠에 대입하면 $b=-2$ ··· ❷

$\therefore ab=5\times(-2)=-10$ ··· ❸

답 -10

채점 기준	배점
❶ b를 a에 대한 식으로 나타낼 수 있다.	3점
❷ a, b의 값을 구할 수 있다.	3점
❸ ab의 값을 구할 수 있다.	1점

0111

유형 13 극한값을 이용한 다항함수의 결정

| **전략** | 두 다항함수 $f(x), g(x)$에 대하여 $\lim_{x\to\infty}\frac{f(x)}{g(x)}=L$ ($L\neq0$인 실수)이면 $f(x)$와 $g(x)$의 차수가 같다.

$\lim_{x\to\infty}\frac{f(x)}{3x^2+5x+1}=1$에서 $f(x)$는 이차항의 계수가 3인 이차함수임을 알 수 있다. ··· ❶

또, $\lim_{x\to1}\frac{f(x)}{x^2-3x+2}=6$에서 $\lim_{x\to1}(x^2-3x+2)=0$이므로

$\lim_{x\to1}f(x)=0$ $\quad\therefore f(1)=0$ ··· ❷

즉, $f(x)=3(x-1)(x+a)$ (a는 상수)로 놓을 수 있으므로

$$\lim_{x\to1}\frac{f(x)}{x^2-3x+2}=\lim_{x\to1}\frac{3(x-1)(x+a)}{(x-1)(x-2)}$$
$$=\lim_{x\to1}\frac{3(x+a)}{x-2}=-3a-3=6$$

$\therefore a=-3$

따라서 $f(x)=3(x-1)(x-3)$이므로

$f(-1)=3\times(-2)\times(-4)=24$ ··· ❸

답 24

채점 기준	배점
❶ $f(x)$가 이차항의 계수가 3인 이차함수임을 알 수 있다.	2점
❷ $f(1)$의 값을 구할 수 있다.	2점
❸ $f(-1)$의 값을 구할 수 있다.	3점

0112

유형 01 함수의 극한값의 존재 + 03 가우스 기호를 포함한 함수의 극한

| **전략** | 정수 n에 대하여 $\lim_{x\to n-}[x]=n-1$, $\lim_{x\to n+}[x]=n$임을 이용한다.

(1) $n-1\le x<n$일 때, $[x]=n-1$이므로

$$\lim_{x\to n-}\frac{[x]^2+x}{2[x]}=\frac{(n-1)^2+n}{2(n-1)}=\frac{n^2-n+1}{2(n-1)}$$

(2) $n\le x<n+1$일 때, $[x]=n$이므로

$$\lim_{x\to n+}\frac{[x]^2+x}{2[x]}=\frac{n^2+n}{2n}=\frac{n+1}{2}$$

(3) $\lim_{x\to n}\frac{[x]^2+x}{2[x]}$의 값이 존재하므로

$$\lim_{x\to n-}\frac{[x]^2+x}{2[x]}=\lim_{x\to n+}\frac{[x]^2+x}{2[x]}\text{에서}$$

$\dfrac{n^2-n+1}{2(n-1)}=\dfrac{n+1}{2}$, $n^2-n+1=n^2-1$

$\therefore n=2$

답 (1) $\dfrac{n^2-n+1}{2(n-1)}$ (2) $\dfrac{n+1}{2}$ (3) 2

채점 기준	배점
(1) $\lim\limits_{x\to n-}\dfrac{[x]^2+x}{2[x]}$를 n에 대한 식으로 나타낼 수 있다.	4점
(2) $\lim\limits_{x\to n+}\dfrac{[x]^2+x}{2[x]}$를 n에 대한 식으로 나타낼 수 있다.	4점
(3) 정수 n의 값을 구할 수 있다.	2점

0113

유형 04 합성함수의 극한

|전략| 두 함수 $y=\dfrac{t-1}{t+1}$, $y=\dfrac{4t-1}{t+1}$의 그래프를 그린 후 $\lim\limits_{t\to\infty}f\left(\dfrac{t-1}{t+1}\right)$, $\lim\limits_{t\to-\infty}f\left(\dfrac{4t-1}{t+1}\right)$의 값을 각각 구한다.

(1) $\dfrac{t-1}{t+1}=g(t)$라 하면

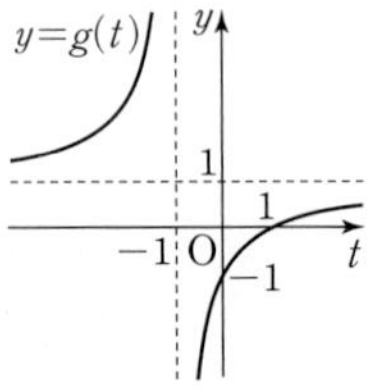

$g(t)=\dfrac{t-1}{t+1}=-\dfrac{2}{t+1}+1$

$y=g(t)$의 그래프는 오른쪽 그림과 같으므로 $t\to\infty$일 때 $g(t)\to 1-$이다.

$\therefore \lim\limits_{t\to\infty}f\left(\dfrac{t-1}{t+1}\right)=\lim\limits_{g(t)\to1-}f(g(t))=2$

(2) $\dfrac{4t-1}{t+1}=h(t)$라 하면

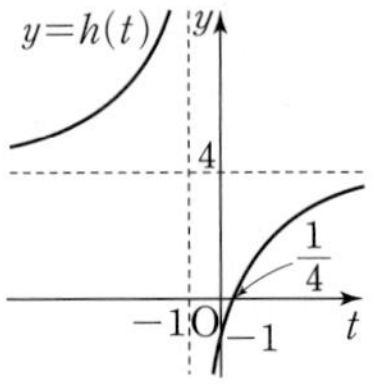

$h(t)=\dfrac{4t-1}{t+1}=-\dfrac{5}{t+1}+4$

$y=h(t)$의 그래프는 오른쪽 그림과 같으므로 $t\to-\infty$일 때 $h(t)\to 4+$이다.

$\therefore \lim\limits_{t\to-\infty}f\left(\dfrac{4t-1}{t+1}\right)=\lim\limits_{h(t)\to4+}f(h(t))=3$

(3) $\lim\limits_{t\to\infty}f\left(\dfrac{t-1}{t+1}\right)+\lim\limits_{t\to-\infty}f\left(\dfrac{4t-1}{t+1}\right)=2+3=5$

답 (1) 2 (2) 3 (3) 5

채점 기준	배점
(1) $\lim\limits_{t\to\infty}f\left(\dfrac{t-1}{t+1}\right)$의 값을 구할 수 있다.	5점
(2) $\lim\limits_{t\to-\infty}f\left(\dfrac{4t-1}{t+1}\right)$의 값을 구할 수 있다.	5점
(3) $\lim\limits_{t\to\infty}f\left(\dfrac{t-1}{t+1}\right)+\lim\limits_{t\to-\infty}f\left(\dfrac{4t-1}{t+1}\right)$의 값을 구할 수 있다.	2점

창의·융합 교과서 속 심화문제

0114

|전략| x의 값의 범위를 나누어 $g(x)$의 값을 구한다.

$-2<x<0$, $0<x<2$일 때, $0<f(x)<1$이므로

$g(x)=[f(x)]=0$

ㄱ. $\lim\limits_{x\to1-}g(x)=\lim\limits_{x\to1+}g(x)=0$ (참)

ㄴ. $\lim\limits_{x\to0-}g(x)=\lim\limits_{x\to0+}g(x)=0$ (참)

ㄷ. $\lim\limits_{x\to0}g(x)=0$, $g(0)=[f(0)]=[1]=1$

$\therefore \lim\limits_{x\to0}g(x)\neq g(0)$ (거짓)

따라서 옳은 것은 ㄱ, ㄴ이다. 답 ③

0115

|전략| ㄷ. $x\to1-$일 때와 $x\to1+$일 때 $f(x)$의 극한값을 먼저 구한다.

$\lim\limits_{x\to1-}f(x)=-1$, $\lim\limits_{x\to1+}f(x)=1$, $\lim\limits_{x\to1-}g(x)=1$, $\lim\limits_{x\to1+}g(x)=-1$

이므로

ㄱ. $\lim\limits_{x\to1-}\{f(x)+g(x)\}=\lim\limits_{x\to1-}f(x)+\lim\limits_{x\to1-}g(x)$

$=-1+1=0$

$\lim\limits_{x\to1+}\{f(x)+g(x)\}=\lim\limits_{x\to1+}f(x)+\lim\limits_{x\to1+}g(x)$

$=1+(-1)=0$

$\therefore \lim\limits_{x\to1}\{f(x)+g(x)\}=0$

ㄴ. $\lim\limits_{x\to1-}f(x)g(x)=\lim\limits_{x\to1-}f(x)\lim\limits_{x\to1-}g(x)$

$=-1\times1=-1$

$\lim\limits_{x\to1+}f(x)g(x)=\lim\limits_{x\to1+}f(x)\lim\limits_{x\to1+}g(x)$

$=1\times(-1)=-1$

$\therefore \lim\limits_{x\to1}f(x)g(x)=-1$

ㄷ. $x\to1-$일 때 $f(x)\to-1+$이므로

$\lim\limits_{x\to1-}g(f(x))=\lim\limits_{f(x)\to-1+}g(f(x))=-1$

$x\to1+$일 때 $f(x)\to1-$이므로

$\lim\limits_{x\to1+}g(f(x))=\lim\limits_{f(x)\to1-}g(f(x))=1$

즉, $\lim\limits_{x\to1-}g(f(x))\neq\lim\limits_{x\to1+}g(f(x))$이므로 $\lim\limits_{x\to1}g(f(x))$의 값은 존재하지 않는다.

따라서 극한값이 존재하는 것은 ㄱ, ㄴ이다. 답 ㄱ, ㄴ

0116

|전략| $x=1$을 기준으로 구간을 나누어 함수 $f(x)$를 구한다.

(i) $x>1$일 때 $\max(x, 1)=x$이므로 $f(x)=x^3-x$

(ii) $x=1$일 때 $f(1)=1+1-2=0$

(iii) $0<x<1$일 때 $\max(x, 1)=1$이므로 $f(x)=x^3-2x+1$

(i), (ii), (iii)에서

$a=\lim\limits_{x\to1-}\dfrac{f(x)-f(1)}{x-1}=\lim\limits_{x\to1-}\dfrac{x^3-2x+1}{x-1}$

$=\lim\limits_{x\to1-}\dfrac{(x-1)(x^2+x-1)}{x-1}$

$=\lim\limits_{x\to1-}(x^2+x-1)=1$

$b=\lim\limits_{x\to1+}\dfrac{f(x)-f(1)}{x-1}=\lim\limits_{x\to1+}\dfrac{x^3-x}{x-1}$

$=\lim\limits_{x\to1+}\dfrac{x(x+1)(x-1)}{x-1}$

$=\lim\limits_{x\to1+}x(x+1)=2$

$\therefore a+b=1+2=3$ 답 ②

0117

|전략| $\frac{1}{x}=t$로 놓고 주어진 식을 변형한 후 두 다항함수 $g(x)$, $h(x)$에 대하여 $\lim_{x\to\infty}\frac{g(x)}{h(x)}=L$ ($L\neq0$인 실수)이면 $g(x)$, $h(x)$의 차수는 같음을 이용한다.

조건 (가)에서 $\frac{1}{x}=t$로 놓으면 $x\to0+$일 때 $t\to\infty$이므로

$$\lim_{x\to0+}\frac{x^3f\left(\frac{1}{x}\right)-5}{x^4+x}=\lim_{t\to\infty}\frac{\left(\frac{1}{t}\right)^3f(t)-5}{\left(\frac{1}{t}\right)^4+\frac{1}{t}}=\lim_{t\to\infty}\frac{tf(t)-5t^4}{t^3+1}=2$$

따라서 $tf(t)=5t^4+2t^3+at^2+bt+c$ (a, b, c는 상수)로 놓으면

$f(t)$는 다항함수이므로 $c=0$

$\therefore f(t)=5t^3+2t^2+at+b$

조건 (나)에서 $\lim_{x\to1}\frac{f(x)}{x^2-3x+2}=5$이고 $\lim_{x\to1}(x^2-3x+2)=0$이므로

$\lim_{x\to1}f(x)=0$ $\quad\therefore f(1)=0$

즉, $f(1)=5+2+a+b=0$이므로 $b=-a-7$ ……㉠

$$\lim_{x\to1}\frac{f(x)}{x^2-3x+2}=\lim_{x\to1}\frac{5x^3+2x^2+ax-a-7}{x^2-3x+2}$$
$$=\lim_{x\to1}\frac{(x-1)(5x^2+7x+a+7)}{(x-1)(x-2)}$$
$$=\lim_{x\to1}\frac{5x^2+7x+a+7}{x-2}$$
$$=-a-19=5$$

$\therefore a=-24$

$a=-24$를 ㉠에 대입하면 $b=17$

따라서 $f(x)=5x^3+2x^2-24x+17$이므로

$f(2)=40+8-48+17=17$ 답 ④

0118

|전략| 직각삼각형 RQB′과 점 R에서 변 BC에 수선의 발을 내려 만들어지는 직각삼각형을 이용하여 $f(x)$, $g(x)$ 사이의 관계식을 세운다.

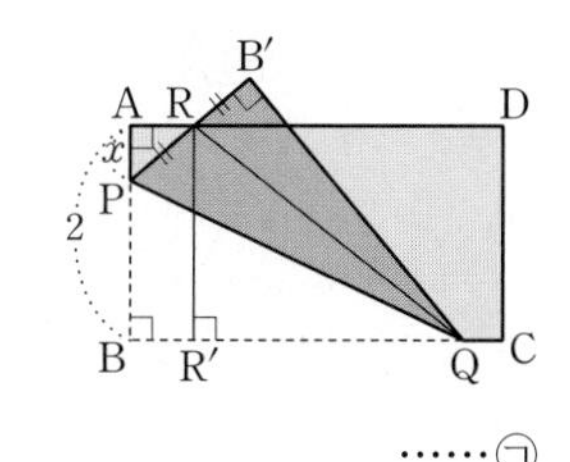

직각삼각형 APR에서

$\overline{PR}^2=x^2+\{g(x)\}^2$

직각삼각형 RQB′에서

$\overline{RQ}^2=\overline{RB'}^2+\overline{B'Q}^2$
$=\overline{PR}^2+\overline{BQ}^2$
$=x^2+\{g(x)\}^2+\{f(x)\}^2$ ……㉠

점 R에서 $\overline{BC}$에 내린 수선의 발을 R′이라 하면 직각삼각형 RR′Q에서

$\overline{RQ}^2=\overline{RR'}^2+\overline{R'Q}^2=2^2+\{f(x)-g(x)\}^2$ ……㉡

㉠, ㉡에서

$x^2+\{g(x)\}^2+\{f(x)\}^2=2^2+\{f(x)-g(x)\}^2$

$f(x)g(x)=\frac{4-x^2}{2}$

$\therefore \lim_{x\to\frac{2}{3}-}f(x)g(x)=\lim_{x\to\frac{2}{3}-}\frac{4-x^2}{2}=\frac{16}{9}$ 답 ③

2 | 함수의 연속

본책 26~39쪽

STEP 1 개념 마스터

0119

$x=2$에서의 함숫값 $f(2)$가 정의되어 있지 않으므로 함수 $f(x)$는 $x=2$에서 불연속이다. 답 $f(2)$가 정의되어 있지 않다.

0120

$\lim_{x\to2-}f(x)=1$, $\lim_{x\to2+}f(x)=2$ $\quad\therefore \lim_{x\to2-}f(x)\neq\lim_{x\to2+}f(x)$

따라서 $\lim_{x\to2}f(x)$의 값이 존재하지 않으므로 함수 $f(x)$는 $x=2$에서 불연속이다. 답 $\lim_{x\to2}f(x)$의 값이 존재하지 않는다.

0121

$f(2)=2$, $\lim_{x\to2}f(x)=1$

따라서 $\lim_{x\to2}f(x)\neq f(2)$이므로 함수 $f(x)$는 $x=2$에서 불연속이다. 답 $\lim_{x\to2}f(x)\neq f(2)$

0122

$f(1)=3$, $\lim_{x\to1}f(x)=3$이므로 $\lim_{x\to1}f(x)=f(1)$

따라서 함수 $f(x)$는 $x=1$에서 연속이다. 답 연속

0123

$x=1$에서의 함숫값 $f(1)$이 정의되어 있지 않으므로 함수 $f(x)$는 $x=1$에서 불연속이다. 답 불연속

0124 답 $[-2, 1]$ **0125** 답 $(3, 5)$

0126 답 $[-4, -2)$ **0127** 답 $(-1, 7]$

0128 답 $(-\infty, 3]$ **0129** 답 $(2, \infty)$

0130

함수 $f(x)=x^2-2x+2$의 정의역은 실수 전체의 집합이므로 $(-\infty, \infty)$이다. 답 $(-\infty, \infty)$

0131

함수 $f(x)=\frac{x}{x-3}$의 정의역은 $x-3\neq0$, 즉 $x\neq3$인 실수의 집합이므로 $(-\infty, 3)\cup(3, \infty)$이다. 답 $(-\infty, 3)\cup(3, \infty)$

0132

함수 $f(x)=\sqrt{x-2}$의 정의역은 $x-2\geq 0$, 즉 $x\geq 2$인 실수의 집합이므로 $[2, \infty)$이다. 답 $[2, \infty)$

0133

함수 $f(x)=x^2+3x$는 모든 실수 x에서 연속이므로 연속인 구간은 $(-\infty, \infty)$이다. 답 $(-\infty, \infty)$

0134

함수 $f(x)=\dfrac{2}{x-2}$는 $x-2\neq 0$, 즉 $x\neq 2$인 모든 실수 x에서 연속이므로 연속인 구간은 $(-\infty, 2)$, $(2, \infty)$이다. 답 $(-\infty, 2)$, $(2, \infty)$

0135

함수 $f(x)=-\sqrt{x+4}$는 $x+4\geq 0$, 즉 $x\geq -4$인 모든 실수 x에서 연속이므로 연속인 구간은 $[-4, \infty)$이다. 답 $[-4, \infty)$

0136

함수 $f(x)=x^3-4x^2+2x-1$은 다항함수이므로 모든 실수 x에서 연속이다.

따라서 연속인 구간은 $(-\infty, \infty)$이다. 답 $(-\infty, \infty)$

0137

함수 $f(x)=(x-2)(2x^2+x-3)$은 다항함수이므로 모든 실수 x에서 연속이다.

따라서 연속인 구간은 $(-\infty, \infty)$이다. 답 $(-\infty, \infty)$

0138

함수 $f(x)=\dfrac{2x-3}{x^2+1}$은 유리함수이고 모든 실수 x에 대하여 $x^2+1\neq 0$이므로 모든 실수 x에서 연속이다.

따라서 연속인 구간은 $(-\infty, \infty)$이다. 답 $(-\infty, \infty)$

0139

함수 $f(x)=\dfrac{x+1}{x^2+4x-5}$은 유리함수이므로 $x^2+4x-5\neq 0$, $(x+5)(x-1)\neq 0$, 즉 $x\neq -5$이고 $x\neq 1$인 모든 실수 x에서 연속이다.

따라서 연속인 구간은 $(-\infty, -5)$, $(-5, 1)$, $(1, \infty)$이다.

답 $(-\infty, -5)$, $(-5, 1)$, $(1, \infty)$

0140

(1) $f(x)+g(x)=(2x^2-1)+(x+1)=2x^2+x$

즉, 함수 $f(x)+g(x)$는 다항함수이므로 모든 실수 x에서 연속이다.

따라서 연속인 구간은 $(-\infty, \infty)$이다.

(2) $f(x)g(x)=(2x^2-1)(x+1)=2x^3+2x^2-x-1$

즉, 함수 $f(x)g(x)$는 다항함수이므로 모든 실수 x에서 연속이다.

따라서 연속인 구간은 $(-\infty, \infty)$이다.

(3) 함수 $\dfrac{f(x)}{g(x)}=\dfrac{2x^2-1}{x+1}$은 유리함수이므로 $x+1\neq 0$, 즉 $x\neq -1$인 모든 실수 x에서 연속이다.

따라서 연속인 구간은 $(-\infty, -1)$, $(-1, \infty)$이다.

답 (1) $(-\infty, \infty)$ (2) $(-\infty, \infty)$ (3) $(-\infty, -1)$, $(-1, \infty)$

0141

함수 $f(x)=x^2-4x-1=(x-2)^2-5$는 닫힌구간 $[-1, 2]$에서 연속이고, 닫힌구간 $[-1, 2]$에서 $y=f(x)$의 그래프는 오른쪽 그림과 같다.

따라서 함수 $f(x)$는 주어진 구간에서 $x=-1$일 때 최댓값 4, $x=2$일 때 최솟값 -5를 갖는다.

답 최댓값: 4, 최솟값: -5

0142

함수 $f(x)=\dfrac{x-1}{x+1}=-\dfrac{2}{x+1}+1$은 닫힌구간 $[0, 1]$에서 연속이고, 닫힌구간 $[0, 1]$에서 $y=f(x)$의 그래프는 오른쪽 그림과 같다.

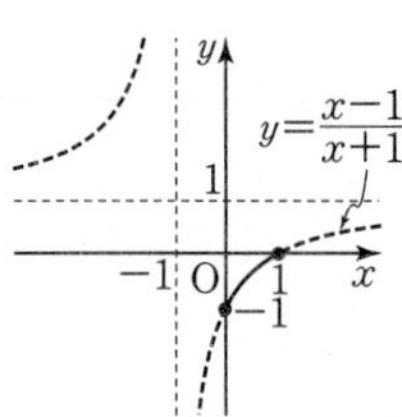

따라서 함수 $f(x)$는 주어진 구간에서 $x=1$일 때 최댓값 0, $x=0$일 때 최솟값 -1을 갖는다.

답 최댓값: 0, 최솟값: -1

0143 답 (가) 연속 (나) $\neq$ (다) 사잇값의 정리

0144 답 (가) 연속 (나) 103 (다) $(0, 5)$

0145

$f(x)=x^3+2x^2-1$이라 하면 함수 $f(x)$는 닫힌구간 $[0, 1]$에서 연속이고

$f(0)=-1<0$, $f(1)=2>0$

이므로 사잇값의 정리에 의하여 $f(c)=0$인 c가 열린구간 $(0, 1)$에 적어도 하나 존재한다.

즉, 방정식 $x^3+2x^2-1=0$은 열린구간 $(0, 1)$에서 적어도 하나의 실근을 갖는다. 답 풀이 참조

0146

$f(x)=x^4+x^3-6x+2$라 하면 함수 $f(x)$는 닫힌구간 $[-1, 1]$에서 연속이고

$f(-1)=8>0$, $f(1)=-2<0$
이므로 사잇값의 정리에 의하여 $f(c)=0$인 c가 열린구간 $(-1, 1)$에 적어도 하나 존재한다.
즉, 방정식 $x^4+x^3-6x+2=0$은 열린구간 $(-1, 1)$에서 적어도 하나의 실근을 갖는다. 답 풀이 참조

STEP 2 유형 마스터

0147

|전략| 함수가 연속이 되도록 하는 세 가지 조건을 만족시키는지 확인한다.

ㄱ. $x=1$에서의 함숫값 $f(1)$이 정의되어 있지 않으므로 함수 $f(x)$는 $x=1$에서 불연속이다.

ㄴ. $f(1)=4$, $\lim_{x \to 1} f(x)=4$이므로 $\lim_{x \to 1} f(x)=f(1)$
즉, 함수 $f(x)$는 $x=1$에서 연속이다.

ㄷ. $x=1$에서의 함숫값 $f(1)$이 정의되어 있지 않으므로 함수 $f(x)$는 $x=1$에서 불연속이다.

ㄹ. $\lim_{x \to 1-} f(x)=\lim_{x \to 1-} \frac{|x-1|}{x-1}=\lim_{x \to 1-} \frac{-(x-1)}{x-1}=-1$
$\lim_{x \to 1+} f(x)=\lim_{x \to 1+} \frac{|x-1|}{x-1}=\lim_{x \to 1+} \frac{x-1}{x-1}=1$
$\therefore \lim_{x \to 1-} f(x) \neq \lim_{x \to 1+} f(x)$
즉, $\lim_{x \to 1} f(x)$의 값이 존재하지 않으므로 함수 $f(x)$는 $x=1$에서 불연속이다.

따라서 $x=1$에서 불연속인 함수는 ㄱ, ㄷ, ㄹ이다. 답 ㄱ, ㄷ, ㄹ

0148

① $\lim_{x \to 0+} f(x)=\lim_{x \to 0+} \frac{x^2+2x}{x}=\lim_{x \to 0+} (x+2)=2$ (참)

② $x=0$에서의 함숫값 $f(0)$이 정의되어 있지 않으므로 함수 $f(x)$는 $x=0$에서 불연속이다. (참)

③ 함수 $f(x)=\frac{x^2+2x}{x}$의 정의역은 $x \neq 0$인 실수의 집합이므로 $(-\infty, 0) \cup (0, \infty)$이다. (참)

④ $\lim_{x \to 0-} f(x)=\lim_{x \to 0-} \frac{x^2+2x}{x}=\lim_{x \to 0-} (x+2)=2$
따라서 $\lim_{x \to 0-} f(x)=\lim_{x \to 0+} f(x)$이므로 $x \to 0$일 때 함수 $f(x)$의 극한값은 존재한다. (거짓)

⑤ 함수 $f(x)$는 $x \neq 0$인 모든 실수 x에서 연속이다. 이때, $f(0)=2$로 정의하면 $\lim_{x \to 0} f(x)=2$이고 $\lim_{x \to 0} f(x)=f(0)$이므로 함수 $f(x)$는 $x=0$에서 연속이다. 따라서 함수 $f(x)$는 실수 전체의 집합에서 연속함수이다. (참)

따라서 옳지 않은 것은 ④이다. 답 ④

0149

$$f(x)=\frac{1}{x-\frac{1}{x-\frac{1}{x}}}=\frac{1}{x-\frac{x}{x^2-1}}=\frac{x^2-1}{x^3-2x}$$

함수 $f(x)$는 $x=0$, $x^2-1=0$, $x^3-2x=0$이 되는 x의 값에서 정의되지 않으므로 불연속이 되는 x의 값은 $-\sqrt{2}$, -1, 0, 1, $\sqrt{2}$이다.
따라서 구하는 x의 개수는 5이다. 답 ④

0150

$$f(x)g(x)=\begin{cases} (x-4)(x^2-2) & (x \geq a) \\ (x-4)(4x+10) & (x<a) \end{cases}$$

함수 $f(x)g(x)$가 $x=a$에서 연속이려면
$\lim_{x \to a-} (x-4)(4x+10)=\lim_{x \to a+} (x-4)(x^2-2)=f(a)g(a)$
$(a-4)(4a+10)=(a-4)(a^2-2)$
$(a-4)(a^2-4a-12)=0$, $(a-4)(a+2)(a-6)=0$
$\therefore a=-2$ 또는 $a=4$ 또는 $a=6$
따라서 모든 a의 값의 합은 $-2+4+6=8$ 답 8

0151

함수 $f(x)$는 $x=1$에서 불연속이므로 합성함수 $f(f(x))$는 $f(x)=1$이 되는 x의 값에서 불연속이다. … ❶
(i) $x<1$일 때, $x^2-2x-1=1$에서
$x^2-2x-2=0$ $\therefore x=1-\sqrt{3}$ ($\because x<1$)
(ii) $x=1$일 때, $f(1)=1$
(iii) $x>1$일 때, $-x^2+2x+1=1$에서
$x(x-2)=0$ $\therefore x=2$ ($\because x>1$) … ❷
따라서 합성함수 $f(f(x))$가 불연속이 되는 x의 값은 $x=1-\sqrt{3}$, $x=1$, $x=2$이므로 구하는 모든 x의 값의 곱은
$(1-\sqrt{3}) \times 1 \times 2=2-2\sqrt{3}$ … ❸
답 $2-2\sqrt{3}$

채점 기준	비율
❶ 합성함수 $f(f(x))$가 불연속이 되는 조건을 구할 수 있다.	20%
❷ 합성함수 $f(f(x))$가 불연속이 되는 x의 값을 구할 수 있다.	60%
❸ 모든 x의 값의 곱을 구할 수 있다.	20%

0152

$-x=x^2-6$에서 $x^2+x-6=0$
$(x+3)(x-2)=0$ $\therefore x=-3$ 또는 $x=2$ … ❶
x가 유리수이면서 -3에 한없이 가까워질 때
$\lim_{x \to -3} f(x)=\lim_{x \to -3} (-x)=3$
또, x가 무리수이면서 -3에 한없이 가까워질 때
$\lim_{x \to -3} f(x)=\lim_{x \to -3} (x^2-6)=3$
$\therefore \lim_{x \to -3} f(x)=3$
이때, $x=-3$은 유리수이므로 $f(-3)=-(-3)=3$
$\therefore \lim_{x \to -3} f(x)=f(-3)$
마찬가지 방법으로 $\lim_{x \to 2} f(x)=f(2)$이므로 함수 $f(x)$는 $x=-3$, $x=2$에서 연속이다. … ❷
따라서 구하는 모든 x의 값의 합은
$-3+2=-1$ … ❸
답 -1

채점 기준	비율
❶ 방정식 $-x=x^2-6$의 해를 구할 수 있다.	40%
❷ 연속이 되는 모든 x의 값을 구할 수 있다.	40%
❸ 모든 x의 값의 합을 구할 수 있다.	20%

0153

|전략| 함수 $f(x)$가 $\lim_{x\to a} f(x)=f(a)$를 만족시키면 함수 $f(x)$는 $x=a$에서 연속이다.

ㄱ. $\lim_{x\to 1-} f(x)g(x)=1\times(-1)=-1$

$\lim_{x\to 1+} f(x)g(x)=-1\times 1=-1$

$\therefore \lim_{x\to 1} f(x)g(x)=-1$ (참)

ㄴ. $\lim_{x\to -1-} f(x)g(x)=1\times(-1)=-1$

$\lim_{x\to -1+} f(x)g(x)=-1\times(-1)=1$

$\therefore \lim_{x\to -1-} f(x)g(x)\neq \lim_{x\to -1+} f(x)g(x)$

즉, $\lim_{x\to -1} f(x)g(x)$의 값이 존재하지 않으므로 함수 $f(x)g(x)$는 $x=-1$에서 불연속이다. (거짓)

ㄷ. $\lim_{x\to 1-} \{f(x)+g(x)\}=1+(-1)=0$

$\lim_{x\to 1+} \{f(x)+g(x)\}=-1+1=0$

$\therefore \lim_{x\to 1} \{f(x)+g(x)\}=0$

이때, $f(1)+g(1)=-1+1=0$이므로

$\lim_{x\to 1} \{f(x)+g(x)\}=f(1)+g(1)$

즉, 함수 $f(x)+g(x)$는 $x=1$에서 연속이다. (참)

따라서 옳은 것은 ㄱ, ㄷ이다. 답 ③

0154

(i) $f(-2)=0$, $\lim_{x\to -2} f(x)=2$이므로 $\lim_{x\to -2} f(x)\neq f(-2)$

즉, $f(x)$는 $x=-2$에서 불연속이다.

(ii) $\lim_{x\to -1-} f(x)=0$, $\lim_{x\to -1+} f(x)=-1$이므로

$\lim_{x\to -1-} f(x)\neq \lim_{x\to -1+} f(x)$

즉, $\lim_{x\to -1} f(x)$의 값이 존재하지 않으므로 $f(x)$는 $x=-1$에서 불연속이다.

(iii) $f(0)=-1$, $\lim_{x\to 0} f(x)=0$이므로 $\lim_{x\to 0} f(x)\neq f(0)$

즉, $f(x)$는 $x=0$에서 불연속이다.

(i), (ii), (iii)에서 불연속이 되는 x의 값은 $x=-2$, $x=-1$, $x=0$이고, 극한값이 존재하지 않는 x의 값은 $x=-1$이므로 $a=3$, $b=1$

$\therefore ab=3$ 답 ③

0155

$f(x)+g(x)=h(x)$로 놓으면

$\lim_{x\to 2-} f(x)=3$, $\lim_{x\to 2+} f(x)=5$, $f(2)=1$이므로

$\lim_{x\to 2-} h(x)=\lim_{x\to 2-} \{f(x)+g(x)\}=3+a$

$\lim_{x\to 2+} h(x)=\lim_{x\to 2+} \{f(x)+g(x)\}=5+b$

$h(2)=f(2)+g(2)=1+2=3$

이때, 함수 $h(x)$가 $x=2$에서 연속이므로

$\lim_{x\to 2-} h(x)=\lim_{x\to 2+} h(x)=h(2)$

$3+a=5+b=3$ $\quad\therefore a=0, b=-2$

$\therefore a+b=-2$ 답 -2

0156

함수 $f(x)$는 $x=0$에서 불연속이고 보기에 주어진 함수 $g(x)$는 모두 $-2\le x\le 2$에서 연속이므로 합성함수 $(g\circ f)(x)$가 닫힌구간 $[-2, 2]$에서 연속이려면 $x=0$에서 연속이어야 한다.

ㄱ. $\lim_{x\to 0-} (g\circ f)(x)=\lim_{x\to 0-} g(f(x))=\lim_{f(x)\to 1-} g(f(x))=1$

$\lim_{x\to 0+} (g\circ f)(x)=\lim_{x\to 0+} g(f(x))=\lim_{f(x)\to -1+} g(f(x))=1$

$\therefore \lim_{x\to 0} (g\circ f)(x)=1$

이때, $(g\circ f)(0)=g(f(0))=g(0)=0$이므로

$\lim_{x\to 0} (g\circ f)(x)\neq(g\circ f)(0)$

즉, 함수 $(g\circ f)(x)$는 $x=0$에서 불연속이다.

ㄴ. $\lim_{x\to 0-} (g\circ f)(x)=\lim_{x\to 0-} g(f(x))=\lim_{f(x)\to 1-} g(f(x))=0$

$\lim_{x\to 0+} (g\circ f)(x)=\lim_{x\to 0+} g(f(x))=\lim_{f(x)\to -1+} g(f(x))=0$

$\therefore \lim_{x\to 0} (g\circ f)(x)=0$

이때, $(g\circ f)(0)=g(f(0))=g(0)=0$이므로

$\lim_{x\to 0} (g\circ f)(x)=(g\circ f)(0)$

즉, 함수 $(g\circ f)(x)$는 $x=0$에서 연속이다.

ㄷ. $\lim_{x\to 0-} (g\circ f)(x)=\lim_{x\to 0-} g(f(x))=\lim_{f(x)\to 1-} g(f(x))=1$

$\lim_{x\to 0+} (g\circ f)(x)=\lim_{x\to 0+} g(f(x))=\lim_{f(x)\to -1+} g(f(x))=-1$

$\therefore \lim_{x\to 0-} (g\circ f)(x)\neq \lim_{x\to 0+} (g\circ f)(x)$

즉, $\lim_{x\to 0} (g\circ f)(x)$의 값이 존재하지 않으므로 함수 $(g\circ f)(x)$는 $x=0$에서 불연속이다.

따라서 $(g\circ f)(x)$가 닫힌구간 $[-2, 2]$에서 연속인 것은 ㄴ이다.

답 ②

0157

|전략| 함수 $f(x)$가 모든 실수 x에서 연속이려면 함수 $f(x)$는 $x=1$에서 연속이어야 한다.

함수 $f(x)$가 모든 실수 x에서 연속이려면 $x=1$에서 연속이어야 하므로

$\lim_{x\to 1-} (x^2+bx)=\lim_{x\to 1+} (ax-1)=f(1)$

$1+b=a-1$ $\quad\therefore a-b=2$ 답 2

0158

$f(0)=1$이므로 $0-b=1$ $\quad\therefore b=-1$

함수 $f(x)$가 실수 전체의 집합에서 연속이므로 $x=-1$, $x=2$에서도 연속이다.

함수 $f(x)$가 $x=-1$에서 연속이려면

$\lim_{x\to-1-}(x+c)=\lim_{x\to-1+}(x^2+1)=f(-1)$

$-1+c=1+1 \qquad \therefore c=3$

또, 함수 $f(x)$가 $x=2$에서 연속이려면

$\lim_{x\to2-}(x^2+1)=\lim_{x\to2+}(ax+1)=f(2)$

$4+1=2a+1 \qquad \therefore a=2$

$\therefore a+b+c=2+(-1)+3=4$ 답 ④

0159

$$f(x)=\begin{cases} ax+b & (|x|\ge1) \\ x^2+x+2 & (|x|<1)\end{cases}=\begin{cases} ax+b & (x\ge1) \\ x^2+x+2 & (-1<x<1) \\ ax+b & (x\le-1)\end{cases}$$

함수 $f(x)$가 모든 실수 x에서 연속이려면 $x=-1$, $x=1$에서도 연속이어야 한다.

함수 $f(x)$가 $x=-1$에서 연속이려면

$\lim_{x\to-1-}(ax+b)=\lim_{x\to-1+}(x^2+x+2)=f(-1)$

$-a+b=1-1+2 \qquad \therefore a-b=-2$ ……㉠

또, 함수 $f(x)$가 $x=1$에서 연속이려면

$\lim_{x\to1-}(x^2+x+2)=\lim_{x\to1+}(ax+b)=f(1)$

$1+1+2=a+b \qquad \therefore a+b=4$ ……㉡

㉠, ㉡을 연립하여 풀면 $a=1$, $b=3$

$\therefore ab=1\times3=3$ 답 ③

0160

|전략| 함수 $f(x)$가 $x=1$에서 연속이므로 $\lim_{x\to1}f(x)=f(1)$이다.

함수 $f(x)$가 모든 실수 x에서 연속이므로 $x=1$에서도 연속이다.

즉, $\lim_{x\to1}f(x)=f(1)$이므로 $\lim_{x\to1}\frac{x^2-ax-2}{x-1}=b$ ……㉠

㉠에서 $\lim_{x\to1}(x-1)=0$이므로

$\lim_{x\to1}(x^2-ax-2)=1-a-2=0 \qquad \therefore a=-1$

$a=-1$을 ㉠에 대입하면

$$\lim_{x\to1}\frac{x^2+x-2}{x-1}=\lim_{x\to1}\frac{(x+2)(x-1)}{x-1}=\lim_{x\to1}(x+2)=3=b$$

$\therefore a+b=-1+3=2$ 답 2

0161

함수 $f(x)$가 모든 실수 x에서 연속이므로 $x=1$에서도 연속이다.

즉, $\lim_{x\to1}f(x)=f(1)$이므로 $\lim_{x\to1}\frac{x^2-1}{x-1}=a$

이때,

$$\lim_{x\to1}\frac{x^2-1}{x-1}=\lim_{x\to1}\frac{(x+1)(x-1)}{x-1}=\lim_{x\to1}(x+1)=2$$

이므로 $a=2$ 답 2

0162

함수 $f(x)$가 $x=-1$에서 연속이려면 $\lim_{x\to-1}f(x)=f(-1)$이어야 하므로

$\lim_{x\to-1}\frac{x^3+a}{x+1}=b$ ……㉠

㉠에서 $\lim_{x\to-1}(x+1)=0$이므로

$\lim_{x\to-1}(x^3+a)=-1+a=0 \qquad \therefore a=1$

$a=1$을 ㉠에 대입하면

$$\lim_{x\to-1}\frac{x^3+1}{x+1}=\lim_{x\to-1}\frac{(x+1)(x^2-x+1)}{x+1}=\lim_{x\to-1}(x^2-x+1)=3=b$$

$\therefore a+b=1+3=4$ 답 ④

0163

함수 $f(x)$가 모든 실수 x에서 연속이려면 $x=0$에서도 연속이어야 하므로

$\lim_{x\to0}f(x)=f(0)$

$\therefore \lim_{x\to0}\frac{\sqrt{x^2+4}+a}{x^2}=b$ ……㉠ … ❶

㉠에서 $\lim_{x\to0}x^2=0$이므로

$\lim_{x\to0}(\sqrt{x^2+4}+a)=2+a=0 \qquad \therefore a=-2$ … ❷

$a=-2$를 ㉠에 대입하면

$$\lim_{x\to0}\frac{\sqrt{x^2+4}-2}{x^2}=\lim_{x\to0}\frac{(\sqrt{x^2+4}-2)(\sqrt{x^2+4}+2)}{x^2(\sqrt{x^2+4}+2)}=\lim_{x\to0}\frac{x^2}{x^2(\sqrt{x^2+4}+2)}=\lim_{x\to0}\frac{1}{\sqrt{x^2+4}+2}=\frac{1}{4}=b$$ … ❸

$\therefore ab=-2\times\frac{1}{4}=-\frac{1}{2}$ … ❹

답 $-\frac{1}{2}$

채점 기준	비율
❶ 함수 $f(x)$가 $x=0$에서 연속임을 이용하여 식을 세울 수 있다.	20%
❷ a의 값을 구할 수 있다.	30%
❸ b의 값을 구할 수 있다.	40%
❹ ab의 값을 구할 수 있다.	10%

0164

함수 $f(x)$가 $x=2$에서 연속이려면 $\lim_{x\to2}f(x)=f(2)$이어야 하므로

$\lim_{x\to2}\frac{x^2-ax+b}{x-2}=a+b$ ……㉠

㉠에서 $\lim_{x\to2}(x-2)=0$이므로

$\lim_{x\to2}(x^2-ax+b)=4-2a+b=0 \qquad \therefore 2a-b=4$ ……㉡

㉡을 ㉠에 대입하면

$$\lim_{x\to2}\frac{x^2-ax+2a-4}{x-2}=\lim_{x\to2}\frac{(x-2)(x-a+2)}{x-2}=\lim_{x\to2}(x-a+2)=4-a=a+b$$

$\therefore 2a+b=4$ ……㉢

㉡, ㉢을 연립하여 풀면 $a=2$, $b=0$

$\therefore a+b=2$ 답 ⑤

0165

함수 $f(x)$가 $x=1$에서 연속이므로

$\lim_{x\to1}f(x)=f(1)$ $\therefore \lim_{x\to1}\frac{\sqrt{x+a}-b}{x-1}=\frac{1}{4}$ ……㉠

㉠에서 $\lim_{x\to1}(x-1)=0$이므로

$\lim_{x\to1}(\sqrt{x+a}-b)=\sqrt{1+a}-b=0$ $\therefore b=\sqrt{1+a}$ ……㉡

㉡을 ㉠에 대입하면

$$\lim_{x\to1}\frac{\sqrt{x+a}-\sqrt{1+a}}{x-1}=\lim_{x\to1}\frac{(\sqrt{x+a}-\sqrt{1+a})(\sqrt{x+a}+\sqrt{1+a})}{(x-1)(\sqrt{x+a}+\sqrt{1+a})}$$

$$=\lim_{x\to1}\frac{x-1}{(x-1)(\sqrt{x+a}+\sqrt{1+a})}$$

$$=\lim_{x\to1}\frac{1}{\sqrt{x+a}+\sqrt{1+a}}=\frac{1}{2\sqrt{1+a}}=\frac{1}{4}$$

$\therefore a=3$

$a=3$을 ㉡에 대입하면 $b=2$

$\therefore ab=3\times2=6$ 답 ③

0166

|전략| 정수 n에 대하여 $x\to n-$이면 $\lim_{x\to n-}[x]=n-1$이고, $x\to n+$이면 $\lim_{x\to n+}[x]=n$임을 이용한다.

(i) $n-1\le x<n$일 때, $[x]=n-1$이므로

$$\lim_{x\to n-}f(x)=\frac{(n-1)^2+n}{n-1}=\frac{n^2-n+1}{n-1}$$

(ii) $n\le x<n+1$일 때, $[x]=n$이므로

$$\lim_{x\to n+}f(x)=\frac{n^2+n}{n}=n+1$$

(iii) $f(n)=\frac{n^2+n}{n}=n+1$

(i), (ii), (iii)에서 함수 $f(x)$가 $x=n$에서 연속이므로

$\frac{n^2-n+1}{n-1}=n+1$ $\therefore n=2$ 답 ④

0167

(i) $0<x<\frac{1}{6}$일 때, $0<6x<1$이므로 $[6x]=0$, 즉 $f(x)=0$

(ii) $\frac{1}{6}\le x<\frac{1}{3}$일 때, $1\le 6x<2$이므로 $[6x]=1$, 즉 $f(x)=1$

(iii) $\frac{1}{3}\le x<\frac{1}{2}$일 때, $2\le 6x<3$이므로 $[6x]=2$, 즉 $f(x)=2$

(iv) $\frac{1}{2}\le x<\frac{2}{3}$일 때, $3\le 6x<4$이므로 $[6x]=3$, 즉 $f(x)=3$

(v) $\frac{2}{3}\le x<\frac{5}{6}$일 때, $4\le 6x<5$이므로 $[6x]=4$, 즉 $f(x)=4$

(vi) $\frac{5}{6}\le x<1$일 때, $5\le 6x<6$이므로 $[6x]=5$, 즉 $f(x)=5$

(i)~(vi)에서 함수 $y=f(x)$의 그래프는 오른쪽 그림과 같다.

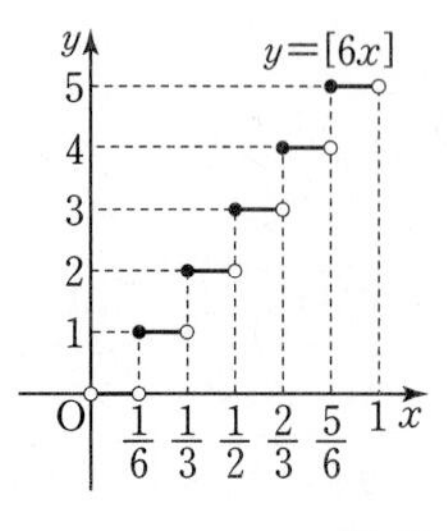

따라서 함수 $f(x)$가 불연속이 되는 x의 값은 $\frac{1}{6}, \frac{1}{3}, \frac{1}{2}, \frac{2}{3}, \frac{5}{6}$이므로 모든 x의 값의 합은 $\frac{1}{6}+\frac{1}{3}+\frac{1}{2}+\frac{2}{3}+\frac{5}{6}=\frac{5}{2}$

답 ②

0168

함수 $f(x)$가 모든 실수 x에서 연속이려면 $x=n$(n은 정수)에서도 연속이어야 한다.

$\therefore \lim_{x\to n}f(x)=f(n)$

(i) $n-1\le x<n$일 때, $n\le x+1<n+1$이므로

$[x]=n-1$, $[x+1]=n$

$\therefore \lim_{x\to n-}f(x)=n^2+(an+b)(n-1)$

$=(a+1)n^2+(b-a)n-b$

(ii) $n\le x<n+1$일 때, $n+1\le x+1<n+2$이므로

$[x]=n$, $[x+1]=n+1$

$\therefore \lim_{x\to n+}f(x)=(n+1)^2+(an+b)n$

$=(a+1)n^2+(b+2)n+1$

(iii) $f(n)=(n+1)^2+(an+b)n$

$=(a+1)n^2+(b+2)n+1$

(i), (ii), (iii)에서 함수 $f(x)$가 $x=n$에서 연속이므로

$(a+1)n^2+(b-a)n-b=(a+1)n^2+(b+2)n+1$

이 등식이 임의의 정수 n에 대하여 항상 성립해야 하므로

$b-a=b+2$, $-b=1$ $\therefore a=-2$, $b=-1$

$\therefore a+b=-2+(-1)=-3$ 답 -3

0169

|전략| $x\ne1$일 때 $f(x)$를 구하여 $\lim_{x\to1}f(x)=f(1)$임을 이용한다.

$x\ne1$일 때, $f(x)=\frac{x^2-3x+a}{x-1}$

함수 $f(x)$가 $x=1$에서 연속이므로

$f(1)=\lim_{x\to1}f(x)=\lim_{x\to1}\frac{x^2-3x+a}{x-1}$ ……㉠

㉠에서 $\lim_{x\to1}(x-1)=0$이므로

$\lim_{x\to1}(x^2-3x+a)=1-3+a=0$ $\therefore a=2$

$a=2$를 ㉠에 대입하면

$$f(1)=\lim_{x\to1}\frac{x^2-3x+2}{x-1}=\lim_{x\to1}\frac{(x-1)(x-2)}{x-1}$$

$=\lim_{x\to1}(x-2)=-1$ 답 -1

0170

$(x^2-1)f(x)=x^3+3x^2-x-3$에서

$(x+1)(x-1)f(x)=(x-1)(x+1)(x+3)$이므로

$x\neq-1$이고 $x\neq1$일 때, $f(x)=\dfrac{(x+3)(x+1)(x-1)}{(x+1)(x-1)}=x+3$

함수 $f(x)$가 $x=-1$, $x=1$에서 연속이므로

$$f(-1)f(1)=\lim_{x\to-1}f(x)\times\lim_{x\to1}f(x)$$ ($f(-1)=\lim_{x\to-1}f(x)$, $f(1)=\lim_{x\to1}f(x)$)

$$=\lim_{x\to-1}(x+3)\times\lim_{x\to1}(x+3)$$

$$=2\times4=8$$

답 ④

0171

$(x^2-5x+4)f(x)=x+2-3\sqrt{x}$에서

$(x-1)(x-4)f(x)=x+2-3\sqrt{x}$이므로

$x\neq1$이고 $x\neq4$일 때, $f(x)=\dfrac{x+2-3\sqrt{x}}{(x-1)(x-4)}$

함수 $f(x)$가 $x=4$에서 연속이므로

$$f(4)=\lim_{x\to4}f(x)=\lim_{x\to4}\frac{x+2-3\sqrt{x}}{(x-1)(x-4)}$$

$$=\lim_{x\to4}\frac{(\sqrt{x}-1)(\sqrt{x}-2)}{(x-1)(\sqrt{x}+2)(\sqrt{x}-2)}$$

$$=\lim_{x\to4}\frac{\sqrt{x}-1}{(x-1)(\sqrt{x}+2)}=\frac{1}{3\times4}=\frac{1}{12}$$

답 $\frac{1}{12}$

0172

$x\neq2$일 때, $f(x)=\dfrac{a\sqrt{x}+b}{x-2}$

함수 $f(x)$가 $x=2$에서 연속이므로

$f(2)=\lim_{x\to2}f(x)=\lim_{x\to2}\dfrac{a\sqrt{x}+b}{x-2}$ ······㉠ ··· ❶

㉠에서 $\lim_{x\to2}(x-2)=0$이므로

$\lim_{x\to2}(a\sqrt{x}+b)=a\sqrt{2}+b=0$

$\therefore b=-a\sqrt{2}$ ······㉡ ··· ❷

㉡을 ㉠에 대입하면

$$f(2)=\lim_{x\to2}\frac{a\sqrt{x}-a\sqrt{2}}{x-2}=\lim_{x\to2}\frac{a(\sqrt{x}-\sqrt{2})}{(\sqrt{x}+\sqrt{2})(\sqrt{x}-\sqrt{2})}$$

$$=\lim_{x\to2}\frac{a}{\sqrt{x}+\sqrt{2}}=\frac{a}{2\sqrt{2}}=1$$

따라서 $a=2\sqrt{2}$, $b=-4$이므로 ··· ❸

$a^2+b^2=8+16=24$ ··· ❹

답 24

채점 기준	비율
❶ 함수 $f(x)$가 $x=2$에서 연속임을 이용하여 식을 세울 수 있다.	30%
❷ b를 a에 대한 식으로 나타낼 수 있다.	20%
❸ a, b의 값을 구할 수 있다.	40%
❹ a^2+b^2의 값을 구할 수 있다.	10%

0173

|전략| 함수 $f(x)$가 모든 실수 x에서 연속이므로 함수 $f(x)$는 $x=1$에서 연속이다.

함수 $f(x)$가 $x=1$에서 연속이므로

$\lim_{x\to1-}3x=\lim_{x\to1+}(x^2+ax+b)=f(1)$

$3=1+a+b$ $\quad\therefore a+b=2$ ······㉠

또, $f(x)=f(x+4)$에 $x=0$을 대입하면 $f(0)=f(4)$

즉, $0=16+4a+b$이므로 $4a+b=-16$ ······㉡

㉠, ㉡을 연립하여 풀면 $a=-6$, $b=8$

따라서 $1\leq x\leq4$일 때, $f(x)=x^2-6x+8$이므로

$f(10)=f(6)=f(2)=4-12+8=0$

답 ②

0174

함수 $f(x)$가 $x=2$에서 연속이므로

$\lim_{x\to2-}(x^2+ax-2b)=\lim_{x\to2+}(2x-4)=f(2)$

$4+2a-2b=0$ $\quad\therefore a-b=-2$ ······㉠

또, $f(x-2)=f(x+2)$에 $x=2$를 대입하면 $f(0)=f(4)$이므로

$-2b=4$ $\quad\therefore b=-2$

$b=-2$를 ㉠에 대입하면 $a=-4$

$\therefore a+b=-4+(-2)=-6$

답 ①

0175

함수 $f(x)$가 $x=1$에서 연속이므로

$\lim_{x\to1-}2x=\lim_{x\to1+}(ax+b)=f(1)$ $\quad\therefore a+b=2$ ······㉠

또, $f(x)=f(x+5)$에 $x=-2$를 대입하면 $f(-2)=f(3)$이므로

$3a+b=-4$ ······㉡

㉠, ㉡을 연립하여 풀면 $a=-3$, $b=5$

따라서 $f(x)=\begin{cases}2x & (-2\leq x<1)\\ -3x+5 & (1\leq x\leq3)\end{cases}$이므로

$f(7)=f(2)=-6+5=-1$

답 -1

0176

|전략| 연속함수의 성질을 이용한다.

ㄱ. $f(x)$, $3g(x)$가 $x=a$에서 연속이므로 함수 $f(x)+3g(x)$도 $x=a$에서 연속이다.

ㄴ. 함수 $g(f(x))$가 $x=a$에서 연속이려면 $\lim_{x\to a}g(f(x))=g(f(a))$이어야 한다.
따라서 함수 $g(x)$가 $x=f(a)$에서 연속이라는 조건이 필요하다.

ㄷ. $\{g(x)\}^2=g(x)\times g(x)$이므로 함수 $\{g(x)\}^2$도 $x=a$에서 연속이다.

ㄹ. $g(a)=0$이면 함수 $\dfrac{1}{2g(x)}$은 $x=a$에서 정의되어 있지 않으므로
함수 $f(x)-\dfrac{1}{2g(x)}$은 $x=a$에서 불연속이다.

따라서 $x=a$에서 항상 연속인 것은 ㄱ, ㄷ이다.

답 ②

0177

①, ②, ③ $3f(x)=3x$, $f(x)+g(x)=x^2+x+1$,
$f(x)g(x)=x^3+x$는 모두 다항함수이므로 모든 실수 x에서 연속이다.

④ $\frac{f(x)}{g(x)}=\frac{x}{x^2+1}$에서 모든 실수 x에 대하여 $x^2+1\neq0$이므로 함수 $\frac{f(x)}{g(x)}$는 모든 실수 x에서 연속이다.

⑤ $\frac{g(x)}{f(x)}=\frac{x^2+1}{x}$은 $x=0$일 때 분모가 $f(0)=0$이다.

즉, $x=0$에서 정의되어 있지 않으므로 함수 $\frac{g(x)}{f(x)}$는 $x=0$에서 불연속이다.

따라서 모든 실수 x에서 연속함수라 할 수 없는 것은 ⑤이다. 답 ⑤

0178

두 함수 $y=f(x)$와 $y=g(x)$는 모든 실수 x에서 연속이므로 함수 $h(x)=\frac{f(x)}{g(x)}$가 모든 실수 x에서 연속이 되려면 임의의 실수 x에 대하여 $g(x)=x^2-2ax+3a\neq0$이어야 한다.

이차방정식 $x^2-2ax+3a=0$의 판별식을 D라 하면

$\frac{D}{4}=a^2-3a<0$에서 $a(a-3)<0$

$\therefore\ 0<a<3$

따라서 정수 a는 1, 2이므로 구하는 a의 값의 합은

$1+2=3$ 답 ④

0179

ㄱ. 두 함수 $f(x)$, $f(x)+g(x)$가 $x=a$에서 연속이므로 연속함수의 성질에 의하여 함수 $\{f(x)+g(x)\}-f(x)=g(x)$도 $x=a$에서 연속이다. (참)

ㄴ. [반례] $f(x)=0$, $g(x)=\begin{cases}1 & (x\geq0)\\-1 & (x<0)\end{cases}$이면 두 함수 $f(x)$, $f(x)g(x)$는 $x=0$에서 연속이지만 함수 $g(x)$는 $x=0$에서 불연속이다. (거짓)

ㄷ. [반례] $f(x)=\begin{cases}1 & (x\geq0)\\-1 & (x<0)\end{cases}$이면 함수 $|f(x)|$는 $x=0$에서 연속이지만 함수 $f(x)$는 $x=0$에서 불연속이다. (거짓)

따라서 옳은 것은 ㄱ이다. 답 ①

0180

|전략| 주어진 함수 $y=f(x)$의 그래프를 통해 각각의 참, 거짓을 판단한다.

ㄱ. $\lim_{x\to1-}f(x)=-2$, $\lim_{x\to1+}f(x)=-2$이므로

$\lim_{x\to1-}f(x)=\lim_{x\to1+}f(x)$

따라서 함수 $f(x)$는 $x=1$에서 극한값이 존재한다. (거짓)

ㄴ. 함수 $f(x)$는 닫힌구간 $[0, 2]$에서 최솟값을 갖지 않는다. (거짓)

ㄷ. 함수 $y=f(x)$의 그래프가 $x=-1$, $x=1$에서 끊어져 있으므로 함수 $f(x)$가 불연속이 되는 x의 값은 $x=-1$, $x=1$의 2개이다. (참)

ㄹ. 함수 $f(x)$는 오른쪽 그림과 같이 열린구간 $(1, 3)$에서 최댓값을 갖지 않는다. (거짓)

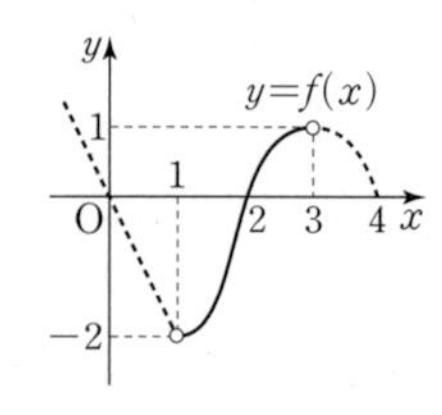

따라서 옳은 것은 ㄷ이다.

답 ②

0181

ㄱ, ㄴ. (i) $f(-1)=3$, $\lim_{x\to-1}f(x)=2$이므로 $\lim_{x\to-1}f(x)\neq f(-1)$

즉, $f(x)$는 $x=-1$에서 불연속이다.

(ii) $\lim_{x\to0-}f(x)=0$, $\lim_{x\to0+}f(x)=-1$이므로

$\lim_{x\to0-}f(x)\neq\lim_{x\to0+}f(x)$

즉, $\lim_{x\to0}f(x)$의 값이 존재하지 않으므로 $f(x)$는 $x=0$에서 불연속이다.

(iii) $\lim_{x\to1-}f(x)=1$, $\lim_{x\to1+}f(x)=2$이므로

$\lim_{x\to1-}f(x)\neq\lim_{x\to1+}f(x)$

즉, $\lim_{x\to1}f(x)$의 값이 존재하지 않으므로 $f(x)$는 $x=1$에서 불연속이다.

따라서 불연속인 점은 $x=-1$, $x=0$, $x=1$일 때의 3개이고, 극한값이 존재하지 않는 점은 $x=0$, $x=1$일 때의 2개이다.

ㄷ. 함수 $f(x)$는 닫힌구간 $[-2, 2]$에서 $x=-1$일 때 최댓값 3을 갖지만 최솟값은 갖지 않는다. (거짓)

따라서 옳은 것은 ㄱ이다. 답 ㄱ

0182

|전략| 함수 $f(x)$가 닫힌구간 $[a, b]$에서 연속이고 $f(a)f(b)<0$이면 방정식 $f(x)=0$은 열린구간 (a, b)에서 적어도 하나의 실근을 갖는다.

$f(x)=2x^3+x-5$로 놓으면 $f(x)$는 모든 실수 x에서 연속이고

$f(0)=-5<0$, $f(1)=-2<0$, $f(2)=13>0$,

$f(3)=52>0$, $f(4)=127>0$, $f(5)=250>0$

따라서 $f(1)f(2)<0$이므로 사잇값의 정리에 의하여 주어진 방정식의 실근이 존재하는 구간은 $(1, 2)$이다. 답 ②

0183

ㄱ. $f(x)=x^3+x-1$로 놓으면 $f(x)$는 닫힌구간 $[0, 1]$에서 연속이고 $f(0)=-1<0$, $f(1)=1>0$이므로 사잇값의 정리에 의하여 방정식 $f(x)=0$은 열린구간 $(0, 1)$에서 적어도 하나의 실근을 갖는다.

ㄴ. $f(x)=x^3+2x^2-2$로 놓으면 $f(x)$는 닫힌구간 $[0, 1]$에서 연속이고 $f(0)=-2<0$, $f(1)=1>0$이므로 사잇값의 정리에 의하여 방정식 $f(x)=0$은 열린구간 $(0, 1)$에서 적어도 하나의 실근을 갖는다.

ㄷ. $f(x)=x^3-5x^2-x+3$으로 놓으면 $f(x)$는 닫힌구간 $[0, 1]$에서 연속이고 $f(0)=3>0$, $f(1)=-2<0$이므로 사잇값의 정리에 의하여 방정식 $f(x)=0$은 열린구간 $(0, 1)$에서 적어도 하나의 실근을 갖는다.

따라서 열린구간 $(0, 1)$에서 적어도 하나의 실근을 갖는 것은 ㄱ, ㄴ, ㄷ의 3개이다. 답 3

0184

$f(x)=x^3-3x^2-a$로 놓으면 $f(x)$는 모든 실수 x에서 연속이다.
이때, 사잇값의 정리에 의하여 방정식 $f(x)=0$이 열린구간 $(-2, -1)$에서 적어도 하나의 실근을 가지려면 $f(-2)f(-1)<0$이어야 하므로
$(-a-20)(-a-4)<0$, $(a+20)(a+4)<0$
$\therefore -20<a<-4$
따라서 구하는 정수 a는 $-19, -18, \cdots, -5$의 15개이다. 답 15

0185

함수 $f(x)$는 닫힌구간 $[0, 1]$에서 연속이고 $f(0)f\left(\frac{1}{3}\right)<0$, $f\left(\frac{2}{3}\right)f(1)<0$이므로 사잇값의 정리에 의하여 방정식 $f(x)=0$은 열린구간 $\left(0, \frac{1}{3}\right)$, $\left(\frac{2}{3}, 1\right)$에서 각각 적어도 하나의 실근을 갖는다.
따라서 방정식 $f(x)=0$은 열린구간 $(0, 1)$에서 적어도 2개의 실근을 갖는다. 답 2개

0186

$f(x)$는 연속함수이고 $f(3)>0$, $f(5)>0$이므로 $f(4)<0$이면
$f(3)f(4)<0$, $f(4)f(5)<0$
이때, 사잇값의 정리에 의하여 방정식 $f(x)=0$은 열린구간 $(3, 4)$, $(4, 5)$에서 각각 적어도 하나의 실근을 갖는다.
즉, $a^2-2a-3<0$에서 $(a+1)(a-3)<0$
$\therefore -1<a<3$
따라서 정수 a는 0, 1, 2의 3개이다. 답 ②

0187

$h(x)=f(x)-g(x)$로 놓으면 $h(x)$는 연속함수이고
$h(x)=x^5+2x^2+k-3$
이때, 사잇값의 정리에 의하여 방정식 $h(x)=0$이 열린구간 $(1, 2)$에서 적어도 하나의 실근을 가지려면 $h(1)h(2)<0$이어야 하므로
$k(k+37)<0 \qquad \therefore -37<k<0$
따라서 구하는 정수 k는 $-36, -35, \cdots, -1$의 36개이다. 답 36

0188

|전략| 주어진 방정식의 좌변을 $f(x)$로 놓고 사잇값의 정리를 이용한다.

$$f(x)=(x-a)(x-b)(x-c)+(x-a)(x-b)+(x-b)(x-c)+(x-c)(x-a)$$

로 놓으면 $f(x)$는 모든 실수 x에서 연속이고
$\lim_{x\to-\infty} f(x)=-\infty<0$
$f(a)=(a-b)(a-c)>0$
$f(b)=(b-c)(b-a)<0$
$f(c)=(c-a)(c-b)>0$
$\lim_{x\to\infty} f(x)=\infty$
이때, 사잇값의 정리에 의하여 방정식 $f(x)=0$은 열린구간 $(-\infty, a)$, (a, b), (b, c)에서 각각 적어도 하나의 실근을 갖는다.
따라서 주어진 방정식은 삼차방정식이므로 3개의 실근을 갖는다. 답 ④

0189

(i) $\lim_{x\to-1}\frac{f(x)}{x+1}=a$에서 $\lim_{x\to-1}(x+1)=0$이므로
$\lim_{x\to-1} f(x)=0 \qquad \therefore f(-1)=0$
(ii) $\lim_{x\to-2}\frac{f(x)}{x+2}=b$에서 $\lim_{x\to-2}(x+2)=0$이므로
$\lim_{x\to-2} f(x)=0 \qquad \therefore f(-2)=0$
(i), (ii)에서 $f(x)=(x+1)(x+2)g(x)$ ($g(x)$는 다항식)로 놓을 수 있다.

$$\lim_{x\to-1}\frac{f(x)}{x+1}=\lim_{x\to-1}\frac{(x+1)(x+2)g(x)}{x+1}=\lim_{x\to-1}(x+2)g(x)=g(-1)=a$$

$$\lim_{x\to-2}\frac{f(x)}{x+2}=\lim_{x\to-2}\frac{(x+1)(x+2)g(x)}{x+2}=\lim_{x\to-2}(x+1)g(x)=-g(-2)=b$$

$\therefore g(-2)=-b$
$\therefore g(-1)g(-2)=a\times(-b)=-ab<0$ ($\because ab>0$)
이때, $g(x)$는 모든 실수 x에서 연속이므로 사잇값의 정리에 의하여 방정식 $g(x)=0$은 열린구간 $(-2, -1)$에서 적어도 하나의 실근을 갖는다.
따라서 방정식 $f(x)=0$은 두 실근 -1, -2를 갖고, $-2<x<-1$에서 적어도 하나의 실근을 가지므로 닫힌구간 $[-2, -1]$에서 최소 3개의 실근을 갖는다. 답 ③

0190

|전략| 승용차가 집에서 출발한 지 t시간 후의 속도를 $v(t)$ km/h라 하고 사잇값의 정리를 이용한다.

인영이가 탄 승용차가 집에서 출발한 시각을 0, 휴게소에 도착한 시각을 t_1, 휴게소에서 다시 출발한 시각을 t_2, 할머니 댁에 도착한 시각을 t_3이라 하고, 집에서 출발한 지 t시간 후의 승용차의 속도를 $v(t)$ km/h라 하자. (단, $1<t_1<t_2<t_3$)
$h(t)=v(t)-90$이라 하면 함수 $h(t)$는 닫힌구간 $[0, t_3]$에서 연속이고
$h(0)=v(0)-90=0-90=-90<0$
$h(1)=v(1)-90=100-90=10>0$
$h(t_1)=v(t_1)-90=0-90=-90<0$
$h(t_2)=v(t_2)-90=0-90=-90<0$
$h\left(t_2+\frac{1}{6}\right)=v\left(t_2+\frac{1}{6}\right)-90=95-90=5>0$
$h(t_3)=v(t_3)-90=0-90=-90<0$
이때, $h(0)h(1)<0$, $h(1)h(t_1)<0$, $h(t_2)h\left(t_2+\frac{1}{6}\right)<0$,

$h\left(t_2+\frac{1}{6}\right)h(t_3)<0$이므로 사잇값의 정리에 의하여 방정식 $h(t)=0$은 열린구간 $(0, 1)$, $(1, t_1)$, $\left(t_2, t_2+\frac{1}{6}\right)$, $\left(t_2+\frac{1}{6}, t_3\right)$에서 각각 적어도 하나의 실근을 갖는다.
따라서 승용차의 속도가 시속 90 km가 되는 경우는 적어도 4번이다.

답 4번

다른 풀이 다음과 같이 그림을 그려 생각해 보면 간단하다.

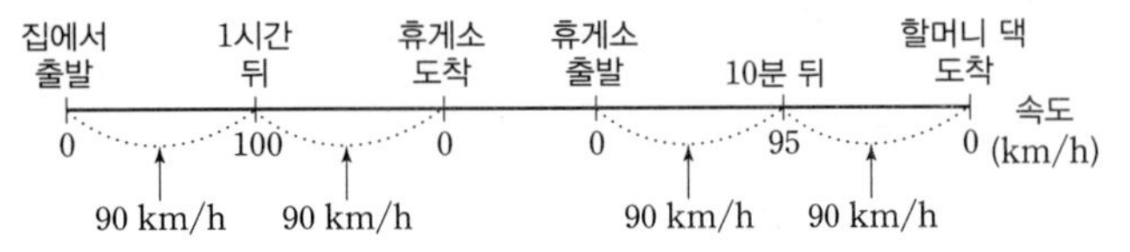

0191

주헌이가 x km를 달릴 때의 속력을 $f(x)$ km/h라 하고, $h(x)=f(x)-13$이라 하면 함수 $h(x)$는 닫힌구간 $[0, 42.195]$에서 연속이고

$h(0)=f(0)-13=0-13=-13<0$
$h(10)=f(10)-13=12-13=-1<0$
$h(20)=f(20)-13=15-13=2>0$
$h(30)=f(30)-13=11-13=-2<0$
$h(40)=f(40)-13=14-13=1>0$
$h(42.195)=f(42.195)-13=16-13=3>0$

이때, $h(10)h(20)<0$, $h(20)h(30)<0$, $h(30)h(40)<0$이므로 사잇값의 정리에 의하여 방정식 $h(x)=0$은 열린구간 $(10, 20)$, $(20, 30)$, $(30, 40)$에서 각각 적어도 하나의 실근을 갖는다.
따라서 주헌이의 속력이 시속 13 km인 곳은 적어도 3군데이다.

답 ③

STEP 3 내신 마스터

0192

유형 01 함수의 연속과 불연속

|전략| 함수 $f(x)$가 $x=a$에서 연속이어야 하므로 $\lim_{x\to a-}f(x)=\lim_{x\to a+}f(x)=f(a)$임을 이용한다.

함수 $f(x)$가 모든 실수 x에서 연속이려면 $x=a$에서도 연속이어야 하므로

$\lim_{x\to a-}(2x+3)=\lim_{x\to a+}x^2=f(a)$

$2a+3=a^2$, $a^2-2a-3=0$, $(a+1)(a-3)=0$

$\therefore a=3$ ($\because a>0$)

답 ③

0193

유형 02 함수의 그래프와 연속

|전략| ㄷ. 함수 $g(f(x))$가 $x=a$에서 연속이려면 $\lim_{x\to a-}g(f(x))=\lim_{x\to a+}g(f(x))=g(f(a))$이어야 함을 이용한다.

ㄱ. $\lim_{x\to 1-}f(x)g(x)=0\times 0=0$

$\lim_{x\to 1+}f(x)g(x)=-1\times 0=0$

$\therefore \lim_{x\to 1}f(x)g(x)=0$

이때, $f(1)g(1)=-1\times 0=0$이므로

$\lim_{x\to 1}f(x)g(x)=f(1)g(1)$

즉, 함수 $f(x)g(x)$는 $x=1$에서 연속이다. (참)

ㄴ. $\lim_{x\to -1-}(f\circ f)(x)=\lim_{f(x)\to 0+}f(f(x))=-1$

$\lim_{x\to -1+}(f\circ f)(x)=\lim_{f(x)\to 0-}f(f(x))=-1$

$\therefore \lim_{x\to -1}(f\circ f)(x)=-1$

이때, $(f\circ f)(-1)=f(f(-1))=f(0)=-1$이므로

$\lim_{x\to -1}(f\circ f)(x)=(f\circ f)(-1)$

즉, 함수 $(f\circ f)(x)$는 $x=-1$에서 연속이다. (참)

ㄷ. $\lim_{x\to 1-}(g\circ f)(x)=\lim_{f(x)\to 0-}g(f(x))=1$

$\lim_{x\to 1+}(g\circ f)(x)=\lim_{f(x)\to -1-}g(f(x))=0$

$\therefore \lim_{x\to 1-}(g\circ f)(x)\neq\lim_{x\to 1+}(g\circ f)(x)$

즉, $\lim_{x\to 1}(g\circ f)(x)$의 값이 존재하지 않으므로 함수 $(g\circ f)(x)$는 $x=1$에서 불연속이다. (거짓)

따라서 옳은 것은 ㄱ, ㄴ이다.

답 ③

Lecture

합성함수의 극한값

두 함수 $f(x)$, $g(x)$에 대하여 $x\to a-$일 때

(1) $f(x)\to b-$이면 $\lim_{x\to a-}g(f(x))=\lim_{f(x)\to b-}g(f(x))$

(2) $f(x)\to b+$이면 $\lim_{x\to a-}g(f(x))=\lim_{f(x)\to b+}g(f(x))$

(3) $f(x)=b$이면 $\lim_{x\to a-}g(f(x))=g(b)$

0194

유형 03 함수가 연속일 조건(1)

|전략| 함수 $f(x)$가 $x=2$에서 연속이려면 $\lim_{x\to 2-}f(x)=\lim_{x\to 2+}f(x)=f(2)$이어야 한다.

함수 $f(x)$가 $x=2$에서 연속이려면

$\lim_{x\to 2-}(x^2-x+b)=\lim_{x\to 2+}(2x+a)=f(2)$

$4-2+b=4+a \quad \therefore a-b=-2$

답 ①

0195

유형 03 함수가 연속일 조건(1)

|전략| $3-x=t$로 놓으면 $x\to 2-$, $x\to 2+$일 때, 각각 $t\to 1+$, $t\to 1-$이다.

함수 $f(x)$가 $x=1$에서 불연속이므로

$\lim_{x\to 1-}(x^2+3x+5)\neq\lim_{x\to 1+}(2x+k)$

$9\neq 2+k \quad \therefore k\neq 7$ ······㉠

$3-x=t$로 놓으면 $x\to 2-$, $x\to 2+$일 때 각각 $t\to 1+$, $t\to 1-$이므로

$\lim_{x\to 2-}f(x)f(3-x)=\lim_{x\to 2-}f(x)\times\lim_{t\to 1+}f(t)$
$=(4+k)(2+k)$

$\lim_{x\to 2+}f(x)f(3-x)=\lim_{x\to 2+}f(x)\times\lim_{t\to 1-}f(t)$
$=(4+k)\times 9$

$f(2)f(1)=(4+k)\times 9$

함수 $f(x)f(3-x)$가 $x=2$에서 연속이려면

$\lim_{x\to 2-} f(x)f(3-x)=\lim_{x\to 2+} f(x)(3-x)=f(2)f(1)$

$(4+k)(2+k)=9(4+k)$, $(k+4)(k-7)=0$

㉠에서 $k\neq 7$이므로 $k=-4$ 답 ①

Lecture

함수의 곱 $f(x)g(x)$가 $x=a$에서 연속이면

$\lim_{x\to a-} f(x)g(x)=\lim_{x\to a+} f(x)g(x)=f(a)g(a)$

0196

유형 04 함수가 연속일 조건(2)

|전략| 함수 $f(x)$가 모든 실수 x에서 연속이므로 (분모)$=0$이 되는 x의 값에서도 연속이다.

함수 $f(x)$가 $x=-a$에서 연속이므로

$$f(-a)=\lim_{x\to -a} f(x)=\lim_{x\to -a}\frac{x^3+a^3}{x+a}$$

$$=\lim_{x\to -a}\frac{(x+a)(x^2-ax+a^2)}{x+a}$$

$$=\lim_{x\to -a}(x^2-ax+a^2)=3a^2$$ 답 ⑤

0197

유형 04 함수가 연속일 조건(2)

|전략| $x=-2$에서 연속이므로 $\lim_{x\to -2} f(x)=f(-2)$이다.

함수 $f(x)$가 $x=-2$에서 연속이므로

$\lim_{x\to -2} f(x)=f(-2)$ $\quad\therefore \lim_{x\to -2}\frac{\sqrt{x^2+1}+a}{x+2}=b$ ……㉠

㉠에서 $\lim_{x\to -2}(x+2)=0$이므로

$\lim_{x\to -2}(\sqrt{x^2+1}+a)=\sqrt{5}+a=0$ $\quad\therefore a=-\sqrt{5}$

$a=-\sqrt{5}$를 ㉠에 대입하면

$$\lim_{x\to -2}\frac{\sqrt{x^2+1}-\sqrt{5}}{x+2}=\lim_{x\to -2}\frac{(\sqrt{x^2+1}-\sqrt{5})(\sqrt{x^2+1}+\sqrt{5})}{(x+2)(\sqrt{x^2+1}+\sqrt{5})}$$

$$=\lim_{x\to -2}\frac{x^2-4}{(x+2)(\sqrt{x^2+1}+\sqrt{5})}$$

$$=\lim_{x\to -2}\frac{(x+2)(x-2)}{(x+2)(\sqrt{x^2+1}+\sqrt{5})}$$

$$=\lim_{x\to -2}\frac{x-2}{\sqrt{x^2+1}+\sqrt{5}}=-\frac{2\sqrt{5}}{5}=b$$

$\therefore ab=-\sqrt{5}\times\left(-\frac{2\sqrt{5}}{5}\right)=2$ 답 ④

0198

유형 08 연속함수의 성질

|전략| ㄱ. $(g\circ f)(x)$를 구하여 $x=0$에서 연속인지 불연속인지 조사한다.

ㄱ. $(g\circ f)(x)=g(f(x))=\begin{cases} g(-1)=|-1|=1 & (x\geq 0) \\ g(1)=|1|=1 & (x<0)\end{cases}$

따라서 함수 $(g\circ f)(x)$는 $x=0$에서 연속이다. (참)

ㄴ. [반례] $f(x)=\begin{cases} -1 & (x\geq 0) \\ 1 & (x<0)\end{cases}$, $g(x)=|x|$이면 함수 $(g\circ f)(x)$는 $x=0$에서 연속이지만 함수 $f(x)$는 $x=0$에서 연속이 아니다. (거짓)

ㄷ. [반례] $f(x)=\begin{cases} 1 & (x=0) \\ 2 & (x\neq 0)\end{cases}$이면

(i) $x=0$인 경우, $f(f(0))=f(1)=2$

(ii) $x\neq 0$인 경우, $f(f(x))=f(2)=2$

따라서 함수 $(f\circ f)(x)$는 $x=0$에서 연속이지만 함수 $f(x)$는 $x=0$에서 연속이 아니다. (거짓)

따라서 옳은 것은 ㄱ이다. 답 ①

0199

유형 10 사잇값의 정리

|전략| 두 함숫값의 곱의 부호를 확인하여 사잇값의 정리를 이용한다.

함수 $f(x)$가 닫힌구간 $[-2, 3]$에서 연속이고, $f(-2)f(1)<0$이므로 사잇값의 정리에 의하여 방정식 $f(x)=0$은 열린구간 $(-2, 1)$에서 적어도 하나의 실근을 갖는다.

또, $f(-2)f(1)<0$, $f(-2)f(3)>0$이면 $f(1)f(3)<0$이므로 사잇값의 정리에 의하여 방정식 $f(x)=0$은 열린구간 $(1, 3)$에서 적어도 하나의 실근을 갖는다.

따라서 방정식 $f(x)=0$은 $-2<x<3$에서 적어도 2개의 실근을 갖는다.

$\therefore n=2$ 답 ②

0200

유형 10 사잇값의 정리

|전략| 조건에 맞게 $y=h(x)$의 그래프를 그려 참, 거짓을 판별한다.

ㄱ. 방정식 $h(x)=0$이 $0<x<3$에서 적어도 하나의 실근을 가지므로 $f(x)=g(x)$를 만족시키는 실수 x가 존재한다. (거짓)

ㄴ. [반례] 함수 $y=h(x)$의 그래프가 오른쪽 그림과 같을 때 $h(0)=f(0)-g(0)<0$이고 방정식 $h(x)=0$이 열린구간 $(0, 3)$에서 실근을 갖지만 $h(3)=f(3)-g(3)<0$

$\therefore f(3)<g(3)$ (거짓)

ㄷ. 함수 $h(x)$가 연속함수이고, $h(0)<0$, $h(1)>0$, $h(2)<0$이므로 방정식 $h(x)=0$은 열린구간 $(0, 2)$에서 적어도 2개의 실근을 갖는다. (참)

따라서 옳은 것은 ㄷ이다. 답 ③

0201

유형 11 여러 가지 사잇값의 정리의 활용

|전략| $x\to a$일 때 (분모) $\to 0$이고 극한값이 존재하면 (분자) $\to 0$임을 이용하여 함수 $f(x)$를 구한다.

(i) $\lim_{x\to 0}\frac{f(x)}{x}=2$에서 $\lim_{x\to 0} x=0$이므로

$\lim_{x \to 0} f(x)=0 \qquad \therefore f(0)=0$

(ii) $\lim_{x \to 1} \frac{f(x)}{x^2-1}=2$에서 $\lim_{x \to 1}(x^2-1)=0$이므로

$\lim_{x \to 1} f(x)=0 \qquad \therefore f(1)=0$

(i), (ii)에서 $f(x)=x(x-1)g(x)$ ($g(x)$는 다항식)로 놓을 수 있다.

$$\lim_{x \to 0} \frac{f(x)}{x}=\lim_{x \to 0} \frac{x(x-1)g(x)}{x}$$
$$=\lim_{x \to 0}(x-1)g(x)=-g(0)=2$$

$\therefore g(0)=-2$

$$\lim_{x \to 1} \frac{f(x)}{x^2-1}=\lim_{x \to 1} \frac{x(x-1)g(x)}{(x+1)(x-1)}$$
$$=\lim_{x \to 1} \frac{xg(x)}{x+1}=\frac{g(1)}{2}=2$$

$\therefore g(1)=4$

함수 $g(x)$는 실수 전체의 집합에서 연속이고 $g(0)g(1)=-8<0$이므로 사잇값의 정리에 의하여 방정식 $g(x)=0$은 열린구간 $(0, 1)$에서 적어도 하나의 실근을 갖는다.

따라서 방정식 $f(x)=0$은 두 실근 0, 1을 갖고, $0<x<1$에서 적어도 하나의 실근을 가지므로 닫힌구간 $[0, 1]$에서 적어도 3개의 실근을 갖는다. 답 ①

0202

유형 **03** 함수가 연속일 조건(1) + **04** 함수가 연속일 조건(2)

|전략| 함수 $f(x)$가 $-b \le x \le a$에서 연속이므로 $x=0$에서 연속이다.

함수 $f(x)$가 $-b \le x \le a$에서 연속이므로 $x=0$에서 연속이다.

$\therefore \lim_{x \to 0-} f(x)=\lim_{x \to 0+} f(x)=f(0)$ … ❶

(i) $\lim_{x \to 0-} f(x)=\lim_{x \to 0-} \frac{\sqrt{x+b}-c}{x}$ ……㉠

이때, $\lim_{x \to 0-} x=0$이므로

$\lim_{x \to 0-}(\sqrt{x+b}-c)=\sqrt{b}-c=0 \qquad \therefore c=\sqrt{b}$ ……㉡

㉡을 ㉠에 대입하면

$$\lim_{x \to 0-} \frac{\sqrt{x+b}-\sqrt{b}}{x}=\lim_{x \to 0-} \frac{(\sqrt{x+b}-\sqrt{b})(\sqrt{x+b}+\sqrt{b})}{x(\sqrt{x+b}+\sqrt{b})}$$
$$=\lim_{x \to 0-} \frac{x}{x(\sqrt{x+b}+\sqrt{b})}$$
$$=\lim_{x \to 0-} \frac{1}{\sqrt{x+b}+\sqrt{b}}=\frac{1}{2\sqrt{b}}$$

(ii) $\lim_{x \to 0+} f(x)=\lim_{x \to 0+}(x+2a)=2a$

(iii) $f(0)=\frac{1}{2}$

(i), (ii), (iii)에서 $\lim_{x \to 0-} f(x)=\lim_{x \to 0+} f(x)=f(0)$이므로

$\frac{1}{2\sqrt{b}}=2a=\frac{1}{2} \qquad \therefore a=\frac{1}{4}, b=1$

$b=1$을 ㉡에 대입하면 $c=1$ … ❷

$\therefore abc=\frac{1}{4}\times 1\times 1=\frac{1}{4}$ … ❸

답 $\frac{1}{4}$

채점 기준	배점
❶ $-b \le x \le a$에서 연속일 조건을 구할 수 있다.	2점
❷ a, b, c의 값을 구할 수 있다.	4점
❸ abc의 값을 구할 수 있다.	1점

0203

유형 **05** 가우스 기호를 포함한 함수의 연속

|전략| 정수 n에 대하여 $x \to n-$이면 $\lim_{x \to n-}[x]=n-1$이고, $x \to n+$이면 $\lim_{x \to n+}[x]=n$임을 이용한다.

$\lim_{x \to 3-} f(x)=\lim_{x \to 3-}([x]+a)^2=(2+a)^2$

$\lim_{x \to 3+} f(x)=\lim_{x \to 3+}([x]+a)^2=(3+a)^2$

$f(3)=(3+a)^2$ … ❶

이때, 함수 $f(x)$가 $x=3$에서 연속이려면

$\lim_{x \to 3-} f(x)=\lim_{x \to 3+} f(x)=f(3)$

즉, $(3+a)^2=(2+a)^2$이므로 $2a=-5 \qquad \therefore a=-\frac{5}{2}$ … ❷

답 $-\frac{5}{2}$

채점 기준	배점
❶ $\lim_{x \to 3-} f(x)$, $\lim_{x \to 3+} f(x)$, $f(3)$을 a로 나타낼 수 있다.	3점
❷ a의 값을 구할 수 있다.	4점

0204

유형 **06** $(x-a)f(x)$ 꼴의 함수의 연속

|전략| 연속함수 $g(x)$에 대하여 $(x-a)f(x)=g(x)$를 만족시키는 함수 $f(x)$가 모든 실수 x에서 연속이면 $f(a)=\lim_{x \to a} f(x)=\lim_{x \to a} \frac{g(x)}{x-a}$이다.

(1) $x \ne 2$일 때, $f(x)=\frac{x^2+ax-6}{(x-2)(x^2+1)}$

(2) 함수 $f(x)$가 $x=2$에서 연속이므로

$f(2)=\lim_{x \to 2} f(x)=\lim_{x \to 2} \frac{x^2+ax-6}{(x-2)(x^2+1)}$ ……㉠

$\lim_{x \to 2}(x-2)(x^2+1)=0$이므로

$\lim_{x \to 2}(x^2+ax-6)=4+2a-6=0 \qquad \therefore a=1$

(3) $a=1$을 ㉠에 대입하면

$$f(2)=\lim_{x \to 2} f(x)=\lim_{x \to 2} \frac{x^2+x-6}{(x-2)(x^2+1)}$$
$$=\lim_{x \to 2} \frac{(x+3)(x-2)}{(x-2)(x^2+1)}$$
$$=\lim_{x \to 2} \frac{x+3}{x^2+1}=1$$

답 (1) $f(x)=\frac{x^2+ax-6}{(x-2)(x^2+1)}$ (2) 1 (3) 1

채점 기준	배점
(1) $x \ne 2$일 때, $f(x)$를 구할 수 있다.	2점
(2) a의 값을 구할 수 있다.	5점
(3) $f(2)$의 값을 구할 수 있다.	5점

창의·융합 교과서 속 심화문제

0205

|전략| 함수 $f(x+k)$가 $x=a$에서 연속임을 보이려면 $x+k=t$로 놓고 $x \to a$일 때, $t \to a+k$임을 이용하여 극한값을 구한다.

ㄱ. $\lim_{x\to 1-}\frac{g(x)}{f(x)}=\frac{-1}{1}=-1$

$\lim_{x\to 1+}\frac{g(x)}{f(x)}=\frac{1}{-1}=-1$

$\therefore \lim_{x\to 1}\frac{g(x)}{f(x)}=-1$ (참)

ㄴ. $x-1=t$로 놓으면 $x \to 0-$, $x \to 0+$일 때, 각각 $t \to -1-$, $t \to -1+$이므로

$\lim_{x\to 0-}g(x-1)=\lim_{t\to -1-}g(t)=1$

$\lim_{x\to 0+}g(x-1)=\lim_{t\to -1+}g(t)=1$

$\therefore \lim_{x\to 0-}g(x-1)=\lim_{x\to 0+}g(x-1)$

이때, $g(-1)=1$이므로 함수 $g(x-1)$은 $x=0$에서 연속이다. (참)

ㄷ. $x-1=k$로 놓으면 $x \to 0-$, $x \to 0+$일 때, 각각 $k \to -1-$, $k \to -1+$이고

$x+1=t$로 놓으면 $x \to 0-$, $x \to 0+$일 때, 각각 $t \to 1-$, $t \to 1+$이다.

$\lim_{x\to 0-}f(x-1)g(x+1)=\lim_{k\to -1-}f(k)\times\lim_{t\to 1-}g(t)$
$=-1\times(-1)=1$

$\lim_{x\to 0+}f(x-1)g(x+1)=\lim_{k\to -1+}f(k)\times\lim_{t\to 1+}g(t)$
$=1\times 1=1$

$f(-1)g(1)=-1\times 1=-1$

즉, $\lim_{x\to 0}f(x-1)g(x+1)\neq f(-1)g(1)$이므로

함수 $f(x-1)g(x+1)$은 $x=0$에서 불연속이다. (거짓)

따라서 옳은 것은 ㄱ, ㄴ이다. 답 ③

0206

|전략| $g(x)=0$인 x의 값과 $f(x)$가 불연속인 x의 값에서 연속인지 불연속인지 조사한다.

함수 $\frac{f(x)}{g(x)}$는 $g(x)=0$인 x의 값에서 불연속이므로 $x=0$, $x=2$에서 불연속이다. 또한 함수 $f(x)$가 불연속인 $x=-1$과 $x=1$에서의 함수 $\frac{f(x)}{g(x)}$의 연속성을 조사하면

(i) $x=-1$일 때

$\lim_{x\to -1-}\frac{f(x)}{g(x)}=\frac{-1}{1}=-1$, $\lim_{x\to -1+}\frac{f(x)}{g(x)}=\frac{2}{1}=2$

$\therefore \lim_{x\to -1-}\frac{f(x)}{g(x)}\neq\lim_{x\to -1+}\frac{f(x)}{g(x)}$

즉, 함수 $\frac{f(x)}{g(x)}$는 $x=-1$에서 불연속이다.

(ii) $x=1$일 때

$\lim_{x\to 1-}\frac{f(x)}{g(x)}=\frac{2}{1}=2$, $\lim_{x\to 1+}\frac{f(x)}{g(x)}=\frac{0}{1}=0$

$\therefore \lim_{x\to 1-}\frac{f(x)}{g(x)}\neq\lim_{x\to 1+}\frac{f(x)}{g(x)}$

즉, 함수 $\frac{f(x)}{g(x)}$는 $x=1$에서 불연속이다.

따라서 함수 $\frac{f(x)}{g(x)}$가 열린구간 $(-2, 3)$에서 불연속이 되는 x의 값은 $x=-1$, $x=0$, $x=1$, $x=2$의 4개이다. 답 4

0207

|전략| 함수 $f(x)$가 $x=1$에서 연속이므로 $\lim_{x\to 1}f(x)=f(1)$이다.

ㄱ. 함수 $f(x)$가 $x=1$에서 연속이므로

$\lim_{x\to 1}f(x)=f(1)=a$ (참)

ㄴ. $\lim_{x\to 1}f(x)=\lim_{x\to 1}\frac{g(x)}{x-1}=a$에서 $\lim_{x\to 1}(x-1)=0$이므로

$\lim_{x\to 1}g(x)=0$ (거짓)

ㄷ. $\lim_{x\to 1}\frac{f(x)g(x)}{x^2-1}=\lim_{x\to 1}\frac{f(x)}{x+1}\times\lim_{x\to 1}\frac{g(x)}{x-1}$
$=\frac{a}{2}\times a=\frac{1}{2}a^2$ (참)

따라서 옳은 것은 ㄱ, ㄷ이다. 답 ④

0208

|전략| ㄷ. $h(x)=g(f(x))+\frac{1}{2}$로 놓고 사잇값의 정리를 이용한다.

ㄱ. $\lim_{x\to -1-}f(g(x))=\lim_{g(x)\to -1+}f(g(x))=-1$

$\lim_{x\to -1+}f(g(x))=f(0)=-1$

$\therefore \lim_{x\to -1}f(g(x))=-1$ (거짓)

ㄴ. $\lim_{x\to 1-}f(g(x))=f(0)=-1$

$\lim_{x\to 1+}f(g(x))=\lim_{g(x)\to -1+}f(g(x))=-1$

$f(g(1))=f(-1)=-2$

즉, $\lim_{x\to 1}f(g(x))\neq f(g(1))$이므로 함수 $f(g(x))$는 $x=1$에서 불연속이다. (참)

ㄷ. 함수 $g(f(x))$가 닫힌구간 $[-2, -1]$에서 연속이고

$h(x)=g(f(x))+\frac{1}{2}$이라 하면

$h(-2)=g(f(-2))+\frac{1}{2}=g(-1)+\frac{1}{2}=-1+\frac{1}{2}=-\frac{1}{2}<0$

$h(-1)=g(f(-1))+\frac{1}{2}=g(-2)+\frac{1}{2}=0+\frac{1}{2}=\frac{1}{2}>0$

이때, $h(-2)h(-1)<0$이므로 사잇값의 정리에 의하여 방정식 $h(x)=0$, 즉 $g(f(x))=-\frac{1}{2}$의 실근이 열린구간 $(-2, -1)$에 적어도 하나 존재한다. (참)

따라서 옳은 것은 ㄴ, ㄷ이다. 답 ④

2 함수의 연속

본책 42~57쪽

3 | 미분계수와 도함수

STEP 1 개념 마스터

0209

$$\frac{\Delta y}{\Delta x}=\frac{f(3)-f(-2)}{3-(-2)}=\frac{5-0}{5}=1$$

답 1

0210

$$\frac{\Delta y}{\Delta x}=\frac{f(3)-f(-2)}{3-(-2)}=\frac{-6-(-1)}{5}=-1$$

답 -1

0211

$$\frac{\Delta y}{\Delta x}=\frac{f(3)-f(-2)}{3-(-2)}=\frac{53-(-17)}{5}=14$$

답 14

0212

(1) $\dfrac{\Delta y}{\Delta x}=\dfrac{f(4)-f(0)}{4-0}=\dfrac{9-1}{4}=2$

(2) $\dfrac{\Delta y}{\Delta x}=\dfrac{f(1+\Delta x)-f(1)}{(1+\Delta x)-1}$

$=\dfrac{\{2(1+\Delta x)+1\}-3}{\Delta x}$

$=\dfrac{2\Delta x}{\Delta x}=2$

답 (1) 2 (2) 2

0213

$\dfrac{\Delta y}{\Delta x}=\dfrac{f(a+\Delta x)-f(a)}{(a+\Delta x)-a}$

$=\dfrac{\{(a+\Delta x)^2+2(a+\Delta x)\}-(a^2+2a)}{\Delta x}$

$=\dfrac{(2a+2)\Delta x+(\Delta x)^2}{\Delta x}$

$=2a+2+\Delta x$

답 $2a+2+\Delta x$

0214

$f'(1)=\lim\limits_{\Delta x\to 0}\dfrac{f(1+\Delta x)-f(1)}{\Delta x}$

$=\lim\limits_{\Delta x\to 0}\dfrac{-4(1+\Delta x)-(-4)}{\Delta x}$

$=\lim\limits_{\Delta x\to 0}\dfrac{-4\Delta x}{\Delta x}=-4$

답 -4

0215

$f'(1)=\lim\limits_{\Delta x\to 0}\dfrac{f(1+\Delta x)-f(1)}{\Delta x}$

$=\lim\limits_{\Delta x\to 0}\dfrac{\{3(1+\Delta x)-1\}-2}{\Delta x}$

$=\lim\limits_{\Delta x\to 0}\dfrac{3\Delta x}{\Delta x}=3$

답 3

0216

$f'(1)=\lim\limits_{\Delta x\to 0}\dfrac{f(1+\Delta x)-f(1)}{\Delta x}$

$=\lim\limits_{\Delta x\to 0}\dfrac{\{(1+\Delta x)^2-3(1+\Delta x)\}-(-2)}{\Delta x}$

$=\lim\limits_{\Delta x\to 0}\dfrac{-\Delta x+(\Delta x)^2}{\Delta x}$

$=\lim\limits_{\Delta x\to 0}(-1+\Delta x)=-1$

답 -1

0217

$f(x)=3x+1$에 대하여 곡선 $y=f(x)$ 위의 점 $(1, 4)$에서의 접선의 기울기는 $f'(1)$이므로

$f'(1)=\lim\limits_{\Delta x\to 0}\dfrac{f(1+\Delta x)-f(1)}{\Delta x}$

$=\lim\limits_{\Delta x\to 0}\dfrac{\{3(1+\Delta x)+1\}-4}{\Delta x}$

$=\lim\limits_{\Delta x\to 0}\dfrac{3\Delta x}{\Delta x}=3$

답 3

0218

$f(x)=x^2-2x+2$에 대하여 곡선 $y=f(x)$ 위의 점 $(0, 2)$에서의 접선의 기울기는 $f'(0)$이므로

$f'(0)=\lim\limits_{\Delta x\to 0}\dfrac{f(\Delta x)-f(0)}{\Delta x}$

$=\lim\limits_{\Delta x\to 0}\dfrac{\{(\Delta x)^2-2\Delta x+2\}-2}{\Delta x}$

$=\lim\limits_{\Delta x\to 0}\dfrac{(\Delta x)^2-2\Delta x}{\Delta x}$

$=\lim\limits_{\Delta x\to 0}(\Delta x-2)=-2$

답 -2

0219

$f(x)=-x^2+4$에 대하여 곡선 $y=f(x)$ 위의 점 $(-1, 3)$에서의 접선의 기울기는 $f'(-1)$이므로

$f'(-1)=\lim\limits_{\Delta x\to 0}\dfrac{f(-1+\Delta x)-f(-1)}{\Delta x}$

$=\lim\limits_{\Delta x\to 0}\dfrac{\{-(-1+\Delta x)^2+4\}-3}{\Delta x}$

$=\lim\limits_{\Delta x\to 0}\dfrac{2\Delta x-(\Delta x)^2}{\Delta x}$

$=\lim\limits_{\Delta x\to 0}(2-\Delta x)=2$

답 2

0220

(i) $\lim\limits_{x\to 0}f(x)=f(0)=0$이므로 함수 $f(x)$는 $x=0$에서 연속이다.

(ii) $\lim\limits_{h\to 0-}\dfrac{f(0+h)-f(0)}{h}$

$=\lim\limits_{h\to 0-}\dfrac{|h|-0}{h}$

$=\lim\limits_{h\to 0-}\dfrac{-h}{h}=-1$

$y=|x|$

$$\lim_{h\to0+}\frac{f(0+h)-f(0)}{h}=\lim_{h\to0+}\frac{|h|-0}{h}$$
$$=\lim_{h\to0+}\frac{h}{h}=1$$
$$\therefore \lim_{h\to0-}\frac{f(0+h)-f(0)}{h}\neq\lim_{h\to0+}\frac{f(0+h)-f(0)}{h}$$
즉, $f'(0)$이 존재하지 않으므로 함수 $f(x)$는 $x=0$에서 미분가능하지 않다.

(i), (ii)에서 함수 $f(x)=|x|$는 $x=0$에서 연속이지만 미분가능하지 않다. 답 연속이지만 미분가능하지 않다.

0221

$f(x)=|x-1|=\begin{cases} x-1 & (x\geq1) \\ -x+1 & (x<1)\end{cases}$에서

(i) $\lim_{x\to1}f(x)=f(1)=0$이므로 함수 $f(x)$는 $x=1$에서 연속이다.

(ii) $$\lim_{h\to0-}\frac{f(1+h)-f(1)}{h}=\lim_{h\to0-}\frac{|h|-0}{h}$$
$$=\lim_{h\to0-}\frac{-h}{h}$$
$$=-1$$

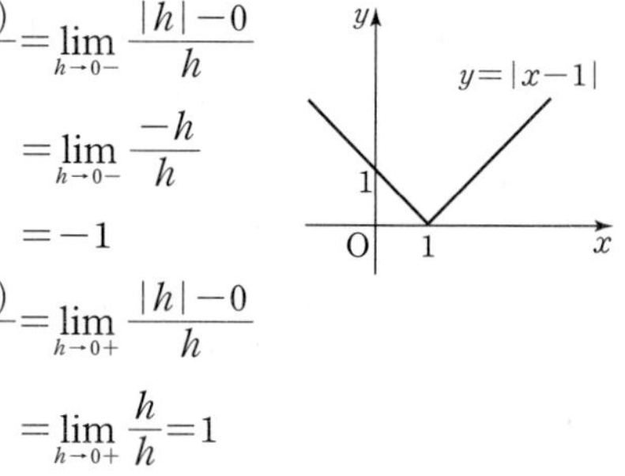

$$\lim_{h\to0+}\frac{f(1+h)-f(1)}{h}=\lim_{h\to0+}\frac{|h|-0}{h}$$
$$=\lim_{h\to0+}\frac{h}{h}=1$$
$$\therefore \lim_{h\to0-}\frac{f(1+h)-f(1)}{h}\neq\lim_{h\to0+}\frac{f(1+h)-f(1)}{h}$$
즉, $f'(1)$이 존재하지 않으므로 함수 $f(x)$는 $x=1$에서 미분가능하지 않다.

(i), (ii)에서 함수 $f(x)=|x-1|$은 $x=1$에서 연속이지만 미분가능하지 않다.

따라서 구하는 상수 a의 값은 1이다. 답 1

0222

(1) $\lim_{x\to1-}f(x)=\lim_{x\to1-}(-2x^2+3)=1$

$\lim_{x\to1+}f(x)=\lim_{x\to1+}x^2=1$

따라서 $\lim_{x\to1}f(x)=f(1)=1$이므로 함수 $f(x)$는 $x=1$에서 연속이다.

(2) $$\lim_{x\to1-}\frac{f(x)-f(1)}{x-1}=\lim_{x\to1-}\frac{(-2x^2+3)-1}{x-1}$$
$$=\lim_{x\to1-}\frac{-2(x+1)(x-1)}{x-1}$$
$$=\lim_{x\to1-}\{-2(x+1)\}=-4$$
$$\lim_{x\to1+}\frac{f(x)-f(1)}{x-1}=\lim_{x\to1+}\frac{x^2-1}{x-1}$$
$$=\lim_{x\to1+}\frac{(x+1)(x-1)}{x-1}$$
$$=\lim_{x\to1+}(x+1)=2$$
$$\therefore \lim_{x\to1-}\frac{f(x)-f(1)}{x-1}\neq\lim_{x\to1+}\frac{f(x)-f(1)}{x-1}$$

따라서 $f'(1)$이 존재하지 않으므로 함수 $f(x)$는 $x=1$에서 미분가능하지 않다. 답 (1) 연속이다. (2) 미분가능하지 않다.

0223

$f'(x)=\lim_{\Delta x\to0}\frac{f(x+\Delta x)-f(x)}{\Delta x}=\lim_{\Delta x\to0}\frac{4-4}{\Delta x}=0$ 답 $f'(x)=0$

0224

$$f'(x)=\lim_{\Delta x\to0}\frac{f(x+\Delta x)-f(x)}{\Delta x}$$
$$=\lim_{\Delta x\to0}\frac{\{3(x+\Delta x)-4\}-(3x-4)}{\Delta x}$$
$$=\lim_{\Delta x\to0}\frac{3\Delta x}{\Delta x}=3$$
답 $f'(x)=3$

0225

$$f'(x)=\lim_{\Delta x\to0}\frac{f(x+\Delta x)-f(x)}{\Delta x}$$
$$=\lim_{\Delta x\to0}\frac{\{(x+\Delta x)^2-(x+\Delta x)\}-(x^2-x)}{\Delta x}$$
$$=\lim_{\Delta x\to0}\frac{(2x-1)\Delta x+(\Delta x)^2}{\Delta x}$$
$$=\lim_{\Delta x\to0}(2x-1+\Delta x)=2x-1$$
답 $f'(x)=2x-1$

0226

$$f'(x)=\lim_{\Delta x\to0}\frac{f(x+\Delta x)-f(x)}{\Delta x}$$
$$=\lim_{\Delta x\to0}\frac{\{2(x+\Delta x)^2+1\}-(2x^2+1)}{\Delta x}$$
$$=\lim_{\Delta x\to0}\frac{4x\Delta x+2(\Delta x)^2}{\Delta x}$$
$$=\lim_{\Delta x\to0}(4x+2\Delta x)=4x$$

또, 함수 $f(x)$의 $x=2$에서의 미분계수 $f'(2)$는

$f'(2)=4\times2=8$ 답 $f'(x)=4x$, $f'(2)=8$

0227

$$f'(x)=\lim_{\Delta x\to0}\frac{f(x+\Delta x)-f(x)}{\Delta x}$$
$$=\lim_{\Delta x\to0}\frac{\left\{-\frac{1}{2}(x+\Delta x)^2+(x+\Delta x)-3\right\}-\left(-\frac{1}{2}x^2+x-3\right)}{\Delta x}$$
$$=\lim_{\Delta x\to0}\frac{(-x+1)\Delta x-\frac{1}{2}(\Delta x)^2}{\Delta x}$$
$$=\lim_{\Delta x\to0}\left(-x+1-\frac{1}{2}\Delta x\right)$$
$$=-x+1$$

또, 함수 $f(x)$의 $x=2$에서의 미분계수 $f'(2)$는

$f'(2)=-2+1=-1$ 답 $f'(x)=-x+1$, $f'(2)=-1$

0228

$y'=(x^7)'=7x^6$ 답 $y'=7x^6$

0229

$y'=(3x^6)'=18x^5$ 답 $y'=18x^5$

0230

$y'=(-x^{15})'=-15x^{14}$ 답 $y'=-15x^{14}$

0231

$y'=(24)'=0$ 답 $y'=0$

0232

$y'=(5x+1)'=(5x)'+(1)'=5$ 답 $y'=5$

0233

$y'=(-2x^2+3x+1)'=(-2x^2)'+(3x)'+(1)'$
$=-4x+3$ 답 $y'=-4x+3$

0234

$y'=\left(\frac{1}{3}x^3-x^2+x-1\right)'$
$=\left(\frac{1}{3}x^3\right)'-(x^2)'+(x)'-(1)'$
$=x^2-2x+1$ 답 $y'=x^2-2x+1$

0235

$y'=(-x^4-6x^2+3x+2)'$
$=(-x^4)'-(6x^2)'+(3x)'+(2)'$
$=-4x^3-12x+3$ 답 $y'=-4x^3-12x+3$

0236

$y'=(2x^6-x^3+x)'$
$=(2x^6)'-(x^3)'+(x)'$
$=12x^5-3x^2+1$ 답 $y'=12x^5-3x^2+1$

0237

함수 $f(x)=x^2+ax+3$에서
$f'(x)=(x^2+ax+3)'$
$=(x^2)'+(ax)'+(3)'$
$=2x+a$
이므로 $f'(1)=2+a=0$
$\therefore a=-2$ 답 -2

0238

$y'=(x-2)'(2x+1)+(x-2)(2x+1)'$
$=(2x+1)+2(x-2)$
$=4x-3$ 답 $y'=4x-3$

0239

$y'=(3x+4)'(2x^2+3x-1)+(3x+4)(2x^2+3x-1)'$
$=3(2x^2+3x-1)+(3x+4)(4x+3)$
$=(6x^2+9x-3)+(12x^2+25x+12)$
$=18x^2+34x+9$ 답 $y'=18x^2+34x+9$

0240

$y'=(x)'(x+1)(x+4)+x(x+1)'(x+4)+x(x+1)(x+4)'$
$=(x+1)(x+4)+x(x+4)+x(x+1)$
$=(x^2+5x+4)+(x^2+4x)+(x^2+x)$
$=3x^2+10x+4$ 답 $y'=3x^2+10x+4$

0241

$y'=(2x+1)'(x-1)(-x^2+5x)+(2x+1)(x-1)'(-x^2+5x)$
$+(2x+1)(x-1)(-x^2+5x)'$
$=2(x-1)(-x^2+5x)+(2x+1)(-x^2+5x)$
$+(2x+1)(x-1)(-2x+5)$
$=(-2x^3+12x^2-10x)+(-2x^3+9x^2+5x)$
$+(-4x^3+12x^2-3x-5)$
$=-8x^3+33x^2-8x-5$ 답 $y'=-8x^3+33x^2-8x-5$

0242

$y'=\{(2x-1)^3\}'$
$=3(2x-1)^2(2x-1)'$
$=3(2x-1)^2\times 2=6(2x-1)^2$ 답 $y'=6(2x-1)^2$

0243

$y'=\{(-x^2+3x+5)^4\}'$
$=4(-x^2+3x+5)^3(-x^2+3x+5)'$
$=4(-x^2+3x+5)^3(-2x+3)$
답 $y'=4(-x^2+3x+5)^3(-2x+3)$

STEP 2 유형 마스터

0244

| 전략 | 함수 $f(x)$에서 x의 값이 a에서 b까지 변할 때의 평균변화율은 $\frac{\Delta y}{\Delta x}=\frac{f(b)-f(a)}{b-a}$임을 이용한다.

함수 $f(x)$에서 x의 값이 a에서 $a+1$까지 변할 때의 평균변화율은

$$\frac{\Delta y}{\Delta x}=\frac{f(a+1)-f(a)}{(a+1)-a}$$
$$=\frac{\{(a+1)^2-2(a+1)\}-(a^2-2a)}{1}$$
$$=2a-1=3$$

$\therefore a=2$ 답 ④

0245

함수 $f(x)$에서 x의 값이 -1에서 3까지 변할 때의 평균변화율은

$$\frac{\Delta y}{\Delta x}=\frac{f(3)-f(-1)}{3-(-1)}$$
$$=\frac{(3^2+2)-\{(-1)^2+2\}}{4}$$
$$=\frac{11-3}{4}=2$$

또, 함수 $f(x)$에서 x의 값이 -3에서 a까지 변할 때의 평균변화율은

$$\frac{\Delta y}{\Delta x}=\frac{f(a)-f(-3)}{a-(-3)}$$
$$=\frac{(a^2+2)-\{(-3)^2+2\}}{a+3}$$
$$=\frac{a^2-9}{a+3}=\frac{(a+3)(a-3)}{a+3}$$
$$=a-3$$

즉, $a-3=2$에서 $a=5$ 답 5

0246

|전략| 함수 $f(x)$에서 x의 값이 a에서 b까지 변할 때의 평균변화율은 $\frac{\Delta y}{\Delta x}=\frac{f(b)-f(a)}{b-a}$, $x=c$에서의 미분계수는 $f'(c)=\lim_{h\to0}\frac{f(c+h)-f(c)}{h}$임을 이용한다.

함수 $f(x)$에서 x의 값이 1에서 2까지 변할 때의 평균변화율은

$$\frac{\Delta y}{\Delta x}=\frac{f(2)-f(1)}{2-1}$$
$$=\frac{(2^2+3\times2+1)-(1^2+3\times1+1)}{1}$$
$$=\frac{11-5}{1}=6$$

또, 함수 $f(x)$의 $x=c$에서의 미분계수는

$$f'(c)=\lim_{h\to0}\frac{f(c+h)-f(c)}{h}$$
$$=\lim_{h\to0}\frac{\{(c+h)^2+3(c+h)+1\}-(c^2+3c+1)}{h}$$
$$=\lim_{h\to0}\frac{(2c+3)h+h^2}{h}$$
$$=\lim_{h\to0}(2c+3+h)=2c+3$$

즉, $2c+3=6$에서 $c=\frac{3}{2}$ 답 ⑤

0247

함수 $f(x)$에서 x의 값이 1에서 k까지 변할 때의 평균변화율은

$$\frac{\Delta y}{\Delta x}=\frac{f(k)-f(1)}{k-1}$$
$$=\frac{(k^2-k+2)-(1^2-1+2)}{k-1}$$
$$=\frac{k^2-k}{k-1}=\frac{k(k-1)}{k-1}=k \quad \cdots ❶$$

또, 함수 $f(x)$의 $x=2$에서의 미분계수는

$$f'(2)=\lim_{h\to0}\frac{f(2+h)-f(2)}{h}$$
$$=\lim_{h\to0}\frac{\{(2+h)^2-(2+h)+2\}-(2^2-2+2)}{h}$$
$$=\lim_{h\to0}\frac{3h+h^2}{h}$$
$$=\lim_{h\to0}(3+h)=3 \quad \cdots ❷$$

$\therefore k=3$ ⋯ ❸

답 3

채점 기준	비율
❶ $\frac{f(k)-f(1)}{k-1}$의 값을 구할 수 있다.	40%
❷ $f'(2)$의 값을 구할 수 있다.	40%
❸ k의 값을 구할 수 있다.	20%

0248

$\frac{f(a)-f(1)}{a-1}=a$, $f(1)=1$이므로

$f(a)=a^2-a+f(1)=a^2-a+1$

즉, $f(x)=x^2-x+1$이므로 $x=1$에서의 미분계수는

$$f'(1)=\lim_{h\to0}\frac{f(1+h)-f(1)}{h}$$
$$=\lim_{h\to0}\frac{\{(1+h)^2-(1+h)+1\}-1}{h}$$
$$=\lim_{h\to0}\frac{h+h^2}{h}=\lim_{h\to0}(1+h)=1$$

답 1

0249

|전략| 분자에서 $f(1)$을 빼고 더하여 식을 변형한다.

$$\lim_{h\to0}\frac{f(1+h)-f(1-h)}{h}$$
$$=\lim_{h\to0}\frac{f(1+h)-f(1)+f(1)-f(1-h)}{h}$$
$$=\lim_{h\to0}\frac{\{f(1+h)-f(1)\}-\{f(1-h)-f(1)\}}{h}$$
$$=\lim_{h\to0}\frac{f(1+h)-f(1)}{h}+\lim_{h\to0}\frac{f(1-h)-f(1)}{-h}$$
$$=f'(1)+f'(1)=2f'(1)$$
$$=2\times2=4$$

답 4

0250

$$\lim_{h\to0}\frac{f(1+3h)-f(1)-g(h)}{h}$$
$$=\lim_{h\to0}\left\{\frac{f(1+3h)-f(1)}{h}-\frac{g(h)}{h}\right\}$$
$$=\lim_{h\to0}\frac{f(1+3h)-f(1)}{h}-\lim_{h\to0}\frac{g(h)}{h}$$
$$=\lim_{h\to0}\frac{f(1+3h)-f(1)}{3h}\times3-\lim_{h\to0}\frac{g(0+h)-g(0)}{h}$$
$$=3f'(1)-g'(0)=0$$

이때, $f'(1)=2$이므로

$3\times2-g'(0)=0 \qquad \therefore g'(0)=6$

답 6

0251

|전략| 분자에서 $3f(3)$을 빼고 더하여 식을 변형한다.

$$\lim_{x\to3}\frac{3f(x)-xf(3)}{x-3}=\lim_{x\to3}\frac{3f(x)-3f(3)+3f(3)-xf(3)}{x-3}$$
$$=\lim_{x\to3}\frac{3\{f(x)-f(3)\}-(x-3)f(3)}{x-3}$$
$$=3\lim_{x\to3}\frac{f(x)-f(3)}{x-3}-\lim_{x\to3}\frac{(x-3)f(3)}{x-3}$$
$$=3f'(3)-f(3)$$
$$=3\times2-4=2$$

답 ②

0252

$$\lim_{x\to1}\frac{f(x^2)-f(1)}{x-1}=\lim_{x\to1}\left\{\frac{f(x^2)-f(1)}{x^2-1}\times(x+1)\right\}$$
$$=\lim_{x\to1}\frac{f(x^2)-f(1)}{x^2-1}\times\lim_{x\to1}(x+1)$$
$$=2f'(1)$$
$$=2\times2=4$$

답 4

0253

$$\lim_{x\to1}\frac{x^2f(1)-f(x^2)}{x-1}$$
$$=\lim_{x\to1}\frac{x^2f(1)-f(1)+f(1)-f(x^2)}{x-1}$$
$$=\lim_{x\to1}\frac{(x^2-1)f(1)-\{f(x^2)-f(1)\}}{x-1}$$
$$=\lim_{x\to1}\frac{(x+1)(x-1)f(1)}{x-1}-\lim_{x\to1}\left\{\frac{f(x^2)-f(1)}{x^2-1}\times(x+1)\right\}$$
$$=\lim_{x\to1}(x+1)f(1)-\lim_{x\to1}\frac{f(x^2)-f(1)}{x^2-1}\times\lim_{x\to1}(x+1)$$
$$=2f(1)-2f'(1)$$
$$=2\times3-2\times(-2)=10$$

답 ①

0254

|전략| 두 점 $(a, f(a))$, $(b, f(b))$를 지나는 직선의 기울기는 $\frac{f(b)-f(a)}{b-a}$임을 이용한다.

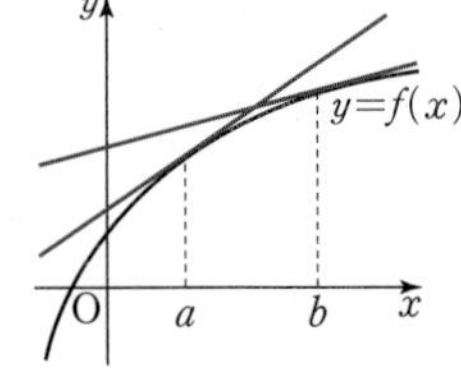

ㄱ. 점 $(a, f(a))$에서의 접선의 기울기가 점 $(b, f(b))$에서의 접선의 기울기보다 크므로 $f'(a)>f'(b)$ (거짓)

ㄴ. 두 점 $(a, f(a))$, $(b, f(b))$를 지나는 직선의 기울기가 $x=a$인 점에서의 접선의 기울기보다 작으므로 $\frac{f(b)-f(a)}{b-a}<f'(a)$ (참)

ㄷ. $0<a<b$일 때 $\frac{a+b}{2}>\sqrt{ab}$이고, 열린구간 (a, b)에서 접선의 기울기는 점점 감소하므로 $f'(\sqrt{ab})>f'\left(\frac{a+b}{2}\right)$ (참)

$a>0$, $b>0$일 때, $\frac{a+b}{2}\ge\sqrt{ab}$ (단, 등호는 $a=b$일 때 성립)

따라서 옳은 것은 ㄴ, ㄷ이다.

답 ④

Lecture

(1) 곡선 $y=f(x)$가 위로 볼록하고 $a<b$일 때

$f'(a)>\frac{f(b)-f(a)}{b-a}$

(2) 곡선 $y=f(x)$가 아래로 볼록하고 $a<b$일 때

$f'(a)<\frac{f(b)-f(a)}{b-a}$

0255

ㄱ. $g(4)=\frac{f(4)-f(1)}{4-1}=\frac{4-1}{3}=1$

$g(5)=\frac{f(5)-f(1)}{5-1}=\frac{9-1}{4}=2$

$\therefore\ g(4)<g(5)$ (참)

ㄴ. $g(x)=0$에서 $f(x)-f(1)=0$, $(x-2)^2-1=0$

$x^2-4x+3=0$, $(x-1)(x-3)=0$

$1<x\le5$이므로 구하는 x의 값은 $x=3$의 1개이다. (거짓)

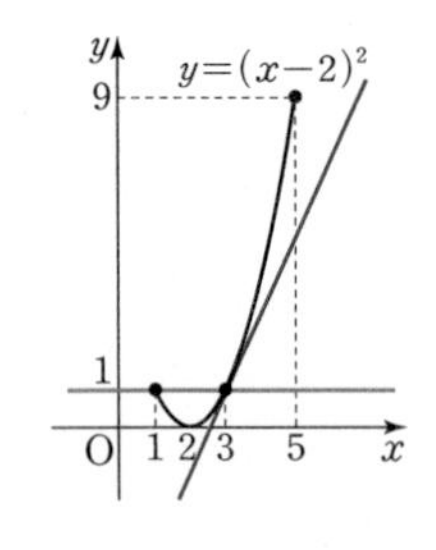

ㄷ. $g(3)=\frac{f(3)-f(1)}{3-1}=\frac{1-1}{2}=0$

$f'(3)$은 $x=3$에서의 접선의 기울기와 같으므로 오른쪽 그림에서 $f'(3)>0$

$\therefore g(3)<f'(3)$ (참)

따라서 옳은 것은 ㄱ, ㄷ이다.

답 ③

Lecture

미분계수 $f'(a)$의 기하적 의미

오른쪽 그림에서 점 B가 점 A에 한없이 가까워질 때의 평균변화율의 극한값

$$f'(a)=\lim_{\Delta x\to0}\frac{f(a+\Delta x)-f(a)}{\Delta x}$$

는 $x=a$에서의 접선의 기울기임을 알 수 있다. 따라서 미분계수 $f'(a)$는 함수 $y=f(x)$의 그래프 위의 점 $(a, f(a))$에서의 접선의 기울기이다.

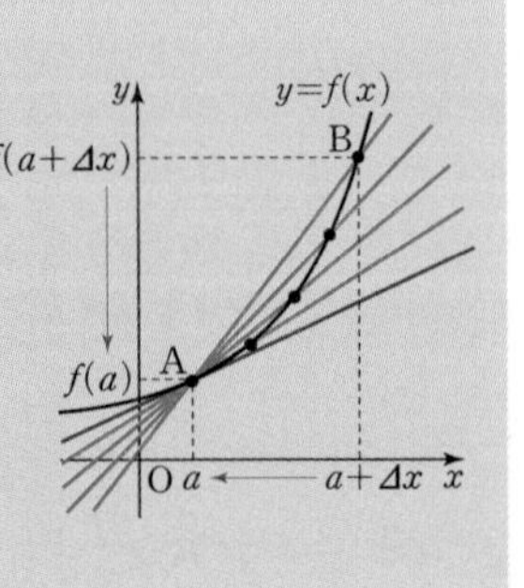

0256

|전략| 함수 $f(x)$가 $x=0$에서 연속이려면 $\lim_{x\to 0} f(x)=f(0)$이어야 하고, 미분가능하려면 $f'(0)$이 존재해야 한다.

① $x=0$에서 불연속이고 미분가능하지 않다.

② $\lim_{x\to 0} f(x)=f(0)=0$이므로 함수 $f(x)$는 $x=0$에서 연속이다.

$$f'(0)=\lim_{h\to 0}\frac{f(0+h)-f(0)}{h}=\lim_{h\to 0}\frac{h|h|-0}{h}=\lim_{h\to 0}|h|=0$$

이므로 함수 $f(x)$는 $x=0$에서 미분가능하다.

③ $f(x)=\sqrt{x^2}=|x|$이므로 $x=0$에서 연속이지만 미분가능하지 않다.

④ $f(x)=|x|^2=x^2$이므로 $x=0$에서 연속이고 미분가능하다.

⑤ $\lim_{x\to 0} f(x)=f(0)=0$이므로 함수 $f(x)$는 $x=0$에서 연속이다.

$$f'(0)=\lim_{h\to 0}\frac{f(0+h)-f(0)}{h}=\lim_{h\to 0}\frac{h^2|h|-0}{h}=\lim_{h\to 0}h|h|=0$$

이므로 함수 $f(x)$는 $x=0$에서 미분가능하다. 답 ③

0257

$$f(x)=|x^2-1|=\begin{cases}x^2-1 & (x\le -1 \text{ 또는 } x\ge 1)\\ -x^2+1 & (-1<x<1)\end{cases}$$ 에서

(i) $\lim_{x\to 1} f(x)=f(1)=0$이므로 함수 $f(x)$는 $x=1$에서 연속이다. … ❶

(ii) $\lim_{h\to 0-}\frac{f(1+h)-f(1)}{h}=\lim_{h\to 0-}\frac{\{-(1+h)^2+1\}-0}{h}$

$=\lim_{h\to 0-}\frac{-2h-h^2}{h}$

$=\lim_{h\to 0-}(-2-h)=-2$

$\lim_{h\to 0+}\frac{f(1+h)-f(1)}{h}=\lim_{h\to 0+}\frac{\{(1+h)^2-1\}-0}{h}$

$=\lim_{h\to 0+}\frac{2h+h^2}{h}$

$=\lim_{h\to 0+}(2+h)=2$

$\therefore \lim_{h\to 0-}\frac{f(1+h)-f(1)}{h}\ne\lim_{h\to 0+}\frac{f(1+h)-f(1)}{h}$

즉, $f'(1)$이 존재하지 않으므로 함수 $f(x)$는 $x=1$에서 미분가능하지 않다. … ❷

(i), (ii)에서 함수 $f(x)$는 $x=1$에서 연속이지만 미분가능하지 않다. … ❸

답 연속이지만 미분가능하지 않다.

채점 기준	비율
❶ $x=1$에서의 연속성을 조사할 수 있다.	30%
❷ $x=1$에서의 미분가능성을 조사할 수 있다.	50%
❸ $x=1$에서의 연속성과 미분가능성을 확인할 수 있다.	20%

0258

ㄱ. $\lim_{x\to 0} f(x)=f(0)=0$이므로 함수 $f(x)$는 $x=0$에서 연속이다.

$\lim_{h\to 0-}\frac{f(h)-f(0)}{h}=\lim_{h\to 0-}\frac{-h}{h}=-1$

$\lim_{h\to 0+}\frac{f(h)-f(0)}{h}=\lim_{h\to 0+}\frac{h}{h}=1$

즉, $f'(0)$이 존재하지 않으므로 함수 $f(x)$는 $x=0$에서 미분가능하지 않다.

ㄴ. $\lim_{x\to 0-} g(x)=\lim_{x\to 0-}\left(\frac{-x}{x}-1\right)=-2$

$\lim_{x\to 0+} g(x)=\lim_{x\to 0+}\left(\frac{x}{x}-1\right)=0$

즉, $\lim_{x\to 0} g(x)$가 존재하지 않으므로 함수 $g(x)$는 $x=0$에서 불연속이다.

ㄷ. $\lim_{x\to 0} l(x)=l(0)=1$이므로 함수 $l(x)$는 $x=0$에서 연속이다.

$\lim_{h\to 0-}\frac{l(h)-l(0)}{h}=\lim_{h\to 0-}\frac{2h+1-1}{h}=2$

$\lim_{h\to 0+}\frac{l(h)-l(0)}{h}=\lim_{h\to 0+}\frac{(h+1)^2-1}{h}=\lim_{h\to 0+}(h+2)=2$

즉, $l'(0)$이 존재하므로 함수 $l(x)$는 $x=0$에서 미분가능하다.

따라서 $x=0$에서 연속이지만 미분가능하지 않은 함수는 ㄱ이다.

답 ①

0259

|전략| 불연속인 점, 꺾인 점에서는 미분가능하지 않다.

① 함수 $f(x)$는 $x=d$, $x=e$에서 불연속이므로 불연속인 점은 2개이다.

② $\lim_{x\to d-} f(x)=\lim_{x\to d+} f(x)$이므로 $\lim_{x\to d} f(x)$의 값이 존재한다.

③ $f'(x)=0$인 점은 $a<x<c$, $c<x<d$, $d<x<e$에서 각각 한 개씩 존재하고, $e<x<b$에서 함수 $f(x)$는 상수함수이므로 $f'(x)=0$이다.

④ 불연속인 점과 꺾인 점에서는 미분가능하지 않으므로 함수 $f(x)$가 미분가능하지 않은 점은 $x=c$, $x=d$, $x=e$의 3개이다.

⑤ 함수 $y=f(x)$의 그래프 위의 점 $(c, f(c))$에서 접선을 그을 수 없으므로 함수 $f(x)$는 $x=c$에서 연속이지만 미분가능하지 않다.

답 ④

Lecture

함수 $y=f(x)$의 그래프에서 연결되어 있지 않은 점은 불연속인 점이고, 연결되어 있지만 접선을 그을 수 없는 점, 즉 뾰족한 점(또는 꺾인 점)은 연속이지만 미분가능하지 않은 점이다.

0260

①, ⑤ $x=a$에서 꺾인 점이므로 미분가능하지 않다.

②, ④ $x=a$에서 불연속으로 미분가능하지 않다. 답 ③

0261

(i) 함수 $y=f(x)$의 그래프에서 불연속인 점은 그래프가 연결되어 있지 않고 끊어져 있는 점이다.

따라서 불연속인 점은 $x=-1$, $x=1$일 때이므로 $a=2$

(ii) 함수 $y=f(x)$의 그래프에서 미분가능하지 않은 점은 불연속인 점과 꺾인 점이다.

따라서 미분가능하지 않은 점은 $x=-1$, $x=0$, $x=1$일 때이므로 $b=3$

(i), (ii)에서 $a+b=2+3=5$ 답 5

0262

| 전략 | $f'(x)=\lim_{h\to 0}\frac{f(x+h)-f(x)}{h}$임을 이용한다.

$F(x)=\{f(x)\}^2$으로 놓으면 $y=F(x)$에서

$$y'=\lim_{h\to 0}\frac{F(x+h)-F(x)}{h}$$
$$=\lim_{h\to 0}\frac{\{f(x+h)\}^2-\{f(x)\}^2}{h}$$
$$=\lim_{h\to 0}\frac{\{f(x+h)+f(x)\}\times\{f(x+h)-f(x)\}}{h}$$
$$=\lim_{h\to 0}\frac{f(x+h)-f(x)}{h}\times\lim_{h\to 0}\{\boxed{(가)\ f(x+h)+f(x)}\}$$
$$=f'(x)\times 2f(x)$$
$$=\boxed{(나)\ 2f(x)f'(x)}$$

답 ②

0263

도함수의 정의에 의하여

$$f'(x)=\lim_{h\to 0}\frac{f(x+h)-f(x)}{h}$$
$$\therefore f'(-x)=\lim_{h\to 0}\frac{f(-x+h)-f(-x)}{h}$$
$$=\lim_{h\to 0}\frac{\boxed{(가)\ f(x-h)}-f(x)}{h}\ (\because f(x)=f(-x))$$
$$=\lim_{h\to 0}\left\{\frac{\boxed{(가)\ f(x-h)}-f(x)}{\boxed{(나)\ -h}}\times(-1)\right\}$$
$$=-f'(x)$$

답 (가) $f(x-h)$ (나) $-h$

0264

| 전략 | $y=x^n$(n은 양의 정수)이면 $y'=nx^{n-1}$임을 이용한다.

함수 $f(x)=x+\frac{1}{3}x^3+\frac{1}{5}x^5+\cdots+\frac{1}{99}x^{99}$에서

$f'(x)=1+x^2+x^4+\cdots+x^{98}$이므로

$f'(1)=\underbrace{1+1+1+\cdots+1}_{50개}=50$

답 ②

0265

함수 $f(x)=x-x^2+x^3-x^4+x^5-x^6+x^7$에서

$f(1)=1$ … ❶

또, $f'(x)=1-2x+3x^2-4x^3+5x^4-6x^5+7x^6$이므로

$f'(1)=1-2+3-4+5-6+7=4$ … ❷

$\therefore f(1)+f'(1)=1+4=5$ … ❸

답 5

채점 기준	비율
❶ $f(1)$의 값을 구할 수 있다.	20%
❷ $f'(1)$의 값을 구할 수 있다.	60%
❸ $f(1)+f'(1)$의 값을 구할 수 있다.	20%

0266

함수 $f(x)=x^3+ax^2-x-1$에서

$f'(x)=3x^2+2ax-1$

이때, $f'(1)=4$이므로 $2a+2=4$

$\therefore a=1$

답 1

0267

$f(-1)=0$에서 $a-b+c=0$ ⋯⋯ ㉠

$f'(x)=2ax+b$이므로

$f'(1)=2$에서 $2a+b=2$ ⋯⋯ ㉡

$f'(2)=4$에서 $4a+b=4$ ⋯⋯ ㉢

㉠, ㉡, ㉢을 연립하여 풀면 $a=1,\ b=0,\ c=-1$

$\therefore a+b-c=1+0-(-1)=2$

답 ⑤

0268

| 전략 | 함수의 곱의 미분법을 이용한다.

$$f'(x)=\{(x-1)(x^3-3)\}'+\{(x^2-2x-1)^3\}'$$
$$=(x-1)'(x^3-3)+(x-1)(x^3-3)'+3(x^2-2x-1)^2(x^2-2x-1)'$$
$$=(x^3-3)+(x-1)\times 3x^2+3(x^2-2x-1)^2(2x-2)$$
$$=(x^3-3)+3x^2(x-1)+6(x-1)(x^2-2x-1)^2$$

$\therefore f'(1)=-2$

답 ①

0269

$f(x)=(x^4-3x^2+ax-1)^2$에서

$$f'(x)=\{(x^4-3x^2+ax-1)^2\}'$$
$$=2(x^4-3x^2+ax-1)(x^4-3x^2+ax-1)'$$
$$=2(x^4-3x^2+ax-1)(4x^3-6x+a)$$

이때, $f'(0)=4$이므로

$f'(0)=-2a=4\quad \therefore a=-2$

따라서 $f(x)=(x^4-3x^2-2x-1)^2$이므로

$f(1)=(1-3-2-1)^2=(-5)^2=25$

답 ④

0270

주어진 식의 우변을 인수분해하면

$(x^2+x+1)f(x)=(x+1)(x-1)(x^3+1)(x^2+x+1)$

$\therefore f(x)=(x^2-1)(x^3+1)\ (\because x^2+x+1>0)$

$$f'(x)=(x^2-1)'(x^3+1)+(x^2-1)(x^3+1)'$$
$$=2x(x^3+1)+(x^2-1)\times 3x^2$$

$\therefore f'(1)=4$

답 4

0271

$$g'(x)=(x^2+2x)'f(x)+(x^2+2x)f'(x)$$
$$=(2x+2)f(x)+(x^2+2x)f'(x)$$

$$\therefore g'(1)=4f(1)+3f'(1)$$
$$=4\times 2+3\times 3=17$$

답 ②

0272

$f(x)=x^6+6x^2+1$에서

$f'(x)=6x^5+12x$ ······㉠

$g(x)=(3x^2-4x+1)^2$에서

$g'(x)=2(3x^2-4x+1)(3x^2-4x+1)'$

$=2(3x^2-4x+1)(6x-4)$

$=4(3x-2)(3x^2-4x+1)$ ······㉡ ··· ❶

이때, $h(x)=f(x)-g(x)$에서 $h'(x)=f'(x)-g'(x)$이므로 함수 $h(x)$의 $x=1$에서의 미분계수는

$h'(1)=f'(1)-g'(1)$ ··· ❷

㉠에 의하여 $f'(1)=18$

㉡에 의하여 $g'(1)=0$

$\therefore h'(1)=f'(1)-g'(1)=18-0=18$ ··· ❸

답 18

채점 기준	비율
❶ $f'(x)$, $g'(x)$를 구할 수 있다.	50%
❷ $h'(1)=f'(1)-g'(1)$임을 구할 수 있다.	30%
❸ $h'(1)$의 값을 구할 수 있다.	20%

Lecture

함수 $f(x)$에서 $x=a$에서의 미분계수 $f'(a)$는 도함수 $f'(x)$의 식에 $x=a$를 대입한 값이다.

0273

$f(x)=(x-a)^4$에서 $f'(x)=4(x-a)^3$

$g(x)=x$에서 $g'(x)=1$

$y=f(x)+g(x)$에서 $y'=f'(x)+g'(x)$이고 곡선 $y=f(x)+g(x)$ 위의 $x=3$인 점에서의 접선의 기울기가 5이므로

$f'(3)+g'(3)=5$

$4(3-a)^3+1=5$, $(3-a)^3=1$, $3-a=1$

$\therefore a=2$ ($\because$ a는 실수)

답 2

0274

$\lim_{x\to3}\frac{f(x)-5}{x-3}=2$에서 $\lim_{x\to3}(x-3)=0$이므로 $\lim_{x\to3}\{f(x)-5\}=0$이다.

즉, $f(3)=5$이므로

$\lim_{x\to3}\frac{f(x)-5}{x-3}=\lim_{x\to3}\frac{f(x)-f(3)}{x-3}=f'(3)=2$

이때, $g(x)=xf(x)$에서

$g'(x)=f(x)+xf'(x)$

$\therefore g'(3)=f(3)+3f'(3)=5+3\times2=11$

답 11

0275

$\lim_{x\to1}\frac{f(x)-2}{x-1}=3$에서 $\lim_{x\to1}(x-1)=0$이므로 $\lim_{x\to1}\{f(x)-2\}=0$이다.

즉, $f(1)=2$이므로

$\lim_{x\to1}\frac{f(x)-2}{x-1}=\lim_{x\to1}\frac{f(x)-f(1)}{x-1}=f'(1)=3$

또, $\lim_{x\to1}\frac{g(x)-1}{x-1}=-1$에서 $\lim_{x\to1}(x-1)=0$이므로 $\lim_{x\to1}\{g(x)-1\}=0$이다.

즉, $g(1)=1$이므로

$\lim_{x\to1}\frac{g(x)-1}{x-1}=\lim_{x\to1}\frac{g(x)-g(1)}{x-1}=g'(1)=-1$

이때, $H(x)=f(x)g(x)$에서

$H'(x)=f'(x)g(x)+f(x)g'(x)$이므로

$H'(1)=f'(1)g(1)+f(1)g'(1)$

$=3\times1+2\times(-1)=1$

답 1

0276

|전략| 분자에서 $f(1)$을 빼고 더하여 식을 변형한다.

$\lim_{h\to0}\frac{f(1+h)-f(1-2h)}{h}$

$=\lim_{h\to0}\frac{f(1+h)-f(1)+f(1)-f(1-2h)}{h}$

$=\lim_{h\to0}\frac{\{f(1+h)-f(1)\}-\{f(1-2h)-f(1)\}}{h}$

$=\lim_{h\to0}\frac{f(1+h)-f(1)}{h}+\lim_{h\to0}\frac{f(1-2h)-f(1)}{-2h}\times2$

$=f'(1)+2f'(1)=3f'(1)$

이때, $f(x)=x^4+x^2+1$에서 $f'(x)=4x^3+2x$이므로

$f'(1)=6$

$\therefore 3f'(1)=3\times6=18$

답 ③

0277

$\lim_{x\to1}\frac{\{f(x)\}^2-\{f(1)\}^2}{x-1}=\lim_{x\to1}\left[\frac{f(x)-f(1)}{x-1}\times\{f(x)+f(1)\}\right]$

$=\lim_{x\to1}\frac{f(x)-f(1)}{x-1}\times\lim_{x\to1}\{f(x)+f(1)\}$

$=f'(1)\times2f(1)$

이때, $f(x)=2x^3-x^2-3x+1$에서 $f(1)=-1$

또, $f'(x)=6x^2-2x-3$이므로 $f'(1)=1$

$\therefore f'(1)\times2f(1)=1\times2\times(-1)=-2$

답 −2

0278

$f(x)=x^6+6x^2+1$에서 $f(1)=f(-1)$이므로

$\lim_{h\to0}\frac{f(-1+3h)-f(1)}{2h}=\frac{1}{2}\lim_{h\to0}\frac{f(-1+3h)-f(-1)}{3h}\times3$

$=\frac{3}{2}f'(-1)$

3 미분계수와 도함수

이때, $f(x)=x^6+6x^2+1$에서 $f'(x)=6x^5+12x$이므로

$f'(-1)=-18$

$\therefore \frac{3}{2}f'(-1)=\frac{3}{2}\times(-18)=-27$ 답 ①

0279

$\frac{1}{n}=t$로 놓으면 $n\to\infty$일 때, $t\to 0$이므로

$\lim_{n\to\infty}n\left\{f\left(1+\frac{1}{n}\right)-f\left(1-\frac{1}{n}\right)\right\}$

$=\lim_{t\to 0}\frac{f(1+t)-f(1-t)}{t}$

$=\lim_{t\to 0}\frac{f(1+t)-f(1)+f(1)-f(1-t)}{t}$

$=\lim_{t\to 0}\frac{f(1+t)-f(1)}{t}+\lim_{t\to 0}\frac{f(1-t)-f(1)}{-t}$

$=f'(1)+f'(1)=2f'(1)$

이때, $f(x)=x^3-x^2+2$에서 $f'(x)=3x^2-2x$이므로

$f'(1)=1$

$\therefore 2f'(1)=2\times 1=2$ 답 2

0280

|전략| $\lim_{x\to 1}\frac{f(x)}{x-1}=1$에서 $\lim_{x\to 1}f(x)=0$이므로 $f(1)=0$임을 이용한다.

$\lim_{x\to 1}\frac{f(x)}{x-1}=1$에서 $\lim_{x\to 1}(x-1)=0$이므로 $\lim_{x\to 1}f(x)=0$이다.

즉, $f(1)=0$이므로

$\lim_{x\to 1}\frac{f(x)}{x-1}=\lim_{x\to 1}\frac{f(x)-f(1)}{x-1}=f'(1)=1$

한편, $f(x)=x^3+ax^2+2bx-3b$에서

$f'(x)=3x^2+2ax+2b$이므로

$f(1)=1+a+2b-3b=0 \qquad \therefore a-b=-1$ ……㉠

$f'(1)=3+2a+2b=1 \qquad \therefore a+b=-1$ ……㉡

㉠, ㉡을 연립하여 풀면 $a=-1$, $b=0$

$\therefore ab=0$ 답 0

0281

$\lim_{x\to 1}\frac{f(x)-f(1)}{\sqrt{x}-1}=\lim_{x\to 1}\left\{\frac{f(x)-f(1)}{x-1}\times(\sqrt{x}+1)\right\}$

$=\lim_{x\to 1}\frac{f(x)-f(1)}{x-1}\times\lim_{x\to 1}(\sqrt{x}+1)$

$=2f'(1)$

즉, $2f'(1)=8$이므로 $f'(1)=4$

한편, $f(x)=x^2+ax+b$에서

$f'(x)=2x+a$이므로

$f(1)=1+a+b=8 \qquad \therefore a+b=7$ ……㉠

$f'(1)=2+a=4 \qquad \therefore a=2$

$a=2$를 ㉠에 대입하면 $b=5$

$\therefore b-a=5-2=3$ 답 ③

0282

$\lim_{x\to 2}\frac{f(x)}{x-2}=12$에서 $\lim_{x\to 2}(x-2)=0$이므로 $\lim_{x\to 2}f(x)=0$이다.

즉, $f(2)=0$이므로

$\lim_{x\to 2}\frac{f(x)}{x-2}=\lim_{x\to 2}\frac{f(x)-f(2)}{x-2}=f'(2)=12$

$\lim_{h\to 0}\frac{f(1+h)-f(1-h)}{h}$

$=\lim_{h\to 0}\frac{f(1+h)-f(1)+f(1)-f(1-h)}{h}$

$=\lim_{h\to 0}\frac{f(1+h)-f(1)}{h}+\lim_{h\to 0}\frac{f(1-h)-f(1)}{-h}$

$=f'(1)+f'(1)=2f'(1)=2$

$\therefore f'(1)=1$

한편, $f(x)=x^3+ax^2+bx+c$에서

$f'(x)=3x^2+2ax+b$이므로

$f(2)=8+4a+2b+c=0 \qquad \therefore 4a+2b+c=-8$ ……㉠

$f'(2)=12+4a+b=12 \qquad \therefore 4a+b=0$ ……㉡

$f'(1)=3+2a+b=1 \qquad \therefore 2a+b=-2$ ……㉢

㉠, ㉡, ㉢을 연립하여 풀면 $a=1$, $b=-4$, $c=-4$

따라서 $f(x)=x^3+x^2-4x-4$이므로 $f(1)=-6$ 답 -6

0283

$\lim_{x\to\infty}\frac{ax^3+bx^2+cx+d}{x^2+x-2}=2$이므로 $a=0$, $b=2$

$\lim_{x\to 1}\frac{f(x)-10}{x-1}=5$에서 $\lim_{x\to 1}(x-1)=0$이므로

$\lim_{x\to 1}\{f(x)-10\}=0$이다.

즉, $f(1)=10$이므로

$\lim_{x\to 1}\frac{f(x)-10}{x-1}=\lim_{x\to 1}\frac{f(x)-f(1)}{x-1}=f'(1)=5$

한편, $f(x)=2x^2+cx+d$에서 $f'(x)=4x+c$이므로

$f(1)=2+c+d=10 \qquad \therefore c+d=8$ ……㉠

$f'(1)=4+c=5 \qquad \therefore c=1$

$c=1$을 ㉠에 대입하면 $d=7$

$\therefore ab+cd=0\times 2+1\times 7=7$ 답 7

0284

|전략| 함수 $y=f(x)$의 그래프 위의 점 $(1, 2)$에서의 접선의 기울기는 $f'(1)$임을 이용한다.

점 $(1, 2)$가 곡선 $y=f(x)$ 위의 점이므로

$f(1)=1+a+b=2 \qquad \therefore a+b=1$ ……㉠

또, 곡선 $y=f(x)$ 위의 점 $(1, 2)$에서의 접선의 기울기가 -2이므로

$f'(1)=-2$

이때, $f'(x)=2x+a$이므로

$f'(1)=2+a=-2 \qquad \therefore a=-4$

$a=-4$를 ㉠에 대입하면 $b=5$

$\therefore ab=-4\times 5=-20$ 답 -20

0285

$f(x)=ax^2+bx+c$로 놓으면 곡선 $y=f(x)$가 두 점 $(1, 1)$, $(-1, 2)$를 지나므로

$a+b+c=1$ ······㉠

$a-b+c=2$ ······㉡

또, 곡선 $y=f(x)$ 위의 점 $(-1, 2)$에서의 접선의 기울기가 $-\frac{3}{2}$이므로

$f'(-1)=-\frac{3}{2}$

이때, $f'(x)=2ax+b$이므로

$-2a+b=-\frac{3}{2}$ ······㉢

㉠, ㉡, ㉢을 연립하여 풀면 $a=\frac{1}{2}, b=-\frac{1}{2}, c=1$

$\therefore 2a-2b+c=2\times\frac{1}{2}-2\times\left(-\frac{1}{2}\right)+1=3$ 답 ④

0286

$f(x)=(3x-4)^2(2x-a)$로 놓으면

$$\begin{aligned}f'(x)&=\{(3x-4)^2\}'(2x-a)+(3x-4)^2(2x-a)'\\&=\{2(3x-4)\times3\}(2x-a)+(3x-4)^2\times2\\&=6(3x-4)(2x-a)+2(3x-4)^2\\&=2(3x-4)(9x-3a-4)\end{aligned}$$

이때, 곡선 $y=f(x)$ 위의 $x=1$인 점에서의 접선의 기울기가 -4이므로

$f'(1)=2\times(-1)\times(5-3a)=-4$

$\therefore a=1$ 답 1

0287

점 (a, b)가 곡선 $y=f(x)$ 위의 점이므로

$a^4-4a^3+6a^2+4=b$ ······㉠

또, 곡선 $y=f(x)$ 위의 점 (a, b)에서의 접선의 기울기가 4이므로

$f'(a)=4$

이때, $f'(x)=4x^3-12x^2+12x$이므로

$f'(a)=4a^3-12a^2+12a=4$, $a^3-3a^2+3a-1=0$

$(a-1)^3=0 \quad \therefore a=1$

$a=1$을 ㉠에 대입하면 $b=7$

$\therefore a^2+b^2=1+49=50$ 답 50

0288

| 전략 | x^n+x^2+x를 $f(x)$로 치환하여 주어진 식을 $\lim_{x\to a}\frac{f(x)-f(a)}{x-a}$ 꼴로 변형한다.

$f(x)=x^n+x^2+x$로 놓으면 $f(1)=3$이므로

$\lim_{x\to1}\frac{x^n+x^2+x-3}{x-1}=\lim_{x\to1}\frac{f(x)-f(1)}{x-1}=f'(1)=10$

이때, $f'(x)=nx^{n-1}+2x+1$이므로 $f'(1)=n+3$

즉, $n+3=10$에서 $n=7$ 답 ③

0289

$f(x)=x^{10}-x^9+x^8-x^7+x^6$으로 놓으면 $f(1)=1$이므로

$\lim_{x\to1}\frac{x^{10}-x^9+x^8-x^7+x^6-1}{x-1}=\lim_{x\to1}\frac{f(x)-f(1)}{x-1}=f'(1)$

이때, $f'(x)=10x^9-9x^8+8x^7-7x^6+6x^5$이므로 $f'(1)=8$

$\therefore \lim_{x\to1}\frac{x^{10}-x^9+x^8-x^7+x^6-1}{x-1}=8$ 답 ①

0290

$\lim_{x\to2}\frac{x^n-x^4-8x}{x-2}=a$에서 $\lim_{x\to2}(x-2)=0$이므로

$\lim_{x\to2}(x^n-x^4-8x)=0$이다.

즉, $2^n-2^4-8\times2=0$이므로

$2^n=32 \quad \therefore n=5$

$f(x)=x^5-x^4-8x$로 놓으면 $f(2)=0$이므로

$\lim_{x\to2}\frac{x^5-x^4-8x}{x-2}=\lim_{x\to2}\frac{f(x)-f(2)}{x-2}=f'(2)$

이때, $f'(x)=5x^4-4x^3-8$이므로

$f'(2)=40 \quad \therefore a=40$

$\therefore \frac{a}{n}=\frac{40}{5}=8$ 답 ⑤

0291

| 전략 | 함수 $f(x)$가 $x=1$에서 미분가능하므로 $x=1$에서 연속이고 $f'(1)$이 존재함을 이용한다.

함수 $f(x)$가 $x=1$에서 미분가능하므로 $x=1$에서 연속이다.

즉, $\lim_{x\to1-}f(x)=f(1)$이므로 $a+b=3$ ······㉠

또, $f'(1)$이 존재하므로

$$\begin{aligned}\lim_{h\to0-}\frac{f(1+h)-f(1)}{h}&=\lim_{h\to0-}\frac{\{a(1+h)+b\}-(a+b)}{h}\\&=\lim_{h\to0-}\frac{ah}{h}=a\end{aligned}$$

$$\begin{aligned}\lim_{h\to0+}\frac{f(1+h)-f(1)}{h}&=\lim_{h\to0+}\frac{\{(1+h)^2+2\}-(1^2+2)}{h}\\&=\lim_{h\to0+}\frac{2h+h^2}{h}\\&=\lim_{h\to0+}(2+h)=2\end{aligned}$$

에서 $a=2$

$a=2$를 ㉠에 대입하면 $b=1$

$\therefore ab=2\times1=2$ 답 2

다른 풀이 $g(x)=x^2+2\ (x\ge1)$, $h(x)=ax+b\ (x<1)$라 하면

$g'(x)=2x\ (x>1)$, $h'(x)=a\ (x<1)$

(i) $x=1$에서 연속이므로

$g(1)=h(1)$에서 $3=a+b$ ······㉠

(ii) $x=1$에서 미분계수가 존재하므로

$\lim_{x\to1+} g'(x)=\lim_{x\to1-} h'(x)$에서 $a=2$

$a=2$를 ㉠에 대입하면 $b=1$

$\therefore ab=2\times1=2$

0292

함수 $f(x)$가 $x=2$에서 미분가능하므로 $x=2$에서 연속이다.

즉, $\lim_{x\to2-} f(x)=f(2)$이므로 $1+b=4a$ ······㉠

또, $f'(2)$가 존재하므로

$$\lim_{h\to0-}\frac{f(2+h)-f(2)}{h}=\lim_{h\to0-}\frac{\{(2+h-1)^2+b\}-(1+b)}{h}=\lim_{h\to0-}\frac{2h+h^2}{h}=\lim_{h\to0-}(2+h)=2$$

$$\lim_{h\to0+}\frac{f(2+h)-f(2)}{h}=\lim_{h\to0+}\frac{a(2+h)^2-4a}{h}=\lim_{h\to0+}\frac{4ah+ah^2}{h}=\lim_{h\to0+}(4a+ah)=4a$$

에서 $4a=2$ $\quad\therefore a=\frac{1}{2}$

$a=\frac{1}{2}$을 ㉠에 대입하면 $b=1$

$\therefore \frac{b}{a}=2$

답 ⑤

0293

함수 $f(x)$가 $x=1$에서 미분가능하므로 $x=1$에서 연속이다.

즉, $\lim_{x\to1-} f(x)=f(1)$이므로 $2=a-b+1$

$\therefore a-b=1$ ······㉠ ··· ❶

또, $f'(1)$이 존재하므로

$$\lim_{h\to0-}\frac{f(1+h)-f(1)}{h}=\lim_{h\to0-}\frac{\{(1+h)^3+1\}-2}{h}=\lim_{h\to0-}\frac{3h+3h^2+h^3}{h}=\lim_{h\to0-}(3+3h+h^2)=3$$

$$\lim_{h\to0+}\frac{f(1+h)-f(1)}{h}$$
$$=\lim_{h\to0+}\frac{\{a(1+h)^2-b(1+h)+1\}-(a-b+1)}{h}$$
$$=\lim_{h\to0+}\frac{(2a-b)h+ah^2}{h}$$
$$=\lim_{h\to0+}(2a-b+ah)=2a-b$$

에서 $2a-b=3$ ······㉡ ··· ❷

㉠, ㉡을 연립하여 풀면 $a=2$, $b=1$

$\therefore a+b=2+1=3$ ··· ❸

답 3

채점 기준	비율
❶ $x=1$에서 연속임을 이용하여 a, b 사이의 관계식을 구할 수 있다.	30%
❷ $f'(1)$이 존재함을 이용하여 a, b 사이의 관계식을 구할 수 있다.	50%
❸ $a+b$의 값을 구할 수 있다.	20%

0294

|전략| 먼저 주어진 식의 양변에 $x=0$, $y=0$을 대입하여 $f(0)$의 값을 구한다.

주어진 식의 양변에 $x=0$, $y=0$을 대입하면

$f(0)=f(0)+f(0)$ $\quad\therefore f(0)=0$

$$\therefore f'(x)=\lim_{h\to0}\frac{f(x+h)-f(x)}{h}=\lim_{h\to0}\frac{f(x)+f(h)-2xh-f(x)}{h}=\lim_{h\to0}\frac{f(h)-2xh}{h}=\lim_{h\to0}\frac{f(h)}{h}-2x=\lim_{h\to0}\frac{f(h)-f(0)}{h}-2x=f'(0)-2x=-2x+3$$

답 $f'(x)=-2x+3$

0295

주어진 식의 양변에 $x=0$, $y=0$을 대입하면

$f(0)=f(0)+f(0)$ $\quad\therefore f(0)=0$

이때, $f'(0)=\lim_{h\to0}\frac{f(h)-f(0)}{h}=\lim_{h\to0}\frac{f(h)}{h}=0$이므로

$$f'(1)=\lim_{h\to0}\frac{f(1+h)-f(1)}{h}=\lim_{h\to0}\frac{f(1)+f(h)+h-f(1)}{h}=\lim_{h\to0}\frac{f(h)+h}{h}=\lim_{h\to0}\frac{f(h)}{h}+1=1$$

답 1

0296

주어진 식의 양변에 $x=0$, $y=0$을 대입하면

$f(0)=f(0)\times f(0)$

이때, $f(x)>0$이므로 $f(0)=1$

$$f'(x)=\lim_{h\to0}\frac{f(x+h)-f(x)}{h}=\lim_{h\to0}\frac{f(x)f(h)-f(x)}{h}=\lim_{h\to0}\frac{f(x)\{f(h)-1\}}{h}=\lim_{h\to0}\frac{f(x)\{f(h)-f(0)\}}{h}=f(x)\lim_{h\to0}\frac{f(h)-f(0)}{h}=f(x)f'(0)$$

$$\therefore \frac{f'(x)}{f(x)}=\frac{f(x)f'(0)}{f(x)}=f'(0)=2$$

답 2

0297

ㄱ. $f(x+y)=f(x)+f(y)+2xy$의 양변에 $x=0,\ y=0$을 대입하면

$f(0)=f(0)+f(0)\qquad \therefore f(0)=0$ (참)

ㄴ. $f'(0)=\lim_{h\to 0}\frac{f(h)-f(0)}{h}=\lim_{h\to 0}\frac{f(h)}{h}=3$

$$\therefore f'(x)=\lim_{h\to 0}\frac{f(x+h)-f(x)}{h}$$
$$=\lim_{h\to 0}\frac{f(x)+f(h)+2xh-f(x)}{h}$$
$$=\lim_{h\to 0}\frac{f(h)+2xh}{h}$$
$$=\lim_{h\to 0}\frac{f(h)}{h}+2x$$
$$=2x+3$$ (참)

ㄷ. 함수 $f(x)$가 미분가능하므로 모든 실수 a에 대하여 연속이다.

$\therefore f(a)=\lim_{x\to a}f(x)$ (참)

따라서 옳은 것은 ㄱ, ㄴ, ㄷ이다. 답 ⑤

0298

| 전략 | $f(x)=ax^2+bx+c$ ($a,\ b,\ c$는 상수, $a\neq 0$)로 놓고 주어진 조건을 이용하여 $a,\ b,\ c$의 값을 구한다.

$f(x)$가 이차함수이므로 $f(x)=ax^2+bx+c$ ($a,\ b,\ c$는 상수, $a\neq 0$)로 놓으면 $f'(x)=2ax+b$

$f(x),\ f'(x)$를 주어진 식에 대입하면

$(x+1)(2ax+b)-(ax^2+bx+c)=2x^2+4x$

$\therefore ax^2+2ax+b-c=2x^2+4x$

위의 등식이 모든 실수 x에 대하여 성립하므로

$a=2,\ b-c=0$

또, $f'(-1)=-2a+b=0$이므로 $-4+b=0$

$\therefore b=4,\ c=4$

따라서 $f(x)=2x^2+4x+4$이므로

$f(2)=8+8+4=20$ 답 ②

다른 풀이 $f(x)=ax^2+bx+c$ ($a,\ b,\ c$는 상수, $a\neq 0$)로 놓으면

$f'(x)=2ax+b$

이때, 주어진 식은 x에 대한 항등식이므로 $x=0,\ x=1$을 각각 대입하면

$(0+1)f'(0)-f(0)=0$에서 $b-c=0$ ······㉠

$(1+1)f'(1)-f(1)=6$에서 $2(2a+b)-(a+b+c)=6$

$\therefore 3a+b-c=6$ ······㉡

또한, $f'(-1)=0$이므로 $-2a+b=0$ ······㉢

㉠, ㉡, ㉢을 연립하여 풀면 $a=2,\ b=4,\ c=4$

따라서 $f(x)=2x^2+4x+4$이므로

$f(2)=8+8+4=20$

0299

$f(x)$가 이차함수이므로 $f(x)=ax^2+bx+c$ ($a,\ b,\ c$는 상수, $a\neq 0$)로 놓으면 $f'(x)=2ax+b$

$f(x),\ f'(x)$를 조건 (가)에 대입하면

$1-x(2ax+b)+ax^2+bx+c=x^2+2$

$\therefore -ax^2+1+c=x^2+2$

위의 등식이 모든 실수 x에 대하여 성립하므로

$a=-1,\ c=1$

또, 조건 (나)에서 $f'(1)=2a+b=1$이므로 $-2+b=1\qquad \therefore b=3$

따라서 $f'(x)=-2x+3$이므로

$f'(2)=-4+3=-1$ 답 -1

0300

$f(x)$가 n차인 다항함수라 하면 $f'(x)$는 $(n-1)$차인 다항함수이므로 $f(x)f'(x)=2x^3-9x^2+5x+6$에서

$n+(n-1)=3\qquad \therefore n=2$

즉, $f(x)$는 이차함수이고, 최고차항의 계수가 1이므로

$f(x)=x^2+ax+b$ ($a,\ b$는 상수)로 놓으면 $f'(x)=2x+a$

$f(x),\ f'(x)$를 주어진 식에 대입하면

$(x^2+ax+b)(2x+a)=2x^3-9x^2+5x+6$

$2x^3+3ax^2+(a^2+2b)x+ab=2x^3-9x^2+5x+6$

위의 등식이 모든 실수 x에 대하여 성립하므로

$3a=-9,\ a^2+2b=5,\ ab=6$

위의 세 식을 연립하여 풀면 $a=-3,\ b=-2$

따라서 $f(x)=x^2-3x-2$이므로

$f(-3)=9+9-2=16$ 답 16

0301

| 전략 | $x^5+ax^3+b=(x+1)^2Q(x)$로 놓고 양변을 x에 대하여 미분한다.

다항식 x^5+ax^3+b를 $(x+1)^2$으로 나누었을 때의 몫을 $Q(x)$라 하면

$x^5+ax^3+b=(x+1)^2Q(x)$ ······㉠

㉠의 양변에 $x=-1$을 대입하면

$-1-a+b=0\qquad \therefore a-b=-1$ ······㉡

㉠의 양변을 x에 대하여 미분하면

$5x^4+3ax^2=2(x+1)Q(x)+(x+1)^2Q'(x)$

양변에 $x=-1$을 대입하면

$5+3a=0\qquad \therefore a=-\frac{5}{3}$

$a=-\frac{5}{3}$를 ㉡에 대입하면 $b=-\frac{2}{3}$

$\therefore ab=-\frac{5}{3}\times\left(-\frac{2}{3}\right)=\frac{10}{9}$ 답 $\frac{10}{9}$

Lecture

다항식 $f(x)$가 $(x-a)^2$으로 나누어떨어질 때, $f(x)$를 $(x-a)^2$으로 나누었을 때의 몫을 $Q(x)$라 하면

$f(x)=(x-a)^2Q(x)$ ······㉠

㉠의 양변을 x에 대하여 미분하면

$f'(x)=2(x-a)Q(x)+(x-a)^2Q'(x)$ ······㉡

㉠, ㉡의 양변에 $x=a$를 각각 대입하면

$f(a)=0,\ f'(a)=0$

따라서 위의 문제에서 $f(x)=x^5+ax^3+b$로 놓으면

$f'(x)=5x^4+3ax^2$이고 $f(x)$가 $(x+1)^2$으로 나누어떨어지므로

$f(-1)=-1-a+b=0,\ f'(-1)=5+3a=0$

이 성립한다.

0302

다항식 $x^{10}-10x+a$를 $(x-b)^2$으로 나누었을 때의 몫을 $Q(x)$라 하면

$x^{10}-10x+a=(x-b)^2Q(x)$ ······㉠

㉠의 양변에 $x=b$를 대입하면

$b^{10}-10b+a=0$ ······㉡

㉠의 양변을 x에 대하여 미분하면

$10x^9-10=2(x-b)Q(x)+(x-b)^2Q'(x)$

양변에 $x=b$를 대입하면

$10b^9-10=0,\ b^9=1\quad \therefore b=1$

$b=1$을 ㉡에 대입하면 $1-10+a=0\quad \therefore a=9$

$\therefore a+b=9+1=10$

답 ⑤

0303

다항식 x^4-ax^2+b를 $(x+1)^2$으로 나누었을 때의 몫을 $Q(x)$라 하면

$x^4-ax^2+b=(x+1)^2Q(x)+2x-1$ ······㉠

㉠의 양변에 $x=-1$을 대입하면

$1-a+b=-3\quad \therefore -a+b=-4$ ······㉡

㉠의 양변을 x에 대하여 미분하면

$4x^3-2ax=2(x+1)Q(x)+(x+1)^2Q'(x)+2$

양변에 $x=-1$을 대입하면

$-4+2a=2\quad \therefore a=3$

$a=3$을 ㉡에 대입하면 $b=-1$

$\therefore a+b=3+(-1)=2$

답 ④

0304

다항식 x^7-x+3을 $(x-1)^2$으로 나누었을 때의 몫을 $Q(x)$, 나머지를 $R(x)=ax+b$ (a, b는 상수)라 하면

$x^7-x+3=(x-1)^2Q(x)+ax+b$ ······㉠

㉠의 양변에 $x=1$을 대입하면

$1-1+3=a+b\quad \therefore a+b=3$ ······㉡ ··· ❶

㉠의 양변을 x에 대하여 미분하면

$7x^6-1=2(x-1)Q(x)+(x-1)^2Q'(x)+a$

양변에 $x=1$을 대입하면

$7-1=a\quad \therefore a=6$

$a=6$을 ㉡에 대입하면 $b=-3$ ··· ❷

따라서 $R(x)=6x-3$이므로 $R(2)=12-3=9$ ··· ❸

답 9

채점 기준	비율
❶ $R(x)=ax+b$로 놓고 a, b 사이의 관계식을 구할 수 있다.	30 %
❷ a, b의 값을 구할 수 있다.	50 %
❸ $R(2)$의 값을 구할 수 있다.	20 %

STEP 3 내신 마스터

0305

유형 01 평균변화율

|전략| 함수 $y=f(x)$의 그래프가 점 (a, b)를 지나면 $y=f(x)$의 역함수 $y=f^{-1}(x)$의 그래프는 점 (b, a)를 지난다. 즉, $f(a)=b \Longleftrightarrow f^{-1}(b)=a$이다.

오른쪽 그림에서 $f(a)=b$, $f(b)=c$ 이므로

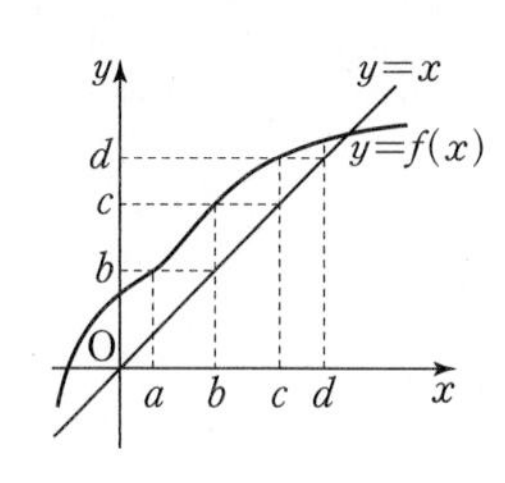

$f^{-1}(b)=a,\ f^{-1}(c)=b$

$\therefore g(b)=a, g(c)=b$

따라서 구하는 평균변화율은

$\dfrac{g(c)-g(b)}{c-b}=\dfrac{b-a}{c-b}$

답 ②

0306

유형 03 미분계수를 이용한 극한값의 계산 (1)

|전략| 주어진 식의 분자를 인수분해하여 식을 변형한다.

$f(1)=g(1)=2$이므로

$\displaystyle\lim_{h\to0}\frac{\{f(1+h)\}^2-\{g(1+h)\}^2}{h}$

$\displaystyle=\lim_{h\to0}\frac{\{f(1+h)-g(1+h)\}\{f(1+h)+g(1+h)\}}{h}$

$\displaystyle=\lim_{h\to0}\frac{f(1+h)-f(1)+g(1)-g(1+h)}{h}\times\lim_{h\to0}\{f(1+h)+g(1+h)\}$

$\displaystyle=\left\{\lim_{h\to0}\frac{f(1+h)-f(1)}{h}-\lim_{h\to0}\frac{g(1+h)-g(1)}{h}\right\}\times\{f(1)+g(1)\}$

$=\{f'(1)-g'(1)\}\times\{f(1)+g(1)\}$

$=(3-4)\times(2+2)=-4$

답 ①

0307

유형 04 미분계수를 이용한 극한값의 계산 (2)

|전략| 분자에서 $f(1)$을 빼고 더하여 식을 변형한다.

$\displaystyle\lim_{x\to1}\frac{f(x^2)-2x^2}{x-1}$

$\displaystyle=\lim_{x\to1}\frac{f(x^2)-f(1)+f(1)-2x^2}{x-1}$

$\displaystyle=\lim_{x\to1}\frac{\{f(x^2)-f(1)\}-2x^2+f(1)}{x-1}$

$\displaystyle=\lim_{x\to1}\left\{\frac{f(x^2)-f(1)}{(x-1)(x+1)}\times(x+1)\right\}+\lim_{x\to1}\frac{-2x^2+2}{x-1}$

$\displaystyle=\lim_{x\to1}\left\{\frac{f(x^2)-f(1)}{x^2-1}\times(x+1)\right\}+\lim_{x\to1}\frac{-2(x+1)(x-1)}{x-1}$

$\displaystyle=2\lim_{x\to1}\frac{f(x^2)-f(1)}{x^2-1}+\lim_{x\to1}\{-2(x+1)\}$

$=2f'(1)-4=2\times3-4=2$

답 ⑤

0308

유형 **05** 미분계수의 기하적 의미

|전략| 함수 $y=f(x)$에서 x의 값이 a에서 b까지 변할 때의 평균변화율은 두 점 $\mathrm{A}(a, f(a))$, $\mathrm{B}(b, f(b))$를 지나는 직선 AB의 기울기, $x=a$에서의 미분계수는 점 $\mathrm{A}(a, f(a))$에서의 접선의 기울기임을 이용한다.

주어진 부등식의 양변을 Δx $(\Delta x>0)$로 나누면

$$\frac{f(x_1+\Delta x)-f(x_1)}{\Delta x}>f'(x_1)$$

x의 값이 x_1에서 $x_1+\Delta x$까지 변할 때의 함수 $f(x)$의 평균변화율이 $x=x_1$에서의 미분계수보다 크므로 함수 $y=f(x)$의 그래프는 아래로 볼록하다.

ㄱ.
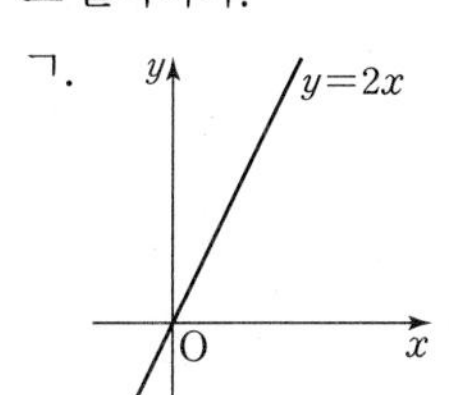

ㄴ.
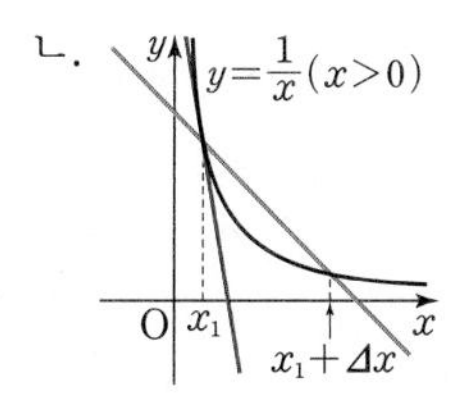

ㄷ.
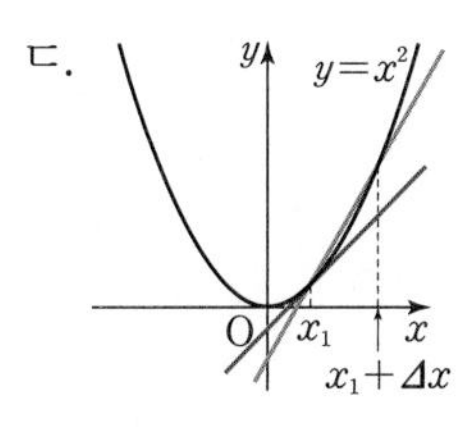

ㄹ.
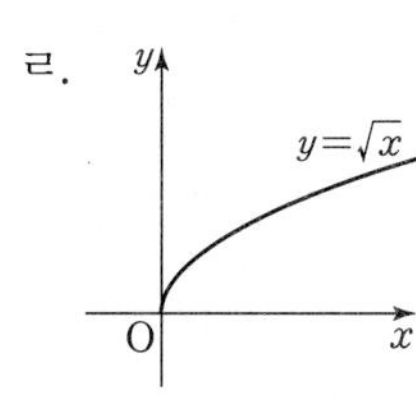

따라서 주어진 조건을 만족시키는 함수는 ㄴ, ㄷ이다. 답 ③

0309

유형 **06** 미분가능성과 연속성 – 식

|전략| $\lim_{x\to 0}\frac{f(x)-f(0)}{x}$의 값이 존재하는지 조사한다.

ㄱ. $\lim_{x\to 0-}\frac{f(x)-f(0)}{x}=\lim_{x\to 0-}\frac{|x|}{x}=\lim_{x\to 0-}\frac{-x}{x}=-1$

$\lim_{x\to 0+}\frac{f(x)-f(0)}{x}=\lim_{x\to 0+}\frac{|x|}{x}=\lim_{x\to 0+}\frac{x}{x}=1$

이므로 $f'(0)$이 존재하지 않는다.

그러므로 함수 $f(x)$는 $x=0$에서 미분가능하지 않다.

ㄴ. $\lim_{x\to 0-}\frac{f(x)-f(0)}{x}=\lim_{x\to 0-}\frac{(-x^2+1)-1}{x}=\lim_{x\to 0-}(-x)=0$

$\lim_{x\to 0+}\frac{f(x)-f(0)}{x}=\lim_{x\to 0+}\frac{1-1}{x}=0$

이므로 $f'(0)$이 존재한다.

그러므로 함수 $f(x)$는 $x=0$에서 미분가능하다.

ㄷ. $\lim_{x\to 0-}f(x)=\lim_{x\to 0-}(2x+1)=1$

$\lim_{x\to 0+}f(x)=\lim_{x\to 0+}(x^2+x)=0$

즉, 함수 $f(x)$는 $x=0$에서 불연속이므로 미분가능하지 않다.

따라서 $x=0$에서 미분가능한 것은 ㄴ이다. 답 ②

Lecture

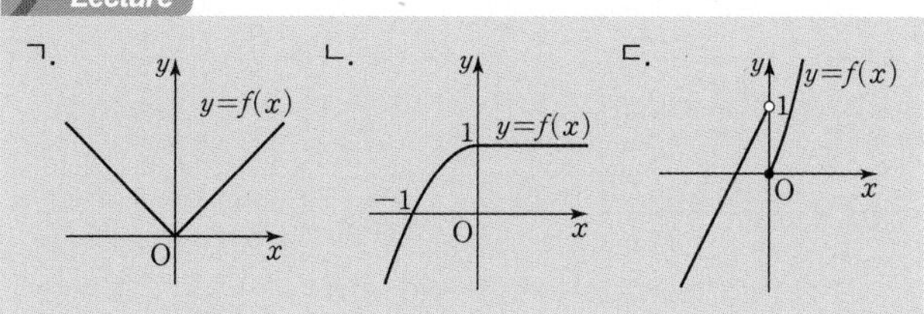

0310

유형 **09** 미분법의 공식

|전략| 최고차항의 계수가 1인 삼차함수 $f(x)$가 $f(a)=f(b)=f(c)=k$를 만족시키면 $f(x)-k=(x-a)(x-b)(x-c)$로 놓을 수 있다.

$f(0)=f(1)=f(2)=k$ (k는 상수)로 놓으면

방정식 $f(x)=k$, 즉 $f(x)-k=0$의 세 근이 0, 1, 2이고 삼차함수 $f(x)$의 삼차항의 계수는 1이므로

$f(x)-k=x(x-1)(x-2)$

$\therefore f(x)=x(x-1)(x-2)+k=x^3-3x^2+2x+k$

양변을 x에 대하여 미분하면

$f'(x)=3x^2-6x+2$

$\therefore f'(0)+f'(1)+f'(2)=2+(-1)+2=3$ 답 ④

다른 풀이 $f(0)=f(1)$에서 $c=1+a+b+c$

$\therefore a+b=-1$ ……㉠

$f(0)=f(2)$에서 $c=8+4a+2b+c$

$\therefore 2a+b=-4$ ……㉡

㉠, ㉡을 연립하여 풀면 $a=-3, b=2$

따라서 $f(x)=x^3-3x^2+2x+c$이므로

$f'(x)=3x^2-6x+2$

$\therefore f'(0)+f'(1)+f'(2)=2+(-1)+2=3$

0311

유형 **10** 곱의 미분법

|전략| $h(x)=\{f(x)\}^2+\{g(x)\}^2$으로 놓고 양변을 x에 대하여 미분한다.

$h(x)=\{f(x)\}^2+\{g(x)\}^2$이라 하면

$h'(x)=2f(x)f'(x)+2g(x)g'(x)$

$=2f(x)g(x)-2g(x)f(x)=0$

따라서 $h'(x)=0$에서 함수 $h(x)$는 상수함수이다.

$h(x)=c$ (c는 상수)라 하면

$h(0)=\{f(0)\}^2+\{g(0)\}^2=3^2+4^2=25$

이므로 $c=25$

즉, $h(x)=25$이므로

$\sqrt{\{f(1)\}^2+\{g(1)\}^2}=\sqrt{h(1)}=\sqrt{25}=5$ 답 ⑤

0312

유형 **11** 미분계수를 이용한 극한값의 계산 (3)

|전략| $\frac{1}{n}=h$로 놓으면 $n \to \infty$일 때 $h \to 0$임을 이용한다.

$\frac{1}{n}=h$로 놓으면 $n \to \infty$일 때 $h \to 0$이므로

$$\lim_{n\to\infty} n\left\{f\left(1+\frac{3}{n}\right)-f\left(1-\frac{2}{n}\right)\right\}$$
$$=\lim_{h\to0}\frac{f(1+3h)-f(1-2h)}{h}$$
$$=\lim_{h\to0}\frac{f(1+3h)-f(1)+f(1)-f(1-2h)}{h}$$
$$=\lim_{h\to0}\frac{\{f(1+3h)-f(1)\}-\{f(1-2h)-f(1)\}}{h}$$
$$=\lim_{h\to0}\frac{f(1+3h)-f(1)}{3h}\times3+\lim_{h\to0}\frac{f(1-2h)-f(1)}{-2h}\times2$$
$$=3f'(1)+2f'(1)$$
$$=5f'(1)$$

이때, $f'(x)=8x^3-3$이므로 $f'(1)=8-3=5$

$\therefore 5f'(1)=5\times5=25$ 답 ①

0313

유형 15 미분가능할 조건

|전략| 함수 $f(x)$가 $x=a$에서 미분가능하면 $x=1$에서 연속이고, $f'(1)$이 존재함을 이용한다.

함수 $f(x)$가 $x=1$에서 미분가능하므로 $x=1$에서 연속이다.

즉, $\lim_{x\to1-}f(x)=\lim_{x\to1+}f(x)=f(1)$에서

$$\lim_{x\to1-}(ax^2+b)=\lim_{x\to1+}2x=\frac{2+a+b}{2}$$

$$a+b=2=\frac{2+a+b}{2}$$

$\therefore b=-a+2$ ……㉠

또, $f'(1)$이 존재하므로

$$\lim_{x\to1-}\frac{f(x)-f(1)}{x-1}=\lim_{x\to1-}\frac{(ax^2-a+2)-2}{x-1}$$
$$=\lim_{x\to1-}\frac{a(x+1)(x-1)}{x-1}$$
$$=\lim_{x\to1-}a(x+1)=2a$$

$$\lim_{x\to1+}\frac{f(x)-f(1)}{x-1}=\lim_{x\to1+}\frac{2x-2}{x-1}=\lim_{x\to1+}\frac{2(x-1)}{x-1}=2$$

에서 $2a=2$ $\quad\therefore a=1$

$a=1$을 ㉠에 대입하면 $b=1$

$\therefore ab=1\times1=1$ 답 ③

0314

유형 16 관계식이 주어질 때 도함수 구하기

|전략| 조건 ㈎에 $x=0, y=0$을 대입하여 $f(0)$의 값을 구한 후, $f'(0)$의 값을 구한다.

조건 ㈎에 $x=0, y=0$을 대입하면

$f(0)=f(0)+f(0)-1$ $\quad\therefore f(0)=1$

조건 ㈏에서 $\lim_{x\to2}(x-2)=0$이므로 $\lim_{x\to2}f(x)=0$이다.

즉, $f(2)=0$이므로

$$\lim_{x\to2}\frac{f(x)}{x-2}=\lim_{x\to2}\frac{f(x)-f(2)}{x-2}=f'(2)=3$$

$$f'(2)=\lim_{h\to0}\frac{f(2+h)-f(2)}{h}$$
$$=\lim_{h\to0}\frac{\{f(2)+f(h)+8h-1\}-f(2)}{h}$$
$$=\lim_{h\to0}\frac{f(h)+8h-1}{h}=\lim_{h\to0}\frac{f(h)-1}{h}+8$$
$$=\lim_{h\to0}\frac{f(h)-f(0)}{h}+8=f'(0)+8$$

즉, $f'(0)+8=3$이므로 $f'(0)=-5$ 답 ②

0315

유형 17 미분의 항등식에의 활용

|전략| 먼저 주어진 식의 양변을 x에 대하여 미분한다.

주어진 식의 양변을 x에 대하여 미분하면

$2+8x^7=a_1+2a_2(x-1)+3a_3(x-1)^2+\cdots+8a_8(x-1)^7$ ……㉠

㉠의 양변에 $x=2$를 대입하면

$2+8\times2^7=a_1+2a_2+3a_3+\cdots+8a_8$ ……㉡

㉠의 양변에 $x=0$을 대입하면

$2+8\times0=a_1-2a_2+3a_3-\cdots-8a_8$ ……㉢

㉡-㉢을 하면

$1024=2(2a_2+4a_4+6a_6+8a_8)$

$\therefore 2a_2+4a_4+6a_6+8a_8=512$ 답 ⑤

0316

유형 18 미분법과 다항식의 나눗셈

|전략| 다항식 $f(x)$를 $(x-a)^2$으로 나누었을 때의 몫을 $Q(x)$, 나머지를 $R(x)$라 하면 $f(x)=(x-a)^2Q(x)+R(x)$로 나타낼 수 있다.

$\lim_{x\to2}\frac{f(x)-4}{x-2}=-4$에서 $\lim_{x\to2}(x-2)=0$이므로

$\lim_{x\to2}\{f(x)-4\}=0$이다.

즉, $f(2)=4$이므로

$$\lim_{x\to2}\frac{f(x)-4}{x-2}=\lim_{x\to2}\frac{f(x)-f(2)}{x-2}=f'(2)=-4$$

다항식 $f(x)$를 $(x-2)^2$으로 나누었을 때의 몫을 $Q(x)$, 나머지를 $R(x)=ax+b$ (a, b는 상수)라 하면

$f(x)=(x-2)^2Q(x)+ax+b$ ……㉠

㉠의 양변에 $x=2$를 대입하면

$f(2)=2a+b=4$ ……㉡

㉠의 양변을 x에 대하여 미분하면

$f'(x)=2(x-2)Q(x)+(x-2)^2Q'(x)+a$

양변에 $x=2$를 대입하면

$f'(2)=a$ $\quad\therefore a=-4$

$a=-4$를 ㉡에 대입하면 $b=12$

따라서 $R(x)=-4x+12$이므로

$R(1)=-4+12=8$ 답 ④

0317

유형 18 미분법과 다항식의 나눗셈

|전략| 다항식 $f(x)$를 $(x-a)^2$으로 나누었을 때의 몫을 $Q(x)$, 나머지를 $R(x)$라 하면 $f(x)=(x-a)^2Q(x)+R(x)$로 나타낼 수 있다.

다항식 x^8+ax+b를 $(x+1)^2$으로 나누었을 때의 몫을 $Q(x)$라 하면

$x^8+ax+b=(x+1)^2Q(x)+4x-3$ ······㉠

㉠의 양변에 $x=-1$을 대입하면

$1-a+b=-7 \quad \therefore a-b=8$ ······㉡

㉠의 양변을 x에 대하여 미분하면

$8x^7+a=2(x+1)Q(x)+(x+1)^2Q'(x)+4$

양변에 $x=-1$을 대입하면

$-8+a=4 \quad \therefore a=12$

$a=12$를 ㉡에 대입하면 $b=4$

$\therefore ab=12\times4=48$

답 ①

0318

유형 04 미분계수를 이용한 극한값의 계산 (2)

|전략| $y=f(-x)$일 때, $y'=-f'(-x)$임을 이용한다.

$$\lim_{x\to-3}\frac{f(x^2)-f(9)}{f(x)-f(-3)}$$

$$=\lim_{x\to-3}\left\{\frac{x-(-3)}{f(x)-f(-3)}\times\frac{f(x^2)-f(9)}{x^2-9}\times\frac{x^2-9}{x-(-3)}\right\}$$

$$=\lim_{x\to-3}\left\{\frac{1}{\frac{f(x)-f(-3)}{x-(-3)}}\times\frac{f(x^2)-f(9)}{x^2-9}\times(x-3)\right\}$$

$$=\frac{f'(9)}{f'(-3)}\times(-6)$$ ··· ❶

이때, 함수 $y=f(x)$의 그래프가 y축에 대하여 대칭이므로

$f(x)=f(-x)$이다. ··· ❷

양변을 x에 대하여 미분하면 $f'(x)=-f'(-x)$

$\therefore f'(-3)=-f'(3)=2,\ f'(9)=-f'(-9)=-3$

따라서 구하는 식의 값은

$$\frac{f'(9)}{f'(-3)}\times(-6)=\frac{-3}{2}\times(-6)=9$$ ··· ❸

답 9

채점 기준	배점
❶ 주어진 식을 간단히 나타낼 수 있다.	3점
❷ $f(x)=f(-x)$임을 알 수 있다.	1점
❸ 주어진 식의 값을 구할 수 있다.	3점

Lecture

(1) $f(x)=f(-x)$일 때, $f'(x)=-f'(-x)$

(2) $f(x)=-f(-x)$일 때, $f'(x)=f'(-x)$

0319

유형 10 곱의 미분법

|전략| 두 다항함수의 곱 $f(x)g(x)$는 미분가능한 함수이므로 $h(x)=f(x)g(x)$로 놓는다.

조건 ㈎에서 $f(0)=-2,\ g(0)=1$이므로

$h(x)=f(x)g(x)$로 놓으면

$h(0)=f(0)g(0)=-2$ ··· ❶

이때, $h'(x)=f'(x)g(x)+f(x)g'(x)$이므로 조건 ㈏에서

$$\lim_{x\to0}\frac{f(x)g(x)+2}{x}=\lim_{x\to0}\frac{h(x)-h(0)}{x}$$

$$=h'(0)$$

$$=f'(0)g(0)+f(0)g'(0)$$

$$=4\times1+(-2)\times g'(0)$$

$$=4-2g'(0)=0$$

$\therefore g'(0)=2$ ··· ❷

답 2

채점 기준	배점
❶ $f(0)g(0)$의 값을 구할 수 있다.	2점
❷ $g'(0)$의 값을 구할 수 있다.	4점

0320

유형 15 미분가능할 조건

|전략| 함수 $f(x)$가 $x=a$에서 미분가능하면 $f(x)$는 $x=a$에서 연속임을 이용한다.

함수 $f(x)$가 $x=1$에서 미분가능하면 $x=1$에서 연속이므로

$\lim_{x\to1-}f(x)=f(1)$

$b+1=1+a \quad \therefore a=b$ ······㉠ ··· ❶

또, $x=1$에서 미분계수가 존재해야 하므로

$$\lim_{h\to0-}\frac{f(1+h)-f(1)}{h}=\lim_{h\to0-}\frac{\{b(1+h)+1\}-(b+1)}{h}$$

$$=\lim_{h\to0-}\frac{bh}{h}=b$$

$$\lim_{h\to0+}\frac{f(1+h)-f(1)}{h}=\lim_{h\to0+}\frac{\{(1+h)^3+a(1+h)^2\}-(1+a)}{h}$$

$$=\lim_{h\to0+}\frac{h^3+(a+3)h^2+(2a+3)h}{h}$$

$$=\lim_{h\to0+}\{h^2+(a+3)h+(2a+3)\}$$

$$=2a+3$$

$\lim_{h\to0-}\frac{f(1+h)-f(1)}{h}=\lim_{h\to0+}\frac{f(1+h)-f(1)}{h}$이어야 하므로

$2a+3=b$ ······㉡ ··· ❷

㉠, ㉡을 연립하여 풀면 $a=-3,\ b=-3$

$\therefore ab=-3\times(-3)=9$ ··· ❸

답 9

채점 기준	배점
❶ 미분가능하면 연속임을 알고, a, b 사이의 관계식을 구할 수 있다.	3점
❷ 미분가능하면 미분계수가 존재함을 알고, a, b 사이의 관계식을 구할 수 있다.	3점
❸ ab의 값을 구할 수 있다.	1점

0321

유형 14 치환을 이용한 극한값의 계산

|전략| $\lim_{x\to a}\frac{f(x)}{g(x)}$의 값이 존재하고 $\lim_{x\to a}g(x)=0$이면 $\lim_{x\to a}f(x)=0$이다.

(1) $\lim_{x\to 2}\frac{x^n-x^3-x-6}{x-2}$의 값이 존재하고 $\lim_{x\to 2}(x-2)=0$이므로

$\lim_{x\to 2}(x^n-x^3-x-6)=0$

$2^n-8-2-6=0,\ 2^n=16\qquad \therefore n=4$

(2) $f(x)=x^4-x^3-x$로 놓으면 $f(2)=6$

$\therefore \lim_{x\to 2}\frac{x^4-x^3-x-6}{x-2}=\lim_{x\to 2}\frac{f(x)-f(2)}{x-2}=f'(2)$

이때, $f'(x)=4x^3-3x^2-1$이므로

$f'(2)=4\times 2^3-3\times 2^2-1=19$

답 (1) 4 (2) 19

채점 기준	배점
(1) n의 값을 구할 수 있다.	4점
(2) $\lim_{x\to 2}\frac{x^n-x^3-x-6}{x-2}$의 값을 구할 수 있다.	6점

0322

유형 17 미분의 항등식에의 활용

|전략| 함수 $f(x)$가 n차인 다항함수이면 $g(x)$는 $(n-1)$차인 다항함수임을 이용한다.

$f(x)g(x)=f(x)+g(x)+2x^3-4x^2+2x-1$에서

$f(x)g(x)-f(x)-g(x)=2x^3-4x^2+2x-1\qquad \cdots\cdots ㉠$

(1) $f(x)$를 n차함수 (n은 자연수)라 하면 $f'(x)=g(x)$에서 $g(x)$는 $(n-1)$차함수이다.

└ 주어진 등식에서 $n=1$이면 좌변은 일차함수이고 우변은 삼차함수가 되어 모순이다. $\therefore n\ge 2$

㉠의 양변의 차수를 비교하면

$n+(n-1)=3\qquad \therefore n=2$

(2) $f(x)$는 이차함수이므로

$f(x)=ax^2+bx+c$ (a, b, c는 상수, $a\neq 0$)

로 놓으면

$g(x)=2ax+b$

$f(x), g(x)$를 주어진 식에 대입하면

$(ax^2+bx+c)(2ax+b)$

$=(ax^2+bx+c)+(2ax+b)+2x^3-4x^2+2x-1$

$2a^2x^3+3abx^2+(2ac+b^2)x+bc$

$=2x^3+(a-4)x^2+(2a+b+2)x+b+c-1$

위의 등식이 모든 실수 x에 대하여 성립하므로

$2a^2=2,\ 3ab=a-4,\ 2ac+b^2=2a+b+2,\ bc=b+c-1$

위의 식을 연립하여 풀면 $a=1, b=-1, c=1$

$\therefore f(x)=x^2-x+1$

(3) $f(x)=x^2-x+1$이므로

$f(1)=1-1+1=1$

답 (1) 2 (2) $f(x)=x^2-x+1$ (3) 1

채점 기준	배점
(1) $f(x)$의 차수를 구할 수 있다.	4점
(2) $f(x)$를 구할 수 있다.	6점
(3) $f(1)$의 값을 구할 수 있다.	2점

Lecture

(2) $2a^2=2$에서 $a=-1$일 때,

$3ab=a-4,\ 2ac+b^2=2a+b+2$에서 $b=\frac{5}{3}, c=\frac{5}{9}$

이때, $bc=b+c-1$이 성립하지 않으므로 $a\neq -1$

창의·융합 교과서 속 심화문제

0323

|전략| $f'(a)=\lim_{h\to 0}\frac{f(a+h)-f(a)}{h}=\lim_{x\to a}\frac{f(x)-f(a)}{x-a}$임을 이용한다.

$\alpha=\lim_{h\to 0}\frac{f(2+h^2)-f(2)}{h^2}=f'(2)$

$\beta=\lim_{x\to 2}\frac{f(x^2)-f(4)}{x^2-4}=f'(4)$

$\gamma=\lim_{h\to 0}\frac{f(3+h)-f(3-h)}{2h}=\frac{1}{2}\lim_{h\to 0}\frac{f(3+h)-f(3-h)}{h}$

$=\frac{1}{2}\lim_{h\to 0}\frac{f(3+h)-f(3)+f(3)-f(3-h)}{h}$

$=\frac{1}{2}\lim_{h\to 0}\frac{\{f(3+h)-f(3)\}-\{f(3-h)-f(3)\}}{h}$

$=\frac{1}{2}\left\{\lim_{h\to 0}\frac{f(3+h)-f(3)}{h}+\lim_{h\to 0}\frac{f(3-h)-f(3)}{-h}\right\}$

$=\frac{1}{2}\times\{f'(3)+f'(3)\}$

$=\frac{1}{2}\times 2f'(3)=f'(3)$

이때, 함수 $f(x)$가 $x_1<x_2$일 때 $f'(x_1)<f'(x_2)$를 만족시키므로

$f'(2)<f'(3)<f'(4)$

$\therefore \alpha<\gamma<\beta$

답 ②

0324

|전략| $f(x)=(x-a)(x-b)(x-c)$로 놓고 각각의 참, 거짓을 판별한다.

$f(x)=(x-a)(x-b)(x-c)$로 놓으면

$f'(x)=(x-b)(x-c)+(x-a)(x-c)+(x-a)(x-b)$

ㄱ. $f'(a)+f'(b)=(a-b)(a-c)+(b-a)(b-c)$

$=(a-b)^2>0$

$\therefore f'(a)>-f'(b)$ (거짓)

ㄴ. $f'(b)+f'(c)=(b-a)(b-c)+(c-a)(c-b)$

$=(b-c)^2>0$ (참)

ㄷ. $f'(a)=f'(c)$이면 $(a-b)(a-c)=(c-a)(c-b)$

$a\neq c$이므로 $a-b=b-c,\ 2b=a+c\qquad \therefore b=\frac{a+c}{2}$ (참)

따라서 옳은 것은 ㄴ, ㄷ이다.

답 ④

0325

|전략| 방정식 $f(x)=k$의 세 실근이 α, β, γ임을 이용한다.

방정식 $f(x)-k=0$의 세 실근이 α, β, γ이고 $f(x)$의 삼차항의 계수가 1이므로

$f(x)-k=(x-\alpha)(x-\beta)(x-\gamma)$

양변을 x에 대하여 미분하면

$f'(x)=(x-\beta)(x-\gamma)+(x-\alpha)(x-\gamma)+(x-\alpha)(x-\beta)$

$\therefore f'(\beta)=(\beta-\alpha)(\beta-\gamma)$ 답 ④

0326

|전략| 함수 $y=g(x)$의 그래프 위의 점 $(2, g(2))$에서의 접선의 기울기는 미분계수 $g'(2)$와 같다.

다항함수 $y=g(x)$의 그래프가 점 $(2, g(2))$에서 직선 $y=-x+3$과 접하므로

$g(2)=-2+3=1, g'(2)=-1$

$(x^2-4)f(x)=g(x)-1$에서 $x\neq\pm2$일 때

$f(x)=\dfrac{g(x)-1}{x^2-4}$

함수 $f(x)$가 $x=2$에서 미분가능하므로 $x=2$에서 연속이다.

즉, $\lim\limits_{x\to2}f(x)=f(2)$이므로

$$f(2)=\lim_{x\to2}\frac{g(x)-1}{x^2-4}=\lim_{x\to2}\left\{\frac{g(x)-g(2)}{x-2}\times\frac{1}{x+2}\right\}=g'(2)\times\frac{1}{4}=-\frac{1}{4}$$ 답 ③

0327

|전략| 함수 $g(x)$가 $x=0, x=1$에서 미분가능하므로 $x=0, x=1$에서 연속임을 이용한다.

함수 $g(x)$가 모든 실수 x에서 미분가능하므로

$f(0)=0,\ f'(0)=0,\ f(1)=2,\ f'(1)=1$

(i) 함수 $f(x)$가 일차함수이면 $f'(0)=0,\ f'(1)=1$을 동시에 만족시킬 수 없다.

(ii) $f(x)=ax^2+bx+c$ (a, b, c는 상수, $a\neq0$)이면

$f(0)=c=0,\ f(1)=a+b+c=2 \quad \therefore a+b=2$

또, $f'(x)=2ax+b$이므로 $f'(0)=b=0,\ f'(1)=2a+b=1$

이때, $a+b=2, b=0, 2a+b=1$을 모두 만족시키는 상수 a, b는 존재하지 않는다.

(iii) $f(x)=ax^3+bx^2+cx+d$ (a, b, c, d는 상수, $a\neq0$)이면

$f(0)=d=0,\ f(1)=a+b+c+d=2 \quad \therefore a+b+c=2$

또, $f'(x)=3ax^2+2bx+c$이므로

$f'(0)=c=0,\ f'(1)=3a+2b+c=1$

따라서 $a+b=2,\ 3a+2b=1$을 모두 만족시키는 상수 a, b는 $a=-3, b=5$

$\therefore f(x)=-3x^3+5x^2$

따라서 $h(x)=-3x^3+5x^2$이므로

$h\left(\frac{1}{2}\right)=-\frac{3}{8}+\frac{5}{4}=\frac{7}{8}$ 답 $\frac{7}{8}$

본책 60~73쪽

4 | 도함수의 활용 (1)

STEP 1 개념 마스터

0328

$f(x)=x^3-4x^2-8$로 놓으면 $f'(x)=3x^2-8x$이므로

점 $(2, -16)$에서의 접선의 기울기는

$f'(2)=3\times2^2-8\times2=-4$ 답 -4

0329

$f(x)=3x^4-5x+2$로 놓으면 $f'(x)=12x^3-5$이므로

점 $(0, 2)$에서의 접선의 기울기는

$f'(0)=-5$ 답 -5

0330

$f(x)=x^{100}-1$로 놓으면 $f'(x)=100x^{99}$이므로

점 $(1, 0)$에서의 접선의 기울기는

$f'(1)=100$ 답 100

0331

$f(x)=-x^2+7x-10$으로 놓으면 $f'(x)=-2x+7$이므로

점 $(1, -4)$에서의 접선의 기울기는

$f'(1)=-2+7=5$

따라서 구하는 접선의 방정식은

$y-(-4)=5(x-1)$

$\therefore y=5x-9$ 답 $y=5x-9$

0332

$f(x)=x^4-2x+1$로 놓으면 $f'(x)=4x^3-2$이므로

점 $(0, 1)$에서의 접선의 기울기는

$f'(0)=-2$

따라서 구하는 접선의 방정식은

$y-1=-2(x-0)$

$\therefore y=-2x+1$ 답 $y=-2x+1$

0333

$f(x)=2x^3-5x-1$로 놓으면 $f'(x)=6x^2-5$이므로

점 $(-1, 2)$에서의 접선의 기울기는

$f'(-1)=6\times(-1)^2-5=1$

따라서 구하는 접선의 방정식은

$y-2=1\times\{x-(-1)\}$

$\therefore y=x+3$ 답 $y=x+3$

0334

$f(x)=x^3-3x$로 놓으면 $f'(x)=3x^2-3$

점 $(2, 2)$에서의 접선의 기울기는 $f'(2)=9$이므로 이 접선에 수직인 직선의 기울기는 $-\frac{1}{9}$이다.

따라서 구하는 직선의 방정식은

$y-2=-\frac{1}{9}(x-2)$

$\therefore y=-\frac{1}{9}x+\frac{20}{9}$ 답 $y=-\frac{1}{9}x+\frac{20}{9}$

0335

$f(x)=3x^2-9x-6$으로 놓으면 $f'(x)=6x-9$

접점의 좌표를 $(a, 3a^2-9a-6)$이라 하면 접선의 기울기가 3이므로

$f'(a)=6a-9=3$에서 $a=2$

따라서 접점의 좌표는 $(2, -12)$이므로 구하는 접선의 방정식은

$y-(-12)=3(x-2)$

$\therefore y=3x-18$ 답 $y=3x-18$

0336

$f(x)=x^3-2$로 놓으면 $f'(x)=3x^2$

접점의 좌표를 (a, a^3-2)라 하면 접선의 기울기가 3이므로

$f'(a)=3a^2=3$에서 $a^2=1$

$\therefore a=-1$ 또는 $a=1$

따라서 접점의 좌표는 $(-1, -3)$, $(1, -1)$이므로 구하는 접선의 방정식은

$y-(-3)=3\{x-(-1)\}$ 또는 $y-(-1)=3(x-1)$

$\therefore y=3x$ 또는 $y=3x-4$ 답 $y=3x$ 또는 $y=3x-4$

0337

$f(x)=x^2+x$로 놓으면 $f'(x)=2x+1$

접점의 좌표를 (a, a^2+a)라 하면 이 점에서의 접선의 기울기는 $f'(a)=2a+1$이므로 접선의 방정식은

$y-(a^2+a)=(2a+1)(x-a)$

$\therefore y=(2a+1)x-a^2$ ...... ㉠

이 직선이 점 $(1, 1)$을 지나므로

$1=(2a+1)-a^2$, $a^2-2a=0$

$a(a-2)=0$ $\therefore a=0$ 또는 $a=2$

따라서 $a=0$, $a=2$를 ㉠에 각각 대입하면 구하는 접선의 방정식은

$y=x$ 또는 $y=5x-4$ 답 $y=x$ 또는 $y=5x-4$

0338

$f(x)=x^3-2x$로 놓으면 $f'(x)=3x^2-2$

접점의 좌표를 (a, a^3-2a)라 하면 이 점에서의 접선의 기울기는 $f'(a)=3a^2-2$이므로 접선의 방정식은

$y-(a^3-2a)=(3a^2-2)(x-a)$

$\therefore y=(3a^2-2)x-2a^3$ ...... ㉠

이 직선이 점 $(0, 2)$를 지나므로

$2=-2a^3$, $a^3=-1$ $\therefore a=-1$

따라서 $a=-1$을 ㉠에 대입하면 구하는 접선의 방정식은

$y=x+2$ 답 $y=x+2$

0339

함수 $f(x)=(x-1)(x-3)=x^2-4x+3$은 닫힌구간 $[1, 3]$에서 연속이고 열린구간 $(1, 3)$에서 미분가능하며 $f(1)=f(3)=0$이다.

따라서 롤의 정리에 의하여 $f'(c)=0$인 c가 열린구간 $(1, 3)$에 적어도 하나 존재한다.

이때, $f'(x)=2x-4$이므로 $f'(c)=2c-4=0$

$\therefore c=2$ 답 2

0340

함수 $f(x)=x^2-2x$는 닫힌구간 $[0, 2]$에서 연속이고 열린구간 $(0, 2)$에서 미분가능하며 $f(0)=f(2)=0$이다.

따라서 롤의 정리에 의하여 $f'(c)=0$인 c가 열린구간 $(0, 2)$에 적어도 하나 존재한다.

이때, $f'(x)=2x-2$이므로 $f'(c)=2c-2=0$

$\therefore c=1$ 답 1

0341

함수 $f(x)=x^2-6x+1$은 닫힌구간 $[1, 5]$에서 연속이고 열린구간 $(1, 5)$에서 미분가능하며 $f(1)=f(5)=-4$이다.

따라서 롤의 정리에 의하여 $f'(c)=0$인 c가 열린구간 $(1, 5)$에 적어도 하나 존재한다.

이때, $f'(x)=2x-6$이므로 $f'(c)=2c-6=0$

$\therefore c=3$ 답 3

0342

함수 $f(x)=3x^2+2x+1$은 닫힌구간 $[-1, 1]$에서 연속이고 열린구간 $(-1, 1)$에서 미분가능하므로 평균값 정리에 의하여

$\frac{f(1)-f(-1)}{1-(-1)}=\frac{6-2}{2}=2=f'(c)$

인 c가 열린구간 $(-1, 1)$에 적어도 하나 존재한다.

이때, $f'(x)=6x+2$이므로 $f'(c)=6c+2=2$

$\therefore c=0$ 답 0

0343

함수 $f(x)=-x^2+x$는 닫힌구간 $[0, 4]$에서 연속이고 열린구간 $(0, 4)$에서 미분가능하므로 평균값 정리에 의하여

$\frac{f(4)-f(0)}{4-0}=\frac{-12-0}{4}=-3=f'(c)$

인 c가 열린구간 $(0, 4)$에 적어도 하나 존재한다.

이때, $f'(x)=-2x+1$이므로 $f'(c)=-2c+1=-3$

$\therefore c=2$ 답 2

0344

함수 $f(x)=x^3-2x$는 닫힌구간 $[0, 3]$에서 연속이고 열린구간 $(0, 3)$에서 미분가능하므로 평균값 정리에 의하여

$\frac{f(3)-f(0)}{3-0}=\frac{21-0}{3}=7=f'(c)$

인 c가 열린구간 $(0, 3)$에 적어도 하나 존재한다.

이때, $f'(x)=3x^2-2$이므로 $f'(c)=3c^2-2=7$

$3c^2=9$, $c^2=3$

$\therefore c=\sqrt{3}$ ($\because 0<c<3$) 답 $\sqrt{3}$

0345

$a<x\leq b$인 임의의 x에 대하여 닫힌구간 $[a, x]$에서 평균값 정리에 의하여

$\frac{f(x)-f(a)}{x-a}=f'(c)$

인 c가 열린구간 (a, x)에 적어도 하나 존재한다.

그런데 $f'(c)=0$이므로

$f(x)-f(a)=(x-a)f'(c)=(x-a)\times 0=0$

$\therefore f(x)=f(a)$

따라서 함수 $f(x)$는 닫힌구간 $[a, b]$에서 상수함수이다.

답 풀이 참조

0346

$F(x)=f(x)-g(x)$라 하면 $F(x)$는 닫힌구간 $[a, b]$에서 연속이고 열린구간 (a, b)에서 미분가능하다.

또, 열린구간 (a, b)의 모든 x에 대하여 $f'(x)=g'(x)$이므로

$F'(x)=f'(x)-g'(x)=0$

즉, $F(x)$는 닫힌구간 $[a, b]$에서 상수함수이므로

$F(x)=f(x)-g(x)=C$ (C는 상수)

따라서 $f(x)=g(x)+C$ (C는 상수)이다. 답 풀이 참조

STEP 2 유형 마스터

0347

|전략| 곡선 $y=f(x)$ 위의 점 $(a, f(a))$에서의 접선의 기울기는 $x=a$에서의 미분계수 $f'(a)$와 같음을 이용한다.

$f(x)=2x^2+ax+b$로 놓으면 $f'(x)=4x+a$이므로

점 $(1, 0)$에서의 접선의 기울기는

$f'(1)=4+a=-1$ $\therefore a=-5$

이때, 점 $(1, 0)$이 곡선 $y=f(x)$ 위의 점이므로

$0=f(1)=-3+b$ $\therefore b=3$

$\therefore b-a=3-(-5)=8$ 답 ②

0348

$f(x)=x^4-4x^3+6x^2+4$로 놓으면

$f'(x)=4x^3-12x^2+12x$

이므로 점 (a, b)에서의 접선의 기울기는

$f'(a)=4a^3-12a^2+12a=4$, $4(a-1)^3=0$

$\therefore a=1$

이때, 점 $(1, b)$가 곡선 $y=f(x)$ 위의 점이므로

$b=f(1)=7$ $\therefore b=7$

$\therefore a^2+b^2=1^2+7^2=50$ 답 50

0349

$f(x)=-x^3+6x^2-9x+a$로 놓으면

$f'(x)=-3x^2+12x-9=-3(x-2)^2+3$

이므로 $f'(x)$는 $x=2$에서 최댓값 3을 갖는다.

$\therefore k=3$

따라서 기울기가 최대일 때의 접점의 좌표는 $(2, -1)$이므로 $b=2$

이때, 점 $(2, -1)$이 곡선 $y=f(x)$ 위의 점이므로

$-1=f(2)=-2+a$ $\therefore a=1$

$\therefore abk=1\times 2\times 3=6$ 답 6

0350

|전략| 곡선 $y=f(x)$ 위의 점 $(1, -2)$에서의 접선의 기울기는 $f'(1)$이다.

$f(x)=x^3-2x^2+2x-3$으로 놓으면 $f'(x)=3x^2-4x+2$

점 $(1, -2)$에서의 접선의 기울기는

$f'(1)=3-4+2=1$

이므로 접선의 방정식은

$y-(-2)=1\times(x-1)$ $\therefore y=x-3$

따라서 $a=1$, $b=-3$이므로 $a-b=4$ 답 ⑤

0351

$f(x)=(x^2-1)(2x+1)$로 놓으면

$f'(x)=2x(2x+1)+2(x^2-1)=6x^2+2x-2$

이므로 점 $(1, 0)$에서의 접선의 기울기는

$f'(1)=6+2-2=6$

따라서 구하는 접선의 방정식은

$y-0=6\times(x-1)$ $\therefore y=6x-6$ 답 ④

0352

삼차항의 계수가 1인 삼차함수 $f(x)$를

$f(x)=x^3+ax^2+bx+c$ (a, b, c는 상수)

로 놓으면

$f(-1)=1$에서 $-1+a-b+c=1$ …… ㉠

$f(0)=1$에서 $c=1$ …… ㉡

$f(1)=1$에서 $1+a+b+c=1$ …… ㉢

㉠, ㉡, ㉢을 연립하여 풀면 $a=0$, $b=-1$, $c=1$

$\therefore f(x)=x^3-x+1$ … ❶

4 도함수의 활용 (1)

이때, $f'(x)=3x^2-1$이므로 곡선 $y=f(x)$ 위의 점 $(1, f(1))$에서의 접선의 기울기는

$f'(1)=3-1=2$ ··· ❷

따라서 점 $(1, f(1))$, 즉 점 $(1, 1)$에서의 접선의 방정식은

$y-1=2(x-1)$ $\therefore y=2x-1$ ··· ❸

답 $y=2x-1$

채점 기준	비율
❶ $f(x)$를 구할 수 있다.	40%
❷ $f'(1)$의 값을 구할 수 있다.	30%
❸ 접선의 방정식을 구할 수 있다.	30%

다른 풀이 $f(x)-1=g(x)$라 하면

$f(-1)=f(0)=f(1)=1$에서 $g(-1)=g(0)=g(1)=0$이므로

$g(x)=ax(x+1)(x-1)$ (a는 상수)로 놓을 수 있다.

$\therefore f(x)=ax(x+1)(x-1)+1$

그런데 $f(x)$의 삼차항의 계수가 1이므로 $a=1$

$\therefore f(x)=x(x+1)(x-1)+1=x^3-x+1$

이때, $f'(x)=3x^2-1$이므로 $f'(1)=2$

따라서 점 $(1, 1)$에서의 접선의 방정식은

$y-1=2(x-1)$ $\therefore y=2x-1$

0353

$\lim_{x\to1}\frac{f(x)-2}{x-1}=1$에서 $\lim_{x\to1}(x-1)=0$이므로 $\lim_{x\to1}\{f(x)-2\}=0$

이다. 즉, $f(1)=2$이므로

$\lim_{x\to1}\frac{f(x)-2}{x-1}=\lim_{x\to1}\frac{f(x)-f(1)}{x-1}=f'(1)=1$

곡선 $y=f(x)$ 위의 $x=1$인 점에서의 접선의 기울기는 1이므로

점 $(1, 2)$에서의 접선의 방정식은

$y-2=1\times(x-1)$ $\therefore y=x+1$

따라서 $m=1$, $n=1$이므로 $mn=1$

답 ①

0354

$g(x)=(x^2+2x-2)f(x)$라 하면

$g'(x)=(2x+2)f(x)+(x^2+2x-2)f'(x)$

이므로 곡선 $y=g(x)$ 위의 $x=1$인 점에서의 접선의 기울기는

$g'(1)=4f(1)+f'(1)$

이때, 주어진 그래프에서 $f(1)=1$, $f'(1)=0$이므로

$g(1)=f(1)=1$, $g'(1)=4\times1+0=4$

따라서 곡선 $y=g(x)$ 위의 $x=1$인 점에서의 접선의 방정식은

$y-1=4(x-1)$ $\therefore y=4x-3$

답 $y=4x-3$

Lecture

미분계수 $f'(a)$는 곡선 $y=f(x)$ 위의 $x=a$인 점에서의 접선의 기울기와 같다. x축과 평행한 접선의 기울기는 0이므로 주어진 그래프에서 $x=1$인 점에서의 접선의 기울기는 0이다.

마찬가지로 $x=-1$인 점에서의 접선의 기울기도 0이다.

$\therefore f'(1)=0$, $f'(-1)=0$

0355

|전략| 기울기가 a $(a\neq0)$인 직선에 수직인 직선의 기울기는 $-\frac{1}{a}$임을 이용한다.

$f(x)=x^3-2x^2+3x+1$로 놓으면

$f'(x)=3x^2-4x+3$

점 $(1, 3)$에서의 접선의 기울기는 $f'(1)=2$이므로 이 점에서의 접선에 수직인 직선의 기울기는 $-\frac{1}{2}$이다.

따라서 구하는 직선의 방정식은

$y-3=-\frac{1}{2}(x-1)$ $\therefore x+2y-7=0$

답 ②

0356

$f(x)=x^3+ax^2+b$로 놓으면

$f'(x)=3x^2+2ax$

$x=-1$인 점에서의 접선의 기울기는 $f'(-1)=3-2a$이므로 이 점에서의 접선에 수직인 직선의 기울기는 $-\frac{1}{3-2a}$이다.

즉, $-\frac{1}{3-2a}=-\frac{1}{4}$에서 $a=-\frac{1}{2}$

또한, 점 $(1, 5)$는 곡선 $y=f(x)$ 위의 점이므로

$1+a+b=5$, $1-\frac{1}{2}+b=5$ $\therefore b=\frac{9}{2}$

$\therefore b-a=\frac{9}{2}-\left(-\frac{1}{2}\right)=5$

답 5

0357

두 곡선 $f(x)=x^2-1$, $g(x)=ax^2$의 교점 P의 x좌표를 t $(t>0)$라 하면 두 곡선이 모두 $x=t$인 점을 지나므로 $f(t)=g(t)$에서

$t^2-1=at^2$ ······ ㉠

또, $f'(x)=2x$, $g'(x)=2ax$이고, $x=t$인 점에서의 두 접선이 서로 수직이므로 $f'(t)g'(t)=-1$에서

$2t\times2at=-1$ $\therefore at^2=-\frac{1}{4}$ ······ ㉡

㉠, ㉡에서 $t^2-1=-\frac{1}{4}$ $\therefore t^2=\frac{3}{4}$

$t^2=\frac{3}{4}$을 ㉡에 대입하면

$a=-\frac{1}{3}$

답 ③

0358

|전략| 접선의 방정식을 구한 후 곡선과 만나는 점의 x좌표를 구한다.

$f(x)=x^3+2x^2-3x-6$으로 놓으면 $f'(x)=3x^2+4x-3$이므로

$f'(0)=-3$

점 $(0, -6)$에서의 접선의 방정식은

$y-(-6)=-3(x-0)$ $\therefore y=-3x-6$

직선 $y=-3x-6$이 곡선 $y=f(x)$와 다시 만나는 점의 x좌표는

$x^3+2x^2-3x-6=-3x-6$에서

$x^2(x+2)=0$ $\therefore x=-2$ 또는 $x=0$

따라서 다시 만나는 점의 좌표가 $(-2, 0)$이므로

$a=-2, b=0$

$\therefore b-a=2$ 답 ④

0359

$f(x)=x^3-5x$로 놓으면 $f'(x)=3x^2-5$이므로

$f'(1)=-2$

점 $P(1, -4)$에서의 접선의 방정식은

$y-(-4)=-2(x-1)$ $\therefore y=-2x-2$

직선 $y=-2x-2$가 곡선 $y=f(x)$와 다시 만나는 점의 x좌표는

$x^3-5x=-2x-2$에서 $x^3-3x+2=0$

$(x+2)(x-1)^2=0$ $\therefore x=-2$ 또는 $x=1$

따라서 점 Q의 좌표는 $(-2, 2)$이므로 선분 PQ의 길이는

$\sqrt{(-2-1)^2+\{2-(-4)\}^2}=3\sqrt{5}$ 답 $3\sqrt{5}$

Lecture

좌표평면 위의 두 점 사이의 거리

좌표평면 위의 두 점 $P(x_1, y_1), Q(x_2, y_2)$ 사이의 거리는

$\overline{PQ}=\sqrt{(x_2-x_1)^2+(y_2-y_1)^2}$

0360

$f(x)=-x^3+5x-3$으로 놓으면 $f'(x)=-3x^2+5$이므로

$f'(1)=2$

점 $P(1, 1)$에서의 접선의 방정식은

$y-1=2(x-1)$ $\therefore y=2x-1$

이때, 점 Q의 좌표는 $(0, -1)$이다.

또, 직선 $y=2x-1$이 곡선 $y=f(x)$와 다시 만나는 점의 x좌표는

$-x^3+5x-3=2x-1$에서 $x^3-3x+2=0$

$(x+2)(x-1)^2=0$ $\therefore x=-2$ 또는 $x=1$

따라서 점 R의 좌표는 $(-2, -5)$이므로

$\overline{PQ}=\sqrt{(0-1)^2+(-1-1)^2}=\sqrt{5}$

$\overline{QR}=\sqrt{(-2-0)^2+\{-5-(-1)\}^2}=2\sqrt{5}$

$\therefore \overline{PQ} : \overline{QR}=\sqrt{5} : 2\sqrt{5}=1 : 2$ 답 ①

0361

|전략| 접선의 방정식을 구한 후 x절편, y절편을 구한다.

$f(x)=x^3-2x^2+4$로 놓으면 $f'(x)=3x^2-4x$이므로

$f'(1)=-1$

따라서 점 $(1, 3)$에서의 접선의 방정식은

$y-3=(-1)\times(x-1)$ $\therefore y=-x+4$

이때, 이 접선의 x절편, y절편은 각각 4, 4이므로 접선과 x축 및 y축으로 둘러싸인 도형의 넓이는

$\frac{1}{2}\times4\times4=8$ 답 ④

0362

$f(x)=kx^4$에서 $f'(x)=4kx^3$이므로

$f'(1)=4k$ … ❶

따라서 점 $(1, f(1))$, 즉 점 $(1, k)$에서의 접선의 방정식은

$y-k=4k(x-1)$ $\therefore y=4kx-3k$ … ❷

이때, 이 접선의 x절편, y절편은 각각 $\frac{3}{4}$, $-3k$이고 접선과 x축 및 y축으로 둘러싸인 도형의 넓이가 9이므로

$\frac{1}{2}\times\frac{3}{4}\times3k=9$ $\therefore k=8$ … ❸

답 8

채점 기준	비율
❶ $f'(1)$을 구할 수 있다.	20%
❷ 접선의 방정식을 구할 수 있다.	30%
❸ k의 값을 구할 수 있다.	50%

0363

$f(x)=\frac{1}{3}x^3-2x+\frac{1}{3}$로 놓으면 $f'(x)=x^2-2$이므로

$f'(2)=2$

점 $P(2, -1)$에서의 접선의 기울기는 2이므로 직선 l의 방정식은

$y-(-1)=2(x-2)$ $\therefore y=2x-5$

직선 l에 수직인 직선의 기울기는 $-\frac{1}{2}$이므로 직선 m의 방정식은

$y-(-1)=-\frac{1}{2}(x-2)$

$\therefore y=-\frac{1}{2}x$

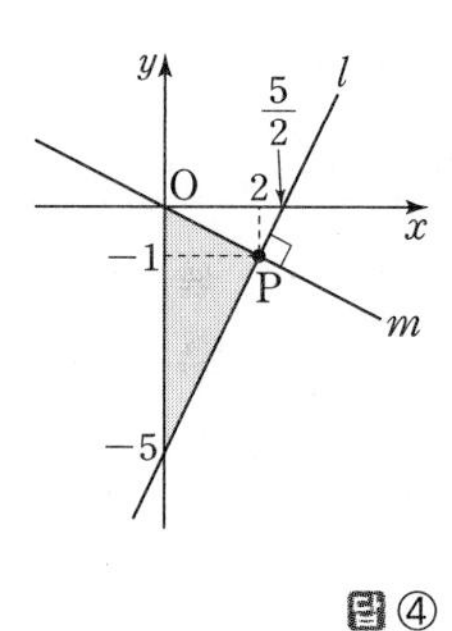

따라서 오른쪽 그림에서 두 직선 l, m 및 y축으로 둘러싸인 도형의 넓이는

$\frac{1}{2}\times5\times2=5$ 답 ④

0364

$f(x)=x^3$으로 놓고 점 P의 x좌표를 t $(t>0)$라 하면

$f'(x)=3x^2$이므로 $f'(t)=3t^2$

따라서 점 $P(t, t^3)$에서의 접선의 방정식은

$y-t^3=3t^2(x-t)$ $\therefore y=3t^2x-2t^3$

△PQS, △PRS에서 선분 PS를 밑변으로 생각할 때, 두 삼각형의 넓이의 비는 높이의 비와 같다. 즉, 두 삼각형 PQS, PRS의 넓이의 비는 두 선분 QS, OS의 길이의 비와 같다.

이때, 점 Q의 좌표는 $\left(\frac{2}{3}t, 0\right)$이므로

(접선 $y=3t^2x-2t^3$에서 x절편은 $\frac{2}{3}t$이므로 $Q\left(\frac{2}{3}t, 0\right)$)

$\triangle PQS : \triangle PRS=\overline{QS} : \overline{OS}=\frac{1}{3}t : t=1 : 3$ 답 ④

(점 $S(t, 0)$이므로 $\overline{QS}=\overline{OS}-\overline{OQ}=t-\frac{2}{3}t=\frac{1}{3}t$)

0365

| 전략 | 직선 $y=\frac{1}{4}x-1$에 수직인 접선의 기울기는 -4임을 이용하여 접점의 좌표를 구한다.

$x-4y-4=0$에서 $y=\frac{1}{4}x-1$이므로 이 직선에 수직인 직선의 기울기는 -4이다.

$f(x)=x^3-3x^2-x-2$로 놓으면 $f'(x)=3x^2-6x-1$

접점의 좌표를 $(t,\ t^3-3t^2-t-2)$라 하면 접선의 기울기는 -4이므로

$f'(t)=3t^2-6t-1=-4$

$3t^2-6t+3=0,\ t^2-2t+1=0$

$(t-1)^2=0 \qquad \therefore t=1$

즉, 접점의 좌표는 $(1,\ -5)$이므로 구하는 직선의 방정식은

$y-(-5)=-4(x-1) \qquad \therefore y=-4x-1$

따라서 $a=-4,\ b=-1$이므로 $a-b=-3$ 답 -3

0366

$f(x)=x^2-3x+5$로 놓으면 $f'(x)=2x-3$

접점의 좌표를 $(t,\ t^2-3t+5)$라 하면 직선 $y=x+2$에 평행한 직선의 기울기는 1이므로

$f'(t)=2t-3=1 \qquad \therefore t=2$

즉, 접점의 좌표는 $(2,\ 3)$이므로 구하는 직선의 방정식은

$y-3=1\times(x-2) \qquad \therefore y=x+1$

따라서 보기 중 직선 $y=x+1$ 위의 점의 좌표는 $(0,\ 1)$이다. 답 ②

0367

$f(x)=-\frac{1}{3}x^3-x^2+\frac{2}{3}$로 놓으면 $f'(x)=-x^2-2x$

접점의 좌표를 $\left(t,\ -\frac{1}{3}t^3-t^2+\frac{2}{3}\right)$라 하면 접선의 기울기는 $\tan 45^\circ=1$이므로

$f'(t)=-t^2-2t=1$

$t^2+2t+1=0,\ (t+1)^2=0 \qquad \therefore t=-1$

즉, 접점의 좌표는 $(-1,\ 0)$이므로 구하는 접선의 방정식은

$y-0=1\times\{x-(-1)\} \qquad \therefore y=x+1$

따라서 $a=1,\ b=1$이므로 $a+b=2$ 답 ①

0368

$f(x)=x^3$으로 놓으면 $f'(x)=3x^2$이므로

$f'(1)=3$

즉, 직선 l의 기울기가 3이므로 직선 l에 평행한 직선 m의 기울기는 3이다.

이때, 곡선 $y=f(x)$와 직선 m의 접점의 좌표를 $(t,\ t^3)$이라 하면

$f'(t)=3t^2$에서 $3t^2=3,\ t^2=1,\ (t+1)(t-1)=0$

$\therefore t=-1$ 또는 $t=1$

그런데 $t=1$이면 두 직선 $l,\ m$은 일치하므로

$t=-1$

따라서 접점의 좌표는 $(-1,\ -1)$이므로 구하는 직선 m의 방정식은

$y-(-1)=3\{x-(-1)\}$

$\therefore y=3x+2$ 답 $y=3x+2$

0369

| 전략 | 평행한 두 직선 사이의 거리는 한 직선 위의 점과 다른 직선 사이의 거리와 같음을 이용한다.

$f(x)=\frac{1}{3}x^3-2x^2+x+3$으로 놓으면 $f'(x)=x^2-4x+1$

접점의 좌표를 $\left(t,\ \frac{1}{3}t^3-2t^2+t+3\right)$이라 하면 접선의 기울기가 -2이므로

$f'(t)=t^2-4t+1=-2$

$t^2-4t+3=0,\ (t-1)(t-3)=0$

$\therefore t=1$ 또는 $t=3$

즉, 접점의 좌표는 $\left(1,\ \frac{7}{3}\right)$ 또는 $(3,\ -3)$이므로 접선의 방정식은

$y-\frac{7}{3}=-2(x-1)$에서 $6x+3y-13=0$

$y-(-3)=-2(x-3)$에서 $2x+y-3=0$

따라서 두 직선 사이의 거리는 직선 $2x+y-3=0$ 위의 한 점 $(0,\ 3)$과 직선 $6x+3y-13=0$ 사이의 거리와 같으므로 구하는 거리는

$\frac{|0+9-13|}{\sqrt{6^2+3^2}}=\frac{4}{3\sqrt{5}}=\frac{4\sqrt{5}}{15}$ 답 $\frac{4\sqrt{5}}{15}$

0370

$f(x)=x^2$으로 놓으면 $f'(x)=2x$

곡선 $y=f(x)$의 접선 중에서 직선 $y=4x-10$과 평행한 접선의 접점의 좌표를 $(t,\ t^2)$이라 하면 이 점에서의 접선의 기울기가 4이므로

$f'(t)=2t=4 \qquad \therefore t=2$

따라서 접점의 좌표는 $(2,\ 4)$이고, 점 $(2,\ 4)$와 직선 $y=4x-10$, 즉 $4x-y-10=0$ 사이의 거리가 구하는 최솟값이므로

$\frac{|8-4-10|}{\sqrt{4^2+(-1)^2}}=\frac{6}{\sqrt{17}}=\frac{6\sqrt{17}}{17}$ 답 $\frac{6\sqrt{17}}{17}$

0371

| 전략 | $f(x)=x^3+ax-1$로 놓고 $f(1)=b,\ f'(1)=5$임을 이용한다.

점 $(1,\ b)$가 곡선 $y=x^3+ax-1$ 위의 점이므로

$b=1+a-1 \qquad \therefore a=b$ …… ㉠

또, 점 $(1,\ b)$가 직선 $y=5x+c$ 위의 점이므로

$b=5+c$ …… ㉡

$f(x)=x^3+ax-1$로 놓으면 $f'(x)=3x^2+a$이고 점 $(1,\ b)$에서의 접선의 기울기가 5이므로

$f'(1)=3+a=5 \qquad \therefore a=2$

$a=2$를 ㉠에 대입하면 $b=2$

$b=2$를 ㉡에 대입하면 $c=-3$

$\therefore a+b+c=2+2+(-3)=1$ 답 ③

0372

점 $(1,\ f(1))$이 $f(x)=x^3+ax^2+9x+3$의 그래프 위의 점이므로

$f(1)=1+a+9+3 \quad \therefore f(1)=a+13$ ...... ㉠

또, 점 $(1,\ f(1))$이 직선 $y=2x+b$ 위의 점이므로

$f(1)=2+b$ ...... ㉡

$f'(x)=3x^2+2ax+9$이고 점 $(1,\ f(1))$에서의 접선의 기울기가 2이므로

$f'(1)=3+2a+9=2 \quad \therefore a=-5$

$a=-5$를 ㉠에 대입하면 $f(1)=8$

$f(1)=8$을 ㉡에 대입하면 $b=6$

$\therefore a+b=-5+6=1$ 답 1

0373

$f(x)=ax^3+bx^2+cx+d$로 놓으면 점 $(0,1)$은 곡선 $y=f(x)$ 위의 점이므로

$d=1$ ...... ㉠

또, 점 $(3,4)$도 곡선 $y=f(x)$ 위의 점이므로

$27a+9b+3c+d=4$ ...... ㉡

$f'(x)=3ax^2+2bx+c$이고 점 $(0,1)$에서의 접선의 기울기가 1이므로

$f'(0)=c=1$ ...... ㉢

또, 점 $(3,4)$에서의 접선의 기울기가 -2이므로

$f'(3)=27a+6b+c=-2$ ...... ㉣

㉠, ㉡, ㉢, ㉣을 연립하여 풀면 $a=-\frac{1}{3},\ b=1,\ c=1,\ d=1$

$\therefore 3abcd=-1$ 답 ②

0374

$f(x)=x^3-3x^2+4x+k$로 놓으면 $f'(x)=3x^2-6x+4$

접점의 좌표를 $(t,\ t^3-3t^2+4t+k)$라 하면 접선의 기울기는

$f'(t)=3t^2-6t+4$

이므로 접선의 방정식은

$y-(t^3-3t^2+4t+k)=(3t^2-6t+4)(x-t)$

$\therefore y=(3t^2-6t+4)x-2t^3+3t^2+k$

이 직선이 직선 $y=x+5$와 일치해야 하므로

$3t^2-6t+4=1$ ...... ㉠

$-2t^3+3t^2+k=5$ ...... ㉡

㉠에서 $3t^2-6t+3=0,\ 3(t-1)^2=0 \quad \therefore t=1$

$t=1$을 ㉡에 대입하면

$-2+3+k=5 \quad \therefore k=4$ 답 ①

0375

$f(x)=x^2$으로 놓으면 $f'(x)=2x$

점 $(-2,\ 4)$에서의 접선의 기울기는 $f'(-2)=-4$이므로 접선의 방정식은

$y-4=-4\{x-(-2)\} \quad \therefore y=-4x-4$

$g(x)=x^3+ax-2$로 놓으면 $g'(x)=3x^2+a$

접점의 좌표를 $(t,\ t^3+at-2)$라 하면 접선의 기울기는

$g'(t)=3t^2+a$

이므로 접선의 방정식은

$y-(t^3+at-2)=(3t^2+a)(x-t)$

$\therefore y=(3t^2+a)x-2t^3-2$

이 직선이 직선 $y=-4x-4$와 일치해야 하므로

$3t^2+a=-4$ ...... ㉠

$-2t^3-2=-4$ ...... ㉡

㉡에서 $-2t^3=-2,\ t^3=1 \quad \therefore t=1$

$t=1$을 ㉠에 대입하면

$3+a=-4 \quad \therefore a=-7$ 답 -7

0376

직선 $y=x+3$을 x축의 방향으로 k만큼 평행이동한 직선의 방정식은 $y=x-k+3$

곡선 $y=x^3+x^2-2$와 직선 $y=x-k+3$의 접점의 x좌표가 t이므로 $x=t$일 때, 접선의 기울기는 1이다.

$f(x)=x^3+x^2-2$로 놓으면 $f'(x)=3x^2+2x$이므로

$f'(t)=3t^2+2t=1$

$3t^2+2t-1=0,\ (t+1)(3t-1)=0$

$\therefore t=-1$ 또는 $t=\frac{1}{3}$

그런데 t는 정수이므로 $t=-1$

따라서 접점의 좌표가 $(-1,\ -2)$이므로 $x=-1,\ y=-2$를 $y=x-k+3$에 대입하면

$-2=-1-k+3 \quad \therefore k=4$

$\therefore k+t=4+(-1)=3$ 답 3

0377

$f(x)=x^3-kx^2+kx-1$로 놓으면 $f'(x)=3x^2-2kx+k$

접점의 좌표를 $(t,\ t^3-kt^2+kt-1)$이라 하면 접선의 기울기는

$f'(t)=3t^2-2kt+k$

이므로 접선의 방정식은

$y-(t^3-kt^2+kt-1)=(3t^2-2kt+k)(x-t)$

$\therefore y=(3t^2-2kt+k)x-2t^3+kt^2-1$

이 직선이 직선 $y=x-1$과 일치해야 하므로

$3t^2-2kt+k=1$ ...... ㉠

$-2t^3+kt^2-1=-1$ ...... ㉡

㉡에서 $2t^3-kt^2=0,\ t^2(2t-k)=0 \quad \therefore t=0$ 또는 $t=\frac{k}{2}$

(i) $t=0$을 ㉠에 대입하면 $k=1$

(ii) $t=\frac{k}{2}$를 ㉠에 대입하면

$\frac{3}{4}k^2-k^2+k=1,\ k^2-4k+4=0$

$(k-2)^2=0 \quad \therefore k=2$

(i), (ii)에서 모든 상수 k의 값의 합은 $1+2=3$ 답 3

0378

|전략| 접점의 좌표를 (t, t^3-3t^2+t+1)로 놓고 접선의 방정식을 구한다.

$f(x)=x^3-3x^2+x+1$로 놓으면 $f'(x)=3x^2-6x+1$

접점의 좌표를 (t, t^3-3t^2+t+1)이라 하면 이 점에서의 접선의 기울기는 $f'(t)=3t^2-6t+1$이므로 접선의 방정식은

$y-(t^3-3t^2+t+1)=(3t^2-6t+1)(x-t)$

$\therefore y=(3t^2-6t+1)x-2t^3+3t^2+1$ …… ㉠

이 직선이 점 $(1, 2)$를 지나므로

$2=3t^2-6t+1-2t^3+3t^2+1$

$t^3-3t^2+3t=0,\ t(t^2-3t+3)=0$

$\therefore t=0\ (\because t^2-3t+3>0)$

$t=0$을 ㉠에 대입하면 구하는 접선의 방정식은 $y=x+1$ 답 ①

0379

$f(x)=x^2-x$로 놓으면 $f'(x)=2x-1$

접점의 좌표를 (t, t^2-t)라 하면 이 점에서의 접선의 기울기는 $f'(t)=2t-1$이므로 접선의 방정식은

$y-(t^2-t)=(2t-1)(x-t)$

$\therefore y=(2t-1)x-t^2$

이 직선이 점 $(1, -1)$을 지나므로

$-1=2t-1-t^2,\ t^2-2t=0,\ t(t-2)=0$

$\therefore t=0$ 또는 $t=2$

따라서 두 접선의 기울기의 합은

$f'(0)+f'(2)=-1+3=2$ 답 2

다른 풀이 점 $(1, -1)$을 지나는 직선의 방정식을

$y-(-1)=m(x-1)$, 즉 $y=mx-m-1$

이라 하면 이 직선이 곡선 $y=x^2-x$에 접하므로 두 식을 연립하면

$x^2-x=mx-m-1 \qquad \therefore x^2-(1+m)x+m+1=0$

위 이차방정식의 판별식을 D라 하면

$D=(1+m)^2-4(m+1)=0,\ m^2-2m-3=0$

그런데 위의 식은 접선의 기울기 m에 대한 이차방정식이므로 근과 계수의 관계에 의하여 두 접선의 기울기의 합은 2이다.

0380

$f(x)=x^3$으로 놓으면 $f'(x)=3x^2$

접점의 좌표를 (t, t^3)이라 하면 이 점에서의 접선의 기울기는 $f'(t)=3t^2$이므로 접선의 방정식은

$y-t^3=3t^2(x-t)$

$\therefore y=3t^2x-2t^3$ …… ㉠

이 직선이 점 $(0, 2)$를 지나므로

$2=-2t^3,\ t^3=-1 \qquad \therefore t=-1$

$t=-1$을 ㉠에 대입하면 $y=3x+2$

이때, 이 직선이 점 $(-2, k)$를 지나므로 $k=-4$ 답 ④

0381

$f(x)=x^3+2x+2$로 놓으면 $f'(x)=3x^2+2$

접점의 좌표를 $\mathrm{P}(t, t^3+2t+2)$라 하면 이 점에서의 접선의 기울기는 $f'(t)=3t^2+2$이므로 접선의 방정식은

$y-(t^3+2t+2)=(3t^2+2)(x-t)$

$\therefore y=(3t^2+2)x-2t^3+2$ … ❶

이 직선이 원점을 지나므로

$0=-2t^3+2,\ t^3=1 \qquad \therefore t=1$ … ❷

따라서 점 P의 좌표는 $(1, 5)$이므로

$\overline{\mathrm{OP}}=\sqrt{1^2+5^2}=\sqrt{26}$ … ❸

답 $\sqrt{26}$

채점 기준	비율
❶ 접선의 방정식을 점 P의 x좌표를 이용하여 나타낼 수 있다.	50%
❷ 점 P의 x좌표를 구할 수 있다.	20%
❸ $\overline{\mathrm{OP}}$의 길이를 구할 수 있다.	30%

0382

$f(x)=x^3-3x^2+2$로 놓으면 $f'(x)=3x^2-6x$

접점의 좌표를 (t, t^3-3t^2+2)라 하면 이 점에서의 접선의 기울기는 $f'(t)=3t^2-6t$이므로 접선의 방정식은

$y-(t^3-3t^2+2)=(3t^2-6t)(x-t)$

$\therefore y=(3t^2-6t)x-2t^3+3t^2+2$

이 직선이 점 $(3, 0)$을 지나므로

$0=-2t^3+12t^2-18t+2$

$\therefore t^3-6t^2+9t-1=0$

따라서 세 접점의 x좌표의 합은 삼차방정식의 근과 계수의 관계에 의하여 6이다. 답 ⑤

0383

|전략| 접선의 방정식을 이용하여 두 점 Q, R의 좌표를 구하고, 이를 이용하여 △PRQ의 넓이를 구한다.

$f(x)=x^2-1$로 놓으면 $f'(x)=2x$

접점의 좌표를 (t, t^2-1)이라 하면 이 점에서의 접선의 기울기는 $f'(t)=2t$이므로 접선의 방정식은

$y-(t^2-1)=2t(x-t)$

$\therefore y=2tx-t^2-1$

이 접선이 점 $\mathrm{P}(1, -4)$를 지나므로

$-4=2t-t^2-1,\ t^2-2t-3=0,\ (t+1)(t-3)=0$

$\therefore t=-1$ 또는 $t=3$

$\therefore \mathrm{Q}(-1, 0),\ \mathrm{R}(3, 8)$

직선 QR의 방정식은

$y-0=\dfrac{8-0}{3-(-1)}\{x-(-1)\}$

$\therefore 2x-y+2=0$

점 $\mathrm{P}(1, -4)$와 직선 QR 사이의 거리를 h라 하면

$h=\frac{|2+4+2|}{\sqrt{2^2+(-1)^2}}=\frac{8\sqrt{5}}{5}$

이때, $\overline{QR}=\sqrt{\{3-(-1)\}^2+(8-0)^2}=4\sqrt{5}$이므로

$\triangle PRQ=\frac{1}{2}\times\overline{QR}\times h$

$=\frac{1}{2}\times 4\sqrt{5}\times\frac{8\sqrt{5}}{5}=16$ 답 ③

0384

$f(x)=x^2+k$로 놓으면 $f'(x)=2x$

접점의 좌표를 (t, t^2+k)라 하면 이 점에서의 접선의 기울기는 $f'(t)=2t$이므로 접선의 방정식은

$y-(t^2+k)=2t(x-t)$

$\therefore y=2tx-t^2+k$

이 접선이 점 $A(-1, -2)$를 지나므로

$-2=-2t-t^2+k$

$\therefore t^2+2t-k-2=0$ …… ㉠

㉠의 서로 다른 두 실근을 α, β $(\alpha<\beta)$라 하면 이차방정식의 근과 계수의 관계에 의하여

$\alpha+\beta=-2, \alpha\beta=-k-2$

이때, α, β는 두 접점 B, C의 x좌표이므로 $B(\alpha, \alpha^2+k)$, $C(\beta, \beta^2+k)$라 하면 삼각형 ABC의 무게중심의 좌표는

$\left(\frac{\alpha+\beta-1}{3}, \frac{\alpha^2+k+\beta^2+k-2}{3}\right)$

이 점이 점 $(-1, 6)$과 같으므로 $\frac{\alpha^2+k+\beta^2+k-2}{3}=6$에서

$\frac{(\alpha+\beta)^2-2\alpha\beta+2k-2}{3}=6$

$\frac{(-2)^2-2(-k-2)+2k-2}{3}=6$

$\frac{4k+6}{3}=6, 4k=12$

$\therefore k=3$ 답 3

0385

|전략| 두 곡선 $y=f(x), y=g(x)$가 $x=t$에서 공통인 접선을 가지면 $f(t)=g(t), f'(t)=g'(t)$임을 이용한다.

$f(x)=x^3+ax, g(x)=bx^2+c$에서

$f'(x)=3x^2+a, g'(x)=2bx$

두 함수 $y=f(x), y=g(x)$의 그래프가 점 $(1, 2)$를 지나므로

$f(1)=2$에서 $1+a=2$ …… ㉠

$g(1)=2$에서 $b+c=2$ …… ㉡

점 $(1, 2)$에서의 두 곡선의 접선의 기울기가 같으므로

$f'(1)=g'(1)$에서 $3+a=2b$ …… ㉢

㉠, ㉡, ㉢을 연립하여 풀면 $a=1, b=2, c=0$

$\therefore abc=0$ 답 ①

0386

$f(x)=x^3+ax+2, g(x)=x^2+1$로 놓으면

$f'(x)=3x^2+a, g'(x)=2x$

두 곡선이 $x=t$인 점에서 접한다고 하면

$f(t)=g(t)$에서 $t^3+at+2=t^2+1$ …… ㉠

$f'(t)=g'(t)$에서 $3t^2+a=2t$ …… ㉡

㉡에서 $a=2t-3t^2$이므로 이를 ㉠에 대입하여 정리하면

$2t^3-t^2-1=0, (t-1)(2t^2+t+1)=0$

$\therefore t=1$ ($\because 2t^2+t+1>0$)

$t=1$을 ㉡에 대입하면 $a=-1$ 답 -1

0387

두 곡선 $y=f(x), y=g(x)$의 교점의 x좌표를 t라 하면

$f(t)=g(t)$에서 $-t^2+2=at^2+3t$ …… ㉠

$f'(x)=-2x, g'(x)=2ax+3$이므로 $x=t$인 점에서의 접선의 기울기는 각각

$m_1=f'(t)=-2t, m_2=g'(t)=2at+3$

이때, $m_1-m_2=1$이므로

$-2t-2at-3=1 \quad \therefore at=-t-2$ …… ㉡

㉡을 ㉠에 대입하면

$-t^2+2=t(-t-2)+3t \quad \therefore t=2$

$t=2$를 ㉡에 대입하면

$2a=-4 \quad \therefore a=-2$ 답 -2

0388

|전략| 원과 곡선의 접점을 P, 원의 중심을 C라 하면 직선 CP와 접선은 서로 수직임을 이용한다.

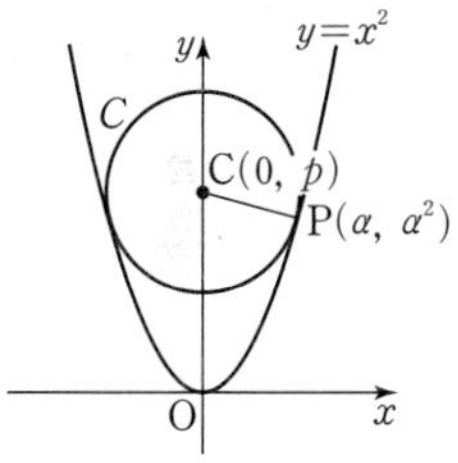

$f(x)=x^2$으로 놓으면 $f'(x)=2x$

오른쪽 그림과 같이 접점을 $P(\alpha, \alpha^2)$이라 하면 점 P에서의 접선의 기울기는

$f'(\alpha)=2\alpha$

이때, 원의 중심 C와 점 P를 지나는 직선의 기울기는

$\frac{\alpha^2-p}{\alpha-0}=\frac{\alpha^2-p}{\alpha}$

이고, 직선 CP와 접선은 서로 수직이므로

$2\alpha\times\frac{\alpha^2-p}{\alpha}=-1, 2(\alpha^2-p)=-1$

$\therefore \alpha^2=p-\frac{1}{2}$ …… ㉠

또, 원 C의 반지름의 길이가 2이므로

$\overline{CP}=\sqrt{(\alpha-0)^2+(\alpha^2-p)^2}=2$

$\therefore \alpha^2+(\alpha^2-p)^2=4$ …… ㉡

㉠을 ㉡에 대입하면

$\left(p-\frac{1}{2}\right)+\left(p-\frac{1}{2}-p\right)^2=4 \quad \therefore p=\frac{17}{4}$ 답 ④

0389

$f(x)=x^4$으로 놓으면 $f'(x)=4x^3$

곡선 $y=f(x)$ 위의 점 $(1, 1)$에서의 접선의 기울기가 $f'(1)=4$이므로 이 접선에 수직인 직선의 기울기는 $-\frac{1}{4}$이다.

4 도함수의 활용 (1)

따라서 점 $(1, 1)$을 지나고 기울기가 $-\frac{1}{4}$인 직선의 방정식은

$y-1=-\frac{1}{4}(x-1)$ $\quad \therefore y=-\frac{1}{4}x+\frac{5}{4}$ …… ㉠

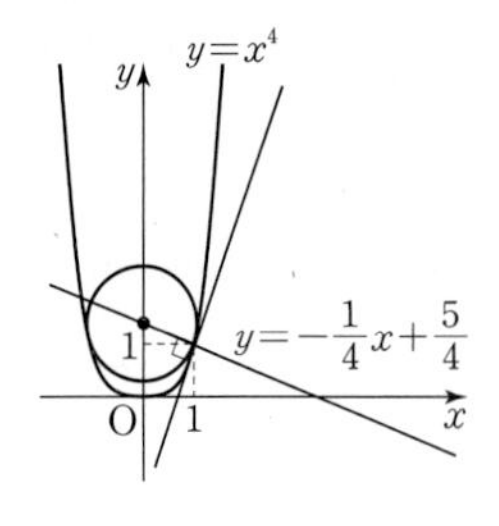

중심이 y축 위에 있는 원의 방정식을 $x^2+(y-a)^2=r^2\ (r>0)$이라 하면 직선 ㉠이 원의 중심 $(0, a)$를 지나야 하므로

$a=\frac{5}{4}$

이때, 반지름의 길이 r는 두 점 $(1, 1)$, $\left(0, \frac{5}{4}\right)$ 사이의 거리와 같으므로

$r=\sqrt{(1-0)^2+\left(1-\frac{5}{4}\right)^2}=\frac{\sqrt{17}}{4}$

따라서 $8r=2\sqrt{17}$이고, $8<2\sqrt{17}=\sqrt{68}<9$이므로 정수 부분은 8이다.

답 ②

0390

|전략| $f(-2)=f(-1)$임을 확인한 후 $f'(c)=0$인 c의 값을 구한다.

함수 $f(x)=(x+1)^2(x+2)$는 닫힌구간 $[-2, -1]$에서 연속이고 열린구간 $(-2, -1)$에서 미분가능하며 $f(-2)=f(-1)=0$이다. 따라서 롤의 정리에 의하여 $f'(c)=0$인 c가 열린구간 $(-2, -1)$에 적어도 하나 존재한다. 이때,

$f'(x)=2(x+1)(x+2)+(x+1)^2$
$\quad=(x+1)(3x+5)$

이므로

$f'(c)=(c+1)(3c+5)=0$

$\therefore c=-\frac{5}{3}\ (\because -2<c<-1)$

답 $-\frac{5}{3}$

0391

ㄱ. 함수 $f(x)=x^2-x$는 닫힌구간 $[-1, 2]$에서 연속이고 열린구간 $(-1, 2)$에서 미분가능하며 $f(-1)=f(2)=2$이므로 $f'(c)=0$인 c가 열린구간 $(-1, 2)$에 적어도 하나 존재한다. 즉, 롤의 정리가 성립한다.

ㄴ. 함수 $f(x)=|x|$는 닫힌구간 $[-1, 1]$에서 연속이고 $f(-1)=f(1)=1$이지만 $x=0$에서 미분가능하지 않으므로 롤의 정리가 성립하지 않는다.

ㄷ. 함수 $f(x)$는 닫힌구간 $[-2, 2]$에서 연속이고 열린구간 $(-2, 2)$에서 미분가능하며 $f(-2)=f(2)=3$이므로 $f'(c)=0$인 c가 열린구간 $(-2, 2)$에 적어도 하나 존재한다. 즉, 롤의 정리가 성립한다.

따라서 롤의 정리가 성립하는 것은 ㄱ, ㄷ이다.

답 ⑤

0392

함수 $f(x)=\frac{1}{3}x^3+x^2-3x-1$은 닫힌구간 $[-a, a]$에서 연속이고, 열린구간 $(-a, a)$에서 미분가능하다.

이때, 롤의 정리를 만족시키려면 $f(-a)=f(a)$이어야 하므로

$-\frac{1}{3}a^3+a^2+3a-1=\frac{1}{3}a^3+a^2-3a-1$, $a^3-9a=0$

$a(a+3)(a-3)=0$ $\quad \therefore a=3\ (\because a>0)$

$f'(x)=x^2+2x-3$에서 $f'(c)=0$이므로

$c^2+2c-3=0$, $(c+3)(c-1)=0$

$\therefore c=1\ (\because -3<c<3)$

$\therefore a+c=3+1=4$

답 4

0393

|전략| $g(x)$를 구한 후 $\frac{g(3)-g(0)}{3-0}=g'(c)$를 만족시키는 c의 값을 구한다.

함수 $g(x)=f'(x)=x^2-2x+3$은 닫힌구간 $[0, 3]$에서 연속이고 열린구간 $(0, 3)$에서 미분가능하므로 평균값 정리에 의하여

$\frac{g(3)-g(0)}{3-0}=\frac{6-3}{3}=1=g'(c)$

인 c가 열린구간 $(0, 3)$에 적어도 하나 존재한다.

$g'(x)=2x-2$이므로 $g'(c)=2c-2=1$

$2c=3$ $\quad \therefore c=\frac{3}{2}$

답 $\frac{3}{2}$

0394

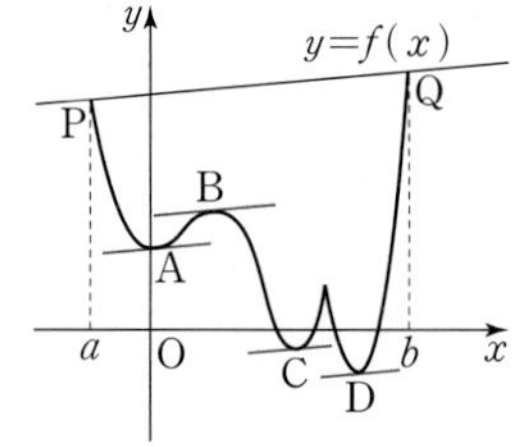

닫힌구간 $[a, b]$에서 평균값 정리를 만족시키는 상수 c는 두 점 P, Q를 잇는 직선의 기울기와 같은 미분계수를 갖는 점의 x좌표이다.

함수 $y=f(x)$의 그래프는 오른쪽 그림과 같으므로 두 점 P, Q를 잇는 직선과 평행한 접선을 네 점 A, B, C, D에서 각각 그을 수 있다.

따라서 상수 c의 개수는 4이다.

답 ⑤

0395

함수 $f(x)=x^2-3x-4$에 대하여 닫힌구간 $[-1, a]$에서 평균값 정리를 만족시키는 상수 c의 값이 $\frac{1}{2}$이므로 $\frac{f(a)-f(-1)}{a-(-1)}=f'\left(\frac{1}{2}\right)$

인 상수 $\frac{1}{2}$이 열린구간 $(-1, a)$에 존재한다. … ❶

$f'(x)=2x-3$이므로 $f'\left(\frac{1}{2}\right)=-2$

따라서 $\frac{a^2-3a-4}{a+1}=-2$이므로 … ❷

$a^2-3a-4=-2a-2$, $a^2-a-2=0$

$(a+1)(a-2)=0$ $\quad \therefore a=2\ (\because a>-1)$ … ❸

답 2

채점 기준	비율
❶ $\frac{f(a)-f(-1)}{a-(-1)}=f'\left(\frac{1}{2}\right)$인 상수 $\frac{1}{2}$이 열린구간 $(-1, a)$에 존재함을 보일 수 있다.	40%
❷ a에 대한 식을 세울 수 있다.	30%
❸ a의 값을 구할 수 있다.	30%

0396

함수 $g(x)=\frac{f(x)}{x+2}$는 닫힌구간 $[-1, 3]$에서 연속이고 열린구간 $(-1, 3)$에서 미분가능하므로 평균값 정리에 의하여

$\frac{g(3)-g(-1)}{3-(-1)}=g'(c)$인 c가 열린구간 $(-1, 3)$에 적어도 하나 존재한다.

이때, $f(-1)=3$, $f(3)=5$이므로

$$\frac{g(3)-g(-1)}{3-(-1)}=\frac{\frac{f(3)}{5}-\frac{f(-1)}{1}}{4}=\frac{\frac{5}{5}-\frac{3}{1}}{4}=-\frac{1}{2}$$

$\therefore g'(c)=-\frac{1}{2}$

답 $-\frac{1}{2}$

0397

함수 $f(x)=\frac{1}{3}x^3-x^2+4$는 실수 전체의 집합에서 연속이고 미분가능하므로 평균값 정리에 의하여 $\frac{f(b)-f(a)}{b-a}=f'(c)$인 c가 열린구간 (a, b)에 적어도 하나 존재한다.

이때, $1\le a<c<b\le 3$이므로 $1<c<3$

$f'(x)=x^2-2x$이므로

$f'(c)=c^2-2c=(c-1)^2-1$

따라서 $y=f'(c)$의 그래프는 오른쪽 그림과 같다.

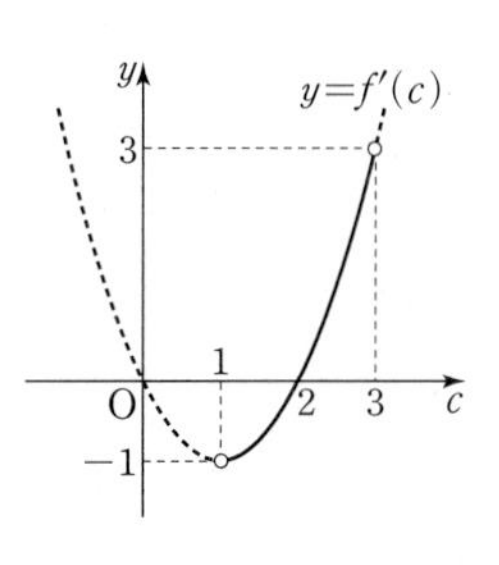

이때, $1<c<3$이므로

$-1<f'(c)<3$

$\therefore\ -1<k<3$

답 $-1<k<3$

0398

|전략| $\lim_{x\to\infty}\{f(x+1)-f(x)\}=\lim_{x\to\infty}\frac{f(x+1)-f(x)}{(x+1)-x}$임을 이용한다.

함수 $f(x)$가 모든 실수 x에 대하여 미분가능하므로 $f(x)$는 닫힌구간 $[x, x+1]$에서 연속이고 열린구간 $(x, x+1)$에서 미분가능하다.

따라서 평균값 정리에 의하여

$\frac{f(x+1)-f(x)}{(x+1)-x}=f'(c)$

인 c가 열린구간 $(x, x+1)$에 적어도 하나 존재한다.

이때, $x\longrightarrow\infty$이면 $c\longrightarrow\infty$이므로

$$\lim_{x\to\infty}\{f(x+1)-f(x)\}=\lim_{x\to\infty}\frac{f(x+1)-f(x)}{(x+1)-x}=\lim_{c\to\infty}f'(c)=2$$

답 2

0399

함수 $f(x)$가 모든 실수 x에 대하여 미분가능하므로 $f(x)$는 닫힌구간 $[x-1, x+1]$에서 연속이고 열린구간 $(x-1, x+1)$에서 미분가능하다.

따라서 평균값 정리에 의하여

$\frac{f(x+1)-f(x-1)}{(x+1)-(x-1)}=f'(c)$

인 c가 열린구간 $(x-1, x+1)$에 적어도 하나 존재한다.

이때, $x\longrightarrow\infty$이면 $c\longrightarrow\infty$이므로

$$\lim_{x\to\infty}\{f(x+1)-f(x-1)\}=\lim_{x\to\infty}\frac{f(x+1)-f(x-1)}{(x+1)-(x-1)}\times 2=2\lim_{c\to\infty}f'(c)=2\times 4=8$$

답 8

0400

$f(x)=x^2$에서 $f'(x)=2x$

$\frac{f(a+h)-f(a)}{h}=f'(a+\theta h)$에서

$\frac{(a+h)^2-a^2}{h}=2(a+\theta h)$

$\frac{2ah+h^2}{h}=2a+2\theta h$

$2a+h=2a+2\theta h$

$\therefore \theta=\frac{1}{2}\ (\because h>0)$

답 $\frac{1}{2}$

0401

$f(x)=x^3+1$에서 $f'(x)=3x^2$

$f(x+h)-f(x)=hf'(x+\theta h)$에서

$(x+h)^3+1-(x^3+1)=3h(x+\theta h)^2$

$3hx^2+3h^2x+h^3=3h(x+\theta h)^2$

$x^2+hx+\frac{h^2}{3}=(x+\theta h)^2$

$\therefore \theta=\frac{1}{h}\left(\sqrt{x^2+hx+\frac{h^2}{3}}-x\right)\ (\because \theta>0)$

$$\therefore \lim_{h\to 0}\theta=\lim_{h\to 0}\frac{1}{h}\left(\sqrt{x^2+xh+\frac{h^2}{3}}-x\right)=\lim_{h\to 0}\frac{xh+\frac{h^2}{3}}{h\left(\sqrt{x^2+xh+\frac{h^2}{3}}+x\right)}=\lim_{h\to 0}\frac{x+\frac{h}{3}}{\sqrt{x^2+xh+\frac{h^2}{3}}+x}=\frac{x}{x+x}=\frac{1}{2}$$

답 ④

STEP 3 내신 마스터

0402

유형 02 접점의 좌표가 주어진 접선의 방정식

|전략| 곡선 $y=f(x)$ 위의 점 $(1, 2)$에서의 접선의 기울기는 $f'(1)$임을 이용한다.

$f(x)=x^3+2x^2-1$로 놓으면 $f'(x)=3x^2+4x$

$\therefore f'(1)=7$

따라서 곡선 $y=f(x)$ 위의 점 $(1, 2)$에서의 접선의 기울기는 7이므로 접선의 방정식은

$y-2=7(x-1)$ $\therefore y=7x-5$

이 접선이 점 $(-1, a)$를 지나므로

$a=-7-5=-12$ 답 ①

0403

유형 04 곡선과 접선의 교점

|전략| 곡선 $y=f(x)$와 그 접선 $y=g(x)$가 만나는 점의 x좌표는 방정식 $f(x)=g(x)$의 실근과 같다.

함수 $f(x)=ax^3+bx$의 그래프 위의 점 P에서의 접선의 방정식을 $y=mx+n$ (m, n은 상수)이라 하면 두 점 P, Q의 x좌표는 방정식 $ax^3+bx=mx+n$의 실근이다.

즉, $ax^3+(b-m)x-n=0$의 세 실근은 α, α, β이다.

따라서 삼차방정식의 근과 계수의 관계에 의하여

$\alpha+\alpha+\beta=0$, $\beta=-2\alpha$

$\therefore \left|\frac{\beta}{\alpha}\right|=\left|\frac{-2\alpha}{\alpha}\right|=2$ 답 ③

0404

유형 06 기울기가 주어진 접선의 방정식

|전략| 곡선 $y=f(x)$ 위의 $x=t$인 점에서의 기울기는 $f'(t)$이다.

$f(x)=x^3-3x^2-2$로 놓으면 $f'(x)=3x^2-6x$

접점의 좌표를 $(t, f(t))$라 하면 $x=t$에서의 접선에 수직인 직선의 기울기가 $\frac{1}{3}$이므로 접선의 기울기는 -3이다.

즉, $3t^2-6t=-3$이므로 $3t^2-6t+3=0$

$3(t-1)^2=0$ $\therefore t=1$

$t=1$일 때 $f(1)=-4$이므로 접선의 방정식은

$y-(-4)=-3(x-1)$ $\therefore y=-3x-1$

따라서 $m=-3$, $n=-1$이므로 $mn=3$ 답 ⑤

0405

유형 06 기울기가 주어진 접선의 방정식

|전략| 곡선 $y=f(x)$의 접선의 기울기 $f'(x)$의 최댓값과 그때의 x의 값을 구한다.

$f(x)=-x^3+6x^2+4x-1$로 놓으면

$f'(x)=-3x^2+12x+4=-3(x-2)^2+16$

이때, $f'(x)$는 $x=2$일 때 최대이고, 최댓값은 16이다.

한편, 기울기가 최대일 때의 접점의 좌표는 $(2, 23)$이므로 접선의 방정식은

$y-23=16(x-2)$, 즉 $y=16x-9$

이 접선이 점 $(1, a)$를 지나므로 $a=16-9=7$ 답 ③

0406

유형 08 접선을 이용한 미정계수의 결정

|전략| 곡선 $y=f(x)$ 위의 점 $(1, f(1))$에서의 접선의 방정식이 $y=-2x+b$이므로 $f'(1)=-2$임을 이용한다.

점 $(1, f(1))$이 $f(x)=x^3+ax+6$의 그래프 위의 점이므로

$f(1)=1+a+6$ $\therefore f(1)=a+7$ …… ㉠

또, 점 $(1, f(1))$이 직선 $y=-2x+b$ 위의 점이므로

$f(1)=-2+b$ …… ㉡

$f'(x)=3x^2+a$이고 점 $(1, f(1))$에서의 접선의 기울기가 -2이므로

$f'(1)=3+a=-2$ $\therefore a=-5$

$a=-5$를 ㉠에 대입하면 $f(1)=2$

$f(1)=2$를 ㉡에 대입하면 $b=4$

$\therefore ab=(-5)\times4=-20$ 답 ⑤

0407

유형 09 곡선 밖의 한 점에서 그은 접선의 방정식

|전략| 점 $(2, -12)$는 곡선 위의 점이 아니므로 접점의 좌표를 $(t, 2t^2-t)$로 놓고 접선의 방정식을 구한다.

$f(x)=2x^2-x$로 놓으면 $f'(x)=4x-1$

접점의 좌표를 $(t, 2t^2-t)$라 하면 접선의 기울기는 $f'(t)=4t-1$이므로 접선의 방정식은

$y-(2t^2-t)=(4t-1)(x-t)$

$\therefore y=(4t-1)x-2t^2$

이 접선이 점 $(2, -12)$를 지나므로

$-12=2(4t-1)-2t^2$, $t^2-4t-5=0$

$(t+1)(t-5)=0$ $\therefore t=-1$ 또는 $t=5$

따라서 접선의 기울기는 $4\times(-1)-1=-5$, $4\times5-1=19$이므로 그 합은 $-5+19=14$ 답 ②

0408

유형 09 곡선 밖의 한 점에서 그은 접선의 방정식

|전략| 점 $(0, 1)$은 곡선 위의 점이 아니므로 접점의 좌표를 (t, t^3+3)으로 놓고 접선의 방정식을 구한다.

$f(x)=x^3+3$으로 놓으면 $f'(x)=3x^2$

접점의 좌표를 (t, t^3+3)이라 하면 접선의 기울기는 $f'(t)=3t^2$이므로 접선의 방정식은

$y-(t^3+3)=3t^2(x-t)$

$\therefore y=3t^2x-2t^3+3$ …… ㉠

이 접선이 점 $(0, 1)$을 지나므로

$1=-2t^3+3$, $t^3=1$ $\therefore t=1$

$t=1$을 ㉠에 대입하면 접선의 방정식은 $y=3x+1$

이 접선의 방정식이 $y=ax+b$이므로

$a=3$, $b=1$

$\therefore a+b=4$ 답 ④

0409

유형 09 곡선 밖의 한 점에서 그은 접선의 방정식

|전략| 점 $(0, -1)$이 곡선 위의 점이 아니므로 접점의 좌표를 (t, t^3-2t+1)로 놓고 접선의 방정식을 구한다.

$f(x)=x^3-2x+1$로 놓으면 $f'(x)=3x^2-2$

접점의 좌표를 (t, t^3-2t+1)이라 하면 이 점에서의 접선의 기울기는 $f'(t)=3t^2-2$이므로 접선의 방정식은

$y-(t^3-2t+1)=(3t^2-2)(x-t)$

이 접선이 점 $(0, -1)$을 지나므로

$-1-(t^3-2t+1)=(3t^2-2)(-t)$

$t^3=1 \quad \therefore t=1$

$t=1$일 때 접점의 좌표는 $(1, 0)$, 접선의 기울기는 $f'(1)=1$이므로 접선에 수직인 직선의 기울기는 -1이다.

따라서 기울기가 -1이고 점 $(1, 0)$을 지나는 직선의 방정식은

$y-0=-(x-1) \quad \therefore y=-x+1$

답 ⑤

0410

유형 11 두 곡선의 공통인 접선

|전략| 두 곡선 $y=f(x)$, $y=g(x)$가 $x=a$에서 서로 접하면 $f(a)=g(a)$, $f'(a)=g'(a)$임을 이용한다.

$f(x)=x^3+ax+b$, $g(x)=-x^2+bx$로 놓으면

$f'(x)=3x^2+a$, $g'(x)=-2x+b$

$x=1$에서 두 곡선이 만나므로

$f(1)=g(1)$에서 $1+a+b=-1+b$

$\therefore a=-2$

$x=1$에서의 두 곡선의 접선의 기울기가 같으므로

$f'(1)=g'(1)$에서 $3+a=-2+b$

$\therefore b=3$

$\therefore a+b=-2+3=1$

답 ④

0411

유형 14 평균값 정리

|전략| 두 점 $(a, f(a))$, $(b, f(b))$를 이은 직선과 기울기가 같은 직선을 찾는다.

사차함수 $y=f(x)$는 닫힌구간 $[a, b]$에서 연속이고 열린구간 (a, b)에서 미분가능하므로 평균값 정리에 의하여

$$\frac{f(b)-f(a)}{b-a}=f'(c)$$

인 c가 열린구간 (a, b)에 적어도 하나 존재한다.

이때, 구하는 상수 c의 개수는 두 점 $(a, f(a))$, $(b, f(b))$를 지나는 직선과 기울기가 같은 접선이 열린구간 (a, b)에서 곡선 $y=f(x)$와 접하는 접점의 개수와 같다.

따라서 오른쪽 그림에서 구하는 상수 c의 개수는 3이다.

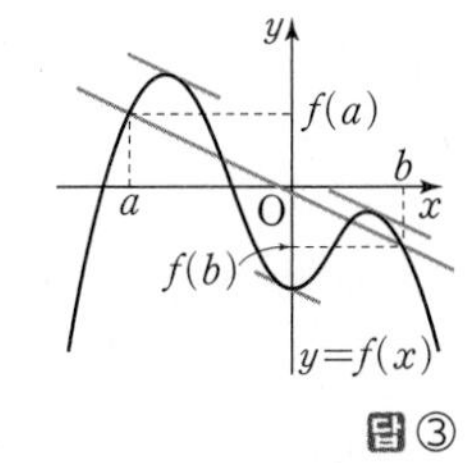

답 ③

Lecture

롤의 정리는 곡선 $y=f(x)$에서 $f(a)=f(b)$이면 열린구간 (a, b)에 x축과 평행한 접선이 적어도 하나 존재함을 의미하고, 평균값 정리는 곡선 $y=f(x)$ 위의 두 점 $(a, f(a))$, $(b, f(b))$를 잇는 직선과 평행한 접선이 열린구간 (a, b)에 적어도 하나 존재함을 의미한다.

0412

유형 15 평균값 정리의 활용

|전략| 함수 $f(x)$에 대하여 닫힌구간 $[x-1, x+2]$에서 평균값 정리를 이용한다.

임의의 실수 x에 대하여 함수 $f(x)$는 닫힌구간 $[x-1, x+2]$에서 연속이고 열린구간 $(x-1, x+2)$에서 미분가능하므로 평균값 정리에 의하여

$$\frac{f(x+2)-f(x-1)}{(x+2)-(x-1)}=f'(c)$$

인 c가 열린구간 $(x-1, x+2)$에 적어도 하나 존재한다. 즉,

$f(x+2)-f(x-1)=3f'(c)$

이때, $x \longrightarrow \infty$이면 $c \longrightarrow \infty$이므로

$$\lim_{x\to\infty}\{f(x+2)-f(x-1)\}=\lim_{c\to\infty}3f'(c)$$
$$=3\times6=18$$

답 ①

0413

유형 15 평균값 정리의 활용

|전략| $\theta(0<\theta<1)$가 $f(a+h)-f(a)=hf'(a+\theta h)$를 만족시킨다고 하면 평균값 정리를 의미한다.

$f(x)=x^3$에서 $f'(x)=3x^2$

$f(a+h)-f(a)=hf'(a+\theta h)$이므로

$(a+h)^3-a^3=3h(a+\theta h)^2$

$3a^2h+3ah^2+h^3=3h(a+\theta h)^2$

양변을 $3h$로 나누면 $a^2+ah+\frac{h^2}{3}=(a+\theta h)^2$

$$\therefore \theta=\frac{1}{h}\left(\sqrt{a^2+ah+\frac{h^2}{3}}-a\right) \ (\because \theta>0)$$

$$\therefore \lim_{h\to0}\theta=\lim_{h\to0}\frac{1}{h}\left(\sqrt{a^2+ah+\frac{h^2}{3}}-a\right)$$

$$=\lim_{h\to0}\frac{ah+\frac{h^2}{3}}{h\left(\sqrt{a^2+ah+\frac{h^2}{3}}+a\right)}$$

$$=\lim_{h\to0}\frac{a+\frac{h}{3}}{\sqrt{a^2+ah+\frac{h^2}{3}}+a}$$

$$=\frac{a}{a+a}=\frac{1}{2}$$

답 ②

0414

유형 01 접선의 기울기

|전략| 두 접점의 좌표를 $(\alpha, f(\alpha))$, $(\beta, f(\beta))$로 놓고 근과 계수의 관계를 이용한다.

$f(x)=\frac{1}{3}x^3-ax^2$으로 놓으면 $f'(x)=x^2-2ax$

접선의 기울기가 2이므로 $x^2-2ax=2$

이때, 두 접선의 접점의 x좌표가 각각 α, β이므로 α, β는 방정식 $x^2-2ax-2=0$의 두 근이다.

따라서 근과 계수의 관계에 의하여

$\alpha+\beta=2a$, $\alpha\beta=-2$ ··· ❶

이때, $\alpha^2+\beta^2=40$이므로 $\alpha^2+\beta^2=(\alpha+\beta)^2-2\alpha\beta$에서

$40=4a^2+4,\ a^2=9 \qquad \therefore a=-3$ 또는 $a=3$

그런데 $a>0$이므로 $a=3$ … ❷

답 3

채점 기준	배점
❶ $\alpha+\beta,\ \alpha\beta$의 값을 구할 수 있다.	3점
❷ a의 값을 구할 수 있다.	3점

0415

유형 02 접점의 좌표가 주어진 접선의 방정식

| 전략 | 곡선 위의 점에서의 접선의 방정식을 구한 후 접선의 x절편을 구한다.

$f(x)=\frac{1}{3}x^3$으로 놓으면 $f'(x)=x^2$이므로 점 $\left(1,\ \frac{1}{3}\right)$에서의 접선의 방정식은

$y-\frac{1}{3}=1\times(x-1),\ y=x-\frac{2}{3}$

$\therefore a_1=\frac{2}{3}$ … ❶

점 $\left(a_1,\ \frac{1}{3}{a_1}^3\right)$에서의 접선의 방정식은

$y-\frac{1}{3}{a_1}^3={a_1}^2(x-a_1),\ y={a_1}^2x-\frac{2}{3}{a_1}^3$

$y=0$일 때, $x=\frac{2}{3}a_1$이므로

$a_2=\frac{2}{3}a_1=\frac{2}{3}\times\frac{2}{3}=\frac{4}{9}$ … ❷

$\therefore\ a_1a_2=\frac{2}{3}\times\frac{4}{9}=\frac{8}{27}$ … ❸

답 $\frac{8}{27}$

채점 기준	배점
❶ a_1의 값을 구할 수 있다.	3점
❷ a_2의 값을 구할 수 있다.	3점
❸ a_1a_2의 값을 구할 수 있다.	1점

0416

유형 14 평균값 정리

| 전략 | 함수 $f(x)$가 평균값 정리를 만족시킴을 확인한 후, $-2<c<1$에서 $f'(c)$의 값의 범위를 구한다.

함수 $f(x)=\frac{1}{3}x^3+2x^2+5$는 닫힌구간 $[-2,\ 1]$에서 연속이고 열린구간 $(-2,\ 1)$에서 미분가능하므로 평균값 정리에 의하여

$\frac{f(b)-f(a)}{b-a}=f'(c)$인 c가 열린구간 $(a,\ b)$에 적어도 하나 존재한다. $f(x)=\frac{1}{3}x^3+2x^2+5$에서

$f'(x)=x^2+4x$

$\therefore\ f'(c)=c^2+4c=(c+2)^2-4$ … ❶

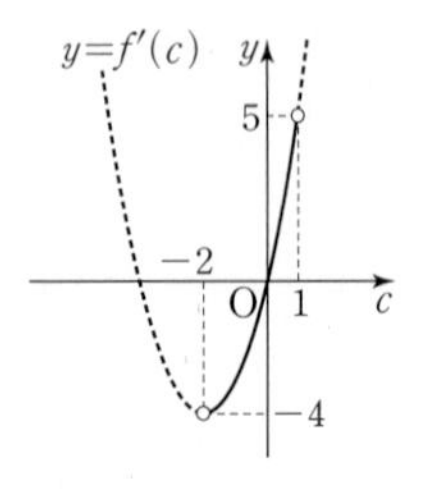

이때, $-2<c<1$이므로

$-4<f'(c)<5$

따라서 실수 k의 값의 범위는

$-4<k<5$ … ❷

이므로 $\alpha=-4,\ \beta=5$

$\therefore\ \alpha+2\beta=-4+10=6$ … ❸

답 6

채점 기준	배점
❶ 열린구간 $(a,\ b)$에 속하는 c에 대하여 $f'(c)$를 구할 수 있다.	3점
❷ k의 값의 범위를 구할 수 있다.	2점
❸ $\alpha+2\beta$의 값을 구할 수 있다.	2점

0417

유형 03 접선과 수직인 직선의 방정식

| 전략 | 직선과 y축의 교점의 y좌표는 $x=0$을 대입하여 구한다.

(1) $f(x)=x^2-1$로 놓으면 $f'(x)=2x$

점 $\mathrm{P}(t,\ t^2-1)$에서의 접선의 기울기가 $2t$이므로 접선의 방정식은 $y-(t^2-1)=2t(x-t)$

$\therefore\ y=2tx-t^2-1$ …… ㉠

이때, 점 Q의 y좌표는 직선 ㉠의 y절편이므로 점 Q의 좌표는 $(0,\ -t^2-1)$

(2) 점 P를 지나고 점 P에서의 접선에 수직인 직선의 방정식은

$y-(t^2-1)=-\frac{1}{2t}(x-t)$

$\therefore\ y=-\frac{1}{2t}x+t^2-\frac{1}{2}$ …… ㉡

이때, 점 R의 y좌표는 직선 ㉡의 y절편이므로 점 R의 좌표는 $\left(0,\ t^2-\frac{1}{2}\right)$

(3) $\overline{\mathrm{QR}}=\left|\left(t^2-\frac{1}{2}\right)-(-t^2-1)\right|=2t^2+\frac{1}{2}$

$\therefore\ \lim_{t\to1}\overline{\mathrm{QR}}=\lim_{t\to1}\left(2t^2+\frac{1}{2}\right)=2+\frac{1}{2}=\frac{5}{2}$

답 (1) $(0,\ -t^2-1)$ (2) $\left(0,\ t^2-\frac{1}{2}\right)$ (3) $\frac{5}{2}$

채점 기준	배점
(1) 점 Q의 좌표를 구할 수 있다.	4점
(2) 점 R의 좌표를 구할 수 있다.	4점
(3) $\lim_{t\to1}\overline{\mathrm{QR}}$의 값을 구할 수 있다.	4점

0418

유형 05 곡선 위의 점에서의 접선과 좌표축으로 둘러싸인 도형의 넓이

| 전략 | 곡선 $f(x)=x^3-2x$ 위의 점 $\mathrm{P}(1,\ -1)$에서의 접선의 기울기는 $f'(1)$이고, 이 점에서의 접선에 수직인 직선의 기울기는 $-\frac{1}{f'(1)}$이다.

(1) $f(x)=x^3-2x$로 놓으면 $f'(x)=3x^2-2$

이때, 점 $\mathrm{P}(1,\ -1)$에서의 접선의 기울기는 $f'(1)=1$이므로 접선 l의 방정식은

$y-(-1)=x-1 \qquad \therefore y=x-2$

(2) 직선 m은 기울기가 -1이고, 점 $\mathrm{P}(1,\ -1)$을 지나므로 직선 m의 방정식은

$y-(-1)=-(x-1) \qquad \therefore y=-x$

(3) 오른쪽 그림에서 두 직선 l, m과 y축으로 둘러싸인 도형의 넓이는

$\frac{1}{2}\times2\times1=1$

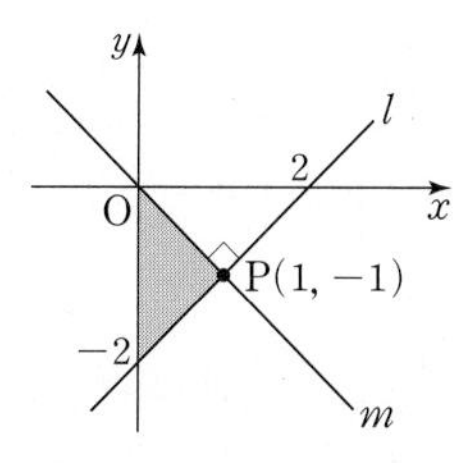

답 (1) $y=x-2$ (2) $y=-x$ (3) 1

채점 기준	배점
(1) 접선 l의 방정식을 구할 수 있다.	3점
(2) 직선 m의 방정식을 구할 수 있다.	3점
(3) 도형의 넓이를 구할 수 있다.	4점

창의·융합 교과서 속 심화문제

0419

|전략| 곡선 $y=(x-a)(x-b)(x-c)$가 점 $(1, 2)$를 지나는 것과 주어진 식을 이용하여 점 $(1, 2)$에서의 접선의 기울기를 구한다.

곡선 $y=(x-a)(x-b)(x-c)$가 점 $(1, 2)$를 지나므로

$2=(1-a)(1-b)(1-c)$

이때, $\frac{1}{a-1}+\frac{1}{b-1}+\frac{1}{c-1}=\frac{1}{2}$이므로

$\frac{(b-1)(c-1)+(c-1)(a-1)+(a-1)(b-1)}{(a-1)(b-1)(c-1)}=\frac{1}{2}$

$\therefore (b-1)(c-1)+(c-1)(a-1)+(a-1)(b-1)=-1$

또, $y'=(x-b)(x-c)+(x-a)(x-c)+(x-a)(x-b)$이므로

점 $(1, 2)$에서의 기울기는

$(1-b)(1-c)+(1-a)(1-c)+(1-a)(1-b)=-1$

따라서 곡선 위의 점 $(1, 2)$에서의 접선의 방정식은

$y=-(x-1)+2 \qquad \therefore y=-x+3$

그러므로 이 직선과 x축 및 y축으로 둘러싸인 도형의 넓이는

$\frac{1}{2}\times3\times3=\frac{9}{2}$

답 $\frac{9}{2}$

0420

|전략| 곡선 위의 점 P에서의 접선의 방정식을 구하고, 두 직선이 수직이면 두 직선의 기울기의 곱이 -1임을 이용하여 직선 PQ의 기울기를 구한다.

$f(x)=x^3-\sqrt{2}x$로 놓으면 $f'(x)=3x^2-\sqrt{2}$

곡선 $y=f(x)$ 위의 점 P의 좌표를 $(t, t^3-\sqrt{2}t)$라 하면

점 $\mathrm{P}(t, t^3-\sqrt{2}t)$에서의 접선 l의 방정식은

$y-(t^3-\sqrt{2}t)=(3t^2-\sqrt{2})(x-t)$

곡선 $y=f(x)$와 접선 l의 교점의 x좌표는

$x^3-\sqrt{2}x=(3t^2-\sqrt{2})(x-t)+(t^3-\sqrt{2}t)$에서

$x^3-3t^2x+2t^3=0$, $(x-t)^2(x+2t)=0$

$\therefore x=t$ 또는 $x=-2t$

따라서 점 Q의 좌표는 $(-2t, -8t^3+2\sqrt{2}t)$이다.

점 $\mathrm{Q}(-2t, -8t^3+2\sqrt{2}t)$에서의 접선의 기울기는

$f'(-2t)=12t^2-\sqrt{2}$이므로

$(3t^2-\sqrt{2})(12t^2-\sqrt{2})=-1$

$36t^4-15\sqrt{2}t^2+3=0$, $12t^4-5\sqrt{2}t^2+1=0$

$(2\sqrt{2}t^2-1)(3\sqrt{2}t^2-1)=0$

$\therefore t^2=\frac{\sqrt{2}}{4}$ 또는 $t^2=\frac{\sqrt{2}}{6}$

이때, 직선 PQ의 기울기는 $f'(t)=3t^2-\sqrt{2}$이므로

$t^2=\frac{\sqrt{2}}{4}$일 때 $-\frac{\sqrt{2}}{4}$, $t^2=\frac{\sqrt{2}}{6}$일 때 $-\frac{\sqrt{2}}{2}$이다.

따라서 직선 PQ의 기울기의 최댓값은 $-\frac{\sqrt{2}}{4}$이다.

답 $-\frac{\sqrt{2}}{4}$

0421

|전략| 곡선 $y=x^2$ 위의 점 (t, t^2)에서의 접선이 점 $\mathrm{A}(a, -2)$를 지남을 이용하여 t에 대한 이차방정식을 세우고, 근과 계수의 관계를 이용하여 두 점 사이의 거리를 구한다.

점 A의 좌표를 $(a, -2)$라 하자. (단, $a>0$)

$y=x^2$에서 $y'=2x$

접점의 좌표를 (t, t^2)이라 하면 이 점에서의 접선의 기울기는 $2t$이므로 접선의 방정식은

$y=2t(x-t)+t^2$

이 직선이 점 $\mathrm{A}(a, -2)$를 지나므로

$-2=2t(a-t)+t^2$

$t^2-2at-2=0$

$\mathrm{B}(t_1, t_1^2)$, $\mathrm{C}(t_2, t_2^2)$이라 하면 위의 방정식의 두 실근은 t_1, t_2이므로 근과 계수의 관계에 의하여

$t_1+t_2=2a$, $t_1t_2=-2$

$(t_1-t_2)^2=(t_1+t_2)^2-4t_1t_2=4a^2+8$

$\therefore \overline{\mathrm{BC}}=\sqrt{(t_1-t_2)^2+(t_1^2-t_2^2)^2}$

$=\sqrt{(t_1-t_2)^2\{1+(t_1+t_2)^2\}}$

$=\sqrt{(4a^2+8)(4a^2+1)}$

$p=4a^2$이라 하면

$\overline{\mathrm{BC}}^2=(p+8)(p+1)=p^2+9p+8=60$

$p^2+9p-52=0$, $(p+13)(p-4)=0$

$\therefore p=4$ ($\because 4a^2=p>0$)

따라서 $4a^2=4$이므로 $a=1$ ($\because a>0$)

답 ②

0422

|전략| 함수 $f(x)$가 모든 실수에서 미분가능하므로 $\frac{f(b)-f(a)}{b-a}=f'(c)$ $(a<c<b)$인 실수 c가 존재함을 이용한다.

$f(1)=k$라 하면 평균값 정리에 의하여

$\frac{f(1)-f(-1)}{1-(-1)}=\frac{k-3}{2}=f'(c)$인 c가 열린구간 $(-1, 1)$에 적어도 하나 존재한다.

이때, 함수 $y=|f'(x)|$의 최댓값은 a이고 $k\le 11$이므로

$f'(c)=\frac{k-3}{2}\le 4$

$\therefore a=4$

또, 함수 $y=|f'(x)|$의 최댓값은 4이므로 $-4\le f'(x)\le 4$이다.

따라서 $-1<c<1$인 실수 c에 대하여 $f'(c)=\frac{k-3}{2}\ge -4$

즉, $k\ge -5$이므로 $b=-5$

$\therefore a+b=4+(-5)=-1$ 답 ③

0423

|전략| ㄷ. $g(x)=(f\circ f)(x)$는 직선 $y=x$와 $y=f(x)$의 그래프의 교점을 이용하여 평균값 정리를 적용한다.

ㄱ. 함수 $y=f(x)$는 닫힌구간 $[0, 1]$에서 연속이고 열린구간 $(0, 1)$에서 미분가능하므로 평균값 정리에 의하여

$\frac{f(1)-f(0)}{1-0}=f'(c)$

인 c가 열린구간 $(0, 1)$에 적어도 하나 존재한다.

이때, $\frac{f(1)-f(0)}{1-0}=1-\frac{1}{5}=\frac{4}{5}$이므로 $f'(x)=\frac{4}{5}$인 x가 열린구간 $(0, 1)$에 적어도 하나 존재한다. (참)

ㄴ. $y=f(x)$의 그래프에서 기울기가 1인 접선을 생각하면 $f'(b)=1$

따라서 열린구간 $(b, 1)$에서 접선의 기울기 $f'(x)$에 대하여 $f'(x)>1$이다. (거짓)

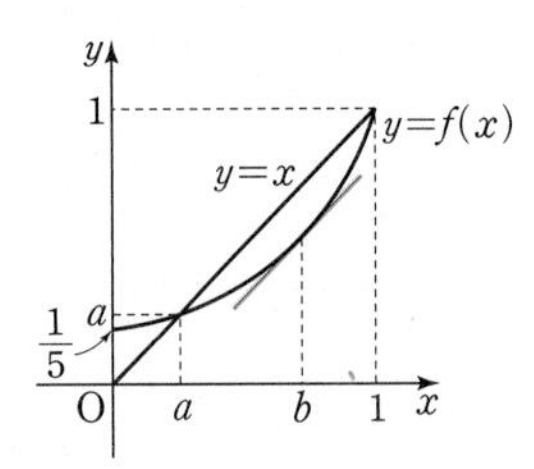

ㄷ. 다항함수 $f(x)$가 닫힌구간 $[a, 1]$에서 연속이고 열린구간 $(a, 1)$에서 미분가능하므로 $g(x)=(f\circ f)(x)$도 닫힌구간 $[a, 1]$에서 연속이고 열린구간 $(a, 1)$에서 미분가능하다.

이때,

$g(a)=(f\circ f)(a)=f(a)=a$, $g(1)=(f\circ f)(1)=f(1)=1$

이므로 평균값 정리에 의하여

$\frac{g(1)-g(a)}{1-a}=1=g'(k)$

인 k가 열린구간 $(a, 1)$에 적어도 하나 존재한다. (참)

따라서 옳은 것은 ㄱ, ㄷ이다. 답 ③

본책 76~93쪽

5 | 도함수의 활용 (2)

STEP 1 개념 마스터

0424 답 (가) < (나) 증가

0425

$x_1<x_2$인 임의의 두 양수 x_1, x_2에 대하여

$f(x_1)-f(x_2)=x_1^2-x_2^2=(x_1+x_2)(x_1-x_2)<0$

$\therefore f(x_1)<f(x_2)$

따라서 함수 $f(x)$는 열린구간 $(0, \infty)$에서 증가한다. 답 증가

0426

$x_1<x_2$인 임의의 두 음수 x_1, x_2에 대하여

$f(x_1)-f(x_2)=x_1^2-x_2^2=(x_1+x_2)(x_1-x_2)>0$

$\therefore f(x_1)>f(x_2)$

따라서 함수 $f(x)$는 열린구간 $(-\infty, 0)$에서 감소한다. 답 감소

0427

$x_1<x_2$인 임의의 두 실수 x_1, x_2에 대하여

$f(x_1)-f(x_2)=-x_1^3-(-x_2^3)=-(x_1^3-x_2^3)$

$=-(x_1-x_2)(x_1^2+x_1x_2+x_2^2)>0$

$\therefore f(x_1)>f(x_2)$ ($x_1^2+x_1x_2+x_2^2=\left(x_1+\frac{x_2}{2}\right)^2+\frac{3}{4}x_2^2>0$)

따라서 함수 $f(x)$는 열린구간 $(-\infty, \infty)$에서 감소한다. 답 감소

0428

$f(x)=x^2+2x$에서

$f'(x)=2x+2=2(x+1)$

$f'(x)=0$에서 $x=-1$

따라서 함수 $f(x)$는 반닫힌 구간 $[-1, \infty)$에서 증가하고, 반닫힌 구간 $(-\infty, -1]$에서 감소한다.

x	$\cdots$	-1	$\cdots$
$f'(x)$	$-$	0	$+$
$f(x)$	↘		↗

답 반닫힌 구간 $[-1, \infty)$에서 증가, 반닫힌 구간 $(-\infty, -1]$에서 감소

0429

$f(x)=-x^2+4x+3$에서

$f'(x)=-2x+4=-2(x-2)$

$f'(x)=0$에서 $x=2$

따라서 함수 $f(x)$는 반닫힌 구간 $(-\infty, 2]$에서 증가하고, 반닫힌 구간 $[2, \infty)$에서 감소한다.

x	$\cdots$	2	$\cdots$
$f'(x)$	$+$	0	$-$
$f(x)$	↗		↘

답 반닫힌 구간 $(-\infty, 2]$에서 증가, 반닫힌 구간 $[2, \infty)$에서 감소

0430

$f(x)=x^3-12x$에서

$f'(x)=3x^2-12=3(x+2)(x-2)$

$f'(x)=0$에서 $x=-2$ 또는 $x=2$

x	$\cdots$	-2	$\cdots$	2	$\cdots$
$f'(x)$	$+$	0	$-$	0	$+$
$f(x)$	↗		↘		↗

따라서 함수 $f(x)$는 반닫힌 구간 $(-\infty, -2]$, $[2, \infty)$에서 증가하고, 닫힌구간 $[-2, 2]$에서 감소한다.

답 반닫힌 구간 $(-\infty, -2]$, $[2, \infty)$에서 증가, 닫힌구간 $[-2, 2]$에서 감소

0431

$f(x)=-2x^3+3x^2+12x+1$에서

$f'(x)=-6x^2+6x+12=-6(x+1)(x-2)$

$f'(x)=0$에서 $x=-1$ 또는 $x=2$

x	$\cdots$	-1	$\cdots$	2	$\cdots$
$f'(x)$	$-$	0	$+$	0	$-$
$f(x)$	↘		↗		↘

따라서 함수 $f(x)$는 닫힌구간 $[-1, 2]$에서 증가하고, 반닫힌 구간 $(-\infty, -1]$, $[2, \infty)$에서 감소한다.

답 닫힌구간 $[-1, 2]$에서 증가, 반닫힌 구간 $(-\infty, -1]$, $[2, \infty)$에서 감소

0432

$f(x)=x^4-2x^2+1$에서

$f'(x)=4x^3-4x=4x(x+1)(x-1)$

$f'(x)=0$에서 $x=-1$ 또는 $x=0$ 또는 $x=1$

x	$\cdots$	-1	$\cdots$	0	$\cdots$	1	$\cdots$
$f'(x)$	$-$	0	$+$	0	$-$	0	$+$
$f(x)$	↘		↗		↘		↗

따라서 함수 $f(x)$는 닫힌구간 $[-1, 0]$, 반닫힌 구간 $[1, \infty)$에서 증가하고, 반닫힌 구간 $(-\infty, -1]$, 닫힌구간 $[0, 1]$에서 감소한다.

답 닫힌구간 $[-1, 0]$, 반닫힌 구간 $[1, \infty)$에서 증가, 반닫힌 구간 $(-\infty, -1]$, 닫힌구간 $[0, 1]$에서 감소

0433

$f(x)=x^3+6x^2+12x+9$에서

$f'(x)=3x^2+12x+12=3(x+2)^2$

$f'(x)=0$에서 $x=-2$

따라서 함수 $f(x)$는 열린구간 $(-\infty, \infty)$에서 증가한다.

x	$\cdots$	-2	$\cdots$
$f'(x)$	$+$	0	$+$
$f(x)$	↗		↗

답 열린구간 $(-\infty, \infty)$에서 증가

0434

$f(x)=3x^4-4x^3+5$에서

$f'(x)=12x^3-12x^2=12x^2(x-1)$

$f'(x)=0$에서 $x=0$ 또는 $x=1$

x	$\cdots$	0	$\cdots$	1	$\cdots$
$f'(x)$	$-$	0	$-$	0	$+$
$f(x)$	↘		↘		↗

따라서 함수 $f(x)$는 반닫힌 구간 $[1, \infty)$에서 증가하고, 반닫힌 구간 $(-\infty, 1]$에서 감소한다.

답 반닫힌 구간 $[1, \infty)$에서 증가, 반닫힌 구간 $(-\infty, 1]$에서 감소

0435

함수 $f(x)$는 $x=-1$의 좌우에서 증가하다가 감소하므로 $f(x)$는 $x=-1$에서 극대이며 극댓값은

$f(-1)=-1+3+1=3$

또, $x=1$의 좌우에서 감소하다가 증가하므로 $f(x)$는 $x=1$에서 극소이며 극솟값은

$f(1)=1-3+1=-1$

답 극댓값: 3, 극솟값: -1

0436

(1) 함수 $f(x)$는 $x=b$, $x=d$, $x=f$의 좌우에서 증가하다가 감소하므로 $f(x)$는 $x=b$, $x=d$, $x=f$에서 극대이다.
따라서 함수 $f(x)$가 극댓값을 갖는 점의 x좌표는 b, d, f이다.

(2) 함수 $f(x)$는 $x=c$, $x=e$, $x=g$의 좌우에서 감소하다가 증가하므로 $f(x)$는 $x=c$, $x=e$, $x=g$에서 극소이다.
따라서 함수 $f(x)$가 극솟값을 갖는 점의 x좌표는 c, e, g이다.

답 (1) b, d, f (2) c, e, g

0437

함수 $f(x)$가 $x=3$에서 미분가능하고 $x=3$에서 극값 4를 가지므로

$f(3)=4$, $f'(3)=0$

$\therefore f(3)+f'(3)=4$

답 4

0438

$f(x)=x^3-6x^2-15x+2$에서

$f'(x)=3x^2-12x-15=3(x+1)(x-5)$

$f'(x)=0$에서 $x=-1$ 또는 $x=5$

x	$\cdots$	-1	$\cdots$	5	$\cdots$
$f'(x)$	$+$	0	$-$	0	$+$
$f(x)$	↗	10	↘	-98	↗

따라서 함수 $f(x)$는 $x=-1$에서 극대이고 극댓값은 $f(-1)=10$, $x=5$에서 극소이고 극솟값은 $f(5)=-98$이다.

답 극댓값: 10, 극솟값: -98

5 도함수의 활용 (2)

0439

$f(x)=-x^3+6x^2-1$에서

$f'(x)=-3x^2+12x=-3x(x-4)$

$f'(x)=0$에서 $x=0$ 또는 $x=4$

x	$\cdots$	0	$\cdots$	4	$\cdots$
$f'(x)$	$-$	0	$+$	0	$-$
$f(x)$	↘	-1	↗	31	↘

따라서 함수 $f(x)$는 $x=4$에서 극대이고 극댓값은 $f(4)=31$, $x=0$에서 극소이고 극솟값은 $f(0)=-1$이다.

답 극댓값: 31, 극솟값: -1

0440

$f(x)=-2x^3+3x^2-6$에서

$f'(x)=-6x^2+6x=-6x(x-1)$

$f'(x)=0$에서 $x=0$ 또는 $x=1$

x	$\cdots$	0	$\cdots$	1	$\cdots$
$f'(x)$	$-$	0	$+$	0	$-$
$f(x)$	↘	-6	↗	-5	↘

따라서 함수 $f(x)$는 $x=1$에서 극대이고 극댓값은 $f(1)=-5$, $x=0$에서 극소이고 극솟값은 $f(0)=-6$이다.

답 극댓값: -5, 극솟값: -6

0441

$f(x)=x^4-2x^2+5$에서

$f'(x)=4x^3-4x=4x(x+1)(x-1)$

$f'(x)=0$에서 $x=-1$ 또는 $x=0$ 또는 $x=1$

x	$\cdots$	-1	$\cdots$	0	$\cdots$	1	$\cdots$
$f'(x)$	$-$	0	$+$	0	$-$	0	$+$
$f(x)$	↘	4	↗	5	↘	4	↗

따라서 함수 $f(x)$는 $x=0$에서 극대이고 극댓값은 $f(0)=5$, $x=-1$, $x=1$에서 극소이고 극솟값은 $f(-1)=4$, $f(1)=4$이다.

답 극댓값: 5, 극솟값: 4

0442

$f(x)=3x^4-8x^3+1$에서

$f'(x)=12x^3-24x^2=12x^2(x-2)$

$f'(x)=0$에서 $x=0$ 또는 $x=2$

$x=0$의 좌우에서 $f'(x)$의 부호가 바뀌지 않으므로 $x=0$에서는 극값을 갖지 않는다.

x	$\cdots$	0	$\cdots$	2	$\cdots$
$f'(x)$	$-$	0	$-$	0	$+$
$f(x)$	↘	1	↘	-15	↗

따라서 함수 $f(x)$는 극댓값은 없고, $x=2$에서 극소이고 극솟값은 $f(2)=-15$이다.

답 극댓값: 없다., 극솟값: -15

0443

$f(x)=-3x^4-4x^3+12x^2-5$에서

$f'(x)=-12x^3-12x^2+24x=-12x(x+2)(x-1)$

$f'(x)=0$에서 $x=-2$ 또는 $x=0$ 또는 $x=1$

x	$\cdots$	-2	$\cdots$	0	$\cdots$	1	$\cdots$
$f'(x)$	$+$	0	$-$	0	$+$	0	$-$
$f(x)$	↗	27	↘	-5	↗	0	↘

따라서 함수 $f(x)$는 $x=-2$, $x=1$에서 극대이고 극댓값은 $f(-2)=27$, $f(1)=0$, $x=0$에서 극소이고 극솟값은 $f(0)=-5$이다.

답 극댓값: 27, 0, 극솟값: -5

0444

$f(x)=x^3-3x^2+3x+3$에서

$f'(x)=3x^2-6x+3=3(x-1)^2$

$f'(x)=0$에서 $x=1$

x	$\cdots$	1	$\cdots$
$f'(x)$	$+$	0	$+$
$f(x)$	↗	4	↗

함수 $y=f(x)$의 그래프와 y축의 교점의 좌표는 $(0, 3)$

따라서 함수 $y=f(x)$의 그래프의 개형을 그리면 오른쪽 그림과 같다.

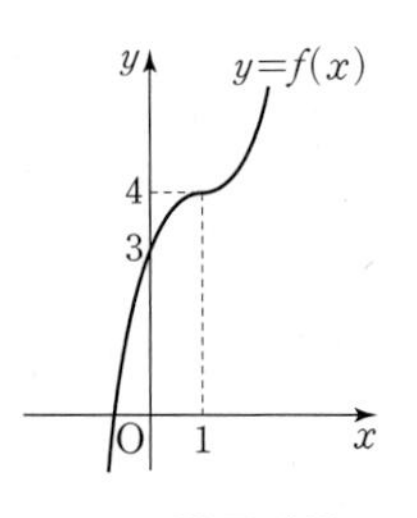

답 풀이 참조

0445

$f(x)=-2x^3+3x^2+12x-1$에서

$f'(x)=-6x^2+6x+12=-6(x+1)(x-2)$

$f'(x)=0$에서 $x=-1$ 또는 $x=2$

x	$\cdots$	-1	$\cdots$	2	$\cdots$
$f'(x)$	$-$	0	$+$	0	$-$
$f(x)$	↘	-8	↗	19	↘

함수 $y=f(x)$의 그래프와 y축의 교점의 좌표는 $(0, -1)$

따라서 함수 $y=f(x)$의 그래프의 개형을 그리면 오른쪽 그림과 같다.

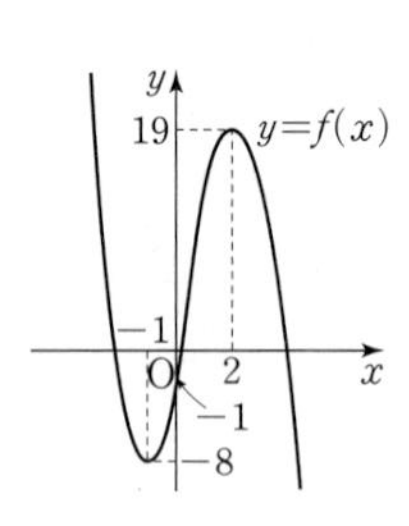

답 풀이 참조

0446

$f(x)=3x^4-8x^3-6x^2+24x-1$에서

$f'(x)=12x^3-24x^2-12x+24=12(x+1)(x-1)(x-2)$

$f'(x)=0$에서 $x=-1$ 또는 $x=1$ 또는 $x=2$

x	$\cdots$	-1	$\cdots$	1	$\cdots$	2	$\cdots$
$f'(x)$	$-$	0	$+$	0	$-$	0	$+$
$f(x)$	↘	-20	↗	12	↘	7	↗

함수 $y=f(x)$의 그래프와 y축의 교점의 좌표는 $(0, -1)$

따라서 함수 $y=f(x)$의 그래프의 개형을 그리면 오른쪽 그림과 같다.

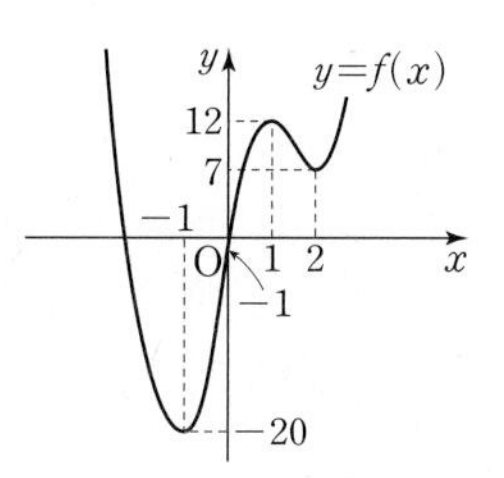

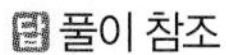 풀이 참조

0447

$f(x)=-3x^4-4x^3+6x^2+12x-4$에서

$f'(x)=-12x^3-12x^2+12x+12=-12(x+1)^2(x-1)$

$f'(x)=0$에서 $x=-1$ 또는 $x=1$

x	$\cdots$	-1	$\cdots$	1	$\cdots$
$f'(x)$	$+$	0	$+$	0	$-$
$f(x)$	↗	-9	↗	7	↘

함수 $y=f(x)$의 그래프와 y축의 교점의 좌표는 $(0, -4)$

따라서 함수 $y=f(x)$의 그래프의 개형을 그리면 오른쪽 그림과 같다.

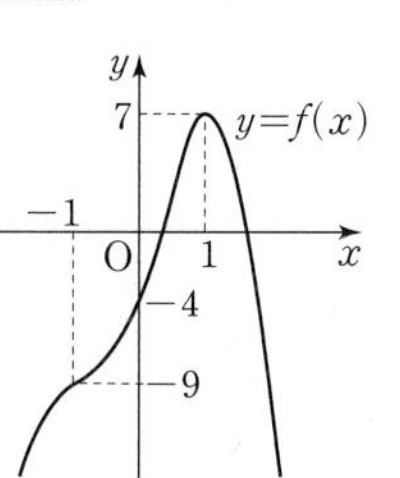

답 풀이 참조

0448

$f(x)=2x^3-12x^2+3$에서

$f'(x)=6x^2-24x=6x(x-4)$

$f'(x)=0$에서 $x=0$ ($\because -1\le x\le 2$)

x	-1	$\cdots$	0	$\cdots$	2
$f'(x)$		$+$	0	$-$	
$f(x)$	-11	↗	3	↘	-29

따라서 함수 $f(x)$는 닫힌구간 $[-1, 2]$에서 $x=0$일 때 최댓값 3, $x=2$일 때 최솟값 -29를 갖는다.

답 최댓값: 3, 최솟값: -29

0449

$f(x)=-x^3+3x$에서

$f'(x)=-3x^2+3=-3(x+1)(x-1)$

$f'(x)=0$에서 $x=-1$ 또는 $x=1$

x	-3	$\cdots$	-1	$\cdots$	1	$\cdots$	$\sqrt{3}$
$f'(x)$		$-$	0	$+$	0	$-$	
$f(x)$	18	↘	-2	↗	2	↘	0

따라서 함수 $f(x)$는 닫힌구간 $[-3, \sqrt{3}]$에서 $x=-3$일 때 최댓값 18, $x=-1$일 때 최솟값 -2를 갖는다.

답 최댓값: 18, 최솟값: -2

0450

$f(x)=x^4-2x^2+3$에서

$f'(x)=4x^3-4x=4x(x+1)(x-1)$

$f'(x)=0$에서 $x=-1$ 또는 $x=0$ ($\because -2\le x\le 0$)

x	-2	$\cdots$	-1	$\cdots$	0
$f'(x)$		$-$	0	$+$	0
$f(x)$	11	↘	2	↗	3

따라서 함수 $f(x)$는 닫힌구간 $[-2, 0]$에서 $x=-2$일 때 최댓값 11, $x=-1$일 때 최솟값 2를 갖는다.

답 최댓값: 11, 최솟값: 2

0451

$f(x)=-x^4+6x^2-8x+1$에서

$f'(x)=-4x^3+12x-8=-4(x+2)(x-1)^2$

$f'(x)=0$에서 $x=-2$ 또는 $x=1$

x	-3	$\cdots$	-2	$\cdots$	1	$\cdots$	2
$f'(x)$		$+$	0	$-$	0	$-$	
$f(x)$	-2	↗	25	↘	-2	↘	-7

따라서 함수 $f(x)$는 닫힌구간 $[-3, 2]$에서 $x=-2$일 때 최댓값 25, $x=2$일 때 최솟값 -7을 갖는다.

답 최댓값: 25, 최솟값: -7

STEP 2 유형 마스터

0452

|전략| 함수 $f(x)$가 열린구간 (a, b)에서 증가하므로 $f'(x)\ge 0$의 해를 구하여 이 구간과 비교한다.

$f(x)=-x^3+3x^2-2$에서

$f'(x)=-3x^2+6x=-3x(x-2)$

함수 $f(x)$가 증가하는 구간을 $[\alpha, \beta]$라 하면 이 구간에서 $f'(x)\ge 0$이어야 한다. 즉,

$-3x(x-2)\ge 0$, $x(x-2)\le 0$ $\quad \therefore 0\le x\le 2$

따라서 함수 $f(x)$는 닫힌구간 $[0, 2]$에서 증가한다.

이때, 열린구간 (a, b)에서 함수 $f(x)$가 증가하므로 열린구간 (a, b)가 닫힌구간 $[0, 2]$에 포함되어야 한다.

$\therefore 0\le a<b\le 2$

따라서 a의 최솟값은 0, b의 최댓값은 2이다.

답 a의 최솟값: 0, b의 최댓값: 2

다른 풀이 $f(x)=-x^3+3x^2-2$에서

$f'(x)=-3x^2+6x=-3x(x-2)$

$f'(x)=0$에서 $x=0$ 또는 $x=2$

x	$\cdots$	0	$\cdots$	2	$\cdots$
$f'(x)$	$-$	0	$+$	0	$-$
$f(x)$	↘	-2	↗	2	↘

함수 $f(x)$는 닫힌구간 $[0, 2]$에서 증가하고, 반닫힌 구간 $(-\infty, 0]$, $[2, \infty)$에서 감소한다. 이때, 열린구간 (a, b)에서 함수 $f(x)$가 증가하므로 열린구간 (a, b)는 닫힌구간 $[0, 2]$에 포함되어야 한다.

$\therefore 0\le a<b\le 2$

따라서 a의 최솟값은 0, b의 최댓값은 2이다.

0453

$f(x)=x^3-3x^2-9x+1$에서

$f'(x)=3x^2-6x-9=3(x+1)(x-3)$

이때, 함수 $f(x)$는 닫힌구간 $[\alpha, \beta]$에서 감소하므로 이 구간에서 $f'(x)\le 0$이어야 한다. 즉,

$3(x+1)(x-3)\le 0$ $\therefore -1\le x\le 3$

따라서 $\alpha=-1$, $\beta=3$이므로 $\alpha+\beta=2$ 답 ⑤

0454

$f(x)=x^3+ax^2+bx-1$에서

$f'(x)=3x^2+2ax+b$

주어진 조건에 의하여 이차방정식 $f'(x)=0$의 두 근은 -2, 1이다.

이차방정식의 근과 계수의 관계에 의하여

$-2+1=-\frac{2a}{3}$, $-2\times 1=\frac{b}{3}$

$\therefore a=\frac{3}{2}$, $b=-6$ $\therefore ab=-9$ 답 -9

0455

$f(x)=\frac{1}{3}x^3-2x^2+ax$에서

$f'(x)=x^2-4x+a$

함수 $f(x)$가 감소하는 x의 값의 범위가 $1\le x\le b$이므로 이차방정식 $f'(x)=0$의 두 근은 1, b이다. ··· ❶

이차방정식의 근과 계수의 관계에 의하여

$1+b=4$, $1\times b=a$ $\therefore a=3$, $b=3$ ··· ❷

$\therefore a+b=6$ ··· ❸

답 6

채점 기준	비율
❶ 이차방정식 $f'(x)=0$의 두 근을 구할 수 있다.	40 %
❷ 이차방정식의 근과 계수의 관계를 이용하여 a, b의 값을 구할 수 있다.	40 %
❸ $a+b$의 값을 구할 수 있다.	20 %

0456

|전략| 삼차함수 $f(x)$가 실수 전체의 집합에서 증가하려면 모든 실수 x에 대하여 $f'(x)\ge 0$이어야 함을 이용한다.

$f(x)=x^3+kx^2+(k+4)x+3$에서

$f'(x)=3x^2+2kx+k+4$

함수 $f(x)$가 실수 전체의 집합에서 증가하려면 모든 실수 x에 대하여 $f'(x)\ge 0$이어야 하므로 이차방정식 $f'(x)=0$의 판별식을 D라 하면

$\frac{D}{4}=k^2-3(k+4)\le 0$, $k^2-3k-12\le 0$

이때, 조건을 만족시키는 실수 k의 값의 범위는 $a\le k\le b$이고, a, b는 이차방정식 $k^2-3k-12=0$의 두 근이므로 이차방정식의 근과 계수의 관계에 의하여

$a+b=3$ 답 ③

Lecture

이차함수 $f(x)=ax^2+bx+c$에 대하여 이차방정식 $ax^2+bx+c=0$의 판별식을 D라 할 때

(1) 모든 실수 x에 대하여 $f(x)\ge 0$일 조건은 ⇨ $a>0$, $D\le 0$

(2) 모든 실수 x에 대하여 $f(x)\le 0$일 조건은 ⇨ $a<0$, $D\le 0$

0457

$f(x)=-x^3+kx^2-3x+1$에서

$f'(x)=-3x^2+2kx-3$

함수 $f(x)$가 열린구간 $(-\infty, \infty)$에서 감소하려면 모든 실수 x에 대하여 $f'(x)\le 0$이어야 하므로 이차방정식 $f'(x)=0$의 판별식을 D라 하면

$\frac{D}{4}=k^2-9\le 0$, $(k+3)(k-3)\le 0$

$\therefore -3\le k\le 3$ 답 ③

0458

$f(x)=x^3+ax^2+ax$에서

$f'(x)=3x^2+2ax+a$

함수 $f(x)$가 열린구간 $(-\infty, \infty)$에서 증가하려면 모든 실수 x에 대하여 $f'(x)\ge 0$이어야 하므로 이차방정식 $f'(x)=0$의 판별식을 D_1이라 하면

$\frac{D_1}{4}=a^2-3a\le 0$, $a(a-3)\le 0$

$\therefore 0\le a\le 3$ ······ ㉠

또, $g(x)=-x^3+(a+1)x^2-(a+1)x$에서

$g'(x)=-3x^2+2(a+1)x-(a+1)$

함수 $g(x)$가 열린구간 $(-\infty, \infty)$에서 감소하려면 모든 실수 x에 대하여 $g'(x)\le 0$이어야 하므로 이차방정식 $g'(x)=0$의 판별식을 D_2라 하면

$\frac{D_2}{4}=(a+1)^2-3(a+1)\le 0$, $(a+1)(a-2)\le 0$

$\therefore -1\le a\le 2$ ······ ㉡

따라서 ㉠, ㉡의 공통 범위는 $0\le a\le 2$이므로 상수 a의 값이 될 수 없는 것은 ① $-\frac{1}{2}$이다. 답 ①

0459

$x_1<x_2$인 임의의 두 실수 x_1, x_2에 대하여 항상 $f(x_1)>f(x_2)$가 성립하려면 함수 $f(x)$는 실수 전체의 집합에서 감소해야 한다.

즉, 모든 실수 x에 대하여 $f'(x)\le 0$이어야 한다.

$f(x)=-x^3+2ax^2-3ax+5$에서

$f'(x)=-3x^2+4ax-3a$

이차방정식 $f'(x)=0$의 판별식을 D라 하면

$\frac{D}{4}=4a^2-9a\le 0$, $a(4a-9)\le 0$

$\therefore 0\le a\le \frac{9}{4}$

따라서 조건을 만족시키는 정수 a는 0, 1, 2의 3개이다. 답 ③

0460

함수 $f(x)$는 일대일대응이고 최고차항의 계수가 양수이므로 $f(x)$는 실수 전체의 집합에서 증가한다.

즉, 모든 실수 x에 대하여 $f'(x)\geq 0$이다.

$f(x)=x^3+x^2+kx+1$에서

$f'(x)=3x^2+2x+k$

이차방정식 $f'(x)=0$의 판별식을 D라 하면

$\frac{D}{4}=1-3k\leq 0 \qquad \therefore k\geq\frac{1}{3}$

따라서 정수 k의 최솟값은 1이다. 답 ①

참고 일대일함수이고, 공역과 치역이 같으면 일대일대응이라 한다.

0461

함수 $f(x)$의 최고차항의 계수가 음수이므로 $f(x)$의 역함수가 존재하려면 $f(x)$가 실수 전체의 집합에서 감소해야 한다.

즉, 모든 실수 x에 대하여 $f'(x)\leq 0$이어야 한다.

$f(x)=-x^3+kx^2+2kx-5$에서

$f'(x)=-3x^2+2kx+2k$

이차방정식 $f'(x)=0$의 판별식을 D라 하면

$\frac{D}{4}=k^2+6k\leq 0,\ k(k+6)\leq 0$

$\therefore -6\leq k\leq 0$

따라서 조건을 만족시키는 정수 k는 $-6, -5, -4, -3, -2, -1, 0$으로 그 합은 -21이다. 답 ③

참고 **역함수가 존재할 조건**

함수 f의 역함수 f^{-1}가 존재할 필요충분조건은 함수 f가 일대일대응인 것이다.

0462

|전략| 삼차함수 $f(x)$가 열린구간 $(1, 2)$에서 증가하려면 이 구간의 모든 x에 대하여 $f'(x)\geq 0$이어야 함을 이용한다.

$f(x)=-x^3+x^2+ax-4$에서

$f'(x)=-3x^2+2x+a$

함수 $f(x)$가 열린구간 $(1,\ 2)$에서 증가하려면 $1<x<2$에서 $f'(x)\geq 0$이어야 하므로

$f'(1)=-3+2+a\geq 0$에서 $a\geq 1$ ...... ㉠

$f'(2)=-12+4+a\geq 0$에서 $a\geq 8$ ...... ㉡

따라서 ㉠, ㉡에서 $a\geq 8$ 답 $a\geq 8$

0463

$-2<x<1$에서 $x_1<x_2$인 임의의 두 실수 x_1, x_2에 대하여 항상 $f(x_1)>f(x_2)$가 성립하려면 함수 $f(x)$는 $-2<x<1$에서 감소해야 한다.

즉, $-2<x<1$에서 $f'(x)\leq 0$이어야 한다.

$f(x)=x^3+kx^2-7x+2$에서

$f'(x)=3x^2+2kx-7$

$f'(-2)=12-4k-7\leq 0$에서 $k\geq\frac{5}{4}$ ...... ㉠

$f'(1)=3+2k-7\leq 0$에서 $k\leq 2$ ...... ㉡

㉠, ㉡에서 $\frac{5}{4}\leq k\leq 2$

따라서 조건을 만족시키는 정수 k는 2의 1개이다. 답 ②

0464

$f(x)=-x^3+ax^2+2$에서

$f'(x)=-3x^2+2ax$

함수 $f(x)$가 열린구간 $(-\infty, -1)$에서 감소하고, 열린구간 $(1, 2)$에서 증가하려면 $x<-1$에서 $f'(x)\leq 0$, $1<x<2$에서 $f'(x)\geq 0$이어야 하므로

$f'(-1)=-3-2a\leq 0$에서 $a\geq -\frac{3}{2}$ ...... ㉠

$f'(1)=-3+2a\geq 0$에서 $a\geq\frac{3}{2}$ ...... ㉡

$f'(2)=-12+4a\geq 0$에서 $a\geq 3$ ...... ㉢

㉠, ㉡, ㉢에서 $a\geq 3$

따라서 정수 a의 최솟값은 3이다. 답 ③

0465

|전략| $f'(x)=0$이 되는 x의 값을 구하고 그 값의 좌우에서 $f'(x)$의 부호가 바뀌는지 조사한다.

$f(x)=-2x^3+9x^2-12x-2$에서

$f'(x)=-6x^2+18x-12=-6(x-1)(x-2)$

$f'(x)=0$에서 $x=1$ 또는 $x=2$

x	$\cdots$	1	$\cdots$	2	$\cdots$
$f'(x)$	$-$	0	$+$	0	$-$
$f(x)$	↘	-7	↗	-6	↘

따라서 함수 $f(x)$는 $x=2$에서 극대이고 극댓값은 $f(2)=-6$, $x=1$에서 극소이고 극솟값은 $f(1)=-7$이므로

$M=-6,\ m=-7 \qquad \therefore M-m=1$ 답 ①

0466

$f(x)=x^4-\frac{8}{3}x^3-6x^2$에서

$f'(x)=4x^3-8x^2-12x=4x(x-3)(x+1)$

$f'(x)=0$에서 $x=-1$ 또는 $x=0$ 또는 $x=3$

x	$\cdots$	-1	$\cdots$	0	$\cdots$	3	$\cdots$
$f'(x)$	$-$	0	$+$	0	$-$	0	$+$
$f(x)$	↘	$-\frac{7}{3}$	↗	0	↘	-45	↗

따라서 함수 $f(x)$는 $x=-1$, $x=0$, $x=3$에서 극값을 가지므로 구하는 모든 x의 값의 합은

$-1+0+3=2$ 답 ④

0467

$f(x)=x^3-3x-2$에서

$f'(x)=3x^2-3=3(x+1)(x-1)$

$f'(x)=0$에서 $x=-1$ 또는 $x=1$

x	$\cdots$	-1	$\cdots$	1	$\cdots$
$f'(x)$	$+$	0	$-$	0	$+$
$f(x)$	$\nearrow$	0	$\searrow$	-4	$\nearrow$

함수 $f(x)$는 $x=-1$에서 극대이고 극댓값은 $f(-1)=0$, $x=1$에서 극소이고 극솟값은 $f(1)=-4$이므로

$P(-1, 0)$, $Q(1, -4)$

따라서 오른쪽 그림에서 $\triangle OPQ$의 넓이는

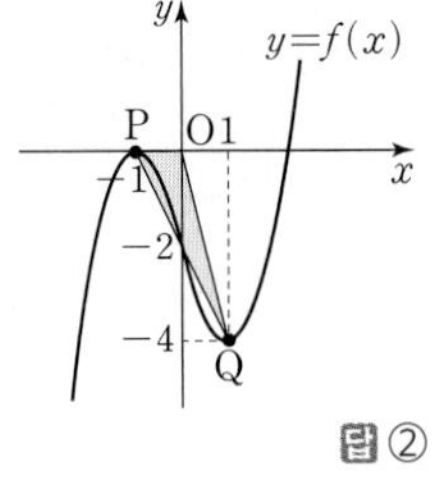

$\frac{1}{2}\times 1\times 4=2$ 답 ②

0468

$f(x)=x^3-3x^2+2x$에서

$f'(x)=3x^2-6x+2$

곡선 $y=f(x)$ 위의 한 점 $P(t, f(t))$에서의 접선의 방정식은

$y-f(t)=f'(t)(x-t)$ $\therefore y=f'(t)x-tf'(t)+f(t)$

이 접선의 y절편 $g(t)$는

$g(t)=-tf'(t)+f(t)$

$=-t(3t^2-6t+2)+t^3-3t^2+2t$

$=-2t^3+3t^2$

$g'(t)=-6t^2+6t=-6t(t-1)$

$g'(t)=0$에서 $t=0$ 또는 $t=1$

t	$\cdots$	0	$\cdots$	1	$\cdots$
$g'(t)$	$-$	0	$+$	0	$-$
$g(t)$	$\searrow$	0	$\nearrow$	1	$\searrow$

따라서 함수 $g(t)$는 $t=1$에서 극대이고 극댓값은 $g(1)=1$, $t=0$에서 극소이고 극솟값은 $g(0)=0$이므로 구하는 극댓값과 극솟값의 합은 $1+0=1$이다. 답 ①

0469

|전략| $x=-3$에서 극댓값 28, $x=1$에서 극솟값을 가지므로 $f(-3)=28$, $f'(-3)=0$, $f'(1)=0$임을 이용한다.

$f(x)=x^3+ax^2+bx+c$에서

$f'(x)=3x^2+2ax+b$

함수 $f(x)$가 $x=-3$에서 극댓값 28을 가지므로

$f(-3)=28$에서 $-27+9a-3b+c=28$

$\therefore 9a-3b+c=55$ …… ㉠

$f'(-3)=0$에서 $27-6a+b=0$ $\therefore 6a-b=27$ …… ㉡

또, 함수 $f(x)$가 $x=1$에서 극솟값을 가지므로

$f'(1)=0$에서 $3+2a+b=0$ $\therefore 2a+b=-3$ …… ㉢

㉠, ㉡, ㉢을 연립하여 풀면 $a=3$, $b=-9$, $c=1$

$\therefore f(x)=x^3+3x^2-9x+1$

따라서 구하는 극솟값은

$f(1)=1+3-9+1=-4$ 답 -4

0470

$f(x)=x^3-3x^2+a$에서

$f'(x)=3x^2-6x=3x(x-2)$

$f'(x)=0$에서 $x=0$ 또는 $x=2$

x	$\cdots$	0	$\cdots$	2	$\cdots$
$f'(x)$	$+$	0	$-$	0	$+$
$f(x)$	$\nearrow$	a	$\searrow$	$a-4$	$\nearrow$

따라서 함수 $f(x)$는 $x=0$에서 극대이고 극댓값은 $f(0)=a$, $x=2$에서 극소이고 극솟값은 $f(2)=a-4$이다.

이때, 극댓값과 극솟값의 합이 20이므로

$a+(a-4)=20$, $2a=24$ $\therefore a=12$ 답 12

0471

$f(x)=x^3+ax^2+bx+c$에서

$f'(x)=3x^2+2ax+b$ … ❶

함수 $f(x)$가 $x=-1$, $x=3$에서 극값을 가지므로

$f'(-1)=0$에서 $3-2a+b=0$

$\therefore 2a-b=3$ …… ㉠

$f'(3)=0$에서 $27+6a+b=0$

$\therefore 6a+b=-27$ …… ㉡

또, 극댓값과 극솟값의 절댓값이 같고 부호가 서로 다르므로

$f(-1)=-f(3)$에서 $-1+a-b+c=-27-9a-3b-c$

$\therefore 5a+b+c=-13$ …… ㉢ … ❷

㉠, ㉡, ㉢을 연립하여 풀면 $a=-3$, $b=-9$, $c=11$ … ❸

$\therefore a+b+c=-1$ … ❹

답 -1

채점 기준	비율
❶ $f'(x)$를 구할 수 있다.	20 %
❷ 주어진 조건을 이용하여 a, b, c 사이의 관계식을 세울 수 있다.	50 %
❸ a, b, c의 값을 구할 수 있다.	20 %
❹ $a+b+c$의 값을 구할 수 있다.	10 %

다른 풀이 $f'(x)=3x^2+2ax+b$에서 $f'(-1)=0$, $f'(3)=0$이므로

$f'(x)=3(x+1)(x-3)=3x^2-6x-9$

$2a=-6$에서 $a=-3$이고 $b=-9$이므로

$f(x)=x^3-3x^2-9x+c$

이때, 극댓값과 극솟값의 절댓값이 같고 부호가 서로 다르므로

$f(-1)=-f(3)$에서 $-1-3+9+c=-27+27+27-c$

$\therefore c=11$ $\therefore a+b+c=-1$

0472

$f(x)=x^3+(a+1)x^2-2x$에서

$f'(x)=3x^2+2(a+1)x-2$

함수 $y=f(x)$의 그래프에서 극대인 점과 극소인 점의 x좌표를 각각 α, β라 하면 원점에 대하여 대칭이므로

$\alpha+\beta=0$

한편, α, β는 이차방정식 $f'(x)=3x^2+2(a+1)x-2=0$의 두 근이므로 이차방정식의 근과 계수의 관계에 의하여

$\alpha+\beta=-\frac{2(a+1)}{3}=0$ $\quad\therefore a=-1$ 답 -1

0473

$f(x)=-2x^3+3ax^2-2a$에서

$f'(x)=-6x^2+6ax=-6x(x-a)$

$f'(x)=0$에서 $x=0$ 또는 $x=a$

따라서 함수 $f(x)$는 $x=0$, $x=a$에서 극값을 갖는다.

이때, 함수 $y=f(x)$의 그래프가 x축에 접하므로

$f(0)=0$ 또는 $f(a)=0$

(i) $f(0)=0$인 경우

$f(0)=-2a=0$에서 $a=0$

그런데 조건에서 $a\neq0$이므로 $f(0)=0$이 아니다.

(ii) $f(a)=0$인 경우

$f(a)=-2a^3+3a^3-2a=0$

$a^3-2a=0$, $a(a+\sqrt{2})(a-\sqrt{2})=0$

$\therefore a=-\sqrt{2}$ 또는 $a=\sqrt{2}$ ($\because a\neq0$)

따라서 모든 실수 a의 값의 합은

$-\sqrt{2}+\sqrt{2}=0$ 답 0

0474

$f(x)=x^3+ax^2+bx+c$ (a, b, c는 상수)라 하면

$f'(x)=3x^2+2ax+b$

조건 (가) $\lim_{x\to-1}\frac{f(x)+3}{x+1}=0$에서 $x\to-1$일 때, (분모) $\to0$이고 극한값이 존재하므로 (분자) $\to0$이다.

즉, $\lim_{x\to-1}\{f(x)+3\}=0$이므로

$f(-1)+3=0$ $\quad\therefore f(-1)=-3$ …… ㉠

또, $\lim_{x\to-1}\frac{f(x)+3}{x+1}=\lim_{x\to-1}\frac{f(x)-f(-1)}{x-(-1)}=f'(-1)$이므로

$f'(-1)=0$ …… ㉡

조건 (나)에서 함수 $f(x)$가 $x=1$에서 극솟값을 가지므로

$f'(1)=0$ …… ㉢

㉡, ㉢에 의하여 $f'(x)$는 $x+1$과 $x-1$을 인수로 가지므로

$f'(x)=3x^2+2ax+b=3(x+1)(x-1)$

$3x^2+2ax+b=3x^2-3$ $\quad\therefore a=0$, $b=-3$

따라서 $f(x)=x^3-3x+c$이고 ㉠에 의하여

$f(-1)=-1+3+c=-3$ $\quad\therefore c=-5$

$\therefore f(x)=x^3-3x-5$ 답 $f(x)=x^3-3x-5$

0475

| 전략 | 삼차함수 $f(x)$가 극값을 갖지 않으려면 이차방정식 $f'(x)=0$이 중근 또는 허근을 가져야 함을 이용한다.

$f(x)=x^3+kx^2-2kx+2$에서

$f'(x)=3x^2+2kx-2k$

함수 $f(x)$가 극값을 갖지 않으려면 이차방정식 $f'(x)=0$이 중근 또는 허근을 가져야 하므로 이차방정식 $f'(x)=0$의 판별식을 D라 하면

$\frac{D}{4}=k^2+6k\le0$, $k(k+6)\le0$

$\therefore -6\le k\le0$ 답 $-6\le k\le0$

0476

$f(x)=x^3-2ax^2+(2a^2-4)x-1$에서

$f'(x)=3x^2-4ax+(2a^2-4)$

함수 $f(x)$가 극댓값과 극솟값을 모두 가지려면 이차방정식 $f'(x)=0$이 서로 다른 두 실근을 가져야 하므로 이차방정식 $f'(x)=0$의 판별식을 D라 하면

$\frac{D}{4}=4a^2-3(2a^2-4)>0$, $-2a^2+12>0$

$a^2-6<0$, $(a-\sqrt{6})(a+\sqrt{6})<0$

$\therefore -\sqrt{6}<a<\sqrt{6}$

따라서 $\alpha=-\sqrt{6}$, $\beta=\sqrt{6}$이므로

$\alpha+\beta=-\sqrt{6}+\sqrt{6}=0$ 답 0

0477

$f(x)=x^3+kx^2+x-4$에서

$f'(x)=3x^2+2kx+1$

함수 $f(x)$가 극값을 가지려면 이차방정식 $f'(x)=0$이 서로 다른 두 실근을 가져야 하므로 이차방정식 $f'(x)=0$의 판별식을 D라 하면

$\frac{D}{4}=k^2-3>0$, $(k-\sqrt{3})(k+\sqrt{3})>0$

$\therefore k<-\sqrt{3}$ 또는 $k>\sqrt{3}$

따라서 양의 정수 k의 최솟값은 2이다. 답 ②

0478

함수 $f(x)=\frac{1}{3}x^3+ax^2+x+k$의 그래프가 k의 값에 관계없이 x축과 한 번만 만나므로 함수 $f(x)$는 극값을 갖지 않는다.

($y=\frac{1}{3}x^3+ax^2+x$의 그래프를 y축의 방향으로 k만큼 평행이동한 그래프이다.)

$f(x)=\frac{1}{3}x^3+ax^2+x+k$에서

$f'(x)=x^2+2ax+1$

함수 $f(x)$가 극값을 갖지 않으려면 이차방정식 $f'(x)=0$이 중근 또는 허근을 가져야 하므로 이차방정식 $f'(x)=0$의 판별식을 D라 하면

$\frac{D}{4}=a^2-1\le0$, $(a+1)(a-1)\le0$

$\therefore -1\le a\le1$ 답 $-1\le a\le1$

Lecture

(1) 삼차함수 $f(x)=ax^3+bx^2+cx+d$ ($a\neq0$, b, c, d는 상수)의 그래프가 d의 값에 관계없이 x축과 한 번만 만난다.
$\iff$ 삼차함수 $f(x)$는 극값을 갖지 않는다.

(2) 삼차함수 $f(x)=ax^3+bx^2+cx+d$ ($a\neq0$, b, c, d는 상수)의 그래프가 d의 값에 따라 x축과 한 번 또는 두 번 또는 세 번 만난다.
$\iff$ 삼차함수 $f(x)$는 극값을 가진다.
$\iff$ 삼차함수 $f(x)$는 극댓값과 극솟값을 모두 가진다.

0479

| 전략 | 삼차함수 $f(x)$가 $-1<x<1$에서 극댓값과 극솟값을 모두 가지려면 $-1<x<1$에서 이차방정식 $f'(x)=0$이 서로 다른 두 실근을 가져야 함을 이용한다.

$f(x)=\frac{1}{3}x^3-2kx^2+3kx-2$에서

$f'(x)=x^2-4kx+3k$

함수 $f(x)$가 $-1<x<1$에서 극댓값과 극솟값을 모두 가지려면 이차방정식 $f'(x)=0$이 $-1<x<1$에서 서로 다른 두 실근을 가져야 하므로 $y=f'(x)$의 그래프가 오른쪽 그림과 같아야 한다.

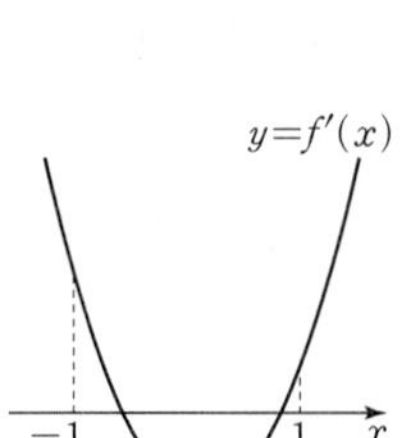
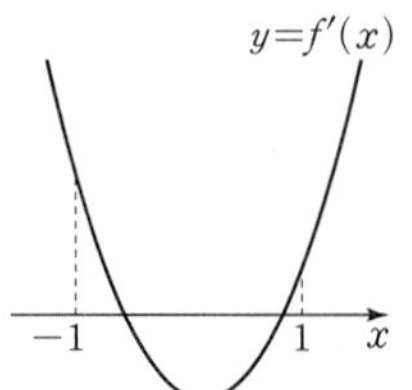

(i) 이차방정식 $f'(x)=0$의 판별식을 D라 하면

$\frac{D}{4}=4k^2-3k>0$, $k(4k-3)>0$ $\quad\therefore k<0$ 또는 $k>\frac{3}{4}$

(ii) $f'(-1)=1+7k>0$에서 $k>-\frac{1}{7}$

(iii) $f'(1)=1-k>0$에서 $k<1$

(iv) 이차함수 $y=f'(x)$의 그래프의 축의 방정식은 $x=2k$이므로

$-1<2k<1$ $\quad\therefore -\frac{1}{2}<k<\frac{1}{2}$

(i)~(iv)에서 실수 k의 값의 범위는 $-\frac{1}{7}<k<0$

따라서 이를 만족시키는 정수 k는 존재하지 않는다. 답 ①

0480

$f(x)=x^3-3ax^2+3ax-1$에서

$f'(x)=3x^2-6ax+3a$

함수 $f(x)$가 $x>-1$에서 극댓값과 극솟값을 모두 가지려면 이차방정식 $f'(x)=0$이 $x>-1$에서 서로 다른 두 실근을 가져야 하므로 $y=f'(x)$의 그래프가 오른쪽 그림과 같아야 한다.

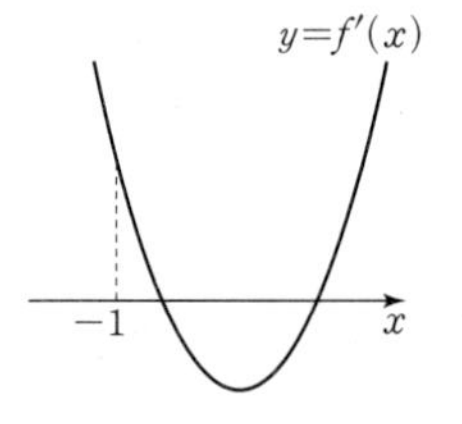

(i) 이차방정식 $f'(x)=0$의 판별식을 D라 하면

$\frac{D}{4}=9a^2-9a>0$, $9a(a-1)>0$ $\quad\therefore a<0$ 또는 $a>1$

(ii) $f'(-1)=3+6a+3a>0$에서 $a>-\frac{1}{3}$

(iii) 이차함수 $y=f'(x)$의 그래프의 축의 방정식은 $x=a$이므로 $a>-1$

(i), (ii), (iii)에서 실수 a의 값의 범위는

$-\frac{1}{3}<a<0$ 또는 $a>1$ 답 $-\frac{1}{3}<a<0$ 또는 $a>1$

0481

$f(x)=x^3-kx^2-k^2x+3$에서

$f'(x)=3x^2-2kx-k^2$

함수 $f(x)$가 $-2<x<2$에서 극댓값을 갖고, $x>2$에서 극솟값을 가지려면 이차방정식 $f'(x)=0$의 두 실근 중 한 근은 $-2<x<2$에 있고, 다른 한 근은 $x>2$에 있어야 하므로 $y=f'(x)$의 그래프가 오른쪽 그림과 같아야 한다.

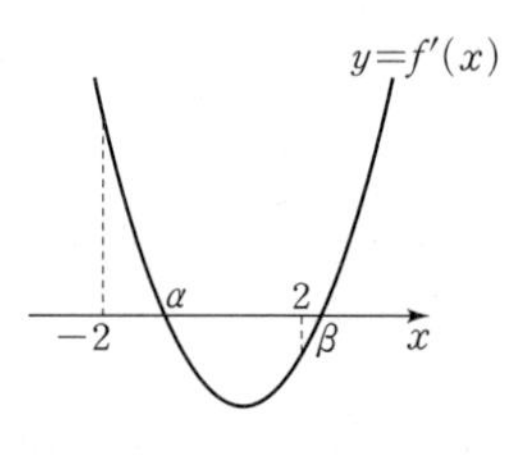

즉, 이차방정식 $f'(x)=0$의 두 실근을 α, $\beta(\alpha<\beta)$라 하면 $-2<\alpha<2<\beta$이어야 하므로

(i) $f'(-2)=-k^2+4k+12>0$에서

$(k+2)(k-6)<0$ $\quad\therefore -2<k<6$

(ii) $f'(2)=-k^2-4k+12<0$에서

$(k+6)(k-2)>0$ $\quad\therefore k<-6$ 또는 $k>2$

(i), (ii)에서 $2<k<6$이므로 모든 정수 k의 값의 곱은 $3\times4\times5=60$이다. 답 ⑤

0482

| 전략 | 최고차항의 계수가 양수인 사차함수 $f(x)$가 극댓값을 가지려면 삼차방정식 $f'(x)=0$이 서로 다른 세 실근을 가져야 함을 이용한다.

$f(x)=x^4+2x^3-ax^2+1$에서

$f'(x)=4x^3+6x^2-2ax=2x(2x^2+3x-a)$

함수 $f(x)$가 극댓값을 가지려면 삼차방정식 $f'(x)=0$이 서로 다른 세 실근을 가져야 하므로 이차방정식 $2x^2+3x-a=0$이 0이 아닌 서로 다른 두 실근을 가져야 한다.

이차방정식 $2x^2+3x-a=0$의 판별식을 D라 하면

$a\neq0$, $D=9+8a>0$에서

$-\frac{9}{8}<a<0$ 또는 $a>0$

($a=0$이면 $2x^2+3x=0$이므로 $x=0$을 근으로 가진다.)

따라서 실수 a의 값이 될 수 있는 것은 ④ -1이다. 답 ④

Lecture

(1) 사차함수 $f(x)$의 최고차항의 계수가 양수일 때

$f(x)$는 $f'(x)=0$의 근에 관계없이 항상 극솟값을 갖지만, $f'(x)=0$이 서로 다른 세 실근을 갖는 경우에만 극댓값을 가진다.

(2) 사차함수 $f(x)$의 최고차항의 계수가 음수일 때

$f(x)$는 $f'(x)=0$의 근에 관계없이 항상 극댓값을 갖지만, $f'(x)=0$이 서로 다른 세 실근을 갖는 경우에만 극솟값을 가진다.

0483

$f(x)=-x^4+4x^3+2ax^2$에서

$f'(x)=-4x^3+12x^2+4ax=-4x(x^2-3x-a)$

함수 $f(x)$가 극댓값과 극솟값을 모두 가지려면 삼차방정식 $f'(x)=0$이 서로 다른 세 실근을 가져야 하므로 이차방정식 $x^2-3x-a=0$이 0이 아닌 서로 다른 두 실근을 가져야 한다.

이차방정식 $x^2-3x-a=0$의 판별식을 D라 하면

$a\neq0$, $D=9+4a>0$에서

$-\frac{9}{4}<a<0$ 또는 $a>0$ 답 $-\frac{9}{4}<a<0$ 또는 $a>0$

0484

$f(x)=x^4+2(a-1)x^2+4ax$에서

$f'(x)=4x^3+4(a-1)x+4a=4(x+1)(x^2-x+a)$

함수 $f(x)$가 극댓값을 갖지 않으려면 삼차방정식 $f'(x)=0$이 한 실근과 두 허근 또는 한 실근과 중근 (또는 삼중근)을 가져야 한다.

이차방정식 $x^2-x+a=0$의 판별식을 D라 하면

(i) $4(x+1)(x^2-x+a)=0$이 한 실근과 두 허근을 갖는 경우

이차방정식 $x^2-x+a=0$이 허근을 가져야 하므로

$D=1-4a<0 \quad \therefore a>\frac{1}{4}$

(ii) $4(x+1)(x^2-x+a)=0$이 한 실근과 중근 갖는 경우 — $(x+1)^2=0$이 될 수 없으므로 삼중근을 갖지 않는다.

이차방정식 $x^2-x+a=0$이 -1을 근으로 갖거나 -1이 아닌 실수를 중근으로 가져야 한다.

$x^2-x+a=0$이 -1을 근으로 가지면

$1+1+a=0 \quad \therefore a=-2$

$x^2-x+a=0$이 -1이 아닌 실수를 중근으로 가지면

$D=1-4a=0 \quad \therefore a=\frac{1}{4}$

(i), (ii)에서 $a=-2$ 또는 $a\geq\frac{1}{4}$이므로 실수 a의 최솟값은 -2이다.

답 ①

0485

$f(x)=x^4+ax^3+2x^2+5$에서

$f'(x)=4x^3+3ax^2+4x=x(4x^2+3ax+4)$

함수 $f(x)$가 극값을 하나만 가지려면 삼차방정식 $f'(x)=0$이 한 실근과 두 허근 또는 한 실근과 중근 (또는 삼중근)을 가져야 한다.

이차방정식 $4x^2+3ax+4=0$의 판별식을 D라 하면

(i) $x(4x^2+3ax+4)=0$이 한 실근과 두 허근을 갖는 경우

이차방정식 $4x^2+3ax+4=0$이 허근을 가져야 하므로

$D=9a^2-64<0,\ (3a-8)(3a+8)<0 \quad \therefore -\frac{8}{3}<a<\frac{8}{3}$

(ii) $x(4x^2+3ax+4)=0$이 한 실근과 중근을 갖는 경우

이차방정식 $4x^2+3ax+4=0$이 0을 근으로 갖거나 0이 아닌 실수를 중근으로 가져야 한다.

이때, $4x^2+3ax+4=0$이 0을 근으로 가질 수 없으므로 0이 아닌 실수를 중근으로 가져야 한다.

$D=9a^2-64=0,\ (3a-8)(3a+8)=0$

$\therefore a=-\frac{8}{3}$ 또는 $a=\frac{8}{3}$

(i), (ii)에서 $-\frac{8}{3}\leq a\leq\frac{8}{3}$

따라서 $M=\frac{8}{3}$, $m=-\frac{8}{3}$이므로 $\frac{M}{m}=-1$

답 -1

다른 풀이 $f(x)=x^4+ax^3+2x^2+5$에서

$f'(x)=4x^3+3ax^2+4x=x(4x^2+3ax+4)$

사차함수 $f(x)$가 극값을 하나만 가지려면 삼차방정식 $f'(x)=0$이 서로 다른 세 실근을 가질 조건을 구하여 그 결과를 부정하면 된다.

삼차방정식 $x(4x^2+3ax+4)=0$이 서로 다른 세 실근을 가지려면 이차방정식 $4x^2+3ax+4=0$이 0이 아닌 서로 다른 두 실근을 가져야 한다.

이때, $x=0$은 $4x^2+3ax+4=0$의 근이 될 수 없으므로 이차방정식 $4x^2+3ax+4=0$의 판별식을 D라 하면

$D=9a^2-64>0$에서 $(3a+8)(3a-8)>0$

$\therefore a<-\frac{8}{3}$ 또는 $a>\frac{8}{3}$

따라서 함수 $f(x)$가 극값을 하나만 갖도록 하는 실수 a의 값의 범위는

$-\frac{8}{3}\leq a\leq\frac{8}{3}$

따라서 $M=\frac{8}{3}$, $m=-\frac{8}{3}$이므로 $\frac{M}{m}=-1$

참고 사차함수는 일반적으로 극댓값과 극솟값을 모두 가지거나 두 값 중 하나만 가진다. 따라서 극댓값과 극솟값 중 하나만 가질 조건은 극댓값과 극솟값을 모두 가질 조건을 구해 그 결과를 부정하여 구할 수도 있다.

0486

|전략| $y=f'(x)$의 그래프가 x축과 만나는 점의 좌우에서 $f'(x)$의 부호가 양(+)에서 음(−)으로 바뀌면 극대, 음(−)에서 양(+)으로 바뀌면 극소임을 이용한다.

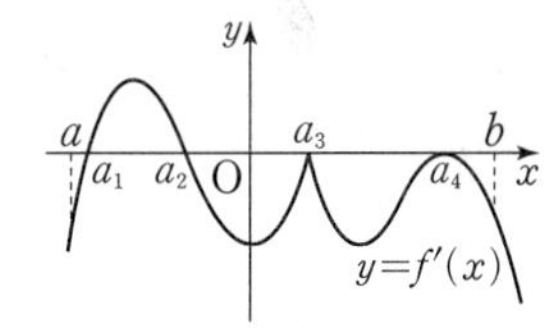

오른쪽 그림과 같이 $a\leq x\leq b$에서 도함수 $y=f'(x)$의 그래프가 x축과 만나는 점의 x좌표를 왼쪽부터 차례로 a_1, a_2, a_3, a_4라 하면

(i) $x=a_2$의 좌우에서 $f'(x)$의 부호가 양(+)에서 음(−)으로 바뀌므로 함수 $f(x)$는 $x=a_2$에서 극대이다.

(ii) $x=a_1$의 좌우에서 $f'(x)$의 부호가 음(−)에서 양(+)으로 바뀌므로 함수 $f(x)$는 $x=a_1$에서 극소이다.

따라서 함수 $f(x)$가 극대 또는 극소가 되는 점은 2개이다. 답 2

참고 $x=a_3$, $x=a_4$의 좌우에서 $f'(x)$의 부호가 바뀌지 않으므로 함수 $f(x)$는 $x=a_3$, $x=a_4$에서 극값을 갖지 않는다.

0487

(i) $x=5$의 좌우에서 $f'(x)$의 부호가 양(+)에서 음(−)으로 바뀌므로 함수 $f(x)$는 $x=5$에서 극대이다.

$\therefore m=1$

(ii) $x=1$, $x=6$의 좌우에서 $f'(x)$의 부호가 음(−)에서 양(+)으로 바뀌므로 함수 $f(x)$는 $x=1$, $x=6$에서 극소이다.

$\therefore n=2$

(i), (ii)에서 $m-n=1-2=-1$ 답 -1

Lecture

함수 $f(x)$는 $f'(6)$의 값이 존재하지 않으므로 $x=6$에서 미분가능하지 않지만 $0<x<7$에서 연속이므로 $x=6$에서도 연속이다. 따라서 $x=6$에서의 극대, 극소를 판단할 수 있다.

0488

|전략| 주어진 조건과 도함수의 그래프가 x축과 만나는 점의 좌우에서 $f'(x)$의 부호가 바뀌면 극대 또는 극소라는 점을 이용하여 함수 $f(x)$를 구한다.

$y=f'(x)$의 그래프가 x축과 만나는 점의 x좌표가 0, 2이므로
$f'(x)=0$에서 $x=0$ 또는 $x=2$

x	$\cdots$	0	$\cdots$	2	$\cdots$
$f'(x)$	+	0	−	0	+
$f(x)$	↗	극대	↘	극소	↗

$f(x)=x^3+ax^2+bx+c$에서 $f'(x)=3x^2+2ax+b$
$f'(0)=0$, $f'(2)=0$이므로
$f'(0)=b=0$
$f'(2)=12+4a+b=0 \quad \therefore a=-3$
또, $f(x)$의 극댓값이 5이므로 $f(0)=c=5$
따라서 $f(x)=x^3-3x^2+5$이므로 구하는 극솟값은
$f(2)=8-12+5=1$ 답 1

0489

$y=f'(x)$의 그래프가 x축과 만나는 점의 x좌표가 -3, 1이므로
$f'(x)=0$에서 $x=-3$ 또는 $x=1$

x	$\cdots$	-3	$\cdots$	1	$\cdots$
$f'(x)$	+	0	−	0	+
$f(x)$	↗	극대	↘	극소	↗

… ❶

$f(x)=x^3+ax^2+bx+c$(a, b, c는 상수)라 하면
$f'(x)=3x^2+2ax+b$ … ❷
$f'(-3)=0$, $f'(1)=0$이므로
$f'(-3)=27-6a+b=0$ …… ㉠
$f'(1)=3+2a+b=0$ …… ㉡
또, $f(x)$의 극솟값이 -6이므로
$f(1)=1+a+b+c=-6$ …… ㉢
㉠, ㉡, ㉢을 연립하여 풀면
$a=3, b=-9, c=-1$ … ❸
따라서 $f(x)=x^3+3x^2-9x-1$이므로 구하는 극댓값은
$f(-3)=-27+27+27-1=26$ … ❹

답 26

채점 기준	비율
❶ 함수 $f(x)$의 증감표를 작성할 수 있다.	30 %
❷ $f'(x)$를 구할 수 있다.	20 %
❸ a, b, c의 값을 구할 수 있다.	40 %
❹ $f(x)$의 극댓값을 구할 수 있다.	10 %

0490

$y=f'(x)$의 그래프가 x축과 만나는 점의 x좌표가 -1, 0이므로
$f'(x)=0$에서 $x=-1$ 또는 $x=0$

x	$\cdots$	-1	$\cdots$	0	$\cdots$
$f'(x)$	−	0	+	0	−
$f(x)$	↘	극소	↗	극대	↘

$f(x)=ax^3+bx^2+cx+d$($a\neq0$, b, c, d는 상수)라 하면
$f'(x)=3ax^2+2bx+c$
$f'(-1)=0$, $f'(0)=0$이므로
$f'(-1)=3a-2b+c=0$ …… ㉠
$f'(0)=c=0$
또, $f(x)$의 극솟값이 0이고 극댓값이 1이므로
$f(-1)=-a+b-c+d=0$ …… ㉡
$f(0)=d=1$
㉠, ㉡을 연립하여 풀면
$a=-2, b=-3$
따라서 $f(x)=-2x^3-3x^2+1$이므로
$f(1)=-2-3+1=-4$ 답 -4

0491

|전략| $f'(x)$의 부호와 그 변화를 보고 $y=f(x)$의 그래프를 해석해 본다.

① $x=a$의 좌우에서 $f'(x)$의 부호가 바뀌지 않으므로 함수 $f(x)$는 $x=a$에서 극값을 갖지 않는다. (거짓)
② $f'(b)\neq0$이므로 함수 $f(x)$는 $x=b$에서 극값을 갖지 않는다. (거짓)
③ $x=c$의 좌우에서 $f'(x)$의 부호가 양(+)에서 음(−)으로 바뀌므로 함수 $f(x)$는 $x=c$에서 극대이다. (거짓)
④ 열린구간 $(-\infty, a)$에서 $f'(x)>0$이므로 이 구간에서 함수 $f(x)$는 증가한다. (거짓)
⑤ 열린구간 (b, c)에서 $f'(x)>0$이므로 이 구간에서 함수 $f(x)$는 증가한다. (참)

따라서 옳은 것은 ⑤이다. 답 ⑤

0492

ㄱ. $x=0$의 좌우에서 $f'(x)$의 부호가 음(−)에서 양(+)으로 바뀌므로 $f(x)$는 $x=0$에서 극소이고 극솟값은 $f(0)=0$이다. (거짓)
ㄴ. $f'(1)\neq0$이므로 함수 $f(x)$는 $x=1$에서 극값을 갖지 않는다. (거짓)
ㄷ. 함수 $f(x)$는 $x=0$에서 극소이고 극솟값은 $f(0)=0$이므로 $y=f(x)$의 그래프는 $x=0$에서 x축에 접한다. (참)
ㄹ. 열린구간 $(1, 2)$에서 $f'(x)>0$이므로 이 구간에서 함수 $f(x)$는 증가하고, 열린구간 $(2, \infty)$에서 $f'(x)<0$이므로 이 구간에서 함수 $f(x)$는 감소한다. (거짓)

따라서 옳은 것은 ㄷ이다. 답 ②

0493

ㄱ. $f'(x_2)$가 존재하므로 $f(x)$는 $x=x_2$에서 미분가능하다. (거짓)
ㄴ. $x=x_3$, $x=x_6$의 좌우에서 $f'(x)$의 부호가 양(+)에서 음(−)으로 바뀌므로 $f(x)$는 $x=x_3$, $x=x_6$에서 극대이고 $f(x_3)\neq f(x_6)$이므로 열린구간 (x_2, ∞)에서 $f(x)$는 극댓값을 2개 가진다. (참)

ㄷ. $f(x)$는 $x=x_3$에서 극대이지만 극댓값이 0인지는 알 수 없다. (거짓)
따라서 옳은 것은 ㄴ이다. 답 ㄴ

0494

|전략| $y=f'(x)$의 그래프를 이용하여 함수 $f(x)$의 증감표를 만든 후 함수 $f(x)$가 증가 또는 감소하는 구간, 극값을 갖는 x의 값 등을 찾아 $y=f(x)$의 그래프의 개형을 유추해 본다.

$y=f'(x)$의 그래프가 x축과 만나는 점의 x좌표가 a, b, c이므로
$f'(x)=0$에서 $x=a$ 또는 $x=b$ 또는 $x=c$

x	$\cdots$	a	$\cdots$	b	$\cdots$	c	$\cdots$
$f'(x)$	$-$	0	$+$	0	$+$	0	$-$
$f(x)$	↘	극소	↗		↗	극대	↘

함수 $f(x)$는 $x=c$에서 극대, $x=a$에서 극소이다.
또, $x=b$의 좌우에서 $f'(x)$의 부호가 바뀌지 않으므로 $f(x)$는 $x=b$에서는 극값을 갖지 않는다.
따라서 함수 $y=f(x)$의 그래프의 개형이 될 수 있는 것은 ④이다.
답 ④

0495

$y=f'(x)$의 그래프가 x축과 만나는 점의 x좌표가 -2, 0이므로
$f'(x)=0$에서 $x=-2$ 또는 $x=0$

x	$\cdots$	-2	$\cdots$	0	$\cdots$
$f'(x)$	$+$	0	$-$	0	$-$
$f(x)$	↗	극대	↘		↘

함수 $f(x)$는 $x=-2$에서 극대이다.
또, $x=0$의 좌우에서 $f'(x)$의 부호가 바뀌지 않으므로 $f(x)$는 $x=0$에서 극값을 갖지 않는다.
따라서 함수 $y=f(x)$의 그래프의 개형이 될 수 있는 것은 ③이다.
답 ③

0496

|전략| $x\to\infty$일 때의 함수의 극한과 $f(0)$의 값의 부호를 이용하여 삼차함수의 최고차항의 계수와 상수항의 부호를 찾고, $f'(x)=0$의 두 실근은 $f(x)$가 극값을 가지는 점에서의 x의 값임을 이용하여 나머지 계수의 부호를 찾는다.

$f(x)=ax^3+bx^2+cx+d$에서
$f'(x)=3ax^2+2bx+c$
$x\to\infty$일 때 $f(x)\to\infty$이므로 $a>0$
$f(0)>0$이므로 $d>0$
또, 이차방정식 $f'(x)=0$의 서로 다른 두 실근은 α, β이고 $\alpha>0$, $\beta>0$이므로 이차방정식의 근과 계수의 관계에 의하여
$\alpha+\beta=-\dfrac{2b}{3a}>0$, $\alpha\beta=\dfrac{c}{3a}>0$
이때, $a>0$이므로 $b<0$, $c>0$
$\therefore a>0, b<0, c>0, d>0$
따라서 옳은 것은 ② $ac>0$이다. 답 ②

0497

$f(x)=ax^3+bx^2+cx+d$에서
$f'(x)=3ax^2+2bx+c$
$x\to\infty$일 때 $f(x)\to-\infty$이므로 $a<0$
$f(0)<0$이므로 $d<0$
또, 이차방정식 $f'(x)=0$의 서로 다른 두 실근은 α, β이고 $\alpha<0$, $\beta>0$, $|\beta|>|\alpha|$이므로 이차방정식의 근과 계수의 관계에 의하여
$\alpha+\beta=-\dfrac{2b}{3a}>0$, $\alpha\beta=\dfrac{c}{3a}<0$
이때, $a<0$이므로 $b>0$, $c>0$
$\therefore a<0, b>0, c>0, d<0$
따라서 그 값이 양수인 것은 ③ bc이다. 답 ③

0498

|전략| 닫힌구간 $[-2, 1]$에서 $f(x)$의 극값, $f(-2)$, $f(1)$을 구한 다음 그 크기를 비교하여 최댓값과 최솟값을 구한다.

$f(x)=x^3+x^2-x+1$에서
$f'(x)=3x^2+2x-1=(x+1)(3x-1)$
$f'(x)=0$에서 $x=-1$ 또는 $x=\dfrac{1}{3}$

x	-2	$\cdots$	-1	$\cdots$	$\frac{1}{3}$	$\cdots$	1
$f'(x)$		$+$	0	$-$	0	$+$	
$f(x)$	-1	↗	2	↘	$\frac{22}{27}$	↗	2

따라서 함수 $f(x)$는 닫힌구간 $[-2, 1]$에서 $x=-1$ 또는 $x=1$일 때 최댓값 2, $x=-2$일 때 최솟값 -1을 가지므로
$M=2$, $m=-1$ $\qquad\therefore M+m=1$ 답 ①

0499

$f(x)=4x^3-3x-1$에서
$f'(x)=12x^2-3=3(2x+1)(2x-1)$
$f'(x)=0$에서 $x=-\dfrac{1}{2}$ ($\because -2\le x\le 0$)

x	-2	$\cdots$	$-\frac{1}{2}$	$\cdots$	0
$f'(x)$		$+$	0	$-$	
$f(x)$	-27	↗	0	↘	-1

따라서 함수 $f(x)$는 닫힌구간 $[-2, 0]$에서 $x=-\dfrac{1}{2}$일 때 최댓값 0을 가지므로
$\alpha=-\dfrac{1}{2}$, $\beta=0$ $\qquad\therefore 4\alpha^2+\beta^2=4\times\left(-\dfrac{1}{2}\right)^2+0^2=1$ 답 ③

0500

$f(x)=\dfrac{1}{3}x^4-\dfrac{4}{3}x^3+9$에서
$f'(x)=\dfrac{4}{3}x^3-4x^2=\dfrac{4}{3}x^2(x-3)$
$f'(x)=0$에서 $x=0$ 또는 $x=3$

x	0	$\cdots$	3	$\cdots$	4
$f'(x)$	0	$-$	0	$+$	
$f(x)$	9	↘	0	↗	9

따라서 함수 $f(x)$는 닫힌구간 $[0, 4]$에서 $x=0$ 또는 $x=4$일 때 최댓값 9, $x=3$일 때 최솟값 0을 가지므로

$M=9, m=0 \qquad \therefore Mm=0$

답 ②

0501

$f(x)=-x^3+3x+4$에서

$f'(x)=-3x^2+3=-3(x+1)(x-1)$

$f'(x)=0$에서 $x=-1$ 또는 $x=1$

x	-1	$\cdots$	1	$\cdots$
$f'(x)$	0	$+$	0	$-$
$f(x)$	2	↗	6	↘

이때, $f(x)=2$에서 $-x^3+3x+4=2$

$x^3-3x-2=0$, $(x+1)^2(x-2)=0$

$\therefore x=-1$ 또는 $x=2$

따라서 함수 $y=f(x)$의 그래프는 오른쪽 그림과 같고, $f(x)$가 최솟값 $f(-1)=2$를 갖기 위한 a의 값의 범위는 $-1<a\le 2$

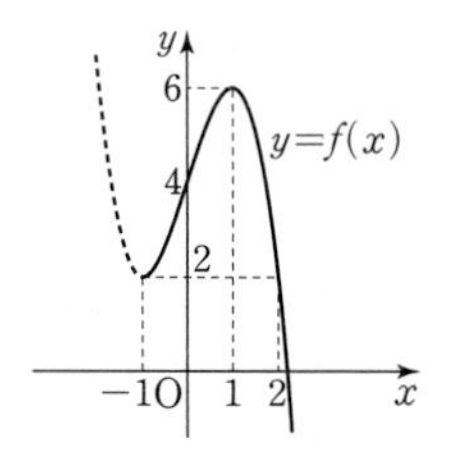

답 ②

0502

|전략| $x^2-4x+2=t$로 치환하여 t의 값의 범위를 구한 다음 그 범위에서 $g(t)$의 최댓값과 최솟값의 합을 구한다.

$x^2-4x+2=t$로 놓으면

$t=x^2-4x+2=(x-2)^2-2$

$0\le x\le 4$에서 t의 값의 범위는 $-2\le t\le 2$

$g(t)=t^3-12t+1$로 놓으면

$g'(t)=3t^2-12=3(t+2)(t-2)$

$g'(t)=0$에서 $t=-2$ 또는 $t=2$

t	-2	$\cdots$	2
$g'(t)$	0	$-$	0
$g(t)$	17	↘	-15

따라서 함수 $g(t)$는 $-2\le t\le 2$에서 $t=-2$일 때 최댓값 17, $t=2$일 때 최솟값 -15를 가지므로 구하는 최댓값과 최솟값의 합은 2이다.

답 ⑤

0503

$g(x)=t$로 놓으면 $t=-x^2+2x-1=-(x-1)^2 \qquad \therefore t\le 0$

$(f\circ g)(x)=f(g(x))=f(t)=t^3-3t+4$

$f'(t)=3t^2-3=3(t+1)(t-1)$

$f'(t)=0$에서 $t=-1$ ($\because t\le 0$)

t	$\cdots$	-1	$\cdots$	0
$f'(t)$	$+$	0	$-$	
$f(t)$	↗	6	↘	4

따라서 함수 $f(t)$는 $t\le 0$에서 $t=-1$일 때 최댓값 6을 가지므로 $(f\circ g)(x)$의 최댓값은 6이다.

답 ⑤

0504

|전략| 함수 $f(x)$의 증감표를 작성하고 최댓값과 최솟값을 k에 대한 식으로 나타낸 다음 주어진 조건을 이용하여 k의 값을 구한다.

$f(x)=x^3-3x^2-9x+k$에서

$f'(x)=3x^2-6x-9=3(x+1)(x-3)$

$f'(x)=0$에서 $x=-1$ 또는 $x=3$

x	-2	$\cdots$	-1	$\cdots$	3	$\cdots$	4
$f'(x)$		$+$	0	$-$	0	$+$	
$f(x)$	$-2+k$	↗	$5+k$	↘	$-27+k$	↗	$-20+k$

함수 $f(x)$는 닫힌구간 $[-2, 4]$에서 $x=-1$일 때 최댓값 $5+k$, $x=3$일 때 최솟값 $-27+k$를 가진다.

이때, 최댓값과 최솟값의 합이 -12이므로

$(5+k)+(-27+k)=-12$

$-22+2k=-12 \qquad \therefore k=5$

답 ①

0505

$f(x)=x^3-6x^2+k$에서

$f'(x)=3x^2-12x=3x(x-4)$

$f'(x)=0$에서 $x=4$ ($\because 1\le x\le 5$) ··· ❶

x	1	$\cdots$	4	$\cdots$	5
$f'(x)$		$-$	0	$+$	
$f(x)$	$-5+k$	↘	$-32+k$	↗	$-25+k$

함수 $f(x)$는 닫힌구간 $[1, 5]$에서 $x=1$일 때 최댓값 $-5+k$, $x=4$일 때 최솟값 $-32+k$를 가진다. ··· ❷

이때, 최솟값은 -20이므로

$-32+k=-20 \qquad \therefore k=12$ ··· ❸

따라서 함수 $f(x)$의 최댓값은 $-5+12=7$ ··· ❹

답 7

채점 기준	비율
❶ $f'(x)=0$인 x의 값을 구할 수 있다.	20 %
❷ $f(x)$의 최댓값과 최솟값을 k에 대한 식으로 나타낼 수 있다.	30 %
❸ k의 값을 구할 수 있다.	30 %
❹ $f(x)$의 최댓값을 구할 수 있다.	20 %

0506

$f(x)=x^3-3k^2x+7$에서

$f'(x)=3x^2-3k^2=3(x+k)(x-k)$

$f'(x)=0$에서 $x=k$ ($\because k>0, 0\le x\le 2k$)

x	0	$\cdots$	k	$\cdots$	$2k$
$f'(x)$		$-$	0	$+$	
$f(x)$	7	↘	$-2k^3+7$	↗	$2k^3+7$

$k>0$이므로 함수 $f(x)$는 $x=2k$일 때 최댓값 $2k^3+7$, $x=k$일 때 최솟값 $-2k^3+7$을 가진다.

이때, 함수 $f(x)$의 최댓값과 최솟값의 차가 32이므로

$(2k^3+7)-(-2k^3+7)=32$

$4k^3=32,\ k^3=8$

$\therefore k=2$ 답 2

0507

$f(x)=\frac{1}{3}ax^3-2ax^2+b$에서

$f'(x)=ax^2-4ax=ax(x-4)$

$f'(x)=0$에서 $x=0$ ($\because -1\le x\le 2$)

x	-1	$\cdots$	0	$\cdots$	2
$f'(x)$		$+$	0	$-$	
$f(x)$	$-\frac{7}{3}a+b$	↗	b	↘	$-\frac{16}{3}a+b$

함수 $f(x)$는 $-1\le x\le 2$에서 $x=0$일 때 최댓값 b, $x=2$일 때 최솟값 $-\frac{16}{3}a+b$를 가진다.

이때, 함수 $f(x)$의 최댓값이 3, 최솟값이 -13이므로

$b=3,\ -\frac{16}{3}a+b=-13$

$\therefore a=3, b=3 \quad \therefore ab=9$ 답 ④

0508

$f(x)=-6x^4+8x^3+ax^2+b$에서

$f'(x)=-24x^3+24x^2+2ax=-2x(12x^2-12x-a)$

함수 $f(x)$는 닫힌구간 $[-2, 0]$에서 $x=-1$일 때 최댓값 4를 가지므로 $x=-1$일 때 극댓값 4를 가져야 한다.

$f'(-1)=48-2a=0$에서 $a=24$

$f(-1)=-14+a+b=-14+24+b=4$에서 $b=-6$

따라서 $f(x)=-6x^4+8x^3+24x^2-6$이므로

$f(-2)=-96-64+96-6=-70$ 답 ③

참고 닫힌구간 $[a, b]$에서 연속인 함수 $f(x)$의 최댓값과 최솟값은 $f(x)$의 극값, $f(a)$, $f(b)$ 중에서 하나이다.

0509

|전략| $D(a, 9-a^2)$으로 놓고 직사각형 ABCD의 넓이를 a에 대한 함수로 나타내어 최댓값을 구한다.

오른쪽 그림과 같이 직사각형 ABCD의 한 꼭짓점 C의 x좌표를 $a(0<a<3)$로 놓으면

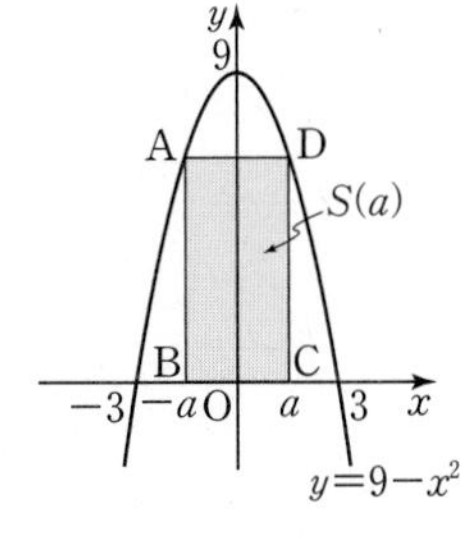

$D(a, 9-a^2)$, $A(-a, 9-a^2)$

직사각형 ABCD의 넓이를 $S(a)$라 하면

$S(a)=2a(9-a^2)=-2a^3+18a$

$S'(a)=-6a^2+18$

$\quad=-6(a+\sqrt{3})(a-\sqrt{3})$

$S'(a)=0$에서 $a=\sqrt{3}$ ($\because 0<a<3$)

a	0	$\cdots$	$\sqrt{3}$	$\cdots$	3
$S'(a)$		$+$	0	$-$	
$S(a)$		↗	극대	↘	

따라서 $S(a)$는 $a=\sqrt{3}$일 때 극대이면서 최대이므로 넓이가 최대인 직사각형의 세로의 길이는

$\overline{CD}=9-a^2=9-3=6$ 답 ④

0510

점 Q의 좌표를 (t, t^2)으로 놓으면

$l^2=\overline{PQ}^2=(t-3)^2+t^4$

$\quad=t^4+t^2-6t+9$

$f(t)=t^4+t^2-6t+9$로 놓으면

$f'(t)=4t^3+2t-6=2(t-1)(2t^2+2t+3)$

이때, $2t^2+2t+3=2\left(t+\frac{1}{2}\right)^2+\frac{5}{2}>0$이므로

$f'(t)=0$에서 $t=1$

따라서 $f(t)$는 $t=1$일 때 극소이면서 최소이다.

t	$\cdots$	1	$\cdots$
$f'(t)$	$-$	0	$+$
$f(t)$	↘	극소	↗

이때, $l>0$이므로 l^2이 최소이면 l도 최소이다.

즉, l이 최소가 되는 점 Q의 x좌표는 1이다. 답 ①

0511

$3x-x^2=0$에서 $x(x-3)=0$이므로

$x=0$ 또는 $x=3 \quad \therefore A(3, 0)$

오른쪽 그림과 같이 점 C의 좌표를 $(a, 3a-a^2)\left(0<a<\frac{3}{2}\right)$으로 놓으면

$B(3-a, 3a-a^2)$ ⋯ ❶

사다리꼴 OABC의 넓이를 $S(a)$라 하면

$S(a)=\frac{1}{2}\times\{3+(3-2a)\}(3a-a^2)$

$\quad=(3-a)(3a-a^2)=a^3-6a^2+9a$ ⋯ ❷

$S'(a)=3a^2-12a+9=3(a-1)(a-3)$

$S'(a)=0$에서 $a=1$ $\left(\because 0<a<\frac{3}{2}\right)$

a	0	$\cdots$	1	$\cdots$	$\frac{3}{2}$
$S'(a)$		$+$	0	$-$	
$S(a)$		↗	극대	↘	

따라서 $S(a)$는 $a=1$일 때 극대이면서 최대이므로 사다리꼴 OABC의 넓이의 최댓값은

$S(1)=1-6+9=4$ ··· ❸

답 4

채점 기준	비율
❶ 두 점 B, C의 좌표를 한 문자 a로 나타낼 수 있다.	30 %
❷ 사다리꼴 OABC의 넓이 $S(a)$를 a에 대한 함수로 나타낼 수 있다.	30 %
❸ 사다리꼴 OABC의 넓이의 최댓값을 구할 수 있다.	40 %

0512

두 점 $\mathrm{P}(-1, -1)$, $\mathrm{Q}(2, 8)$을 지나는 직선의 방정식은

$y-8=\dfrac{-1-8}{-1-2}(x-2)$

$\therefore 3x-y+2=0$

곡선 $y=x^3$ 위를 움직이는 점 A의 좌표를 (a, a^3) $(-1<a<2)$으로 놓으면 점 A와 직선 PQ 사이의 거리는

$\dfrac{|3a-a^3+2|}{\sqrt{3^2+(-1)^2}}=\dfrac{(2-a)(a+1)^2}{\sqrt{10}}$ $(\because -1<a<2)$

또, $\overline{\mathrm{PQ}}=\sqrt{(-1-2)^2+(-1-8)^2}=3\sqrt{10}$

삼각형 APQ의 넓이를 $S(a)$라 하면

$S(a)=\dfrac{1}{2}\times 3\sqrt{10}\times\dfrac{(2-a)(a+1)^2}{\sqrt{10}}=\dfrac{3}{2}(3a-a^3+2)$

$S'(a)=\dfrac{3}{2}(3-3a^2)=-\dfrac{9}{2}(a+1)(a-1)$

$S'(a)=0$에서 $a=1$ $(\because -1<a<2)$

a	-1	$\cdots$	1	$\cdots$	2
$S'(a)$		$+$	0	$-$	
$S(a)$		↗	극대	↘	

따라서 $S(a)$는 $a=1$일 때 극대이면서 최대이므로 삼각형 APQ의 넓이의 최댓값은

$S(1)=\dfrac{3}{2}(3-1+2)=6$

답 ④

0513

|전략| 잘라 내는 정사각형의 한 변의 길이를 x cm로 놓고 상자의 부피를 x에 대한 함수로 나타내어 최댓값을 구한다.

잘라 내는 정사각형의 한 변의 길이를 x cm$(0<x<4)$로 놓으면 상자의 밑면의 가로의 길이는 $(15-2x)$ cm, 세로의 길이는 $(8-2x)$ cm이다.

상자의 부피를 $V(x)$ cm^{3}라 하면

$V(x)=x(15-2x)(8-2x)=4x^3-46x^2+120x$

$V'(x)=12x^2-92x+120=4(3x-5)(x-6)$

$V'(x)=0$에서 $x=\dfrac{5}{3}$ $(\because 0<x<4)$

x	0	$\cdots$	$\frac{5}{3}$	$\cdots$	4
$V'(x)$		$+$	0	$-$	
$V(x)$		↗	극대	↘	

따라서 $V(x)$는 $x=\dfrac{5}{3}$일 때 극대이면서 최대이므로 잘라내는 정사각형의 한 변의 길이는 $\dfrac{5}{3}$ cm이다.

답 $\dfrac{5}{3}$ cm

0514

오른쪽 그림과 같이 밑면의 반지름의 길이 r와 높이 h의 합이 일정한 원기둥에 대하여 부피를 $V(r)$라 하면

$r+h=a$ (a는 상수) ······ ㉠

$V(r)=\pi r^2 h$ ······ ㉡

㉠에서 $h=a-r$를 ㉡에 대입하면

$V(r)=\pi r^2(a-r)=-\pi r^3+a\pi r^2$

$V'(r)=-3\pi r^2+2a\pi r=-\pi r(3r-2a)$

$V'(r)=0$에서 $r=\dfrac{2}{3}a$ $(\because 0<r<a)$

r	0	$\cdots$	$\frac{2}{3}a$	$\cdots$	a
$V'(r)$		$+$	0	$-$	
$V(r)$		↗	극대	↘	

따라서 $V(r)$는 $r=\dfrac{2}{3}a$일 때 극대이면서 최대이므로 r와 h의 비는

$r : h=r : (a-r)=\dfrac{2}{3}a : \dfrac{1}{3}a=2 : 1$

답 ②

0515

오른쪽 그림과 같이 정삼각형의 꼭짓점으로부터 거리가 $x(0<x<9)$인 부분까지 잘라 낸다고 하면 삼각기둥의 밑면은 한 변의 길이가 $18-2x$인 정삼각형이므로 그 넓이는

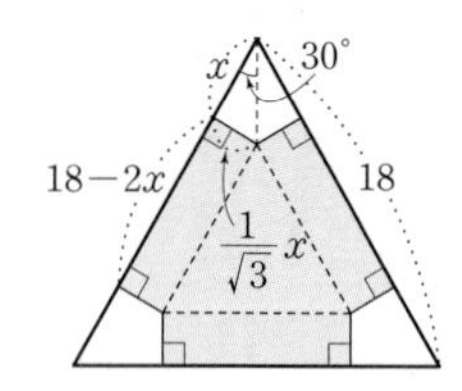

$\dfrac{\sqrt{3}}{4}(18-2x)^2=\sqrt{3}(x-9)^2$

이때, 상자의 높이는 $x\tan 30°=\dfrac{1}{\sqrt{3}}x$이므로 상자의 부피를 $V(x)$라 하면

$V(x)=\sqrt{3}(x-9)^2\times\dfrac{1}{\sqrt{3}}x=x(x-9)^2$

$V'(x)=(x-9)^2+x\times 2(x-9)=3(x-3)(x-9)$

$V'(x)=0$에서 $x=3$ $(\because 0<x<9)$

x	0	$\cdots$	3	$\cdots$	9
$V'(x)$		$+$	0	$-$	
$V(x)$		↗	극대	↘	

따라서 $V(x)$는 $x=3$일 때 극대이면서 최대이므로 상자의 부피의 최댓값은

$V(3)=3(3-9)^2=108$ 답 108

0516

오른쪽 그림과 같이 직육면체의 밑면의 한 변의 길이를 $x(0<x<3)$, 높이를 h로 놓으면 $\overline{AB}=x$, $\overline{BC}=3-x$이다.

이때, $\triangle BCD \backsim \triangle ACE$이므로

$\overline{BC} : \overline{AC} = \overline{BD} : \overline{AE}$에서

$(3-x) : 3 = h : \frac{3\sqrt{2}}{2}$

밑면의 한 변의 길이가 a, 옆면의 한 모서리의 길이가 b인 정사각뿔의 높이 : $\sqrt{b^2-\frac{a^2}{2}}$

$\therefore h=\frac{\sqrt{2}}{2}(3-x)$

직육면체의 부피를 $V(x)$라 하면

$V(x)=x^2h=\frac{\sqrt{2}}{2}(3x^2-x^3)$

정사각뿔에 내접하는 직육면체의 밑면은 정사각형이다.

$V'(x)=\frac{\sqrt{2}}{2}(6x-3x^2)=\frac{3\sqrt{2}}{2}x(2-x)$

$V'(x)=0$에서 $x=2$ ($\because 0<x<3$)

x	0	$\cdots$	2	$\cdots$	3
$V'(x)$		+	0	−	
$V(x)$		↗	극대	↘	

따라서 $V(x)$는 $x=2$일 때 극대이면서 최대이므로 직육면체의 부피의 최댓값은

$V(2)=\frac{\sqrt{2}}{2}(12-8)=2\sqrt{2}$ 답 ①

0517

|전략| (수입)=(판매 가격)×(수량)임을 이용하여 수입에 대한 함수식을 세운다.

관람 수입을 $f(x)$라 하면

$f(x)=xy=x\left(4800-10x-\frac{1}{3}x^2\right)$

$=-\frac{1}{3}x^3-10x^2+4800x$

$f'(x)=-x^2-20x+4800=-(x+80)(x-60)$

$f'(x)=0$에서 $x=60$ ($\because x>0$)

x	0	$\cdots$	60	$\cdots$
$f'(x)$		+	0	−
$f(x)$		↗	극대	↘

따라서 $f(x)$는 $x=60$일 때 극대이면서 최대이므로 관람 수입을 최대로 하려면 관람료를 6000원으로 정해야 한다. 답 ③

0518

제품 P를 x kg 생산할 때 얻을 수 있는 이익을 $g(x)$라 하면

$g(x)=1200x-f(x)$

$=1200x-(x^3-60x^2+1200x+4500)$

$=-x^3+60x^2-4500$

$g'(x)=-3x^2+120x=-3x(x-40)$

$g'(x)=0$에서 $x=40$ ($\because x>0$)

x	0	$\cdots$	40	$\cdots$
$g'(x)$		+	0	−
$g(x)$		↗	극대	↘

따라서 $g(x)$는 $x=40$일 때 극대이면서 최대이므로 이익을 최대로 하기 위해서는 제품 P를 하루에 40 kg 생산해야 한다. 답 40 kg

STEP 3 내신 마스터

0519

유형 01 함수의 증가·감소

|전략| 함수 $f(x)$가 $\alpha\le x\le\beta$에서 증가하므로 $f'(x)\ge0$인 해를 구하여 이 범위와 비교한다.

$f(x)=-6x^3+18x+2$에서

$f'(x)=-18x^2+18=-18(x+1)(x-1)$

이때, 함수 $f(x)$는 $\alpha\le x\le\beta$에서 증가하므로 이 범위에서

$f'(x)\ge0$, 즉 $-18(x+1)(x-1)\ge0$, $(x+1)(x-1)\le0$

$\therefore -1\le x\le1$

따라서 $\alpha=-1$, $\beta=1$이므로 $\alpha\beta=-1$ 답 ②

0520

유형 02 삼차함수가 증가 또는 감소하기 위한 조건

|전략| 삼차함수 $f(x)$가 일대일함수이고 최고차항의 계수가 음수이므로 $f(x)$가 실수 전체의 집합에서 감소하기 위한 조건을 구한다.

임의의 두 실수 x_1, x_2에 대하여 $x_1\ne x_2$이면 $f(x_1)\ne f(x_2)$를 만족시키는 함수는 일대일함수이고, 함수 $f(x)$의 최고차항의 계수가 음수이므로 $f(x)$는 실수 전체의 집합에서 감소한다.

즉, 모든 실수 x에 대하여 $f'(x)\le0$이다.

$f(x)=-\frac{1}{3}x^3+ax^2-x+a$에서

$f'(x)=-x^2+2ax-1$

이차방정식 $f'(x)=0$의 판별식을 D라 하면

$\frac{D}{4}=a^2-1\le0$, $(a+1)(a-1)\le0$

$\therefore -1\le a\le1$

따라서 자연수 a는 1이다. 답 ①

0521

유형 03 주어진 구간에서 삼차함수가 증가 또는 감소하기 위한 조건

|전략| 삼차함수 $f(x)$가 열린구간 $(-1, 2)$에서 증가하려면 그 구간의 모든 x에 대하여 $f'(x)\ge0$이어야 함을 이용한다.

$f(x)=-x^3+3x^2+ax+1$에서

$f'(x)=-3x^2+6x+a$

함수 $f(x)$가 열린구간 $(-1, 2)$에서 증가하려면 이 구간에서
$f'(x)\geq 0$이어야 하므로
$f'(-1)=-3-6+a\geq 0$에서 $a\geq 9$ ······ ㉠
$f'(2)=-12+12+a\geq 0$에서 $a\geq 0$ ······ ㉡
따라서 ㉠, ㉡에서 $a\geq 9$이므로 실수 a의 최솟값은 9이다. 답 ⑤

0522

유형 04 함수의 극대·극소

|전략| $f'(x)=0$이 되는 x의 값을 구하고 그 값의 좌우에서 $f'(x)$의 부호가 바뀌는지 조사하여 두 점의 좌표를 찾는다.

$f(x)=\frac{3}{4}x^4+5x^3+9x^2$에서
$f'(x)=3x^3+15x^2+18x=3x(x+2)(x+3)$
$f'(x)=0$에서 $x=-3$ 또는 $x=-2$ 또는 $x=0$

x	$\cdots$	-3	$\cdots$	-2	$\cdots$	0	$\cdots$
$f'(x)$	$-$	0	$+$	0	$-$	0	$+$
$f(x)$	↘	$\frac{27}{4}$	↗	8	↘	0	↗

함수 $f(x)$는 $x=-3$, $x=0$에서 극솟값을 가지므로 $\alpha=-3$, $\beta=0$이고 $f(\alpha)=f(-3)=\frac{27}{4}$, $f(\beta)=f(0)=0$이다.

따라서 두 점 $\mathrm{A}\left(-3, \frac{27}{4}\right)$, $\mathrm{B}(0, 0)$을 지나는 직선의 기울기는

$\frac{0-\frac{27}{4}}{0-(-3)}=-\frac{9}{4}$ 답 ①

0523

유형 05 함수의 극대·극소를 이용한 미정계수의 결정

|전략| $f'(x)=0$이 되는 x의 값을 찾아 극대, 극소를 판정하고, (극댓값)$=-$(극솟값)임을 이용한다.

$f(x)=x^3+3x^2-24x+k$에서
$f'(x)=3x^2+6x-24=3(x+4)(x-2)$
$f'(x)=0$에서 $x=-4$ 또는 $x=2$

x	$\cdots$	-4	$\cdots$	2	$\cdots$
$f'(x)$	$+$	0	$-$	0	$+$
$f(x)$	↗	$k+80$	↘	$k-28$	↗

따라서 함수 $f(x)$는 $x=-4$에서 극대이고 극댓값은 $f(-4)=k+80$, $x=2$에서 극소이고 극솟값은 $f(2)=k-28$이다.
이때, 극댓값과 극솟값의 절댓값이 같고 그 부호가 서로 다르므로
$k+80=-(k-28)$, $2k=-52$ $\therefore k=-26$ 답 ①

0524

유형 05 함수의 극대·극소를 이용한 미정계수의 결정

|전략| 모든 실수 x에 대하여 $f(-x)=f(x)$를 만족시키는 함수 $y=f(x)$의 그래프는 y축에 대하여 대칭이고 $f(0)=4$이므로 $f'(x)=0$을 만족시키는 x의 값 중 0이 아닌 값에서 극솟값을 가짐을 이용한다.

조건 (가)에서 $f(-x)=f(x)$이므로 $a=0$, $c=0$
즉, $f(x)=x^4+bx^2+4$
$f'(x)=4x^3+2bx=2x(2x^2+b)$
$f'(x)=0$에서 $x=0$ 또는 $x=\pm\sqrt{-\frac{b}{2}}$
한편, $f(0)=4$이므로 조건 (나)에 의하여 함수 $f(x)$는 $x=\pm\sqrt{-\frac{b}{2}}$에서 극솟값 0을 가진다.
$\therefore f\left(\pm\sqrt{-\frac{b}{2}}\right)=\frac{b^2}{4}+b\times\left(-\frac{b}{2}\right)+4=0$
$-\frac{b^2}{4}=-4$, $b^2=16$ $\therefore b=-4$ $(\because b<0)$
따라서 $f(x)=x^4-4x^2+4$이므로 $f(2)=4$ 답 ④

0525

유형 07 삼차함수가 주어진 구간에서 극값을 가질 조건

|전략| 삼차함수 $f(x)$가 $0<x<2$에서 극댓값을 갖고, $x<0$에서 극솟값을 가지려면 이차방정식 $f'(x)=0$의 두 실근 중 한 근은 $0<x<2$에 있고, 다른 한 근은 $x<0$에 있어야 함을 이용한다.

$f(x)=-x^3+ax^2+3ax+8$에서
$f'(x)=-3x^2+2ax+3a$
함수 $f(x)$가 $0<x<2$에서 극댓값을 갖고, $x<0$에서 극솟값을 가지려면 이차방정식 $f'(x)=0$의 두 실근 중 한 근은 $0<x<2$에 있고, 다른 한 근은 $x<0$에 있어야 하므로 $y=f'(x)$의 그래프가 오른쪽 그림과 같아야 한다.

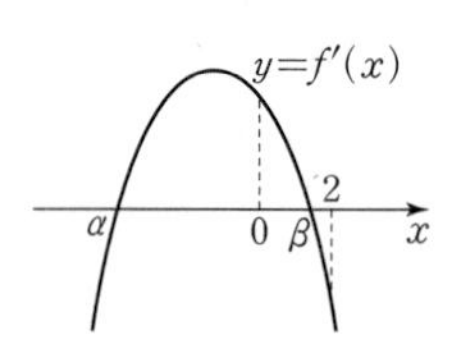

즉, 이차방정식 $f'(x)=0$의 두 실근을 α, β $(\alpha<\beta)$라 하면
$\alpha<0<\beta<2$이어야 하므로
(i) $f'(0)=3a>0$에서 $a>0$
(ii) $f'(2)=-12+4a+3a<0$에서 $-12+7a<0$
$\therefore a<\frac{12}{7}$
(i), (ii)에서 $0<a<\frac{12}{7}$ 답 ③

0526

유형 08 사차함수가 극값을 갖거나 갖지 않을 조건

|전략| 최고차항의 계수가 양수인 사차함수 $f(x)$가 극댓값을 가지려면 삼차방정식 $f'(x)=0$이 서로 다른 세 실근을 가져야 함을 이용한다.

$f(x)=x^4-4x^3+2ax^2$에서
$f'(x)=4x^3-12x^2+4ax=4x(x^2-3x+a)$
함수 $f(x)$가 극댓값을 가지려면 삼차방정식 $f'(x)=0$이 서로 다른 세 실근을 가져야 하므로 이차방정식 $x^2-3x+a=0$이 0이 아닌 서로 다른 두 실근을 가져야 한다.

이차방정식 $x^2-3x+a=0$의 판별식을 D라 하면

$a\neq0$, $D=9-4a>0$에서

$a<0$ 또는 $0<a<\frac{9}{4}$

따라서 실수 a의 값이 될 수 있는 것은 ① 1이다. 답 ①

0527

유형 10 도함수의 그래프를 이용한 함수의 극대·극소 (2)

| 전략 | 주어진 조건과 도함수의 그래프가 x축과 만나는 점의 좌우에서 $f'(x)$의 부호가 바뀌면 극대 또는 극소라는 점을 이용하여 함수 $f(x)$를 구한다.

$y=f'(x)$의 그래프가 x축과 만나는 점의 x좌표가 1, 3이므로

$f'(x)=0$에서 $x=1$ 또는 $x=3$

x	$\cdots$	1	$\cdots$	3	$\cdots$
$f'(x)$	$+$	0	$-$	0	$+$
$f(x)$	↗	극대	↘	극소	↗

$f(x)=ax^3+bx^2+cx+d$ ($a\neq0$, b, c, d는 상수)라 하면

$f'(x)=3ax^2+2bx+c$

$f(0)=1$이므로 $f(0)=d=1$

$f'(0)=3$이므로 $f'(0)=c=3$

또, $f'(1)=0$, $f'(3)=0$이므로

$f'(1)=3a+2b+c=3a+2b+3=0$ ······ ㉠

$f'(3)=27a+6b+c=27a+6b+3=0$ ······ ㉡

㉠, ㉡을 연립하여 풀면

$a=\frac{1}{3}$, $b=-2$

따라서 $f(x)=\frac{1}{3}x^3-2x^2+3x+1$이므로 방정식 $f(x)=0$의 모든 근의 곱은 삼차방정식의 근과 계수의 관계에 의하여

$-\frac{1}{\frac{1}{3}}=-3$ 답 ③

0528

유형 11 도함수의 그래프를 이용한 다항함수의 해석 (1)

| 전략 | $f'(x)$의 부호와 그 변화를 보고 $y=f(x)$의 그래프를 해석해 본다.

① 열린구간 $(-2, -1)$에서 $f'(x)<0$이므로 이 구간에서 함수 $f(x)$는 감소한다. (참)

② 열린구간 $(1, 2)$에서 $f'(x)>0$이므로 이 구간에서 함수 $f(x)$는 증가한다. (참)

③ $x=4$의 좌우에서 $f'(x)$의 부호가 음$(-)$에서 양$(+)$으로 바뀌므로 함수 $f(x)$는 $x=4$에서 극소이다. (참)

④ $x=2$의 좌우에서 $f'(x)$의 부호가 양$(+)$에서 음$(-)$으로 바뀌므로 함수 $f(x)$는 $x=2$에서 극대이다. (참)

⑤ $x=3$의 좌우에서 $f'(x)$의 부호가 바뀌지 않으므로 함수 $f(x)$는 $x=3$에서 극값을 갖지 않는다. (거짓)

따라서 옳지 않은 것은 ⑤이다. 답 ⑤

0529

유형 16 함수의 최대·최소를 이용한 미정계수의 결정

| 전략 | 함수 $f(x)$의 증감표를 작성하고 최댓값을 a에 대한 식으로 나타낸 다음 주어진 조건을 이용하여 a의 값을 구한다.

$f(x)=2x^3-3x^2+a$에서

$f'(x)=6x^2-6x=6x(x-1)$

$f'(x)=0$에서 $x=0$ 또는 $x=1$

x	0	$\cdots$	1	$\cdots$	3
$f'(x)$	0	$-$	0	$+$	
$f(x)$	a	↘	$a-1$	↗	$a+27$

따라서 함수 $f(x)$는 닫힌구간 $[0, 3]$에서 $x=3$일 때 최댓값 $a+27$을 가지므로

$a+27=10$ $\quad\therefore a=-17$ 답 ②

0530

유형 17 최대·최소의 활용 – 길이, 넓이

| 전략 | 점 P의 좌표를 (t, t^2)으로 놓고 직사각형 APBC의 넓이를 t에 대한 함수로 나타내어 최댓값을 구한다.

직사각형 APBC의 넓이를 $S(t)$라 하자.

점 P의 좌표를 (t, t^2) $(0<t<1)$으로 놓으면

$S(t)=t(1-t^2)=-t^3+t$

$S'(t)=-3t^2+1$

$=-3\left(t+\frac{1}{\sqrt{3}}\right)\left(t-\frac{1}{\sqrt{3}}\right)$

$S'(t)=0$에서 $t=\frac{1}{\sqrt{3}}$ $(\because 0<t<1)$

t	0	$\cdots$	$\frac{1}{\sqrt{3}}$	$\cdots$	1
$S'(t)$		$+$	0	$-$	
$S(t)$		↗	극대	↘	

따라서 $S(t)$는 $t=\frac{1}{\sqrt{3}}$일 때 극대이면서 최대이므로 직사각형 APBC의 넓이의 최댓값은

$S\left(\frac{1}{\sqrt{3}}\right)=-\left(\frac{1}{\sqrt{3}}\right)^3+\frac{1}{\sqrt{3}}=\frac{2\sqrt{3}}{9}$ 답 ②

0531

유형 19 최대·최소의 활용 – 실생활

| 전략 | (이익)=(판매 가격)×(수량)−(생산 비용)임을 이용하여 이익에 대한 함수식을 세운다.

호두 파이의 가격이 $(1000+10x)$원일 때 판매량은 $(21600-x^2)$개이므로 그때의 이익을 $f(x)$원이라 하면

$f(x)=(1000+10x)(21600-x^2)$
$-\{400000+40000+100(21600-x^2)\}$
$=-10x^3-900x^2+216000x+19000000$

$f'(x)=-30x^2-1800x+216000=-30(x+120)(x-60)$

$f'(x)=0$에서 $x=60$ ($\because x>0$)

x	0	$\cdots$	60	$\cdots$
$f'(x)$		+	0	−
$f(x)$		↗	극대	↘

따라서 $f(x)$는 $x=60$일 때 극대이면서 최대이므로 이익이 최대가 되도록 하는 가격은

$1000+10\times60=1600$(원)

답 ④

0532

유형 **01 함수의 증가·감소**

|전략| 함수 $f(x)$가 닫힌구간 $[-1, 2]$에서 증가하므로 이차방정식 $f'(x)=0$의 두 근은 $-1, 2$임을 이용한다.

$f(x)=-x^3+ax^2+bx-2$에서

$f'(x)=-3x^2+2ax+b$

함수 $f(x)$가 증가하는 구간이 $[-1, 2]$이므로 이차방정식 $f'(x)=0$의 두 근은 $-1, 2$이다. … ❶

이차방정식의 근과 계수의 관계에 의하여

$-1+2=\frac{2a}{3}$, $-1\times2=-\frac{b}{3}$

$\therefore a=\frac{3}{2}, b=6$ … ❷

따라서 $f(x)=-x^3+\frac{3}{2}x^2+6x-2$이므로

$f(2)=-8+6+12-2=8$ … ❸

답 8

채점 기준	배점
❶ 이차방정식 $f'(x)=0$의 두 근이 $-1, 2$임을 알 수 있다.	2점
❷ 이차방정식의 근과 계수의 관계를 이용하여 a, b의 값을 구할 수 있다.	2점
❸ $f(2)$의 값을 구할 수 있다.	2점

0533

유형 **06 삼차함수가 극값을 갖거나 갖지 않을 조건**

|전략| 삼차함수 $f(x)$는 극댓값과 극솟값을 모두 갖고, $g(x)$는 극값을 갖지 않으려면 이차방정식 $f'(x)=0$은 서로 다른 두 실근, $g'(x)=0$은 중근 또는 허근을 가져야 함을 이용한다.

$f(x)=x^3-ax^2+(a^2-2a)x$에서

$f'(x)=3x^2-2ax+a^2-2a$

함수 $f(x)$가 극댓값과 극솟값을 모두 가지려면 이차방정식 $f'(x)=0$이 서로 다른 두 실근을 가져야 하므로 이차방정식 $f'(x)=0$의 판별식을 D_1이라 하면

$\frac{D_1}{4}=a^2-3(a^2-2a)>0$, $a^2-3a<0$

$a(a-3)<0$ $\therefore 0<a<3$ …… ㉠ … ❶

또, $g(x)=\frac{1}{3}x^3+ax^2+(5a-4)x+2$에서

$g'(x)=x^2+2ax+5a-4$

함수 $g(x)$가 극값을 갖지 않으려면 이차방정식 $g'(x)=0$이 중근 또는 허근을 가져야 하므로 이차방정식 $g'(x)=0$의 판별식을 D_2라 하면

$\frac{D_2}{4}=a^2-(5a-4)\le0$, $(a-1)(a-4)\le0$

$\therefore 1\le a\le4$ …… ㉡ … ❷

㉠, ㉡의 공통 범위는 $1\le a<3$이므로 정수 a의 값은 1, 2이다. … ❸

답 1, 2

채점 기준	배점
❶ 함수 $f(x)$가 극댓값과 극솟값을 모두 가질 조건을 이용하여 a의 값의 범위를 구할 수 있다.	2점
❷ 함수 $g(x)$가 극값을 갖지 않을 조건을 이용하여 a의 값의 범위를 구할 수 있다.	2점
❸ 정수 a의 값을 구할 수 있다.	2점

0534

유형 **15 치환을 이용한 함수의 최대·최소**

|전략| $g(x)=t$로 치환하여 t의 값의 범위를 구한 다음 그 범위에서 $(f\circ g)(x)=f(t)$의 최댓값을 구한다.

$g(x)=t$로 놓으면 $t=x^2+4x+2=(x+2)^2-2$

$\therefore t\ge-2$

$(f\circ g)(x)=f(g(x))=f(t)=-t^3+12t$ … ❶

$f'(t)=-3t^2+12=-3(t+2)(t-2)$

$f'(t)=0$에서 $t=-2$ 또는 $t=2$ … ❷

t	-2	$\cdots$	2	$\cdots$
$f'(t)$	0	+	0	−
$f(t)$	-16	↗	16	↘

따라서 함수 $f(t)$는 $t=2$에서 최댓값 16을 가지므로 $(f\circ g)(x)$의 최댓값은 16이다. … ❸

답 16

채점 기준	배점
❶ $g(x)=t$로 놓고 $(f\circ g)(x)$를 t에 대한 식으로 나타낼 수 있다.	2점
❷ $f'(t)=0$을 만족시키는 t의 값을 구할 수 있다.	2점
❸ $(f\circ g)(x)$의 최댓값을 구할 수 있다.	3점

0535

유형 **05 함수의 극대·극소를 이용한 미정계수의 결정**

|전략| $f(x)=x^3+ax^2+bx+c$ (a, b, c는 상수)로 놓고, 주어진 조건을 이용하여 극댓값과 극솟값의 차를 구한다.

(1) 함수 $f(x)$는 $x=3$에서 극솟값을 가지므로

$f'(3)=0$

(2) $f'(1-x)=f'(1+x)$의 양변에 $x=2$를 대입하면

$f'(-1)=f'(3)$

이때, $f'(3)=0$이므로 $f'(-1)=0$

(3) $f(x)=x^3+ax^2+bx+c$에서

$f'(x)=3x^2+2ax+b$

이때, 이차방정식 $f'(x)=0$이 $x=-1$, $x=3$을 근으로 가지므로

$f'(x)=3x^2+2ax+b=3(x+1)(x-3)$

$3x^2+2ax+b=3x^2-6x-9$

$\therefore 2a=-6, b=-9 \qquad \therefore a=-3, b=-9$

(4) $f(x)=x^3-3x^2-9x+c$이고, $x=-1$일 때 극댓값, $x=3$일 때 극솟값을 가지므로 함수 $f(x)$의 극댓값과 극솟값의 차는

$f(-1)-f(3)=(5+c)-(-27+c)=32$

답 (1) 0 (2) 0 (3) $a=-3$, $b=-9$ (4) 32

채점 기준	배점
(1) $f'(3)$의 값을 구할 수 있다.	2점
(2) $f'(-1)$의 값을 구할 수 있다.	3점
(3) a, b의 값을 구할 수 있다.	4점
(4) $f(x)$의 극댓값과 극솟값의 차를 구할 수 있다.	3점

0536

유형 18 최대·최소의 활용 – 부피

| 전략 | 삼각형의 닮음을 이용하여 원기둥의 부피를 한 문자에 대한 함수로 나타내어 최댓값을 구한다.

(1) 오른쪽 그림에서 $\triangle ABD \backsim \triangle ACE$이므로 $\overline{BD}:\overline{AB}=\overline{CE}:\overline{AC}$

$x:(12-h)=6:12$

$12-h=2x \qquad \therefore h=12-2x$

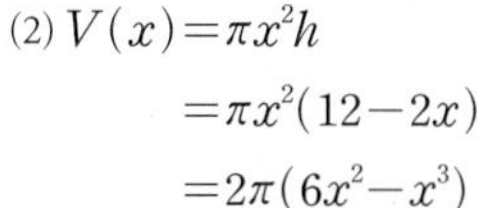

(2) $V(x)=\pi x^2 h$

$=\pi x^2(12-2x)$

$=2\pi(6x^2-x^3)$

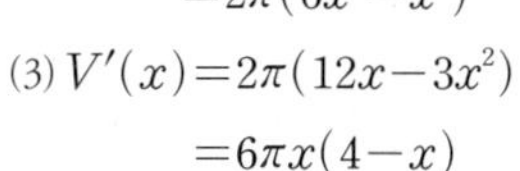

(3) $V'(x)=2\pi(12x-3x^2)$

$=6\pi x(4-x)$

$V'(x)=0$에서 $x=4$ ($\because 0<x<6$)

x	0	$\cdots$	4	$\cdots$	6
$V'(x)$		+	0	−	
$V(x)$		↗	극대	↘	

따라서 $V(x)$는 $x=4$일 때 극대이면서 최대이므로 원기둥의 부피의 최댓값은 $V(4)=2\pi(96-64)=64\pi$

답 (1) $h=12-2x$ (2) $V(x)=2\pi(6x^2-x^3)$ (3) 64π

채점 기준	배점
(1) h를 x에 대한 함수로 나타낼 수 있다.	3점
(2) $V(x)$를 x에 대한 함수로 나타낼 수 있다.	3점
(3) 원기둥의 부피의 최댓값을 구할 수 있다.	4점

창의·융합 교과서 속 심화문제

0537

| 전략 | 함수 $g(t)$가 열린구간 $(0, 2)$에서 증가하려면 이 구간의 모든 t에 대하여 $g'(t)\ge 0$이어야 함을 이용한다.

$f(x)=x^4-(a+2)x^2+ax$에서

$f'(x)=4x^3-2(a+2)x+a$

곡선 $y=f(x)$ 위의 점 $(t, f(t))$에서의 접선의 방정식은

$y-\{t^4-(a+2)t^2+at\}=\{4t^3-2(a+2)t+a\}(x-t)$

따라서 이 접선의 y절편 $g(t)$는

$g(t)=-3t^4+(a+2)t^2$

$g'(t)=-12t^3+2(a+2)t=-2t\{6t^2-(a+2)\}$

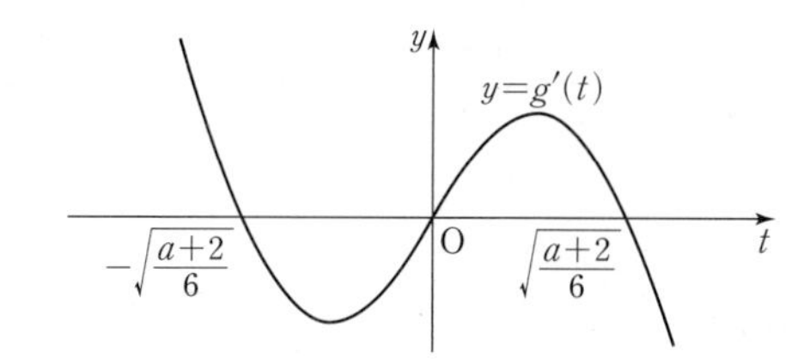

함수 $g(t)$가 열린구간 $(0, 2)$에서 증가하려면 $0<t<2$에서 $g'(t)\ge 0$이어야 하므로

$g'(2)=-12\times 2^3+2(a+2)\times 2\ge 0$에서 $a\ge 22$

따라서 a의 최솟값은 22이다.

답 ②

0538

| 전략 | 함수 $g(x)$의 증감표를 작성하여 $y=g(x)$의 그래프를 해석해 본다.

x	$\cdots$	a	$\cdots$	0	$\cdots$	b	$\cdots$	c	$\cdots$
x의 부호	−	−	−	0	+	+	+	+	+
$f(x)$의 부호	+	0	−	−	−	0	+	0	−
$g'(x)$의 부호	−	0	+	0	−	0	+	0	−
$g(x)$의 증감	↘	극소	↗	극대	↘	극소	↗	극대	↘

ㄱ. $g(x)$는 열린구간 $(a, 0)$에서 증가하고, 열린구간 $(0, b)$에서 감소한다. (거짓)

ㄴ. $g(x)$는 $x=b$에서 극솟값을 가진다. (참)

ㄷ. $g(x)$는 $x=a$, $x=0$, $x=b$, $x=c$에서 극값을 가지므로 4개의 극값을 가진다. (거짓)

따라서 옳은 것은 ㄴ이다.

답 ②

0539

| 전략 | 이차방정식 $f'(x)=0$의 두 근이 1, 3이라는 것과 함수의 그래프와 직선의 교점을 이용하여 a, b, c의 값을 구한다.

$f(x)=x^3+ax^2+bx+c$에서

$f'(x)=3x^2+2ax+b$ ⋯⋯ ㉠

$f(x)$가 $x=1$에서 극대, $x=3$에서 극소이므로

5 도함수의 활용(2)

$f'(x)=3(x-1)(x-3)$

$\quad =3x^2-12x+9$ …… ㉡

㉠=㉡에서 $a=-6$, $b=9$

$\therefore f(x)=x^3-6x^2+9x+c$ …… ㉢

또, 극대가 되는 점과 극소가 되는 점을 연결한 직선의 기울기를 m이라 하면

$m=\dfrac{f(3)-f(1)}{3-1}=\dfrac{c-(c+4)}{2}=-2$

따라서 극대가 되는 점과 극소가 되는 점을 연결한 직선의 방정식은

$y=-2x+10$ …… ㉣

이때, 점 $(1, 8)$이 ㉢, ㉣의 교점 중 하나이므로 이것을 ㉢에 대입하면

$c+4=8 \qquad \therefore c=4$

$\therefore a^2+b^2+c^2=(-6)^2+9^2+4^2=133$ 답 ④

0540

|전략| 정사각뿔의 밑면인 정사각형의 한 변의 길이를 $2x$로 놓고 정사각뿔의 부피를 x에 대한 식으로 나타내어 최댓값을 구한다.

다음 그림과 같이 정사각뿔의 밑면인 정사각형의 한 변의 길이를 $2x$ $(0<x<10)$, 높이를 $h(x)$로 놓으면

$h(x)=\sqrt{(10-x)^2-x^2}$

$\quad =\sqrt{100-20x}$

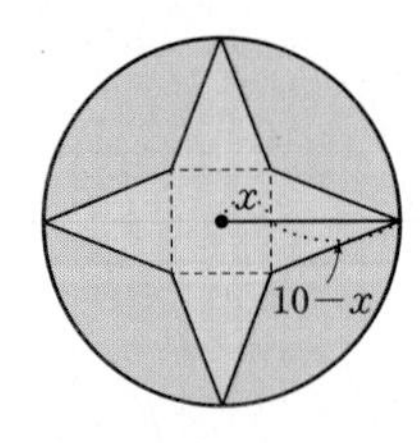

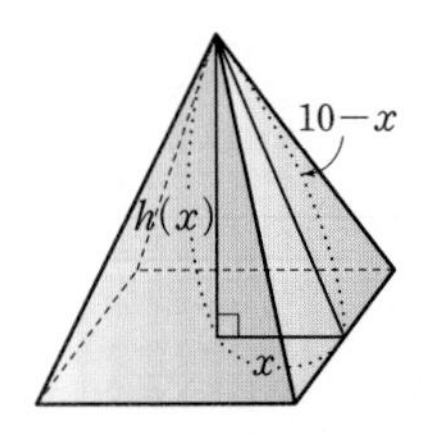

정사각뿔의 부피를 $V(x)$라 하면

$V(x)=\dfrac{1}{3}\times(2x)^2\times h(x)$

$\quad =\dfrac{4}{3}\sqrt{100x^4-20x^5}$

$g(x)=100x^4-20x^5$으로 놓으면

$g'(x)=400x^3-100x^4$

$\quad =100x^3(4-x)$

$g'(x)=0$에서 $x=4$ $(\because 0<x<10)$

x	0	$\cdots$	4	$\cdots$	10
$g'(x)$		$+$	0	$-$	
$g(x)$		↗	극대	↘	

따라서 $g(x)$는 $x=4$일 때 극대이면서 최대이고 $g(x)$가 최대일 때 $V(x)$가 최대이므로 정사각뿔의 부피가 최대일 때의 높이는

$h(4)=\sqrt{100-80}=2\sqrt{5}$ 답 ③

본책 96~109쪽

6 | 도함수의 활용 (3)

STEP 1 개념 마스터

0541

$f(x)=x^3-3x^2+1$로 놓으면 $f'(x)=3x^2-6x=3x(x-2)$

$f'(x)=0$에서 $x=0$ 또는 $x=2$

x	$\cdots$	0	$\cdots$	2	$\cdots$
$f'(x)$	$+$	0	$-$	0	$+$
$f(x)$	↗	1	↘	-3	↗

따라서 함수 $y=f(x)$의 그래프는 오른쪽 그림과 같이 x축과 서로 다른 세 점에서 만나므로 주어진 방정식의 서로 다른 실근의 개수는 3이다. 답 3

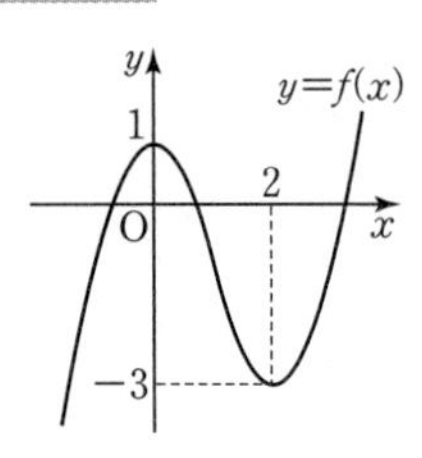

0542

$f(x)=x^3-3x+5$로 놓으면 $f'(x)=3x^2-3=3(x+1)(x-1)$

$f'(x)=0$에서 $x=-1$ 또는 $x=1$

x	$\cdots$	-1	$\cdots$	1	$\cdots$
$f'(x)$	$+$	0	$-$	0	$+$
$f(x)$	↗	7	↘	3	↗

따라서 함수 $y=f(x)$의 그래프는 오른쪽 그림과 같이 x축과 한 점에서 만나므로 주어진 방정식의 서로 다른 실근의 개수는 1이다.

답 1

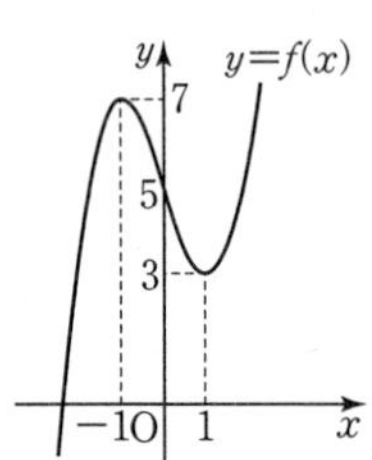

0543

$f(x)=x^4-2x^2-3$으로 놓으면

$f'(x)=4x^3-4x=4x(x+1)(x-1)$

$f'(x)=0$에서 $x=-1$ 또는 $x=0$ 또는 $x=1$

x	$\cdots$	-1	$\cdots$	0	$\cdots$	1	$\cdots$
$f'(x)$	$-$	0	$+$	0	$-$	0	$+$
$f(x)$	↘	-4	↗	-3	↘	-4	↗

따라서 함수 $y=f(x)$의 그래프는 오른쪽 그림과 같이 x축과 서로 다른 두 점에서 만나므로 주어진 방정식의 서로 다른 실근의 개수는 2이다. 답 2

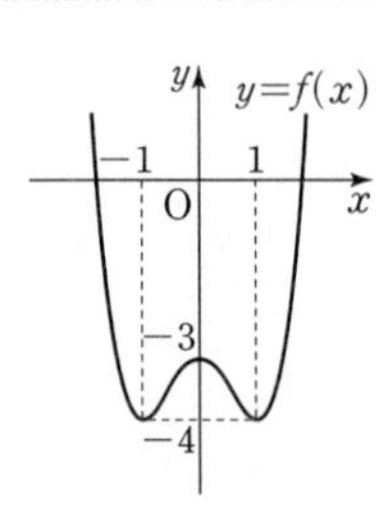

0544

$x^3=3x-1$에서 $x^3-3x+1=0$

$f(x)=x^3-3x+1$로 놓으면 $f'(x)=3x^2-3=3(x+1)(x-1)$

$f'(x)=0$에서 $x=-1$ 또는 $x=1$

x	$\cdots$	-1	$\cdots$	1	$\cdots$
$f'(x)$	$+$	0	$-$	0	$+$
$f(x)$	↗	3	↘	-1	↗

따라서 함수 $y=f(x)$의 그래프는 오른쪽 그림과 같이 x축과 서로 다른 세 점에서 만나므로 주어진 방정식의 서로 다른 실근의 개수는 3이다.

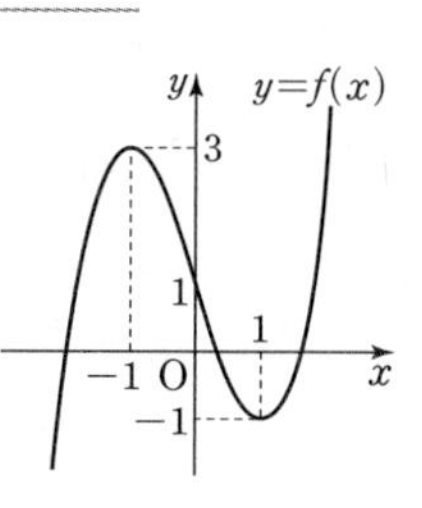

답 3

0545

$2x^3+1=3x^2$에서 $2x^3-3x^2+1=0$

$f(x)=2x^3-3x^2+1$로 놓으면 $f'(x)=6x^2-6x=6x(x-1)$

$f'(x)=0$에서 $x=0$ 또는 $x=1$

x	$\cdots$	0	$\cdots$	1	$\cdots$
$f'(x)$	$+$	0	$-$	0	$+$
$f(x)$	↗	1	↘	0	↗

따라서 함수 $y=f(x)$의 그래프는 오른쪽 그림과 같이 x축과 서로 다른 두 점에서 만나므로 주어진 방정식의 서로 다른 실근의 개수는 2이다.

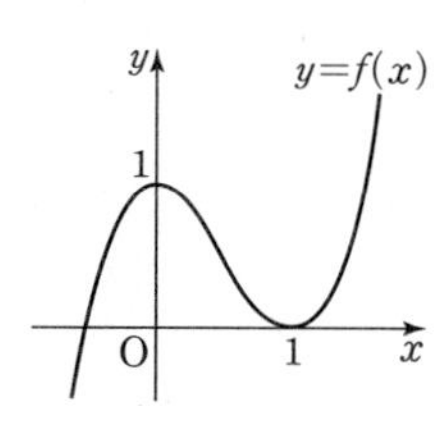

답 2

0546

$2x^4-4x^3+3=-x^4+4$에서 $3x^4-4x^3-1=0$

$f(x)=3x^4-4x^3-1$로 놓으면

$f'(x)=12x^3-12x^2=12x^2(x-1)$

$f'(x)=0$에서 $x=0$ 또는 $x=1$

x	$\cdots$	0	$\cdots$	1	$\cdots$
$f'(x)$	$-$	0	$-$	0	$+$
$f(x)$	↘	-1	↘	-2	↗

따라서 함수 $y=f(x)$의 그래프는 오른쪽 그림과 같이 x축과 서로 다른 두 점에서 만나므로 주어진 방정식의 서로 다른 실근의 개수는 2이다.

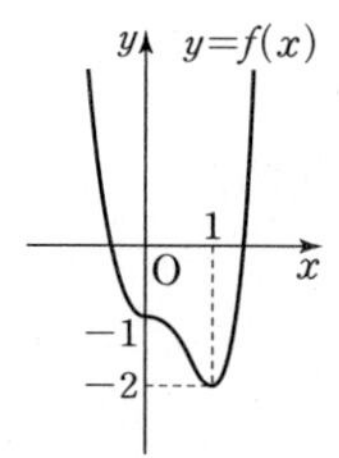

답 2

0547

$f(x)=x^3-6x^2+9x-3$으로 놓으면

$f'(x)=3x^2-12x+9=3(x-1)(x-3)$

$f'(x)=0$에서 $x=1$ 또는 $x=3$

이때, $f(1)f(3)=1\times(-3)=-3<0$이므로 주어진 방정식은 서로 다른 세 실근을 가진다. (극솟값: $f(3)$, 극댓값: $f(1)$)

답 서로 다른 세 실근

0548

$f(x)=-2x^3-3x^2+12x-7$로 놓으면

$f'(x)=-6x^2-6x+12=-6(x+2)(x-1)$

$f'(x)=0$에서 $x=-2$ 또는 $x=1$

이때, $f(-2)f(1)=(-27)\times 0=0$이므로 주어진 방정식은 한 실근과 중근을 가진다. (극솟값: $f(-2)$, 극댓값: $f(1)$)

답 한 실근과 중근

0549

$f(x)=x^3+6x^2+9x-k$로 놓으면

$f'(x)=3x^2+12x+9=3(x+3)(x+1)$

$f'(x)=0$에서 $x=-3$ 또는 $x=-1$

(1) 삼차방정식이 한 실근과 중근을 가지려면

$f(-3)f(-1)=0$이어야 하므로 (극댓값: $f(-3)$, 극솟값: $f(-1)$)

$-k(-4-k)=0$, $k(4+k)=0$ $\quad\therefore k=-4$ 또는 $k=0$

(2) 삼차방정식이 한 실근과 두 허근을 가지려면

$f(-3)f(-1)>0$이어야 하므로

$-k(-4-k)>0$, $k(4+k)>0$ $\quad\therefore k<-4$ 또는 $k>0$

답 (1) $k=-4$ 또는 $k=0$ (2) $k<-4$ 또는 $k>0$

0550

$x^3+16\ge 12x$에서 $x^3-12x+16\ge 0$

$f(x)=x^3-12x+16$으로 놓으면

$f'(x)=3x^2-12=3(x+2)(x-2)$

$f'(x)=0$에서 $x=$ (가) 2 $(\because x\ge 0)$

x	0	$\cdots$	2	$\cdots$
$f'(x)$		$-$	0	$+$
$f(x)$	16	↘	0	↗

함수 $y=f(x)$의 그래프는 오른쪽 그림과 같고, $x\ge 0$일 때 $f(x)$는 $x=2$에서 최솟값 (나) 0 을 가지므로

$f(x)=x^3-12x+16\ge 0$이다.

따라서 $x\ge 0$일 때, 부등식 $x^3+16\ge 12x$가 성립한다.

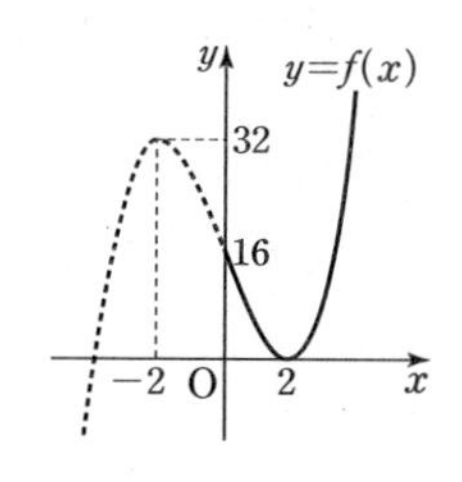

답 (가) 2 (나) 0

0551

$f(x)=-x^3+3x^2-4$로 놓으면

$f'(x)=-3x^2+6x=-3x(x-2)$

$f'(x)=0$에서 $x=0$ 또는 $x=2$

x	0	$\cdots$	2	$\cdots$
$f'(x)$	0	$+$	0	$-$
$f(x)$	-4	↗	0	↘

함수 $y=f(x)$의 그래프는 오른쪽 그림과 같고, $x\geq0$일 때 $f(x)$는 $x=2$에서 최댓값 0을 가지므로

$f(x)=-x^3+3x^2-4\leq0$이다.

따라서 $x\geq0$일 때, 부등식

$-x^3+3x^2-4\leq0$이 성립한다.

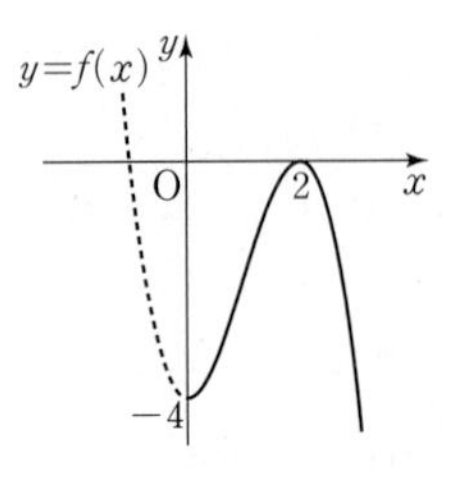

답 풀이 참조

0552

$f(x)=3x^4-4x^3+1$로 놓으면

$f'(x)=12x^3-12x^2=12x^2(x-1)$

$f'(x)=0$에서 $x=0$ 또는 $x=1$

x	$\cdots$	0	$\cdots$	1	$\cdots$
$f'(x)$	$-$	0	$-$	0	$+$
$f(x)$	↘	1	↘	0	↗

함수 $y=f(x)$의 그래프는 오른쪽 그림과 같고, $f(x)$는 $x=1$에서 최솟값 0을 가지므로

$f(x)=3x^4-4x^3+1\geq0$이다.

따라서 모든 실수 x에 대하여 부등식

$3x^4-4x^3+1\geq0$이 성립한다.

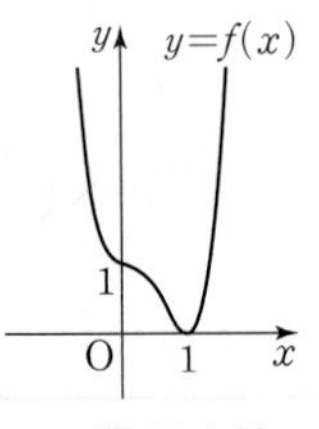

답 풀이 참조

0553

$v=\frac{dx}{dt}=6t-7$, $a=\frac{dv}{dt}=6$이므로 $t=3$에서의 점 P의 속도와 가속도는

$v=6\times3-7=11$, $a=6$

답 $v=11$, $a=6$

0554

$v=\frac{dx}{dt}=3t^2-2$, $a=\frac{dv}{dt}=6t$이므로 $t=1$에서의 점 P의 속도와 가속도는

$v=3\times1^2-2=1$, $a=6\times1=6$

답 $v=1$, $a=6$

0555

$v=\frac{dx}{dt}=-6t^2+3$, $a=\frac{dv}{dt}=-12t$이므로 $t=2$에서의 점 P의 속도와 가속도는

$v=-6\times2^2+3=-21$, $a=-12\times2=-24$ 답 $v=-21$, $a=-24$

0556

$\frac{dl}{dt}=3t^2+4t+1$이므로 $t=2$에서의 고무줄의 길이의 변화율은

$3\times2^2+4\times2+1=21$

답 21

0557

정사각형의 넓이를 S라 하면

$S=(1+t)^2$ $\quad\therefore \frac{dS}{dt}=2(1+t)$

따라서 $t=3$에서의 정사각형의 넓이의 변화율은

$2(1+3)=8$

답 8

0558

구의 부피를 V라 하면

$V=\frac{4}{3}\pi(2t)^3=\frac{32}{3}\pi t^3$ $\quad\therefore \frac{dV}{dt}=32\pi t^2$

따라서 $t=2$에서의 구의 부피의 변화율은

$32\pi\times2^2=128\pi$

답 128π

STEP 2 유형 마스터

0559

|전략| 함수 $y=f(x)$의 그래프와 직선 $y=k$의 교점의 개수가 3이 되도록 하는 실수 k의 값의 범위를 구한다.

$x^3-6x^2+9x-k=0$에서 $x^3-6x^2+9x=k$

$f(x)=x^3-6x^2+9x$로 놓으면

$f'(x)=3x^2-12x+9=3(x-1)(x-3)$

$f'(x)=0$에서 $x=1$ 또는 $x=3$

x	$\cdots$	1	$\cdots$	3	$\cdots$
$f'(x)$	$+$	0	$-$	0	$+$
$f(x)$	↗	4	↘	0	↗

이때, 함수 $y=f(x)$의 그래프는 오른쪽 그림과 같고, 주어진 방정식이 서로 다른 세 실근을 가지려면 함수 $y=f(x)$의 그래프와 직선 $y=k$가 서로 다른 세 점에서 만나야 하므로

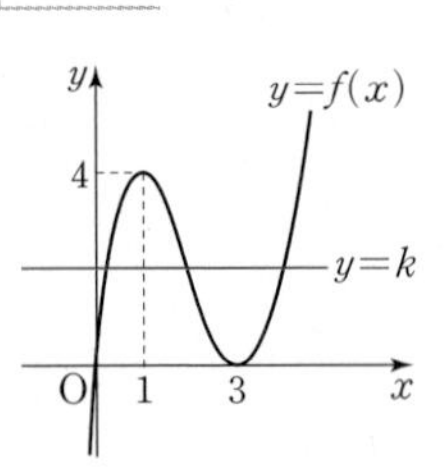

$0<k<4$

따라서 $a=0$, $b=4$이므로 $b-a=4$

답 ④

0560

$f(x)=x^3-3x^2$으로 놓으면

$f'(x)=3x^2-6x=3x(x-2)$

$f'(x)=0$에서 $x=0$ 또는 $x=2$

x	$\cdots$	0	$\cdots$	2	$\cdots$
$f'(x)$	$+$	0	$-$	0	$+$
$f(x)$	↗	0	↘	-4	↗

이때, 함수 $y=f(x)$의 그래프는 오른쪽 그림과 같고, 주어진 방정식이 서로 다른 두 실근을 가지려면 함수 $y=f(x)$의 그래프와 직선 $y=k$가 서로 다른 두 점에서 만나야 하므로

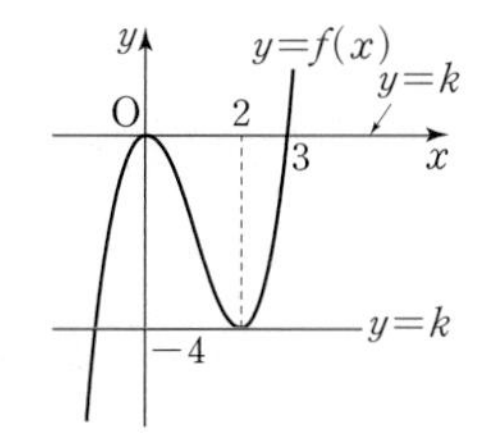

$k=0$ 또는 $k=-4$

따라서 모든 실수 k의 값의 합은 -4이다. 답 ①

0561

$x^4-4x^3-2x^2+12x-a=0$에서

$x^4-4x^3-2x^2+12x=a$

$f(x)=x^4-4x^3-2x^2+12x$로 놓으면

$f'(x)=4x^3-12x^2-4x+12=4(x+1)(x-1)(x-3)$

$f'(x)=0$에서 $x=-1$ 또는 $x=1$ 또는 $x=3$

x	$\cdots$	-1	$\cdots$	1	$\cdots$	3	$\cdots$
$f'(x)$	$-$	0	$+$	0	$-$	0	$+$
$f(x)$	↘	-9	↗	7	↘	-9	↗

이때, 함수 $y=f(x)$의 그래프는 오른쪽 그림과 같고, 주어진 방정식이 서로 다른 두 실근을 가지려면 함수 $y=f(x)$의 그래프와 직선 $y=a$가 서로 다른 두 점에서 만나야 하므로

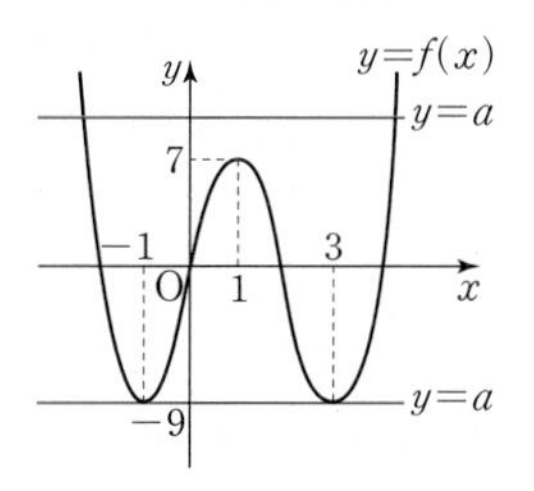

$a=-9$ 또는 $a>7$

따라서 구하는 실수 a의 최솟값은 -9이다. 답 -9

0562

$2f(x)-k=0$에서 $f(x)=\dfrac{k}{2}$

$y=f'(x)$의 그래프가 x축과 만나는 점의 x좌표가 a, b, c이므로

$f'(x)=0$에서 $x=a$ 또는 $x=b$ 또는 $x=c$

x	$\cdots$	a	$\cdots$	b	$\cdots$	c	$\cdots$
$f'(x)$	$-$	0	$+$	0	$-$	0	$+$
$f(x)$	↘	1	↗	4	↘	3	↗

이때, 함수 $y=f(x)$의 그래프는 오른쪽 그림과 같고, 주어진 방정식이 서로 다른 네 실근을 가지려면 함수 $y=f(x)$의 그래프와 직선 $y=\dfrac{k}{2}$가 서로 다른 네 점에서 만나야 하므로

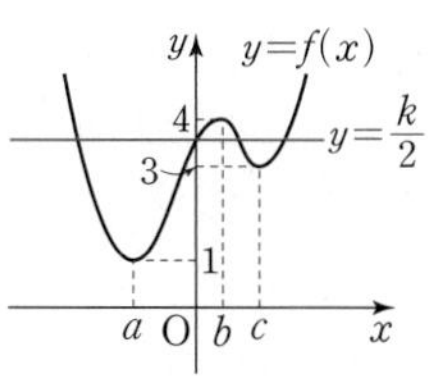

$3<\dfrac{k}{2}<4$

$\therefore 6<k<8$ 답 ④

0563

| 전략 | 삼차방정식 $f(x)=0$이 서로 다른 세 실근을 갖기 위해서는 삼차함수 $f(x)$의 (극댓값)×(극솟값)<0이어야 함을 이용한다.

$f(x)=2x^3-6x^2+k$로 놓으면

$f'(x)=6x^2-12x=6x(x-2)$

$f'(x)=0$에서 $x=0$ 또는 $x=2$

삼차방정식 $f(x)=0$이 서로 다른 세 실근을 가지려면 $f(0)f(2)<0$이어야 하므로

$k(k-8)<0$ $\quad\therefore 0<k<8$

따라서 정수 k는 $1, 2, 3, \cdots, 7$의 7개이다. 답 ③

다른 풀이 $2x^3-6x^2+k=0$에서 $-2x^3+6x^2=k$

$f(x)=-2x^3+6x^2$으로 놓으면

$f'(x)=-6x^2+12x=-6x(x-2)$

$f'(x)=0$에서 $x=0$ 또는 $x=2$

x	$\cdots$	0	$\cdots$	2	$\cdots$
$f'(x)$	$-$	0	$+$	0	$-$
$f(x)$	↘	0	↗	8	↘

이때, 함수 $y=f(x)$의 그래프는 오른쪽 그림과 같고, 주어진 방정식이 서로 다른 세 실근을 가지려면 함수 $y=f(x)$의 그래프와 직선 $y=k$가 서로 다른 세 점에서 만나야 하므로

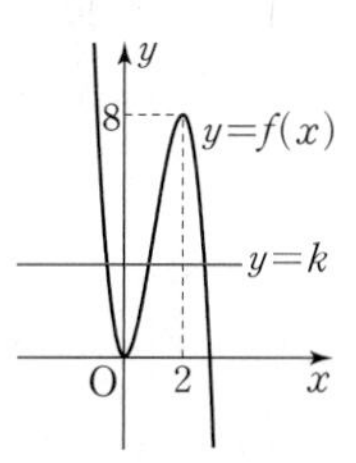

$0<k<8$

따라서 정수 k는 $1, 2, 3, \cdots, 7$의 7개이다.

0564

$-2x^3+3x^2+12x=a$에서 $2x^3-3x^2-12x+a=0$

$f(x)=2x^3-3x^2-12x+a$로 놓으면

$f'(x)=6x^2-6x-12=6(x+1)(x-2)$

$f'(x)=0$에서 $x=-1$ 또는 $x=2$

삼차방정식 $f(x)=0$이 서로 다른 두 실근, 즉 한 실근과 중근을 가지려면 $f(-1)f(2)=0$이어야 하므로

$(a+7)(a-20)=0$ $\quad\therefore a=-7$ 또는 $a=20$

따라서 모든 실수 a의 값의 합은

$-7+20=13$ 답 ①

0565

$f(x)=x^3-3mx^2+4m$으로 놓으면

$f'(x)=3x^2-6mx=3x(x-2m)$

$f'(x)=0$에서 $x=0$ 또는 $x=2m$ ··· ❶

삼차방정식 $f(x)=0$이 한 실근과 두 허근을 가지려면 $f(0)f(2m)>0$이어야 하므로

$4m(-4m^3+4m)>0$

$-16m^2(m+1)(m-1)>0$

$m^2(m+1)(m-1)<0$

이때, $m^2(m+1)>0$ ($\because m>0$)이므로

$m-1<0$, 즉 $m<1$ … ❷

따라서 구하는 양수 m의 값의 범위는

$0<m<1$ … ❸

답 $0<m<1$

채점 기준	비율
❶ $f'(x)=0$인 x의 값을 구할 수 있다.	30 %
❷ 삼차방정식의 근의 판별을 이용하여 방정식 $f(x)=0$이 한 실근과 두 허근을 갖기 위한 조건을 구할 수 있다.	50 %
❸ 양수 m의 값의 범위를 구할 수 있다.	20 %

삼차함수의 그래프의 개형

삼차함수 $f(x)=ax^3+bx^2+cx+d\,(a>0)$에 대하여 삼차방정식 $f(x)=0$이 한 실근과 두 허근을 가질 때, 함수 $y=f(x)$의 그래프의 개형은 다음과 같다.

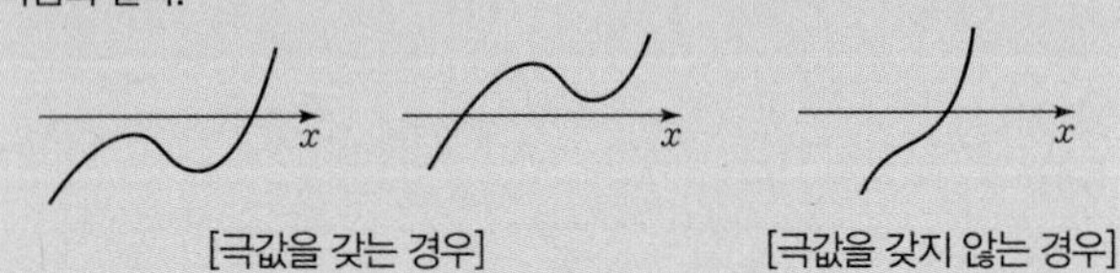

[극값을 갖는 경우] [극값을 갖지 않는 경우]

0566

$(g\circ f)(x)=g(f(x))=0$에서

$f(x)-a=0$, 즉 $x^3-3x-a=0$

$h(x)=x^3-3x-a$로 놓으면

$h'(x)=3x^2-3=3(x+1)(x-1)$

$h'(x)=0$에서 $x=-1$ 또는 $x=1$

삼차방정식 $h(x)=0$이 서로 다른 세 실근을 가지려면

$h(-1)h(1)<0$이어야 하므로

$(2-a)(-2-a)<0$, $(a-2)(a+2)<0$

$\therefore -2<a<2$

따라서 구하는 정수 a는 -1, 0, 1의 3개이다. 답 ④

0567

$y=x^3-3x^2-24x$의 그래프를 y축의 방향으로 $-k$만큼 평행이동하면

$y=x^3-3x^2-24x-k$, 즉 $g(x)=x^3-3x^2-24x-k$

$g'(x)=3x^2-6x-24=3(x+2)(x-4)$

$g'(x)=0$에서 $x=-2$ 또는 $x=4$

삼차방정식 $g(x)=0$이 오직 한 개의 실근을 가지려면

$g(-2)g(4)>0$이어야 하므로

$(28-k)(-80-k)>0$, $(k-28)(k+80)>0$

$\therefore k<-80$ 또는 $k>28$

따라서 자연수 k의 최솟값은 29이다. 답 29

0568

$f(x)=-1$, 즉 $\frac{1}{3}mx^3-\frac{1}{2}nx^2=-1$에서 $\frac{1}{3}mx^3-\frac{1}{2}nx^2+1=0$

$g(x)=\frac{1}{3}mx^3-\frac{1}{2}nx^2+1$로 놓으면

$g'(x)=mx^2-nx=x(mx-n)$

$g'(x)=0$에서 $x=0$ 또는 $x=\frac{n}{m}$

그런데 m, n은 자연수이므로 $\frac{n}{m}\neq 0$이다.

삼차방정식 $g(x)=0$이 두 개의 실근, 즉 한 실근과 중근을 가지려면

$g(0)g\left(\frac{n}{m}\right)=0$이어야 하므로

$1\times\left(-\frac{n^3}{6m^2}+1\right)=0$, $\frac{n^3}{6m^2}=1$

$\therefore n^3=6m^2$

이때, m, n은 6 이하의 자연수이므로 이 식을 만족시키는 m, n의 값은

$m=n=6$ $\therefore m+n=12$ 답 ⑤

0569

|전략| 두 함수 $y=f(x)$, $y=g(x)$의 그래프의 교점의 개수는 방정식 $f(x)=g(x)$의 서로 다른 실근의 개수와 같음을 이용한다.

주어진 곡선과 직선이 서로 다른 세 점에서 만나려면 방정식 $x^3+3x^2-6x-2=3x+k$, 즉 $x^3+3x^2-9x-2-k=0$이 서로 다른 세 실근을 가져야 한다.

$f(x)=x^3+3x^2-9x-2-k$로 놓으면

$f'(x)=3x^2+6x-9=3(x+3)(x-1)$

$f'(x)=0$에서 $x=-3$ 또는 $x=1$

삼차방정식 $f(x)=0$이 서로 다른 세 실근을 가지려면

$f(-3)f(1)<0$이어야 하므로

$(25-k)(-7-k)<0$, $(k-25)(k+7)<0$

$\therefore -7<k<25$

따라서 음의 정수 k는 -6, -5, -4, -3, -2, -1의 6개이다.

답 ③

0570

주어진 두 곡선이 오직 한 점에서 만나려면 방정식 $x^3-5x^2+4x=x^2-5x+4a$, 즉 $x^3-6x^2+9x-4a=0$이 한 실근과 두 허근을 가져야 한다.

$f(x)=x^3-6x^2+9x-4a$로 놓으면

$f'(x)=3x^2-12x+9=3(x-1)(x-3)$

$f'(x)=0$에서 $x=1$ 또는 $x=3$

삼차방정식 $f(x)=0$이 한 실근과 두 허근을 가지려면 $f(1)f(3)>0$이어야 하므로

$(4-4a)\times(-4a)>0$, $a(a-1)>0$

$\therefore a<0$ 또는 $a>1$

따라서 자연수 a의 최솟값은 2이다. 답 ②

0571

두 점 A$(-2, -1)$, B$(1, -10)$을 연결한 직선 AB의 방정식은

$y-(-1)=\dfrac{-10-(-1)}{1-(-2)}\{x-(-2)\}$

$\therefore y=-3x-7\ (-2\le x\le 1)$

곡선 $y=x^3-3x^2-12x-a$와 선분 AB가 서로 다른 두 점에서 만나려면 방정식 $x^3-3x^2-12x-a=-3x-7$,

즉, $x^3-3x^2-9x+7-a=0$이 $-2\le x\le 1$에서 서로 다른 두 실근을 가져야 한다.

$f(x)=x^3-3x^2-9x+7$로 놓으면

$f'(x)=3x^2-6x-9=3(x+1)(x-3)$

$f'(x)=0$에서 $x=-1\ (\because -2\le x\le 1)$

x	-2	$\cdots$	-1	$\cdots$	1
$f'(x)$		$+$	0	$-$	
$f(x)$	5	$\nearrow$	12	$\searrow$	-4

이때, $-2\le x\le 1$에서 함수 $y=f(x)$의 그래프는 오른쪽 그림과 같고, 방정식 $x^3-3x^2-9x+7-a=0$이 서로 다른 두 실근을 가지려면 함수 $y=f(x)$의 그래프와 직선 $y=a$가 서로 다른 두 점에서 만나야 하므로

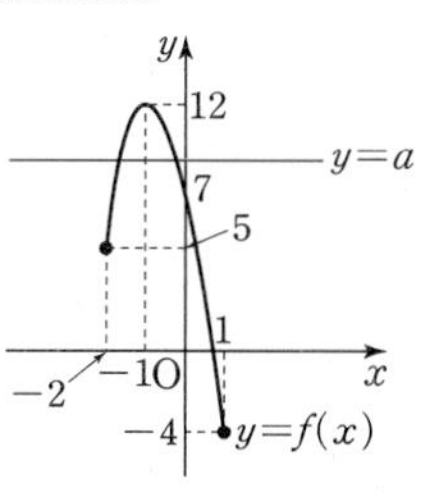

$5\le a<12$ 답 ④

0572

| 전략 | 함수 $y=f(x)$의 그래프와 직선 $y=a$의 교점의 x좌표가 한 개는 음수이고, 다른 두 개는 양수가 되도록 하는 정수 a의 개수를 구한다.

$x^3-3x-a+1=0$에서 $x^3-3x+1=a$

$f(x)=x^3-3x+1$로 놓으면

$f'(x)=3x^2-3=3(x+1)(x-1)$

$f'(x)=0$에서 $x=-1$ 또는 $x=1$

x	$\cdots$	-1	$\cdots$	1	$\cdots$
$f'(x)$	$+$	0	$-$	0	$+$
$f(x)$	$\nearrow$	3	$\searrow$	-1	$\nearrow$

함수 $y=f(x)$의 그래프는 오른쪽 그림과 같으므로 함수 $y=f(x)$의 그래프와 직선 $y=a$의 교점의 x좌표가 한 개는 음수이고, 다른 두 개는 양수가 되는 실수 a의 값의 범위는

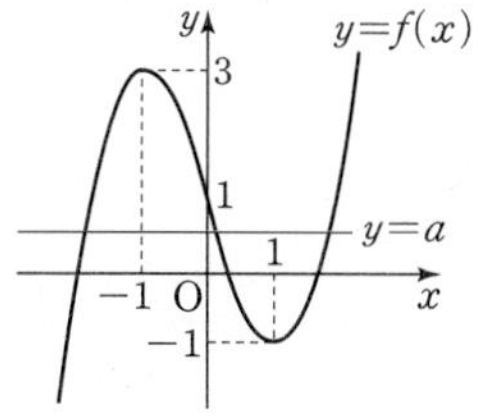

$-1<a<1$

따라서 정수 a는 0의 1개이다. 답 1

0573

$x^3-x^2+a=2x^2+9x$에서 $-x^3+3x^2+9x=a$

$f(x)=-x^3+3x^2+9x$로 놓으면

$f'(x)=-3x^2+6x+9=-3(x+1)(x-3)$

$f'(x)=0$에서 $x=-1$ 또는 $x=3$

x	$\cdots$	-1	$\cdots$	3	$\cdots$
$f'(x)$	$-$	0	$+$	0	$-$
$f(x)$	$\searrow$	-5	$\nearrow$	27	$\searrow$

함수 $y=f(x)$의 그래프는 오른쪽 그림과 같으므로 함수 $y=f(x)$의 그래프와 직선 $y=a$의 교점의 x좌표가 한 개는 양수이고, 다른 두 개는 음수가 되는 실수 a의 값의 범위는

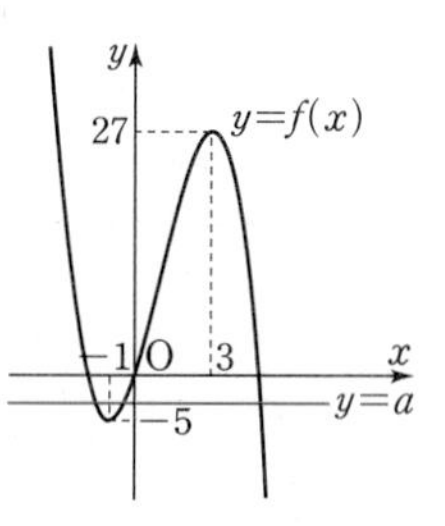

$-5<a<0$ 답 $-5<a<0$

0574

$4x^3-3x-a=0$에서 $4x^3-3x=a$

$f(x)=4x^3-3x$로 놓으면

$f'(x)=12x^2-3=3(2x+1)(2x-1)$

$f'(x)=0$에서 $x=-\dfrac{1}{2}$ 또는 $x=\dfrac{1}{2}$

x	$\cdots$	$-\frac{1}{2}$	$\cdots$	$\frac{1}{2}$	$\cdots$
$f'(x)$	$+$	0	$-$	0	$+$
$f(x)$	$\nearrow$	1	$\searrow$	-1	$\nearrow$

함수 $y=f(x)$의 그래프는 오른쪽 그림과 같으므로 함수 $y=f(x)$의 그래프와 직선 $y=a$의 교점의 x좌표가 오직 한 개의 양수가 되는 실수 a의 값의 범위는

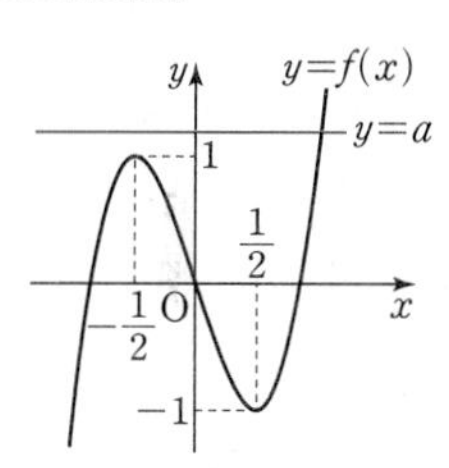

$a>1$

따라서 정수 a의 최솟값은 2이다. 답 2

0575

$3x^4+4x^3-12x^2+2-k=0$에서 $3x^4+4x^3-12x^2+2=k$

$f(x)=3x^4+4x^3-12x^2+2$로 놓으면

$f'(x)=12x^3+12x^2-24x=12x(x+2)(x-1)$

$f'(x)=0$에서 $x=-2$ 또는 $x=0$ 또는 $x=1$

x	$\cdots$	-2	$\cdots$	0	$\cdots$	1	$\cdots$
$f'(x)$	$-$	0	$+$	0	$-$	0	$+$
$f(x)$	$\searrow$	-30	$\nearrow$	2	$\searrow$	-3	$\nearrow$

함수 $y=f(x)$의 그래프는 오른쪽 그림과 같으므로 함수 $y=f(x)$의 그래프와 직선 $y=k$의 교점의 x좌표가 두 개는 양수이고, 다른 두 개는 음수가 되는 실수 k의 값의 범위는

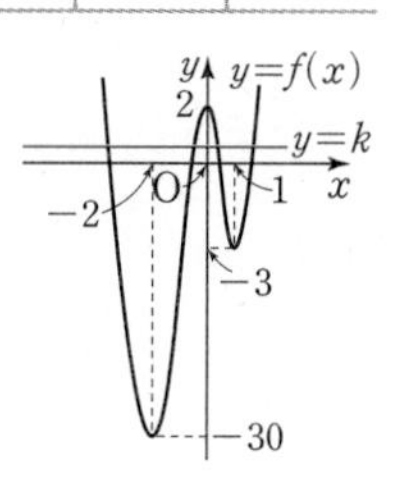

$-3<k<2$

따라서 정수 k는 $-2, -1, 0, 1$이므로 그 합은
$-2+(-1)+0+1=-2$ 답 -2

0576

|전략| $1<x<5$에서 함수 $f(x)$가 감소하므로 $f(5)\ge0$인 실수 k의 최댓값을 구한다.

$x^3-9x^2>-15x+k$에서 $x^3-9x^2+15x-k>0$
$f(x)=x^3-9x^2+15x-k$로 놓으면
$f'(x)=3x^2-18x+15=3(x-1)(x-5)$
$1<x<5$일 때, $f'(x)<0$이므로 함수 $f(x)$는 $1<x<5$에서 감소한다.
그러므로 $1<x<5$일 때, $f(x)>0$이려면 $f(5)\ge0$이어야 하므로
$f(5)=-25-k\ge0 \quad \therefore k\le-25$
따라서 실수 k의 최댓값은 -25이다. 답 ②

0577

$f(x)=-\frac{1}{3}x^3+2x^2+a$로 놓으면
$f'(x)=-x^2+4x=-x(x-4)$
$1\le x\le3$일 때, $f'(x)>0$이므로 함수 $f(x)$는 $1\le x\le3$에서 증가한다.
그러므로 $1\le x\le3$일 때, $f(x)\le0$이려면 $f(3)\le0$이어야 하므로
$f(3)=9+a\le0 \quad \therefore a\le-9$ 답 ①

0578

$h(x)=f(x)-g(x)$로 놓으면
$h(x)=x^3+a-(x^2+x+b)=x^3-x^2-x+a-b$
$h'(x)=3x^2-2x-1=(3x+1)(x-1)$
$x>2$일 때, $h'(x)>0$이므로 함수 $h(x)$는 $x>2$에서 증가한다.
그러므로 $x>2$일 때, $h(x)>0$이려면 $h(2)\ge0$이어야 하므로
$h(2)=2+a-b\ge0 \quad \therefore a-b\ge-2$
따라서 $a-b$의 최솟값은 -2이다. 답 ③

0579

|전략| $x>0$에서 ($f(x)$의 최솟값)≥0인 실수 k의 최댓값을 구한다.

$2x^3+3x^2\ge12x+k$에서 $2x^3+3x^2-12x-k\ge0$
$f(x)=2x^3+3x^2-12x-k$로 놓으면
$f'(x)=6x^2+6x-12=6(x+2)(x-1)$
$f'(x)=0$에서 $x=1$ ($\because x>0$)

x	0	$\cdots$	1	$\cdots$
$f'(x)$		$-$	0	$+$
$f(x)$		↘	$-7-k$	↗

$x>0$일 때, 함수 $f(x)$는 $x=1$에서 최소이므로 최솟값은
$f(1)=-7-k$
$x>0$일 때, $f(x)\ge0$이려면 $f(1)\ge0$이어야 하므로
$-7-k\ge0 \quad \therefore k\le-7$
따라서 실수 k의 최댓값은 -7이다. 답 ①

0580

$4x^3+1<3x^2-k$에서 $4x^3-3x^2+1+k<0$
$f(x)=4x^3-3x^2+1+k$로 놓으면
$f'(x)=12x^2-6x=6x(2x-1)$
$f'(x)=0$에서 $x=0$ 또는 $x=\frac{1}{2}$

x	-1	$\cdots$	0	$\cdots$	$\frac{1}{2}$	$\cdots$	1
$f'(x)$		$+$	0	$-$	0	$+$	
$f(x)$	$-6+k$	↗	$1+k$	↘	$\frac{3}{4}+k$	↗	$2+k$

$-1\le x\le1$일 때, 함수 $f(x)$는 $x=1$에서 최대이므로 최댓값은
$f(1)=2+k$
$-1\le x\le1$일 때, $f(x)<0$이려면 $f(1)<0$이어야 하므로
$2+k<0 \quad \therefore k<-2$ 답 $k<-2$

0581

$h(x)=f(x)-g(x)$로 놓으면
$h(x)=x^3+x^2-2x-(x^2+x+k)=x^3-3x-k$
$h'(x)=3x^2-3=3(x+1)(x-1)$
$h'(x)=0$에서 $x=1$ ($\because x>0$) … ❶

x	0	$\cdots$	1	$\cdots$
$h'(x)$		$-$	0	$+$
$h(x)$		↘	$-2-k$	↗

임의의 양수 x에 대하여, 즉 $x>0$일 때 함수 $h(x)$는 $x=1$에서 최소이므로 최솟값은 $h(1)=-2-k$ … ❷
임의의 양수 x에 대하여 $h(x)\ge0$이려면 $h(1)\ge0$이어야 하므로
$-2-k\ge0 \quad \therefore k\le-2$ … ❸
따라서 실수 k의 최댓값은 -2이다. … ❹
답 -2

채점 기준	비율
❶ $h(x)=f(x)-g(x)$로 놓고, $h'(x)=0$인 x의 값을 구할 수 있다.	30 %
❷ $x>0$일 때 함수 $h(x)$의 최솟값을 구할 수 있다.	30 %
❸ k의 값의 범위를 구할 수 있다.	30 %
❹ k의 최댓값을 구할 수 있다.	10 %

0582

$h(x)=f(x)-g(x)$로 놓으면
$h(x)=x^3-3kx^2+6kx-(-x^3+3x^2+k-3)$
$\quad =2x^3-3(k+1)x^2+6kx-k+3$

$h'(x)=6x^2-6(k+1)x+6k=6(x-1)(x-k)$

$h'(x)=0$에서 $x=1$ 또는 $x=k$

x	0	$\cdots$	1	$\cdots$	k	$\cdots$
$h'(x)$		+	0	−	0	+
$h(x)$	$3-k$	↗	$2+2k$	↘	$(k^2+1)(3-k)$	↗

$x\ge0$일 때, 함수 $h(x)$는 $x=0$ 또는 $x=k$에서 최소이고, $x\ge0$일 때 $h(x)>0$이려면 $h(0)>0$ 또는 $h(k)>0$이어야 하므로

$3-k>0$ 또는 $(k^2+1)(3-k)>0$

$\therefore k<3$ ($\because k^2+1>2$)

이때, $k>1$이므로 $1<k<3$

따라서 정수 k는 2의 1개이다. 답 1

Lecture

두 함수 $f(x)$, $g(x)$에 대하여

① 어떤 구간에서 함수 $y=f(x)$의 그래프가 함수 $y=g(x)$의 그래프보다 항상 위쪽에 있다.
⇨ 그 구간에서 항상 $f(x)>g(x)$이다.

② 어떤 구간에서 함수 $y=f(x)$의 그래프가 함수 $y=g(x)$의 그래프보다 항상 아래쪽에 있다.
⇨ 그 구간에서 항상 $f(x)<g(x)$이다.

0583

|전략| ($f(x)$의 최솟값)≥0인 정수 k의 개수를 구한다.

(i) $k=0$일 때, 주어진 부등식은 항상 성립한다.

(ii) $k\ne0$일 때,

$f(x)=x^4-4k^3x+3$으로 놓으면

$f'(x)=4x^3-4k^3=4(x-k)(x^2+kx+k^2)$

이때, $x^2+kx+k^2=\left(x+\frac{k}{2}\right)^2+\frac{3}{4}k^2>0$이므로

$f'(x)=0$에서 $x=k$

x	$\cdots$	k	$\cdots$
$f'(x)$	−	0	+
$f(x)$	↘	$-3k^4+3$	↗

함수 $f(x)$는 $x=k$일 때 최소이므로 최솟값은

$f(k)=-3k^4+3$

모든 실수 x에 대하여 $f(x)\ge0$이려면 $f(k)\ge0$이어야 하므로

$-3k^4+3\ge0$, $k^4-1\le0$

$(k^2+1)(k+1)(k-1)\le0$

$(k+1)(k-1)\le0$ ($\because k^2+1>0$)

$\therefore -1\le k<0$ 또는 $0<k\le1$ ($\because k\ne0$)

(i), (ii)에서 $-1\le k\le1$이므로 구하는 정수 k는 $-1, 0, 1$의 3개이다.

답 3

0584

$x^4-x^2-9x>5x^2-x-a$에서 $x^4-6x^2-8x+a>0$

$f(x)=x^4-6x^2-8x+a$로 놓으면

$f'(x)=4x^3-12x-8=4(x+1)^2(x-2)$

$f'(x)=0$에서 $x=-1$ 또는 $x=2$

x	$\cdots$	-1	$\cdots$	2	$\cdots$
$f'(x)$	−	0	−	0	+
$f(x)$	↘	$3+a$	↘	$-24+a$	↗

함수 $f(x)$는 $x=2$일 때 최소이므로 최솟값은

$f(2)=-24+a$

모든 실수 x에 대하여 $f(x)>0$이려면 $f(2)>0$이어야 하므로

$-24+a>0$ $\therefore a>24$

따라서 정수 a의 최솟값은 25이다. 답 25

0585

$f(x)=x^4+2ax^2-4(a+1)x+a^2$으로 놓으면

$f'(x)=4x^3+4ax-4(a+1)=4(x-1)(x^2+x+a+1)$

이때, $a>0$이므로 모든 실수 x에 대하여

$x^2+x+a+1=\left(x+\frac{1}{2}\right)^2+a+\frac{3}{4}>0$이다.

즉, $f'(x)=0$에서 $x=1$

x	$\cdots$	1	$\cdots$
$f'(x)$	−	0	+
$f(x)$	↘	a^2-2a-3	↗

함수 $f(x)$는 $x=1$일 때 최소이므로 최솟값은

$f(1)=a^2-2a-3$

모든 실수 x에 대하여 $f(x)>0$이려면 $f(1)>0$이어야 하므로

$a^2-2a-3>0$, $(a+1)(a-3)>0$

$\therefore a>3$ ($\because a>0$) 답 $a>3$

0586

임의의 두 실수 x_1, x_2에 대하여 $f(x_1)>g(x_2)$가 성립하려면 $f(x)$의 최솟값이 $g(x)$의 최댓값보다 커야 한다.

$f(x)=3x^4-4x^3+16$에서 $f'(x)=12x^3-12x^2=12x^2(x-1)$

$f'(x)=0$에서 $x=0$ 또는 $x=1$

x	$\cdots$	0	$\cdots$	1	$\cdots$
$f'(x)$	−	0	−	0	+
$f(x)$	↘	16	↘	15	↗

함수 $f(x)$는 $x=1$일 때 최소이므로 최솟값은

$f(1)=15$

또, $g(x)=-2x^2+12x+k=-2(x-3)^2+k+18$이므로 함수 $g(x)$는 $x=3$일 때 최대이고 최댓값은

$g(3)=k+18$

이때, $f(1)>g(3)$이어야 하므로

$15>k+18$ $\therefore k<-3$ 답 $k<-3$

0587

| 전략 | 수직선 위를 움직이는 점 P가 원점을 지나는 순간의 위치는 0임을 이용하여 속도를 구한다.

점 P가 원점을 지나는 순간은 $x=0$일 때이므로

$t^3-4t^2+3t=0$에서 $t(t-1)(t-3)=0$

$\therefore t=1$ 또는 $t=3$ ($\because t>0$)

점 P가 출발 후 마지막으로 원점을 지나는 순간은 $t=3$일 때이고, 시각 t에서의 점 P의 속도를 v라 하면

$v=\dfrac{dx}{dt}=3t^2-8t+3$

따라서 $t=3$에서의 점 P의 속도는

$v=3\times3^2-8\times3+3=6$

답 6

0588

시각 t에서의 점 P의 속도를 v라 하면

$v=\dfrac{dx}{dt}=3t^2-18t+34$

$3t^2-18t+34=10$에서 $3t^2-18t+24=0$

$3(t-2)(t-4)=0 \qquad \therefore t=2$ 또는 $t=4$

점 P의 속도가 처음으로 10이 되는 순간은 $t=2$일 때이고, 시각 t에서의 점 P의 가속도를 a라 하면

$a=\dfrac{dv}{dt}=6t-18$

따라서 $t=2$에서의 점 P의 가속도는

$a=6\times2-18=-6$

답 -6

0589

시각 t에서의 두 점 P, Q의 속도를 각각 v_P, v_Q라 하면

$v_P=P'(t)=t^2+4$, $v_Q=Q'(t)=4t$ … ❶

이때 두 점 P, Q의 속도가 같아지려면 $v_P=v_Q$이므로

$t^2+4=4t$, $(t-2)^2=0 \qquad \therefore t=2$ … ❷

$t=2$에서의 두 점 P, Q의 위치는

$P(2)=\dfrac{1}{3}\times2^3+4\times2-\dfrac{2}{3}=10$, $Q(2)=2\times2^2-10=-2$

따라서 구하는 두 점 P, Q 사이의 거리는

$10-(-2)=12$ … ❸

답 12

채점 기준	비율
❶ 두 점 P, Q의 속도를 구할 수 있다.	40 %
❷ 속도가 같아지는 순간의 시각을 구할 수 있다.	30 %
❸ 두 점 P, Q 사이의 거리를 구할 수 있다.	30 %

0590

시각 t에서의 두 점 P, Q의 속도를 각각 v_P, v_Q라 하면

$v_P=P'(t)=2t^2-8t+6$, $v_Q=Q'(t)=k$

두 점 P, Q의 속도가 같아지는 때가 두 번 있으려면 $t>0$에서 $v_P=v_Q$를 만족하는 시각 t의 값이 2개 존재해야 한다.

즉, 방정식 $v_P-v_Q=2t^2-8t+6-k=0$이 서로 다른 두 양의 실근을 가져야 한다.

(i) t에 대한 이차방정식 $2t^2-8t+6-k=0$의 판별식을 D라 하면

$\dfrac{D}{4}=16-2(6-k)>0 \qquad \therefore k>-2$

(ii) (두 근의 합)$=4>0$ (성립)

(iii) (두 근의 곱)$=\dfrac{6-k}{2}>0$에서 $k<6$

(i), (ii), (iii)에서 $-2<k<6$

답 $-2<k<6$

0591

| 전략 | $1\le t\le4$에서 $|v|$의 최댓값을 구한다.

시각 t에서의 점 P의 속도를 v라 하면

$v=\dfrac{dx}{dt}=3t^2-12t+18=3(t-2)^2+6$

$1\le t\le4$에서 $6\le v\le18$이므로

$6\le|v|\le18$

따라서 점 P의 최대 속력은 18이다.

답 ④

0592

시각 t에서의 점 P의 속도를 v라 하면

$v=\dfrac{dx}{dt}=t^2-8t+12=(t-4)^2-4$

$3\le t\le8$에서 $-4\le v\le12$이므로

$0\le|v|\le12$

따라서 점 P의 최대 속력은 12이고 그때의 시각은 $t=8$이므로

$M=12$, $a=8 \qquad \therefore M+a=20$

답 20

0593

| 전략 | 수직선 위를 움직이는 점 P가 운동 방향을 바꾸는 순간의 속도는 0임을 이용한다.

시각 t에서의 점 P의 속도를 v라 하면

$v=\dfrac{dx}{dt}=3t^2-15t+12=3(t-1)(t-4)$

운동 방향을 바꾸는 순간의 속도는 0이므로 $v=0$에서

$t=1$ 또는 $t=4$

점 P가 두 번째로 운동 방향을 바꾸는 시각은 $t=4$일 때이고, 시각 t에서의 점 P의 가속도를 a라 하면

$a=\dfrac{dv}{dt}=6t-15$

따라서 $t=4$에서의 점 P의 가속도는

$a=6\times4-15=9$

답 9

0594

시각 t에서의 두 점 A, B의 속도를 각각 v_A, v_B라 하면

$v_A=\dfrac{dx_A}{dt}=2t-3$, $v_B=\dfrac{dx_B}{dt}=2t-10$

두 점 A, B가 서로 반대 방향으로 움직이면 $v_Av_B<0$이므로

$(2t-3)(2t-10)<0$, $(2t-3)(t-5)<0$

$\therefore \frac{3}{2}<t<5$ 답 $\frac{3}{2}<t<5$

0595

시각 t에서의 점 P의 속도를 v라 하면

$v=\frac{dx}{dt}=3t^2-24t+36=3(t-2)(t-6)$

운동 방향을 바꾸는 순간의 속도는 0이므로 $v=0$에서

$t=2$ 또는 $t=6$

즉, 점 P가 첫 번째로 운동 방향을 바꾸는 시각은 $t=2$일 때이고, 두 번째로 운동 방향을 바꾸는 시각은 $t=6$일 때이다.

$t=2$에서의 점 P의 위치 A는 $2^3-12\times2^2+36\times2=32$

$t=6$에서의 점 P의 위치 B는 $6^3-12\times6^2+36\times6=0$

따라서 두 점 A, B 사이의 거리는 $32-0=32$ 답 32

0596

시각 t에서의 점 P의 속도를 v라 하면

$v=\frac{dx}{dt}=6t^2-18t+12=6(t-1)(t-2)$

ㄱ. 출발할 때, 즉 $t=0$에서의 속도는 $v=12$ (참)

ㄴ. 점 P가 운동 방향을 바꾸는 순간의 속도는 0이므로 $v=0$에서

$t=1$ 또는 $t=2$

따라서 점 P는 운동 방향을 두 번 바꾼다. (참)

ㄷ. 점 P가 원점을 지나는 순간은 $x=0$일 때이므로

$2t^3-9t^2+12t=0$에서 $t(2t^2-9t+12)=0$

이때, 이차방정식 $2t^2-9t+12=0$의 판별식을 D라 하면

$D=81-96=-15<0$이고, $t>0$이어야 하므로 방정식을 만족시키는 t의 값이 존재하지 않는다. 즉, 점 P는 다시 원점으로 돌아오지 않는다. (거짓)

따라서 옳은 것은 ㄱ, ㄴ이다. 답 ㄱ, ㄴ

0597

시각 t에서의 점 P의 속도를 $v(t)$라 하면

$v(t)=f'(t)=4t^3-12t-a$

점 P의 운동 방향이 두 번만 바뀌어야 하므로 방정식 $v(t)=0$은 $t>0$에서 서로 다른 두 개의 양의 실근을 가져야 한다.

$g(t)=4t^3-12t$로 놓으면

$g'(t)=12t^2-12=12(t+1)(t-1)$

$g'(t)=0$에서 $t=1$ ($\because t>0$)

t	0	$\cdots$	1	$\cdots$
$g'(t)$		$-$	0	$+$
$g(t)$		↘	-8	↗

함수 $y=g(t)$의 그래프는 오른쪽 그림과 같으므로 함수 $y=g(t)$의 그래프와 직선 $y=a$의 교점의 t좌표가 서로 다른 두 양수가 되는 실수 a의 값의 범위는

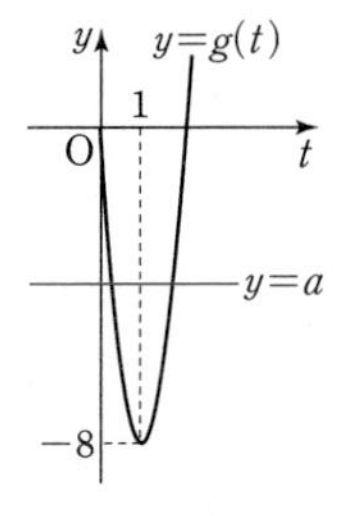

$-8<a<0$

따라서 정수 a는 $-7, -6, -5, \cdots, -1$의 7개이다. 답 7

0598

|전략| 자동차가 정지할 때의 속도는 0임을 이용하여 움직인 거리를 구한다.

자동차가 제동을 건 지 t초 후의 속도를 v m/s라 하면

$v=\frac{dx}{dt}=60-3t$

자동차가 정지할 때의 속도는 $v=0$이므로

$60-3t=0$에서 $t=20$

즉, 제동을 건 후 자동차가 멈추는 것은 20초 후이다.

따라서 자동차가 정지할 때까지 움직인 거리는

$x=60\times20-1.5\times20^2=600$ (m) 답 600 m

0599

열차가 제동을 건 지 t초 후의 속도를 v m/s라 하면

$v=\frac{dx}{dt}=a-4t$

이때, 열차가 제동을 건 지 4초 후에 정지하므로 $t=4$일 때의 속도는 $v=0$이다. 즉, $a-16=0$에서

$a=16$ 답 ④

0600

열차가 제동을 건 지 t초 후의 속도를 v m/s라 하면

$v=\frac{dx}{dt}=30-t$

열차가 정지할 때의 속도는 $v=0$이므로

$30-t=0$에서 $t=30$

즉, 제동을 건 후 열차가 멈추는 것은 30초 후이다.

이때, 열차가 30초 동안 움직인 거리는

$x=30\times30-0.5\times30^2=450$ (m)

따라서 목적지로부터 전방 450 m 지점에서 제동을 걸어야 하므로

$a=450$ 답 ⑤

0601

|전략| 가장 높은 곳에 도달했을 때의 속도는 0임을 이용하여 높이를 구한다.

물체의 t초 후의 속도를 v m/s라 하면

$v=\frac{dh}{dt}=7-9.8t$

최고 높이에 도달했을 때의 속도는 $v=0$이므로

$7-9.8t=0$에서 $t=\frac{7}{9.8}=\frac{5}{7}$

따라서 $\frac{5}{7}$초 후 물체의 지면으로부터의 높이는

$h=7\times\frac{5}{7}-4.9\times\left(\frac{5}{7}\right)^2=2.5\ (\text{m})$ 답 ③

0602

공이 지면에 떨어질 때의 높이는 $h=0$이므로

$20t-5t^2=0$에서 $5t(4-t)=0$ $\quad\therefore t=4\ (\because t>0)$

공의 t초 후의 속도를 v m/s라 하면

$v=\frac{dh}{dt}=20-10t$

$t=4$일 때, 공의 속도는

$v=20-10\times4=-20\ (\text{m/s})$

따라서 공이 지면에 떨어지는 순간의 속력은 $|-20|=20\ (\text{m/s})$이다. 답 ②

0603

물체의 t초 후의 속도를 v m/s라 하면

$v=\frac{dh}{dt}=-10t+30$

ㄱ. 최고 높이에 도달했을 때의 속도는 $v=0$이므로
$-10t+30=0$에서 $t=3$
따라서 최고 높이에 도달하는 데 걸리는 시간은 3초이다. (참)

ㄴ. 물체의 최고 높이는 $t=3$일 때의 높이이므로
$h=-5\times3^2+30\times3+40=85\ (\text{m})$ (거짓)

ㄷ. 물체가 땅에 떨어질 때까지 움직인 거리는
$(85-40)+85=130\ (\text{m})$ (참)

따라서 옳은 것은 ㄱ, ㄷ이다. 답 ㄱ, ㄷ

0604

| 전략 | 수직선 위를 움직이는 점 P의 시각 t에서의 속도가 $v(t)$이면 운동 방향은 $v(t)$의 부호, 가속도는 $v'(t)$를 보고 구한다.

① $t=d$, $t=h$의 좌우에서 $v(t)$의 부호가 바뀌므로 점 P는 $0<t<i$에서 운동 방향을 2번 바꾼다. (참)

② $t=c$일 때 점 P의 가속도는 $v'(c)$이고, $v'(c)<0$이므로 가속도는 음의 값이다. (참)

③ $h<t<i$에서 속도 $v(t)$는 증가한다. (참)

④ $0<t<d$에서 점 P는 한쪽 방향으로 계속 이동하였으므로 $t=d$일 때, 원점으로부터 가장 멀리 떨어진 곳에 위치한다. (참)

⑤ $v(b)>0$, $v(f)<0$이므로 $t=b$일 때와 $t=f$일 때, 점 P의 운동 방향은 서로 반대이다. (거짓)

따라서 옳지 않은 것은 ⑤이다. 답 ⑤

0605

다음 그림과 같이 $v(t)$의 그래프가 t축과 만나는 점의 t좌표를 각각 a, b, c, d라 하면 $t=a$, $t=b$, $t=d$의 좌우에서 $v(t)$의 부호가 바뀌므로 점 P는 $0\le t\le10$에서 운동 방향을 3번 바꾼다.

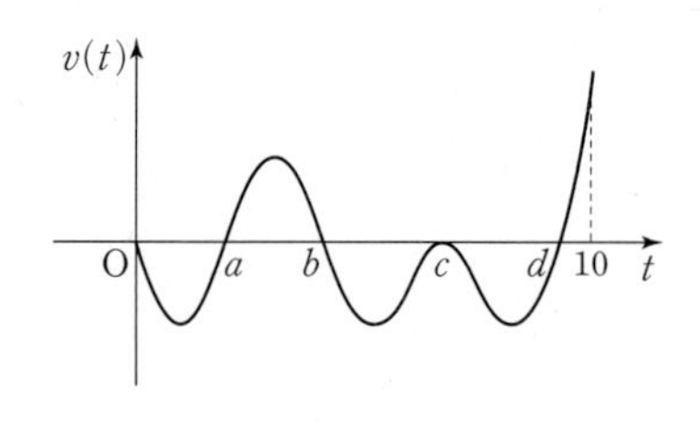

답 3번

참고 $t=c$일 때, $v(t)=0$이지만 그 좌우에서 $v(t)$의 부호가 바뀌지 않으므로 점 P는 $t=c$일 때, 정지하지만 운동 방향은 바꾸지 않는다.

0606

| 전략 | 수직선 위를 움직이는 점 P의 시각 t에서의 위치가 $x(t)$이면 속도는 $x'(t)$, 운동 방향은 $x'(t)$의 부호를 보고 구한다.

점 P의 시각 t에서의 속도를 $v(t)$라 하자.

ㄱ. $t=d$일 때, $v(d)=x'(d)>0$이므로 점 P의 속도는 양의 값이다. (거짓)

ㄴ. $t=c$일 때 $v(c)=x'(c)=0$이고, 그 좌우에서 $v(t)$의 부호가 바뀌므로 점 P는 $t=c$일 때, 운동 방향을 바꾼다. (참)

ㄷ. $0<k<a$이면 $v(k)=x'(k)>0$, $v(a)=x'(a)=0$이므로
$v(k)>v(a)$
따라서 $0<t<b$에서 점 P의 속도는 $t=a$일 때 최대가 아니다. (거짓)

ㄹ. $0<t<d$에서 $t=c$일 때 $|x(t)|$의 값이 가장 크므로 점 P는 $t=c$일 때, 원점으로부터 가장 멀리 떨어져 있다. (참)

따라서 옳은 것은 ㄴ, ㄹ이다. 답 ④

0607

점 P의 시각 t에서의 위치 $x(t)$를

$x(t)=kt(10-t)\ (0\le t\le10)$

로 놓으면 $t=5$일 때, $x(5)=40$이므로

$40=5k(10-5)$ $\quad\therefore k=\frac{8}{5}$

따라서 주어진 그래프의 식은

$x(t)=\frac{8}{5}t(10-t)=16t-\frac{8}{5}t^2\ (0\le t\le10)$

점 P의 시각 t에서의 속도를 $v(t)$, 가속도를 $a(t)$라 하자.

ㄱ. 속도는 위치의 변화량이고, (속력)$=|$(속도)$|$이므로
$|v(t)|=|x'(t)|=\left|16-\frac{16}{5}t\right|$
따라서 점 P의 속력은 $0\le t\le5$일 때 감소하고, $5\le t\le10$일 때 증가한다. (참)

ㄴ. 가속도는 속도의 변화량이므로
$a(t)=v'(t)=-\frac{16}{5}$
즉, 점 P의 가속도는 $-\frac{16}{5}$으로 일정하다. (참)

ㄷ. $v(t)=16-\frac{16}{5}t$에서 $v(10)=-16<0$
즉, $t=10$일 때, 점 P의 속도는 음의 값이다. (거짓)

따라서 옳은 것은 ㄱ, ㄴ이다. 답 ③

0608

| 전략 | 그림자의 길이 l을 t에 대한 함수로 나타낸 후 그림자의 길이의 변화율은 $\frac{dl}{dt}$임을 이용한다.

사람이 1.2 m/s의 속도로 걸어가므로 t초 동안 움직이는 거리는 $1.2t$ m

그림자 끝이 t초 동안 움직이는 거리를 x m라 하면

오른쪽 그림에서 $\triangle ABC \backsim \triangle DEC$이므로

$\overline{AB} : \overline{DE} = \overline{BC} : \overline{EC}$

$4.5 : 1.8 = x : (x-1.2t)$, $4.5x - 4.5\times1.2t = 1.8x$

$2.7x = 4.5\times1.2t \qquad \therefore x = \frac{5}{3}\times1.2t = 2t$

t초 후의 그림자의 길이를 l m라 하면

$l = \overline{BC} - \overline{BE} = x - 1.2t = 2t - 1.2t = 0.8t$

따라서 그림자의 길이의 변화율은 $\frac{dl}{dt} = 0.8$ (m/s) 답 0.8 m/s

0609

t초 후의 두 점 A, B의 좌표는 각각 A$(6t, 0)$, B$(0, 8t)$이므로

선분 AB의 중점 C의 좌표는 $(3t, 4t)$

$\overline{OC} = l$이라 하면

$l = \sqrt{(3t)^2+(4t)^2} = 5t$ ($\because t>0$)

따라서 $\overline{OC}$의 길이의 변화율은

$\frac{dl}{dt} = 5$ 답 5

0610

| 전략 | 가장 바깥쪽 물결의 넓이 S를 t에 대한 함수로 나타낸 후 가장 바깥쪽 물결의 넓이의 변화율은 $\frac{dS}{dt}$임을 이용한다.

t초 후 가장 바깥쪽 물결의 반지름의 길이는 $10t$ cm

t초 후의 가장 바깥쪽 물결의 넓이를 S cm²라 하면

$S = \pi(10t)^2 = 100\pi t^2 \qquad \therefore \frac{dS}{dt} = 100\pi\times2t = 200\pi t$

따라서 $t=2$일 때, 가장 바깥쪽 물결의 넓이의 변화율은

$\frac{dS}{dt} = 200\pi\times2 = 400\pi$ (cm²/s) 답 400π cm²/s

0611

각 변의 길이가 0.1 m/s씩 늘어나므로 t초 후 정사각형의 한 변의 길이는 $(5+0.1t)$ m

t초 후의 정사각형의 넓이를 S m²라 하면

$S = (5+0.1t)^2 \qquad \therefore \frac{dS}{dt} = 2(5+0.1t)\times0.1 = 0.2(5+0.1t)$

정사각형의 넓이가 36 m²가 되었을 때 한 변의 길이는 6 m이므로

$5+0.1t=6$에서 $t=10$

따라서 $t=10$일 때, 정사각형의 넓이의 변화율은

$\frac{dS}{dt} = 0.2(5+0.1\times10) = 1.2$ (m²/s) 답 1.2 m²/s

0612

t초 후 두 원의 지름의 길이는 각각 $\overline{AP} = t$, $\overline{BP} = 10-t$이므로

두 원의 반지름의 길이는 각각 $\frac{t}{2}$, $\frac{10-t}{2}$이다.

이때, t초 후의 두 원의 넓이의 합 S는

$S = \pi\left\{\left(\frac{t}{2}\right)^2 + \left(\frac{10-t}{2}\right)^2\right\} = \frac{\pi}{2}(t^2-10t+50)$ (단, $0<t<10$)

$\therefore \frac{dS}{dt} = \frac{\pi}{2}(2t-10) = \pi(t-5)$

따라서 $t=6$일 때, 넓이 S의 변화율은

$\frac{dS}{dt} = \pi(6-5) = \pi$ 답 ④

0613

원의 반지름의 길이가 1 cm/s씩 늘어나므로 t초 후 원의 반지름의 길이는 $(2+t)$ cm

t초 후 원에 내접하는 정사각형의 한 변의 길이를 a cm라 하면

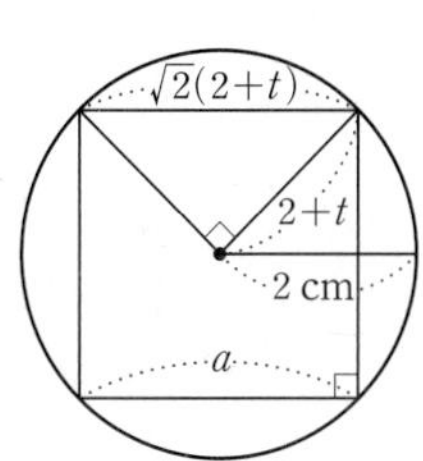

$a^2+a^2 = \{2(2+t)\}^2$에서 ← 피타고라스의 정리

$a = \sqrt{2}(2+t)$ ($\because a>0, t>0$)

t초 후의 원에 내접하는 정사각형의 넓이를 S cm²라 하면

$S = 2(2+t)^2 \qquad \therefore \frac{dS}{dt} = 2\times2(2+t) = 4(2+t)$

원의 넓이가 36π cm²가 되었을 때 반지름의 길이는 6 cm이므로

$2+t=6$에서 $t=4$

따라서 $t=4$일 때, 정사각형의 넓이의 변화율은

$\frac{dS}{dt} = 4(2+4) = 24$ (cm²/s) 답 24 cm²/s

0614

| 전략 | 풍선의 부피 V를 t에 대한 함수로 나타낸 후 풍선의 부피의 변화율은 $\frac{dV}{dt}$임을 이용한다.

반지름의 길이가 0.2 cm/s씩 늘어나므로 t초 후 풍선의 반지름의 길이는 $(2+0.2t)$ cm

t초 후의 풍선의 부피를 V cm³라 하면

$V = \frac{4}{3}\pi(2+0.2t)^3$

$\therefore \frac{dV}{dt} = \frac{4}{3}\pi\times3(2+0.2t)^2\times0.2 = \frac{4}{5}\pi(2+0.2t)^2$

따라서 $t=5$일 때, 풍선의 부피의 변화율은

$\frac{dV}{dt} = \frac{4}{5}\pi(2+0.2\times5)^2 = \frac{36}{5}\pi$ (cm³/s) 답 $\frac{36}{5}\pi$ cm³/s

0615

밑면의 반지름의 길이가 2 cm/s씩 늘어나고, 높이는 1 cm/s씩 줄어들므로 t초 후 원기둥의 밑면의 반지름의 길이는 $(2+2t)$ cm, 높이는 $(12-t)$ cm

t초 후의 원기둥의 부피를 V cm^{3}라 하면

$V=\pi(2+2t)^2(12-t)=(-4t^3+40t^2+92t+48)\pi$ ⋯ ❶

시각 t에 대한 원기둥의 부피 V의 변화율은

$\dfrac{dV}{dt}=(-12t^2+80t+92)\pi$ ⋯ ❷

높이가 10 cm가 되었을 때의 시각은

$12-t=10$에서 $t=2$ ⋯ ❸

따라서 $t=2$일 때, 원기둥의 부피의 변화율은

$\dfrac{dV}{dt}=(-12\times2^2+80\times2+92)\pi=204\pi$ (cm^3/s) ⋯ ❹

답 204π cm^3/s

채점 기준	비율
❶ 원기둥의 부피 V를 t에 대한 함수로 나타낼 수 있다.	30 %
❷ $\dfrac{dV}{dt}$를 구할 수 있다.	20 %
❸ 높이가 10 cm가 되었을 때의 시각을 구할 수 있다.	20 %
❹ $t=2$일 때, 원기둥의 부피의 변화율을 구할 수 있다.	30 %

0616

오른쪽 그림과 같이 물탱크의 물이 빠져나가기 시작하여 t초 후의 수면의 반지름의 길이를 r cm, 수면의 높이를 h cm라 하면

$r:h=80:240$에서

$r=\dfrac{1}{3}h$ ⋯⋯ ㉠

이때, 수면의 높이가 매초 10 cm씩 낮아지므로 $h=240-10t$ ⋯⋯ ㉡

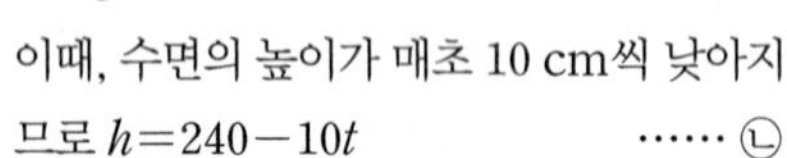

t초 후 물탱크에 남아 있는 물의 부피를 V cm^{3}라 하면

$V=\dfrac{1}{3}\pi r^2h=\dfrac{1}{3}\pi\left(\dfrac{1}{3}h\right)^2h=\dfrac{1}{27}\pi h^3$

$=\dfrac{1}{27}\pi(240-10t)^3$ ($\because$ ㉠, ㉡)

$\therefore \dfrac{dV}{dt}=\dfrac{1}{27}\pi\times3(240-10t)^2\times(-10)=-\dfrac{10}{9}\pi(240-10t)^2$

수면의 높이가 30 cm가 될 때의 시각은

$240-10t=30$에서 $t=21$

따라서 $t=21$일 때, 남아 있는 물의 부피의 변화율은

$\dfrac{dV}{dt}=-\dfrac{10}{9}\pi(240-10\times21)^2=-1000\pi$ (cm^3/s)

답 ③

STEP 3 내신 마스터

0617

유형 01 방정식 $f(x)=k$의 실근의 개수

|전략| 함수 $y=f(x)$의 그래프와 직선 $y=k$의 교점의 개수가 3이 되도록 하는 정수 k의 개수를 구한다.

$3x^4-4x^3-12x^2+15-k=0$에서 $3x^4-4x^3-12x^2+15=k$

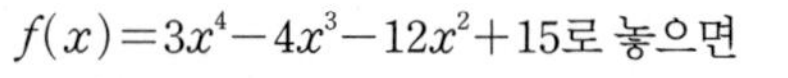

$f(x)=3x^4-4x^3-12x^2+15$로 놓으면

$f'(x)=12x^3-12x^2-24x=12x(x+1)(x-2)$

$f'(x)=0$에서 $x=-1$ 또는 $x=0$ 또는 $x=2$

x	⋯	-1	⋯	0	⋯	2	⋯
$f'(x)$	$-$	0	$+$	0	$-$	0	$+$
$f(x)$	↘	10	↗	15	↘	-17	↗

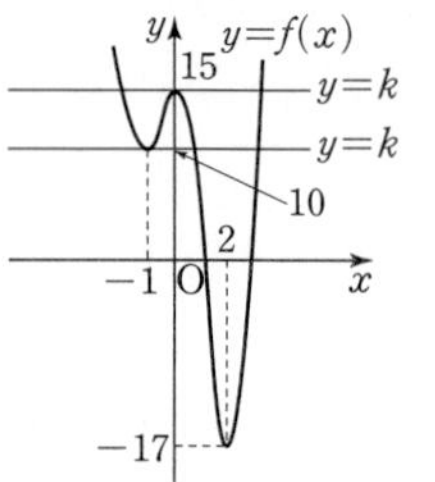

이때, 함수 $y=f(x)$의 그래프는 오른쪽 그림과 같고, 주어진 방정식이 서로 다른 세 실근을 가지려면 함수 $y=f(x)$의 그래프와 직선 $y=k$가 서로 다른 세 점에서 만나야 하므로

$k=10$ 또는 $k=15$

따라서 정수 k는 2개이다. 답 ②

0618

유형 02 삼차방정식의 근의 판별

|전략| $h(x)=f(x)-g(x)$로 놓고, 삼차방정식 $h(x)=0$이 중근과 다른 한 실근을 갖기 위해서는 삼차함수 $h(x)$의 (극댓값)$\times$(극솟값)$=0$이어야 함을 이용한다.

$h(x)=f(x)-g(x)$로 놓으면

$h(x)=(3x^3+4x^2-3x+2)-(2x^3+x^2+6x+a)$

$=x^3+3x^2-9x+2-a$

$h'(x)=3x^2+6x-9=3(x+3)(x-1)$

$h'(x)=0$에서 $x=-3$ 또는 $x=1$

삼차방정식 $h(x)=0$이 중근과 다른 한 실근을 가지려면

$h(-3)h(1)=0$이어야 하므로 (극솟값: $h(1)$, 극댓값: $h(-3)$)

$(29-a)(-3-a)=0$ $\therefore a=-3$ 또는 $a=29$

따라서 모든 실수 a의 값의 합은

$-3+29=26$

답 ①

다른 풀이 $f(x)=g(x)$, 즉 $3x^3+4x^2-3x+2=2x^3+x^2+6x+a$에서 $x^3+3x^2-9x+2=a$

$h(x)=x^3+3x^2-9x+2$로 놓으면

$h'(x)=3x^2+6x-9=3(x+3)(x-1)$

$h'(x)=0$에서 $x=-3$ 또는 $x=1$

x	⋯	-3	⋯	1	⋯
$h'(x)$	$+$	0	$-$	0	$+$
$h(x)$	↗	29	↘	-3	↗

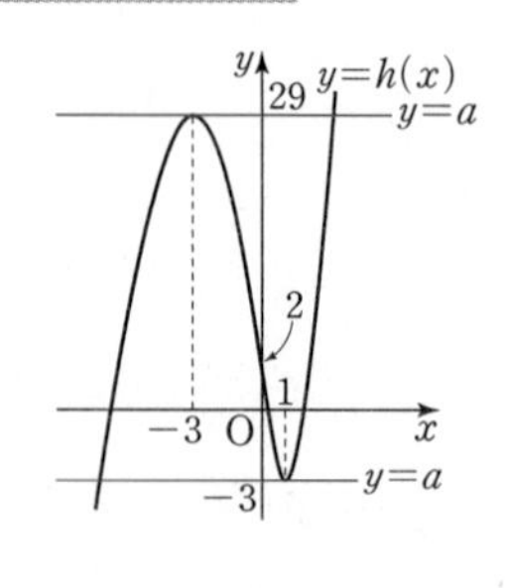

이때, 함수 $y=h(x)$의 그래프는 오른쪽 그림과 같고, 주어진 방정식이 중근과 다른 한 실근을 가지려면 함수 $y=h(x)$의 그래프와 직선 $y=a$가 서로 다른 두 점에서 만나야 하므로

$a=-3$ 또는 $a=29$

따라서 모든 실수 a의 값의 합은

$-3+29=26$

0619

유형 03 두 그래프의 교점의 개수

|전략| 두 함수 $y=f(x)$, $y=g(x)$의 그래프의 교점의 개수는 방정식 $f(x)=g(x)$의 실근의 개수와 같음을 이용한다.

주어진 곡선과 직선이 한 점에서 만나고 다른 한 점에서 접하려면 방정식 $4x^3-2x=x+a$, 즉 $4x^3-3x-a=0$이 한 실근과 중근을 가져야 한다.

$f(x)=4x^3-3x-a$로 놓으면

$f'(x)=12x^2-3=3(2x+1)(2x-1)$

$f'(x)=0$에서 $x=-\frac{1}{2}$ 또는 $x=\frac{1}{2}$

삼차방정식 $f(x)=0$이 한 실근과 중근을 가지려면

$f\left(-\frac{1}{2}\right)f\left(\frac{1}{2}\right)=0$이어야 하므로 (극댓값, 극솟값)

$(-a+1)(-a-1)=0$ $\quad\therefore a=-1$ 또는 $a=1$

따라서 모든 실수 a의 값의 곱은 $-1\times1=-1$ 답 ②

0620

유형 04 방정식 $f(x)=k$의 실근의 부호

|전략| 함수 $y=f(x)$의 그래프와 직선 $y=a$의 교점의 x좌표가 한 개는 양수이고, 다른 두 개는 음수가 되도록 하는 정수 a의 최댓값을 구한다.

$x^3-3x^2-9x-a+6=0$에서 $x^3-3x^2-9x+6=a$

$f(x)=x^3-3x^2-9x+6$으로 놓으면

$f'(x)=3x^2-6x-9=3(x+1)(x-3)$

$f'(x)=0$에서 $x=-1$ 또는 $x=3$

x	$\cdots$	-1	$\cdots$	3	$\cdots$
$f'(x)$	$+$	0	$-$	0	$+$
$f(x)$	↗	11	↘	-21	↗

함수 $y=f(x)$의 그래프는 오른쪽 그림과 같으므로 함수 $y=f(x)$의 그래프와 직선 $y=a$의 교점의 x좌표가 한 개는 양수이고, 서로 다른 두 개는 음수가 되는 실수 a의 값의 범위는

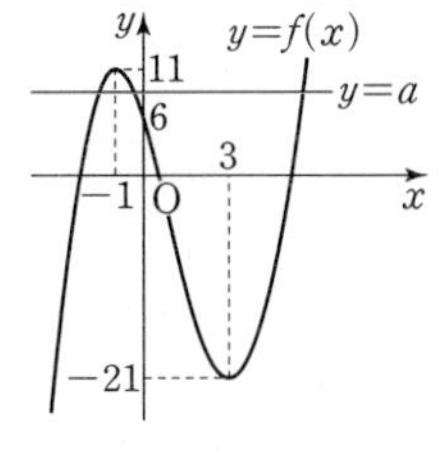

$6<a<11$

따라서 정수 a의 최댓값은 10이다. 답 ⑤

0621

유형 05 주어진 구간에서 부등식이 항상 성립할 조건 – 증가·감소의 활용

|전략| 열린구간 $(-1, 1)$에서 함수 $f(x)$가 감소하므로 $f(1)\geq0$인 실수 k의 최솟값을 구한다.

$f(x)=x^3-12x+k$로 놓으면

$f'(x)=3x^2-12=3(x+2)(x-2)$

열린구간 $(-1, 1)$에서 $f'(x)<0$이므로 함수 $f(x)$는 열린구간 $(-1, 1)$에서 감소한다.

그러므로 $-1<x<1$일 때, $f(x)>0$이려면 $f(1)\geq0$이어야 하므로

$f(1)=1-12+k\geq0$ $\quad\therefore k\geq11$

따라서 실수 k의 최솟값은 11이다. 답 ④

0622

유형 07 모든 실수에서 부등식이 항상 성립할 조건

|전략| ($f(x)$의 최솟값)≥0인 정수 k의 값을 구한다.

$f(x)=x^4-4x-k^2+4k$로 놓으면

$f'(x)=4x^3-4=4(x-1)(x^2+x+1)$

이때, $x^2+x+1=\left(x+\frac{1}{2}\right)^2+\frac{3}{4}>0$이므로

$f'(x)=0$에서 $x=1$

x	$\cdots$	1	$\cdots$
$f'(x)$	$-$	0	$+$
$f(x)$	↘	$-k^2+4k-3$	↗

함수 $f(x)$는 $x=1$일 때 최소이므로 최솟값은

$f(1)=-k^2+4k-3$

모든 실수 x에 대하여 $f(x)\geq0$이려면 $f(1)\geq0$이어야 하므로

$-k^2+4k-3\geq0$, $k^2-4k+3\leq0$

$(k-1)(k-3)\leq0$ $\quad\therefore 1\leq k\leq3$

따라서 정수 k는 1, 2, 3이므로 그 합은

$1+2+3=6$ 답 ③

0623

유형 08 속도와 가속도

|전략| 수직선 위를 움직이는 두 점 P, Q가 만나는 순간의 시각은 $P(t)=Q(t)$일 때임을 이용한다.

두 점 P, Q가 만날 때, 두 점 P, Q의 위치가 같으므로

$t^2-t+6=4t$, $t^2-5t+6=0$

$(t-2)(t-3)=0$ $\quad\therefore t=2$ 또는 $t=3$

즉, 두 점 P, Q가 두 번째로 만날 때는 $t=3$일 때이다.

두 점 P, Q의 속도를 각각 v_P, v_Q라 하면

$v_P=P'(t)=2t-1$, $v_Q=Q'(t)=4$

$t=3$일 때, 두 점 P, Q의 속도는

$P'(3)=2\times3-1=5$, $Q'(3)=4$

따라서 두 점 P, Q의 속도의 차는 $|5-4|=1$ 답 ②

0624

유형 10 속도, 가속도와 운동 방향

|전략| 수직선 위를 움직이는 점 P가 운동 방향을 바꾸는 순간의 속도는 0임을 이용한다.

시각 t에서의 점 P의 속도를 v라 하면

$v=\frac{dx}{dt}=t^2-4t+3=(t-1)(t-3)$

점 P가 운동 방향을 바꾸는 순간의 속도는 0이므로 $v=0$에서
$t=1$ 또는 $t=3$
따라서 점 P는 운동 방향을 두 번 바꾸므로 $a=2$
한편, $v(0)=3>0$이고, $1<t<3$에서 $v(t)<0$이므로 점 P는 $1<t<3$에서 처음 운동 방향과 반대인 원점을 향하여 움직인다.
$\therefore b=3$
$\therefore a+b=2+3=5$

답 ③

0625

유형 11 정지하는 물체의 속도와 움직인 거리

| 전략 | 자동차가 정지할 때의 속도는 0임을 이용하여 정지할 때까지 걸린 시간을 구한다.

자동차가 제동을 건 지 t초 후의 속도를 v m/s라 하면

$v=\frac{dx}{dt}=24-2.4t$

자동차가 정지할 때의 속도는 $v=0$이므로
$24-2.4t=0$에서 $t=10$
따라서 자동차가 제동을 건 후 정지할 때까지 걸린 시간은 10초이다.

답 ③

0626

유형 14 위치의 그래프의 해석

| 전략 | 수직선 위를 움직이는 점 P의 시각 t에서의 속도는 $x_P'(t)$, 운동 방향은 $x_P'(t)$의 부호를 보고 구한다.

두 점 P, Q의 시각 t에서의 속도를 각각 $v_P(t)$, $v_Q(t)$라 하자.
ㄱ. $t=8$일 때, $x_P(8)=0$이므로 점 P의 위치는 원점이다. (참)
ㄴ. $t=2$, $t=6$일 때 $v_P(2)=x_P'(2)=0$, $v_P(6)=x_P'(6)=0$이고, 그 좌우에서 $v_P(t)$의 부호가 바뀌므로 점 P는 $0<t<10$에서 운동 방향을 두 번 바꾼다. (참)
ㄷ. $t=5$일 때 $v_P(5)=x_P'(5)>0$, $v_Q(5)=x_Q'(5)>0$이므로 두 점 P, Q는 서로 같은 방향으로 움직인다. (거짓)
ㄹ. $t=6$일 때, $v_Q(6)>v_P(6)=0$이므로 점 Q의 속도는 점 P의 속도보다 크다. (참)
따라서 옳은 것은 ㄱ, ㄴ, ㄹ이다.

답 ④

0627

유형 06 주어진 구간에서 부등식이 항상 성립할 조건 – 최대·최소의 활용

| 전략 | $x>0$에서 ($f(x)$의 최솟값)>0인 정수 k의 최댓값을 구한다.

$x^3+2x^2-2x>\frac{1}{2}x^2+4x+k$에서 $x^3+\frac{3}{2}x^2-6x-k>0$

$f(x)=x^3+\frac{3}{2}x^2-6x-k$로 놓으면

$f'(x)=3x^2+3x-6=3(x+2)(x-1)$
$f'(x)=0$에서 $x=1$ ($\because x>0$) … ❶

x	0	$\cdots$	1	$\cdots$
$f'(x)$		$-$	0	$+$
$f(x)$		↘	$-\frac{7}{2}-k$	↗

$x>0$일 때, 함수 $f(x)$는 $x=1$에서 최소이므로 최솟값은

$f(1)=-\frac{7}{2}-k$ … ❷

$x>0$일 때 $f(x)>0$이려면 $f(1)>0$이어야 하므로

$-\frac{7}{2}-k>0$ $\quad\therefore k<-\frac{7}{2}$ … ❸

따라서 정수 k의 최댓값은 -4이다. … ❹

답 -4

채점 기준	배점
❶ $f'(x)=0$인 x의 값을 구할 수 있다.	2점
❷ $x>0$일 때, 함수 $f(x)$의 최솟값을 구할 수 있다.	1점
❸ k의 값의 범위를 구할 수 있다.	2점
❹ 정수 k의 최댓값을 구할 수 있다.	1점

0628

유형 12 위로 던진 물체의 위치와 속도

| 전략 | 가장 높은 곳에 도달했을 때의 속도는 0임을 이용하여 높이를 구한다.

물체의 t초 후의 속도를 v m/s라 하면

$v=\frac{dh}{dt}=16-1.6t$ … ❶

최고 높이에 도달했을 때의 속도는 $v=0$이므로
$16-1.6t=0$에서 $t=10$ … ❷
따라서 10초 후 물체의 지면으로부터의 높이는
$h=16\times10-0.8\times10^2=80$ (m) … ❸

답 80 m

채점 기준	배점
❶ 속도 v를 t에 대한 함수로 나타낼 수 있다.	2점
❷ 물체가 최고 높이에 도달했을 때의 시각을 구할 수 있다.	3점
❸ $t=10$일 때, 물체의 높이를 구할 수 있다.	2점

0629

유형 17 시각에 대한 부피의 변화율

| 전략 | 물의 부피 V를 t에 대한 함수로 나타낸 후 물의 부피의 변화율은 $\frac{dV}{dt}$임을 이용한다.

(1) 오른쪽 그림에서

$r : h=20 : 30$ $\quad\therefore r=\frac{2}{3}h$

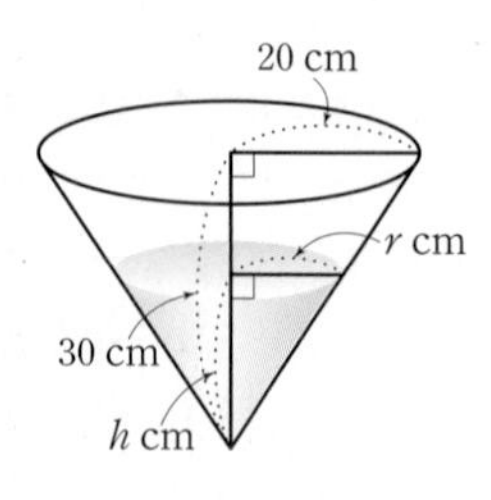

(2) 수면의 높이가 매초 1 cm씩 올라가므로 t초 후 수면의 높이는 t cm
즉, $h=t$
t초 후 그릇에 담긴 물의 부피를 V cm^3라 하면

$V=\frac{1}{3}\pi r^2h=\frac{1}{3}\pi\left(\frac{2}{3}h\right)^2h=\frac{4}{27}\pi h^3=\frac{4}{27}\pi t^3$ ($\because$ $h=t$)

$\therefore \frac{dV}{dt}=\frac{4}{27}\pi\times 3t^2=\frac{4}{9}\pi t^2$

(3) 수면의 높이가 6 cm가 될 때의 시각은 $t=6$이므로 이때의 물의 부피의 변화율은

$\frac{dV}{dt}=\frac{4}{9}\pi\times 6^2=16\pi$ $(\mathrm{cm^3/s})$

답 (1) $r=\frac{2}{3}h$ (2) $\frac{4}{27}\pi t^3$, $\frac{4}{9}\pi t^2$ (3) 16π $\mathrm{cm^3/s}$

채점 기준	배점
(1) r를 h에 대한 식으로 나타낼 수 있다.	4점
(2) t초 후 그릇에 담긴 물의 부피와 그때의 물의 부피의 변화율을 구할 수 있다.	6점
(3) 수면의 높이가 6 cm일 때, 물의 부피의 변화율을 구할 수 있다.	2점

창의·융합 교과서 속 심화문제

0630

|전략| 함수 $y=|f(x)|$의 그래프와 직선 $y=2$의 교점의 개수가 5가 되는 사차함수 $f(x)$를 구한다.

사차함수 $f(x)$가 $f(-x)=f(x)$를 만족시키므로 함수 $y=f(x)$의 그래프는 y축에 대하여 대칭이다.

따라서 사차함수 $f(x)$가 $f(-x)=f(x)$, $f(0)>0$을 만족시키고 방정식 $|f(x)|=2$가 서로 다른 다섯 실근을 가지려면 [그림 1]과 같아야 하므로 사차함수 $y=f(x)$의 그래프의 개형은 [그림 2]와 같아야 한다.

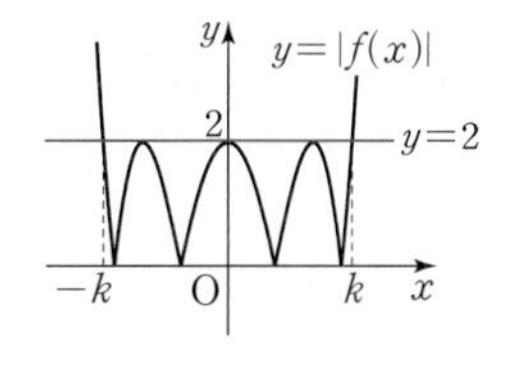

[그림 1]

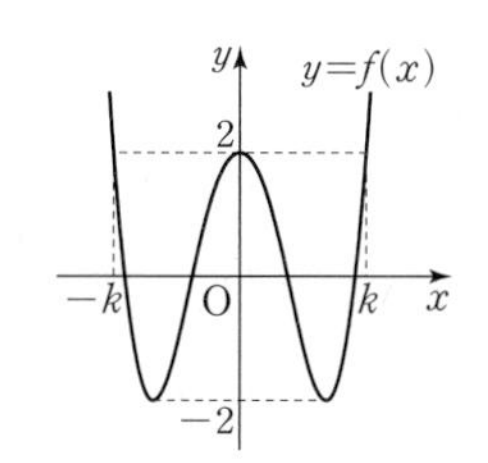

[그림 2]

사차함수 $f(x)$의 최고차항의 계수가 1이므로

$f(x)-2=x^2(x-k)(x+k)=x^4-k^2x^2$ (단, $k>0$)

$f'(x)=4x^3-2k^2x=2x(\sqrt{2}x+k)(\sqrt{2}x-k)$

$f'(x)=0$에서 $x=-\frac{k}{\sqrt{2}}$ 또는 $x=0$ 또는 $x=\frac{k}{\sqrt{2}}$

이때, 함수 $f(x)$는 $x=\pm\frac{k}{\sqrt{2}}$에서 극소이고 $f\left(\pm\frac{k}{\sqrt{2}}\right)=-2$이므로

$f\left(\frac{k}{\sqrt{2}}\right)=\left(\frac{k}{\sqrt{2}}\right)^4-k^2\times\left(\frac{k}{\sqrt{2}}\right)^2+2=-2$

$-\frac{k^4}{4}=-4$, $k^4=16$

$\therefore k^2=4$ ($\because$ $k^2>0$)

따라서 $f(x)=x^4-4x^2+2$이므로

$f(1)=1^4-4\times 1^2+2=-1$

답 -1

참고 다항함수 $f(x)$가 모든 실수 x에 대하여 $f(-x)=f(x)$를 만족시키면 $f(x)$는 짝수 차수의 항 또는 상수항으로만 이루어져 있고, $y=f(x)$의 그래프는 y축에 대하여 대칭이다.

0631

|전략| 두 함수 $y=f(x)$, $y=g(x)$의 그래프의 교점의 개수는 방정식 $f(x)=g(x)$의 서로 다른 실근의 개수와 같음을 이용한다.

$x^3-2x^2-3x+k^2=x+2k$에서

$x^3-2x^2-4x=-k^2+2k$

곡선 $y=x^3-2x^2-3x+k^2$과 직선 $y=x+2k$의 교점의 x좌표는 곡선 $y=x^3-2x^2-4x$와 직선 $y=-k^2+2k=-(k-1)^2+1$의 교점의 x좌표와 같다.

$f(x)=x^3-2x^2-4x$로 놓으면

$f'(x)=3x^2-4x-4=(3x+2)(x-2)$

$f'(x)=0$에서 $x=-\frac{2}{3}$ 또는 $x=2$

x	$\cdots$	$-\frac{2}{3}$	$\cdots$	2	$\cdots$
$f'(x)$	$+$	0	$-$	0	$+$
$f(x)$	↗	$\frac{40}{27}$	↘	-8	↗

함수 $y=f(x)$의 그래프와 직선 $y=-k^2+2k$는 오른쪽 그림과 같다.

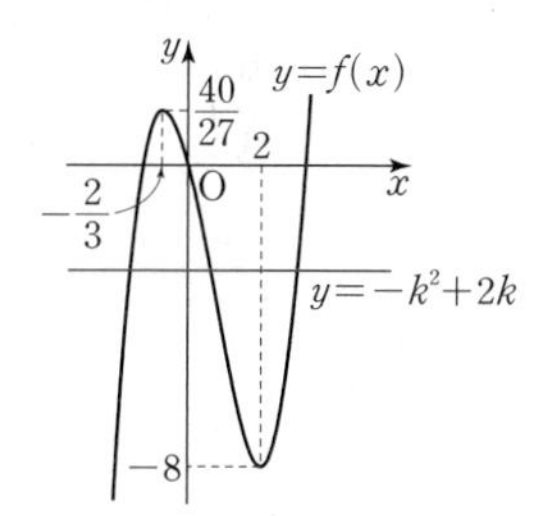

ㄱ. $k=1$일 때, 함수 $y=f(x)$의 그래프와 직선 $y=-k^2+2k=1$은 서로 다른 세 점에서 만난다.
따라서 곡선 $y=x^3-2x^2-3x+k^2$과 직선 $y=x+2k$는 서로 다른 세 점에서 만난다. (참)

ㄴ. $-k^2+2k=-(k-1)^2+1\le 1$이므로 함수 $y=f(x)$의 그래프와 직선 $y=-k^2+2k$가 접할 때는 $-k^2+2k=-8$일 때이다.
$k^2-2k-8=0$, $(k+2)(k-4)=0$ $\quad\therefore k=-2$ 또는 $k=4$
따라서 $k=-2$ 또는 $k=4$일 때, 곡선 $y=x^3-2x^2-3x+k^2$과 직선 $y=x+2k$가 접하므로 모든 실수 k의 값의 합은
$-2+4=2$ (참)

ㄷ. $y=-k^2+2k=-(k-1)^2+1$이므로 $-2<k<4$일 때, $-8<-k^2+2k\le 1$이다.
따라서 $-2<k<4$일 때, 함수 $y=f(x)$의 그래프와 직선 $y=-k^2+2k$는 서로 다른 세 점에서 만난다.
그러므로 $-2<k<4$일 때, 곡선 $y=x^3-2x^2-3x+k^2$과 직선 $y=x+2k$는 서로 다른 세 점에서 만난다. (거짓)

따라서 옳은 것은 ㄱ, ㄴ이다.

답 ③

0632

|전략| 두 함수의 그래프가 접할 때를 이용하여 k의 값의 범위를 구하고, $f(3)\le g(3)$을 동시에 만족시키는 실수 k의 최댓값을 구한다.

$k<0$이므로 두 함수

$f(x)=x^3-5x,\ g(x)=|x-k|$의

그래프가 한 점에서 접할 때는 오른쪽 그림과 같다.

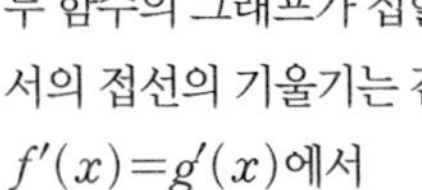

두 함수의 그래프가 접할 때, 접점에서의 접선의 기울기는 같으므로

$f'(x)=g'(x)$에서

$3x^2-5=1,\ x^2=2$

$\therefore x=-\sqrt{2}\ (\because x<0)$

즉, $x=-\sqrt{2}$에서 두 함수 $f(x)=x^3-5x$, $g(x)=|x-k|$의 그래프는 접한다.

이때, $f(-\sqrt{2})=-2\sqrt{2}+5\sqrt{2}=3\sqrt{2}$, $g(-\sqrt{2})=|-\sqrt{2}-k|$이므로 $f(-\sqrt{2})=g(-\sqrt{2})$에서

$3\sqrt{2}=|-\sqrt{2}-k|$, $k+\sqrt{2}=\pm3\sqrt{2}$

$\therefore k=-4\sqrt{2}\ (\because k<0)$

따라서 $k\le-4\sqrt{2}$이어야 한다. …… ㉠

또, $f(3)\le g(3)$이어야 하므로

$f(3)=3^3-3\times5=12$, $g(3)=|3-k|=3-k\ (\because\ k<0)$

에서 $12\le3-k$ $\quad\therefore k\le-9$ …… ㉡

㉠, ㉡에서 $k\le-9$이므로 실수 k의 최댓값은 -9이다. 답 -9

다른 풀이 위의 그림에서 $x\le3$일 때 $f(x)\le g(x)$, 즉 $x^3-5x\le|x-k|$이려면 $x\le3$일 때 $x^3-5x\le x-k$, 즉 $x^3-6x+k\le0$을 만족시키면 된다.

$h(x)=x^3-6x+k$로 놓으면

$h'(x)=3x^2-6=3(x+\sqrt{2})(x-\sqrt{2})$

$h'(x)=0$에서 $x=-\sqrt{2}$ 또는 $x=\sqrt{2}$

x	$\cdots$	$-\sqrt{2}$	$\cdots$	$\sqrt{2}$	$\cdots$	3
$h'(x)$	+	0	−	0	+	
$h(x)$	↗	$4\sqrt{2}+k$	↘	$-4\sqrt{2}+k$	↗	$9+k$

$x\le3$일 때, 함수 $h(x)$는 $x=3$에서 최대이므로 최댓값은

$h(3)=9+k$

$x\le3$일 때 $h(x)\le0$이려면 $h(3)\le0$이어야 하므로

$9+k\le0$ $\quad\therefore k\le-9$

따라서 실수 k의 최댓값은 -9이다.

0633

|전략| 공의 높이가 $h(t)$이면 속도는 $v=\dfrac{d}{dt}h(t)$임을 이용한다.

오른쪽 그림과 같이 공이 경사면과 처음으로 충돌하는 순간의 공의 중심을 C라 하면 삼각형 ABC는 직각삼각형이다.

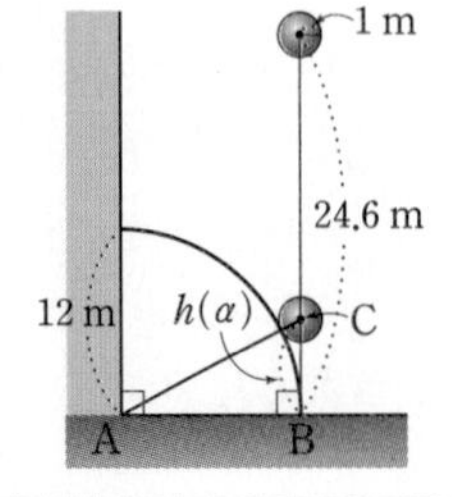

공이 경사면과 처음으로 충돌하는 시각을 $t=\alpha$라 하면

$\overline{AC}^2=\overline{AB}^2+\overline{BC}^2$에서

$13^2=12^2+\{h(\alpha)\}^2$

$\therefore h(\alpha)=5\ (\because h(\alpha)>0)$

이때, $h(\alpha)=24.6-4.9\alpha^2$이므로 $24.6-4.9\alpha^2=5$에서

$4.9\alpha^2=19.6,\ \alpha^2=4$

$\therefore \alpha=2\ (\because \alpha>0)$

공의 t초 후의 속도를 v m/s라 하면

$v=\dfrac{d}{dt}h(t)=-9.8t$

따라서 $t=2$일 때, 공의 속도는

$v=-9.8\times2=-19.6$ (m/s) 답 -19.6 m/s

0634

|전략| 삼각형 BPQ의 넓이 S를 t에 대한 함수로 나타낸 후 삼각형의 넓이의 변화율은 $\dfrac{dS}{dt}$임을 이용한다.

점 P는 꼭짓점 A에서 꼭짓점 B까지 매초 1의 속력으로 움직이므로 t초 후 선분 AP의 길이는

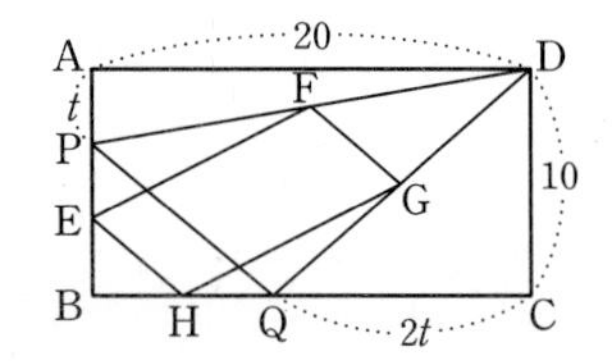

$\overline{AP}=t$

점 Q는 꼭짓점 C에서 꼭짓점 B까지 매초 2의 속력으로 움직이므로 t초 후 선분 CQ의 길이는

$\overline{CQ}=2t$

t초 후 두 직각삼각형 APD, DQC의 넓이를 각각 S_1, S_2라 하면

$S_1=\dfrac{1}{2}\times\overline{AP}\times\overline{AD}=\dfrac{1}{2}\times t\times20=10t$

$S_2=\dfrac{1}{2}\times\overline{CQ}\times\overline{CD}=\dfrac{1}{2}\times2t\times10=10t$

t초 후 사각형 BPDQ의 넓이를 S_3이라 하면

$S_3=\square\mathrm{ABCD}-(S_1+S_2)$

$=20\times10-(10t+10t)=200-20t$

사각형 BPDQ의 넓이는 사각형 EFGH의 넓이의 2배이므로 t초 후 사각형 EFGH의 넓이를 S_4라 하면

$S_4=\dfrac{1}{2}S_3=\dfrac{1}{2}(200-20t)=100-10t$

사각형 EFGH의 넓이가 직사각형 ABCD의 넓이의 $\dfrac{1}{8}$배가 되는 순간은 $S_4=\dfrac{1}{8}\times(20\times10)$에서

$100-10t=25$ $\quad\therefore t=\dfrac{15}{2}$

t초 후 삼각형 BPQ의 넓이를 S라 하면

$S=\dfrac{1}{2}\times\overline{BP}\times\overline{BQ}$

$=\dfrac{1}{2}(10-t)(20-2t)=(10-t)^2$

$\therefore \dfrac{dS}{dt}=-2(10-t)$

따라서 $t=\dfrac{15}{2}$일 때, 삼각형 BPQ의 넓이의 변화율은

$\dfrac{dS}{dt}=-2\left(10-\dfrac{15}{2}\right)=-5$ 답 -5

본책 112~123쪽

7 | 부정적분

STEP 1 개념 마스터

0635

(1) $f'(x)=3x^2+2x$

(2) $\int f'(x)dx=\int(3x^2+2x)dx=x^3+x^2+C$

답 (1) $f'(x)=3x^2+2x$ (2) $\int f'(x)dx=x^3+x^2+C$

0636

ㄱ. $F'(x)=(x^7)'=7x^6$

ㄴ. $F'(x)=(x^7+x)'=7x^6+1$

ㄷ. $F'(x)=(x^7-8)'=7x^6$

ㄹ. $F'(x)=\left(x^7+\frac{5}{2}\right)'=7x^6$

ㅁ. $F'(x)=(7x^6)'=42x^5$

따라서 함수 $f(x)=7x^6$의 부정적분이 아닌 것은 ㄴ, ㅁ이다.

답 ㄴ, ㅁ

0637

$f(x)=(3x^2-2x+C)'=6x-2$ 답 $f(x)=6x-2$

0638

$f(x)=(-x^2+3x+C)'=-2x+3$ 답 $f(x)=-2x+3$

0639

$f(x)=\left(\frac{2}{3}x^3+C\right)'=2x^2$ 답 $f(x)=2x^2$

0640

$f(x)=\left(-\frac{1}{3}x^3+2x+C\right)'=-x^2+2$ 답 $f(x)=-x^2+2$

0641

$f(x)=\left(\frac{1}{4}x^4-2x^3-x+C\right)'=x^3-6x^2-1$

답 $f(x)=x^3-6x^2-1$

0642

$\frac{d}{dx}\int f(x)dx=f(x)$이므로

$\frac{d}{dx}\int(x^2-2x)dx=x^2-2x$ 답 x^2-2x

0643

$\int\left\{\frac{d}{dx}f(x)\right\}dx=f(x)+C$이므로

$\int\left\{\frac{d}{dx}(x^2-2x)\right\}dx=x^2-2x+C$ 답 x^2-2x+C

0644

$\int x^4dx=\frac{1}{4+1}x^{4+1}+C=\frac{1}{5}x^5+C$ 답 $\frac{1}{5}x^5+C$

0645

$\int x^7dx=\frac{1}{7+1}x^{7+1}+C=\frac{1}{8}x^8+C$ 답 $\frac{1}{8}x^8+C$

0646

$\int x^m\cdot x^ndx=\int x^{m+n}dx=\frac{1}{m+n+1}x^{m+n+1}+C$

답 $\frac{1}{m+n+1}x^{m+n+1}+C$

0647

$\int(x^m)^ndx=\int x^{mn}dx=\frac{1}{mn+1}x^{mn+1}+C$

답 $\frac{1}{mn+1}x^{mn+1}+C$

0648

$\int(4x+5)dx=\int 4x\,dx+\int 5\,dx$

$=4\int x\,dx+\int 5\,dx$

$=2x^2+5x+C$ 답 $2x^2+5x+C$

0649

$\int(3x^2+2x-1)dx=\int 3x^2dx+\int 2x\,dx-\int 1\,dx$

$=3\int x^2dx+2\int x\,dx-\int 1\,dx$

$=x^3+x^2-x+C$ 답 x^3+x^2-x+C

0650

$\int(x-2)(3x+1)dx=\int(3x^2-5x-2)dx$

$=\int 3x^2dx-\int 5x\,dx-\int 2\,dx$

$=3\int x^2dx-5\int x\,dx-\int 2\,dx$

$=x^3-\frac{5}{2}x^2-2x+C$

답 $x^3-\frac{5}{2}x^2-2x+C$

0651

$$\int(2x+3)^2dx=\int(4x^2+12x+9)dx$$
$$=\int 4x^2dx+\int 12x\,dx+\int 9\,dx$$
$$=4\int x^2dx+12\int x\,dx+\int 9\,dx$$
$$=\frac{4}{3}x^3+6x^2+9x+C$$

답 $\frac{4}{3}x^3+6x^2+9x+C$

0652

$$\int\frac{x^2-9}{x+3}dx=\int\frac{(x-3)(x+3)}{x+3}dx=\int(x-3)dx$$
$$=\int x\,dx-\int 3\,dx=\frac{1}{2}x^2-3x+C$$

답 $\frac{1}{2}x^2-3x+C$

0653

$$\int\frac{x^3-1}{x-1}dx=\int\frac{(x-1)(x^2+x+1)}{x-1}dx$$
$$=\int(x^2+x+1)dx$$
$$=\int x^2\,dx+\int x\,dx+\int 1\,dx$$
$$=\frac{1}{3}x^3+\frac{1}{2}x^2+x+C$$

답 $\frac{1}{3}x^3+\frac{1}{2}x^2+x+C$

0654

$$\int(x+1)^2\,dx-\int(x-1)^2\,dx$$
$$=\int(x^2+2x+1)dx-\int(x^2-2x+1)dx$$
$$=\int 4x\,dx=4\int x\,dx$$
$$=2x^2+C$$

답 $2x^2+C$

0655

$$\int\frac{x^2}{x-1}\,dx+\int\frac{1}{1-x}\,dx$$
$$=\int\frac{x^2-1}{x-1}\,dx=\int\frac{(x+1)(x-1)}{x-1}\,dx$$
$$=\int(x+1)dx=\int x\,dx+\int 1\,dx$$
$$=\frac{1}{2}x^2+x+C$$

답 $\frac{1}{2}x^2+x+C$

0656

$$\int\frac{x^3}{x+2}\,dx+\int\frac{8}{x+2}\,dx$$
$$=\int\frac{x^3+8}{x+2}\,dx=\int\frac{(x+2)(x^2-2x+4)}{x+2}\,dx$$
$$=\int(x^2-2x+4)dx=\int x^2\,dx-2\int x\,dx+\int 4\,dx$$
$$=\frac{1}{3}x^3-x^2+4x+C$$

답 $\frac{1}{3}x^3-x^2+4x+C$

STEP 2 유형 마스터

0657

|전략| $\int f(x)dx=F(x)+C$이면 $f(x)=F'(x)$이다.

$\int f(x)dx=x^3-2x^2+4x+C$에서

$f(x)=(x^3-2x^2+4x+C)'=3x^2-4x+4$

$\therefore f(2)=12-8+4=8$

답 ②

0658

$f(x)=(x^3-x^2-2x+1)'=3x^2-2x-2$

$\therefore f(-1)=3+2-2=3$

답 ③

0659

$\int(6x^2+ax-3)dx=bx^3+5x^2-cx+1$에서

$6x^2+ax-3=(bx^3+5x^2-cx+1)'=3bx^2+10x-c$

즉, $6=3b$, $a=10$, $-3=-c$이므로

$a=10$, $b=2$, $c=3$

$\therefore a+b+c=10+2+3=15$

답 15

0660

$\int F(x)dx=f(x)g(x)$에서

$$F(x)=\{f(x)g(x)\}'=f'(x)g(x)+f(x)g'(x)$$
$$=4x(-4x-1)+(2x^2+1)\times(-4)$$
$$=-24x^2-4x-4$$

$\therefore F(-1)=-24+4-4=-24$

답 -24

Lecture

함수의 곱의 미분법

두 함수 $f(x)$, $g(x)$가 미분가능할 때

$\{f(x)g(x)\}'=f'(x)g(x)+f(x)g'(x)$

0661

$\int(x-1)f(x)dx=2x^3-3x^2+2$에서

$(x-1)f(x)=(2x^3-3x^2+2)'=6x^2-6x=6x(x-1)$

따라서 $f(x)=6x$이므로 $f(2)=12$

답 12

0662

ㄱ. x^3 외에도 x^3+1, x^3-2, $\cdots$ 와 같이 상수항만 다른 $3x^2$의 부정적분은 무수히 많다. (거짓)

ㄴ. 함수 $y=g(x)$가 함수 $y=f(x)$의 한 부정적분이면 $g'(x)=f(x)$가 성립한다. (참)

ㄷ. $\int 3x^2\,dx$는 $3x^2$의 부정적분이다. (참)

ㄹ. 도함수가 0인 함수는 상수함수이다. 즉, $\int 0\,dx=C$ (단, C는 적분상수) (거짓)

따라서 옳은 것은 ㄴ, ㄷ이다.

답 ㄴ, ㄷ

0663

$F(x)=x^3+ax^2+bx-1$에서

$f(x)=F'(x)=3x^2+2ax+b$이므로

$f(1)=0$에서 $2a+b=-3$ …… ㉠

$f'(x)=6x+2a$이므로 $f'(1)=-2$에서

$6+2a=-2 \quad \therefore a=-4$ … ❶

$a=-4$를 ㉠에 대입하면

$-8+b=-3 \quad \therefore b=5$ … ❷

$\therefore a+b=-4+5=1$ … ❸

답 1

채점 기준	비율
❶ a의 값을 구할 수 있다.	40 %
❷ b의 값을 구할 수 있다.	40 %
❸ $a+b$의 값을 구할 수 있다.	20 %

0664

$F'(x)=f(x)$, $G'(x)=f(x)$이므로

$F'(x)-G'(x)=0$

$\therefore F(x)-G(x)=\int\{F'(x)-G'(x)\}dx=C$

이때, $F(0)-G(0)=2-5=-3$이므로 $C=-3$

$\therefore F(-1)-G(-1)=C=-3$

답 -3

0665

|전략| $\frac{d}{dx}\int f(x)dx=f(x)$임을 이용한다.

$\frac{d}{dx}\int(ax^2+4x+3)dx=8x^2+bx+c$이므로

$ax^2+4x+3=8x^2+bx+c$

이 식이 모든 실수 x에 대하여 성립하므로

$a=8, b=4, c=3$

$\therefore a+b+c=15$

답 ⑤

0666

$\frac{d}{dx}\int xf(x)dx=x^4+x^3+x^2$이므로

$xf(x)=x^4+x^3+x^2$

$=x(x^3+x^2+x)$

따라서 $f(x)=x^3+x^2+x$이므로

$f(2)=8+4+2=14$

답 ③

0667

$\frac{d}{dx}\int x\,dx=x$, $\frac{d}{dx}\int(5x^2-4x-6)dx=5x^2-4x-6$이므로

주어진 등식은

$x=5x^2-4x-6$, $5x^2-5x-6=0$

따라서 주어진 방정식의 모든 근의 합은 이차방정식의 근과 계수의 관계에 의하여 $-\frac{-5}{5}=1$

답 ①

0668

|전략| $\int\left\{\frac{d}{dx}f(x)\right\}dx=f(x)+C$임을 이용한다.

$\int\left\{\frac{d}{dx}(x^3-2x^2+3x)\right\}dx=x^3-2x^2+3x+C$이므로

$f(x)=x^3-2x^2+3x+C$

$f(0)=1$이므로 $C=1$

따라서 $f(x)=x^3-2x^2+3x+1$이므로

$f(2)=8-8+6+1=7$

답 7

0669

$\int\left\{\frac{d}{dx}f(x)\right\}dx=f(x)+C_1$이므로

$f(x)+C_1=x^3-4x+C$

즉, $f(x)=x^3-4x+C-C_1$

$f(-2)=3$이므로 $-8+8+C-C_1=3$

$\therefore C-C_1=3$

따라서 $f(x)=x^3-4x+3$이므로

$f(1)=1-4+3=0$

답 ③

0670

$\int\left\{\frac{d}{dx}(x^2-6x)\right\}dx=x^2-6x+C$이므로

$f(x)=x^2-6x+C=(x-3)^2+C-9$

함수 $f(x)$는 $x=3$에서 최솟값 $C-9$를 가지므로

$C-9=8 \quad \therefore C=17$

따라서 $f(x)=x^2-6x+17$이므로

$f(1)=1-6+17=12$

답 12

Lecture

이차함수 $y=ax^2+bx+c$의 최댓값과 최솟값

$y=a(x-p)^2+q$ 꼴로 변형하면

(1) $a>0$일 때, $x=p$에서 최솟값은 q이고, 최댓값은 없다.

(2) $a<0$일 때, $x=p$에서 최댓값은 q이고, 최솟값은 없다.

0671

$$\int\left[\frac{d}{dx}\int\left\{\frac{d}{dx}f(x)\right\}dx\right]dx=\int\left[\frac{d}{dx}\{f(x)+C_1\}\right]dx$$
$$=f(x)+C_2$$

이므로

$F(x)=100x^{100}+99x^{99}+\cdots+2x^2+x+C_2$

이때, $F(0)=2$이므로 $C_2=2$

따라서 $F(x)=100x^{100}+99x^{99}+\cdots+2x^2+x+2$이므로

$F(1)=100+99+\cdots+2+1+2$

$=\frac{100\times101}{2}+2=5052$

답 5052

0672

|전략| 부정적분의 합, 차, 실수배의 성질과 $\int x^n dx=\frac{1}{n+1}x^{n+1}+C$임을 이용한다.

$f(x)=\int(1+2x+3x^2+\cdots+10x^9)dx$

$=x+x^2+x^3+\cdots+x^{10}+C$

이때, $f(0)=1$이므로 $C=1$

따라서 $f(x)=x+x^2+x^3+\cdots+x^{10}+1$이므로

$f(-1)=(-1+1-1+\cdots+1)+1=1$ 답 ③

0673

$f(x)=\int(x-2)(x+2)(x^2+4)dx$

$=\int(x^4-16)dx$

$=\frac{1}{5}x^5-16x+C$

이때, $f(0)=\frac{28}{5}$이므로 $C=\frac{28}{5}$

따라서 $f(x)=\frac{1}{5}x^5-16x+\frac{28}{5}$이므로

$f(2)=\frac{32}{5}-32+\frac{28}{5}=-20$ 답 -20

0674

$f(x)=\int(x+3)(x^2-3x+9)dx-\int(x-3)(x^2+3x+9)dx$

$=\int(x^3+27)dx-\int(x^3-27)dx$

$=\int\{(x^3+27)-(x^3-27)\}dx$

$=\int 54\,dx=54x+C$

이때, $f(0)=-27$이므로 $C=-27$

따라서 $f(x)=54x-27$이므로

$f(1)=54-27=27$ 답 27

0675

$f(x)=\int\frac{3x^2}{x-2}dx-\int\frac{5x}{x-2}dx-\int\frac{2}{x-2}dx$

$=\int\frac{3x^2-5x-2}{x-2}dx$

$=\int\frac{(3x+1)(x-2)}{x-2}dx$

$=\int(3x+1)dx=\frac{3}{2}x^2+x+C$

이때, $f(-1)=\frac{5}{2}$이므로 $\frac{3}{2}-1+C=\frac{5}{2}$ $\quad\therefore C=2$

따라서 $f(x)=\frac{3}{2}x^2+x+2$이므로

$f(2)=6+2+2=10$ 답 10

0676

|전략| $f(x)=\int f'(x)dx$임을 이용한다.

$f(x)=\int f'(x)dx=\int(3x^2+4x-5)dx$

$=x^3+2x^2-5x+C$

이때, $f(0)=2$이므로 $C=2$

따라서 $f(x)=x^3+2x^2-5x+2$이므로

$f(1)=1+2-5+2=0$ 답 ②

0677

$f(x)=\int f'(x)dx=\int(3x^2+2ax-1)dx$

$=x^3+ax^2-x+C$

이때, $f(0)=1$, $f(1)=2$이므로

$f(0)=1$에서 $C=1$

$f(1)=2$에서 $1+a-1+1=2$ $\quad\therefore a=1$

따라서 $f(x)=x^3+x^2-x+1$이므로

$f(-2)=-8+4+2+1=-1$ 답 -1

0678

$f(x)=\int f'(x)dx=\int(12x^2-6x)dx$

$=4x^3-3x^2+C_1$

이때, $f(1)=4$이므로

$4-3+C_1=4$ $\quad\therefore C_1=3$

$\therefore f(x)=4x^3-3x^2+3$

$F(x)=\int f(x)dx=\int(4x^3-3x^2+3)dx$

$=x^4-x^3+3x+C_2$

이때, $F(-1)=-2$이므로

$1+1-3+C_2=-2$ $\quad\therefore C_2=-1$

따라서 $F(x)=x^4-x^3+3x-1$이므로

$F(1)=1-1+3-1=2$ 답 2

0679

$g(x)=\int g'(x)dx=\int(3x^2+4x+2)dx$

$=x^3+2x^2+2x+C$

이때, $f(x)-g(x)$를 $x-1$로 나누었을 때의 나머지가 2이므로 나머지정리에 의하여

$f(1)-g(1)=2$ …… ㉠

$f(x)=2x^3+x^2+x$에서

$f(1)=2+1+1=4$, $g(1)=1+2+2+C=5+C$

㉠에 의하여 $f(1)-g(1)=4-(5+C)=-1-C=2$

$\therefore C=-3$

따라서 $f(1)=4$, $g(1)=2$이므로

$f(1)g(1)=8$ 답 ④

Lecture

나머지정리

다항식 $f(x)$를 일차식 $x-a$로 나누었을 때의 나머지 ⇨ $f(a)$

0680

|전략| 조건 ㈎의 양변을 적분하여 $\int\left\{\frac{d}{dx}f(x)\right\}dx=f(x)+C$임을 이용한다.

조건 ㈎에서 $\int\left[\frac{d}{dx}\{f(x)g(x)\}\right]dx=\int 3x^2\,dx$

$\therefore\ f(x)g(x)=x^3+C$

이때, 조건 ㈏에서 $f(1)=3,\ g(1)=0$이므로

$f(1)g(1)=1+C=0 \qquad \therefore C=-1$

즉, $f(x)g(x)=x^3-1=(x-1)(x^2+x+1)$이므로

$\begin{cases} f(x)=x-1 \\ g(x)=x^2+x+1 \end{cases}$ 또는 $\begin{cases} f(x)=x^2+x+1 \\ g(x)=x-1 \end{cases}$

그런데 $f(1)=3,\ g(1)=0$이므로

$f(x)=x^2+x+1,\ g(x)=x-1$

$\therefore\ g(5)=5-1=4$ 답 ①

0681

$\frac{d}{dx}\{f(x)-g(x)\}=2x-2$에서

$\int\left[\frac{d}{dx}\{f(x)-g(x)\}\right]dx=\int(2x-2)dx$

$\therefore f(x)-g(x)=x^2-2x+C_1$

또, $\frac{d}{dx}\{f(x)g(x)\}=3x^2$에서

$\int\left[\frac{d}{dx}\{f(x)g(x)\}\right]dx=\int 3x^2dx$

$\therefore f(x)g(x)=x^3+C_2$

이때, $f(0)=g(0)=1$이므로

$f(0)-g(0)=C_1=0,\ f(0)g(0)=C_2=1$에서

$f(x)-g(x)=x^2-2x,\ f(x)g(x)=x^3+1$

따라서 $f(2)-g(2)=0,\ f(2)g(2)=9$이므로

$\{f(2)\}^2+\{g(2)\}^2=\{f(2)-g(2)\}^2+2f(2)g(2)$

$=18$ 답 18

0682

$\frac{d}{dx}\{f(x)+g(x)\}=3$에서

$\int\left[\frac{d}{dx}\{f(x)+g(x)\}\right]dx=\int 3\,dx$

$\therefore\ f(x)+g(x)=3x+C_1$

또, $\frac{d}{dx}\{f(x)g(x)\}=4x-1$에서

$\int\left[\frac{d}{dx}\{f(x)g(x)\}\right]dx=\int(4x-1)dx$

$\therefore\ f(x)g(x)=2x^2-x+C_2$ … ❶

이때, $f(0)=0,\ g(0)=-1$이므로

$f(0)+g(0)=C_1=-1,\ f(0)g(0)=C_2=0$에서

$f(x)+g(x)=3x-1=x+(2x-1)$

$f(x)g(x)=2x^2-x=x(2x-1)$

$\therefore \begin{cases} f(x)=x \\ g(x)=2x-1 \end{cases}$ 또는 $\begin{cases} f(x)=2x-1 \\ g(x)=x \end{cases}$

그런데 $f(0)=0,\ g(0)=-1$이므로

$f(x)=x,\ g(x)=2x-1$ … ❷

$\therefore f(1)-g(2)=1-3=-2$ … ❸

답 −2

채점 기준	비율
❶ $\frac{d}{dx}\{f(x)+g(x)\}$, $\frac{d}{dx}\{f(x)g(x)\}$의 부정적분을 구할 수 있다.	40 %
❷ 함수 $f(x)$, $g(x)$를 구할 수 있다.	40 %
❸ $f(1)-g(2)$의 값을 구할 수 있다.	20 %

0683

|전략| 양변을 x에 대하여 미분하고, $F'(x)=f(x)$임을 이용하여 $f'(x)$를 구한다.

$F(x)=xf(x)-2x^3-2x^2$의 양변을 x에 대하여 미분하면

$f(x)=f(x)+xf'(x)-6x^2-4x$

$xf'(x)=6x^2+4x \qquad \therefore f'(x)=6x+4$

$\therefore f(x)=\int(6x+4)dx=3x^2+4x+C$

이때, $f(0)=0$이므로 $C=0$

$\therefore f(x)=3x^2+4x$ 답 $f(x)=3x^2+4x$

0684

$F(x)+\int xf(x)dx=x^3-x^2-5x$의 양변을 x에 대하여 미분하면

$f(x)+xf(x)=3x^2-2x-5$

$(1+x)f(x)=(x+1)(3x-5)$

따라서 $f(x)=3x-5$이므로

$f(2)=6-5=1$ 답 1

0685

$(x-1)f(x)-F(x)=2x^3-3x^2$의 양변을 x에 대하여 미분하면

$f(x)+(x-1)f'(x)-f(x)=6x^2-6x$

$(x-1)f'(x)=6x(x-1) \qquad \therefore f'(x)=6x$ … ❶

$\therefore f(x)=\int 6x\,dx=3x^2+C$

이때, $f(1)=2$이므로 $3+C=2$에서 $C=-1$

따라서 $f(x)=3x^2-1$이므로 … ❷

$f(2)=12-1=11$ … ❸

답 11

채점 기준	비율
❶ $f'(x)$를 구할 수 있다.	40 %
❷ $f(x)$를 구할 수 있다.	40 %
❸ $f(2)$의 값을 구할 수 있다.	20 %

0686

$f(x)+\int xf(x)dx=\frac{1}{2}x^4+x^3-\frac{1}{2}x^2+3x$의 양변을 x에 대하여 미분하면

$f'(x)+xf(x)=2x^3+3x^2-x+3$ ...... ㉠

$f(x)$를 n차함수라 하면 $xf(x)$는 $(n+1)$차함수이므로 ㉠에서

$n+1=3 \quad \therefore n=2$

즉, $f(x)$는 이차함수이므로

$f(x)=ax^2+bx+c(a\neq0,\ b,\ c$는 상수)

로 놓을 수 있다.

$f(x)=ax^2+bx+c,\ f'(x)=2ax+b$를 ㉠에 대입하면

$2ax+b+x(ax^2+bx+c)=2x^3+3x^2-x+3$

$\therefore ax^3+bx^2+(2a+c)x+b=2x^3+3x^2-x+3$

이 식이 모든 실수 x에 대하여 성립하므로

$a=2,\ b=3,\ 2a+c=-1 \quad \therefore a=2,\ b=3,\ c=-5$

따라서 $f(x)=2x^2+3x-5$이므로

$f(1)=2+3-5=0$

답 0

0687

|전략| 구간별로 $f'(x)$의 부정적분을 구하고, 함수 $f(x)$가 $x=2$에서 미분가능하면 $x=2$에서 연속임을 이용하여 적분상수를 구한다.

$f'(x)=\begin{cases} 2x-3 & (x>2) \\ 1 & (x<2) \end{cases}$에서 $f(x)=\begin{cases} x^2-3x+C_1 & (x\geq2) \\ x+C_2 & (x<2) \end{cases}$

$f(0)=1$이므로 $C_2=1$

또, $f(x)$는 $x=2$에서 미분가능하므로 $x=2$에서 연속이다. 즉,

$\lim_{x\to2+}(x^2-3x+C_1)=\lim_{x\to2-}(x+1)$에서

$4-6+C_1=2+1 \quad \therefore C_1=5$

따라서 $f(x)=\begin{cases} x^2-3x+5 & (x\geq2) \\ x+1 & (x<2) \end{cases}$이므로

$f(4)=16-12+5=9$

답 9

Lecture

미분가능성과 연속성

함수 $f(x)$가 $x=a$에서 미분가능하면 $f(x)$는 $x=a$에서 연속이다.

0688

$f'(x)=\begin{cases} x+2 & (x>-1) \\ -1 & (x<-1) \end{cases}$이고 $f(x)$가 연속함수이므로

$f(x)=\begin{cases} \frac{1}{2}x^2+2x+C_1 & (x\geq-1) \\ -x+C_2 & (x<-1) \end{cases}$

곡선 $y=f(x)$가 점 $(-2,\ 0)$을 지나므로

$f(-2)=0$에서 $2+C_2=0 \quad \therefore C_2=-2$

또, $f(x)$는 $x=-1$에서 연속이므로

$\lim_{x\to-1+}\left(\frac{1}{2}x^2+2x+C_1\right)=\lim_{x\to-1-}(-x-2)$에서

$\frac{1}{2}-2+C_1=1-2 \quad \therefore C_1=\frac{1}{2}$

따라서 $f(x)=\begin{cases} \frac{1}{2}x^2+2x+\frac{1}{2} & (x\geq-1) \\ -x-2 & (x<-1) \end{cases}$이므로

$f(1)=\frac{1}{2}+2+\frac{1}{2}=3$

답 3

0689

$f'(x)=3x|x-1|+x+2\ (x\neq1)$에서

$f'(x)=\begin{cases} 3x^2-2x+2 & (x>1) \\ -3x^2+4x+2 & (x<1) \end{cases}$이므로

$f(x)=\begin{cases} x^3-x^2+2x+C_1 & (x\geq1) \\ -x^3+2x^2+2x+C_2 & (x<1) \end{cases}$

$f(0)=4$이므로 $C_2=4$

또, $f(x)$는 $x=1$에서 연속이므로

$\lim_{x\to1+}(x^3-x^2+2x+C_1)=\lim_{x\to1-}(-x^3+2x^2+2x+4)$에서

$1-1+2+C_1=-1+2+2+4 \quad \therefore C_1=5$

따라서 $f(x)=\begin{cases} x^3-x^2+2x+5 & (x\geq1) \\ -x^3+2x^2+2x+4 & (x<1) \end{cases}$이므로

$f(-1)=1+2-2+4=5,\ f(2)=8-4+4+5=13$

$\therefore f(-1)+f(2)=18$

답 ④

0690

|전략| 곡선 $y=f(x)$ 위의 임의의 점 $(x,\ f(x))$에서의 접선의 기울기는 $f'(x)$임을 이용한다.

$f'(x)=6x^2+2x+1$이므로

$f(x)=\int(6x^2+2x+1)dx=2x^3+x^2+x+C$

이때, 곡선 $y=f(x)$가 점 $(0,\ 2)$를 지나므로 $f(0)=2$에서 $C=2$

따라서 $f(x)=2x^3+x^2+x+2$이므로

$f(1)=2+1+1+2=6$

답 ③

0691

$f'(x)=\frac{d}{dx}\int(2ax+1)dx=2ax+1$

점 $(1,\ 3)$에서의 접선의 기울기가 -1이므로

$f'(1)=2a+1=-1 \quad \therefore a=-1$

$\therefore f(x)=\int(-2x+1)dx=-x^2+x+C$

이때, 곡선 $y=f(x)$가 점 $(1,\ 3)$을 지나므로

$f(1)=3$에서 $-1+1+C=3 \quad \therefore C=3$

따라서 $f(x)=-x^2+x+3$이므로

$f(2)=-4+2+3=1$

답 ⑤

0692

$f'(x)=4x-12$이므로

$f(x)=\int(4x-12)dx$

$=2x^2-12x+C=2(x-3)^2-18+C$

이때, 함수 $f(x)$의 최솟값이 -9이므로

$-18+C=-9 \quad \therefore C=9$

$\therefore f(x)=2x^2-12x+9$

따라서 닫힌구간 $[2,\ 5]$에서 $f(x)$는 $x=5$일 때 최댓값을 가지므로 구하는 최댓값은

$f(5)=50-60+9=-1$

답 -1

0693

$f'(x)=3x^2-2x+2$이고, 직선 $y=3x-2$와 곡선 $y=f(x)$의 접점의 좌표를 (a, b)라 하면 $f'(a)=3$이므로

$3a^2-2a+2=3$, $3a^2-2a-1=0$

$(3a+1)(a-1)=0 \quad \therefore a=1\ (\because a>0)$

또, $b=3a-2$이므로 $b=1$ … ❶

$f(x)=\int(3x^2-2x+2)dx=x^3-x^2+2x+C$ … ❷

이고, 곡선 $y=f(x)$가 점 $(1, 1)$을 지나므로

$f(1)=1$에서 $1-1+2+C=1 \quad \therefore C=-1$ … ❸

따라서 $f(x)=x^3-x^2+2x-1$이므로

$f(0)=-1$ … ❹

답 -1

채점 기준	비율
❶ 곡선과 직선의 접점의 좌표를 구할 수 있다.	40 %
❷ $f'(x)$의 부정적분을 구할 수 있다.	20 %
❸ 적분상수를 구할 수 있다.	20 %
❹ $f(0)$의 값을 구할 수 있다.	20 %

0694

|전략| $\lim_{h\to0}\frac{f(a+h)-f(a)}{h}=f'(a)$임을 이용한다.

$\lim_{h\to0}\frac{f(1+h)-f(1-h)}{h}$

$=\lim_{h\to0}\frac{\{f(1+h)-f(1)\}-\{f(1-h)-f(1)\}}{h}$

$=\lim_{h\to0}\frac{f(1+h)-f(1)}{h}+\lim_{h\to0}\frac{f(1-h)-f(1)}{-h}$

$=f'(1)+f'(1)=2f'(1)$

$f(x)=\int(x+2)(x^2-2x+4)dx$의 양변을 x에 대하여 미분하면

$f'(x)=\frac{d}{dx}\int(x+2)(x^2-2x+4)dx=(x+2)(x^2-2x+4)$

$\therefore f'(1)=(1+2)(1-2+4)=9$

따라서 구하는 값은 $2f'(1)=2\times9=18$

답 18

0695

$\lim_{h\to0}\frac{f(x+2h)-f(x-h)}{h}$

$=\lim_{h\to0}\frac{\{f(x+2h)-f(x)\}-\{f(x-h)-f(x)\}}{h}$

$=\lim_{h\to0}\frac{f(x+2h)-f(x)}{2h}\times2+\lim_{h\to0}\frac{f(x-h)-f(x)}{-h}$

$=2f'(x)+f'(x)=3f'(x)$

즉, $3f'(x)=9x^2+6x-3$에서 $f'(x)=3x^2+2x-1$

$\therefore f(x)=\int(3x^2+2x-1)dx=x^3+x^2-x+C$

이때, $f(1)=3$이므로 $1+1-1+C=3 \quad \therefore C=2$

따라서 $f(x)=x^3+x^2-x+2$이므로

$f(2)=8+4-2+2=12$

답 12

0696

$\lim_{x\to1}\frac{f(x)}{x-1}=1$에서 $x\longrightarrow1$일 때 (분모) $\longrightarrow0$이고 극한값이 존재하므로 (분자) $\longrightarrow0$이다.

즉, $\lim_{x\to1}f(x)=0$이므로 $f(1)=0$

$\therefore \lim_{x\to1}\frac{f(x)}{x-1}=\lim_{x\to1}\frac{f(x)-f(1)}{x-1}=f'(1)=1$

$f'(1)=1$에서 $6+k=1 \quad \therefore k=-5$

따라서 $f'(x)=6x-5$이므로

$f(x)=\int(6x-5)dx=3x^2-5x+C$

이때, $f(1)=0$이므로 $3-5+C=0$에서 $C=2$

따라서 $f(x)=3x^2-5x+2$이므로

$f(2)=12-10+2=4$

답 4

0697

$\Delta y=(2x+b)\Delta x-(\Delta x)^2$의 양변을 Δx로 나누면

$\frac{\Delta y}{\Delta x}=2x+b-\Delta x$이므로

$f'(x)=\lim_{\Delta x\to0}\frac{\Delta y}{\Delta x}=2x+b$

$\therefore f(x)=\int(2x+b)dx=x^2+bx+C$

이때, $f(0)=0$, $f(2)=0$이므로

$f(0)=0$에서 $C=0$

$f(2)=0$에서 $4+2b=0 \quad \therefore b=-2$

따라서 $f(x)=x^2-2x$이므로

$f(1)=-1$

답 -1

0698

|전략| $f'(x)=\lim_{h\to0}\frac{f(x+h)-f(x)}{h}$를 이용하여 $f'(x)$를 구한다.

$f(x+y)=f(x)+f(y)+1$에 $x=0$, $y=0$을 대입하면

$f(0+0)=f(0)+f(0)+1 \quad \therefore f(0)=-1$

$f'(x)=\lim_{h\to0}\frac{f(x+h)-f(x)}{h}$

$=\lim_{h\to0}\frac{f(x)+f(h)+1-f(x)}{h}$ ← $f(x+y)=f(x)+f(y)+1$에서 $f(x+h)=f(x)+f(h)+1$

$=\lim_{h\to0}\frac{f(h)+1}{h}$

$=\lim_{h\to0}\frac{f(h)-f(0)}{h}\ (\because f(0)=-1)$

$=f'(0)=1$

$\therefore f(x)=\int1\,dx=x+C$

이때, $f(0)=-1$이므로 $C=-1$

$\therefore f(x)=x-1$

답 $f(x)=x-1$

0699

$f(x+y)=f(x)+f(y)-4xy-2$에 $x=0$, $y=0$을 대입하면

$f(0+0)=f(0)+f(0)-2 \quad \therefore f(0)=2$

$$f'(x)=\lim_{h\to0}\frac{f(x+h)-f(x)}{h}$$
$$=\lim_{h\to0}\frac{f(x)+f(h)-4xh-2-f(x)}{h}$$
$$=\lim_{h\to0}\frac{f(h)-2}{h}-4x$$
$$=\lim_{h\to0}\frac{f(h)-f(0)}{h}-4x\ (\because f(0)=2)$$
$$=f'(0)-4x=-4x+1\ (\because f'(0)=1)$$

$\therefore f(x)=\int(-4x+1)dx=-2x^2+x+C$

이때, $f(0)=2$이므로 $C=2$

따라서 $f(x)=-2x^2+x+2$이므로

$f(-1)=-2-1+2=-1$ 답 ②

0700

조건 ㈎의 $f(x+y)=f(x)+f(y)-xy$에 $x=0, y=0$을 대입하면

$f(0+0)=f(0)+f(0)-0 \qquad \therefore f(0)=0$

조건 ㈏에서

$$\lim_{h\to0}\frac{f(1+h)-f(1)}{h}=\lim_{h\to0}\frac{f(1)+f(h)-h-f(1)}{h}$$
$$=\lim_{h\to0}\frac{f(h)}{h}-1=3$$

$\therefore \lim_{h\to0}\frac{f(h)}{h}=4$

또,

$$f'(x)=\lim_{h\to0}\frac{f(x+h)-f(x)}{h}$$
$$=\lim_{h\to0}\frac{f(x)+f(h)-xh-f(x)}{h}$$
$$=\lim_{h\to0}\left\{\frac{f(h)}{h}-x\right\}=-x+4$$

$\therefore f(x)=\int(-x+4)dx=-\frac{1}{2}x^2+4x+C$

이때, $f(0)=0$이므로 $C=0$

따라서 $f(x)=-\frac{1}{2}x^2+4x$이므로

$f(2)=-2+8=6$ 답 ③

0701

|전략| 극소인 점을 찾아 $f'(x)$의 부정적분에서 적분상수를 구한다.

$f'(x)=6x^2-10x+4=2(3x-2)(x-1)$이므로

$f'(x)=0$에서 $x=\frac{2}{3}$ 또는 $x=1$

x	$\cdots$	$\frac{2}{3}$	$\cdots$	1	$\cdots$
$f'(x)$	+	0	−	0	+
$f(x)$	↗	극대	↘	극소	↗

함수 $f(x)$는 $x=1$일 때 극솟값을 가지므로 $f(1)=5$

이때, $f(x)=\int(6x^2-10x+4)dx=2x^3-5x^2+4x+C$이므로

$f(1)=2-5+4+C=5 \qquad \therefore C=4$

따라서 $f(x)=2x^3-5x^2+4x+4$이므로

$f(-1)=-2-5-4+4=-7$ 답 -7

0702

$f'(x)=x^2-1=(x+1)(x-1)$이므로

$f'(x)=0$에서 $x=-1$ 또는 $x=1$

x	$\cdots$	-1	$\cdots$	1	$\cdots$
$f'(x)$	+	0	−	0	+
$f(x)$	↗	극대	↘	극소	↗

함수 $f(x)$는 $x=-1$일 때 극댓값을 가지므로 $f(-1)=\frac{7}{3}$

이때, $f(x)=\int(x^2-1)dx=\frac{1}{3}x^3-x+C$이므로

$f(-1)=-\frac{1}{3}+1+C=\frac{7}{3} \qquad \therefore C=\frac{5}{3}$

따라서 $f(x)=\frac{1}{3}x^3-x+\frac{5}{3}$이므로 $f(x)$의 극솟값은

$f(1)=\frac{1}{3}-1+\frac{5}{3}=1$ 답 1

0703

$f(x)$의 최고차항이 $2x^3$이므로 $f'(x)$의 최고차항은 $6x^2$이다.

이때, $f'(-1)=f'(5)=0$이므로

$f'(x)=6(x+1)(x-5)$

$f'(x)=0$에서 $x=-1$ 또는 $x=5$

x	$\cdots$	-1	$\cdots$	5	$\cdots$
$f'(x)$	+	0	−	0	+
$f(x)$	↗	극대	↘	극소	↗

함수 $f(x)$는 $x=-1$일 때 극댓값을 가지므로 $f(-1)=24$

이때,

$$f(x)=\int6(x+1)(x-5)dx$$
$$=\int(6x^2-24x-30)dx=2x^3-12x^2-30x+C$$

이므로

$f(-1)=-2-12+30+C=24 \qquad \therefore C=8$

따라서 $f(x)=2x^3-12x^2-30x+8$이므로 $f(x)$의 극솟값은

$f(5)=250-300-150+8=-192$ 답 -192

0704

|전략| 삼차함수의 도함수의 그래프가 $x=\alpha$, $x=\beta$에서 x축과 만나면 $f'(x)=a(x-\alpha)(x-\beta)\,(a\neq0)$로 놓고 주어진 극값을 이용한다.

$y=f'(x)$의 그래프가 $x=-2$, $x=0$에서 x축과 만나고 위로 볼록하므로 $f'(x)=ax(x+2)\,(a<0)$로 놓으면

$$f(x)=\int ax(x+2)dx$$
$$=\int(ax^2+2ax)dx$$
$$=\frac{a}{3}x^3+ax^2+C$$

한편, $f(x)$는 $x=0$일 때 극댓값 5를 가지므로
$f(0)=5$에서 $C=5$
또, $f(x)$는 $x=-2$일 때 극솟값 1을 가지므로
$f(-2)=-\frac{8}{3}a+4a+5=1$에서 $a=-3$
$\therefore f(x)=-x^3-3x^2+5$ 답 ②

0705

$f(x)$의 최고차항이 $-x^3$이므로 $f'(x)$의 최고차항은 $-3x^2$이다.
$y=f'(x)$의 그래프가 $x=1$, $x=3$에서 x축과 만나므로
$f'(x)=-3(x-1)(x-3)=-3x^2+12x-9$
$\therefore f(x)=\int(-3x^2+12x-9)dx=-x^3+6x^2-9x+C$
이때, 곡선 $y=f(x)$가 x축에 접하므로 다음 그림과 같이 극값 중 하나가 0이 된다.

(i)
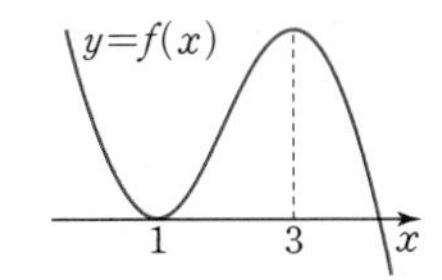

(ii)
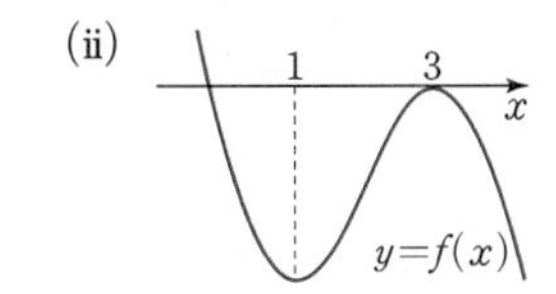

(i) $f(1)=0$일 때
$f(1)=-1+6-9+C=0$에서 $C=4$이므로
$f(x)=-x^3+6x^2-9x+4$ $\therefore f(0)=4$
(ii) $f(3)=0$일 때
$f(3)=-27+54-27+C=0$에서 $C=0$이므로
$f(x)=-x^3+6x^2-9x$ $\therefore f(0)=0$
(i), (ii)에 의하여 $f(0)$이 될 수 있는 모든 값의 합은
$4+0=4$ 답 4

0706

$y=f'(x)$의 그래프가 $x=-1$, $x=1$에서 x축과 만나고 아래로 볼록하므로 $f'(x)=a(x+1)(x-1)\ (a>0)$로 놓으면
$f'(0)=-3$이므로 $-a=-3$ $\therefore a=3$
$\therefore f(x)=\int 3(x+1)(x-1)dx$
$=\int(3x^2-3)dx=x^3-3x+C$
이때, $f(0)=1$이므로 $C=1$
$\therefore f(x)=x^3-3x+1$
한편, $f(x)$는 $x=-1$일 때 극댓값을 갖고 그 값은
$f(-1)=-1+3+1=3$
또, $f(x)$는 $x=1$일 때 극솟값을 갖고 그 값은
$f(1)=1-3+1=-1$
이므로 함수 $y=f(x)$의 그래프는 오른쪽 그림과 같다.

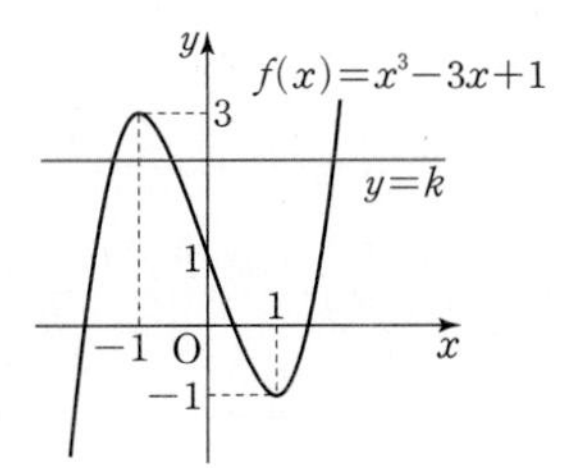

따라서 방정식 $f(x)=k$가 서로 다른 세 실근을 갖기 위한 실수 k의 값의 범위는
$-1<k<3$ 답 $-1<k<3$

STEP 3 내신 마스터

0707

유형 01 부정적분의 정의

|전략| $\int f(x)dx=F(x)+C$이면 $f(x)=F'(x)$이다.

$\int f(x)dx=x^2g(x)+3x+C$에서
$f(x)=\{x^2g(x)+3x+C\}'=2xg(x)+x^2g'(x)+3$
$\therefore f(3)=6g(3)+9g'(3)+3$
$=6\times3+9\times(-2)+3$
$=3$ 답 ④

0708

유형 04 부정적분의 계산

|전략| $\int f(x)dx+\int g(x)dx=\int\{f(x)+g(x)\}dx$임을 이용한다.

$f(x)=\int\left(\frac{1}{2}x^3+8x\right)dx+\int\left(-\frac{1}{2}x^3+6\right)dx$
$=\int\left\{\left(\frac{1}{2}x^3+8x\right)+\left(-\frac{1}{2}x^3+6\right)\right\}dx$
$=\int(8x+6)dx=4x^2+6x+C$
이때, $f(0)=-1$이므로 $C=-1$
따라서 $f(x)=4x^2+6x-1$이므로
$f(-1)=4-6-1=-3$ 답 ①

0709

유형 05 도함수가 주어진 경우의 부정적분

|전략| $f(x)=\int f'(x)dx$임을 이용한다.

$f(x)=\int f'(x)dx=\int(3x^2+ax+5)dx$
$=x^3+\frac{1}{2}ax^2+5x+C$
이때, $f(0)=-2$이므로 $C=-2$
또, 함수 $f(x)$는 $x-1$로 나누어떨어지므로 나머지정리에 의하여
$f(1)=0$
즉, $f(1)=1+\frac{1}{2}a+5-2=0$에서 $a=-8$
따라서 $f(x)=x^3-4x^2+5x-2$이므로
$f(2)=8-16+10-2=0$ 답 ③

0710

유형 01 부정적분의 정의 + 05 도함수가 주어진 경우의 부정적분

|전략| $\int f(x)dx=F(x)+C$이면 $f(x)=F'(x)$이다.

$\int(2x+7)f'(x)dx=\frac{2}{3}x^3+\frac{3}{2}x^2-14x+C$에서
$(2x+7)f'(x)=\left(\frac{2}{3}x^3+\frac{3}{2}x^2-14x+C\right)'$
$=2x^2+3x-14$
$=(2x+7)(x-2)$

7 부정적분

$f'(x)=x-2$이므로 $f(x)=\frac{1}{2}x^2-2x+C_1$

이때, 곡선 $y=f(x)$의 y절편이 $\frac{5}{2}$이므로 $C_1=\frac{5}{2}$

따라서 $f(x)=\frac{1}{2}x^2-2x+\frac{5}{2}$이고 $f(x)$의 모든 계수의 합은 $f(1)$의 값과 같으므로

$f(1)=\frac{1}{2}-2+\frac{5}{2}=1$ 답 ①

0711

유형 06 부정적분을 이용한 함수의 결정

|전략| $\int\left\{\frac{d}{dx}f(x)\right\}dx=f(x)+C$임을 이용한다.

조건 (나)에서 $\{f(x)-g(x)\}'=2x-1$이므로

$\int\{f(x)-g(x)\}'dx=\int(2x-1)dx$

$\therefore f(x)-g(x)=x^2-x+C_1$

조건 (다)에서 $f'(x)g(x)+f(x)g'(x)=3x^2-10x+3$이고,

$\{f(x)g(x)\}'=f'(x)g(x)+f(x)g'(x)$이므로

$\int\{f(x)g(x)\}'dx=\int\{f'(x)g(x)+f(x)g'(x)\}dx$

$=\int(3x^2-10x+3)dx$

$\therefore f(x)g(x)=x^3-5x^2+3x+C_2$

이때, 조건 (가)에서 $f(0)=3$, $g(0)=-5$이므로

$f(0)-g(0)=C_1=8$, $f(0)g(0)=C_2=-15$에서

$f(x)-g(x)=x^2-x+8$

$f(x)g(x)=x^3-5x^2+3x-15=(x-5)(x^2+3)$

그런데 $f(0)=3$, $g(0)=-5$이고 $f(x)-g(x)$의 이차항이 x^2이므로

$f(x)=x^2+3$, $g(x)=x-5$

$\therefore f(2)+g(1)=7-4=3$ 답 ⑤

0712

유형 07 함수와 그 부정적분의 관계식

|전략| 양변을 x에 대하여 미분하고, $F'(x)=f(x)$임을 이용하여 $f'(x)$를 구한다.

$xf(x)-F(x)=\frac{2}{3}x^3+4x^2$의 양변을 x에 대하여 미분하면

$f(x)+xf'(x)-f(x)=2x^2+8x$

$xf'(x)=2x^2+8x$ $\qquad\therefore f'(x)=2x+8$

$\therefore f(x)=\int(2x+8)dx=x^2+8x+C$

이때, $f(-2)=6$이므로 $4-16+C=6$에서 $C=18$

$\therefore f(x)=x^2+8x+18$

따라서 방정식 $f(x)=0$의 모든 근의 곱은 이차방정식의 근과 계수의 관계에 의하여 18이다. 답 ②

0713

유형 09 접선의 기울기가 주어진 경우의 부정적분

|전략| 곡선 $y=f(x)$ 위의 임의의 점 $(x, f(x))$에서의 접선의 기울기는 $f'(x)$임을 이용한다.

$f'(x)=3x^2-10x+7$이므로

$f(x)=\int(3x^2-10x+7)dx=x^3-5x^2+7x+C$

이때, 곡선 $y=f(x)$가 점 $(2, -1)$을 지나므로

$f(2)=-1$에서 $8-20+14+C=-1$ $\qquad\therefore C=-3$

$\therefore f(x)=x^3-5x^2+7x-3=(x-1)^2(x-3)$

$f(x)=0$에서 $x=1$(중근) 또는 $x=3$

따라서 방정식 $f(x)=0$의 서로 다른 실근의 합은

$1+3=4$ 답 ④

0714

유형 10 미분계수와 부정적분

|전략| $\lim_{x\to2}\frac{f(x)-f(2)}{x-2}=f'(2)$임을 이용한다.

$\int\left\{\frac{d}{dx}(2x^2+ax)\right\}dx=2x^2+ax+C$이므로

$f(x)=2x^2+ax+C$

이때, $\lim_{x\to2}\frac{f(x)-f(2)}{x-2}=11$에서 $f'(2)=11$

한편, $f'(x)=4x+a$이므로 $f'(2)=8+a=11$ $\qquad\therefore a=3$

$\therefore f'(x)=4x+3$

$\therefore f(x)=2x^2+3x+C$

또, $f(-1)=4$이므로 $2-3+C=4$ $\qquad\therefore C=5$

따라서 $f(x)=2x^2+3x+5$이므로

$f(1)=2+3+5=10$ 답 ⑤

0715

유형 11 도함수의 정의를 이용한 부정적분

|전략| $f'(x)=\lim_{h\to0}\frac{f(x+h)-f(x)}{h}$를 이용하여 $f'(x)$를 구한다.

$f(x+y)=f(x)+f(y)+2xy$에 $x=0$, $y=0$을 대입하면

$f(0+0)=f(0)+f(0)+0$ $\qquad\therefore f(0)=0$

$f'(2)=5$이므로

$f'(2)=\lim_{h\to0}\frac{f(2+h)-f(2)}{h}$

$=\lim_{h\to0}\frac{f(2)+f(h)+2\times2\times h-f(2)}{h}$

$=\lim_{h\to0}\frac{f(h)}{h}+4=5$

$\therefore \lim_{h\to0}\frac{f(h)}{h}=1$

또,

$f'(x)=\lim_{h\to0}\frac{f(x+h)-f(x)}{h}$

$=\lim_{h\to0}\frac{f(x)+f(h)+2xh-f(x)}{h}$

$=\lim_{h\to0}\frac{f(h)}{h}+2x=2x+1$

$\therefore f(x)=\int(2x+1)dx=x^2+x+C$

이때, $f(0)=0$이므로 $C=0$

따라서 $f(x)=x^2+x$이므로

$f(5)=25+5=30$ 답 ⑤

0716

유형 13 도함수의 그래프가 주어진 경우의 부정적분

|전략| 삼차함수의 도함수의 그래프가 $x=\alpha$, $x=\beta$에서 x축과 만나면 $f'(x)=a(x-\alpha)(x-\beta)(a\neq0)$로 놓고 주어진 극값을 이용한다.

$y=f'(x)$의 그래프가 $x=-1$, $x=3$에서 x축과 만나고 위로 볼록하므로 $f'(x)=a(x+1)(x-3)(a<0)$으로 놓으면

$f'(0)=3$에서 $-3a=3$ $\quad\therefore a=-1$

$\therefore f(x)=\int\{-(x+1)(x-3)\}dx$

$=\int(-x^2+2x+3)dx=-\frac{1}{3}x^3+x^2+3x+C$

한편, $f(x)$는 $x=3$일 때 극댓값을 가지므로

$f(3)=-9+9+9+C=10$ $\quad\therefore C=1$

따라서 $f(x)=-\frac{1}{3}x^3+x^2+3x+1$이고 $f(x)$는 $x=-1$일 때 극솟값을 가지므로

$f(-1)=\frac{1}{3}+1-3+1=-\frac{2}{3}$ 답 ②

0717

유형 08 부정적분과 함수의 연속성

|전략| 구간별로 $f'(x)$의 부정적분을 구하고, 함수 $f(x)$가 $x=-1$, $x=1$에서 연속임을 이용하여 적분상수를 구한다.

$f'(x)=\begin{cases}-2 & (x>1)\\ 2x & (-1<x<1)\\ 2 & (x<-1)\end{cases}$ 이고 $f(x)$가 연속함수이므로

$f(x)=\begin{cases}-2x+C_1 & (x\geq1)\\ x^2+C_2 & (-1\leq x<1)\\ 2x+C_3 & (x<-1)\end{cases}$ … ❶

곡선 $y=f(x)$가 원점을 지나므로

$f(0)=0$에서 $C_2=0$

$f(x)$는 $x=1$에서 연속이므로

$\lim_{x\to1+}(-2x+C_1)=\lim_{x\to1-}x^2$에서

$-2+C_1=1$ $\quad\therefore C_1=3$

또, $f(x)$는 $x=-1$에서 연속이므로

$\lim_{x\to-1+}x^2=\lim_{x\to-1-}(2x+C_3)$에서

$1=-2+C_3$ $\quad\therefore C_3=3$ … ❷

따라서 $f(x)=\begin{cases}-2x+3 & (x\geq1)\\ x^2 & (-1\leq x<1)\\ 2x+3 & (x<-1)\end{cases}$ 이므로

$f(-2)+f(2)=-1-1=-2$ … ❸

답 -2

채점 기준	배점
❶ 구간별로 $f'(x)$의 부정적분을 구할 수 있다.	2점
❷ C_1, C_2, C_3의 값을 구할 수 있다.	2점
❸ $f(-2)+f(2)$의 값을 구할 수 있다.	2점

0718

유형 10 미분계수와 부정적분

|전략| $\lim_{x\to a}\frac{f(x)}{g(x)}$의 값이 존재할 때, (분모) → 0이면 (분자) → 0임을 이용한다.

$\lim_{x\to\infty}\frac{f'(x)}{x-1}=2$이므로 $f'(x)$는 일차항의 계수가 2인 일차함수이다.

즉, $f'(x)=2x+a$ (a는 상수)

$\lim_{x\to4}\frac{f(x)}{x-4}=2$에서 $x\longrightarrow4$일 때, (분모) $\longrightarrow0$이고 극한값이 존재하므로 (분자) $\longrightarrow0$이다.

즉, $\lim_{x\to4}f(x)=0$이므로 $f(4)=0$

$\therefore \lim_{x\to4}\frac{f(x)}{x-4}=\lim_{x\to4}\frac{f(x)-f(4)}{x-4}=f'(4)=2$

$f'(4)=2$에서 $8+a=2$ $\quad\therefore a=-6$

$\therefore f'(x)=2x-6$ … ❶

$f(x)=\int(2x-6)dx=x^2-6x+C$

$f(4)=0$이므로

$16-24+C=0$ $\quad\therefore C=8$

$\therefore f(x)=x^2-6x+8$ … ❷

따라서 방정식 $f(x)=0$의 모든 근의 곱은 이차방정식의 근과 계수의 관계에 의하여 8이다. … ❸

답 8

채점 기준	배점
❶ $f'(x)$를 구할 수 있다.	3점
❷ $f(x)$를 구할 수 있다.	2점
❸ 방정식 $f(x)=0$의 모든 근의 곱을 구할 수 있다.	2점

0719

유형 12 극값이 주어진 경우의 부정적분

|전략| 삼차방정식 $f(x)=0$이 서로 다른 세 실근을 가지려면 삼차함수 $f(x)$에서 (극댓값)×(극솟값)<0이어야 함을 이용한다.

(1) $f'(x)=3x^2-9x+6$이므로

$f(x)=\int(3x^2-9x+6)dx$

$=x^3-\frac{9}{2}x^2+6x+C$

(2) $f'(x)=3(x-1)(x-2)=0$에서

$x=1$ 또는 $x=2$

x	…	1	…	2	…
$f'(x)$	+	0	−	0	+
$f(x)$	↗	극대	↘	극소	↗

함수 $f(x)$는 $x=1$일 때 극댓값을 갖고 그 값은

$f(1)=1-\frac{9}{2}+6+C=C+\frac{5}{2}$

또, 함수 $f(x)$는 $x=2$일 때 극솟값을 갖고 그 값은

$f(2)=8-18+12+C=C+2$

(3) 삼차방정식 $f(x)=0$이 서로 다른 세 실근을 가지려면

(극댓값)×(극솟값)<0이어야 하므로

$\left(C+\frac{5}{2}\right)(C+2)<0$

따라서 방정식 $f(x)=0$이 서로 다른 세 실근을 갖기 위한 적분상수 C의 값의 범위는 $-\frac{5}{2}<C<-2$

답 (1) $f(x)=x^3-\frac{9}{2}x^2+6x+C$

(2) 극댓값: $C+\frac{5}{2}$, 극솟값: $C+2$ (3) $-\frac{5}{2}<C<-2$

채점 기준	배점
(1) $f'(x)$의 부정적분을 적분상수 C를 사용하여 나타낼 수 있다.	4점
(2) 함수 $f(x)$의 극댓값과 극솟값을 적분상수를 사용하여 나타낼 수 있다.	4점
(3) 적분상수 C의 값의 범위를 구할 수 있다.	4점

Lecture

삼차방정식의 근의 판별

삼차함수 $f(x)$가 극댓값과 극솟값을 모두 가질 때, 삼차방정식 $f(x)=0$의 근은

(1) (극댓값)×(극솟값)$<0 \Longleftrightarrow$ 서로 다른 세 실근

(2) (극댓값)×(극솟값)$=0 \Longleftrightarrow$ 한 실근과 중근 (서로 다른 두 실근)

(3) (극댓값)×(극솟값)$>0 \Longleftrightarrow$ 한 실근과 두 허근

창의·융합 교과서 속 심화문제

0720

|전략| 양변을 x에 대하여 미분하고, $F'(x)=f(x)$임을 이용하여 $f'(x)$를 구한다.

$2F(x)=x\{f(x)-3\}$ …… ㉠

㉠의 양변을 x에 대하여 미분하면

$2f(x)=f(x)-3+xf'(x)$ $\quad\therefore f(x)=xf'(x)-3$ …… ㉡

$f(x)$의 최고차항의 계수가 1이므로 $f(x)$의 최고차항을 x^n(n은 자연수)이라 하면 $xf'(x)$의 최고차항은 nx^n이므로 $n=1$

즉, $f(x)$가 일차함수이므로 $f(x)=x+a$(a는 상수)라 하면

$f'(x)=1$

이것을 ㉡에 대입하면 $x+a=x-3$

$\therefore a=-3$ $\quad\therefore f(x)=x-3$ …… ㉢

㉠에 $x=2$를 대입하면

$2F(2)=2\{f(2)-3\}$ $\quad\therefore F(2)=f(2)-3$

따라서 ㉢에서 $f(2)=-1$이므로

$F(2)=-1-3=-4$ 답 ①

0721

|전략| 두 번째 식에서 $g(x)$는 일차함수임을 유추하고 첫 번째 식의 양변을 x에 대하여 미분하여 $F'(x)=f(x)$임을 이용한다.

$f(x)g(x)=-x^3+2x^2+x-2$에서 함수 $f(x)$가 이차함수이므로 함수 $g(x)$는 일차함수이다.

또, $g(x)$가 일차함수이므로 $g(x)=\int\{x^2+f(x)\}dx$에서

$x^2+f(x)$는 상수이다.

즉, $x^2+f(x)=a$($a\neq0$인 상수)라 하면

$g(x)=\int\{x^2+f(x)\}dx=\int a\,dx=ax+C$ …… ㉠

$g(x)=\int\{x^2+f(x)\}dx$의 양변을 x에 대하여 미분하면

$a=x^2+f(x)$에서 $f(x)=-x^2+a$ …… ㉡

이때, $f(x)g(x)=-x^3+2x^2+x-2$이므로 ㉠, ㉡에서

$(-x^2+a)(ax+C)=-ax^3-Cx^2+a^2x+aC$

$=-x^3+2x^2+x-2$

$\therefore a=1, C=-2$

따라서 $g(x)=x-2$이므로 $g(4)=4-2=2$ 답 ②

0722

|전략| 조건 (가)와 (나)의 두 식을 변끼리 더하고,

$\frac{d}{dx}[x\{F(x)+G(x)\}]=\{F(x)+G(x)\}+x\{f(x)+g(x)\}$

임을 이용한다.

조건 (가)와 (나)의 두 식을 변끼리 더하면

$\{F(x)+G(x)\}+x\{f(x)+g(x)\}=3x^2-x+1$

$\{F(x)+G(x)\}+x\{f(x)+g(x)\}=\frac{d}{dx}[x\{F(x)+G(x)\}]$

이므로

$\frac{d}{dx}[x\{F(x)+G(x)\}]=3x^2-x+1$ …… ㉠

㉠의 양변을 x에 대하여 적분하면

$x\{F(x)+G(x)\}=x^3-\frac{1}{2}x^2+x+C$

위의 등식에 $x=0$을 대입하면 $C=0$

$\therefore F(x)+G(x)=x^2-\frac{1}{2}x+1$ …… ㉡

㉡의 양변을 x에 대하여 미분하면

$f(x)+g(x)=2x-\frac{1}{2}$

$\therefore f(2)+g(2)=4-\frac{1}{2}=\frac{7}{2}$ 답 ③

0723

|전략| 함수 $f(x)$가 $x=a$에서 미분가능하면 $x=a$에서 연속임을 이용한다.

$f'(x)$는 연속함수이므로

$\lim_{x\to2+}(ax+b)=\lim_{x\to2-}3x^2$에서 $2a+b=12$ …… ㉠

$\lim_{x\to-2+}3x^2=\lim_{x\to-2-}(ax+b)$에서 $-2a+b=12$ …… ㉡

㉠, ㉡을 연립하여 풀면 $a=0, b=12$

$$f'(x)=\begin{cases} 12 & (x>2) \\ 3x^2 & (-2<x<2) \\ 12 & (x<-2) \end{cases}$$ 이므로

$$f(x)=\begin{cases} 12x+C_1 & (x\geq 2) \\ x^3+C_2 & (-2<x<2) \\ 12x+C_3 & (x\leq -2) \end{cases}$$

이때, $f(0)=1$에서 $C_2=1$

또, $f(x)$는 $x=2$, $x=-2$에서 미분가능하므로 $x=2$, $x=-2$에서 연속이다.

즉, $\lim_{x\to 2+}(12x+C_1)=\lim_{x\to 2-}(x^3+1)$에서

$24+C_1=9 \quad \therefore C_1=-15$

$\lim_{x\to -2+}(x^3+1)=\lim_{x\to -2-}(12x+C_3)$에서

$-7=-24+C_3 \quad \therefore C_3=17$

$$\therefore f(x)=\begin{cases} 12x-15 & (x\geq 2) \\ x^3+1 & (-2<x<2) \\ 12x+17 & (x\leq -2) \end{cases}$$

한편, $|f(x)|=9$에서

(i) $x\geq 2$일 때

$|12x-15|=9$, $12x-15=\pm 9$

$\therefore x=2$ ($\because x\geq 2$)

(ii) $-2<x<2$일 때

$|x^3+1|=9$, $x^3+1=\pm 9$

$-2<x<2$에서 위의 등식을 만족시키는 x의 값은 없다.

(iii) $x\leq -2$일 때

$|12x+17|=9$, $12x+17=\pm 9$

$\therefore x=-\frac{13}{6}$ ($\because x\leq -2$)

따라서 (i)~(iii)에서 방정식 $|f(x)|=9$의 모든 실근의 합은

$2-\frac{13}{6}=-\frac{1}{6}$ 답 $-\frac{1}{6}$

0724

|전략| $y=f'(x)$, $y=g'(x)$의 그래프가 $x=\alpha$, $x=\beta$에서 만나면 $h'(x)=f'(x)-g'(x)=a(x-\alpha)(x-\beta)$ ($a\neq 0$인 상수)로 놓을 수 있다.

$y=f'(x)$, $y=g'(x)$의 그래프가 $x=0$, $x=2$에서 만나므로

$h'(x)=f'(x)-g'(x)=ax(x-2)$ ($a<0$)로 놓으면

$h(x)=\int ax(x-2)dx=\int(ax^2-2ax)dx=\frac{a}{3}x^3-ax^2+C$

$h'(x)=ax(x-2)=0$에서 $x=0$ 또는 $x=2$

x	$\cdots$	0	$\cdots$	2	$\cdots$
$h'(x)$	$-$	0	$+$	0	$-$
$h(x)$	↘	극소	↗	극대	↘

함수 $h(x)$는 $x=0$일 때 극솟값을 가지므로

$h(0)=1$에서 $C=1$

또, 함수 $h(x)$는 $x=2$일 때 극댓값을 가지므로

$h(2)=5$에서 $\frac{8}{3}a-4a+1=5 \quad \therefore a=-3$

따라서 $h(x)=-x^3+3x^2+1$이므로

$h(-2)=8+12+1=21$ 답 ⑤

본책 126~141쪽

8 | 정적분

STEP 1 개념 마스터

0725

$\int_0^3 4x\,dx=\left[2x^2\right]_0^3=18-0=18$ 답 18

0726

$\int_1^2 (8x-3)dx=\left[4x^2-3x\right]_1^2$

$=(16-6)-(4-3)=9$ 답 9

0727

$\int_{-2}^1 (3x^2+2x)dx=\left[x^3+x^2\right]_{-2}^1$

$=(1+1)-(-8+4)=6$ 답 6

0728

$\int_0^2 (x^3-2x+1)dx=\left[\frac{1}{4}x^4-x^2+x\right]_0^2$

$=(4-4+2)-0=2$ 답 2

0729

$\int_1^2 (2x^3-6x+3)dx=\left[\frac{1}{2}x^4-3x^2+3x\right]_1^2$

$=(8-12+6)-\left(\frac{1}{2}-3+3\right)=\frac{3}{2}$ 답 $\frac{3}{2}$

0730

$\int_{-1}^2 (x+2)(3x-2)dx=\int_{-1}^2 (3x^2+4x-4)dx$

$=\left[x^3+2x^2-4x\right]_{-1}^2$

$=(8+8-8)-(-1+2+4)=3$ 답 3

0731

$\int_1^1 (x^2+4x+3)dx=0$ 답 0

0732

$\int_1^0 (4x^3-3x^2+2x)dx=-\int_0^1 (4x^3-3x^2+2x)dx$

$=-\left[x^4-x^3+x^2\right]_0^1$

$=-\{(1-1+1)-0\}=-1$ 답 -1

0733

$$\int_3^2(4x^3+2x+1)dx=-\int_2^3(4x^3+2x+1)dx$$
$$=-\Big[x^4+x^2+x\Big]_2^3$$
$$=-\{(81+9+3)-(16+4+2)\}$$
$$=-71$$

답 -71

0734

$$\int_0^1(2x-x^2)dx+\int_0^1(2x+x^2)dx$$
$$=\int_0^1(2x-x^2+2x+x^2)dx$$
$$=\int_0^1 4x\,dx=\Big[2x^2\Big]_0^1$$
$$=2-0=2$$

답 2

0735

$$\int_0^1(x-2)^2dx+\int_0^1 4x\,dx$$
$$=\int_0^1\{(x-2)^2+4x\}dx$$
$$=\int_0^1(x^2+4)dx=\Big[\frac{1}{3}x^3+4x\Big]_0^1$$
$$=\Big(\frac{1}{3}+4\Big)-0=\frac{13}{3}$$

답 $\frac{13}{3}$

0736

$$\int_0^2(2+x)^3dx+\int_0^2(2-x)^3dx$$
$$=\int_0^2\{(2+x)^3+(2-x)^3\}dx$$
$$=\int_0^2(8+12x+6x^2+x^3+8-12x+6x^2-x^3)dx$$
$$=\int_0^2(16+12x^2)dx=\Big[16x+4x^3\Big]_0^2$$
$$=(32+32)-0=64$$

답 64

0737

$$\int_{-1}^1(x^2+x+1)dx+\int_1^{-1}(x^2-x)dx$$
$$=\int_{-1}^1(x^2+x+1)dx-\int_{-1}^1(x^2-x)dx$$
$$=\int_{-1}^1(x^2+x+1-x^2+x)dx$$
$$=\int_{-1}^1(2x+1)dx=\Big[x^2+x\Big]_{-1}^1$$
$$=(1+1)-(1-1)=2$$

답 2

0738

$$\int_{-1}^1(2x+3)dx+\int_1^2(2x+3)dx$$
$$=\int_{-1}^2(2x+3)dx=\Big[x^2+3x\Big]_{-1}^2$$
$$=(4+6)-(1-3)=12$$

답 12

0739

$$\int_0^1(4x^3+6x^2-3)dx+\int_1^3(4x^3+6x^2-3)dx$$
$$=\int_0^3(4x^3+6x^2-3)dx=\Big[x^4+2x^3-3x\Big]_0^3$$
$$=(81+54-9)-0=126$$

답 126

0740

$$\int_2^3(3x^2-2x+1)dx+\int_3^2(3x^2-2x+1)dx$$
$$=\int_2^2(3x^2-2x+1)dx=0$$

답 0

0741

$$\int_0^1(x^2-2x)dx+\int_2^1(2x-x^2)dx$$
$$=\int_0^1(x^2-2x)dx+\int_1^2(x^2-2x)dx$$
$$=\int_0^2(x^2-2x)dx=\Big[\frac{1}{3}x^3-x^2\Big]_0^2$$
$$=\Big(\frac{8}{3}-4\Big)-0=-\frac{4}{3}$$

답 $-\frac{4}{3}$

0742

$$\int_{-1}^2(1+2x-x^3)dx-\int_3^2(1+2x-x^3)dx$$
$$=\int_{-1}^2(1+2x-x^3)dx+\int_2^3(1+2x-x^3)dx$$
$$=\int_{-1}^3(1+2x-x^3)dx=\Big[x+x^2-\frac{1}{4}x^4\Big]_{-1}^3$$
$$=\Big(3+9-\frac{81}{4}\Big)-\Big(-1+1-\frac{1}{4}\Big)=-8$$

답 -8

0743

$|x-1|=\begin{cases} x-1 & (x\ge1) \\ -x+1 & (x\le1)\end{cases}$이므로

$$\int_0^2|x-1|dx=\int_0^1(-x+1)dx+\int_1^2(x-1)dx$$
$$=\Big[-\frac{1}{2}x^2+x\Big]_0^1+\Big[\frac{1}{2}x^2-x\Big]_1^2$$
$$=\frac{1}{2}+\frac{1}{2}=1$$

답 1

0744

$|x(x+1)|=\begin{cases} x^2+x & (x\le-1 \text{ 또는 } x\ge0) \\ -x^2-x & (-1\le x\le0)\end{cases}$이므로

$$\int_{-1}^2|x(x+1)|dx=\int_{-1}^0(-x^2-x)dx+\int_0^2(x^2+x)dx$$
$$=\Big[-\frac{1}{3}x^3-\frac{1}{2}x^2\Big]_{-1}^0+\Big[\frac{1}{3}x^3+\frac{1}{2}x^2\Big]_0^2$$
$$=\frac{1}{6}+\frac{14}{3}=\frac{29}{6}$$

답 $\frac{29}{6}$

0745

$$\int_{-1}^{1}(3x^2+4x)dx=\int_{-1}^{1}3x^2dx+\int_{-1}^{1}4x\,dx$$
$$=2\int_{0}^{1}3x^2dx=2\Big[x^3\Big]_0^1=2$$

답 2

0746

$$\int_{-2}^{2}(x^2+x+1)dx$$
$$=\int_{-2}^{2}(x^2+1)dx+\int_{-2}^{2}x\,dx$$
$$=2\int_{0}^{2}(x^2+1)dx=2\Big[\frac{1}{3}x^3+x\Big]_0^2$$
$$=2\times\left(\frac{8}{3}+2\right)=\frac{28}{3}$$

답 $\frac{28}{3}$

0747

$$\int_{-1}^{1}(x^3+5x^2-2x)dx$$
$$=\int_{-1}^{1}(x^3-2x)dx+\int_{-1}^{1}5x^2dx$$
$$=2\int_{0}^{1}5x^2dx=2\Big[\frac{5}{3}x^3\Big]_0^1=\frac{10}{3}$$

답 $\frac{10}{3}$

0748

$$\int_{-1}^{1}(x^3-2x^2+x-5)dx$$
$$=\int_{-1}^{1}(x^3+x)dx+\int_{-1}^{1}(-2x^2-5)dx$$
$$=2\int_{0}^{1}(-2x^2-5)dx=2\Big[-\frac{2}{3}x^3-5x\Big]_0^1$$
$$=2\times\left(-\frac{17}{3}\right)=-\frac{34}{3}$$

답 $-\frac{34}{3}$

0749

$$\int_{-2}^{2}(3x+1)(x-2)dx$$
$$=\int_{-2}^{2}(3x^2-5x-2)dx$$
$$=\int_{-2}^{2}(3x^2-2)dx-\int_{-2}^{2}5x\,dx$$
$$=2\int_{0}^{2}(3x^2-2)dx=2\Big[x^3-2x\Big]_0^2$$
$$=2\times4=8$$

답 8

0750

함수 $y=f(x)$의 그래프는 닫힌구간 $[0, 2]$의 그래프가 반복해서 나타나므로 함수 $y=f(x)$의 주기는 2이다.

답 2

0751

$$\int_{0}^{2}f(x)dx=\int_{-2}^{\boxed{0}}f(x)dx=\int_{\boxed{6}}^{8}f(x)dx$$

답 0, 6

0752

한 주기의 정적분의 값은 항상 같으므로

$$\int_{1}^{3}f(x)dx=\int_{0}^{2}f(x)dx$$
$$=\int_{0}^{2}\{-x(x-2)\}dx$$
$$=\int_{0}^{2}(-x^2+2x)dx$$
$$=\Big[-\frac{1}{3}x^3+x^2\Big]_0^2$$
$$=-\frac{8}{3}+4=\frac{4}{3}$$

답 $\frac{4}{3}$

0753

$$\int_{-2}^{4}f(x)dx=\int_{-2}^{0}f(x)dx+\int_{0}^{2}f(x)dx+\int_{2}^{4}f(x)dx$$
$$=\int_{0}^{2}f(x)dx+\int_{0}^{2}f(x)dx+\int_{0}^{2}f(x)dx$$
$$=3\int_{0}^{2}f(x)dx$$
$$=3\int_{0}^{2}\{-x(x-2)\}dx$$
$$=3\int_{0}^{2}(-x^2+2x)dx$$
$$=3\Big[-\frac{1}{3}x^3+x^2\Big]_0^2$$
$$=3\times\frac{4}{3}=4$$

답 4

0754

주어진 식의 양변을 x에 대하여 미분하면

$f(x)=3x^2-4x$

답 $f(x)=3x^2-4x$

0755

주어진 식의 양변을 x에 대하여 미분하면

$f(x)=3x^2+10x-3$

답 $f(x)=3x^2+10x-3$

0756

주어진 식의 양변을 x에 대하여 미분하면

$f(x)=5x^4+12x^2$

답 $f(x)=5x^4+12x^2$

0757

주어진 식의 양변을 x에 대하여 미분하면

$f(x)=10x^9+5x^4+1$

답 $f(x)=10x^9+5x^4+1$

0758

$f(t)=2t^2+t+1$로 놓고, $f(t)$의 한 부정적분을 $F(t)$라 하면

$$\lim_{x\to0}\frac{1}{x}\int_{0}^{x}(2t^2+t+1)dt=\lim_{x\to0}\frac{F(x)-F(0)}{x}$$
$$=F'(0)=f(0)=1$$

답 1

8 정적분

0759

$f(t)=t^2-t+3$으로 놓고, $f(t)$의 한 부정적분을 $F(t)$라 하면

$$\lim_{x\to 2}\frac{1}{x-2}\int_2^x (t^2-t+3)dt=\lim_{x\to 2}\frac{F(x)-F(2)}{x-2}$$
$$=F'(2)=f(2)=5$$

답 5

STEP 2 유형 마스터

0760

|전략| 닫힌구간 $[a, b]$에서 연속인 함수 $f(x)$의 한 부정적분을 $F(x)$라 하면 $\int_a^b f(x)dx=\Big[F(x)\Big]_a^b=F(b)-F(a)$임을 이용한다.

$$\int_0^1 4(x^2-1)(x^2+1)(x^4+1)dx$$
$$=\int_0^1 4(x^4-1)(x^4+1)dx=\int_0^1 4(x^8-1)dx$$
$$=\int_0^1 (4x^8-4)dx=\Big[\frac{4}{9}x^9-4x\Big]_0^1$$
$$=\frac{4}{9}-4=-\frac{32}{9}$$

답 $-\frac{32}{9}$

0761

$\int_2^x f(t)dt=x^3+ax^2+6x-8$의 양변에 $x=2$를 대입하면

$0=8+4a+12-8$

$\therefore a=-3$

답 ③

0762

$$\int_0^3 x^2f(x)dx=\int_0^3 x^2(2x-5)dx=\int_0^3 (2x^3-5x^2)dx$$
$$=\Big[\frac{1}{2}x^4-\frac{5}{3}x^3\Big]_0^3=\frac{81}{2}-45=-\frac{9}{2}$$

답 $-\frac{9}{2}$

0763

$$\int_{-1}^2 \{2f'(x)-3x^2\}dx=\Big[2f(x)-x^3\Big]_{-1}^2$$
$$=\{2f(2)-8\}-\{2f(-1)+1\}$$
$$=2f(2)-7\ (\because f(-1)=-1)$$

이때, $2f(2)-7=5$이므로 $f(2)=6$

답 6

0764

|전략| 정적분의 정의를 이용하여 미정계수를 포함하는 식으로 나타낸 후, 조건에 맞게 식을 세워 푼다.

$$\int_0^1 f(x)dx=\int_0^1 (6x^2+2ax)dx$$
$$=\Big[2x^3+ax^2\Big]_0^1=2+a$$

이때, $f(1)=6+2a$이므로 $2+a=6+2a$

$\therefore a=-4$

답 ①

0765

$$\int_0^2 (-3x^2+4kx+4)dx=\Big[-x^3+2kx^2+4x\Big]_0^2=8k$$

이때, $8k<16$이므로 $k<2$

따라서 정수 k의 최댓값은 1이다.

답 1

0766

$$\int_{-a}^a (3x^2+2x)dx=\Big[x^3+x^2\Big]_{-a}^a=(a^3+a^2)-(-a^3+a^2)=2a^3$$

이때, $2a^3=\frac{1}{4}$이므로 $a^3=\frac{1}{8}$ $\quad\therefore a=\frac{1}{2}$ ($\because a$는 실수)

$\therefore 50a=50\times\frac{1}{2}=25$

답 ③

0767

$$\int_{-1}^k (2x+7)dx=\Big[x^2+7x\Big]_{-1}^k=(k^2+7k)-(-6)$$
$$=k^2+7k+6$$
$$=\left(k+\frac{7}{2}\right)^2-\frac{25}{4}$$

이므로 $\int_{-1}^k (2x+7)dx$는 $k=-\frac{7}{2}$일 때 최솟값 $-\frac{25}{4}$를 갖는다.

따라서 $m=-\frac{7}{2}$, $n=-\frac{25}{4}$이므로 $\frac{m}{n}=\frac{14}{25}$

답 ②

0768

|전략| 적분 구간이 같으므로 하나의 정적분 기호로 묶는다.

$$\int_1^2 (3x-1)^2dx+\int_1^2 (4x+3)dx$$
$$=\int_1^2 \{(3x-1)^2+(4x+3)\}dx$$
$$=\int_1^2 (9x^2-2x+4)dx$$
$$=\Big[3x^3-x^2+4x\Big]_1^2$$
$$=28-6=22$$

답 22

0769

$$\int_0^1 \frac{x^3}{x+1}dx-\int_1^0 \frac{1}{t+1}dt$$
$$=\int_0^1 \frac{x^3}{x+1}dx-\int_1^0 \frac{1}{x+1}dx$$
$$=\int_0^1 \frac{x^3}{x+1}dx+\int_0^1 \frac{1}{x+1}dx$$
$$=\int_0^1 \frac{x^3+1}{x+1}dx \quad \cdots ❶$$
$$=\int_0^1 \frac{(x+1)(x^2-x+1)}{x+1}dx$$
$$=\int_0^1 (x^2-x+1)dx \quad \cdots ❷$$
$$=\Big[\frac{1}{3}x^3-\frac{1}{2}x^2+x\Big]_0^1=\frac{5}{6} \quad \cdots ❸$$

답 $\frac{5}{6}$

채점 기준	비율
❶ $\int_a^b f(x)dx=\int_a^b f(t)dt$, $\int_a^b f(x)dx=-\int_b^a f(x)dx$임을 이용하여 주어진 식을 간단히 할 수 있다.	40 %
❷ 인수분해 공식을 이용하여 식을 정리할 수 있다.	30 %
❸ $\int_0^1 (x^2-x+1)dx$의 값을 구할 수 있다.	30 %

0770

$$\begin{aligned}f(k)&=\int_1^3 (x+k)^2dx-\int_3^1 (2x^2+1)dx\\&=\int_1^3 (x+k)^2dx+\int_1^3 (2x^2+1)dx\\&=\int_1^3 \{(x+k)^2+(2x^2+1)\}dx\\&=\int_1^3 (3x^2+2kx+k^2+1)dx\\&=\Big[x^3+kx^2+(k^2+1)x\Big]_1^3\\&=(27+9k+3k^2+3)-(1+k+k^2+1)\\&=2k^2+8k+28\\&=2(k+2)^2+20\end{aligned}$$

이므로 $f(k)$는 $k=-2$일 때, 최솟값 20을 갖는다.

따라서 $a=-2$, $b=20$이므로 $a+b=18$ 답 ④

0771

|전략| $\int_a^c f(x)dx+\int_c^b f(x)dx=\int_a^b f(x)dx$임을 이용한다.

$$\begin{aligned}&\int_{-1}^0 (3x^2-1)dx+\int_0^2 (3t^2-1)dt\\&=\int_{-1}^0 (3x^2-1)dx+\int_0^2 (3x^2-1)dx\\&=\int_{-1}^2 (3x^2-1)dx=\Big[x^3-x\Big]_{-1}^2=6\end{aligned}$$

답 6

0772

$$\begin{aligned}&\int_4^6 (3x^2-2x)dx-\int_3^6 (3x^2-2x)dx+\int_2^4 (3x^2-2x)dx\\&=\int_2^4 (3x^2-2x)dx+\int_4^6 (3x^2-2x)dx-\int_3^6 (3x^2-2x)dx\\&=\int_2^6 (3x^2-2x)dx-\int_3^6 (3x^2-2x)dx\\&=\int_2^6 (3x^2-2x)dx+\int_6^3 (3x^2-2x)dx\\&=\int_2^3 (3x^2-2x)dx\\&=\Big[x^3-x^2\Big]_2^3=14\end{aligned}$$

답 14

0773

$$\begin{aligned}&\int_0^3 (6x+5)dx-\int_a^3 (6x+5)dx\\&=\int_0^3 (6x+5)dx+\int_3^a (6x+5)dx\\&=\int_0^a (6x+5)dx=\Big[3x^2+5x\Big]_0^a\\&=3a^2+5a=22\end{aligned}$$

이므로

$3a^2+5a-22=0$, $(3a+11)(a-2)=0$

$\therefore a=-\frac{11}{3}$ 또는 $a=2$

이때, $0<a<3$이므로 $a=2$ 답 ④

0774

$$\begin{aligned}\int_2^3 f(x)dx&=\int_2^0 f(x)dx+\int_0^1 f(x)dx+\int_1^3 f(x)dx\\&=-\int_0^2 f(x)dx+\int_0^1 f(x)dx+\int_1^3 f(x)dx\\&=-B+A+C=A-B+C\end{aligned}$$

답 $A-B+C$

0775

|전략| $\int_a^b f(x)dx=\int_a^c f(x)dx+\int_c^b f(x)dx$임을 이용하여 적분 구간을 나누어 정적분의 값을 구한다.

$$\begin{aligned}\int_{-1}^1 f(x)dx&=\int_{-1}^0 f(x)dx+\int_0^1 f(x)dx\\&=\int_{-1}^0 (2x+3)dx+\int_0^1 (-3x^2+3)dx\\&=\Big[x^2+3x\Big]_{-1}^0+\Big[-x^3+3x\Big]_0^1\\&=2+2=4\end{aligned}$$

답 4

0776

$f(x)=\begin{cases}2x+a & (x\le 0)\\ 4 & (0<x\le 1)\\ -3x^2+b & (x>1)\end{cases}$가 모든 실수 x에 대하여 연속이므로

$f(0)=a=\lim_{x\to 0+} 4$에서 $a=4$

$f(1)=4=\lim_{x\to 1+}(-3x^2+b)$에서 $4=-3+b$이므로 $b=7$

$\therefore f(x)=\begin{cases}2x+4 & (x\le 0)\\ 4 & (0\le x\le 1)\\ -3x^2+7 & (x\ge 1)\end{cases}$

$$\begin{aligned}\therefore \int_{-1}^3 f(x)dx&=\int_{-1}^0 (2x+4)dx+\int_0^1 4\,dx+\int_1^3 (-3x^2+7)dx\\&=\Big[x^2+4x\Big]_{-1}^0+\Big[4x\Big]_0^1+\Big[-x^3+7x\Big]_1^3\\&=3+4-12=-5\end{aligned}$$

답 -5

0777

$f(x)=\begin{cases}-2x & (x\le 0)\\ -x^2 & (x\ge 0)\end{cases}$이므로

$f(x-2)=\begin{cases}-2x+4 & (x\le 2)\\ -(x-2)^2 & (x\ge 2)\end{cases}$

$\therefore \int_1^3 f(x-2)dx$

$=\int_1^2(-2x+4)dx+\int_2^3\{-(x-2)^2\}dx$

$=\int_1^2(-2x+4)dx+\int_2^3(-x^2+4x-4)dx$

$=\left[-x^2+4x\right]_1^2+\left[-\frac{1}{3}x^3+2x^2-4x\right]_2^3$

$=1-\frac{1}{3}=\frac{2}{3}$

답 $\frac{2}{3}$

0778

조건 (나)에서 $f'(x)=\begin{cases}6x+4 & (x<0)\\ -2 & (x>0)\end{cases}$이므로

$f(x)=\begin{cases}3x^2+4x+C_1 & (x<0)\\ -2x+C_2 & (x>0)\end{cases}$로 놓을 수 있다.

함수 $f(x)$는 $x=0$에서 연속이므로

$\lim_{x\to 0-}(3x^2+4x+C_1)=\lim_{x\to 0+}(-2x+C_2)$

$\therefore C_1=C_2$

조건 (가)에서 $f(0)=1$이므로 $C_1=C_2=1$

$\therefore f(x)=\begin{cases}3x^2+4x+1 & (x\le 0)\\ -2x+1 & (x\ge 0)\end{cases}$

$\therefore \int_{-1}^3 f(x)dx=\int_{-1}^0(3x^2+4x+1)dx+\int_0^3(-2x+1)dx$

$=\left[x^3+2x^2+x\right]_{-1}^0+\left[-x^2+x\right]_0^3$

$=0+(-6)=-6$

답 -6

0779

$2-x=x^2$에서 $x^2+x-2=0$, $(x+2)(x-1)=0$

→ $x=-2$와 $x=1$을 경계로 $2-x$와 x^2의 대소가 달라진다.

(i) $-2\le x\le 1$일 때

$(x+2)(x-1)\le 0$, 즉 $2-x\ge x^2$이므로

$(2-x)*x^2=2-x$

(ii) $x<-2$ 또는 $x>1$일 때

$(x+2)(x-1)>0$, 즉 $2-x<x^2$이므로

$(2-x)*x^2=x^2$

$\therefore \int_0^2\{(2-x)*x^2\}dx=\int_0^1(2-x)dx+\int_1^2 x^2dx$

$=\left[2x-\frac{1}{2}x^2\right]_0^1+\left[\frac{1}{3}x^3\right]_1^2$

$=\frac{3}{2}+\frac{7}{3}=\frac{23}{6}$

답 $\frac{23}{6}$

0780

$f(x)=\begin{cases}3x & (x\le 1)\\ 3 & (x\ge 1)\end{cases}$이므로

$\int_0^3(x+2)f(x)dx=\int_0^1 3x(x+2)dx+\int_1^3 3(x+2)dx$

$=\int_0^1(3x^2+6x)dx+\int_1^3(3x+6)dx$

$=\left[x^3+3x^2\right]_0^1+\left[\frac{3}{2}x^2+6x\right]_1^3$

$=4+24=28$

답 ③

0781

|전략| $3x^2-2x-1=0$을 만족시키는 x의 값인 $x=-\frac{1}{3}$, $x=1$을 기준으로 적분 구간을 나누어 정적분의 값을 구한다.

$3x^2-2x-1=(x-1)(3x+1)$에서

$|3x^2-2x-1|=\begin{cases}3x^2-2x-1 & \left(x\le -\frac{1}{3} \text{ 또는 } x\ge 1\right)\\ -3x^2+2x+1 & \left(-\frac{1}{3}\le x\le 1\right)\end{cases}$이므로

$\int_0^2|3x^2-2x-1|dx$

$=\int_0^1(-3x^2+2x+1)dx+\int_1^2(3x^2-2x-1)dx$

$=\left[-x^3+x^2+x\right]_0^1+\left[x^3-x^2-x\right]_1^2$

$=1+3=4$

답 4

0782

$|x|=\begin{cases}x & (x\ge 0)\\ -x & (x\le 0)\end{cases}$이므로

$\int_{-1}^3(2|x|-2)dx=\int_{-1}^0(-2x-2)dx+\int_0^3(2x-2)dx$

$=\left[-x^2-2x\right]_{-1}^0+\left[x^2-2x\right]_0^3$

$=-1+3=2$

답 ②

0783

$|x^2(x-1)|=\begin{cases}x^3-x^2 & (x\ge 1)\\ -x^3+x^2 & (x\le 1)\end{cases}$이므로

$\int_0^2|x^2(x-1)|dx=\int_0^1(-x^3+x^2)dx+\int_1^2(x^3-x^2)dx$

$=\left[-\frac{1}{4}x^4+\frac{1}{3}x^3\right]_0^1+\left[\frac{1}{4}x^4-\frac{1}{3}x^3\right]_1^2$

$=\frac{1}{12}+\frac{17}{12}=\frac{3}{2}$

답 ①

0784

$|x-a|=\begin{cases}x-a & (a\le x\le 3)\\ -x+a & (0\le x\le a)\end{cases}$이므로

$f(a)=\int_0^3|x-a|dx=\int_0^a(-x+a)dx+\int_a^3(x-a)dx$

$=\left[-\frac{1}{2}x^2+ax\right]_0^a+\left[\frac{1}{2}x^2-ax\right]_a^3$

$=\left(-\frac{1}{2}a^2+a^2\right)+\left\{\left(\frac{9}{2}-3a\right)-\left(\frac{1}{2}a^2-a^2\right)\right\}$

$=a^2-3a+\frac{9}{2}=\left(a-\frac{3}{2}\right)^2+\frac{9}{4}$

따라서 $f(a)$의 값이 최솟값이 되도록 하는 실수 a의 값은 $\frac{3}{2}$이다.

답 $\frac{3}{2}$

0785

$2x^2-4x=2x(x-2)$에서

$$|2x^2-4x|=\begin{cases} 2x^2-4x & (x\le 0 \text{ 또는 } x\ge 2) \\ -2x^2+4x & (0\le x\le 2) \end{cases}$$

$a>2$이므로

$$\int_0^a |2x^2-4x|dx=\int_0^2(-2x^2+4x)dx+\int_2^a(2x^2-4x)dx$$
$$=\left[-\frac{2}{3}x^3+2x^2\right]_0^2+\left[\frac{2}{3}x^3-2x^2\right]_2^a$$
$$=\frac{2}{3}a^3-2a^2+\frac{16}{3}$$

이때, $\int_0^a |2x^2-4x|dx=16$이므로

$\frac{2}{3}a^3-2a^2+\frac{16}{3}=16$, $a^3-3a^2-16=0$

$(a-4)(a^2+a+4)=0$ $\therefore a=4$ ($\because a>2$) 답 ②

786

$f(x)=|x-1|+|x|+|x+1|$에서

오른쪽 그림과 같이 함수 $f(x)$는 $x=0$일 때 최솟값 2를 가지므로

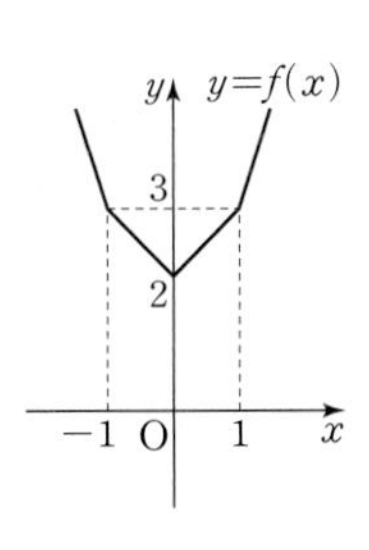

$a=2$

$1\le x\le 2$일 때,

$f(x)=(x-1)+x+(x+1)=3x$

이므로

$$\int_1^a f(x)dx=\int_1^2 3x\,dx=\left[\frac{3}{2}x^2\right]_1^2=\frac{9}{2}$$ 답 ⑤

0787

|전략| 짝수 차수의 항 또는 상수항으로만 이루어진 함수는 $\int_{-a}^a f(x)dx=2\int_0^a f(x)dx$를 만족시키고, 홀수 차수의 항으로만 이루어진 함수는 $\int_{-a}^a f(x)dx=0$을 만족시킨다.

$$\int_{-a}^3(2x^3+x^2-2x)dx+\int_3^a(2x^3+x^2-2x)dx$$
$$=\int_{-a}^a(2x^3+x^2-2x)dx$$
$$=2\int_0^a x^2dx=2\left[\frac{1}{3}x^3\right]_0^a=\frac{2}{3}a^3$$

즉, $\frac{2}{3}a^3=\frac{16}{3}$이므로 $a^3=8$ $\therefore a=2$ ($\because a$는 실수) 답 2

0788

$f(x)=x^3+2$에서 $f'(x)=3x^2$이므로

$$\int_{-1}^1 f(x)\{f'(x)+1\}dx=\int_{-1}^1(x^3+2)(3x^2+1)dx$$
$$=\int_{-1}^1(3x^5+x^3+6x^2+2)dx$$
$$=2\int_0^1(6x^2+2)dx$$
$$=2\left[2x^3+2x\right]_0^1=2\times 4=8$$ 답 ④

0789

$$\int_{-1}^1 xf(x)dx=\int_{-1}^1(ax^2+bx)dx$$
$$=2\int_0^1 ax^2dx=2\left[\frac{a}{3}x^3\right]_0^1=\frac{2}{3}a$$

이때, $\int_{-1}^1 xf(x)dx=6$이므로 $\frac{2}{3}a=6$ $\therefore a=9$

$$\int_{-1}^1 x^2f(x)dx=\int_{-1}^1(ax^3+bx^2)dx$$
$$=2\int_0^1 bx^2dx=2\left[\frac{b}{3}x^3\right]_0^1=\frac{2}{3}b$$

이때, $\int_{-1}^1 x^2f(x)dx=-2$이므로 $\frac{2}{3}b=-2$ $\therefore b=-3$

$\therefore 2a+b=18-3=15$ 답 15

0790

$$\int_{-1}^1 f(x)dx=\int_{-1}^1(1+2x+3x^2+\cdots+2019x^{2018})dx$$
$$=2\int_0^1(1+3x^2+5x^4+\cdots+2019x^{2018})dx$$
$$=2\left[x+x^3+x^5+\cdots+x^{2019}\right]_0^1$$
$$=2(\underbrace{1+1+1+\cdots+1}_{1010\text{개}})$$
$$=2\times 1010=2020$$ 답 2020

0791

|전략| $f(x)$는 우함수이고 (기함수)×(우함수)=(기함수)임을 이용한다.

$f(-x)=f(x)$에서 $f(x)$는 우함수이므로 $x^5f(x)$, $x^3f(x)$는 모두 기함수이다.

$$\therefore \int_{-2}^2(x^5-x^3+3)f(x)dx$$
$$=\int_{-2}^2 x^5f(x)dx-\int_{-2}^2 x^3f(x)dx+3\int_{-2}^2 f(x)dx$$
$$=3\int_{-2}^2 f(x)dx=3\times 2\int_0^2 f(x)dx$$
$$=6\int_0^2 f(x)dx=6\times 7=42$$ 답 ④

0792

조건 (가)에서 모든 실수 x에 대하여 $f(-x)=f(x)$이므로 $f(x)$는 우함수이다. … ❶

$y=f(x)$의 그래프는 y축에 대하여 대칭이므로 조건 (나)에서

$\int_0^1 f(x)dx=\int_{-1}^0 f(x)dx=5$ … ❷

조건 (다)에서 $\int_{-3}^3 f(x)dx=2\int_0^3 f(x)dx=20$이므로

$\int_0^3 f(x)dx=10$ … ❸

$\therefore \int_{-1}^3 f(x)dx=\int_{-1}^0 f(x)dx+\int_0^3 f(x)dx$

$=5+10=15$ … ❹

답 15

채점 기준	비율
❶ $f(-x)=f(x)$를 만족시키는 함수 $f(x)$는 우함수임을 알 수 있다.	25 %
❷ 우함수의 그래프는 y축에 대하여 대칭이고, $\int_{-a}^{0} f(x)dx=\int_{0}^{a} f(x)dx$임을 이용할 수 있다.	25 %
❸ 함수 $f(x)$가 우함수이면 $\int_{-a}^{a} f(x)dx=2\int_{0}^{a} f(x)dx$임을 이용할 수 있다.	25 %
❹ $\int_{-1}^{3} f(x)dx$의 값을 구할 수 있다.	25 %

0793

$f(-x)=-f(x)$에서 $f(x)$는 기함수이므로 $x^2f(x)$는 기함수, $xf(x)$는 우함수이다.

$\therefore \int_{-1}^{1}(3x^2+5x-6)f(x)dx$

$=3\int_{-1}^{1}x^2f(x)dx+5\int_{-1}^{1}xf(x)dx-6\int_{-1}^{1}f(x)dx$

$=5\int_{-1}^{1}xf(x)dx=5\times2\int_{0}^{1}xf(x)dx$

$=10\int_{0}^{1}xf(x)dx=10\times2=20$

답 20

0794

$f(-x)=-f(x)$에서 $f(x)$는 기함수이므로

$\int_{-2}^{5}f(x)dx=\int_{-2}^{2}f(x)dx+\int_{2}^{5}f(x)dx$

$=0+\int_{2}^{5}f(x)dx$

$=\int_{2}^{0}f(x)dx+\int_{0}^{5}f(x)dx$

$=-\int_{0}^{2}f(x)dx+\int_{0}^{5}f(x)dx$

$=-(-3)+k=k+3$

이때, $\int_{-2}^{5}f(x)dx=4k-1$이므로 $k+3=4k-1$ $\therefore k=\frac{4}{3}$

답 $\frac{4}{3}$

0795

$f(-x)=-f(x)$에서 $f(x)$는 기함수, $g(-x)=g(x)$에서 $g(x)$는 우함수이다.

$f(-x)g(-x)=-f(x)g(x)$이므로 $f(x)g(x)$는 기함수이다.

$\therefore \int_{-a}^{a}\{f(x)+g(x)\}dx+\int_{-a}^{a}f(x)g(x)dx$

$=\int_{-a}^{a}f(x)dx+\int_{-a}^{a}g(x)dx+\int_{-a}^{a}f(x)g(x)dx$

$=0+\int_{-a}^{a}g(x)dx+0$

$=2\int_{0}^{a}g(x)dx=2\times3=6$

답 6

0796

사차함수 $f(x)$가 모든 실수 x에 대하여 $f(-x)=f(x)$를 만족시키므로 $f(x)=ax^4+bx^2+c\ (a\neq0)$로 놓을 수 있다.

이때, $f(0)=5$이므로 $c=5$

$f'(x)=4ax^3+2bx$이고 $f'(-1)=0$이므로

$-4a-2b=0$ $\therefore b=-2a$

즉, $f(x)=ax^4-2ax^2+5$이므로

$\int_{-1}^{1}f(x)dx=2\int_{0}^{1}(ax^4-2ax^2+5)dx$

$=2\left[\frac{a}{5}x^5-\frac{2a}{3}x^3+5x\right]_0^1$

$=2\left(\frac{1}{5}a-\frac{2}{3}a+5\right)$

$=-\frac{14}{15}a+10$

이때, $\int_{-1}^{1}f(x)dx=-4$이므로

$-\frac{14}{15}a+10=-4$ $\therefore a=15$

따라서 $f(x)=15x^4-30x^2+5$이므로

$f(1)=15-30+5=-10$

답 -10

0797

|전략| 함수 $f(x)$가 모든 실수 x에 대하여 $f(x+p)=f(x)$ (p는 0이 아닌 상수)이면 $\int_{a}^{b}f(x)dx=\int_{a+np}^{b+np}f(x)dx$ (n은 정수)이다.

함수 $f(x)$가 모든 실수 x에 대하여 $f(x)=f(x+2)$이므로

$\int_{-1}^{1}f(x)dx=\int_{1}^{3}f(x)dx=\int_{3}^{5}f(x)dx$ …… ㉠

이때, $f(x)=-x^2+1\ (-1\leq x\leq1)$이 우함수이므로

$\int_{-1}^{1}f(x)dx=2\int_{0}^{1}f(x)dx$ …… ㉡

㉠, ㉡에 의하여

$\int_{0}^{5}f(x)dx=\int_{0}^{1}f(x)dx+\int_{1}^{3}f(x)dx+\int_{3}^{5}f(x)dx$

$=5\int_{0}^{1}f(x)dx=5\int_{0}^{1}(-x^2+1)dx$

$=5\left[-\frac{1}{3}x^3+x\right]_0^1=\frac{10}{3}$

답 $\frac{10}{3}$

0798

조건 (가)에서 $f(-x)=f(x)$이므로

$\int_{0}^{2}f(x)dx=\int_{-2}^{0}f(x)dx$ …… ㉠

조건 (나)에서 $f(x)=f(x+4)$이므로

$\int_{0}^{2}f(x)dx=\int_{-4}^{-2}f(x)dx$ …… ㉡

㉠, ㉡에서 $\int_{-4}^{-2}f(x)dx=\int_{-2}^{0}f(x)dx=\int_{0}^{2}f(x)dx=8$이므로

$\int_{-4}^{0}f(x)dx=16$

$\therefore \int_{-4}^{12}f(x)dx$

$=\int_{-4}^{0}f(x)dx+\int_{0}^{4}f(x)dx+\int_{4}^{8}f(x)dx+\int_{8}^{12}f(x)dx$

$=4\int_{-4}^{0}f(x)dx=4\times16=64$

답 ④

0799

$|x|=\begin{cases} x & (x\geq 0) \\ -x & (x\leq 0)\end{cases}$ 이므로

$$\int_{-1}^{1}f(x)dx=\int_{-1}^{0}f(x)dx+\int_{0}^{1}f(x)dx$$
$$=\int_{-1}^{0}(-x)dx+\int_{0}^{1}x\,dx$$
$$=\left[-\frac{1}{2}x^2\right]_{-1}^{0}+\left[\frac{1}{2}x^2\right]_{0}^{1}=\frac{1}{2}+\frac{1}{2}=1$$

이때, 함수 $f(x)$가 모든 실수 x에 대하여 $f(x+2)=f(x)$이므로

$\int_{-2018}^{2018}f(x)dx=2018\int_{-1}^{1}f(x)dx=2018\times1=2018$ 답 2018

0800

|전략| $\int_0^2 f(t)dt=k$(k는 상수)로 놓고 k의 값을 구한다.

$\int_0^2 f(t)dt=k$(k는 상수) …… ㉠

로 놓으면

$f(x)=3x^2-2x+k$

$f(t)=3t^2-2t+k$를 ㉠에 대입하면

$\int_0^2(3t^2-2t+k)dt=k,\ \left[t^3-t^2+kt\right]_0^2=k$

$8-4+2k=k \qquad \therefore k=-4$

따라서 $f(x)=3x^2-2x-4$이므로 $f(0)=-4$ 답 ②

0801

$$f(x)=x^2+\int_0^1(2x+1)f(t)dt$$
$$=x^2+2x\int_0^1 f(t)dt+\int_0^1 f(t)dt$$

이때,

$\int_0^1 f(t)dt=k$(k는 상수) …… ㉠

로 놓으면

$f(x)=x^2+2kx+k$

$f(t)=t^2+2kt+k$를 ㉠에 대입하면

$\int_0^1(t^2+2kt+k)dt=k,\ \left[\frac{1}{3}t^3+kt^2+kt\right]_0^1=k$

$\frac{1}{3}+2k=k \qquad \therefore k=-\frac{1}{3}$

즉, $\int_0^1 f(t)dt=-\frac{1}{3}$이므로 $\int_0^1 f(x)dx=-\frac{1}{3}$ 답 ②

0802

$\int_0^2 tf'(t)dt=k$(k는 상수) …… ㉠

로 놓으면

$f(x)=4x+k,\ f'(x)=4$

$f'(t)=4$를 ㉠에 대입하면 $k=\int_0^2 4t\,dt=\left[2t^2\right]_0^2=8$

따라서 $f(x)=4x+8$이므로

$f(-1)=-4+8=4$ 답 ③

0803

$\int_1^2 f(t)dt=k$(k는 상수) …… ㉠

로 놓으면

$f(x)=\frac{12}{7}x^2-2kx+k^2$

$f(t)=\frac{12}{7}t^2-2kt+k^2$을 ㉠에 대입하면

$\int_1^2\left(\frac{12}{7}t^2-2kt+k^2\right)dt=k,\ \left[\frac{4}{7}t^3-kt^2+k^2t\right]_1^2=k$

$4-3k+k^2=k,\ k^2-4k+4=0$

$(k-2)^2=0 \qquad \therefore k=2$

$\therefore 10\int_1^2 f(x)dx=10k=20$ 답 20

0804

$f(x)=2x+1-\int_0^1 g(t)dt$에서 $\int_0^1 g(t)dt=a$ (a는 상수)로 놓으면

$f(x)=2x+1-a$

$g(x)=4x-3+\int_0^2 f(t)dt$에서 $\int_0^2 f(t)dt=b$ (b는 상수)로 놓으면

$g(x)=4x-3+b$

$\int_0^1 g(t)dt=\int_0^1(4t-3+b)dt=\left[2t^2-3t+bt\right]_0^1=b-1$

$\therefore b-1=a$ …… ㉠

$\int_0^2 f(t)dt=\int_0^2(2t+1-a)dt=\left[t^2+t-at\right]_0^2=6-2a$

$\therefore 6-2a=b$ …… ㉡

㉠, ㉡을 연립하여 풀면 $a=\frac{5}{3},\ b=\frac{8}{3}$

따라서 $f(x)=2x+1-\frac{5}{3}=2x-\frac{2}{3}$,

$g(x)=4x-3+\frac{8}{3}=4x-\frac{1}{3}$이므로

$f(1)+g(2)=\frac{4}{3}+\frac{23}{3}=9$ 답 ④

0805

|전략| $\int_x^{x+a}f(t)dt=g(x)$(a는 상수)의 양변을 x에 대하여 미분하면 $f(x+a)-f(x)=g'(x)$임을 이용한다.

$f(x)=\int_x^{x+2}(t^2+2t)dt$의 양변을 x에 대하여 미분하면

$$f'(x)=\{(x+2)^2+2(x+2)\}-(x^2+2x)$$
$$=4x+8$$

$$\therefore \int_0^3 xf'(x)dx=\int_0^3 x(4x+8)dx=\int_0^3(4x^2+8x)dx$$
$$=\left[\frac{4}{3}x^3+4x^2\right]_0^3=72$$

답 72

0806

$f(x)=\int_x^{x+1}t^3dt$의 양변을 x에 대하여 미분하면

$f'(x)=(x+1)^3-x^3=3x^2+3x+1$

8 정적분

이때, $f(x)=ax^3+bx^2+cx+d$에서

$f'(x)=3ax^2+2bx+c$이므로 $a=1,\ b=\frac{3}{2},\ c=1$

또, $f(-1)=-\frac{1}{4}$이므로 $-a+b-c+d=-\frac{1}{4}$에서

$-1+\frac{3}{2}-1+d=-\frac{1}{4}\qquad \therefore d=\frac{1}{4}$

$\therefore abcd=1\times\frac{3}{2}\times1\times\frac{1}{4}=\frac{3}{8}$ 답 $\frac{3}{8}$

0807

|전략| $\int_a^x f(t)dt=g(x)$(a는 상수)의 양변에 $x=a$를 대입하면 $\int_a^a f(t)dt=g(a)=0$이고, 양변을 x에 대하여 미분하면 $f(x)=g'(x)$임을 이용한다.

$\int_a^x f(t)dt=x^2-x+1-a$의 양변에 $x=a$를 대입하면

$\int_a^a f(t)dt=a^2-a+1-a$

$a^2-2a+1=0,\ (a-1)^2=0\qquad \therefore a=1$

또, $\int_a^x f(t)dt=x^2-x+1-a$의 양변을 x에 대하여 미분하면

$f(x)=2x-1\qquad \therefore f(a)=f(1)=2-1=1$ 답 ①

0808

$\int_1^x f(t)dt=x^3+2ax^2-3x$의 양변에 $x=1$을 대입하면

$\int_1^1 f(t)dt=1+2a-3,\ 2a-2=0\qquad \therefore a=1$

또, $\int_1^x f(t)dt=x^3+2ax^2-3x$의 양변을 x에 대하여 미분하면

$f(x)=3x^2+4ax-3=3x^2+4x-3$

$\therefore f(2)=12+8-3=17$ 답 17

0809

$xf(x)=x^3-3x^2+\int_2^x f(t)dt$의 양변에 $x=2$를 대입하면

$2f(2)=8-12+\int_2^2 f(t)dt,\ 2f(2)=-4$

$\therefore f(2)=-2$ …… ㉠

$xf(x)=x^3-3x^2+\int_2^x f(t)dt$의 양변을 x에 대하여 미분하면

$f(x)+xf'(x)=3x^2-6x+f(x)$

$xf'(x)=3x^2-6x\qquad \therefore f'(x)=3x-6$

$\therefore f(x)=\int(3x-6)dx=\frac{3}{2}x^2-6x+C$ …… ㉡

㉠, ㉡에서 $f(2)=6-12+C=-2\qquad \therefore C=4$

따라서 $f(x)=\frac{3}{2}x^2-6x+4$이므로

$$\int_{-2}^2 f(x)dx=\int_{-2}^2\left(\frac{3}{2}x^2-6x+4\right)dx=2\int_0^2\left(\frac{3}{2}x^2+4\right)dx$$
$$=2\left[\frac{1}{2}x^3+4x\right]_0^2=2\times12=24$$ 답 24

0810

$\int_0^2 f(t)dt=k$(k는 상수) …… ㉠

로 놓으면

$\int_0^x f(t)dt=-x^3+\frac{9}{4}kx^2-k^2x$

양변을 x에 대하여 미분하면

$f(x)=-3x^2+\frac{9}{2}kx-k^2$

$f(t)=-3t^2+\frac{9}{2}kt-k^2$을 ㉠에 대입하면

$\int_0^2\left(-3t^2+\frac{9}{2}kt-k^2\right)dt=k,\ \left[-t^3+\frac{9}{4}kt^2-k^2t\right]_0^2=k$

$-8+9k-2k^2=k,\ 2k^2-8k+8=0,\ (k-2)^2=0\qquad \therefore k=2$

$\therefore f(x)=-3x^2+9x-4$

따라서 $f(1)=2$이므로 $a=2$

$\therefore 50a=100$ 답 100

0811

|전략| $\int_a^x (x-t)f(t)dt$(a는 상수)를 포함한 등식은 $\int_a^x (x-t)f(t)dt=x\int_a^x f(t)dt-\int_a^x tf(t)dt$로 변형한 후 양변을 x에 대하여 미분한다.

$\int_1^x (x-t)f(t)dt=2x^3+x^2-8x+5$에서

$x\int_1^x f(t)dt-\int_1^x tf(t)dt=2x^3+x^2-8x+5$ …… ㉠

㉠의 양변을 x에 대하여 미분하면

$\int_1^x f(t)dt+xf(x)-xf(x)=6x^2+2x-8$

$\therefore \int_1^x f(t)dt=6x^2+2x-8$ …… ㉡

㉡의 양변을 x에 대하여 미분하면

$f(x)=12x+2\qquad \therefore f(0)=2$ 답 2

0812

$\int_1^x (x-t)f(t)dt=x^3+px^2+qx+1$에서

$x\int_1^x f(t)dt-\int_1^x tf(t)dt=x^3+px^2+qx+1$ …… ㉠

㉠의 양변을 x에 대하여 미분하면

$\int_1^x f(t)dt+xf(x)-xf(x)=3x^2+2px+q$

$\therefore \int_1^x f(t)dt=3x^2+2px+q$ …… ㉡ … ❶

㉠의 양변에 $x=1$을 대입하면 $0=1+p+q+1$

$\therefore p+q=-2$ …… ㉢

㉡의 양변에 $x=1$을 대입하면 $0=3+2p+q$

$\therefore 2p+q=-3$ …… ㉣

㉢, ㉣을 연립하여 풀면 $p=-1,\ q=-1$ … ❷

㉡의 양변을 x에 대하여 미분하면

$f(x)=6x+2p=6x-2\qquad \therefore f(2)=10$ … ❸

$\therefore p+q+f(2)=-1+(-1)+10=8$ … ❹

답 8

채점 기준	비율
❶ $\int_1^x (x-t)f(t)dt=x\int_1^x f(t)dt-\int_1^x tf(t)dt$로 변형한 후 양변을 x에 대하여 미분할 수 있다.	30 %
❷ 주어진 식과 ❶에서 얻은 식 $\int_1^x f(t)dt=3x^2+2px+q$의 양변에 $x=1$을 대입하여 p, q의 값을 구할 수 있다.	30 %
❸ $f(2)$의 값을 구할 수 있다.	30 %
❹ $p+q+f(2)$의 값을 구할 수 있다.	10 %

0813

$\int_0^x (x-t)f'(t)dt=\frac{1}{2}x^3$에서

$x\int_0^x f'(t)dt-\int_0^x tf'(t)dt=\frac{1}{2}x^3$ …… ㉠

㉠의 양변을 x에 대하여 미분하면

$\int_0^x f'(t)dt+xf'(x)-xf'(x)=\frac{3}{2}x^2$

$\therefore \int_0^x f'(t)dt=\frac{3}{2}x^2$ …… ㉡

㉡의 양변을 x에 대하여 미분하면

$f'(x)=3x$

$\therefore f(x)=\int 3x\,dx=\frac{3}{2}x^2+C$

이때, $f(0)=\frac{3}{2}$이므로 $C=\frac{3}{2}$

따라서 $f(x)=\frac{3}{2}x^2+\frac{3}{2}$이므로 $f(1)=3$ 답 ⑤

0814

|전략| $f'(x)=0$을 만족시키는 x의 값의 좌우에서 $f'(x)$의 부호를 조사하여 증감표를 만든 후, 극값을 구한다.

$f(x)=\int_{-3}^x (t+1)(t+2)dt$의 양변을 x에 대하여 미분하면

$f'(x)=(x+1)(x+2)$

$f'(x)=0$에서 $x=-1$ 또는 $x=-2$

x	…	-2	…	-1	…
$f'(x)$	+	0	−	0	+
$f(x)$	↗	극대	↘	극소	↗

따라서 함수 $f(x)$는 $x=-2$에서 극대, $x=-1$에서 극소이므로

$M=f(-2)=\int_{-3}^{-2}(t+1)(t+2)dt=\int_{-3}^{-2}(t^2+3t+2)dt$

$=\left[\frac{1}{3}t^3+\frac{3}{2}t^2+2t\right]_{-3}^{-2}=-\frac{2}{3}-\left(-\frac{3}{2}\right)=\frac{5}{6}$

$m=f(-1)=\int_{-3}^{-1}(t+1)(t+2)dt=\int_{-3}^{-1}(t^2+3t+2)dt$

$=\left[\frac{1}{3}t^3+\frac{3}{2}t^2+2t\right]_{-3}^{-1}=-\frac{5}{6}-\left(-\frac{3}{2}\right)=\frac{2}{3}$

$\therefore M+m=\frac{5}{6}+\frac{2}{3}=\frac{3}{2}$ 답 $\frac{3}{2}$

0815

$f(x)=\int_0^x (t^2+pt+q)dt$의 양변을 x에 대하여 미분하면

$f'(x)=x^2+px+q$

함수 $f(x)$가 $x=-1$에서 극댓값 $\frac{7}{6}$을 가지므로

$f'(-1)=0,\ f(-1)=\frac{7}{6}$ … ❶

$f'(-1)=0$에서 $1-p+q=0$

$\therefore p-q=1$ …… ㉠

$f(-1)=\frac{7}{6}$에서

$f(-1)=\int_0^{-1}(t^2+pt+q)dt=\left[\frac{1}{3}t^3+\frac{1}{2}pt^2+qt\right]_0^{-1}$

$=-\frac{1}{3}+\frac{1}{2}p-q=\frac{7}{6}$

$\therefore p-2q=3$ …… ㉡

㉠, ㉡을 연립하여 풀면 $p=-1$, $q=-2$ … ❷

$f'(x)=x^2-x-2=(x+1)(x-2)$이므로

$f'(x)=0$에서 $x=-1$ 또는 $x=2$

x	…	-1	…	2	…
$f'(x)$	+	0	−	0	+
$f(x)$	↗	극대	↘	극소	↗

따라서 함수 $f(x)$는 $x=2$에서 극소이므로 극솟값은

$f(2)=\int_0^2 (t^2-t-2)dt$

$=\left[\frac{1}{3}t^3-\frac{1}{2}t^2-2t\right]_0^2=-\frac{10}{3}$ … ❸

답 $-\frac{10}{3}$

채점 기준	비율
❶ 함수 $f(x)$가 $x=-1$에서 극댓값 $\frac{7}{6}$을 가지면 $f'(-1)=0$, $f(-1)=\frac{7}{6}$임을 알 수 있다.	30 %
❷ p, q의 값을 구할 수 있다.	30 %
❸ 함수 $f(x)$의 극솟값을 구할 수 있다.	40 %

0816

$f(x)=3x^2+1+6\int_0^1 xf(t)dt$

$=3x^2+1+6x\int_0^1 f(t)dt$

이때, $\int_0^1 f(t)dt=k$(k는 상수)로 놓으면

$f(x)=3x^2+6kx+1$이므로

$k=\int_0^1 (3t^2+6kt+1)dt=\left[t^3+3kt^2+t\right]_0^1=3k+2,\ 2k=-2$

$\therefore k=-1$

$\therefore f(x)=3x^2-6x+1$

따라서 $f(x)=3(x-1)^2-2$이므로 $f(x)$는 $x=1$일 때 최솟값 -2를 갖는다. 답 ②

8 정적분

0817

$f(x)=\int_{-1}^{x}(1-|t|)dt$의 양변을 x에 대하여 미분하면

$f'(x)=1-|x|$

$f'(x)=0$에서 $x=1$ ($\because 0\le x\le 2$)

x	0	$\cdots$	1	$\cdots$	2
$f'(x)$		$+$	0	$-$	
$f(x)$		↗	극대	↘	

따라서 $0\le x\le 2$일 때, 함수 $f(x)$는 $x=1$에서 극대이면서 최대이므로 최댓값은

$$f(1)=\int_{-1}^{1}(1-|t|)dt=\int_{-1}^{0}(1+t)dt+\int_{0}^{1}(1-t)dt=\left[\frac{1}{2}t^2+t\right]_{-1}^{0}+\left[-\frac{1}{2}t^2+t\right]_{0}^{1}=\frac{1}{2}+\frac{1}{2}=1$$

답 1

0818

|전략| 주어진 그래프로부터 $F(x)$의 식을 구한 뒤, $F(x)=\int_{1}^{x}f(t)dt$의 양변을 x에 대하여 미분하여 $F'(x)=f(x)$임을 이용한다.

주어진 그래프에서

$F(x)=k(x-1)(x-2)=k(x^2-3x+2)\,(k>0)$로 놓고,

$F(x)=\int_{1}^{x}f(t)dt=k(x^2-3x+2)$의 각 변을 x에 대하여 미분하면

$F'(x)=f(x)=k(2x-3)$

$y=f(x)$의 그래프가 점 $(1, -3)$을 지나므로

$-3=-k \quad \therefore k=3$

이때, $F(x)=3(x^2-3x+2)=3x^2-9x+6$이고

$F'(x)=f(x)=3(2x-3)=0$에서 $x=\frac{3}{2}$

x	$\cdots$	$\frac{3}{2}$	$\cdots$
$F'(x)$	$-$	0	$+$
$F(x)$	↘	극소	↗

따라서 함수 $F(x)$는 $x=\frac{3}{2}$에서 극소이므로 극솟값은

$$F\left(\frac{3}{2}\right)=3\times\left(\frac{3}{2}\right)^2-9\times\frac{3}{2}+6=-\frac{3}{4}$$

답 ③

0819

이차항의 계수가 1인 이차함수 $y=f(x)$의 그래프에서

$f(x)=x(x-2)$이고, $g(x)=\int_{x}^{x+2}f(t)dt$의 양변을 x에 대하여 미분하면

$g'(x)=f(x+2)-f(x)=x(x+2)-x(x-2)=4x$

$g'(x)=0$에서 $x=0$

x	$\cdots$	0	$\cdots$
$g'(x)$	$-$	0	$+$
$g(x)$	↘	극소	↗

따라서 함수 $g(x)$는 $x=0$에서 극소이면서 최소이므로 최솟값은

$$g(0)=\int_{0}^{2}f(t)dt=\int_{0}^{2}t(t-2)dt=\left[\frac{1}{3}t^3-t^2\right]_{0}^{2}=-\frac{4}{3}$$

답 $-\frac{4}{3}$

0820

|전략| $\lim_{x\to a}\frac{1}{x-a}\int_{a}^{x}f(t)dt=f(a)$를 이용한다.

$f(t)$의 한 부정적분을 $F(t)$라 하면

$$\lim_{x\to 2}\frac{1}{x-2}\int_{2}^{x}f(t)dt=\lim_{x\to 2}\frac{F(x)-F(2)}{x-2}=F'(2)=f(2)=8-8+2+1=3$$

답 ③

0821

$f(t)$의 한 부정적분을 $F(t)$라 하면

$$\lim_{x\to 0}\frac{1}{x}\int_{0}^{x}f(t)dt=\lim_{x\to 0}\frac{F(x)-F(0)}{x}=F'(0)=f(0)=0-0+2=2$$

답 ②

0822

$f(t)$의 한 부정적분을 $F(t)$라 하면

$$\lim_{x\to 1}\frac{1}{x-1}\int_{1}^{x}f(t)dt=\lim_{x\to 1}\frac{F(x)-F(1)}{x-1}=F'(1)=f(1)$$

즉, $f(1)=5$이므로 $0+2-1+a=5 \quad \therefore a=4$

답 ④

0823

$f(t)=3t^3-t^2+4$로 놓고, $f(t)$의 한 부정적분을 $F(t)$라 하면

$$\lim_{x\to 0}\frac{1}{x}\int_{1}^{1+4x}(3t^3-t^2+4)dt=\lim_{x\to 0}\frac{1}{x}\int_{1}^{1+4x}f(t)dt=4\lim_{x\to 0}\frac{F(1+4x)-F(1)}{4x}=4F'(1)=4f(1)=4\times 6=24$$

답 ①

0824

$f(t)=6t^2-4t+3$으로 놓고, $f(t)$의 한 부정적분을 $F(t)$라 하면

$$\lim_{x\to 0}\frac{1}{x}\int_{1-x}^{1+2x}(6t^2-4t+3)dt$$

$$=\lim_{x\to 0}\frac{1}{x}\int_{1-x}^{1+2x}f(t)dt$$

$$=\lim_{x\to 0}\frac{F(1+2x)-F(1-x)}{x}$$

$$=\lim_{x\to 0}\frac{\{F(1+2x)-F(1)\}-\{F(1-x)-F(1)\}}{x}$$

$$=\lim_{x\to 0}\frac{F(1+2x)-F(1)}{x}-\lim_{x\to 0}\frac{F(1-x)-F(1)}{x}$$

$$=2\lim_{x\to 0}\frac{F(1+2x)-F(1)}{2x}+\lim_{x\to 0}\frac{F(1-x)-F(1)}{-x}$$

$$=2F'(1)+F'(1)=3F'(1)=3f(1)=3\times 5=15$$

답 ⑤

0825

$f(t)$의 한 부정적분을 $F(t)$라 하면

$$\lim_{x\to2}\frac{1}{x^2-4}\int_2^x f(t)dt=\lim_{x\to2}\frac{F(x)-F(2)}{x^2-4}$$
$$=\lim_{x\to2}\left\{\frac{F(x)-F(2)}{x-2}\times\frac{1}{x+2}\right\}$$
$$=\frac{1}{4}F'(2)=\frac{1}{4}f(2)$$
$$=\frac{1}{4}\times16=4$$

답 ①

0826

$g(x)=\int_0^{x-1}(t-2)f(t)dt$라 하면 $g(1)=0$이고,

양변을 x에 대하여 미분하면

$g'(x)=(x-3)f(x-1)$ …… ㉠

$$\therefore \lim_{x\to1}\frac{1}{x-1}\int_0^{x-1}(t-2)f(t)dt=\lim_{x\to1}\frac{g(x)}{x-1}$$
$$=\lim_{x\to1}\frac{g(x)-g(1)}{x-1}$$
$$=g'(1)=-2f(0)\ (\because ㉠)$$
$$=(-2)\times3=-6$$

답 ③

STEP 3 내신 마스터

0827

유형 01 정적분의 정의

|전략| 닫힌구간 $[a, b]$에서 연속인 함수 $f(x)$의 한 부정적분을 $F(x)$라 하면 $\int_a^b f(x)dx=\Big[F(x)\Big]_a^b=F(b)-F(a)$임을 이용한다.

삼차함수 $f(x)$가 $f(1)=f(2)=f(3)=6$을 만족시키므로

$f(x)-6=a(x-1)(x-2)(x-3)\,(a\neq0)$으로 놓을 수 있다.

$\therefore f(x)=a(x-1)(x-2)(x-3)+6$

이때, $f(0)=0$이므로 $-6a+6=0$ $\quad\therefore a=1$

따라서 $f(x)=(x-1)(x-2)(x-3)+6$이므로

$$\int_0^4 f'(x)dx=\Big[f(x)\Big]_0^4=f(4)-f(0)$$
$$=(4-1)(4-2)(4-3)+6-0=12$$

답 ⑤

0828

유형 02 정적분의 정의의 활용

|전략| 주어진 조건에서 두 실수 a, b에 대한 두 식을 찾아 연립하여 푼다.

$f(1)=6$에서 $a+b=6$ …… ㉠

$$\int_0^2 f(x)dx=\int_0^2(ax^3+bx)dx$$
$$=\left[\frac{a}{4}x^4+\frac{b}{2}x^2\right]_0^2=4a+2b=20 \quad …… ㉡$$

㉠, ㉡을 연립하여 풀면 $a=4, b=2$

$\therefore a+2b=4+2\times2=8$

답 ④

0829

유형 05 구간에 따라 다르게 정의된 함수의 정적분

|전략| 두 다항식 A, B에 대하여 $A-B\geq0$이면 $A\geq B$임을 이용한다.

$x+1\geq x^2+1$에서 $x^2-x\leq0$, $x(x-1)\leq0$

$\therefore 0\leq x\leq1$

$x+1\leq x^2+1$에서 $x^2-x\geq0$, $x(x-1)\geq0$

$\therefore x\leq0$ 또는 $x\geq1$

(i) $0\leq x\leq1$일 때, $\max(x+1, x^2+1)=x+1$

(ii) $x\leq0$ 또는 $x\geq1$일 때, $\max(x+1, x^2+1)=x^2+1$

$$\therefore \int_0^2\{\max(x+1, x^2+1)\}dx$$
$$=\int_0^1(x+1)dx+\int_1^2(x^2+1)dx$$
$$=\left[\frac{1}{2}x^2+x\right]_0^1+\left[\frac{1}{3}x^3+x\right]_1^2$$
$$=\frac{3}{2}+\frac{10}{3}=\frac{29}{6}$$

답 ⑤

0830

유형 06 절댓값 기호를 포함한 함수의 정적분

|전략| $x=\frac{a}{2}$를 기준으로 구간을 나누고, $\int_a^b f(x)dx=\int_a^c f(x)dx+\int_c^b f(x)dx$임을 이용한다.

$$f(a)=\int_0^4|2x-a|dx$$
$$=\int_0^{\frac{a}{2}}(-2x+a)dx+\int_{\frac{a}{2}}^4(2x-a)dx$$
$$=\Big[-x^2+ax\Big]_0^{\frac{a}{2}}+\Big[x^2-ax\Big]_{\frac{a}{2}}^4$$
$$=\left(-\frac{1}{4}a^2+\frac{1}{2}a^2\right)+\left\{(16-4a)-\left(\frac{1}{4}a^2-\frac{1}{2}a^2\right)\right\}$$
$$=\frac{1}{2}a^2-4a+16$$
$$=\frac{1}{2}(a-4)^2+8$$

따라서 함수 $f(a)$의 최솟값은 $a=4$일 때 8이다.

답 ⑤

0831

유형 07 우함수와 기함수의 정적분 - 피적분함수가 주어진 경우

|전략| 짝수 차수의 항 또는 상수항으로만 이루어진 함수는 $\int_{-a}^a f(x)dx=2\int_0^a f(x)dx$를 만족시키고, 홀수 차수의 항으로만 이루어진 함수는 $\int_{-a}^a f(x)dx=0$을 만족시킨다.

$\int_{-3}^3\{f(x)\}^2dx=k\left\{\int_{-1}^1 f(x)dx\right\}^3$에서

$$\int_{-3}^3\{f(x)\}^2dx=\int_{-3}^3(2x+3)^2dx$$
$$=\int_{-3}^3(4x^2+12x+9)dx$$
$$=2\int_0^3(4x^2+9)dx$$
$$=2\left[\frac{4}{3}x^3+9x\right]_0^3$$
$$=2\times63=126 \quad …… ㉠$$

$\int_{-1}^{1}f(x)dx=\int_{-1}^{1}(2x+3)dx$

$=2\int_{0}^{1}3\,dx=2\Big[3x\Big]_{0}^{1}=2\times3=6$ …… ㉡

㉠, ㉡을 주어진 식에 대입하면

$126=k\times6^3$, $216k=126$

$\therefore k=\frac{7}{12}$ 답 ④

0832

유형 08 우함수와 기함수의 정적분 - 피적분함수가 주어지지 않은 경우

|전략| 모든 실수 x에 대하여 $f(-x)=-f(x)$를 만족시키는 다항함수 $f(x)$는 기함수이다.

$f(-x)=-f(x)$에서 $f(x)$는 기함수이므로

$\int_{-2}^{2}f(x)dx=0$

$\int_{-2}^{4}f(x)dx=\int_{-2}^{2}f(x)dx+\int_{2}^{4}f(x)dx=4$이므로

$\int_{2}^{4}f(x)dx=4$

또, $\int_{0}^{2}f(x)dx=-6$이므로

$\int_{0}^{4}f(x)dx=\int_{0}^{2}f(x)dx+\int_{2}^{4}f(x)dx$

$=-6+4=-2$ 답 ②

0833

유형 08 우함수와 기함수의 정적분 - 피적분함수가 주어지지 않은 경우 + **09** 주기함수의 정적분

|전략| 함수 $f(x)$가 우함수이고 (기함수)×(우함수)=(기함수)이므로 $xf(x)$는 기함수이다.

조건 (가)에서 함수 $f(x)$는 우함수이므로 $xf(x)$는 기함수이다.

조건 (다)에서

$\int_{-1}^{1}(x+4)f(x)dx=\int_{-1}^{1}xf(x)dx+\int_{-1}^{1}4f(x)dx$

$=0+4\int_{-1}^{1}f(x)dx=16$

$\therefore \int_{-1}^{1}f(x)dx=4$

조건 (나)에서 $f(x+2)=f(x)$이므로

$\int_{-1}^{1}f(x)dx=\int_{0}^{2}f(x)dx=4$

$\therefore \int_{-8}^{12}f(x)dx=\int_{0}^{20}f(x)dx=10\int_{0}^{2}f(x)dx$

$=10\times4=40$ 답 ③

0834

유형 10 적분 구간이 상수인 정적분을 포함한 등식

|전략| $\int_{0}^{1}tf(t)dt=k$(k는 상수)로 놓고 k의 값을 구한다.

$\int_{0}^{1}tf(t)dt=k$(k는 상수) …… ㉠

로 놓으면

$f(x)=x^2-2x+k$

$f(t)=t^2-2t+k$를 ㉠에 대입하면

$\int_{0}^{1}t(t^2-2t+k)dt=k$, $\int_{0}^{1}(t^3-2t^2+kt)dt=k$

$\left[\frac{1}{4}t^4-\frac{2}{3}t^3+\frac{1}{2}kt^2\right]_{0}^{1}=k$, $\frac{1}{2}k-\frac{5}{12}=k$, $\frac{k}{2}=-\frac{5}{12}$

$\therefore k=-\frac{5}{6}$

따라서 $f(x)=x^2-2x-\frac{5}{6}$이므로

$f(3)=9-6-\frac{5}{6}=\frac{13}{6}$ 답 ①

0835

유형 12 적분 구간에 변수가 있는 정적분을 포함한 등식 - $\int_{a}^{x}f(t)dt$ 꼴

|전략| $f(x)=3x^2-x-2+\int_{1}^{x}g(t)dt$의 양변을 x에 대하여 미분하여 $f'(x)=6x-1+g(x)$임을 이용한다.

다항식 $f(x)$를 $(x-1)^2$으로 나눈 몫을 $Q(x)$라 하면

$f(x)=(x-1)^2Q(x)$ …… ㉠

㉠의 양변을 x에 대하여 미분하면

$f'(x)=2(x-1)Q(x)+(x-1)^2Q'(x)$ …… ㉡

$x=1$을 ㉠, ㉡에 각각 대입하면

$f(1)=0, f'(1)=0$

한편, $f(x)=3x^2-x-2+\int_{1}^{x}g(t)dt$의 양변을 x에 대하여 미분하면 $f'(x)=6x-1+g(x)$

$\therefore g(x)=f'(x)-6x+1$

따라서 다항식 $g(x)$를 $x-1$로 나누었을 때의 나머지는

$g(1)=f'(1)-6\times1+1=-5$ ($\because f'(1)=0$) 답 ①

Lecture

나머지정리

① 다항식 $P(x)$를 일차식 $x-a$로 나누었을 때의 나머지 ⇨ $P(a)$

② 다항식 $P(x)$를 일차식 $ax+b$로 나누었을 때의 나머지 ⇨ $P\left(-\frac{b}{a}\right)$

미분과 나머지정리

① $f(x)=(x-a)^2Q(x)$ ⇨ $f(a)=0, f'(a)=0$

② $f(x)=(x-a)^2Q(x)+mx+n$ ⇨ $f(a)=ma+n$, $f'(a)=m$

0836

유형 13 적분 구간과 피적분함수에 변수가 있는 정적분을 포함한 등식 - $\int_{a}^{x}(x-t)f(t)dt$ 꼴

|전략| $\int_{a}^{x}(x-t)f(t)dt$(a는 상수)를 포함한 등식은 $\int_{a}^{x}(x-t)f(t)dt=x\int_{a}^{x}f(t)dt-\int_{a}^{x}tf(t)dt$로 변형한 후 양변을 x에 대하여 미분한다.

$\int_1^x (x-t)f(t)dt=x^3-3x+2$에서

$x\int_1^x f(t)dt-\int_1^x tf(t)dt=x^3-3x+2$ ...... ㉠

㉠의 양변을 x에 대하여 미분하면

$\int_1^x f(t)dt+xf(x)-xf(x)=3x^2-3$

$\therefore \int_1^x f(t)dt=3x^2-3$ ...... ㉡

㉡의 양변을 x에 대하여 미분하면

$f(x)=6x \quad \therefore f(5)=30$

답 ③

0837

유형 14 정적분으로 정의된 함수의 극대·극소 및 최대·최소

|전략| 함수 $F(x)$가 극댓값을 가지려면 방정식 $F'(x)=f(x)=0$이 서로 다른 세 실근을 가져야 한다.

$F(x)=\int_0^x f(t)dt$의 양변을 x에 대하여 미분하면

$F'(x)=f(x)=2x^3-24x+a$

양변을 다시 x에 대하여 미분하면

$f'(x)=6x^2-24=6(x+2)(x-2)$

$f'(x)=0$에서 $x=-2$ 또는 $x=2$

x	$\cdots$	-2	$\cdots$	2	$\cdots$
$f'(x)$	$+$	0	$-$	0	$+$
$f(x)$	↗	극대	↘	극소	↗

이때, 함수 $F(x)$가 극댓값을 가지려면 방정식 $F'(x)=f(x)=0$이 서로 다른 세 실근을 가져야 하므로 함수 $f(x)$의 극댓값과 극솟값에 대하여 (극댓값)×(극솟값)<0이어야 한다.

즉, $f(-2)f(2)<0$, $(a+32)(a-32)<0$

$\therefore -32<a<32$

따라서 구하는 정수 a의 최댓값은 31이다.

답 ②

0838

유형 12 적분 구간에 변수가 있는 정적분을 포함한 등식 - $\int_a^x f(t)dt$ 꼴

|전략| 주어진 식의 양변을 x에 대하여 미분하여 $f'(x)$를 구하고, 이 식의 양변에 $x=a$를 대입하여 $\int_a^a f(t)dt=0$임을 이용한다.

$f(x)+\int_0^x tf'(t)dt=3x^4+12x-2$ ...... ㉠

의 양변을 x에 대하여 미분하면

$f'(x)+xf'(x)=12x^3+12$

$(x+1)f'(x)=12(x+1)(x^2-x+1)$

$\therefore f'(x)=12(x^2-x+1)$ ... ❶

$f(x)=\int 12(x^2-x+1)dx=\int(12x^2-12x+12)dx$

$=4x^3-6x^2+12x+C$ ... ❷

㉠의 양변에 $x=0$을 대입하면

$f(0)=-2$이므로 $C=-2$ ... ❸

따라서 $f(x)=4x^3-6x^2+12x-2$이므로

$f(1)=4-6+12-2=8$ ... ❹

답 8

채점 기준	배점
❶ 주어진 식의 양변을 x에 대하여 미분하여 $f'(x)$를 구할 수 있다.	2점
❷ $f'(x)$의 한 부정적분인 $f(x)$를 구할 수 있다.	2점
❸ 주어진 식의 양변에 $x=0$을 대입하여 적분상수 C를 구할 수 있다.	2점
❹ $f(1)$의 값을 구할 수 있다.	1점

0839

유형 16 정적분으로 정의된 함수의 극한

|전략| 두 조건을 모두 만족시키는 함수 $f(x)$를 구하고 우함수, 기함수의 정적분을 이용한다.

$f(x)=3x^2+ax+b$에 대하여 $f(t)$의 한 부정적분을 $F(t)$라 하면 조건 (가), (나)에서

$\lim_{x\to0}\frac{1}{x}\int_0^x f(t)dt=\lim_{x\to0}\frac{F(x)-F(0)}{x}$

$=F'(0)=f(0)=-2$

$\lim_{x\to2}\frac{1}{x^2-4}\int_2^x f(t)dt=\lim_{x\to2}\frac{F(x)-F(2)}{x^2-4}$

$=\lim_{x\to2}\left\{\frac{F(x)-F(2)}{x-2}\times\frac{1}{x+2}\right\}$

$=\frac{1}{4}F'(2)=\frac{1}{4}f(2)=1$

$\therefore f(2)=4$

따라서 $f(0)=-2$, $f(2)=4$이므로

$f(0)=b=-2$, $f(2)=12+2a+b=4$

$\therefore a=-3, b=-2$

$\therefore f(x)=3x^2-3x-2$ ... ❶

$\therefore \int_{-2}^2\{f(x)+f(-x)\}dx$

$=\int_{-2}^2\{(3x^2-3x-2)+(3x^2+3x-2)\}dx$

$=\int_{-2}^2(6x^2-4)dx=2\int_0^2(6x^2-4)dx$

$=2\Big[2x^3-4x\Big]_0^2=2(16-8)=16$ ... ❷

답 16

채점 기준	배점
❶ 두 조건 (가), (나)를 모두 만족시키는 $f(x)$를 구할 수 있다.	5점
❷ $\int_{-2}^2\{f(x)+f(-x)\}dx$의 값을 구할 수 있다.	2점

0840

유형 04 정적분의 계산 - 피적분함수가 같은 경우

|전략| 함수 $f(x)$가 세 실수 a, b, c를 포함하는 닫힌구간에서 연속일 때, $\int_a^b f(x)dx=\int_a^c f(x)dx+\int_c^b f(x)dx$임을 이용한다.

8 정적분

(1) $\int_{-1}^{1}f(x)dx=\int_{-1}^{0}f(x)dx+\int_{0}^{1}f(x)dx$에서

$\int_{-1}^{1}f(x)dx=\int_{0}^{1}f(x)dx=\int_{-1}^{0}f(x)dx$이므로

$\int_{-1}^{1}f(x)dx=\int_{-1}^{1}f(x)dx+\int_{-1}^{1}f(x)dx$

$\therefore \int_{-1}^{1}f(x)dx=0$

(2) $f(x)=ax^2+bx+c(a\neq0)$로 놓으면

$f(0)=-1$에서 $c=-1$

$$\begin{aligned}\int_{-1}^{1}f(x)dx&=\int_{-1}^{1}(ax^2+bx-1)dx\\&=\int_{-1}^{1}(ax^2-1)dx+\int_{-1}^{1}bx\,dx\\&=2\int_{0}^{1}(ax^2-1)dx=2\left[\frac{1}{3}ax^3-x\right]_0^1\\&=2\left(\frac{1}{3}a-1\right)=\frac{2}{3}a-2\end{aligned}$$

즉, $\frac{2}{3}a-2=0$이므로 $a=3$

$$\begin{aligned}\int_{0}^{1}f(x)dx&=\int_{0}^{1}(3x^2+bx-1)dx\\&=\left[x^3+\frac{1}{2}bx^2-x\right]_0^1=\frac{1}{2}b\end{aligned}$$

즉, $\frac{1}{2}b=0$이므로 $b=0$

따라서 $f(x)=3x^2-1$에서 $f(2)=12-1=11$

답 (1) 0 (2) 11

채점 기준	배점
(1) $\int_{-1}^{1}f(x)dx$의 값을 구할 수 있다.	5점
(2) $f(x)=ax^2+bx+c(a\neq0)$로 놓고 미정계수 a, b, c의 값을 구하여 $f(x)$를 구한 후, $f(2)$의 값을 구할 수 있다.	7점

창의·융합 교과서 속 심화문제

0841

|전략| $f(x)=x$로 놓고 주어진 식의 참, 거짓을 확인한다.

ㄱ. $f(x)=x$라 하면 $\int_{0}^{2}x\,dx=\left[\frac{1}{2}x^2\right]_0^2=2$

$2\int_{0}^{1}x\,dx=2\left[\frac{1}{2}x^2\right]_0^1=2\times\frac{1}{2}=1$

$\therefore \int_{0}^{2}x\,dx\neq2\int_{0}^{1}x\,dx$ (거짓)

ㄴ. $\int_{a}^{b}f(x)dx=\int_{a}^{c}f(x)dx+\int_{c}^{b}f(x)dx$는 a, b, c의 대소와 관계없이 항상 성립한다. (참)

ㄷ. $f(x)=x$라 하면 $\int_{0}^{2}x^2dx=\left[\frac{1}{3}x^3\right]_0^2=\frac{8}{3}$

$\left(\int_{0}^{2}x\,dx\right)^2=\left(\left[\frac{1}{2}x^2\right]_0^2\right)^2=2^2=4$

$\therefore \int_{0}^{2}x^2dx\neq\left(\int_{0}^{2}x\,dx\right)^2$ (거짓)

따라서 옳은 것은 ㄴ뿐이다.

답 ①

0842

|전략| $(f\circ f)(x)=f(f(x))$이므로 $f(x)$의 값의 범위에 따른 함수를 구한다.

$f(x)=\begin{cases}x+1 & (0\le x\le1)\\3-x & (1\le x\le2)\end{cases}$이므로

$f(f(x))=\begin{cases}f(x)+1 & (0\le f(x)\le1)\\3-f(x) & (1\le f(x)\le2)\end{cases}$

그런데 $0\le x\le2$에서 항상 $1\le f(x)\le2$이므로

$f(f(x))=3-f(x)$

$$\begin{aligned}\therefore \int_{0}^{2}(f\circ f)(x)dx&=\int_{0}^{2}f(f(x))dx\\&=\int_{0}^{2}\{3-f(x)\}dx\\&=\int_{0}^{1}\{3-(x+1)\}dx+\int_{1}^{2}\{3-(3-x)\}dx\\&=\int_{0}^{1}(2-x)dx+\int_{1}^{2}x\,dx\\&=\left[2x-\frac{1}{2}x^2\right]_0^1+\left[\frac{1}{2}x^2\right]_1^2\\&=\frac{3}{2}+\frac{3}{2}=3\end{aligned}$$

답 ③

0843

|전략| $x=0$을 기준으로 구간을 나누어 함수 $g(x)=\int_{-1}^{x}f(t)dt$를 구하고 함수 $y=g(x)$의 그래프를 좌표평면 위에 나타낸다.

ㄱ. $g(0)=\int_{-1}^{0}f(t)dt=\int_{-1}^{0}(-2t+1)dt$

$=\left[-t^2+t\right]_{-1}^{0}=2$ (참)

ㄴ. $g(x)=\int_{-1}^{x}f(t)dt$

$=\begin{cases}\int_{-1}^{x}(-2t+1)dt & (x\le0)\\\int_{-1}^{0}(-2t+1)dt+\int_{0}^{x}(3t^2+1)dt & (x\ge0)\end{cases}$

$=\begin{cases}-x^2+x+2 & (x\le0)\\x^3+x+2 & (x\ge0)\end{cases}$

$y=g(x)$의 그래프를 좌표평면 위에 나타내면 오른쪽 그림과 같다.

따라서 함수 $g(x)$는 증가함수이다. (참)

ㄷ. $g(x)=4$에서 $x^3+x+2=4$

$x^3+x-2=0$, $(x-1)(x^2+x+2)=0$

따라서 함수 $g(x)$는 증가함수이므로

$g(x)=4$를 만족시키는 실수 x의 값은 1뿐이다. (참)

따라서 옳은 것은 ㄱ, ㄴ, ㄷ이다.

답 ⑤

0844

|전략| $f(x)$의 차수를 n이라 하면 $f(f(x))$, $\int_{0}^{x}f(t)dt$의 차수는 각각 n^2, $n+1$이다.

다항식 $f(x)$의 차수를 n이라 하면 $f(f(x))$, $\int_0^x f(t)dt$의 차수는 각각 n^2, $n+1$이다.
이때, $n\ge2$이면 주어진 식의 좌변과 우변의 차수는 각각 n^2, $n+1$이다. 그런데 $n^2=n+1$을 만족시키는 자연수 n의 값은 없으므로 $n<2$임을 알 수 있다.
$\therefore n=1$ ($\because n$은 자연수)
즉, $f(x)$는 일차식이므로
$f(x)=ax+b\ (a\ne0)$ …… ㉠
로 놓고 주어진 식 $f(f(x))=\int_0^x f(t)dt-x^2+3x+3$에 ㉠을 대입하면
$a(ax+b)+b=\int_0^x (at+b)dt-x^2+3x+3$
양변을 x에 대하여 미분하면
$a^2=ax+b-2x+3$
$\therefore (a-2)x-a^2+b+3=0$
이 식은 모든 실수 x에 대하여 성립하므로
$a-2=0,\ -a^2+b+3=0$ $\quad\therefore a=2,\ b=1$
따라서 $f(x)=2x+1$이므로
$f(1)=2+1=3$

답 ①

0845

|전략| 함수 $y=|f(x)|$의 그래프는 $y\ge0$인 부분은 그대로 두고, $y<0$인 부분은 x축에 대하여 대칭이동하여 그린다.

$f'(x)=3x^2-12=3(x+2)(x-2)$
$f'(x)=0$에서 $x=-2$ 또는 $x=2$

x	…	-2	…	2	…
$f'(x)$	+	0	−	0	+
$f(x)$	↗	8	↘	-24	↗

즉, 함수 $y=f(x)$의 그래프와 함수 $y=|f(x)|$의 그래프는 각각 다음 그림과 같다.

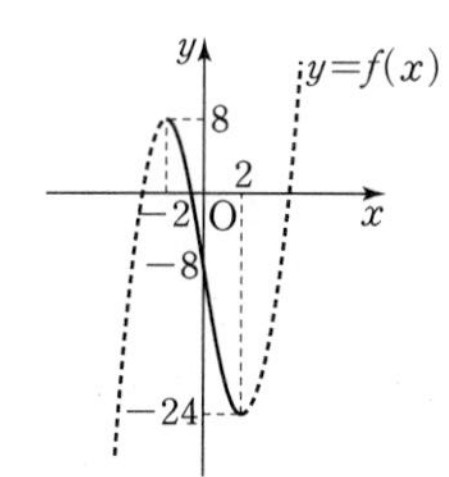

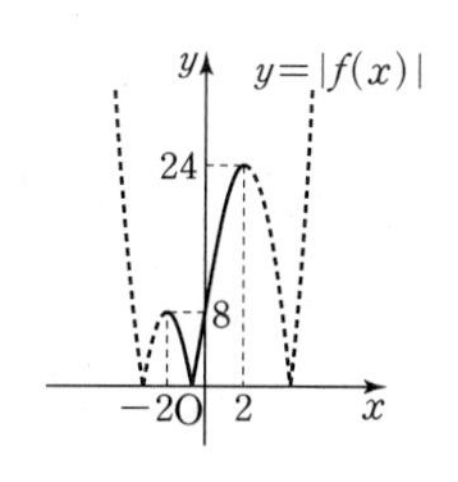

따라서 $-2\le x\le t$에서 $|f(x)|$의 최댓값 $g(t)$는 닫힌구간 $[-2, 2]$에서 다음과 같이 나타낼 수 있다.

$$g(t)=\begin{cases} 8 & (-2\le t\le0) \\ -t^3+12t+8 & (0\le t\le2) \end{cases}$$

$$\therefore \int_{-2}^{2} g(t)dt=\int_{-2}^{0} 8\,dt+\int_0^2(-t^3+12t+8)dt$$
$$=\Big[8t\Big]_{-2}^{0}+\Big[-\frac{1}{4}t^4+6t^2+8t\Big]_0^2$$
$$=16+36=52$$

답 ⑤

본책 144~158쪽

9 | 정적분의 활용

STEP 1 개념 마스터

0846

곡선 $y=x^2-4x+3$과 x축의 교점의 x좌표는 $x^2-4x+3=0$에서
$(x-1)(x-3)=0$
$\therefore x=1$ 또는 $x=3$
따라서 구하는 넓이는

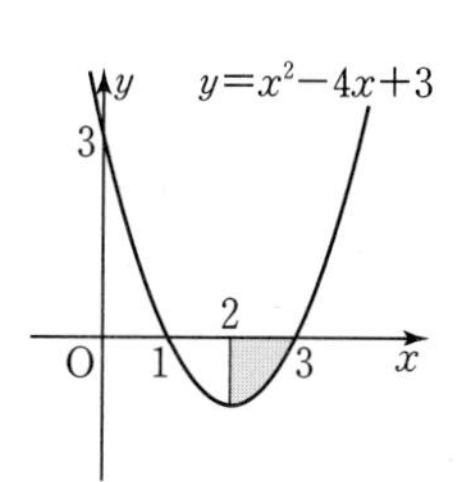

$$-\int_2^3(x^2-4x+3)dx$$
$$=-\Big[\frac{1}{3}x^3-2x^2+3x\Big]_2^3=\frac{2}{3}$$

답 $\frac{2}{3}$

0847

곡선 $y=x^2+2x$와 x축의 교점의 x좌표는 $x^2+2x=0$에서
$x(x+2)=0$
$\therefore x=-2$ 또는 $x=0$
따라서 구하는 넓이는

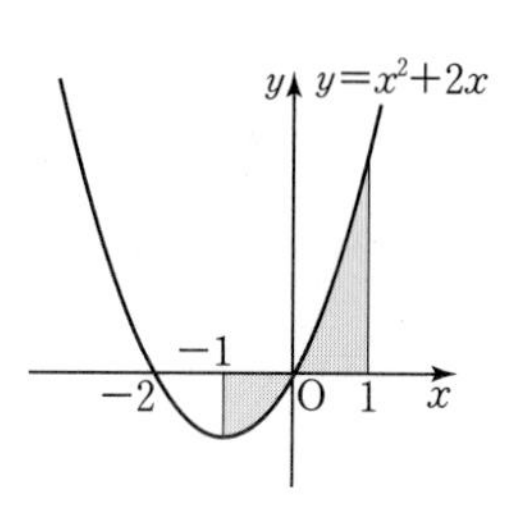

$$-\int_{-1}^{0}(x^2+2x)dx+\int_0^1(x^2+2x)dx$$
$$=-\Big[\frac{1}{3}x^3+x^2\Big]_{-1}^{0}+\Big[\frac{1}{3}x^3+x^2\Big]_0^1$$
$$=-\Big(-\frac{2}{3}\Big)+\frac{4}{3}=2$$

답 2

0848

곡선 $y=x^3-6x$와 x축의 교점의 x좌표는 $x^3-6x=0$에서
$x(x+\sqrt{6})(x-\sqrt{6})=0$
$\therefore x=0$ 또는 $x=\pm\sqrt{6}$
따라서 구하는 넓이는

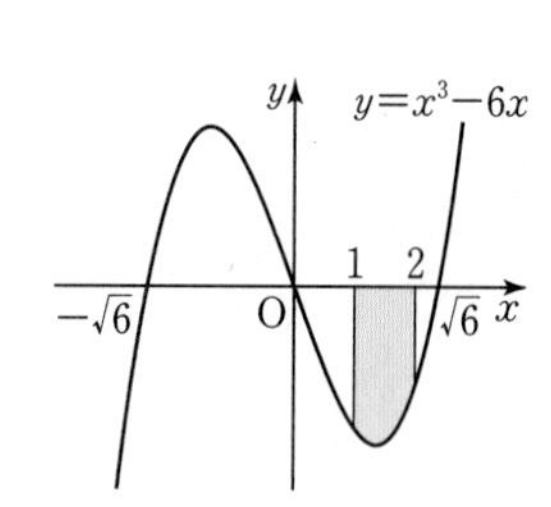

$$-\int_1^2(x^3-6x)dx$$
$$=-\Big[\frac{1}{4}x^4-3x^2\Big]_1^2=\frac{21}{4}$$

답 $\frac{21}{4}$

0849

곡선 $y=x^2-3x$와 x축의 교점의 x좌표는 $x^2-3x=0$에서 $x(x-3)=0$
$\therefore x=0$ 또는 $x=3$
따라서 구하는 넓이는

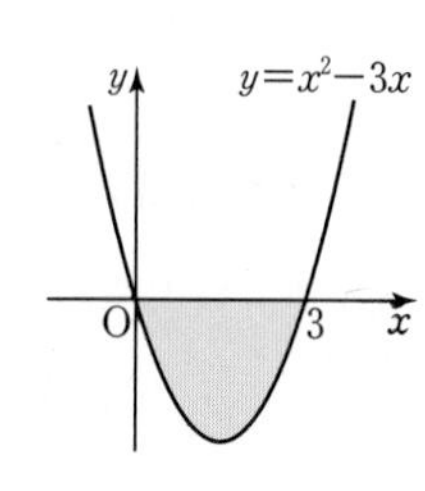

$$-\int_0^3(x^2-3x)dx$$
$$=-\Big[\frac{1}{3}x^3-\frac{3}{2}x^2\Big]_0^3=\frac{9}{2}$$

답 $\frac{9}{2}$

0850

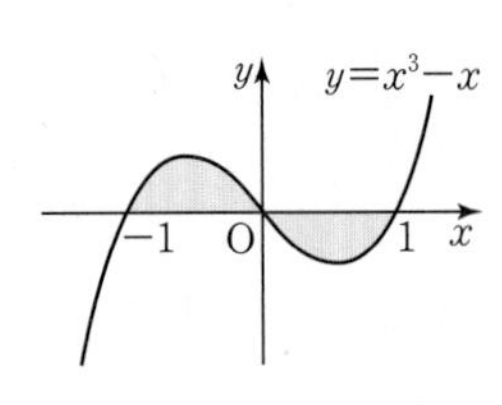

곡선 $y=x^3-x$와 x축의 교점의 x좌표는 $x^3-x=0$에서

$x(x+1)(x-1)=0$

$\therefore x=-1$ 또는 $x=0$ 또는 $x=1$

따라서 구하는 넓이는

$\int_{-1}^{0}(x^3-x)dx-\int_{0}^{1}(x^3-x)dx$

$=\left[\frac{1}{4}x^4-\frac{1}{2}x^2\right]_{-1}^{0}-\left[\frac{1}{4}x^4-\frac{1}{2}x^2\right]_{0}^{1}$

$=\frac{1}{4}-\left(-\frac{1}{4}\right)=\frac{1}{2}$

답 $\frac{1}{2}$

0851

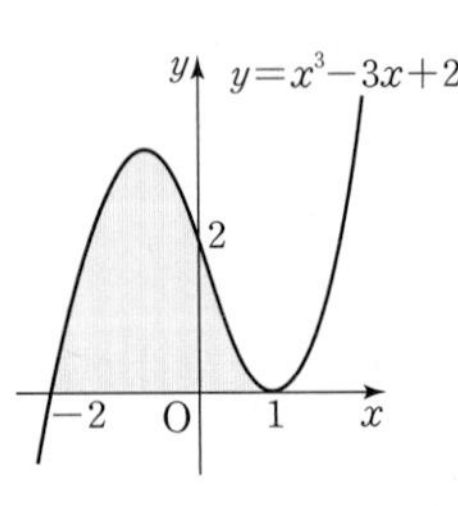

곡선 $y=x^3-3x+2$와 x축의 교점의 x좌표는 $x^3-3x+2=0$에서

$(x-1)^2(x+2)=0$

$\therefore x=-2$ 또는 $x=1$

따라서 구하는 넓이는

$\int_{-2}^{1}(x^3-3x+2)dx$

$=\left[\frac{1}{4}x^4-\frac{3}{2}x^2+2x\right]_{-2}^{1}=\frac{27}{4}$

답 $\frac{27}{4}$

0852

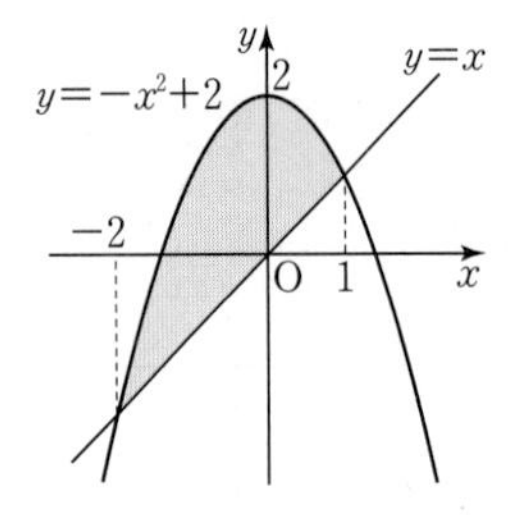

곡선 $y=-x^2+2$와 직선 $y=x$의 교점의 x좌표는 $-x^2+2=x$에서

$x^2+x-2=0,\ (x+2)(x-1)=0$

$\therefore x=-2$ 또는 $x=1$

따라서 구하는 넓이는

$\int_{-2}^{1}\{(-x^2+2)-x\}dx$

$=\int_{-2}^{1}(-x^2-x+2)dx$

$=\left[-\frac{1}{3}x^3-\frac{1}{2}x^2+2x\right]_{-2}^{1}=\frac{9}{2}$

답 $\frac{9}{2}$

0853

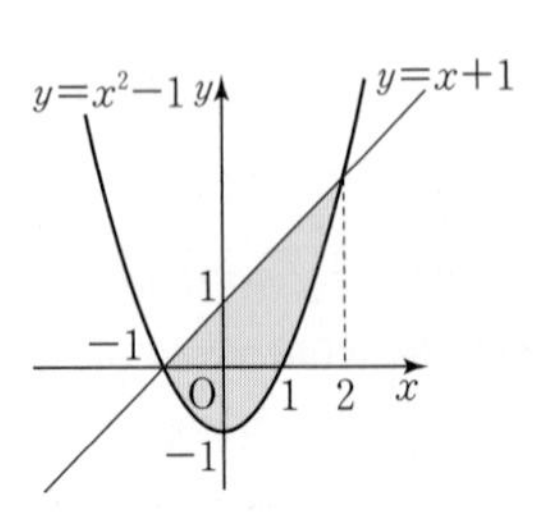

곡선 $y=x^2-1$과 직선 $y=x+1$의 교점의 x좌표는 $x^2-1=x+1$에서

$x^2-x-2=0,\ (x+1)(x-2)=0$

$\therefore x=-1$ 또는 $x=2$

따라서 구하는 넓이는

$\int_{-1}^{2}\{(x+1)-(x^2-1)\}dx$

$=\int_{-1}^{2}(-x^2+x+2)dx$

$=\left[-\frac{1}{3}x^3+\frac{1}{2}x^2+2x\right]_{-1}^{2}=\frac{9}{2}$

답 $\frac{9}{2}$

0854

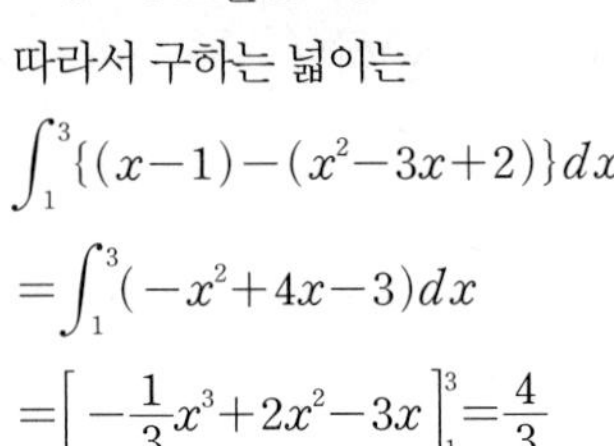

곡선 $y=x^2-3x+2$와 직선 $y=x-1$의 교점의 x좌표는

$x^2-3x+2=x-1$에서

$x^2-4x+3=0,\ (x-1)(x-3)=0$

$\therefore x=1$ 또는 $x=3$

따라서 구하는 넓이는

$\int_{1}^{3}\{(x-1)-(x^2-3x+2)\}dx$

$=\int_{1}^{3}(-x^2+4x-3)dx$

$=\left[-\frac{1}{3}x^3+2x^2-3x\right]_{1}^{3}=\frac{4}{3}$

답 $\frac{4}{3}$

0855

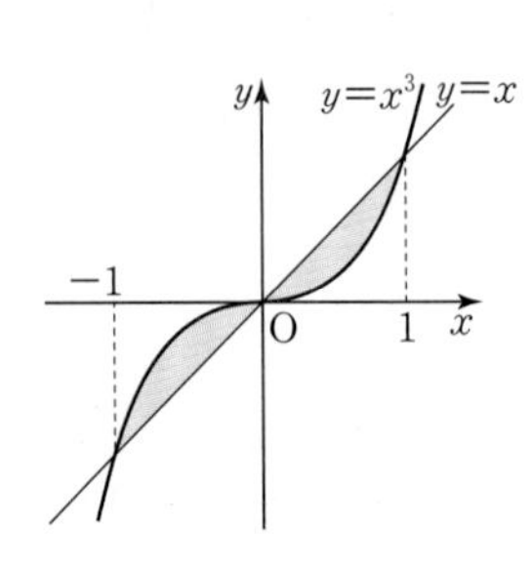

곡선 $y=x^3$과 직선 $y=x$의 교점의 x좌표는 $x^3=x$에서

$x^3-x=0,\ x(x+1)(x-1)=0$

$\therefore x=-1$ 또는 $x=0$ 또는 $x=1$

따라서 구하는 넓이는

$\int_{-1}^{0}(x^3-x)dx+\int_{0}^{1}(x-x^3)dx$

$=\left[\frac{1}{4}x^4-\frac{1}{2}x^2\right]_{-1}^{0}+\left[\frac{1}{2}x^2-\frac{1}{4}x^4\right]_{0}^{1}$

$=\frac{1}{4}+\frac{1}{4}=\frac{1}{2}$

답 $\frac{1}{2}$

0856

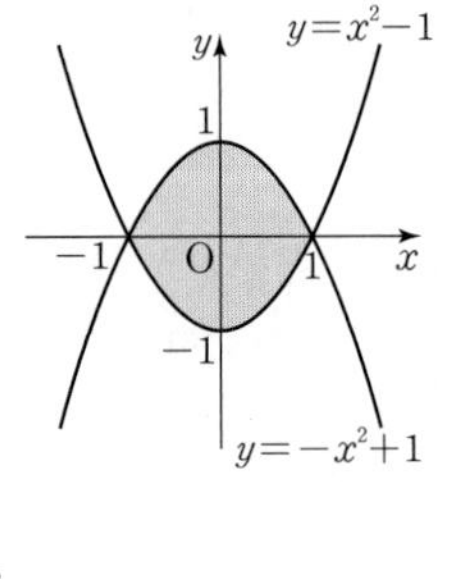

두 곡선 $y=-x^2+1,\ y=x^2-1$의 교점의 x좌표는 $-x^2+1=x^2-1$에서

$2x^2-2=0,\ 2(x+1)(x-1)=0$

$\therefore x=-1$ 또는 $x=1$

따라서 구하는 넓이는

$\int_{-1}^{1}\{(-x^2+1)-(x^2-1)\}dx$

$=\int_{-1}^{1}(-2x^2+2)dx=2\int_{0}^{1}(-2x^2+2)dx$

$=2\left[-\frac{2}{3}x^3+2x\right]_{0}^{1}=2\cdot\frac{4}{3}=\frac{8}{3}$

답 $\frac{8}{3}$

0857

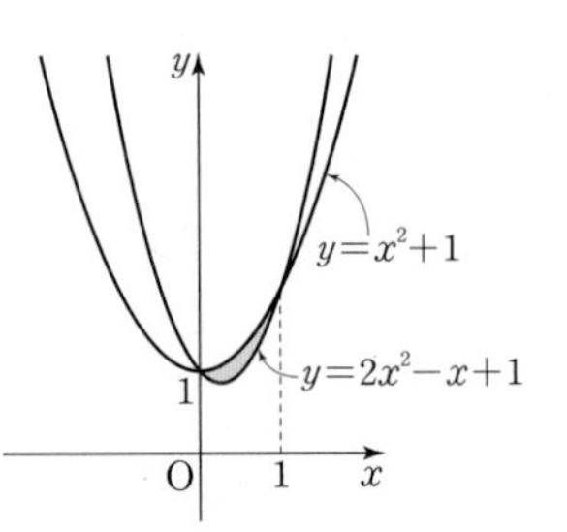

두 곡선 $y=x^2+1,\ y=2x^2-x+1$의 교점의 x좌표는

$x^2+1=2x^2-x+1$에서

$x^2-x=0,\ x(x-1)=0$

$\therefore x=0$ 또는 $x=1$

따라서 구하는 넓이는

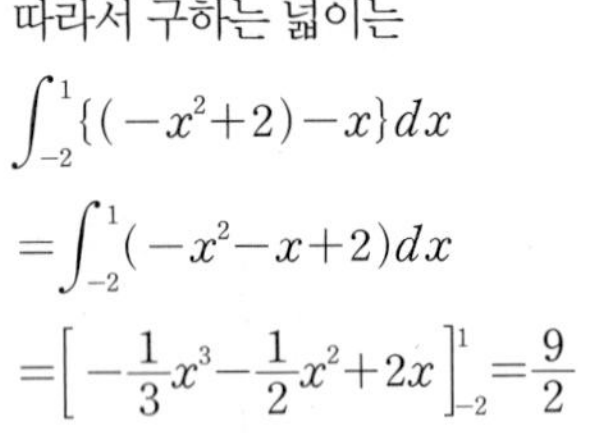

$$\int_0^1\{(x^2+1)-(2x^2-x+1)\}dx=\int_0^1(-x^2+x)dx$$
$$=\left[-\frac{1}{3}x^3+\frac{1}{2}x^2\right]_0^1=\frac{1}{6}$$

답 $\frac{1}{6}$

0858

두 곡선 $y=2x^2-4x$, $y=x^2-2x+3$의 교점의 x좌표는 $2x^2-4x=x^2-2x+3$에서

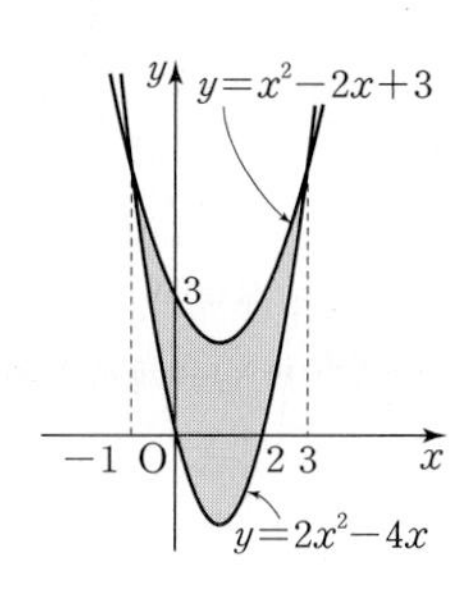

$x^2-2x-3=0$, $(x+1)(x-3)=0$

$\therefore x=-1$ 또는 $x=3$

따라서 구하는 넓이는

$$\int_{-1}^3\{(x^2-2x+3)-(2x^2-4x)\}dx$$
$$=\int_{-1}^3(-x^2+2x+3)dx$$
$$=\left[-\frac{1}{3}x^3+x^2+3x\right]_{-1}^3=\frac{32}{3}$$

답 $\frac{32}{3}$

0859

두 곡선 $y=x^3+2x^2-2$, $y=-x^2+2$의 교점의 x좌표는 $x^3+2x^2-2=-x^2+2$에서

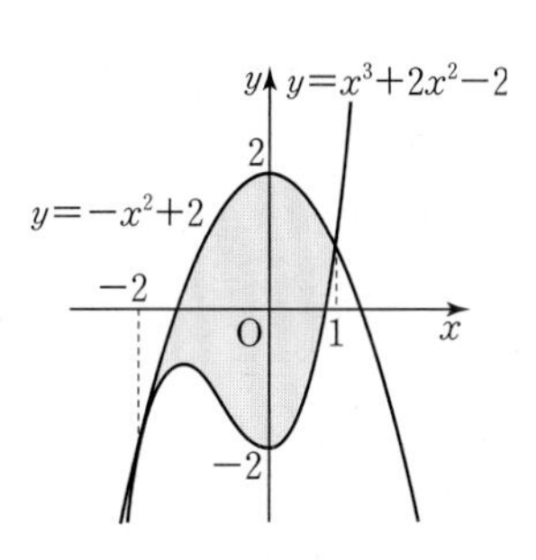

$x^3+3x^2-4=0$

$(x+2)^2(x-1)=0$

$\therefore x=-2$ 또는 $x=1$

따라서 구하는 넓이는

$$\int_{-2}^1\{(-x^2+2)-(x^3+2x^2-2)\}dx$$
$$=\int_{-2}^1(-x^3-3x^2+4)dx$$
$$=\left[-\frac{1}{4}x^4-x^3+4x\right]_{-2}^1=\frac{27}{4}$$

답 $\frac{27}{4}$

0860

(1) $0+\int_0^3(4-t)dt=\left[4t-\frac{1}{2}t^2\right]_0^3=\frac{15}{2}$

(2) $\int_0^5(4-t)dt=\left[4t-\frac{1}{2}t^2\right]_0^5=\frac{15}{2}$

(3) $\int_0^5|4-t|dt=\int_0^4(4-t)dt-\int_4^5(4-t)dt$

$$=\left[4t-\frac{1}{2}t^2\right]_0^4-\left[4t-\frac{1}{2}t^2\right]_4^5$$
$$=8-\left(-\frac{1}{2}\right)=\frac{17}{2}$$

답 (1) $\frac{15}{2}$ (2) $\frac{15}{2}$ (3) $\frac{17}{2}$

다른 풀이 (3) 넓이를 이용하여 구하면

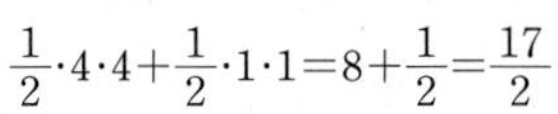

$\frac{1}{2}\cdot4\cdot4+\frac{1}{2}\cdot1\cdot1=8+\frac{1}{2}=\frac{17}{2}$

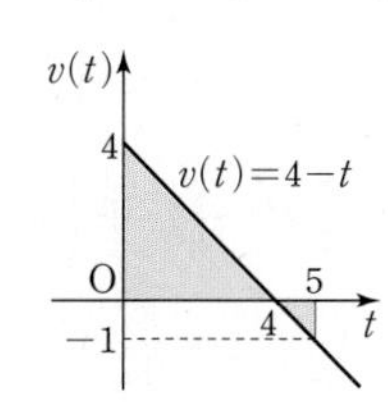

0861

(1) $4+\int_0^2(-2t+4)dt=4+\left[-t^2+4t\right]_0^2=8$

(2) $\int_0^4(-2t+4)dt=\left[-t^2+4t\right]_0^4=0$

(3) $\int_0^4|-2t+4|dt=\int_0^2(-2t+4)dt-\int_2^4(-2t+4)dt$

$$=\left[-t^2+4t\right]_0^2-\left[-t^2+4t\right]_2^4$$
$$=4-(-4)=8$$

답 (1) 8 (2) 0 (3) 8

다른 풀이 (3) 넓이를 이용하여 구하면

$\frac{1}{2}\cdot2\cdot4+\frac{1}{2}\cdot2\cdot4=4+4=8$

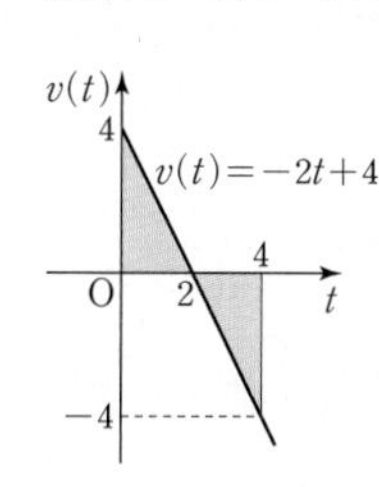

STEP 2 유형 마스터

0862

|전략| 닫힌구간 $\left[0, \frac{a}{2}\right]$에서 $2x^2-ax\le0$이므로 $-\int_0^{\frac{a}{2}}(2x^2-ax)dx=\frac{9}{8}$임을 이용한다.

곡선 $y=2x^2-ax$와 x축의 교점의 x좌표는 $2x^2-ax=0$에서

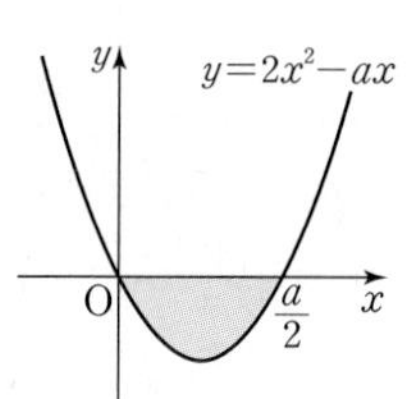

$x(2x-a)=0$

$\therefore x=0$ 또는 $x=\frac{a}{2}$

오른쪽 그림에서 색칠한 도형의 넓이는

$$-\int_0^{\frac{a}{2}}(2x^2-ax)dx$$
$$=-\left[\frac{2}{3}x^3-\frac{a}{2}x^2\right]_0^{\frac{a}{2}}=\frac{a^3}{24}$$

즉, $\frac{a^3}{24}=\frac{9}{8}$이므로 $a^3=27$

$\therefore a=3$ ($\because a>0$)

답 3

0863

곡선 $y=|x^2-4|$와 x축의 교점의 x좌표는 $|x^2-4|=0$에서

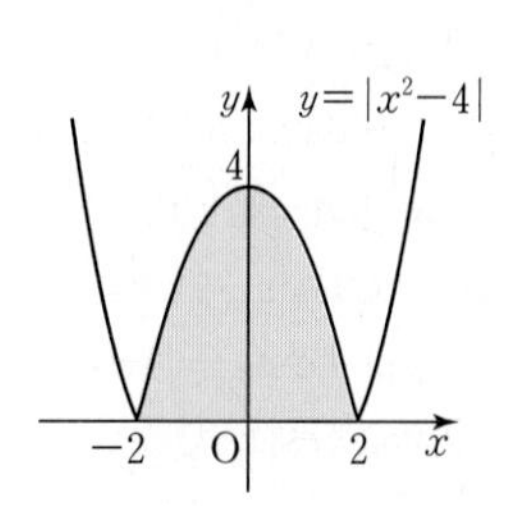

$x^2-4=0$ $\quad\therefore x=-2$ 또는 $x=2$

따라서 구하는 넓이는

$$\int_{-2}^2|x^2-4|dx=-\int_{-2}^2(x^2-4)dx$$

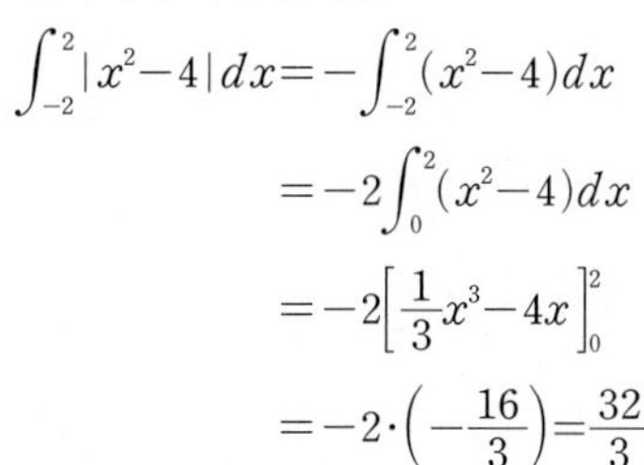

$$=-2\int_0^2(x^2-4)dx$$
$$=-2\left[\frac{1}{3}x^3-4x\right]_0^2$$
$$=-2\cdot\left(-\frac{16}{3}\right)=\frac{32}{3}$$

답 ③

0864

$\int_{2}^{x} f(t)dt=x^3-kx^2$의 양변에 $x=2$를 대입하면

$\int_{2}^{2} f(t)dt=8-4k$

$8-4k=0 \quad \therefore k=2$

$\int_{2}^{x} f(t)dt=x^3-2x^2$의 양변을 x에 대하여 미분하면

$f(x)=3x^2-4x$

$y=f(x)$의 그래프와 x축의 교점의 x좌표는

$3x^2-4x=0$에서

$x(3x-4)=0 \quad \therefore x=0$ 또는 $x=\frac{4}{3}$

따라서 $y=f(x)$의 그래프와 x축으로 둘러싸인 도형의 넓이는

$-\int_{0}^{\frac{4}{3}}(3x^2-4x)dx=-\Big[x^3-2x^2\Big]_{0}^{\frac{4}{3}}$

$=\frac{32}{27}$

즉, $\frac{a}{b}=\frac{32}{27}$이므로 $a=32$, $b=27$

$\therefore a-b=5$

답 5

0865

|전략| 넓이는 양수이므로 닫힌구간 $[a, b]$에서 $f(x)\ge 0$이면 $S=\int_{a}^{b} f(x)dx$, $f(x)\le 0$이면 $S=-\int_{a}^{b} f(x)dx$임을 이용한다.

곡선 $y=x^2-5x+4$와 x축의 교점의 x좌표는 $x^2-5x+4=0$에서

$(x-1)(x-4)=0$

$\therefore x=1$ 또는 $x=4$

따라서 구하는 넓이는

$\int_{0}^{1}(x^2-5x+4)dx-\int_{1}^{2}(x^2-5x+4)dx$

$=\Big[\frac{1}{3}x^3-\frac{5}{2}x^2+4x\Big]_{0}^{1}-\Big[\frac{1}{3}x^3-\frac{5}{2}x^2+4x\Big]_{1}^{2}$

$=\frac{11}{6}-\left(-\frac{7}{6}\right)=3$

답 ④

0866

곡선 $y=x^3+x^2-2x$와 x축의 교점의 x좌표는 $x^3+x^2-2x=0$에서

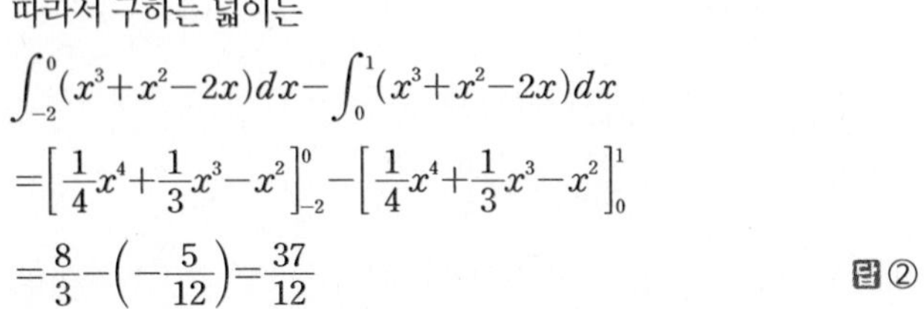

$x(x^2+x-2)=0$

$x(x+2)(x-1)=0$

$\therefore x=-2$ 또는 $x=0$ 또는 $x=1$

따라서 구하는 넓이는

$\int_{-2}^{0}(x^3+x^2-2x)dx-\int_{0}^{1}(x^3+x^2-2x)dx$

$=\Big[\frac{1}{4}x^4+\frac{1}{3}x^3-x^2\Big]_{-2}^{0}-\Big[\frac{1}{4}x^4+\frac{1}{3}x^3-x^2\Big]_{0}^{1}$

$=\frac{8}{3}-\left(-\frac{5}{12}\right)=\frac{37}{12}$

답 ②

0867

두 도형 A, B의 넓이가 각각 9, 5이므로

$\int_{-3}^{3} f'(x)dx=\int_{-3}^{1} f'(x)dx+\int_{1}^{3} f'(x)dx$

$=A-B=9-5=4$ …… ㉠

한편, 함수 $f'(x)$가 함수 $f(x)$의 도함수이므로

$\int_{-3}^{3} f'(x)dx=\Big[f(x)\Big]_{-3}^{3}$

$=f(3)-f(-3)$ …… ㉡

㉠, ㉡에서 $f(3)-f(-3)=4$

따라서 $f(-3)=3$이므로

$f(3)=4+3=7$

답 ④

0868

|전략| 곡선과 직선의 교점의 x좌표를 구한 후 {(위쪽 그래프의 식)−(아래쪽 그래프의 식)}의 정적분의 값을 구한다.

곡선 $y=x^2-x+2$와 직선 $y=2$의 교점의 x좌표는 $x^2-x+2=2$에서

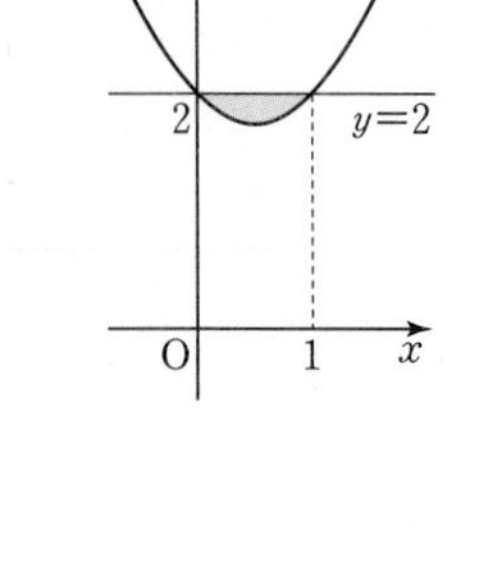

$x^2-x=0$

$x(x-1)=0$

$\therefore x=0$ 또는 $x=1$

따라서 구하는 넓이는

$\int_{0}^{1}\{2-(x^2-x+2)\}dx$

$=\int_{0}^{1}(-x^2+x)dx$

$=\Big[-\frac{1}{3}x^3+\frac{1}{2}x^2\Big]_{0}^{1}=\frac{1}{6}$

답 ②

0869

곡선 $y=x^3-4x^2+4x$와 직선 $y=x$의 교점의 x좌표는

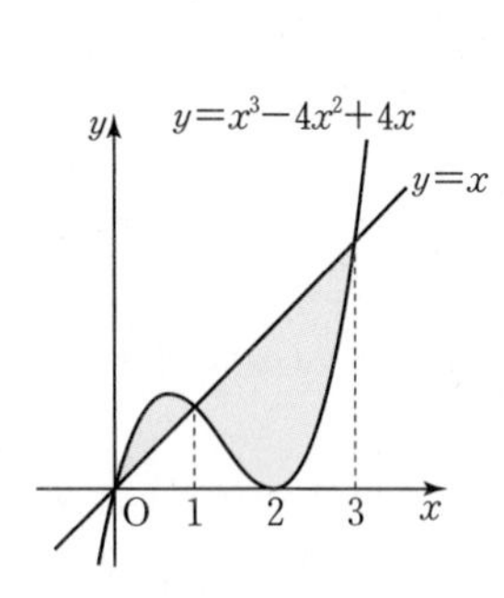

$x^3-4x^2+4x=x$에서

$x^3-4x^2+3x=0$

$x(x^2-4x+3)=0$

$x(x-1)(x-3)=0$

$\therefore x=0$ 또는 $x=1$ 또는 $x=3$

따라서 구하는 넓이는

$\int_{0}^{1}\{(x^3-4x^2+4x)-x\}dx+\int_{1}^{3}\{x-(x^3-4x^2+4x)\}dx$

$=\int_{0}^{1}(x^3-4x^2+3x)dx+\int_{1}^{3}(-x^3+4x^2-3x)dx$

$=\Big[\frac{1}{4}x^4-\frac{4}{3}x^3+\frac{3}{2}x^2\Big]_{0}^{1}+\Big[-\frac{1}{4}x^4+\frac{4}{3}x^3-\frac{3}{2}x^2\Big]_{1}^{3}$

$=\frac{5}{12}+\frac{8}{3}=\frac{37}{12}$

답 $\frac{37}{12}$

0870

곡선 $y=x^2-2x$와 직선 $y=kx$의 교점의 x좌표는 $x^2-2x=kx$에서

$x^2-(k+2)x=0$

$x\{x-(k+2)\}=0$

$\therefore x=0$ 또는 $x=k+2$

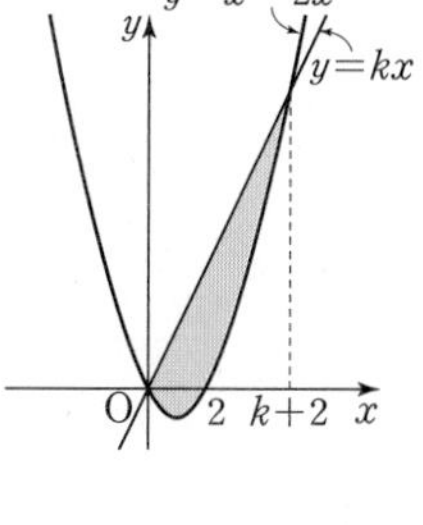

오른쪽 그림에서 색칠한 부분이 안전 지역이므로 그 넓이는

$\int_0^{k+2}\{kx-(x^2-2x)\}dx$

$=\int_0^{k+2}\{-x^2+(k+2)x\}dx$

$=\left[-\frac{1}{3}x^3+\frac{k+2}{2}x^2\right]_0^{k+2}$

$=-\frac{1}{3}(k+2)^3+\frac{1}{2}(k+2)^3$

$=\frac{1}{6}(k+2)^3$

즉, $\frac{1}{6}(k+2)^3=\frac{125}{6}$이므로

$(k+2)^3=125,\ k+2=5\ (\because k>0)$

$\therefore k=3$

답 3

0871

|전략| 두 곡선의 교점의 x좌표를 구한 후
{(위쪽 그래프의 식)−(아래쪽 그래프의 식)}의 정적분의 값을 구한다.

두 곡선 $y=-x^2+2x,\ y=x^2-4$의 교점의 x좌표는 $-x^2+2x=x^2-4$에서

$x^2-x-2=0$

$(x+1)(x-2)=0$

$\therefore x=-1$ 또는 $x=2$

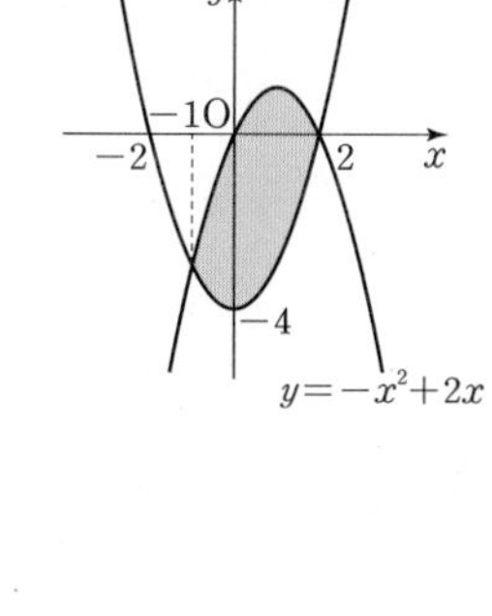

따라서 구하는 넓이는

$\int_{-1}^{2}\{(-x^2+2x)-(x^2-4)\}dx$

$=\int_{-1}^{2}(-2x^2+2x+4)dx$

$=\left[-\frac{2}{3}x^3+x^2+4x\right]_{-1}^{2}=9$

답 9

0872

두 곡선 $y=x^2-2x+3$, $y=-2x^2+10x-6$의 교점의 x좌표는

$x^2-2x+3=-2x^2+10x-6$에서

$x^2-4x+3=0$

$(x-1)(x-3)=0$

$\therefore x=1$ 또는 $x=3$

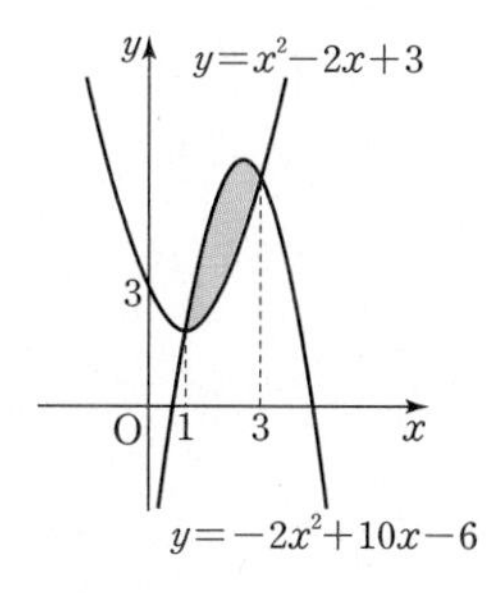

따라서 구하는 넓이는

$\int_1^3\{(-2x^2+10x-6)-(x^2-2x+3)\}dx$

$=\int_1^3(-3x^2+12x-9)dx$

$=\left[-x^3+6x^2-9x\right]_1^3=4$

답 ②

0873

두 곡선 $y=x^3-2x^2$, $y=-x^2+2x$의 교점의 x좌표는

$x^3-2x^2=-x^2+2x$에서

$x^3-x^2-2x=0$

$x(x^2-x-2)=0$

$x(x+1)(x-2)=0$

$\therefore x=-1$ 또는 $x=0$ 또는 $x=2$

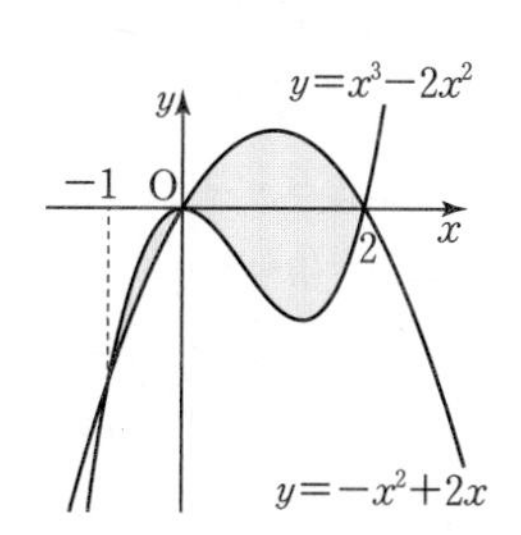

따라서 구하는 넓이는

$\int_{-1}^{0}\{(x^3-2x^2)-(-x^2+2x)\}dx$

$+\int_0^2\{(-x^2+2x)-(x^3-2x^2)\}dx$

$=\int_{-1}^{0}(x^3-x^2-2x)dx+\int_0^2(-x^3+x^2+2x)dx$

$=\left[\frac{1}{4}x^4-\frac{1}{3}x^3-x^2\right]_{-1}^{0}+\left[-\frac{1}{4}x^4+\frac{1}{3}x^3+x^2\right]_0^2$

$=\frac{5}{12}+\frac{8}{3}=\frac{37}{12}$

답 ④

0874

곡선 $y=-x^2$을 x축에 대하여 대칭이동하면

$-y=-x^2\qquad \therefore y=x^2$

이 곡선을 x축의 방향으로 2만큼, y축의 방향으로 -4만큼 평행이동하면

$y=(x-2)^2-4\qquad \therefore y=x^2-4x$ ··· ❶

두 곡선 $y=-x^2,\ y=x^2-4x$의 교점의 x좌표는 $-x^2=x^2-4x$에서

$x^2-2x=0,\ x(x-2)=0$

$\therefore x=0$ 또는 $x=2$ ··· ❷

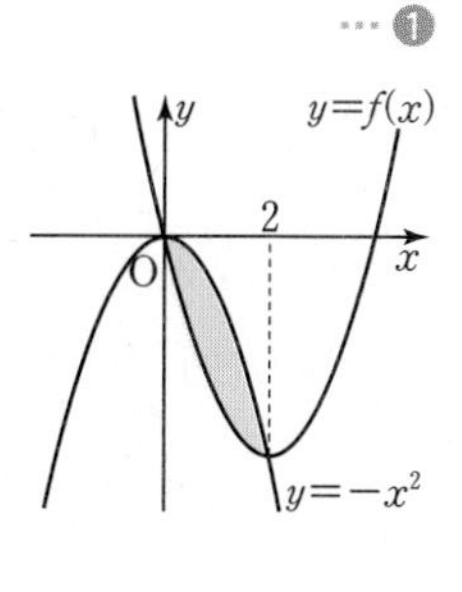

따라서 구하는 넓이는

$\int_0^2\{-x^2-(x^2-4x)\}dx$

$=\int_0^2(-2x^2+4x)dx$

$=\left[-\frac{2}{3}x^3+2x^2\right]_0^2=\frac{8}{3}$ ··· ❸

답 $\frac{8}{3}$

9 정적분의 활용

채점 기준	비율
❶ 곡선 $y=f(x)$를 구할 수 있다.	40 %
❷ 두 곡선 $y=-x^2$, $y=f(x)$의 교점의 x좌표를 구할 수 있다.	30 %
❸ 두 곡선 $y=-x^2$, $y=f(x)$로 둘러싸인 도형의 넓이를 구할 수 있다.	30 %

0875

두 곡선 $y=x^3-x$, $y=x^2+ax+b$가 $x=1$에서 접하므로 두 곡선 모두 점 $(1, 0)$을 지나고, $x=1$에서의 접선의 기울기가 서로 같다.

곡선 $y=x^2+ax+b$가 점 $(1, 0)$을 지나므로

$0=1+a+b$ ...... ㉠

또, $y=x^3-x$에서 $y'=3x^2-1$이므로 $x=1$에서의 접선의 기울기는 2이고, $y=x^2+ax+b$에서 $y'=2x+a$이므로 $x=1$에서의 접선의 기울기는 $2+a$이다.

즉, $2+a=2$이므로 $a=0$

$a=0$을 ㉠에 대입하면 $b=-1$

두 곡선 $y=x^3-x$, $y=x^2-1$의 교점의 x좌표는 $x^3-x=x^2-1$에서

$x^3-x^2-x+1=0$

$x^2(x-1)-(x-1)=0$

$(x-1)^2(x+1)=0$

$\therefore x=-1$ 또는 $x=1$

따라서 구하는 넓이는

$$\int_{-1}^{1}\{(x^3-x)-(x^2-1)\}dx$$
$$=\int_{-1}^{1}(x^3-x^2-x+1)dx$$
$$=2\int_{0}^{1}(-x^2+1)dx$$
$$=2\left[-\frac{1}{3}x^3+x\right]_0^1$$
$$=2\cdot\frac{2}{3}=\frac{4}{3}$$

답 ①

0876

$k\to\infty$일 때, 곡선 $y=-x^2+\frac{2}{k^2}$는 곡선 $y=-x^2$에 가까워지므로 $\lim_{k\to\infty}S_k$는 두 곡선 $y=x^2-2$, $y=-x^2$으로 둘러싸인 도형의 넓이를 뜻한다.

두 곡선 $y=x^2-2$, $y=-x^2$의 교점의 x좌표는 $x^2-2=-x^2$에서

$2x^2=2 \quad \therefore x=\pm1$

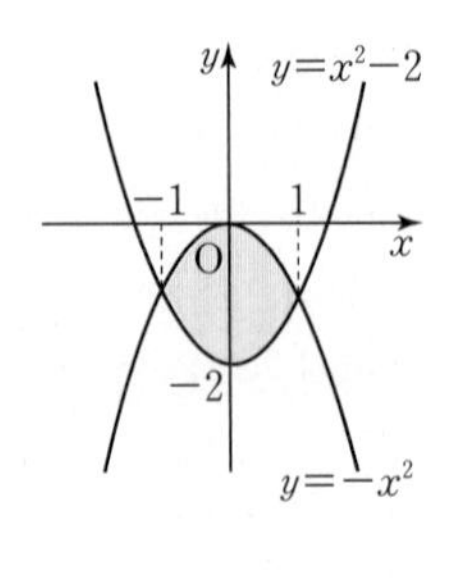

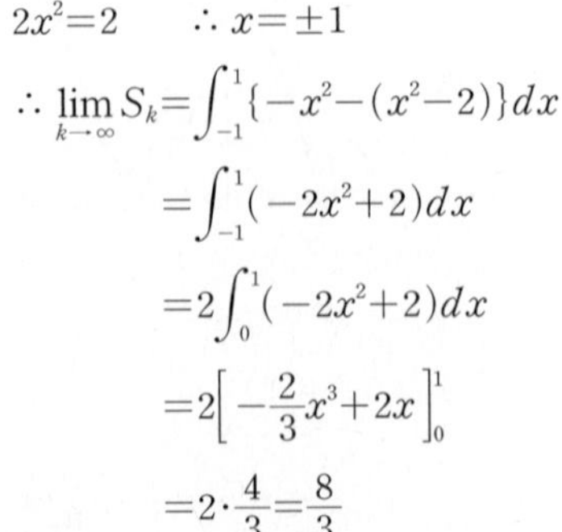

$$\therefore \lim_{k\to\infty}S_k=\int_{-1}^{1}\{-x^2-(x^2-2)\}dx$$
$$=\int_{-1}^{1}(-2x^2+2)dx$$
$$=2\int_{0}^{1}(-2x^2+2)dx$$
$$=2\left[-\frac{2}{3}x^3+2x\right]_0^1$$
$$=2\cdot\frac{4}{3}=\frac{8}{3}$$

답 ③

다른 풀이 두 곡선 $y=x^2-2$, $y=-x^2+\frac{2}{k^2}$의 교점의 x좌표는

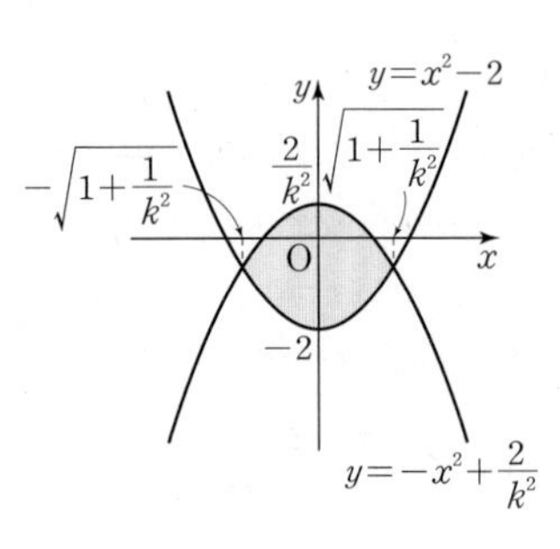

$x^2-2=-x^2+\frac{2}{k^2}$에서

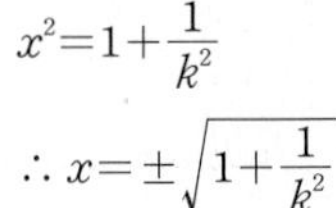

$x^2=1+\frac{1}{k^2}$

$\therefore x=\pm\sqrt{1+\frac{1}{k^2}}$

따라서 두 곡선 $y=x^2-2$, $y=-x^2+\frac{2}{k^2}$로 둘러싸인 도형의 넓이 S_k는

$$S_k=\int_{-\sqrt{1+\frac{1}{k^2}}}^{\sqrt{1+\frac{1}{k^2}}}\left\{\left(-x^2+\frac{2}{k^2}\right)-(x^2-2)\right\}dx$$
$$=2\int_{0}^{\sqrt{1+\frac{1}{k^2}}}\left(-2x^2+2+\frac{2}{k^2}\right)dx=2\left[-\frac{2}{3}x^3+2\left(1+\frac{1}{k^2}\right)x\right]_0^{\sqrt{1+\frac{1}{k^2}}}$$
$$=2\left\{-\frac{2}{3}\cdot\left(1+\frac{1}{k^2}\right)\sqrt{1+\frac{1}{k^2}}+2\cdot\left(1+\frac{1}{k^2}\right)\sqrt{1+\frac{1}{k^2}}\right\}$$
$$=\frac{8}{3}\left(1+\frac{1}{k^2}\right)\sqrt{1+\frac{1}{k^2}}$$
$$\therefore \lim_{k\to\infty}S_k=\lim_{k\to\infty}\left\{\frac{8}{3}\left(1+\frac{1}{k^2}\right)\sqrt{1+\frac{1}{k^2}}\right\}=\frac{8}{3}$$

0877

|전략| 먼저 곡선 $y=x^2$ 위의 점 $(1, 1)$에서의 접선의 방정식을 구한다.

$y=x^2$에서 $y'=2x$이므로 곡선 위의 점 $(1, 1)$에서의 접선의 기울기는 $2\cdot1=2$이고, 접선의 방정식은

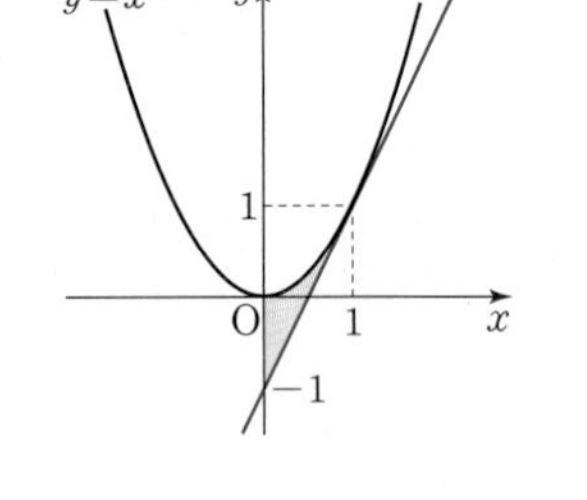

$y-1=2(x-1)$

$\therefore y=2x-1$

따라서 구하는 넓이는

$$\int_{0}^{1}\{x^2-(2x-1)\}dx=\int_{0}^{1}(x^2-2x+1)dx$$
$$=\left[\frac{1}{3}x^3-x^2+x\right]_0^1=\frac{1}{3}$$

답 $\frac{1}{3}$

0878

$y=x^3-3x^2+x+2$에서 $y'=3x^2-6x+1$이므로 곡선 위의 점 $(0, 2)$에서의 접선의 기울기는 1이고, 접선의 방정식은

$y-2=1\cdot(x-0) \qquad \therefore y=x+2$

곡선 $y=x^3-3x^2+x+2$와 직선 $y=x+2$의 교점의 x좌표는

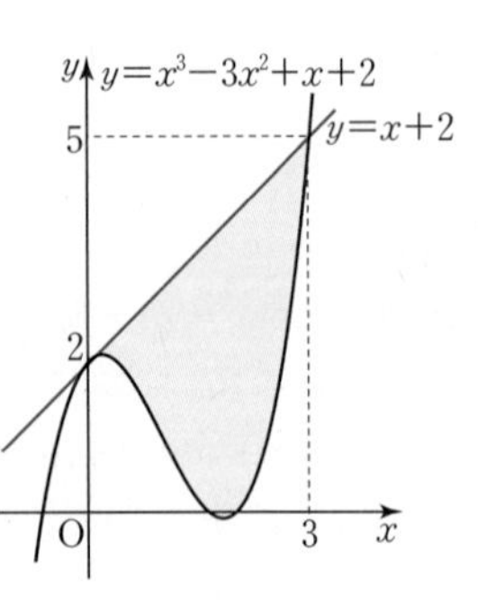

$x^3-3x^2+x+2=x+2$에서

$x^3-3x^2=0$, $x^2(x-3)=0$

$\therefore x=0$ 또는 $x=3$

따라서 구하는 넓이는

$$\int_{0}^{3}\{(x+2)-(x^3-3x^2+x+2)\}dx$$
$$=\int_{0}^{3}(-x^3+3x^2)dx$$
$$=\left[-\frac{1}{4}x^4+x^3\right]_0^3=\frac{27}{4}$$

답 ③

0879

$y=x^2-3x+4$에서 $y'=2x-3$이므로

접점 (t, t^2-3t+4)에서의 접선의

기울기는 $2t-3$이다.

즉, 접선의 방정식은

$y-(t^2-3t+4)=(2t-3)(x-t)$ ······㉠

이 접선이 점 $(2, 1)$을 지나므로

$1-(t^2-3t+4)=(2t-3)(2-t)$

에서 $t^2-4t+3=0$

$(t-1)(t-3)=0$ $\quad\therefore t=1$ 또는 $t=3$

㉠에 $t=1$, $t=3$을 각각 대입하면 접선의 방정식은

$y=-x+3$, $y=3x-5$

따라서 구하는 넓이는

$$\int_1^2\{(x^2-3x+4)-(-x+3)\}dx+\int_2^3\{(x^2-3x+4)-(3x-5)\}dx$$

$$=\int_1^2(x^2-2x+1)dx+\int_2^3(x^2-6x+9)dx$$

$$=\left[\frac{1}{3}x^3-x^2+x\right]_1^2+\left[\frac{1}{3}x^3-3x^2+9x\right]_2^3$$

$$=\frac{1}{3}+\frac{1}{3}=\frac{2}{3}$$

답 ②

0880

|전략| 곡선 $y=x(x-3)(x-k)$와 x축으로 둘러싸인 두 도형의 넓이가 같고 $k>3$이므로 $\int_0^k x(x-3)(x-k)dx=0$임을 이용한다.

곡선 $y=x(x-3)(x-k)$와 x축의 교점의 x좌표는 $x(x-3)(x-k)=0$에서

$x=0$ 또는 $x=3$ 또는 $x=k$

이때, $k>3$이므로

곡선 $y=x(x-3)(x-k)$는 오른쪽 그림과 같고 색칠한 두 도형의 넓이가 같다.

즉, $\int_0^k x(x-3)(x-k)dx=0$이므로

$$\int_0^k\{x^3-(3+k)x^2+3kx\}dx=0,\ \left[\frac{1}{4}x^4-\frac{3+k}{3}x^3+\frac{3k}{2}x^2\right]_0^k=0$$

$$\frac{k^4}{4}-\frac{3k^3+k^4}{3}+\frac{3k^3}{2}=0,\ k^4-6k^3=0$$

$k^3(k-6)=0$ $\quad\therefore k=6\ (\because k>3)$

답 ③

0881

곡선 $y=-x^2+2x$와 x축의 교점의 x좌표는 $-x^2+2x=0$에서

$x(x-2)=0$ $\quad\therefore x=0$ 또는 $x=2$

이때, $k>2$이므로 곡선 $y=-x^2+2x$와 직선 $x=k$는 오른쪽 그림과 같고 색칠한 두 도형의 넓이가 같다.

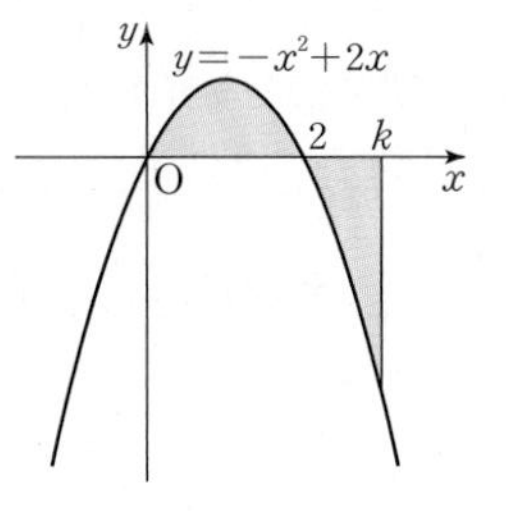

즉, $\int_0^k(-x^2+2x)dx=0$이므로

$$\left[-\frac{1}{3}x^3+x^2\right]_0^k=0,\ -\frac{1}{3}k^3+k^2=0$$

$k^3-3k^2=0$, $k^2(k-3)=0$

$\therefore k=3\ (\because k>2)$

답 ①

0882

곡선 $y=x^3-(a+1)x^2+ax$와 x축의 교점의 x좌표는

$x^3-(a+1)x^2+ax=0$에서

$x\{x^2-(a+1)x+a\}=0$

$x(x-1)(x-a)=0$

$\therefore x=0$ 또는 $x=1$ 또는 $x=a$

이때, $0<a<1$이므로 곡선 $y=x^3-(a+1)x^2+ax$는 위의 그림과 같고 색칠한 두 도형의 넓이가 같다.

즉, $\int_0^1\{x^3-(a+1)x^2+ax\}dx=0$이므로

$$\left[\frac{1}{4}x^4-\frac{a+1}{3}x^3+\frac{a}{2}x^2\right]_0^1=0,\ \frac{1}{4}-\frac{a+1}{3}+\frac{a}{2}=0$$

$3-4(a+1)+6a=0$, $2a-1=0$

$\therefore a=\frac{1}{2}$

답 ③

0883

곡선

$y=3x^2-6x+a=3(x-1)^2+a-3$

이 직선 $x=1$에 대하여 대칭이고

$A:B=1:2$에서 $A=\frac{1}{2}B$이므로

하늘색으로 색칠한 부분과 빗금친 부분의 두 도형의 넓이가 같다. 즉,

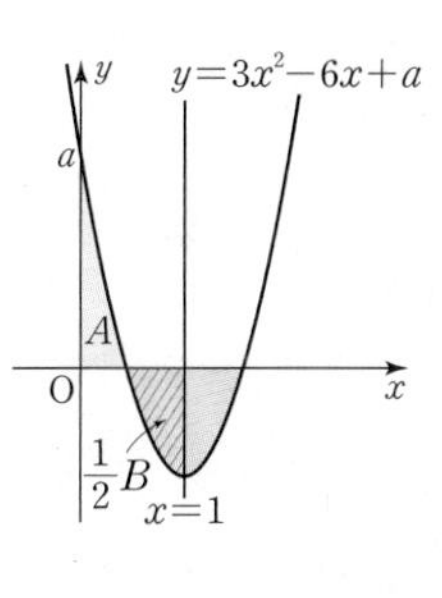

$\int_0^1(3x^2-6x+a)dx=0$이므로

$$\left[x^3-3x^2+ax\right]_0^1=0,\ 1-3+a=0$$

$\therefore a=2$

답 2

0884

$S_1+S_2=\frac{1}{2}\cdot4\cdot4=8$이고 $S_1:S_2=5:11$이므로

$S_1=8\cdot\frac{5}{16}=\frac{5}{2}$ ······㉠

한편 직선 AB는 두 점 $(4, 0)$, $(0, 4)$를 지나므로 그 방정식은

$y=-x+4$

이때, 직선 AB와 곡선 $y=ax^2$의 교점의 x좌표를 $k(0<k<4)$라 하면

$-k+4=ak^2$ ······㉡

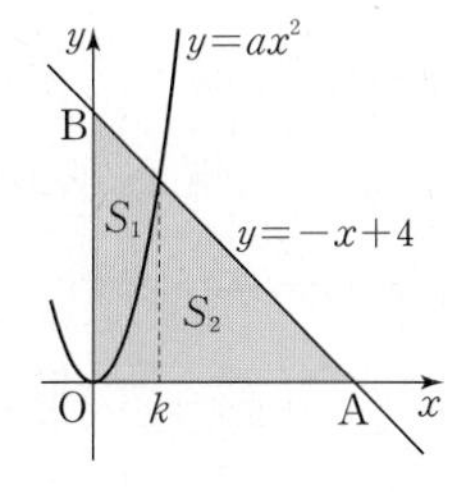

닫힌구간 $[0, k]$에서 $-x+4 \geq ax^2$이므로

$$S_1=\int_0^k \{(-x+4)-ax^2\}dx=\int_0^k (-ax^2-x+4)dx$$

$$=\left[-\frac{1}{3}ax^3-\frac{1}{2}x^2+4x\right]_0^k=-\frac{1}{3}ak^3-\frac{1}{2}k^2+4k$$

$$=-\frac{1}{3}k(-k+4)-\frac{1}{2}k^2+4k \ (\because ㉡)$$

$$=-\frac{1}{6}k^2+\frac{8}{3}k \qquad \cdots\cdots ㉢$$

㉠=㉢에서 $-\frac{1}{6}k^2+\frac{8}{3}k=\frac{5}{2}$

$k^2-16k+15=0$, $(k-1)(k-15)=0$

$\therefore k=1$ ($\because 0<k<4$)

$k=1$을 ㉡에 대입하면 $a=3$

답 3

0885

곡선 $y=f(x)$는 x축과 $x=0$, $x=\alpha$, $x=\beta$에서 만나고 최고차항의 계수가 1이므로 $f(x)=x(x-\alpha)(x-\beta)$

또, $y=g(x)$는 직선 $y=h(x)$와 $x=0$, $x=\alpha$, $x=\beta$에서 만나고 최고차항의 계수가 4이므로

$g(x)-h(x)=4x(x-\alpha)(x-\beta)$

이때, $S_1=\int_0^\alpha f(x)dx=\int_0^\alpha x(x-\alpha)(x-\beta)dx$

$S_2=\int_0^\alpha \{g(x)-h(x)\}dx=4\int_0^\alpha x(x-\alpha)(x-\beta)dx$

이므로 $S_2=4S_1$

그런데 $S_1+S_2=120$이므로

$S_1+S_2=5S_1=120 \qquad \therefore S_1=24$

$\therefore S_2-3S_1=4S_1-3S_1=S_1=24$

답 24

0886

|전략| 곡선 $y=-x^2+4x$와 직선 $y=ax$로 둘러싸인 도형의 넓이는 곡선 $y=-x^2+4x$와 x축으로 둘러싸인 도형의 넓이의 $\frac{1}{2}$배임을 이용한다.

곡선 $y=-x^2+4x$와 직선 $y=ax$의 교점의 x좌표는 $-x^2+4x=ax$에서

$x^2+(a-4)x=0$

$x\{x+(a-4)\}=0$

$\therefore x=0$ 또는 $x=4-a$

따라서 오른쪽 그림의 색칠한 도형의 넓이는

$$\int_0^{4-a}\{(-x^2+4x)-ax\}dx$$

$$=\int_0^{4-a}\{-x^2+(4-a)x\}dx=\left[-\frac{1}{3}x^3+\frac{4-a}{2}x^2\right]_0^{4-a}$$

$$=-\frac{1}{3}(4-a)^3+\frac{4-a}{2}(4-a)^2=\frac{1}{6}(4-a)^3$$

곡선 $y=-x^2+4x$와 x축으로 둘러싸인 도형의 넓이는

$$\int_0^4(-x^2+4x)dx=\left[-\frac{1}{3}x^3+2x^2\right]_0^4=\frac{32}{3}$$

즉, $\frac{1}{6}(4-a)^3=\frac{1}{2}\cdot\frac{32}{3}$이므로 $(4-a)^3=32$

답 ⑤

0887

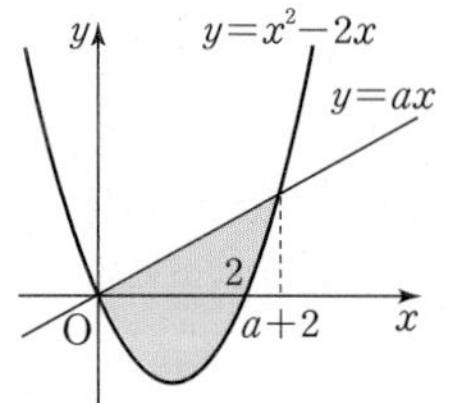

곡선 $y=x^2-2x$와 직선 $y=ax$의 교점의 x좌표는 $x^2-2x=ax$에서

$x^2-(a+2)x=0$

$x\{x-(a+2)\}=0$

$\therefore x=0$ 또는 $x=a+2$

따라서 오른쪽 그림의 색칠한 도형의 넓이는

$$\int_0^{a+2}\{ax-(x^2-2x)\}dx$$

$$=\int_0^{a+2}\{-x^2+(a+2)x\}dx$$

$$=\left[-\frac{1}{3}x^3+\frac{a+2}{2}x^2\right]_0^{a+2}=\frac{1}{6}(a+2)^3 \qquad \cdots ❶$$

곡선 $y=x^2-2x$와 x축으로 둘러싸인 도형의 넓이는

$$-\int_0^2(x^2-2x)dx=-\left[\frac{1}{3}x^3-x^2\right]_0^2=\frac{4}{3} \qquad \cdots ❷$$

즉, $\frac{1}{6}(a+2)^3=2\cdot\frac{4}{3}$이어야 하므로 $(a+2)^3=16$ $\cdots$ ❸

답 16

채점 기준	비율
❶ 곡선 $y=x^2-2x$와 직선 $y=ax$로 둘러싸인 도형의 넓이를 a에 대한 식으로 나타낼 수 있다.	50 %
❷ 곡선 $y=x^2-2x$와 x축으로 둘러싸인 도형의 넓이를 구할 수 있다.	30 %
❸ $(a+2)^3$의 값을 구할 수 있다.	20 %

0888

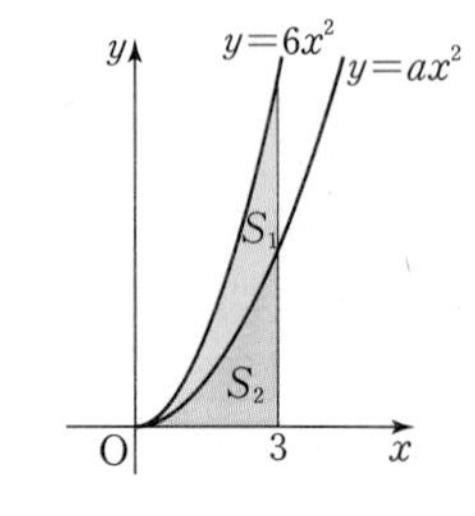

곡선 $y=6x^2(x\geq 0)$과 x축 및 직선 $x=3$으로 둘러싸인 도형의 넓이는

$$\int_0^3 6x^2dx=\left[2x^3\right]_0^3=54$$

곡선 $y=ax^2(x\geq 0)$과 x축 및 직선 $x=3$으로 둘러싸인 도형의 넓이는

$$\int_0^3 ax^2dx=\left[\frac{a}{3}x^3\right]_0^3=9a$$

위의 그림에서 $S_1=S_2$이므로

$9a=\frac{1}{2}\cdot 54 \qquad \therefore a=3$

0889

|전략| 먼저 곡선 $y=x^2-2x-3$과 직선 $y=mx$의 두 근을 α, $\beta(\alpha<\beta)$라 하고, 곡선과 직선으로 둘러싸인 도형의 넓이를 α, β에 대한 식으로 나타내어 본다.

곡선 $y=x^2-2x-3$과 직선 $y=mx$의 교점의 x좌표는 방정식 $x^2-2x-3=mx$, 즉 $x^2-(m+2)x-3=0$의 두 근이다.

두 근을 α, $\beta(\alpha<\beta)$라 하면 α, β가 주어진 곡선과 직선의 교점의 x좌표이므로 곡선과 직선으로 둘러싸인 도형의 넓이는

$$\int_\alpha^\beta\{mx-(x^2-2x-3)\}dx=\frac{1}{6}(\beta-\alpha)^3$$

한편, 이차방정식 $x^2-(m+2)x-3=0$에서 근과 계수의 관계에 의하여

$\alpha+\beta=m+2$, $\alpha\beta=-3$

$\therefore (\beta-\alpha)^2=(\beta+\alpha)^2-4\alpha\beta$

$=(m+2)^2-4\cdot(-3)$

$=m^2+4m+16$

$\beta-\alpha=\sqrt{m^2+4m+16}$ ($\because \alpha<\beta$)이므로

$\frac{1}{6}(\beta-\alpha)^3=\frac{1}{6}(\sqrt{m^2+4m+16})^3$

$=\frac{1}{6}\{\sqrt{(m+2)^2+12}\}^3$

따라서 $m=-2$일 때 넓이는 최소이고 구하는 최솟값은

$\frac{1}{6}\cdot(\sqrt{12})^3=4\sqrt{3}$ 답 $4\sqrt{3}$

Lecture

(1) 포물선 $y=a(x-\alpha)(x-\beta)$ $(a\neq0)$와 x축의 두 교점의 x좌표가 α, β $(\alpha<\beta)$일 때, 포물선과 x축으로 둘러싸인 도형의 넓이 S는

$S=\frac{|a|}{6}(\beta-\alpha)^3$

(2) 포물선 $y=ax^2+bx+c$ $(a\neq0)$와 직선 $y=mx+n$의 서로 다른 두 교점의 x좌표가 α, β $(\alpha<\beta)$일 때, 포물선과 직선으로 둘러싸인 도형의 넓이 S는

$S=\frac{|a|}{6}(\beta-\alpha)^3$

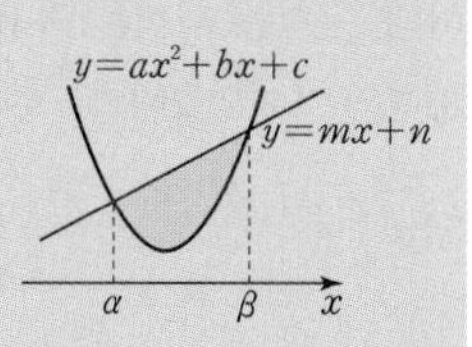

0890

$0<a<2$이므로

곡선 $y=x(x-2)(x-a)$는 오른쪽 그림과 같고 곡선과 x축으로 둘러싸인 도형의 넓이를 $S(a)$라 하면

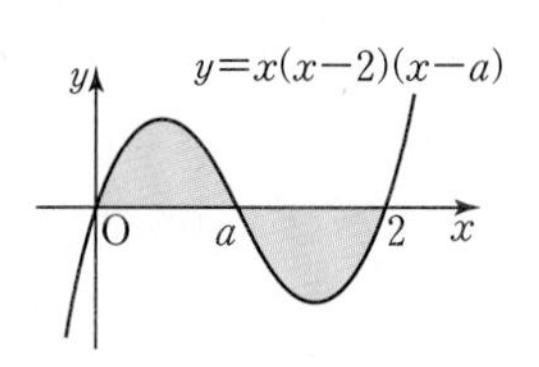

$S(a)=\int_0^a x(x-2)(x-a)dx-\int_a^2 x(x-2)(x-a)dx$

$=\int_0^a \{x^3-(a+2)x^2+2ax\}dx$

$-\int_a^2 \{x^3-(a+2)x^2+2ax\}dx$

$=\left[\frac{1}{4}x^4-\frac{1}{3}(a+2)x^3+ax^2\right]_0^a$

$-\left[\frac{1}{4}x^4-\frac{1}{3}(a+2)x^3+ax^2\right]_a^2$

$=-\frac{1}{6}a^4+\frac{2}{3}a^3-\frac{4}{3}a+\frac{4}{3}$

$\therefore S'(a)=-\frac{2}{3}a^3+2a^2-\frac{4}{3}$

$=-\frac{2}{3}(a^3-3a^2+2)$

$=-\frac{2}{3}(a-1)\{a-(1+\sqrt{3})\}\{a-(1-\sqrt{3})\}$

$S'(a)=0$에서 $a=1$ ($\because 0<a<2$)

a	0	$\cdots$	1	$\cdots$	2
$S'(a)$		$-$	0	$+$	
$S(a)$		↘	극소	↗	

따라서 $S(a)$는 $a=1$일 때 극소이면서 최소이다. 답 1

0891

$y=-x^2+4$에서 $y'=-2x$이므로 곡선 위의 점 $(t, -t^2+4)$에서의 접선의 기울기는 $-2t$이다.

즉, 접선의 방정식은

$y-(-t^2+4)=-2t(x-t)$

$\therefore y=-2tx+t^2+4$ ⋯ ❶

이때, $0<t<2$이므로 오른쪽 그림에서 색칠한 도형의 넓이는

$\int_0^2 \{(-2tx+t^2+4)-(-x^2+4)\}dx$

$=\int_0^2 (x^2-2tx+t^2)dx=\left[\frac{1}{3}x^3-tx^2+t^2x\right]_0^2$

$=2t^2-4t+\frac{8}{3}=2(t-1)^2+\frac{2}{3}$ ⋯ ❷

따라서 구하는 넓이의 최솟값은 $\frac{2}{3}$이다. ⋯ ❸

답 $\frac{2}{3}$

채점 기준	비율
❶ 곡선 위의 점 $(t, -t^2+4)$에서의 접선의 방정식을 구할 수 있다.	30 %
❷ ❶에서 구한 접선과 곡선 $y=-x^2+4$ 및 y축, 직선 $x=2$로 둘러싸인 도형의 넓이를 t에 대한 식으로 나타낼 수 있다.	50 %
❸ 도형의 넓이의 최솟값을 구할 수 있다.	20 %

0892

직선 l이 점 $A(2, 1)$을 지나므로 직선 l의 방정식을 $y-1=m(x-2)$, 즉 $y=mx-2m+1$이라 하면 곡선 $y=x^2-2x$와 직선 l의 교점의 x좌표는 방정식

$x^2-2x=mx-2m+1$, 즉 $x^2-(m+2)x+2m-1=0$

의 두 근이다.

두 근을 α, β $(\alpha<\beta)$라 하면 α, β가 주어진 곡선과 직선의 교점의 x좌표이므로 곡선과 직선으로 둘러싸인 도형의 넓이는

$\int_\alpha^\beta \{(mx-2m+1)-(x^2-2x)\}dx=\frac{1}{6}(\beta-\alpha)^3$

한편, 이차방정식 $x^2-(m+2)x+2m-1=0$에서 근과 계수의 관계에 의하여

$\alpha+\beta=m+2$, $\alpha\beta=2m-1$

$\therefore (\beta-\alpha)^2=(\beta+\alpha)^2-4\alpha\beta$

$=(m+2)^2-4(2m-1)$

$=m^2-4m+8$

$\beta-\alpha=\sqrt{m^2-4m+8}$ ($\because \alpha<\beta$)이므로

$\frac{1}{6}(\beta-\alpha)^3=\frac{1}{6}(\sqrt{m^2-4m+8})^3$

$=\frac{1}{6}\{\sqrt{(m-2)^2+4}\}^3$

따라서 $m=2$일 때 넓이는 최소이므로

$a=\frac{1}{6}\cdot(\sqrt{4})^3=\frac{4}{3}$, $b=2$

$\therefore a+b=\frac{10}{3}$ 답 ④

0893

|전략| $y=g(x)$는 $y=f(x)$의 역함수이므로 두 함수 $y=f(x)$, $y=g(x)$의 그래프는 직선 $y=x$에 대하여 대칭임을 이용한다.

$f(x)=2x^3+x$에서 $f'(x)=6x^2+1>0$이므로 함수 $f(x)$는 실수 전체의 집합에서 증가한다.

함수 $f(x)=2x^3+x$의 역함수가 $g(x)$이므로 $y=f(x)$의 그래프와 $y=g(x)$의 그래프는 직선 $y=x$에 대하여 대칭이다.

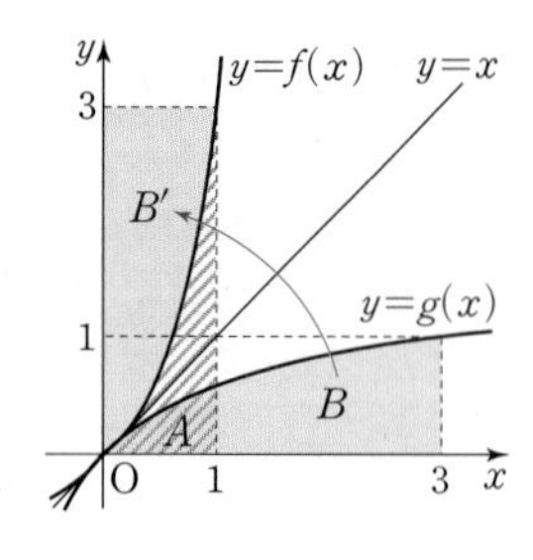

이때, $\int_0^3 g(x)dx$의 값은 색칠된 B 부분의 넓이이고, 역함수의 성질에 의하여 직선 $y=x$에 대하여 대칭이동한 B' 부분의 넓이와 같다.

$$\therefore \int_0^1 f(x)dx+\int_0^3 g(x)dx=(A\text{의 넓이})+(B\text{의 넓이})$$
$$=(A\text{의 넓이})+(B'\text{의 넓이})$$
$$=1\cdot 3=3$$

답 ③

0894

함수 $f(x)=x^2+1\ (x\geq 0)$의 역함수가 $g(x)$이므로 $y=f(x)$의 그래프와 $y=g(x)$의 그래프는 직선 $y=x$에 대하여 대칭이다.

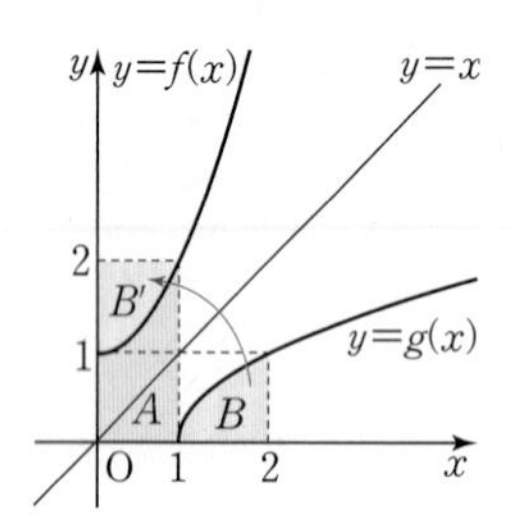

이때, $\int_1^2 g(x)dx$의 값은 색칠된 B 부분의 넓이이고, 역함수의 성질에 의하여 직선 $y=x$에 대하여 대칭이동한 B' 부분의 넓이와 같다.

$$\therefore \int_0^1 f(x)dx+\int_1^2 g(x)dx=(A\text{의 넓이})+(B\text{의 넓이})$$
$$=(A\text{의 넓이})+(B'\text{의 넓이})$$
$$=1\cdot 2=2$$

답 2

0895

$f(x)=x^3-3x^2+4x$에서 $f'(x)=3x^2-6x+4=3(x-1)^2+1>0$이므로 함수 $f(x)$는 실수 전체의 집합에서 증가한다.

함수 $f(x)=x^3-3x^2+4x$의 역함수가 $g(x)$이므로 $y=f(x)$의 그래프와 $y=g(x)$의 그래프는 직선 $y=x$에 대하여 대칭이다.

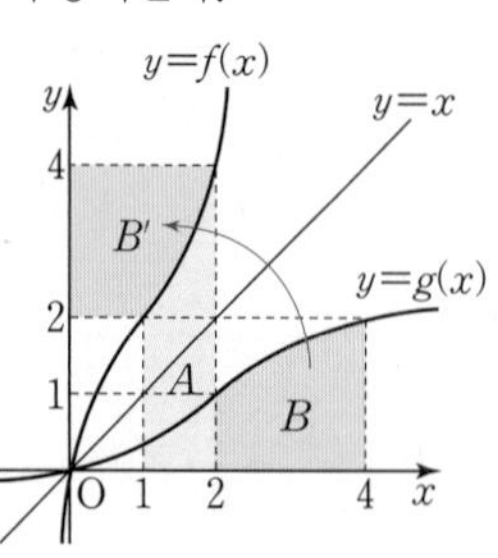

이때, $\int_2^4 g(x)dx$의 값은 색칠된 B 부분의 넓이이고, 역함수의 성질에 의하여 직선 $y=x$에 대하여 대칭이동한 B' 부분의 넓이와 같다.

$$\therefore \int_1^2 f(x)dx+\int_2^4 g(x)dx=(A\text{의 넓이})+(B\text{의 넓이})$$
$$=(A\text{의 넓이})+(B'\text{의 넓이})$$
$$=2\cdot 4-1\cdot 2=6$$

답 ②

0896

|전략| 구하는 넓이는 곡선 $y=x^3-x^2+x$와 직선 $y=x$로 둘러싸인 도형의 넓이의 2배임을 이용한다.

$y=x^3-x^2+x$에서 $y'=3x^2-2x+1=3\left(x-\frac{1}{3}\right)^2+\frac{2}{3}>0$이므로 실수 전체의 집합에서 증가한다.

두 함수 $y=x^3-x^2+x$와 $x=y^3-y^2+y$는 서로 역함수 관계이므로 두 곡선 $y=x^3-x^2+x$, $x=y^3-y^2+y$의 교점은 곡선 $y=x^3-x^2+x$와 직선 $y=x$의 교점과 같다.

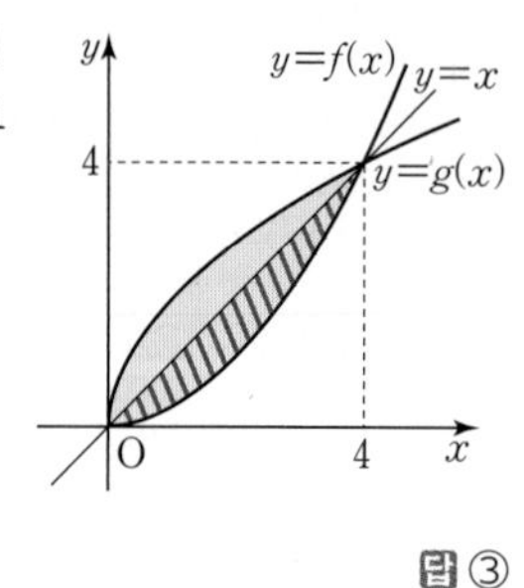

곡선 $y=x^3-x^2+x$와 직선 $y=x$의 교점의 x좌표는

$x^3-x^2+x=x$에서 $x^2(x-1)=0$

$\therefore x=0$ 또는 $x=1$

이때, 구하는 넓이는 곡선 $y=x^3-x^2+x$와 직선 $y=x$로 둘러싸인 도형의 넓이의 2배이므로

$$2\int_0^1\{x-(x^3-x^2+x)\}dx=2\int_0^1(-x^3+x^2)dx$$
$$=2\left[-\frac{1}{4}x^4+\frac{1}{3}x^3\right]_0^1$$
$$=2\cdot\frac{1}{12}=\frac{1}{6}$$

답 ⑤

참고 증가하는 함수 $f(x)$와 그 역함수 $f^{-1}(x)$에 대하여 $y=f(x)$의 그래프와 $y=f^{-1}(x)$의 그래프가 만나면 그 교점은 항상 직선 $y=x$ 위에 있다.

0897

오른쪽 그림과 같이 구하는 넓이는 직선 $y=x$에 의하여 이등분되고, 빗금 친 부분의 넓이는

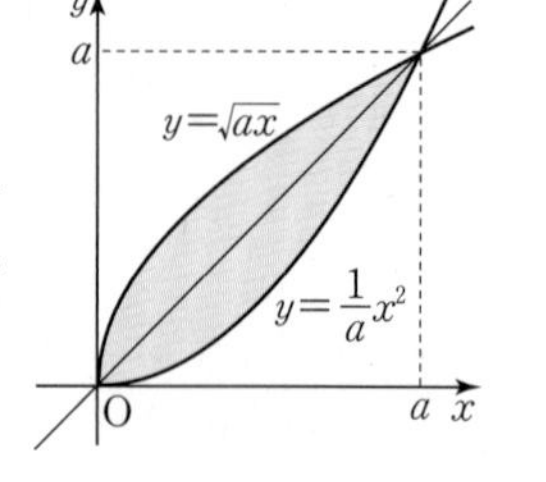

$\frac{1}{2}\cdot 4\cdot 4-\int_0^4 f(x)dx$

$=8-5=3$

따라서 구하는 넓이는 $2\cdot 3=6$이다.

답 ③

0898

함수 $f(x)=\sqrt{ax}$의 역함수는 $f^{-1}(x)=\frac{1}{a}x^2\,(x\geq 0)$이고, 두 곡선 $y=f(x)$와 $y=f^{-1}(x)$의 교점은 곡선 $y=f^{-1}(x)$와 직선 $y=x$의 교점과 같다.

곡선 $y=\frac{1}{a}x^2$과 직선 $y=x$의 교점의 x좌표는 $\frac{1}{a}x^2=x$에서 $\frac{1}{a}x(x-a)=0$ $\quad\therefore x=0$ 또는 $x=a$

이때, 두 곡선 $y=\sqrt{ax}$와 $y=\frac{1}{a}x^2\,(x\geq 0)$으로 둘러싸인 도형의 넓이는 곡선 $y=\frac{1}{a}x^2\,(x\geq 0)$과 직선 $y=x$로 둘러싸인 도형의 넓이의 2배이므로

$$2\int_0^a\left(x-\frac{1}{a}x^2\right)dx=2\left[\frac{1}{2}x^2-\frac{1}{3a}x^3\right]_0^a=2\cdot\frac{1}{6}a^2=\frac{1}{3}a^2$$

따라서 $\frac{1}{3}a^2=\frac{16}{3}$이므로 $a^2=16$ $\therefore a=4\ (\because a>0)$ 답 4

0899

|전략| 속도 $v(t)$의 부호가 바뀔 때 점 P의 운동 방향이 바뀌므로 $v(t)=0$일 때의 t의 값을 구한다.

$v(t)=t^2+2t-15=0$에서 $(t+5)(t-3)=0$ $\therefore t=3\ (\because t>0)$

즉, 점 P는 출발한 지 3초 후에 운동 방향이 바뀐다.

따라서 $t=3$에서의 점 P의 위치는

$$0+\int_0^3(t^2+2t-15)dt=\left[\frac{1}{3}t^3+t^2-15t\right]_0^3=-27$$ 답 -27

0900

$$0+\int_0^3(3t^2-6t+5)dt=\left[t^3-3t^2+5t\right]_0^3=15$$ 답 ⑤

0901

$t=0$일 때 지면으로부터의 높이는 100 m이므로 구하는 높이는

$$100+\int_0^{20}t\,dt+\int_{20}^{35}(60-2t)dt=100+\left[\frac{1}{2}t^2\right]_0^{20}+\left[60t-t^2\right]_{20}^{35}$$
$$=100+200+75=375\ (\text{m})$$

답 ①

0902

$t=a(a>0)$일 때 점 P가 원점으로 다시 돌아온다고 하면 $t=0$에서 $t=a$까지 점 P의 위치의 변화량은 0이므로

$$\int_0^a(-3t^2-2t+12)dt=0,\ \left[-t^3-t^2+12t\right]_0^a=0$$

$-a^3-a^2+12a=0,\ a(a+4)(a-3)=0$ $\therefore a=3\ (\because a>0)$

따라서 점 P가 원점으로 다시 돌아오는 것은 3초 후이다. 답 ③

0903

공이 최고 높이에 도달할 때의 속도는 0 m/s이므로

$v(t)=25-10t=0$에서 $t=\frac{5}{2}$

$t=0$일 때 지면으로부터의 높이는 50 m이므로 구하는 최고 높이는

$$50+\int_0^{\frac{5}{2}}(25-10t)dt=50+\left[25t-5t^2\right]_0^{\frac{5}{2}}$$
$$=50+\frac{125}{4}=\frac{325}{4}\ (\text{m})$$ 답 ④

0904

출발한 지 t초 후의 두 점 A, B의 위치를 각각 x_A, x_B라 하면

$$x_A=0+\int_0^t(-2t+4)dt=-t^2+4t$$
$$x_B=0+\int_0^t(2t-4)dt=t^2-4t$$ … ❶

두 점이 다시 만날 때 $x_A=x_B$이므로

$-t^2+4t=t^2-4t,\ 2t(t-4)=0$ $\therefore t=4\ (\because t>0)$

즉, 두 점 A, B는 출발한 지 4초 후에 다시 만난다. … ❷

이때, 두 점 사이의 거리는

$|x_A-x_B|=2|-t^2+4t|=2|-(t-2)^2+4|$

이고, $0<t\le4$에서 $t=2$일 때 최댓값 8을 가지므로 거리의 최댓값은 8이다. … ❸

답 8

채점 기준	비율
❶ 출발한 지 t초 후의 두 점 A, B의 위치를 각각 구할 수 있다.	30 %
❷ 두 점 A, B가 원점을 출발한 후 다시 만나는 시각을 구할 수 있다.	30 %
❸ 두 점 A, B 사이의 거리의 최댓값을 구할 수 있다.	40 %

0905

|전략| 열차가 정지할 때의 속도는 0 m/s임을 이용한다.

열차가 정지할 때의 속도는 0 m/s이므로

$v(t)=30-5t=0$에서 $t=6$

따라서 열차는 제동을 건 후 6초 후에 정지하므로 정지할 때까지 달린 거리는

$$\int_0^6|30-5t|dt=\int_0^6(30-5t)dt$$
$$=\left[30t-\frac{5}{2}t^2\right]_0^6=90\ (\text{m})$$ 답 ⑤

0906

$v(t)=2t^2-6t=0$에서 $2t(t-3)=0$ $\therefore t=0$ 또는 $t=3$

이때, $0\le t\le3$에서 $v(t)\le0$, $t\ge3$에서 $v(t)\ge0$이므로 구하는 거리는

$$\int_0^6|2t^2-6t|dt=-\int_0^3(2t^2-6t)dt+\int_3^6(2t^2-6t)dt$$
$$=-\left[\frac{2}{3}t^3-3t^2\right]_0^3+\left[\frac{2}{3}t^3-3t^2\right]_3^6$$
$$=-(-9)+45=54$$ 답 ⑤

0907

물체가 최고 높이에 도달할 때의 속도는 0 m/s이므로

$v(t)=50-10t=0$에서 $t=5$

따라서 물체가 최고 높이에 도달한 후 3초 동안 움직인 거리는

$$\int_5^8|50-10t|dt=-\int_5^8(50-10t)dt$$
$$=-\left[50t-5t^2\right]_5^8=45\ (\text{m})$$ 답 ②

0908

$v(t)=t^3-4t^2+3t=0$에서

$t(t-1)(t-3)=0$

$\therefore t=0$ 또는 $t=1$ 또는 $t=3$

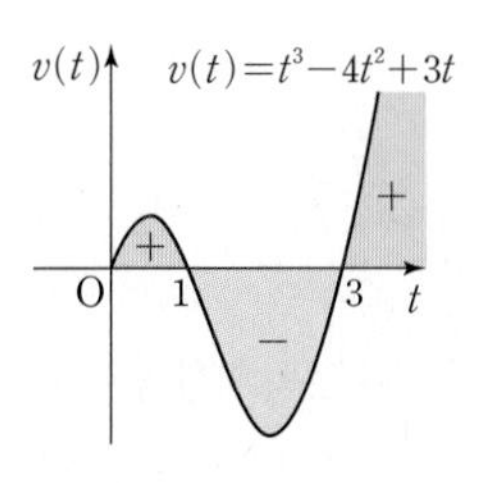

오른쪽 그림에서 점 P가 음의 방향으로 움직이는 시간은 $1<t<3$이다. 따라서 점 P가 음의 방향으로 움직인 거리는

9 정적분의 활용

$$\int_1^3|t^3-4t^2+3t|dt=-\int_1^3(t^3-4t^2+3t)dt$$
$$=-\left[\frac{1}{4}t^4-\frac{4}{3}t^3+\frac{3}{2}t^2\right]_1^3=\frac{8}{3}$$
답 ③

0909

시각 t에서의 점 P의 속도를 $v(t)$라 하면

$v(t)=x'(t)=t^2-6t+8$

물체가 운동 방향을 바꿀 때의 속도는 0이므로

$v(t)=t^2-6t+8=0$에서

$(t-2)(t-4)=0 \quad \therefore t=2$ 또는 $t=4$

점 P는 $t=4$에서 두 번째로 운동 방향을 바꾸고, $0\le t\le 2$에서 $v(t)\ge 0$, $2\le t\le 4$에서 $v(t)\le 0$이므로 구하는 거리는

$$\int_0^4|t^2-6t+8|dt=\int_0^2(t^2-6t+8)dt-\int_2^4(t^2-6t+8)dt$$
$$=\left[\frac{1}{3}t^3-3t^2+8t\right]_0^2-\left[\frac{1}{3}t^3-3t^2+8t\right]_2^4$$
$$=\frac{20}{3}-\left(-\frac{4}{3}\right)=8$$
답 ③

0910

지훈이가 30초 동안 이동한 거리를 l_A라 하면

$$l_A=\int_0^{30}\left|\frac{1}{4}t+2\right|dt=\int_0^{30}\left(\frac{1}{4}t+2\right)dt$$
$$=\left[\frac{1}{8}t^2+2t\right]_0^{30}=172.5\text{ (m)}$$

유라가 30초 동안 이동한 거리를 l_B라 하면

$$l_B=\int_0^{30}\left|\frac{1}{3}t+1\right|dt=\int_0^{30}\left(\frac{1}{3}t+1\right)dt$$
$$=\left[\frac{1}{6}t^2+t\right]_0^{30}=180\text{ (m)}$$

지훈이와 유라가 서로 반대 방향으로 동시에 출발하였으므로 지훈이와 유라가 30초 동안 움직인 거리의 합은

$l_A+l_B=352.5$ (m)

이때, 산책로의 한 바퀴의 길이가 80 m이므로

$4\times 80<352.5<5\times 80$

따라서 지훈이와 유라는 30초 동안 4번 만난다. 답 ④

0911

|전략| 속도 $v(t)$의 부호가 바뀔 때 점 P의 운동 방향이 바뀌고, 원점에서 출발한 점 P의 시각 t에서의 위치는 $\int_0^t v(t)dt$임을 이용한다.

ㄱ. $v(1)=1>0$이므로 점 P는 $t=1$에서 운동 방향을 바꾸지 않는다. (거짓)

ㄴ. $0<t<2$일 때 $v(t)>0$이므로 점 P는 출발점에서 양의 방향으로 계속 멀어져 가고, $2<t<4$에서 $v(t)<0$이므로 점 P는 $t=2$에서 운동 방향을 바꾸어 음의 방향으로 움직인다.
따라서 $t=2$일 때 점 P는 출발점에서 가장 멀리 떨어져 있다. (참)

ㄷ. 시각 t에서 점 P의 위치는 $\int_0^t v(t)dt$이므로 $t=4$일 때 점 P의 위치는 $\int_0^4 v(t)dt$이다. (참)

따라서 옳은 것은 ㄴ, ㄷ이다. 답 ④

0912

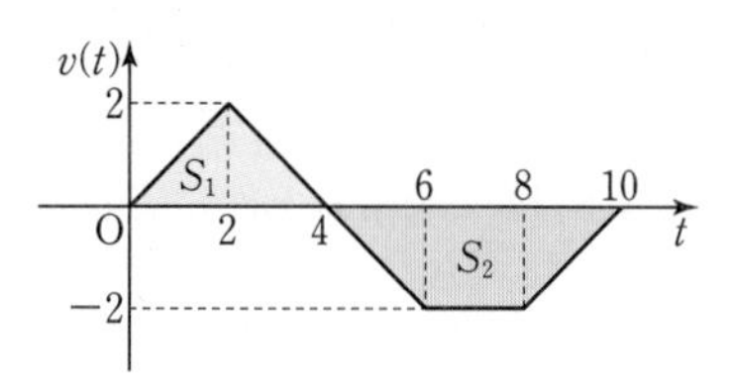

$t=10$에서의 물체의 위치는 오른쪽 그림에서 삼각형의 넓이 S_1에서 사다리꼴의 넓이 S_2를 빼면 되므로

$$a=\int_0^{10}v(t)dt=S_1-S_2$$
$$=\frac{1}{2}\cdot 4\cdot 2-\frac{1}{2}\cdot(2+6)\cdot 2=4-8=-4$$

또, $t=0$에서 $t=10$까지 물체가 움직인 거리는 삼각형의 넓이 S_1과 사다리꼴의 넓이 S_2를 더하면 되므로

$$b=\int_0^{10}|v(t)|dt=S_1+S_2$$
$$=\frac{1}{2}\cdot 4\cdot 2+\frac{1}{2}\cdot(2+6)\cdot 2=4+8=12$$

$\therefore a+b=-4+12=8$ 답 8

0913

ㄱ. $f(t)=\int_0^t v(t)dt$는 점 P의 시각 t에서의 위치이므로 $f(4)=0$이다. (거짓)

ㄴ. $f(10)=\int_0^{10}v(t)dt=\int_0^2 v(t)dt+\int_2^{10}v(t)dt$
$=\int_0^2 v(t)dt=f(2)$ (참)

ㄷ. 점 P가 출발 후 원점을 지나는 것은
$f(t)=\int_0^t v(t)dt=0\ (t>0)$
일 때, 즉 $t=4$ 또는 $t=8$일 때로 출발한 후 원점을 2번 지난다. (거짓)

ㄹ. 점 P가 10초 동안 움직인 거리는 속도 $v(t)$의 그래프와 t축으로 둘러싸인 도형의 넓이와 같으므로 5이다. (참)

따라서 옳은 것은 ㄴ, ㄹ이다. 답 ③

0914

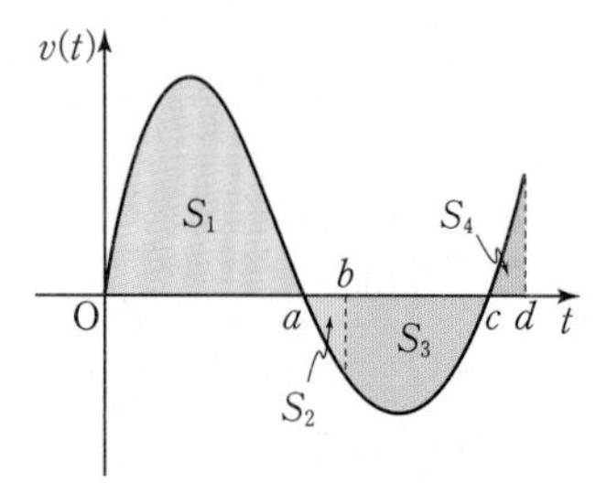

오른쪽 그림과 같이 각각의 넓이를 S_1, S_2, S_3, S_4라 하면

$$\int_0^a|v(t)|dt=\int_a^d|v(t)|dt$$

이므로

$S_1=S_2+S_3+S_4$

ㄱ. $S_1>S_2+S_3$이므로 원점을 다시 지나지 않는다. (거짓)

ㄴ. $\int_0^c v(t)dt=S_1-S_2-S_3$

$\int_c^d v(t)dt=S_4=S_1-S_2-S_3$

$\therefore \int_0^c v(t)dt=\int_c^d v(t)dt$ (참)

ㄷ. $\int_0^b v(t)dt=S_1-S_2$, $\int_b^d |v(t)|dt=S_3+S_4$

이때, 주어진 조건에서 $S_1=S_2+S_3+S_4$, 즉 $S_1-S_2=S_3+S_4$이므로

$\int_0^b v(t)dt=\int_b^d |v(t)|dt$ (참)

따라서 옳은 것은 ㄴ, ㄷ이다. 답 ㄴ, ㄷ

STEP 3 내신 마스터

0915

유형 01 곡선과 x축 사이의 넓이 (1)

|전략| 닫힌구간 $[0, a]$에서 $x^2-ax\le 0$이므로 $-\int_0^a (x^2-ax)dx=\frac{4}{3}$임을 이용한다.

곡선 $y=x^2-ax$와 x축의 교점의 x좌표는 $x^2-ax=0$에서

$x(x-a)=0$

$\therefore x=0$ 또는 $x=a$

오른쪽 그림에서 색칠한 도형의 넓이는

$-\int_0^a (x^2-ax)dx=-\left[\frac{1}{3}x^3-\frac{a}{2}x^2\right]_0^a$

$=\frac{1}{6}a^3$

즉, $\frac{1}{6}a^3=\frac{4}{3}$이므로 $a^3=8$

$\therefore a=2$ ($\because a>0$) 답 ⑤

0916

유형 02 곡선과 x축 사이의 넓이 (2)

|전략| 넓이는 양수이므로 닫힌구간 $[a, b]$에서 $f(x)\ge 0$이면 $S=\int_a^b f(x)dx$, $f(x)\le 0$이면 $S=-\int_a^b f(x)dx$임을 이용한다.

곡선 $y=4x^3-16x$와 x축의 교점의 x좌표는 $4x^3-16x=0$에서

$4x(x+2)(x-2)=0$

$\therefore x=-2$ 또는 $x=0$ 또는 $x=2$

따라서 구하는 넓이는

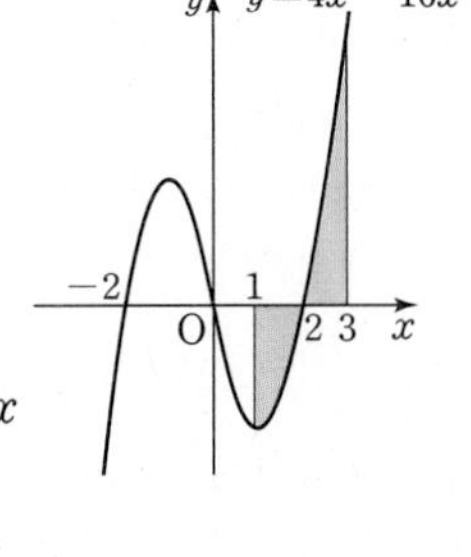

$-\int_1^2 (4x^3-16x)dx+\int_2^3 (4x^3-16x)dx$

$=-\left[x^4-8x^2\right]_1^2+\left[x^4-8x^2\right]_2^3$

$=-(-9)+25=34$ 답 ⑤

0917

유형 02 곡선과 x축 사이의 넓이 (2)

|전략| $S_2=16S_1$임을 이용하여 식을 세운다.

곡선 $y=x^3$과 x축 및 직선 $x=a$로 둘러싸인 도형의 넓이 S_1은

$S_1=-\int_a^0 x^3dx=-\left[\frac{1}{4}x^4\right]_a^0=\frac{1}{4}a^4$

곡선 $y=x^3$과 x축 및 직선 $x=b$로 둘러싸인 도형의 넓이 S_2는

$S_2=\int_0^b x^3dx=\left[\frac{1}{4}x^4\right]_0^b=\frac{1}{4}b^4$

$S_2=16S_1$이므로 $b^4=16a^4$

$|b|=2|a|$ $\therefore k=2$ 답 ③

0918

유형 04 두 곡선 사이의 넓이

|전략| 두 곡선의 교점의 x좌표를 구한 후 {(위쪽 그래프의 식)−(아래쪽 그래프의 식)}의 정적분의 값을 구한다.

두 곡선 $y=x(x+2)$, $y=-x(x+2)(x+3)$의 교점의 x좌표는

$x(x+2)=-x(x+2)(x+3)$

에서 $x(x+2)(x+4)=0$

$\therefore x=-4$ 또는 $x=-2$ 또는 $x=0$

따라서 구하는 넓이는

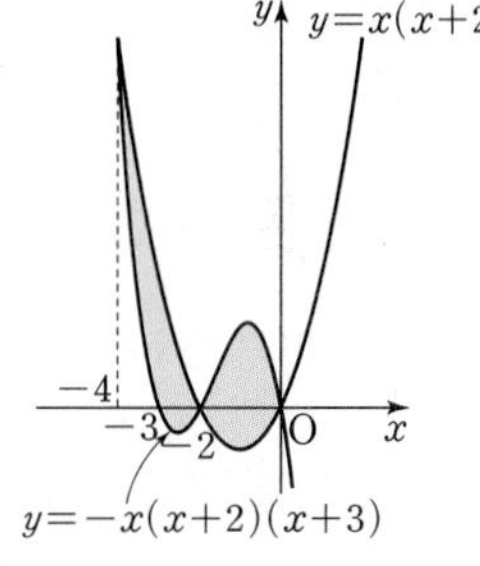

$\int_{-4}^{-2} [x(x+2)-\{-x(x+2)(x+3)\}]dx$

$+\int_{-2}^0 \{-x(x+2)(x+3)-x(x+2)\}dx$

$=\int_{-4}^{-2} (x^3+6x^2+8x)dx+\int_{-2}^0 (-x^3-6x^2-8x)dx$

$=\left[\frac{1}{4}x^4+2x^3+4x^2\right]_{-4}^{-2}+\left[-\frac{1}{4}x^4-2x^3-4x^2\right]_{-2}^0$

$=4+4=8$ 답 ④

0919

유형 05 곡선과 접선으로 둘러싸인 도형의 넓이

|전략| 먼저 원점에서 곡선 $y=\frac{1}{4}x^2+1$에 그은 두 접선의 방정식을 구한다.

$y=\frac{1}{4}x^2+1$에서 $y'=\frac{1}{2}x$이므로

접점 $\left(t, \frac{1}{4}t^2+1\right)$에서의 접선의 기울기는 $\frac{1}{2}t$이다.

즉, 접선의 방정식은

$y-\left(\frac{1}{4}t^2+1\right)=\frac{1}{2}t(x-t)$ ...... ㉠

이 접선이 원점을 지나므로 $-\frac{1}{4}t^2-1=-\frac{1}{2}t^2$에서 $t^2=4$

$\therefore t=-2$ 또는 $t=2$

㉠에 $t=-2$, $t=2$를 각각 대입하면 접선의 방정식은

$y=-x$, $y=x$

9 정적분의 활용

따라서 구하는 넓이는

$$\int_{-2}^{0}\left\{\left(\frac{1}{4}x^2+1\right)-(-x)\right\}dx+\int_{0}^{2}\left\{\left(\frac{1}{4}x^2+1\right)-x\right\}dx$$
$$=\int_{-2}^{0}\left(\frac{1}{4}x^2+x+1\right)dx+\int_{0}^{2}\left(\frac{1}{4}x^2-x+1\right)dx$$
$$=\left[\frac{1}{12}x^3+\frac{1}{2}x^2+x\right]_{-2}^{0}+\left[\frac{1}{12}x^3-\frac{1}{2}x^2+x\right]_{0}^{2}$$
$$=\frac{2}{3}+\frac{2}{3}=\frac{4}{3}$$

답 ②

다른 풀이 두 직선 $y=-x$, $y=x$는 y축에 대하여 서로 대칭이고 곡선 $y=\frac{1}{4}x^2+1$도 y축에 대하여 대칭이므로 곡선 $y=\frac{1}{4}x^2+1$과 두 직선 $y=-x$, $y=x$로 둘러싸인 도형도 y축에 대하여 대칭이다.

따라서 구하는 넓이는

$$\int_{-2}^{0}\left\{\left(\frac{1}{4}x^2+1\right)-(-x)\right\}dx+\int_{0}^{2}\left\{\left(\frac{1}{4}x^2+1\right)-x\right\}dx$$
$$=2\int_{0}^{2}\left(\frac{1}{4}x^2-x+1\right)dx=2\left[\frac{1}{12}x^3-\frac{1}{2}x^2+x\right]_{0}^{2}$$
$$=2\cdot\frac{2}{3}=\frac{4}{3}$$

0920

유형 06 넓이의 활용 - 두 도형의 넓이가 같을 때

|전략| 곡선 $y=x^3-(a+2)x^2+2ax$와 x축으로 둘러싸인 두 도형의 넓이가 같고 $a>2$이므로 $\int_{0}^{a}\{x^3-(a+2)x^2+2ax\}dx=0$임을 이용한다.

곡선 $y=x^3-(a+2)x^2+2ax$와 x축의 교점의 x좌표는

$x^3-(a+2)x^2+2ax=0$에서

$x(x-2)(x-a)=0$

$\therefore x=0$ 또는 $x=2$ 또는 $x=a$

이때, $a>2$이므로 곡선 $y=x^3-(a+2)x^2+2ax$는 위의 그림과 같고 색칠한 두 도형의 넓이가 같다.

즉, $\int_{0}^{a}\{x^3-(a+2)x^2+2ax\}dx=0$이므로

$$\left[\frac{1}{4}x^4-\frac{a+2}{3}x^3+ax^2\right]_{0}^{a}=0$$
$$-\frac{1}{12}a^4+\frac{1}{3}a^3=0,\ a^3(a-4)=0$$
$$\therefore a=4\ (\because a>2)$$

답 ③

0921

유형 07 넓이의 활용 - 넓이를 이등분할 때

|전략| 곡선 $y=x^2-3x$와 직선 $y=ax$로 둘러싸인 도형의 넓이는 곡선 $y=x^2-3x$와 x축으로 둘러싸인 도형의 넓이의 2배임을 이용한다.

곡선 $y=x^2-3x$와 직선 $y=ax$의 교점의 x좌표는 $x^2-3x=ax$에서

$x^2-(a+3)x=0$

$x\{x-(a+3)\}=0$

$\therefore x=0$ 또는 $x=a+3$

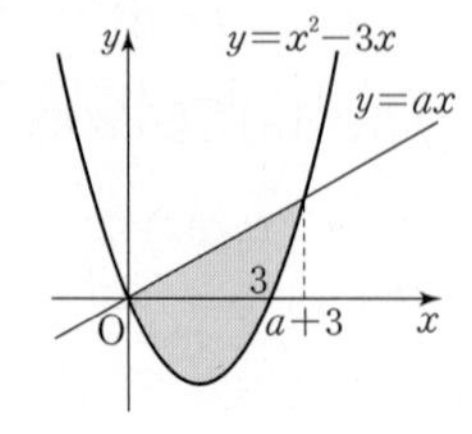

따라서 앞의 그림의 색칠한 도형의 넓이는

$$\int_{0}^{a+3}\{ax-(x^2-3x)\}dx=\int_{0}^{a+3}\{-x^2+(a+3)x\}dx$$
$$=\left[-\frac{1}{3}x^3+\frac{a+3}{2}x^2\right]_{0}^{a+3}$$
$$=\frac{1}{6}(a+3)^3$$

곡선 $y=x^2-3x$와 x축으로 둘러싸인 도형의 넓이는

$$-\int_{0}^{3}(x^2-3x)dx=-\left[\frac{1}{3}x^3-\frac{3}{2}x^2\right]_{0}^{3}$$
$$=\frac{9}{2}$$

즉, $\frac{1}{6}(a+3)^3=2\cdot\frac{9}{2}$이어야 하므로 $(a+3)^3=54$

답 ④

0922

유형 08 넓이의 활용 - 넓이가 최소일 때

|전략| 먼저 $y=x^2-1$ 위의 한 점 (t, t^2-1)에서의 접선의 방정식을 구한다.

$y=x^2-1$에서 $y'=2x$이므로 곡선 위의 점 (t, t^2-1)에서의 접선의 기울기는 $2t$이다.

즉, 접선의 방정식은

$y-(t^2-1)=2t(x-t)$

$\therefore y=2tx-t^2-1$

이때, $0<t<1$이므로 오른쪽 그림에서 색칠한 도형의 넓이는

$$\int_{0}^{1}\{(x^2-1)-(2tx-t^2-1)\}dx=\int_{0}^{1}(x^2-2tx+t^2)dx$$
$$=\left[\frac{1}{3}x^3-tx^2+t^2x\right]_{0}^{1}$$
$$=t^2-t+\frac{1}{3}$$
$$=\left(t-\frac{1}{2}\right)^2+\frac{1}{12}$$

따라서 구하는 넓이의 최솟값은 $\frac{1}{12}$이다.

답 ①

0923

유형 09 함수와 그 역함수의 정적분

|전략| $y=g(x)$는 $y=f(x)$의 역함수이므로 두 함수 $y=f(x)$, $y=g(x)$의 그래프는 직선 $y=x$에 대하여 대칭임을 이용한다.

$f(x)=x^3+3x$에서 $f'(x)=3x^2+3>0$이므로 함수 $f(x)$는 실수 전체의 집합에서 증가한다.

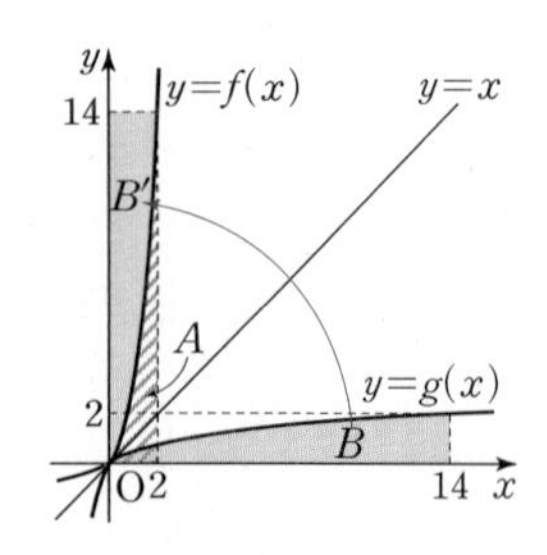

함수 $f(x)=x^3+3x$의 역함수가 $g(x)$이므로 $y=f(x)$의 그래프와 $y=g(x)$의 그래프는 직선 $y=x$에 대하여 대칭이다.

이때, $\int_{0}^{14}g(x)dx$의 값은 색칠된 B 부분의 넓이이고, 역함수의 성질에 의하여 직선 $y=x$에 대하여 대칭이동한 B' 부분의 넓이와 같다.

$\therefore \int_0^2 f(x)dx+\int_0^{14} g(x)dx=(A$의 넓이$)+(B$의 넓이$)$

$=(A$의 넓이$)+(B'$의 넓이$)$

$=2\cdot 14=28$ 답 ⑤

0924

유형 **10 함수와 그 역함수의 그래프로 둘러싸인 도형의 넓이**

|전략| 구하는 넓이는 곡선 $y=\frac{1}{10}x^2(x\ge 0)$과 직선 $y=x$로 둘러싸인 도형의 넓이의 2배임을 이용한다.

함수 $y=f(x)$의 그래프와 그 역함수 $y=f^{-1}(x)$의 그래프는 직선 $y=x$에 대하여 대칭이므로 오른쪽 그림에서 색칠한 부분의 넓이는 빗금 친 부분의 넓이의 2배이다.

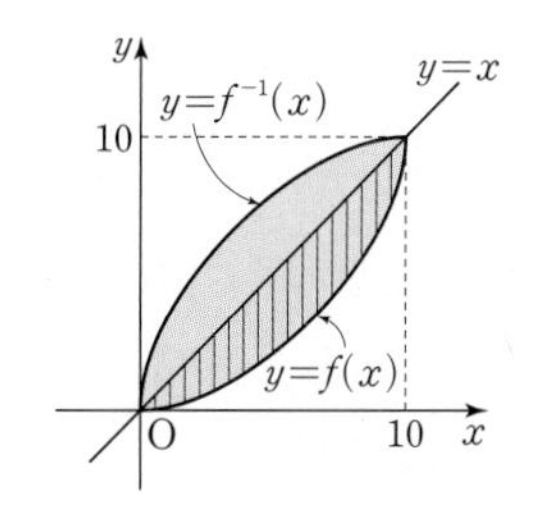

즉, 색칠한 부분의 넓이는

$2\int_0^{10}\left(x-\frac{1}{10}x^2\right)dx$

$=2\left[\frac{1}{2}x^2-\frac{1}{30}x^3\right]_0^{10}$

$=2\cdot\frac{50}{3}=\frac{100}{3}$ (km^2)

따라서 오일펜스로 둘러싸인 도형의 넓이는 $\frac{100}{3}$ km^2이다. 답 ⑤

0925

유형 **11 물체의 위치와 위치의 변화량**

|전략| $t=0$일 때 지면으로부터의 높이는 30 m이므로 4초 후의 이 공의 지면으로부터의 높이는 $30+\int_0^4(25-10t)dt$이다.

$t=0$일 때 지면으로부터의 높이는 30 m이므로 구하는 높이는

$30+\int_0^4(25-10t)dt=30+\left[25t-5t^2\right]_0^4$

$=30+20=50$ (m) 답 ④

0926

유형 **11 물체의 위치와 위치의 변화량 + 12 물체가 움직인 거리**

|전략| 원점을 출발한 점 P가 원점으로 다시 돌아온다고 하면 점 P의 위치의 변화량은 0임을 이용한다.

$t=a(a>0)$일 때 점 P가 원점으로 다시 돌아온다고 하면 $t=0$에서 $t=a$까지 점 P의 위치의 변화량은 0이므로

$\int_0^a(-t^2+2t)dt=0,\ \left[-\frac{1}{3}t^3+t^2\right]_0^a=0$

$-\frac{1}{3}a^3+a^2=0,\ -\frac{1}{3}a^2(a-3)=0$

$\therefore a=3\ (\because a>0)$

$v(t)=-t^2+2t=0$에서

$-t(t-2)=0\qquad \therefore t=0$ 또는 $t=2$

이때, $0\le t\le 2$에서 $v(t)\ge 0$, $t\ge 2$에서 $v(t)\le 0$이므로 구하는 거리는

$\int_0^3|-t^2+2t|dt=\int_0^2(-t^2+2t)dt-\int_2^3(-t^2+2t)dt$

$=\left[-\frac{1}{3}t^3+t^2\right]_0^2-\left[-\frac{1}{3}t^3+t^2\right]_2^3$

$=\frac{4}{3}-\left(-\frac{4}{3}\right)=\frac{8}{3}$ 답 ④

0927

유형 **13 그래프에서의 위치와 움직인 거리**

|전략| 원점을 출발한 점 P의 $t=7$에서의 위치는 $\int_0^7 v(t)dt$, $t=0$에서 $t=7$까지 점 P가 움직인 거리는 $\int_0^7|v(t)|dt$임을 이용한다.

$t=7$에서의 점 P의 위치는 오른쪽 그림에서 사다리꼴의 넓이 S_1에서 삼각형의 넓이 S_2를 빼고, 삼각형의 넓이 S_3을 더하면 되므로

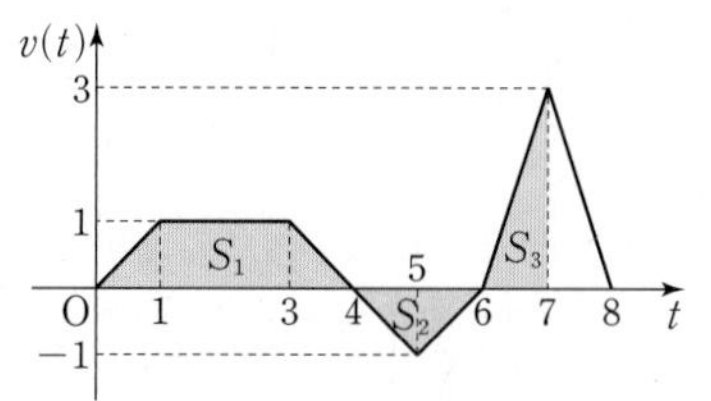

$a=\int_0^7 v(t)dt$

$=S_1-S_2+S_3$

$=\frac{1}{2}\cdot(2+4)\cdot 1-\frac{1}{2}\cdot 2\cdot 1+\frac{1}{2}\cdot 1\cdot 3$

$=3-1+\frac{3}{2}=\frac{7}{2}$

또, $t=0$에서 $t=7$까지 점 P가 움직인 거리는 사다리꼴의 넓이 S_1과 두 삼각형의 넓이 S_2, S_3을 더하면 되므로

$b=\int_0^7|v(t)|dt=S_1+S_2+S_3$

$=\frac{1}{2}\cdot(2+4)\cdot 1+\frac{1}{2}\cdot 2\cdot 1+\frac{1}{2}\cdot 1\cdot 3$

$=3+1+\frac{3}{2}=\frac{11}{2}$

$\therefore a+b=\frac{7}{2}+\frac{11}{2}=9$ 답 ③

0928

유형 **13 그래프에서의 위치와 움직인 거리**

|전략| 속도 $v(t)$의 부호가 바뀔 때 점 P의 운동 방향이 바뀌고, 원점을 출발한 점 P가 원점으로 다시 돌아온다고 하면 점 P의 위치의 변화량은 0이다.

ㄱ. $v(t)=0$인 구간의 길이가 1이 되는 t의 구간이 존재하지 않으므로 점 P는 1초 동안 계속 멈춘 적이 없다. (거짓)

ㄴ. $v(t)$의 값이 양에서 음으로 바뀐 t의 값은 $t=2$이고, 음에서 양으로 바뀐 t의 값은 $t=4$이므로 점 P는 운동 방향을 2번 바꾸었다. (거짓)

ㄷ. $\int_0^4 v(t)dt=\int_0^2 v(t)dt+\int_2^4 v(t)dt=\frac{1}{2}\cdot 2\cdot 2-\frac{1}{2}\cdot 2\cdot 2=0$

이므로 점 P는 출발하고 나서 4초 후 출발점에 있다. (참)

따라서 옳은 것은 ㄷ이다. 답 ②

0929

유형 06 넓이의 활용 - 두 도형의 넓이가 같을 때

|**전략**| 정적분과 삼각형, 사각형의 넓이를 이용하여 S_1, S_2, S_3을 구하고 $2S_2=S_1+S_3$임을 이용하여 a의 값을 구한다.

$$S_1=\int_0^1 \frac{1}{2}x^2dx=\left[\frac{1}{6}x^3\right]_0^1=\frac{1}{6}$$

$S_1+S_2=\frac{1}{2}\cdot 1\cdot a=\frac{1}{2}a$이므로

$$S_2=\frac{1}{2}a-S_1=\frac{1}{2}a-\frac{1}{6}$$

또, $S_1+S_2+S_3=2$이므로

$$S_3=2-(S_1+S_2)=2-\frac{1}{2}a \quad \cdots ❶$$

이때, $2S_2=S_1+S_3$이므로

$$2\left(\frac{1}{2}a-\frac{1}{6}\right)=\frac{1}{6}+\left(2-\frac{1}{2}a\right),\ a-\frac{1}{3}=\frac{13}{6}-\frac{1}{2}a$$

$$\frac{3}{2}a=\frac{5}{2} \qquad \therefore a=\frac{5}{3} \quad \cdots ❷$$

답 $\frac{5}{3}$

채점 기준	배점
❶ S_1의 값을 구하고, S_2, S_3을 a에 대한 식으로 나타낼 수 있다.	3점
❷ $2S_2=S_1+S_3$임을 이용하여 a의 값을 구할 수 있다.	3점

0930

유형 08 넓이의 활용 - 넓이가 최소일 때

|**전략**| 먼저 두 곡선 $y=ax^2$, $y=-\frac{1}{a}x^2$과 직선 $x=1$로 둘러싸인 도형의 넓이를 구한다.

두 곡선 $y=ax^2$, $y=-\frac{1}{a}x^2$의 교점의 x좌표는 0뿐이고 양수 a에 대하여 $0\le x\le 1$에서 $ax^2\ge -\frac{1}{a}x^2$이다.

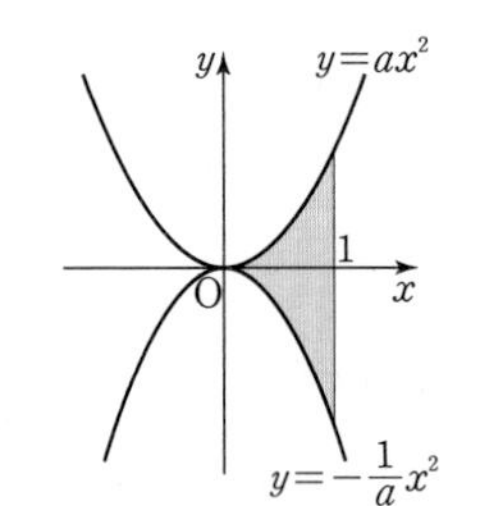

두 곡선 $y=ax^2$, $y=-\frac{1}{a}x^2$과 직선 $x=1$로 둘러싸인 도형의 넓이를 $S(a)$라 하면

$$S(a)=\int_0^1\left\{ax^2-\left(-\frac{1}{a}x^2\right)\right\}dx$$
$$=\int_0^1\left(a+\frac{1}{a}\right)x^2dx$$
$$=\left[\frac{1}{3}\left(a+\frac{1}{a}\right)x^3\right]_0^1$$
$$=\frac{1}{3}\left(a+\frac{1}{a}\right) \quad \cdots ❶$$

이때, a는 양수이므로 산술평균과 기하평균의 관계에 의하여

$$S(a)=\frac{1}{3}\left(a+\frac{1}{a}\right)\ge\frac{1}{3}\cdot 2\sqrt{a\cdot\frac{1}{a}}=\frac{2}{3}$$

따라서 $S(a)$는 $a=\frac{1}{a}$, 즉 $a=1$일 때 최솟값 $\frac{2}{3}$를 가진다. $\cdots ❷$

답 $\frac{2}{3}$

채점 기준	배점
❶ 두 곡선 $y=ax^2$, $y=-\frac{1}{a}x^2$과 직선 $x=1$로 둘러싸인 도형의 넓이를 a에 대한 식으로 나타낼 수 있다.	3점
❷ 산술평균과 기하평균의 관계를 이용하여 구하는 도형의 넓이의 최솟값을 구할 수 있다.	4점

0931

유형 10 함수와 그 역함수의 그래프로 둘러싸인 도형의 넓이

|**전략**| 함수 $f(x)$의 역함수 $g(x)$를 구한 후 함수 $y=g(x)$의 그래프와 직선 $y=x$ 및 y축으로 둘러싸인 도형의 넓이를 구한다.

함수 $y=\sqrt{2x-1}$의 역함수는 $2x-1=y^2$에서 $x=\frac{1}{2}(y^2+1)$

$$\therefore g(x)=\frac{1}{2}(x^2+1)\ (x\ge 0) \quad \cdots ❶$$

두 곡선 $y=f(x)$, $y=g(x)$의 교점은 곡선 $y=g(x)$와 직선 $y=x$의 교점과 같다.

곡선 $y=g(x)$와 직선 $y=x$의 교점의 x좌표는

$\frac{1}{2}(x^2+1)=x$에서 $x^2-2x+1=0$

$(x-1)^2=0 \qquad \therefore x=1$

이때, 두 곡선 $y=f(x)$, $y=g(x)$는 직선 $y=x$에 대하여 대칭이므로 오른쪽 그림에서

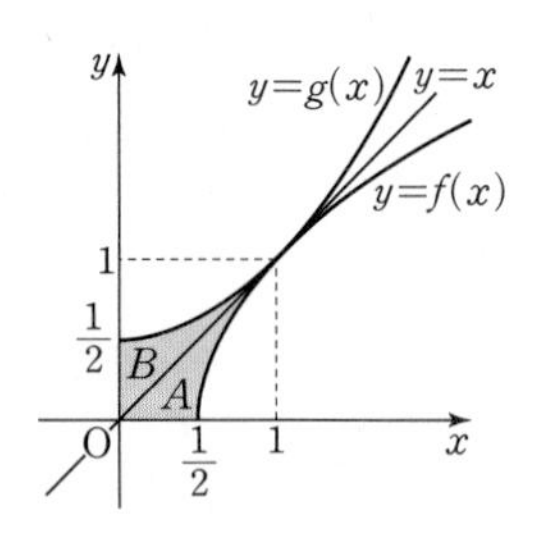

(A의 넓이)$=$(B의 넓이)이고, 구하는 넓이 S는 $S=2B$이다. $\cdots ❷$

따라서 $0\le x\le 1$에서

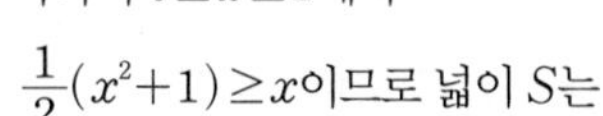

$\frac{1}{2}(x^2+1)\ge x$이므로 넓이 S는

$$S=2B=2\int_0^1\left\{\frac{1}{2}(x^2+1)-x\right\}dx$$
$$=\int_0^1(x^2-2x+1)dx$$
$$=\left[\frac{1}{3}x^3-x^2+x\right]_0^1=\frac{1}{3} \quad \cdots ❸$$

$$\therefore 30S=30\cdot\frac{1}{3}=10 \quad \cdots ❹$$

답 10

채점 기준	배점
❶ 역함수 $g(x)$를 구할 수 있다.	2점
❷ 넓이 S는 곡선 $y=g(x)$와 직선 $y=x$ 및 y축으로 둘러싸인 도형의 넓이의 2배임을 알 수 있다.	2점
❸ 넓이 S를 구할 수 있다.	2점
❹ $30S$의 값을 구할 수 있다.	1점

0932

유형 04 두 곡선 사이의 넓이

|**전략**| 두 곡선 $y=f(x)$, $y=g(x)$와 x축의 교점의 x좌표와 $x=-2$에서의 두 접선의 기울기가 같음을 이용하여 두 함수 $f(x)$, $g(x)$의 식을 각각 구한다.

(1) 함수 $f(x)$는 최고차항의 계수가 -1인 삼차함수이고, x축과 $x=-2$, $x=0$, $x=2$에서 만나므로

$f(x)=-(x+2)x(x-2)$

$\therefore f(x)=-x^3+4x$

함수 $g(x)$는 이차함수이고 x축과 $x=-2$, $x=2$에서 만나므로 $g(x)=a(x+2)(x-2)$, 즉 $g(x)=ax^2-4a(a>0)$로 놓을 수 있다.

이때, 함수 $y=f(x)$의 그래프와 함수 $y=g(x)$의 그래프가 $x=-2$인 점에서 만나고, 그 점에서의 접선의 기울기가 같으므로

$f'(x)=-3x^2+4$, $g'(x)=2ax$에서

$f'(-2)=g'(-2)$

$-8=-4a \quad \therefore a=2$

$\therefore g(x)=2x^2-8$

$\therefore f(x)-g(x)=(-x^3+4x)-(2x^2-8)$

$=-x^3-2x^2+4x+8$

(2) $\int_{-2}^{2}\{f(x)-g(x)\}dx=\int_{-2}^{2}(-x^3-2x^2+4x+8)dx$

$=2\int_{0}^{2}(-2x^2+8)dx$

$=2\left[-\frac{2}{3}x^3+8x\right]_0^2$

$=2\cdot\frac{32}{3}=\frac{64}{3}$

답 (1) $f(x)-g(x)=-x^3-2x^2+4x+8$ (2) $\frac{64}{3}$

채점 기준	배점
(1) 함수 $f(x)-g(x)$의 식을 구할 수 있다.	5점
(2) 두 곡선 $y=f(x)$, $y=g(x)$로 둘러싸인 도형의 넓이를 구할 수 있다.	5점

0933

유형 **12 물체가 움직인 거리**

|전략| 물체가 최고 높이에 도달할 때의 속도는 0 m/s임을 이용한다.

(1) 물체가 최고 높이에 도달할 때의 속도는 0 m/s이므로

$v(t)=30-10t=0$에서 $t=3$

따라서 물체가 최고 높이에 도달할 때의 시각은 3초이다.

(2) 물체가 $t=3$일 때 최고 높이에 도달하므로 최고 높이에 도달할 때까지 움직인 거리는

$\int_0^3|30-10t|dt=\int_0^3(30-10t)dt$

$=\left[30t-5t^2\right]_0^3=45\ (\text{m})$

(3) 물체가 지면에 도달할 때까지 움직인 거리는

$45+(45+15)=105\ (\text{m})$

답 (1) 3초 (2) 45 m (3) 105 m

채점 기준	배점
(1) 물체가 최고 높이에 도달할 때의 시각을 구할 수 있다.	2점
(2) 물체가 최고 높이에 도달할 때까지 움직인 거리를 구할 수 있다.	5점
(3) 물체가 지면에 도달할 때까지 움직인 거리를 구할 수 있다.	3점

창의·융합 교과서 속 심화문제

0934

|전략| 먼저 점 P의 x좌표를 t로 놓고, 두 사다리꼴 OCPA, CDBP의 넓이를 t에 대한 식으로 나타낸다.

점 P의 x좌표를 t로 놓으면

$P(t, t^2-2t+2)$ (단, $0<t<4$)

사다리꼴 OCPA의 넓이를 S_1이라 하면

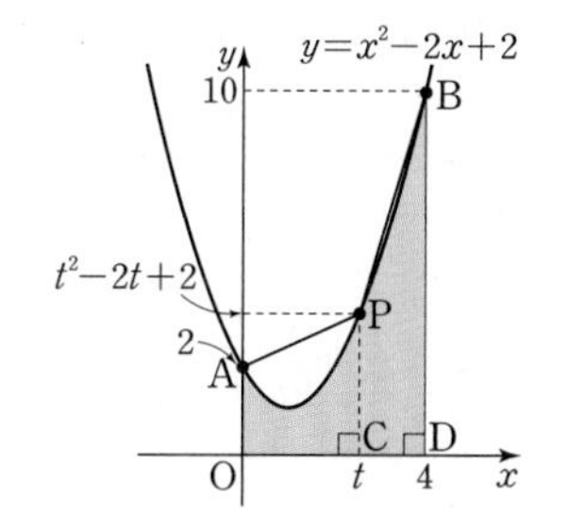

$S_1=\frac{1}{2}t\{(t^2-2t+2)+2\}$

$=\frac{1}{2}(t^3-2t^2+4t)$

사다리꼴 CDBP의 넓이를 S_2라 하면

$S_2=\frac{1}{2}(4-t)\{(t^2-2t+2)+10\}$

$=\frac{1}{2}(-t^3+6t^2-20t+48)$

$\therefore S_1+S_2=\frac{1}{2}(4t^2-16t+48)$

$=2t^2-8t+24$

위의 그림의 색칠한 도형의 넓이를 S_3이라 하면

$S_3=\int_0^4(x^2-2x+2)dx$

$=\left[\frac{1}{3}x^3-x^2+2x\right]_0^4=\frac{40}{3}$

$f(t)=|S_1+S_2-S_3|$으로 놓으면 $f(t)$가 최소일 때 두 사다리꼴 OCPA와 CDBP의 넓이의 합이 색칠한 도형의 넓이에 가장 가까워진다.

$f(t)=\left|2t^2-8t+\frac{32}{3}\right|=\left|2(t-2)^2+\frac{8}{3}\right|$

이므로 $t=2$일 때, $f(t)$는 최솟값 $\frac{8}{3}$을 가진다.

따라서 구하는 점 P의 x좌표는 2이다.

답 ③

0935

|전략| 조건 (가), (나)를 이용하여 a, b의 값을 구하고, $\int_0^b|f'(x)|dx$에서 $f'(x)$의 값이 양수인 구간과 음수인 구간으로 나누어 정적분의 값을 구한다.

오른쪽 그림과 같이 이차함수 $y=f(x)$의 그래프와 x축으로 둘러싸인 도형의 넓이를 S라 하면

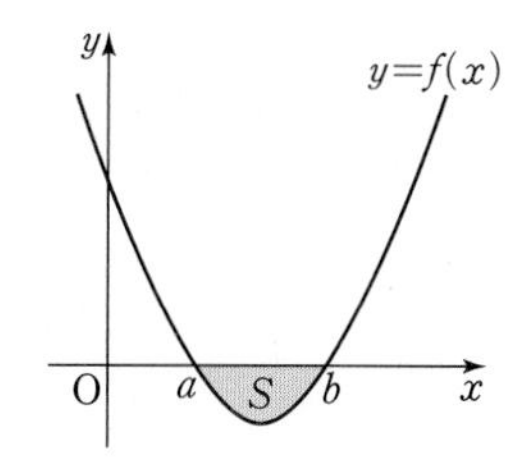

$S=-\int_a^b f(x)dx$

이때, 조건 (가)에서

$\int_a^b f(x)dx=-\frac{4}{3}$이므로

$S=-\left(-\frac{4}{3}\right)=\frac{4}{3}$

한편, $S=\int_a^b|f(x)|dx=\int_a^b|(x-a)(x-b)|dx=\frac{1}{6}(b-a)^3$

즉, $\frac{1}{6}(b-a)^3=\frac{4}{3}$이므로

9 정적분의 활용

$(b-a)^3=8 \quad \therefore b-a=2\ (\because b-a>0)$ ...... ㉠

또, 조건 (나)에서 $\int_{-a}^{b-a} f(x+a)dx=\int_0^b f(x)dx=0$이므로

$\int_0^b (x-a)(x-b)dx=0$

$\int_0^b \{x^2-(a+b)x+ab\}dx=0$

$\left[\frac{1}{3}x^3-\frac{1}{2}(a+b)x^2+abx\right]_0^b=0$

$\frac{1}{3}b^3-\frac{b^2(a+b)}{2}+ab^2=0$

$\frac{-b^3+3ab^2}{6}=0,\ -b^2(b-3a)=0$

$\therefore b=3a\ (\because b>0)$ ...... ㉡

㉠, ㉡에서 $a=1,\ b=3$이므로

$f(x)=(x-1)(x-3)$

즉, $f(x)=x^2-4x+3$에서 $f'(x)=2x-4$

$$\begin{aligned}\therefore \int_0^3 |f'(x)|dx&=\int_0^3 |2x-4|dx\\&=-\int_0^2 (2x-4)dx+\int_2^3 (2x-4)dx\\&=-\left[x^2-4x\right]_0^2+\left[x^2-4x\right]_2^3\\&=-(-4)+1=5\end{aligned}$$

답 ⑤

0936

|전략| $y=g(x)$는 $y=f(x)$의 역함수이므로 두 함수 $y=f(x)$, $y=g(x)$의 그래프는 직선 $y=x$에 대하여 대칭임을 이용한다.

$f(x)=x^2+x$에서 $f'(x)=2x+1$

$x\geq 0$에서 $f'(x)>0$이므로 함수 $f(x)$는 실수 전체의 집합에서 증가한다.

함수 $f(x)=x^2+x(x\geq 0)$의 역함수가 $g(x)$이므로 $y=f(x)$의 그래프와 $y=g(x)$의 그래프는 직선 $y=x$에 대하여 대칭이다.

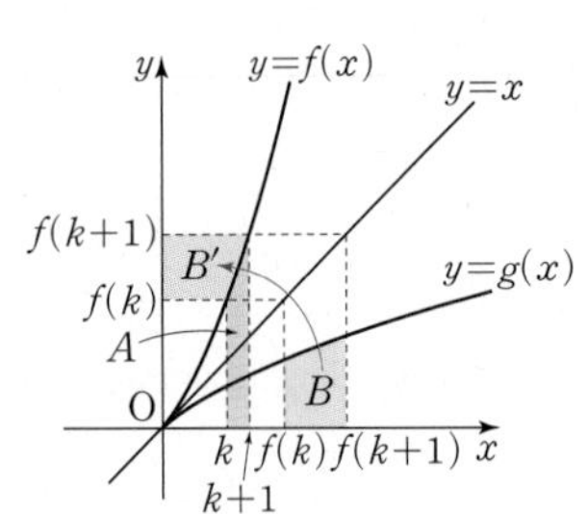

이때, $\int_{f(k)}^{f(k+1)} g(x)dx$의 값은 색칠된 B 부분의 넓이이고, 역함수의 성질에 의하여 직선 $y=x$에 대하여 대칭이동한 B' 부분의 넓이와 같다.

따라서

$$\begin{aligned}\int_k^{k+1} f(x)dx+\int_{f(k)}^{f(k+1)} g(x)dx&=(A\text{의 넓이})+(B\text{의 넓이})\\&=(A\text{의 넓이})+(B'\text{의 넓이})=44\end{aligned}$$

이므로

$(k+1)f(k+1)-kf(k)=44$에서

$(k+1)\{(k+1)^2+(k+1)\}-k(k^2+k)=44$

$(k+1)^3+(k+1)^2-k^3-k^2=44$

$3k^2+5k-42=0,\ (k-3)(3k+14)=0$

$\therefore k=3\ (\because k>0)$

답 3

0937

|전략| 먼저 B 자동차가 출발한 지 몇 초 후에 P 지점에 도달하는지 구한다.

B자동차가 출발한 지 $a(a>0)$초 후에 P지점에 도달한다고 하자.

B자동차가 출발한 후 2초 동안 움직인 거리는

$$\begin{aligned}\int_0^2 |t(2-t)+4|dt&=\int_0^2 \{t(2-t)+4\}dt\\&=\int_0^2 (-t^2+2t+4)dt\\&=\left[-\frac{1}{3}t^3+t^2+4t\right]_0^2=\frac{28}{3}\ (\text{m})\end{aligned}$$

이때, $\frac{28}{3}<\frac{100}{3}$이므로 $a>2$이다.

B자동차가 2초에서 a초까지 움직인 거리는

$\int_2^a |4|dt=\int_2^a 4\,dt=\left[4t\right]_2^a=4(a-2)\ (\text{m})$

이므로 $\frac{28}{3}+4(a-2)=\frac{100}{3}$에서

$28+12(a-2)=100$

$\therefore a=8$

따라서 A자동차가 8초 동안 움직인 거리는

$\int_0^8 |5|dt=\int_0^8 5\,dt=\left[5t\right]_0^8=40\ (\text{m})$

이므로 A자동차는 P지점으로부터 40 m 이내에 있어야 한다.

답 40 m

유형

해결의 법칙

정답과 해설

고등 수학 II